WARSZAWA
JEJ DZIEJE I KULTURA

Autorzy:

Zofia Baranowicz
Lesław Bartelski
Emilia Borecka
Maria Ciechocińska
Belin Czechowicz
Izabella Galicka
Aleksander Gieysztor
Jan Górski

Stanisław Herbst

Zygmunt Jagielski
Stanisław Jankowski
Tadeusz Jaroszewski
Jadwiga Kaczmarzyk-Byszewska
Ewa Koczorowska-Pielińska
Ryszard Kołodziejczyk
Jan Kosim
Marek Kwiatkowski
Jerzy Lileyko
Adam Miłobędzki

Alina Sokołowska

Andrzej Sołtan
Hanna Sygietyńska
Wanda Szaniawska
Zbigniew Szczygielski

Eugeniusz Szwankowski

Władysław Tomkiewicz
Aleksander Wojciechowski
Andrzej Zahorski

WARSZAWA

JEJ DZIEJE I KULTURA

WYDAWNICTWO ·ARKADY· WARSZAWA

Redakcja naukowa:

Część pierwsza:
ALEKSANDER GIEYSZTOR

Część druga:
JANUSZ DURKO

Redaktor: Regina Jurewicz

Projekt obwoluty, okładki i układ
części wielobarwnej: Zbigniew Weiss

Układ części tekstowej
i redakcja techniczna: Andrzej Matysiak
Korekta: Zespół

Wydanie pierwsze
Nakład 40350 egz.
Ark. wyd. 99,7. Ark. druk. 85,5.
Papier rotograwiurowy, kl. III, 100 g, 61×86
Oddano do składania w 1979 r. Podpisano do druku w 1980 r.
Druk ukończono w 1980 r.
Symbol 810/RS. Cena 400 zł.–
Zakłady Graficzne „Dom Słowa Polskiego"
Zam. 3839/K/79 O-107

ISBN 83-213-2958-6

PRZEDMOWA

Stolica polityczna Rzeczypospolitej od z górą trzech i pół stulecia, stolica kulturalna i ideowa od czasów odnowy narodu w dobie stanisławowskiej, miasto walki i powstań wyzwoleńczych, burzone, palone i wskrzeszane do pełni życia i rozwoju – Warszawa zajmuje miejsce szczególne nie tylko na mapie Polski, ale i Europy. Jej nazwa budzi skojarzenia historyczne i bliskie, emocjonalne i poznawcze, które wykraczają poza granicę wyznaczoną kilkunastokilometrowym promieniem oddziaływania centrum warszawskiej aglomeracji miejskiej. Jej społeczność i jej życie publiczne, jej gospodarstwo i jej kultura już od dawna nadają ton całemu krajowi, choć szczęśliwie nie ma w nim tej absorpcyjnej dominacji stolicy, która jest udziałem Paryża lub Budapesztu. Warszawa nie jest całą Polską, lecz skupia w niej wiele i wiele dla niej otwiera perspektyw.

Jak doszło do objęcia tego przewodnictwa – jest przedmiotem niniejszego tomu. Powstał on pod piórem wielu autorów, którzy wedle swej najlepszej wiedzy przyczynili się, każdy na swoim poletku, do plonu zbiorowego. W istocie mają tu zasługę liczni także ich poprzednicy, badacze i miłośnicy historii i współczesności Warszawy, ponieważ publikacje ich ugruntowały wiedzę o tym mieście. Trzeba ich dorobek przypomnieć tym bardziej, że załączona do tomu bibliografia podaje tylko prace najbardziej podstawowe i naukowo aktualne, pomijając wydawnictwa tekstów źródłowych. Trzeba również wspomnieć tych, którzy przyczyniwszy się do powstania książki, już jej nie zobaczą. Z grona autorskiego ubyła Alina Sokołowska, kustosz Muzeum Historycznego miasta Warszawa, znawczyni kompetentna i wytrawna jej dziejów nowożytnych. Odszedł Stanisław Herbst, profesor Uniwersytetu Warszawskiego, autor koncepcji niniejszego zarysu historii miasta, któremu wiele poświęcił ze swego życia badawczego i obywatelskiego. Jego sprawą było znalezienie autorów i przeprowadzenie z nimi rozmów ustalających treść dzieła. Dwóm innym redaktorom naukowym wypadło nadać tej monografii kształt ostateczny: w miarę potrzeby uzgodnili oni przedłożone teksty, utrzymując pełną odpowiedzialność poszczególnych autorów za wyrażone opinie i spostrzeżenia oraz zachowując z szacunkiem zasadniczy pomysł dzieła.

To, co stanowi dzieje każdego miasta i co powinno być przedmiotem ich opisu, jest dziś tematem dyskusyjnym. Czy ma to być utrwalony w rozplanowaniu przestrzeni i w kształcie zabudowy dorobek cywilizacyjny miasta? Czy też gospodarstwo ośrodka miejskiego współkształtujące ekonomikę narodową? Czy dzieje społeczne ludzi, którzy zbiorowo tworzą wartości polityczne i ideowe, gospodarcze i kulturalne właściwe środowisku miejskiemu i promieniujące na zewnątrz? Wielcy i powszedni aktorzy życia, scena materialna ich działań?

Starano się w tej książce o Warszawie dać odpowiedź na te pytania z preferencją idącą w stronę historii społecznej i kulturalnej, nie zaniedbując jednakże przedstawienia, zwłaszcza im bliżej naszych czasów, zarówno rytmu politycznego na długiej fali przekształceń, jak i pulsu zdarzeń szczególnie doniosłych dla Warszawy. Jak każde opracowanie historyczne tak i nasza książka ma odpowiadać stanowi naszej wiedzy w chwili jej pisania. Intensywne badania varsavianistyczne, w których orientują bieżące tomy Rocznika Warszawskiego i Kroniki Warszawy, odkrycia i nowe oceny uzupełniają z każdym rokiem tę panoramę. A najwięcej zmian w niej powoduje bujny rozwój miasta nam współczesnego, które mając ambicje, podzielane przez cały kraj, chciałoby zrealizować to, co poeta warszawski wkładał w usta Stolicy już w połowie XVIII wieku: ,,jednym z miast będę najpiękniejszych świata''. Świadomości przodowania odpowiadało bowiem i dziś odpowiada poczucie odpowiedzialności mieszkańców Warszawy za jej losy i jej obraz, za jej wdzięk i za jej honor, za jej udział w przetwarzaniu Polski. Przyspieszenie rozwoju naszego kraju jest szczególnie widoczne w jego stolicy, co sprawia, że książka tak obszerna i przy tym zbiorowa nie może nadążyć, mimo starań, za przemianami najostatniejszej doby.

Jeśli jednak zdoła ukazać główne odcienie wielobarwnego zjawiska wielkomiejskiego, wydobyć jego tło dziejowe ciągle żywe we współczesności i udowodnić, że historia i czas dzisiejszy Warszawy stanowią jedność, cel zostanie osiągnięty.

I. ŚRODOWISKO PRZYRODNICZE

ŚRODOWISKO NATURALNE WARSZAWY

Obserwacje środowiska przyrodniczego Warszawy wykazują znaczny wpływ walorów i ograniczeń naturalnych zarówno na lokalizację i rozwój, jak i na układ przestrzenny miasta. Analiza wpływu poszczególnych elementów i cech środowiska na miasto oraz wpływu miasta na środowisko pozwala stwierdzić, iż od niepamiętnych czasów ludzie w stosunku do przyrody przybierają dwie sprzeczne postawy, a mianowicie: z jednej strony agresywność przejawiającą się w rabunkowej eksploatacji lub wręcz dewastacji, a z drugiej – umiejętną gospodarność opartą na wiedzy o cechach użytkowych otoczenia.

POŁOŻENIE GEOGRAFICZNE   Określając położenie Warszawy za pomocą współrzędnych geograficznych należy uwzględnić ciągłe powiększanie się jej obszaru. Stara Warszawa, objęta murami kilkusetmetrowej rozpiętości, leżała na 52°15' szerokości północnej i 21°01' długości wschodniej; obecnie granice zawierają się pomiędzy 52°06' a 52°22' szerokości północnej i 20°52' a 21°15' długości wschodniej, co daje rozpiętość obszaru miasta 29 na 25 kilometrów. W miarę rozwoju Warszawa na lewym brzegu wzdłuż skarpy doliny Wisły obejmowała coraz rozleglejsze tereny równin rolniczych (Śródmieście, Wola, Ochota, Mokotów, Żoliborz) i fragmenty tarasów nadrzecznych (Powiśle, Marymont). Powstawała również i wzrastała Praga jako przyczółek na prawym brzegu rzeki, na jej piaszczystym tarasie średnim. Na skutek gwałtownego rozwoju przestrzennego w XX wieku obecna Warszawa objęła granicami administracyjnymi wiele jednostek naturalnych terenu, starszych – uformowanych przez wody polodowcowe – i młodszych – uformowanych przez Wisłę. W obrębie jednostek pochodzenia lodowcowego występują: równina erozyjno-akumulacyjna, zwana Warszawską (Śródmieście na skarpie, Wola bez północnego obrzeża, Ochota, Mokotów na skarpie); taras erozyjny (Żoliborz na skarpie, północne obrzeże Woli); taras zastoiskowy (Rembertów, Kawęczyn). W obrębie doliny Wisły występują trzy kolejne tarasy akumulacyjne: najwyższy taras wydmowy, obejmujący na prawym brzegu osiedla tak zwanego Pasa Otwockiego i zespół Choszczówka–Białołęka Dworska, a na lewym – dolne Młociny, fragment Marymontu i Lasu Bielańskiego; średni taras, tak zwany praski, ciągnący się nieprzerwanie przez całą prawobrzeżną część miasta, a na lewym brzegu zajmujący znaczny obszar południowej części miasta; najniższy taras zalewowy chroniony wałami przeciwpowodziowymi, którego szerokość łącznie z Wisłą w południowej części miasta dochodzi do 6 kilometrów. Główne inwestycje miasta omijały jednostki niekorzystne, jak taras zalewowy (na Saskiej Kępie osiedlili się osadnicy holenderscy dopiero w XVII wieku, a dzielnica miejska powstała dopiero w XX wieku) oraz obniżenia podskarpowe tarasu średniego (z wyjątkiem fragmentu na Powiślu), a koncentrowały się na obszarach Równiny Warszawskiej wzdłuż skarpy. Natomiast uprawy intensywne rozwinęły się na najżyźniejszych glebach Równiny Warszawskiej oraz tarasu zalewowego i średniego, w obrębie zaś piaszczystego tarasu wydmowego zachowało się najwięcej obszarów leśnych. Podobnie ze względu na atrakcyjność Wisły najbardziej rozwinęły się tereny wypoczynkowe wzdłuż jej brzegów.

O rzeźbie terenu okolic Warszawy zdecydowała struktura geologiczna osadów nawars-
twionych przed ustąpieniem lodowca, następnie procesy erozji i akumulacji, wreszcie
deformacje wprowadzone przez gospodarkę ludzką. A zatem równinny charakter kotliny
warszawskiej uwarunkowało zapadlisko podłoża krystalicznego, a w szczególności niecko-
wate ukształtowanie podłoża kredowego, mimo znacznych deniwelacji powierzchni osadów trzeciorzędowych, pokrytych osadami epoki lodowcowej. Natomiast współczesne
ukształtowanie powierzchni terenu jest przede wszystkim wynikiem oddziaływania wód
zastoiskowych i rzecznych na podłoże form lodowcowych.

Powstały w ten sposób zróżnicowania w wysokości rzeźby terenu dochodzące do 40 m oraz
podział na równinę lodowcową wraz z tarasem zastoiskowym i dolinę Wisły wraz z jej
starszymi tarasami akumulacyjnymi.

Równina Warszawska w kulminacjach wznosi się do 116 m n.p.m. na Woli, 115 m
w Śródmieściu i 111 m pod Moczydłem i Krasnowolą, a w obniżeniach opada do około
90 m. Rzeźbę równiny urozmaicają krawędzie i dolinki erozyjne oraz wały wydmowe.
Najczytelniejszą krawędzią erozyjną jest lewobrzeżna krawędź równiny lodowcowej, tak
zwana skarpa warszawska, na odcinku od Bielan do Młocin, jeszcze do ostatnich czasów
formowana przez Wisłę. Skarpa ta wznosi się nad doliną Wisły od 7 do 26 m, przy czym
najwyższa jest na przestrzeni od Królikarni do Starego Miasta, gdzie przekracza 20 m
i wraz ze wznoszącymi się nad nią budowlami kształtuje sylwetę Warszawy. Walory
widokowe i obronne skarpy wykorzystywano pierwotnie do lokalizacji grodów, a potem
zamków: warszawskiego i Jazdowskiego oraz otoczonego murami miasta Warszawa,
a następnie licznych rezydencji, jak na przykład Pałacu Kazimierzowskiego, Belwederu,
pałacu w Natolinie, pałacu w Młocinach lub budowli kościelnych od katedry po klasztor na
Bielanach i kościół na Służewie; walory te zagubiono na wielu odcinkach w epoce
rozbudowy dzielnic czynszowych, na przykład Powiśla. W okresie powojennym w wielu
punktach skarpa została wyeksponowana bądź w ramach rekonstrukcji założeń historycznych, bądź przez nowe założenia – jak tunel W–Z, Park Kultury na Powiślu, park „Morskie
Oko", kościół św. Michała, stadion „Warszawianki", zespoły mieszkaniowe na skarpie
mokotowskiej, ośrodek w Powsinie czy park Traugutta. Walory krajobrazowo-plastyczne

RZEŹBA TERENU

skarpy warszawskiej nie zostały jeszcze wyzyskane. Najwłaściwsze byłoby konsekwentne przeprowadzenie na jej górnej płaszczyźnie ciągu pieszego wykorzystującego walory widokowe zieleni krajobrazowej i ciągu budynków, które wraz z obiektami historycznymi mogłyby tworzyć sylwetę miasta. Znaczną część takiego ciągu już wykonano.

Szerokość doliny Wisły w Warszawie dochodzi do 12 kilometrów. Dolina wcięta jest do rzędnej od 83 m n.p.m. na południu do 76 m na północy miasta, czyli średnio około 20 m w stosunku do Równiny Warszawskiej. Kolejne tarasy doliny Wisły charakteryzują się wyrównaną powierzchnią i wznoszą się przeciętnie nad poziom średniego stanu Wisły, jak następuje: taras zalewowy znajdujący się w poziomie powodzi normalnych – od 1 do 3 m, taras średni znajdujący się w poziomie powodzi katastrofalnych – od 3 do 6 m, taras wydmowy, znajdujący się powyżej poziomu współczesnych powodzi – od 6 do 12 metrów. Krawędź erozyjna średniego tarasu góruje nad tarasem zalewowym od 2 do 5 m, powodując rozszerzenie zasięgu widoczności, lecz już w skali lokalnej. Walor ten również wykorzystano – na przykład w założeniu Wilanowa lub w naszych czasach przy budowie bulwaru Stanisława Augusta. Krawędź tarasu wydmowego jest czytelna na Marymoncie i w Lesie Bielańskim, natomiast na prawym brzegu została na ogół zatarta przez procesy wydmowe. Wśród form wydmowych występują wydmy starszej generacji o kształtach parabolicznych i młodsze wydmy wałowe. Wydmy paraboliczne o wysokościach do około 20 m i nieraz wielokilometrowych ramionach były formowane przez wiatry zachodnie na rozległych równinach piaszczystych tarasu wydmowego (w granicach miasta okolice Młocin, Białołęki Dworskiej, Starej Miłosny, Falenicy), skąd wypełzały na wschód, na tereny równiny lodowcowej (np. wydma, na której leży cmentarz Wawrzyszewski, i inne w okolicy Bemowa i Placówki – obecnie splantowane pod lotnisko i hutę – przywędrowały z terenu Puszczy Kampinoskiej). Wydmy wałowe, na ogół niższe, możemy zaobserwować na prawym brzegu Wisły na tarasie średnim (np. wydma żerańska, Henryków, Winnica, Skrzypki). Wszędzie tam, gdzie wydmy pozbawiono szaty leśnej, ulegają one wtórnemu rozwiewaniu.

Na znacznych obszarach miasta występuje wiele sztucznych form rzeźby. Są to stare fortyfikacje ziemne (zwłaszcza carskie), wyrobiska glinianek i piaskowni, plantowania (np. lotnisko bemowskie) oraz wały przeciwpowodziowe, nasypy komunikacyjne i budowlane, a także zwałowiska śmieci (od Gnojnej Góry począwszy) i gruzu. Po ostatniej wojnie usypano z gruzów Warszawy około trzydziestometrowej wysokości kopce: na Siekierkach, na Szczęśliwicach i na Kole. Kopce te są obecnie wyzyskiwane jako miejsca widokowe i tereny narciarskie. Podobnie ze zwałów gruzowych utworzono stadiony „Warszawianki" i Dziesięciolecia, nasypy na Kępie Potockiej i na Muranowie. Procesom rozbudowy miasta towarzyszą nieustannie sztuczne zmiany w ukształtowaniu powierzchni poszczególnych jego fragmentów.

WARUNKI GEOLOGICZNE

Warszawa znajduje się w pasmie zapadliska brzeżnego na skraju struktur fałdowych charakterystycznych dla Europy Zachodniej, natomiast na wschód od Warszawy rozciąga się platforma wschodnioeuropejska. Na obszarze Warszawy spotykamy się z warstwami geologicznymi osadowymi, gdyż podłoże skał krystalicznych znajduje się na głębokości około 3 km poniżej powierzchni terenu. O charakterze warstw przypowierzchniowych zadecydował zasięg zlodowaceń skandynawskich. W warstwie powierzchniowej z reguły nie występują osady starsze, a jedynie osady czwartorzędowe okresu lodowcowego i polodowcowego. Około połowy obszaru miasta leży na równinie pochodzenia lodowcowego, a pozostała część na akumulacyjnych tarasach doliny Wisły.

Do najmłodszych należą formowane przez człowieka nasypy i zwałki oraz nawarstwiające się nadal osady holoceńskie, jak torfy i namuły organiczne obniżeń i dolin zabagnionych, mady i piaski rzeczne tarasu zalewowego Wisły oraz wydmy młodszej generacji. Wszystkie te osady charakteryzują się słabym zagęszczeniem, z wyjątkiem piasków, tworząc niekorzystne warunki posadowienia budowli.

Następną warstwę stanowią osady plejstocenu młodszego, jak piaski średniego i wydmowego tarasu Wisły oraz wydmy paraboliczne, seria iłowa tarasu zastoiskowego, pyły zastoiskowe pokrywające Równinę Warszawską oraz osady okresu międzylodowcowego wypełniające zamulone jezioro żoliborskie. Osady piaszczyste tego wieku charakteryzują się średnim zagęszczeniem, toteż stwarzają na ogół korzystne warunki posadowienia budowli, podczas gdy grunty organiczne i pyłowe stwarzają warunki niekorzystne. Osady plejstoceńskie starsze pochodzenia lodowcowego i międzylodowcowego, o układzie przeważnie zaburzonym i o zmiennym składzie mechanicznym, charakteryzują się na ogół dobrym zagęszczeniem i stanowią korzystne, chociaż zróżnicowane podłoże budowlane. Warunki posadowienia budynków na terenie Warszawy komplikuje dodatkowo częste występowanie płytkich wód gruntowych. Pod osadami czwartorzędowymi – na głębokości przeciętnie w granicach od 10 do 50 m, maksymalnie do 120 m – zalegają osady trzeciorzędowe w postaci serii iłów i pyłów plioceńskich; są one zwarte, a więc w strefach wypiętrzeń stanowią korzystne głębsze podłoże budowlane, w strefie skarpy warszawskiej zagrażają jednak zsuwami gruntu. Natomiast zawodnione serie pylaste tworzą „kurzawki" utrudniające fundamentowanie i roboty podziemne. Pod osadami plioceńskimi zalega seria lignitowa mioceńska, głębiej – piaski glaukonitowe oligoceńskie zawierające zbiornik wód artezyjskich.

Podłoże trzeciorzędu stanowią margliste osady okresu kredowego, stwierdzone wierceniami studziennymi na głębokościach od 233 do 276 metrów. Miąższość osadów okresu kredowego sięga około 1 km, ale to są już informacje pośrednie z terenów sąsiednich, gdyż na terenie Warszawy nie ma tak głębokich wierceń.

Omówiona budowa podłoża i poziomy wód gruntowych zdecydowanie różnicują warunki zarówno posadowienia, jak i podpiwniczenia budynków i wszelkich innych realizacji podziemnych. Najlepsze pod tym względem warunki występują w strefie nadskarpowej (Młociny, Żoliborz, Cytadela, Nowe i Stare Miasto, Śródmieście, Mokotów, Ursynów), gdzie były wyzyskiwane od dawna, zarówno przez samo Stare Miasto jak i inne obiekty, o czym świadczą nieraz jeszcze istniejące urządzenia podziemne (jak chodniki pod Służewem, Ujazdowem, ogrodem szpitala św. Łazarza i okolicą Cytadeli lub pomieszczenia podziemne, jak np. „Loża Masońska", czy niedawno rozebrane składy na Marymoncie). Poza tym sprzyjające warunki budowlane występują w obrębie lokalnych kulminacji terenu, jak w okolicy dawnego Parysowa lub Koło–Wola–Jelonki czy Moczydło–Dawidy, oraz w obrębie tarasu wydmowego na prawym brzegu Wisły.

Obok potrzeb zagłębienia budowli w ziemię zainteresowanie budowniczych miasta budziła przydatność gliny, piasku i żwiru jako surowca budowlanego. Piasek pozyskiwano przede wszystkim z Wisły, natomiast gliny i iły przydatne do wyrobu cegły wydobywano na wyżynie lodowcowej od czasu najstarszych budowli murowanych w wieku XIV. Wielowiekowa eksploatacja glin i iłów ceramicznych, zarówno czwartorzędowych jak trzeciorzędowych, pozostawiła po sobie liczne glinianki i zniekształcenia skarpy warszawskiej na terenie Śródmieścia, Woli, Ochoty, Mokotowa i Żoliborza. Bliskość cegielni ułatwiała transport, jednak systematycznie rujnowała przyszłe tereny rozwojowe miasta. Proces ten trwał jeszcze do ostatniej wojny, cegielnie znajdowały się na terenie miasta lub w jego bezpośrednim sąsiedztwie. Obecnie eksploatacja została zaniechana i odsunięta poza miasto jako dewastująca tereny budowlane. Inne surowce ziemne na terenie Warszawy w ilościach i na głębokościach korzystnych dla eksploatacji według dotychczasowych badań nie zostały stwierdzone.

Istotne znaczenie mają wody podziemne na terenie miasta. Wody te są często lokalnymi źródłami zaopatrzenia, zwłaszcza dla peryferyjnych osiedli i zakładów przemysłowych. Czerpane są z warstw płytkich, zarówno czwartorzędowych jak trzeciorzędowych, a nawet kredowych (do około 250 m). Głębokość występowania pierwszego poziomu wód gruntowych wywiera zasadniczy wpływ na posadowienie i podpiwniczenie budowli, na uprawy rolne i zieleń miejską. Poziom ten wykazuje znaczne wahania w granicach 1–2,5 m, w zależności od nasilenia opadów, retencji gruntowej oraz stanu melioracji. Niezależnie od okresowych wahań poziomów wód gruntowych występują również zmiany trwałe na skutek melioracji i odwodnienia deszczowego powierzchni utwardzonych bądź też nie zamierzone zmiany w wyniku różnego rodzaju wykopów, a zwłaszcza głębokich przekopów uzbrojeniowych. Największe tego typu obniżenia poziomów wód, a nawet ich zaniki występują w obrębie równiny lodowcowej, na obszarach o trudno przepuszczalnym podłożu.

WODY POWIERZCHNIOWE

W sieci hydrograficznej Warszawy najbardziej poczesne miejsce zajmuje Wisła, i to ze względu zarówno na jej rozmiary i walory, jak też na wpływ, jaki wywiera na rozwój miasta. Pozostałe cieki i zbiorniki mają charakter lokalny.

Do czasu prac regulacyjnych oraz wzniesienia wałów przeciwpowodziowych Wisła zmieniała koryto bądź to w sposób gwałtowny na skutek przelewów w czasie powodzi, zwłaszcza zatorowych, bądź to w sposób powolny na skutek meandrowania, przeważnie w obrębie doliny zalewowej, stopniowo ją poszerzając. Największe zmiany następowały w czasie powodzi katastrofalnych, wykraczających poza dolinę zalewową, gdy przepływ w przekroju warszawskim osiągał około 5000 m^3/s (do największych przyborów należą wiosenne, związane z roztopami i spływem lodów, oraz letnie) – wobec 500 m^3/s przepływu średniego przy średnim spadku 0,245‰ i 100 m^3/s przepływu minimalnego. Wraz ze zmiennością przepływu występuje tu znaczne wahanie poziomu rzeki dochodzące do około 7 m, co powoduje zmiany szerokości rzeki obecnie od 225 m w liniach regulacyjnych dla niskiego stanu do 1200 m między przyczółkami mostów i wałami ochronnymi wzniesionymi wzdłuż Wisły przed zagrożeniem powodziowym.

W rozwoju miasta, zarówno w przeszłości jak i obecnie, Wisła odgrywa poważną rolę tak w aspekcie przestrzennym, jak i użytkowym. Wzbogaca ona krajobraz Warszawy lustrem wody, rzeźbą brzegów, roślinnością nadrzeczną i awifauną. Od najdawniejszych czasów Wisła dostarczała miastu wody i ryb, stanowiła drogę wodną, zwłaszcza handlową, przyczyniając dochodów z przeprawy; przy przeciętnie półtoramiesięcznym okresie pokrycia lodem w czasie niektórych zim pokrywa lodowa nie występowała.

Wisła jest zbiornikiem spływu powierzchniowego oraz ścieków miejskich. Z braku oczyszczalni powoduje to znaczne zanieczyszczenie wody i czyni ją w dół od kolektorów, a nawet burzowców, nieprzydatną dla miasta. Zaspokajane przez Wisłę współczesne potrzeby wypoczynkowe Warszawy (sporty wodne, turystyka wodna, wędkarstwo, plaże, w południowej części miasta – kąpiel) przyczyniły się do budowy pierwszego w Polsce zbiornika nizinnego w Dębem na Narwi. Wisła wpływa również korzystnie na wymianę powietrza i sytuację termiczno-wilgotnościową centrum miasta.

Sieć hydrograficzną Warszawy poza Wisłą stanowią tereny podmokłe, wysięki, źródła, małe cieki i zbiorniki wód stojących. Liczne lokalne cieki wodne na terenie Warszawy w miarę rozbudowy miasta traciły wodę – jak potoki Polkówka, Drna, Sadurka, Żurawka, Skórcza, lub były kanalizowane – jak Tamka i Rudawka. Zachowały się jedynie cieki peryferyjne, jak Potok Służewiecki, Potok Bielański, oraz inne, przekształcone w rowy melioracyjne.

Podobnemu zanikowi ulegały również powierzchniowe zbiorniki wodne, jak na przykład stawy na Bielanach, stawy na Marymoncie, liczne stawy młyńskie; pozostały jedynie cieki i zbiorniki większe lub położone peryferyjnie albo wciągnięte dawniej w realizowane założenia przestrzenne. Ubytek zbiorników i cieków powierzchniowych w znacznym stopniu jest powodowany zanikiem wód zawieszonych i obniżaniem się wód gruntowych na skutek melioracji i kanalizacji terenów miasta. Wiele lokalnych zbiorników wodnych na terenie Warszawy wykorzystuje się obecnie w rozwiązaniach krajobrazowych i wypoczynkowych. Atrakcyjność zbiorników wodnych w mieście wysoko się ceni, stąd dążność do ich odnowy i systematycznej ochrony przed zanieczyszczeniem i zasypywaniem. Zbiorniki te mają przeważnie powierzchnię nie przekraczającą 1 ha, rzadziej parohektarową, a nieliczne największe dochodzą do kilkunastu hektarów, jak starorzecza Wisły, tzw. jeziora Czerniakowskie, Kamionkowskie, Wilanowskie i łacha na Kępie Potockiej. Unikalną grupę stanowią jeziorka pochodzenia lodowcowego znajdujące się na południu dzielnicy Mokotów pomiędzy Imielinem a Dąbrówką. Wiele zbiorników wodnych powstało w wykopach pocegielnianych, są to „glinianki"; większość ich jednak zasypano gruzami i śmieciami, a pozostałe wprowadza się w założenia terenów zielonych, jak np. parku na Kole, parku Szczęśliwickiego, Morskiego Oka, parku we Włochach, parku Sowińskiego.

KLIMAT   Ma on charakter przejściowy między klimatem oceanicznym Europy Zachodniej a lądowym Europy Wschodniej. Przeważa tu zachodnia cyrkulacja cyklonalna, właściwa dla tych szerokości geograficznych obszarów Atlantyku i Europy, powodująca znaczną zmienność pogody. Ponadto występuje kontrastowość pogody w zależności od przewagi aktywności jednego z następujących ośrodków działania atmosfery: niżu islandzkiego, wyżu azorskiego, wyżu syberyjskiego lub wschodnioeuropejskiego. Udział napływu poszczególnych mas powietrza i wiążących się z nimi typów pogody przedstawia się następująco: decydujący udział – 65% – to powietrze polarno-morskie znad północnego Atlantyku przynoszące latem pogodę dżdżystą, chłodną, zimą – odwilże, mgły, drobne opady; mniejszy udział – ok. 30% – to powietrze polarno-kontynentalne znad obszarów wschodniej Europy i Azji, wywołujące latem pogodę suchą, gorącą, zimą – pogodę mroźną bez opadów; natomiast

3. Park Skaryszewski, fragment

nieznaczny – ok. 4% – napływ powietrza arktycznego znad północnej Europy i Morza Arktycznego powodujący gwałtowne obniżenie temperatury, zimą – trwałe ostre mrozy, duże zachmurzenie i opady śniegu, wiosną – przymrozki; sporadyczny – 2% – napływ powietrza zwrotnikowego z rejonu Azorów, Morza Śródziemnego i Bliskiego Wschodu przynoszący zimą gwałtowne odwilże, latem pogodę gorącą, burzową, suchą, o dużym zmętnieniu atmosfery.

Charakterystyka liczbowa klimatu lokalnego, oparta na wynikach dotychczasowych wieloletnich obserwacji warszawskich stacji klimatycznych, przedstawia się następująco: średnia temperatura roczna 7,8°C; średnia lipca 18,6°C; średnia stycznia 2,9°C; długość okresu wegetacyjnego 212 dni, średnia roczna wilgotność względna powietrza 75–80%; średnia roczna suma opadów 555 mm; średnie zachmurzenie 67%; liczba dni pogodnych 53, pochmurnych 109 (bez udziału chmur wysokich); średnie nasłonecznienie 43,1%; czas zalegania pokrywy śnieżnej w roku 50–60 dni; grubość pokrywy śnieżnej średnio 5,2 cm; liczba dni mroźnych 40–50. Przeważają wiatry słabe 2–5 m/s, stanowiące 41,4%, głównie z kierunku zachodniego i południowo-wschodniego.

Klimat Warszawy trudno jest scharakteryzować jednoznacznie, gdyż tędy przebiega granica dwóch podregionów klimatycznych rozciągających się na zachód i na wschód od Wisły, a jednocześnie sama dolina Wisły kształtuje swój odrębny lokalny klimat doliny rzecznej. Lokalne odchylenia od klimatu regionu powodowane są przez naturalne zróżnicowanie rzeźby i powierzchni czynnej oraz gospodarkę człowieka. Depresyjny charakter doliny Wisły powoduje powstawanie lokalnych inwersji termicznych, stagnacji chłodnych i zanieczyszczonych mas powietrza spływających z terenów wyżej położonych, większą częstotliwość przymrozków i mgieł oraz ich dłuższe zaleganie. Zjawiska te uzyskują szczególne nasilenie w najniższych partiach doliny oraz w obniżeniach podskarpowych. Rozległa powierzchnia Wisły powoduje wzrost wilgotności powietrza oraz zwiększenie siły wiatrów, a układ doliny lokalnie odkształca ich kierunek. Przy słabych wiatrach poprzecznych obserwuje się skłonność do ciszy i niedostateczną wymianę powietrza.

Najkorzystniejsze warunki klimatyczne ma nadkrawędziowa strefa równiny polodowcowej i wyższych tarasów rzecznych o naturalnej stałej wymianie powietrza. Szczególnymi walorami klimatyczno-zdrowotnymi charakteryzują się duże kompleksy leśne na tarasie wydmowym Wisły. Stara Warszawa z racji swego położenia na skarpie miała bardzo korzystne warunki klimatyczne, jedynie zbyt gęsta zabudowa mogła je pogarszać. Rozwój miasta wzdłuż skarpy był również korzystny, natomiast nadmierny rozwój miasta w kierunku prostopadłym do skarpy zmniejszał skuteczność wymiany powietrza. Inne, nie tak korzystne warunki klimatyczne miała Praga, jednak zdecydowanie negatywne napotkał rozwój miasta dopiero na tarasie Powiśla u stóp skarpy warszawskiej. Od wieku XIX następuje wchłanianie przez miasto terenów o niesprzyjających warunkach klimatycznych, zwłaszcza w dolinie Wisły (Marymont, Sielce, Targówek, Zacisze, Saska Kępa itp.). Jednocześnie miasto w miarę swej rozbudowy modyfikuje klimat lokalny przez: podwyższenie temperatury na obszarach zabudowy zwartej przy jednoczesnym obniżeniu wilgotności (latem uciążliwe, w okresie zimowym w temperaturze −1°C stwarzające pogodę odwilżową niekorzystną dla zdrowia); zwiększenie zachmurzenia z jednoczesnym spadkiem natężenia promieniowania słonecznego około 20%, zwłaszcza ultrafioletowego; zmniejszenie siły wiatrów, co osłabia wymianę powietrza; zanieczyszczenie powietrza przez źródła przemysłowo-ciepłownicze oraz komunikacyjne. Rozwój miasta wywiera natomiast wpływ pozytywny na klimat lokalny wyrażający się większą stabilnością względnej pogody.

Obecnie upowszechnia się coraz większe zrozumienie zagadnienia ochrony środowiska przyrodniczego. Wyraża się to dążeniem do usunięcia lub ograniczenia liczby uciążliwych obiektów przemysłowych. Między innymi likwiduje się lokalne kotłownie, podłączając obiekty do centralnej sieci ciepłowniczej. Przeprowadza się poprawę struktury starych dzielnic w czasie ich przebudowy. Stosuje się prawidłowe schematy obudowy głównych tras komunikacyjnych. Usuwa się wszelkie odpady i nieczystości miejskie. Zabezpiecza się w układzie przestrzennym system wewnętrznych terenów otwartych o przewadze zieleni, rozdzielających obszary o intensywnej zabudowie. Tworzy się kliny nawietrzające, dążąc do zachowania zewnętrznych terenów nie zabudowanych, położonych na wschód i zachód od miasta, co zapewnia regenerację powietrza (tzw. strefy klimatyzacyjne).

GLEBY I ZMIANY UŻYTKOWANIA TERENU

Zróżnicowanie jednostek geomorfologicznych występujących na obszarze Warszawy pociąga za sobą rozmaitość typów przyrodniczych i różną wartość uprawową gleb, wyznaczającą odmienne formy ich użytkowania. Od wypalania lasu w celu uzyskania pastwisk i pól uprawnych, przez trwałe wylesienie i uprawę rolną ekstensywną, przechodzono do upraw intensywnych. Inne zmiany użytkowania powodowało osadnictwo: od form pierwotnych przez zabudowę drewnianą aż do zabudowy murowanej wraz z uzbrojeniem podziemnym i do innych form zagospodarowania miejskiego, między innymi do powierzchni utwardzonej i zieleni miejskiej. Wszystko to wywierało wpływ na charakter gleb, powodując ich degradację lub całkowite zniszczenie. Obecnie większą część obszaru pokrywają gleby zrujnowane terenów zainwestowania miejskiego i nasypów, przy czym obszar ten nieustannie powiększa się w miarę rozbudowy miasta. Natomiast na peryferiach rolniczych przetrwały kurczące się połacie gleb uprawnych, wykorzystywanych przeważnie przez intensywne uprawy ogrodnicze. Pozostałe nieznaczne obszary zajmują gleby użytków zielonych w obrębie terenów podmokłych i zalewowych oraz gleby leśne w zachowanych połaciach lasów, a także gleby zdegradowane w obrębie wylesionych wydm.

W obrębie gleb nie zrujnowanych występuje następujące zróżnicowanie: gleby bielicowe i lokalnie brunatne na przeważających suchych obszarach równiny lodowcowej i starszych tarasów Wisły (najbardziej uszczuplone przez ekspansję budowlaną); czarne ziemie na silnie uwilgotnionych obszarach równiny lodowcowej i tarasu średniego Wisły; wreszcie gleby początkowego stadium rozwojowego, głównie mady tarasu zalewowego Wisły oraz torfy.

Do najlepszych należą słabo zbielicowane gleby pyłowe tarasu zastoiskowego na równinie lodowcowej w znacznych częściach dzielnic: Woli, Ochoty i Mokotowa, oraz mady pyłowe tarasu zalewowego Wisły w południowej części miasta. Do dobrych gleb zaliczyć można partie gleb brunatnych tarasu średniego Wisły na obydwu brzegach oraz bielice i czarne ziemie średnie równiny polodowcowej na Mokotowie i Żoliborzu. Do gleb słabszych należą bielice oraz czarne ziemie piaszczyste w dzielnicy Żoliborz i na przeważających obszarach tarasu średniego na prawym brzegu Wisły oraz torfy. Wreszcie do najsłabszych należą bielice piaszczyste i gleby zdegradowane tarasu wydmowego, kompleksów wydmowych i pozostałych wydm rozproszonych przeważnie na prawobrzeżnym tarasie średnim Wisły.

Obszar najlepszych gleb, występujących w zachodniej części miasta, stanowi wschodni kraniec znacznie rozleglejszego kompleksu żyznych gleb równiny błońskiej, rozciągającej się od Sochaczewa, przez Błonie do Warszawy. Jest to najbogatszy obszar rolniczy Mazowsza i jeden z najbogatszych w Polsce. Niewątpliwie stanowił on w tej części Mazowsza dawny i silny ośrodek produkcji rolnej, co obok przeprawy przez Wisłę najbardziej zaważyło na rozwoju gospodarczym Warszawy. Obecnie gleby te są chronione przed zmianą użytkowania, a ekspansja budowlana miasta została tu ograniczona planem zagospodarowania przestrzennego Warszawy. Natomiast najsłabsze gleby kompleksów wydmowych, narażone na uruchomienie piasków lotnych i już uruchomione na skutek zniszczeń lasów, zostały w okresie powojennym w przeważającej części zalesione.

SZATA ROŚLINNA I ŚWIAT ZWIERZĘCY

Liczne szczątki roślinne i zwierzęce z dawnych epok, wydobywane z otworów wiertniczych i wykopów ziemnych, a ostatnio też wyniki analiz pyłkowych stanowią dokumenty zmian świata żywego. Obszar ten uzupełniają przekazy historyczne dotyczące okresu nam bliższego. Do czasu pojawienia się osadnictwa rolniczego wszelkie zmiany w obrębie

świata roślinnego i zwierzęcego miały charakter przystosowania się do naturalnych zmian warunków siedliskowych, spowodowanych przede wszystkim zmianami klimatu. Zmiany te mogły też mieć charakter odbudowy zbiorowisk po klęskach żywiołowych; mogły tu występować regresja lub ekspansja przestrzenna związana ze zmianami zasięgu lodowców, zmianami linii brzegowych zbiorników wodnych, ze zniszczeniem przez pożary. Dopiero sięgnięcie po narzędzia i wynalazek uprawy roli zaczęły trwale naruszać równowagę środowiska przyrodniczego na coraz to większych przestrzeniach. Oznaczało to masowe trzebienie puszczy i częściową jej zamianę na pola uprawne.

Powstające miasto o zwartej, ściśniętej zabudowie przyczyniło się do dalszych, znacznie silniejszych zmian środowiska, aż do lokalnej zagłady zespołów przyrodniczych. Wyjście poza mury umożliwiało rozluźnienie zabudowy na nowych terenach, zakładanie przy rezydencjach parków i ogrodów, które przyczyniły się do pewnej odnowy szaty roślinnej, co prawda zmienionej w stosunku do form pierwotnych. Wiele z nich przetrwało okres późniejszej ekspansji zwartej dziewiętnastowiecznej zabudowy i stało się zaczątkiem obecnej zieleni miejskiej. Urbanizacja wywołała pojawienie się nowego czynnika w postaci zanieczyszczeń powietrza, początkowo tylko zasiarczonymi spalinami węgla kamiennego, później wyziewami zakładów przemysłowych i silników spalinowych.

Niemal wszystkie etapy przeobrażania się szaty roślinnej i świata zwierzęcego możemy na obszarze Warszawy zaobserwować i dzisiaj.

Stosunkowo najlepiej zachowane naturalne siedliska oraz zbiorowiska roślinne i zwierzęce w granicach miasta, nie licząc Kampinoskiego Parku Narodowego jako tylko przylegającego do granicy Warszawy, występują jedynie w nielicznych połaciach leśnych. Widzimy je w rezerwacie leśnym im. Króla Jana Sobieskiego, w lasach: Bielańskim, Młocińskim, Bemowskim, Kabackim, Natolińskim, Morysińskim, tak zwanym Wilanowskim pod Zbójną Górą, oraz w mniejszych zespołach rozproszonych po lasach wydmowych zarówno Pasa Otwockiego, jak i północnych terenów prawobrzeżnych. Dostrzec je można także w mniejszych obiektach, jak zadrzewienia skarpy młocińskiej, dąbrowa Syberia pod Hutą,

Olszynka przy ul. Włościańskiej nad Rudawką, Olszyna w Zakolu Wawerskim, lasek w Płudach pod wydmami.

Odnawiająca się lub szczątkowa szata roślinna zawsze zawiera w znacznym stopniu zbiorowiska pierwotne, zarówno w warstwie zielnej jak i w warstwie krzewów, a często i drzew, stanowiąc też szczątkowe siedliska zwierzęce. Do takich zespołów zaliczyć możemy tereny nie zajęte pod uprawę ze względu na ich naturalną nieprzydatność dla rolnictwa – jak skarpy, wydmy, bagna, obrzeża wód i inne nieurodzajne tereny wylesione; podobnie – pastwiska i łąki. Zbiorowiska takie, choć zubożone przez parcelacje osiedlowe, występują na całym tak zwanym Pasie Otwockim, od Anina począwszy, oraz w Choszczówce, Białołęce Dworskiej, Młocinach Dolnych, Bemowie. Na tego typu zbiorowiskach szczątkowych zostały założone najpiękniejsze parki Warszawy, jak Łazienkowski i Skaryszewski, a także znaczne ich powierzchnie w strefie podmiejskiej zostały zalesione po wojnie.

Poważną część terenów pokrytych roślinnością w granicach administracyjnych Warszawy stanowią uprawy rolno-ogrodnicze i ogrody działkowe. Powierzchnia ich, zwłaszcza upraw rolnych, ulega zmniejszeniu w miarę rozbudowy miasta. Na obszarach pouprawnych dochodzi niekiedy do wykształcenia zbiorowisk zbliżonych do naturalnych wskutek dobrze dobranych przez człowieka roślin. Należą tu na przykład Ogród Botaniczny, w przeważającej części Ogród Saski, Ogród Krasińskich, park przy pałacu Brühla w Młocinach, park cmentarza Żołnierzy Radzieckich, park na Polu Mokotowskim, teren wyścigów konnych, północna część otoczenia Stadionu Dziesięciolecia oraz niektóre wtórne zalesienia na glebach nieopłacalnych.

Na glebach zrujnowanych robotami ziemnymi, wymieszanych z materiałem podłoża powstały zbiorowiska również dobrane przez człowieka. Czasem wkraczały tu samorzutnie zbiorowiska zastępcze i gatunki pierwotne. Do tego rodzaju zaliczyć możemy zieleń powstałą na terenach pofortyfikacyjnych, jak park Traugutta, park Kusocińskiego, park Dreszera, park Praski, park na Sadybie, park Kaskada, również zieleń cmentarzy oraz wszelkie tereny pofortyfikacyjne i kolejowe porastające roślinnością samorzutną.

Zespoły roślinne na rumowiskach dawnej zabudowy lub wysypiskach gruzowych, wprowadzane tam przez człowieka, stanowią zbiorowiska dobrane całkowicie sztucznie i dostosowane do równie sztucznego siedliska. Do takich zespołów zaliczyć możemy Centralny Park Kultury na Powiślu, zieleń przy Pałacu Kultury i Nauki, parki na Kole i Szczęśliwicach, Stadion Dziesięciolecia i inne.

W przypadku wreszcie braku zagospodarowania na gruzowiska i wysypiska wkroczyła roślinność ruderalna, która jako samorzutnie dostosowana do siedliska różni się od naturalnych zbiorowisk roślinnych terenów otaczających w sposób odzwierciedlający główne różnice siedlisk. Odchylenia w doborze występujących tu roślin wypadają na korzyść gatunków siedlisk alkalicznych. Do powierzchni tego rodzaju należy jeszcze obecnie teren Kopca Czerniakowskiego.

Pośród wszystkich wymienionych siedlisk, a nawet poza nimi, pośród innych elementów miasta pozbawionych szaty roślinnej utrzymują się zbiorowiska zwierzęce o różnym stopniu dostosowania do zmienionych warunków egzystencji, najczęściej ustępujące pod naporem miasta. Natomiast wyraźnie rozwijają się gatunki towarzyszące człowiekowi.

ZASADY PRZYRODNICZE ROZWOJU WARSZAWY

Wśród różnorodnych uzasadnień usytuowania Warszawy jako miasta można prześledzić ciąg uzasadnień przyrodniczych. Najbardziej istotne wydaje się sąsiedztwo Wisły, dużej żeglownej rzeki, a zwłaszcza załamanie kierunku jej biegu na tym odcinku. Zmiana kierunku biegu Wisły zmuszała ludzi wędrujących na północ i na wschód do szukania przeprawy, a tu właśnie przeprawę ułatwiało wyjątkowo stałe i spławne koryto rzeki, dobra dostępność obu brzegów bez rozlewisk, mielizn i bagien oraz dogodny, suchy szlak biegnący od przeprawy zarówno na wschód i zachód, jak północ i południe, wzdłuż krawędzi erozyjnych i wododziałów. Wielkość i głębokość rzeki przeważnie uniemożliwiała przeprawę w bród i zmuszała do korzystania z usług miejscowych przewoźników. Istotne znaczenie miał sięgający tu od zachodu klin bogatych obszarów rolniczych o rozwiniętej sieci osadniczej, rozciągających się na żyznych glebach równiny błońskiej; kontrastowało to z otaczającymi od północy i wschodu rozległymi puszczami pokrywającymi obszary gleb ubogich, wydm i bagien o sieci osadniczej znacznie słabszej. Położenie Starej Warszawy na styku dwu odrębnych krain naturalnych, a zatem i gospodarczych, było dla miasta szczególnie korzystne ze względu na lokalną wymianę handlową pomiędzy obu sąsiadującymi obszarami, rolniczym i leśnym.

Obecnie wzrost obszaru Warszawy przy jednoczesnym wzroście intensywności użytkowania terenu i wzroście zaludnienia miasta powoduje degradację środowiska przyrodniczego, a w konsekwencji stwarza niekorzystne warunki ekologiczne dla mieszkańców miasta. Skuteczne przeciwdziałanie tym szkodliwym zjawiskom wymaga uwzględnienia ochrony kształtowania i wykorzystywania środowiska przyrodniczego w zagospodarowaniu przestrzennym obszaru miasta i jego otoczenia. Rozumienie społeczne potrzeby świadomego kształtowania środowiska człowieka pozwala przypuszczać, że zostaną w przyszłości zrealizowane założenia planu perspektywicznego w zakresie ochrony i kształtowania środowiska przyrodniczego. W planie tym jako podstawowe postulaty przyjęto następujące zalecenia.

Układ przestrzenny aglomeracji powinien zabezpieczać prawidłowe warunki ekologiczne życia w mieście.

W celu zapewnienia prawidłowych warunków klimatycznych na najbardziej zagrożonych obszarach aglomeracji, jak strefa śródmiejska, plan przewiduje urządzenie naturalnego systemu klimatyzacyjnego warszawskiego zespołu miejskiego. System ten składa się z pasm terenów otwartych, tak zwanych klinów nawietrzających, umożliwiających wymianę powietrza, oraz terenów ułatwiających regenerację powietrza, tak zwanych stref klimatyzacyjnych. Zagospodarowanie terenów wchodzących w skład systemu klimatyzacyjnego powinno zapewnić przewagę pokrycia roślinnego. Towarzyszyć temu powinien zakaz lokalizowania zabudowy wysokiej i zwartej niskiej, zespołów przemysłowych lub innych obiektów uciążliwych. Na obszarze tym nie mogą znajdować się źródła zanieczyszczania powietrza.

Plan przewiduje ochronę terenów o walorach uzdrowiskowych i wypoczynkowych (np. tereny leśne czy wodne) oraz organizację stref ochronnych.

Wprowadza się ograniczenie lokalizacji źródeł emisji, a zwłaszcza źródeł energetyczno--ciepłowniczych, na głównych kierunkach wymiany powietrza w stosunku do centralnych dzielnic miejskich (sektory W–NW i E–SE). Wszelkie źródła energetyczne zlokalizowane w tych sektorach powinny jako podstawowe paliwo stosować gaz. Ponadto plan przewiduje dla wszystkich innych obiektów uciążliwych, których nie można wyizolować, modernizację i instalację urządzeń neutralizujących uciążliwą emisję. Jednym z podstawowych warunków planu jest organizacja stref izolacyjnych wokół obiektów uciążliwych. Strefę uciążliwości hałasowej lotniska potraktowano jako element ograniczający w rozwiązaniu południowego i zachodniego pasma rozwojowego. W obrębie stref o natężeniu hałasu przekraczającym dopuszczalne normy ogranicza się lokalizację obiektów, których program funkcjonalny wymaga lepszych warunków.

Obok pełnego oczyszczenia ścieków, plan postuluje likwidację odprowadzania zanieczyszczonych wód spływu powierzchniowego do wód otwartych. Umożliwi to mieszkańcom wykorzystanie wód i ich obrzeży do celów rekreacji.

Uwzględnia się ekonomikę wykorzystania terenów żywicielskich, ochronę sanitarną gleby przez planowe rozwiązanie problemu oczyszczania miasta, ochronę wydm przed erozją przez zadrzewienie oraz wykorzystanie urodzajnych gleb terenów urbanizowanych do urządzania zieleni miejskiej.

Rozwiązania poszczególnych problemów są przeważnie wynikiem kompromisu pomiędzy potrzebami działania korekcyjnego lub zapobiegawczego a aktualnymi możliwościami realizacyjnymi. Jednocześnie są one etapem działania, gdyż ustalenia w zakresie ochrony, kształtowania i wykorzystania środowiska przyrodniczego są nadal doskonalone w Pracowni Urbanistycznej Warszawy. Do najpilniejszych zadań planistycznych w tym zakresie należy rozwinięcie zasady, aby w nowej strukturze miasta ciągły system terenów zieleni mógł grać właściwą rolę w kształtowaniu środowiska człowieka.

. Portret Stanisława, Janusza i Anny – ostatnich książąt mazowieckich,
malarz nie określony, 1. poł. XVII w., kopia portretu z XVI w.

II. Mury Starego Miasta

III. Pieczęć miasta Stara Warszawa przy dokumencie z 1614 r.

IV. Widok Warszawy z końca XVI w. Wg. rys. Jakuba Hofnagela ryt. Abraha Hogenberg

V. Portret Zygmunta III, malarz nie określony, 1. poł. XVII w.

VI. Zamek Królewski na placu Zamkowym

VII. Portret Jana III, Jerzy Eleuter Szymonowicz-Siemiginowski, po 1683 r.

VIII. Wilanów. Widok pałacu od strony ogrodu

X. Elekcja Augusta II na Woli, Marco Alessandrini, 1703 r.

X. Portret Franciszka Bielińskiego, malarz nie określony, poł. XVIII w.

XI. Stanisław August w kapeluszu z piórami, Marcello Bacciarelli, p 1780 r.

XII. Pałac Na Wyspie i teatr w Łazienkach

XIII. Krakowskie Przedmieście w stronę kolumny Zygmunta III i Bramy Krakowskiej, 1774 r., Bernardo Bellotto zw. Canaletto

XIV. Portret Jana Dekerta, Ksawery Jan Kaniewski, 1. poł. XIX w.

XV. Portret ks. Józefa Poniatowskiego, kopia obrazu Fr. Paderewskiego

XVI. Zdobycie Arsenału, Marcin Zaleski, 1830 r.

XVII. Plac Bankowy, Wincenty Kasprzycki, 1833 r.

XVIII. Warsztaty Żeglugi Parowej na Solcu, Kazimierz Eliasz Galli, 1856 r.

XIX. Zamach na hr. Berga, kopia współczesna obrazu Adolfa Charlemagne, XIX w.

XX. Wiosna 1906, Stanisław Masłowski, 1906 r.

XXI. Strajk, Stanisław Lentz, 1910 r.

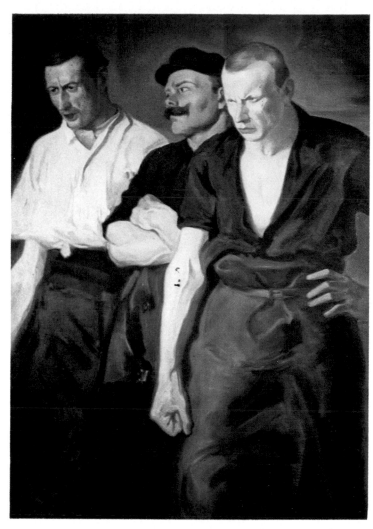

XXII. Warszawa w latach okupacji pruskiej, Stanisław Bagieński, 1921 r.

XXIII. Plac Trzech Krzyży, Mieczysław Trzciński, 1931 r.

XXIV. Trasa W–Z

XXV. Rynek Starego Miasta

XVI. Sejm Ustawodawczy PRL, fragment zespołu
machów

XXVII. Osiedle Sady Żoliborskie

XXVIII. Teatr Wielk

XXIX. Ściana Wschodnia

XXX. Trasa Łazienkowska

XXXI. Dworzec Centralny

XXXII. Panorama Warszawy widziana z Pragi

II. WARSZAWA KSIĄŻĘCA

POCZĄTKI ŻYCIA MIEJSKIEGO

Miasto rezydencjonalne królów polskich i siedziba urzędów centralnych Rzeczypospolitej od początku XVII wieku, stolica narodu i państwa od drugiej połowy XVIII wieku, Warszawa miała wcześniejsze dzieje jako miasto stołeczne książąt z linii Piastów mazowieckich, którzy tu już w XIV wieku najchętniej przebywali i stąd swoją dzielnicą rządzili aż do wygaśnięcia dynastii u progu drugiej ćwierci wieku XVI. Co było przedtem, jak doszło do założenia miasta i grodu, co poprzedziło dzieje Warszawy w tej części Mazowsza?

Pierwsza wzmianka o Warszawie pochodzi z roku 1313, z dokumentu, w którym książę Siemowit II używa tytułu „pana warszawskiego". Następny zapis pochodzi z roku 1321, kiedy w jednym z dokumentów książęcych wymieniono Wojciecha zwanego Kuzmą, kasztelana warszawskiego. Od kiedy istniał tu gród, w którym w imieniu księcia rządził ów dygnitarz i jego poprzednicy, spróbujemy odpowiedzieć w dalszej części tego rozdziału. Postępy w badaniach ogólnej historii miast polskich, w szczególności mazowieckich, a także to, co przynosi archeologia, pozwalają razem z lekturą dawniej znanych tekstów źródłowych podnieść zasłonę zakrywającą historię Warszawy sprzed początku XIV wieku i sięgnąć kilka wieków wstecz.

Początki życia miejskiego nad środkową Wisłą należą do dziejów kształtowania się ośrodków wczesnomiejskich w całym kraju, ich przekształcania w miasto pełnego średniowiecza. Siedziby władzy, ośrodki wymiany i rzemiosła, usług gospodarczych i kulturalnych wyłoniły się z krajobrazu wiejskiego, przybierając, począwszy od X wieku, postać grodu obronnego z przyległym podgrodziem. W jednolitej organizacji pierwszej polskiej monarchii grody, równomiernie rozsiane tam, gdzie osadnictwo wiejskie tego wymagało, były przede wszystkim siedzibami dostojników zarządu terytorialnego i garnizonów wojskowych oraz funkcjonariuszy, którzy wspólnie zarządzali przyległym obszarem. Pan grodowy, zwany później kasztelanem, sprawował przy ich pomocy władzę sądowniczą, wymagał świadczeń osobistych i daniny na rzecz skarbu książęcego, na potrzeby własne i grodowe. Ciężary prawa książęcego nałożone na ludność rolniczą obejmowały posługi w grodzie, a także świadczenia w środkach żywnościowych i w wyrobach rzemiosła.

Część ludności zależnej skupiono na podgrodziu, aby zapewnić codzienną obsługę ludzi grodowych oraz zaopatrzenie w wytwory rzemieślnicze. Bez wątpienia ludności podgrodzi przypadła główna rola w podziale zajęć produkcyjnych między miejskie i wiejskie. Wprawdzie zadania zlecone podgrodziom nie przekraczały zrazu zaspokajania potrzeb konsumpcji grupy rządzącej, jej aparatu wojskowego i administracyjnego, ale rzemiosło wczesnomiejskie potrafiło rozszerzać swoją inicjatywę gospodarczą.

W ostatniej ćwierci XI wieku ożywiła się wymiana lokalna między ludnością ośrodków wczesnomiejskich a wsią. Wymiana ta obejmuje żywność, produkty leśne, takie jak skórki zwierząt futerkowych, miód, wosk, a z drugiej strony – nieco artykułów importowanych z bliższych lub dalszych stron, jak sól, śledzie, sukno i inne wyroby rzemieślnicze. Wczesne miasta oferowały także i te usługi, które przyczyniały się do podniesienia poziomu spożycia

w karczmach oraz sprzedaży w jatkach mięsnych i chlebowych; skupiały ludność okoliczną wokół kaplicy parafialnej. Wymiana przybierała cechy towarowo-pieniężne, posługiwano się bowiem miejscowym, polskim pieniądzem kruszcowym. Dokonywano jej w określony dzień tygodnia na targu u bramy podgrodzia. Wcześnie odbywały się też targi w miejscowościach pozbawionych grodu i podgrodzia, mianowicie w ośrodkach wielkiej własności książęcej, możnowładztwa duchownego i świeckiego. Wymiana lokalna uzupełniała w sposób podstawowy dawne powiązania handlu luksusowego o dalekim zasięgu. Umożliwiała jego powolną, a na przełomie XII i XIII wieku przyspieszoną przebudowę na zróżnicowany handel towarami nie tylko wysokiego zbytku, lecz i codziennej potrzeby. Do miast polskich towary te przywożono z zewnątrz, przekazywano je tranzytem przez nasz kraj i wywożono przy tym z niego to, co wytworzyło miejscowe rzemiosło, lub to, co dostarczała eksploatacja lokalnych bogactw surowcowych.

W tym zarysie mieszczą się także początki życia miejskiego na Mazowszu, a w szczególności w okolicach przyszłej Warszawy. Okolice te w X, XI i XII wieku różniły się od krajobrazu okolic podwarszawskich, jaki znamy z map i opisów doby nowożytnej i z dnia dzisiejszego. Odtworzyć je można w postaci dwu typów krajobrazu.

Jeden z nich cechowała przewaga puszczy pierwotnej, której ślady przetrwały aż do rewolucji demograficznej, a potem przemysłowej i ich skutków osadniczych, zauważalnych tu od pierwszych dziesięcioleci XIX wieku. Na prawym brzegu Wisły, na niskim piaszczystym tarasie doliny wiślanej puszcza rozpościerała się szeroko i mimo średniowiecznych jeszcze, ale rzadkich osiedli nad rzeczkami i strumieniami zlewni Narwi i Bugu dominowała nad terenami sięgającymi aż poza Liwiec do ówczesnego pogranicza mazowiecko-ruskiego. Znamy dawne nazwy puszcz Bródzieńskiej, potem Słupieńskiej, na piaszczystym wydmowym tarasie mareckim, i Dębskiej nad Mienią i Świdrem. Na lewym brzegu Wisły dzisiejsza Puszcza Kampinoska (dawniej Kapinoska) jest resztką zwartego zalesienia tego typu. W średniowieczu długi ciąg puszcz Bolimowskiej, Wiskickiej i Jaktorowskiej podchodził od zachodu do górnej Nrowy, dziś Utraty, i oddzielał Mazowsze południowe od żyznych obszarów nad dolną Bzurą.

Drugim typem krajobrazu ówczesnego były obszary wprawdzie lesiste, ale od dawna przetykane polami osadnictwa rolniczego. Należała do nich bardzo bogata w dobre gleby dolina Bzury i jej dopływów, dalej dolina Jeziory (dziś Jeziorki) uchodzącej do Wisły, a przede wszystkim szeroka – do 12 kilometrów – dolina wiślana. Tu las łęgowy, złożony z olch i topoli, był z natury rzadki, a gleby mułowo-błotne i błonia nadrzeczne przyciągały rolnictwo i hodowlę. Są poszlaki, że poziom wód – w okresie, kiedy nie podlegał

KRAJOBRAZ
WCZESNOŚREDNIOWIECZNY

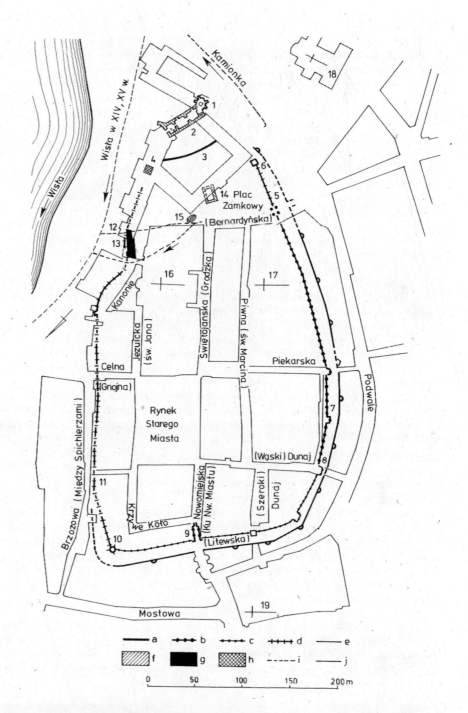

Plan obwarowań Starego Miasta i Zamku, chronolo-
a budowy
– pierwsza faza budowy, przed 1300 r.; b – druga faza
udowy, przed 1339 r.; c – trzecia faza budowy, ok. poł.
IV w.; d – czwarta faza budowy, po 1379 r.; e – faza
ąta (1. ćw. XV w.), szósta (ok. poł. XV w.); f – budynki
ątej fazy budowy; g – budynki szóstej fazy budowy;
– budynki o nie ustalonym czasie powstania; i – zarys
zypuszczalny; j – zarys pewny
– Wieża Wielka (Grodzka, na Zamku); 2 – Dwór
ielki (na Zamku); 3 – ślad fosy grodu (na Zamku); 4 –
ieża kwadratowa (na Zamku); 5 – Brama Krakowska;
– Wieża ks. Janusza Starszego, przed nią baszta muru
wnętrznego; 7 – Baszta Rycerska; 8 – baszta u wylotu
. (Wąski) Dunaj (późniejsza Brama Poboczna); 9 –
rama Nowomiejska; 10 – Wieża Marszałkowska; 11 –
aszta u wylotu ul. Kamienne Schodki (późniejsza furta
ybacka); 12 – późniejsze mieszkanie i pracownia
acciarellego (obecny Pałac Ślubów); 13 – miejsce
udynków Dworu Małego; 14 – „Szopa", pomieszcze-
e sądów ziemskich; 15 – budowla ośmioboczna; 16 –
olegiata św. Jana; 17 – kościół św. Marcina i klasztor
ugustianów; 18 – kościół św. Anny i klasztor bernardy-
w; 19 – kościół i szpital Świętego Ducha (w nawia-
ch podano na planie nazwy dawne)

gwałtownym wahaniom sezonowym, i przed katastrofalnym niekiedy jego podnoszeniem
się w XIII wieku – był we wcześniejszych stuleciach niższy, co zachęcało ludzi do osiedlania
się na zalewanym później tarasie doliny.

Wspomniane dwa typy krajobrazowe współistniały na całym Mazowszu i w całej Polsce.
Zagęszczenia osadnicze sprzyjały wytwarzaniu się związków plemiennych różnego rzędu.
Jakoż i na Mazowszu można doszukiwać się najdawniejszego trzonu plemiennego
związanego z tą nazwą, położonego wokół Płocka, Wyszogrodu i Zakroczymia na prawym
brzegu Wisły. Najstarsze losy dwu innych na brzegu lewym: wokół Sochaczewa na żyznej
plamie czarnoziemu sięgającego na wschód od Błonia oraz wokół Grodźca (dziś Grójca),
Białej i Rawy, wiązały się z plemionami środkowej Polski. Okolica Warszawy znajdowała
się na peryferiach tych obszarów plemiennych, na ich styku z rozległymi puszczami. Ale nie
oznacza to, aby osadnictwo wiejskie miało tu być świeżej daty. Raczej równie dawnej jak
w skupieniach osadniczych, o których mowa powyżej, tyle że zrazu rozrzedzone. Widzimy
w każdym razie ślady starań, aby je ująć w ramy zarządu państwowego z chwilą, gdy
Mazowsze znalazło się w granicach państwa Polan gnieźnieńskich, to znaczy przed połową
X wieku.

GRÓD W BRÓDNIE

W tym czasie, najpewniej w pierwszej połowie X wieku, powstaje niewielki gród
w Bródnie, dzisiejszym Starym Bródnie, na północno-wschodnim skraju Pragi, pośród
doliny wiślanej, choć nie nad Wisłą, lecz nad bagnistym strumieniem zwanym w średniowieczu Brodnią, potem Zążą, uchodzącym na północ, do Narwi. Nazwa miejscowa Bródna
mówi o przeprawie w tym miejscu drogi zmierzającej od przewozu na Wiśle i znad tej rzeki

do okolic nad Narwią i Bugiem. Prace archeologiczne ujawniły skromne fortyfikacje drewniane grodu bródzieńskiego i równie szczupłego jego podgrodzia, a w okolicy kilka chat ze śladami uprawianego w nich rzemiosła: kołodziejstwa, tkactwa, hutnictwa, rogowiarstwa i złotnictwa. Do importów zaliczyć trzeba znalezione tu przedmioty pochodzące z Rusi i z Bizancjum, dostarczane zwierzchnikom grodowym najpewniej drogą bużańską.

Gród w Bródnie rodzajem zabudowy i datą powstania należy do sieci grodów wznoszonych przez państwo piastowskie, które umacniało swoje władztwo wewnątrz kraju i broniło go przed nieprzyjacielem zewnętrznym przez przemyślany system umocnionych punktów obrony i zarządu. Na podstawie innych lepiej znanych grodów można przypuszczać, że i Bródno miało swego pana grodowego z wojami, że i ono mieściło komorę książęcą, do której ściągano daniny, że i tu wymierzano sprawiedliwość. Być może, że granicę północno-wschodnią zasięgu grodowego Bródna wyznaczała miejscowość o nazwie Słupno, położona, jak część miejscowości o nazwach tego brzmienia wskazuje, na styku dwu grodztw; sąsiadem mógł być wówczas od tej strony Serock u ujścia Bugu do Narwi. Na przedpolu południowym podobną funkcję mogły pełnić Zawady położone wówczas, być może, na prawym brzegu Wisły i zamykające dostęp do osadnictwa bródzieńskiego od strony lasów u ujścia Świdra do Wisły. Czy władza pana bródzieńskiego przechodziła na brzeg jej lewy, trudno przesądzić. Jeśli tak, to tylko w postaci niewielkiego przyczółka; poszlaką byłoby związanie Polikowa, średniowiecznego poprzednika Żoliborza, z prawobrzeżną parafią tarchomińską.

Gród w Bródnie nie przetrwał zapewne poza połowę XI wieku, został spalony w jakimś nieznanym oblężeniu i pozostał ruiną, co dałoby się wyjaśnić reformą organizacji grodowej przez drugą monarchię piastowską po kryzysie lat czterdziestych, widoczną na innych także obszarach naszego kraju. Skądinąd zaś wiemy, że za Bolesława Szczodrego znaczna część zagospodarowanych rolniczo obszarów przyległych do Bródna przeszła z woli monarchy do uposażenia kościelnego. Osada rolnicza przetrwała katastrofę grodu; ślady ludzkie nieprzerwanie wiążą jej wczesnośredniowieczne początki przez XII i XIII wiek z czasami późniejszymi: w XV wieku zapisano po raz pierwszy jej nazwę miejscową; osada była nadal posiadłością książęcą.

Inna miejscowość osiąga rychło przewagę gospodarczą: Kamion położony u przewozu przez Wisłę, siedziba obszernej i dawnej parafii, własność kapituły płockiej; w dzisiejszym nazewnictwie dzielnic Warszawy pozostał po nim Kamionek, powstały w zachodniej części gruntów Kamiona. Nazwa miejscowa Kamion godna jest uwagi; wywodzi się z obudowy kamiennej przewozu lub brodu i parokrotnie występuje także nad Wisłą. Kamion na prawym jej brzegu, naprzeciw wysokiego tarasu lewobrzeżnego, oddzielony od niego doliną zalewową rzeki, rozwinął się także jako miejsce znaczne nie tylko w wymiarze lokalnym. Pierwszy zapis tej nazwy datuje się na rok 1065 i odnosi się do przewozu wiślanego w tym miejscu.

Przewóz ten prowadził ludzi i towary na brzeg lewy, do Solca. Wieś tej nazwy we wcześniejszym średniowieczu leżała w innym miejscu niż dzisiejsza ulica Solec, pamiątka przeniesienia tu osiedla w początku XV wieku. Być może, że dawny Solec zajmował miejsce nieco w dół Wisły. I ta nazwa miejscowa nie brzmi historykowi obojętnie. Wydaje się, że gdy nie występuje na wychodniach złóż solnych, oznacza, zapewne od końca XI

7. Pieczęć księcia Trojdena używana w latach 131 [...] 1341

KAMION I SOLEC

8. Dwór Wielki, izba piwniczna o jednym słupie, s[...] z 1965 r.

więku, miejsce rozprowadzania soli, objętej w Polsce średniowiecznej monopolem wydobycia i dystrybucji w rękach władcy i jego aparatu skarbowego. Co ciekawe, tę nazwę miejscową wespół z nazwami miejscowości położonych na przeciwległym brzegu: Kamion lub Kamień i Kamieniec spotyka się trzykrotnie nad brzegami Wisły środkowej. W tych okolicznościach wolno i w Solcu warszawskim upatrywać miejscowość o zalążkach życia targowego, które ściągało ludność pobliską, a może i dalszą. Przewóz z brzegu lewego od równiny błońskiej oraz z Mazowsza grójeckiego i czerskiego na brzeg prawy prowadził ku osadnictwu w dolinie wiślanej, a potem wiązką starych dróg na Nieporęt ku ważnej arterii wodnej i lądowej, jaką tworzyły Bug i Narew łącząc Mazowsze z Jaćwieżą i Rusią. Znamy z zachowanej taryfy sięgającej XII wieku komorę celną czynną w Pomiechowie opodal dzisiejszego Modlina.

Nie wiemy, gdzie umieścił się ośrodek zarządu grodowego po upadku grodu w Bródnie. Można by przyjąć, że jego obszar wszedł w skład innej już dawniej istniejącej i odleglejszej kasztelanii, najprawdopodobniej zakroczymskiej, która wchłonęła w bliżej nie znanym czasie także grodztwo serockie. Nie na długo jednak, bo nowe starania obronne i administracyjne władców Mazowsza, związane z umocnieniem się osadnictwa wiejskiego, powoływały do życia nowe grody. Potrzeba obrony przed napadami Prusów w wieku XII i Litwy w wieku XIII kazała uzupełnić ogniwa ustroju kasztelańskiego paru grodami i podległymi im gródkami wzdłuż Bugu, Narwi i Wisły. Nadwiślańskie powstały na krawędzi osadnictwa lewobrzeżnego, nasyconego w XII i XIII wieku. W zakresie militarnym czerpały siły z mobilizacji drobnego rycerstwa, którego osady tworzono na ich przedpolach. Otrzymywały pod swój zarząd na brzegu prawym rozległe puszcze z rzadka przetykane wsiami. Należy tu Czersk, który znamy ze źródeł pisanych i archeologicznych w odnowionej postaci grodowej od połowy XII wieku i który u schyłku rządów Konrada Mazowieckiego przyćmi Grodziec, przejmując z niego także siedzibę archidiakonatu mazowieckiego. Od połowy XIII wieku widać próby wytworzenia innego ośrodka naczelnego domeny książęcej i dzielnicy, mianowicie w Rokitnie-Błoniu. Powstał też gród w Jazdowie.

Grodzisko jazdowskie rozpoznawał jeszcze bez trudu znany muzyk i rymopis Adam Jarzębski, gdy w roku 1643, po zwróceniu uwagi czytelnika na zamek Jazdowski – dla niego już Ujazdowski – opisywał dalej „szaniec jakiś mazowiecki". Gród znajdował się, podobnie jak w Czersku, na jednym z cyplów wysokiego tarasu z szerokim i dalekim wglądem w dolinę, między wąwozami prowadzącymi drogi z przewozu wiślanego na płaskowyż. W roku 1969 doszło do odkrycia rozstrzygającego spór o miejsce grodu. Prace archeologiczne prowadzone na obszarze górnej części Łazienek opodal Obserwatorium Astronomicznego ujawniły ślady grodu o kolistym zarysie wałów z drewnianą kaplicą jednoprzestrzenną, zamkniętą absydą, z kamiennym posadowieniem najpewniej drewnianej wieży i paru budynkami z drewna. Gród ten powstał zapewne za czasów Konrada Mazowieckiego w nawiązaniu do starszego osiedla otwartego.

Jazdów pojawił się w źródłach pisanych z XIII wieku w okolicznościach, które świadczą o jego wadze wojskowej i gospodarczej w tej części Mazowsza. W dniu 23 czerwca 1262 roku w czasie najazdu litewskiego gród został zdobyty zdradą; jego obrońca książę Siemowit I, władający wówczas całym Mazowszem, został ścięty, a jego syn Konrad II uprowadzony do niewoli z innymi rycerzami mazowieckimi. Druga wiadomość pochodzi z roku 1281. W czasie walk między spadkobiercami Siemowita I, jego synami, księciem płockim Bolesławem II i księciem czerskim Konradem II, gród został wzięty przez Bolesława, który w nim zastał księżnę Jadwigę Konradową z córką Anną. Obłupił je, zabrał z grodu „towaru mnogo", złupił także ludność, ku wstydowi Konrada, który dopiero po odwecie na dzielnicy brata „pojechał do swego grodu i włożył wieniec zwycięstwa zdjąwszy z siebie hańbę". Zapisy te i kilka innych pozwalają mniemać, że gród jazdowski, acz nie kasztelański, bo podległy Czerskowi, był jedną z rezydencji książęcych, że jego okolica była zaludniona, że było to czoło znacznej domeny rolniczej księcia, że wytworzył się tu zalążek życia wczesnomiejskiego złożony z grodu, przyległego osiedla i przewozu w Solcu przez rzekę.

Można już dla tego czasu wyznaczyć promień gospodarczego i administracyjnego oddziaływania Jazdowa. Jego bezpośrednie zaplecze tworzyła obszerna włość książęca obejmująca na górnym tarasie lewobrzeżnym prawie dokładnie zasięg Wielkiej Warszawy z lat 1916-1951. Od północy włość ta dotykała książęcej puszczy, późniejszej Kampinoskiej, która schodziła w okolicy Bielan i Młocin do Wisły. Od zachodu rozciągały się wsie rycerskie w zlewni Nrowy, dzisiejszej Utraty, położone w parafiach babickiej i pęcickiej, raszyńskiej i służewskiej, których daty powstania jako okręgów kościelnych należą do pierwszych dziesięcioleci XIII wieku. W trzech pierwszych parafiach siedziały w późnym średniowieczu drobne rody, o których można przypuścić, że należały do owego charakterystycznego dla Mazowsza rycerstwa szeregowego osiedlanego do obrony terytorialnej. Znajdujemy tu Morów, Szeligów, Dołęgów, Pierzchałów, Wierzbowów, Rawów, Grzymałów, Rogalów, Prusów. Obszar parafii służewskiej zamykającej granice Jazdowa od południa mieli Wierzbowi, potomkowie komesa Gotarda, który w roku 1241 otrzymał z rąk Konrada Mazowieckiego nadanie sporej włości odzyskanej przez księcia przez zamianę z opactwem czerwińskim. Włość jazdowska nie schodziła na całe Powiśle: parafia powsińska pozostawała we własności Ciołków (przybyłych tu jednak dopiero w ostatniej ćwierci XIV wieku), Gozdawów i Prusów; milanowska (dziś Wilanów) przeszła w 1338 roku od benedyktynów płockich do księcia, a potem do Boleściców-Jastrzębców. W parafii soleckiej siedzieli Łady i Rawy. Widać w tym zamysł, aby w najbliższym otoczeniu grodu jazdowskiego mieć mocne wsparcie rycerskie, i nie omylimy się przypuszczając, że

10. Stare Miasto po odbudowie. Widok z lotu pt

22

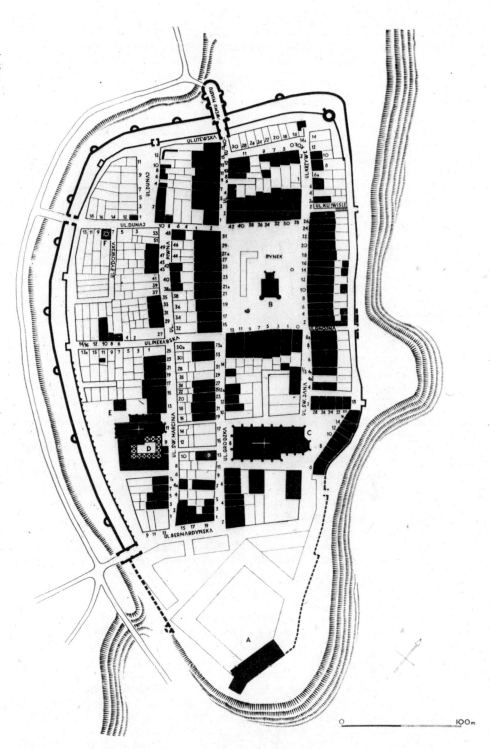

11. Rekonstrukcja planu Starej Warszawy, ok. 1600 r.
A – zamek z „Domem Dużym"; B – ratusz; C – kolegiata św. Jana; D – kościół i klasztor augustianów; E – szpital Świętego Ducha; F – synagoga. Zabudowa gotycka oznaczona czarnym kolorem

zagrożenie Mazowsza, zwłaszcza w XIII wieku, było powodem tego skupienia. Rządy Konrada I od około 1200 do 1247 roku były pod tym względem bardziej decydujące dla rozwoju okolic Warszawy niż jego poprzedników w XII wieku.

Włość koło grodu jazdowskiego była obszerna. Sporo w niej było lasów, gajów i zabagnień, jak na przykład w bifurkacyjnym siodle hydrograficznym późniejszego Czystego, z którego wypływały ku Wiśle cieki wodne ograniczające cały płaskowyż. Były też co najmniej dwa większe osiedla ludzkie, przede wszystkim Jazdowo oraz położony na północy Polików (na obszarze dzisiejszego Żoliborza), o którym wiemy, że należał do parafii tarchomińskiej na prawym brzegu Wisły, a więc do diecezji płockiej, podczas gdy reszta lewego brzegu leżała w diecezji poznańskiej; można by do XIII wieku odnieść też istnienie Młocin i Wawrzyszewa.

Strefę gospodarczego oddziaływania ośrodka w Jazdowie określają inne ośrodki wczesnomiejskie: Czersk z Górą, Grodziec, Mszczonów, Rokitno z Błoniem i wyznaczają te możliwości, które pozostałyby przy Jazdowie, a więc w zwykłym wówczas promieniu działania targu – około dwu mil (14 km). Na brzegu prawym współzawodnictwo Kamiona było dość słabe; występujące tam w XIV wieku Targowe uległo od razu konkurencji Warszawy, a cech miejskich nie odnajdziemy i w innych miejscowościach doliny wiślanej z dość późnym, znanym od roku 1355, wyjątkiem Nowego Dworu u ujścia Narwi do Wisły.

Gród jazdowski nie stał się kasztelanią; dygnitarza tej rangi nie znają zachowane dokumenty mazowieckie. W nielicznych dokumentach wydawanych w Jazdowie występuje w otoczeniu książęcym kasztelan czerski, a potem, już w XIV wieku, warszawski. Krótkotrwałą kasztelanią stało się natomiast położone pod Błoniem grodztwo rokickie wzmiankowane w roku 1280. Rokitno wraz z Błoniem upatrzono zapewne za Konrada II na inną rezydencję książęcą na południowym Mazowszu. Wyposażono ją w gród z murowanym domem, a w Błoniu wzniesiono znaczny kościół wczesnogotycki. Lokacja Warszawy przesądziła o poniechaniu tej jeszcze jednej próby ustalenia głównej siedziby książęcej. Najprawdopodobniej kasztelan rokicki, o którym nic już potem nie wiadomo, przeszedł do grodu warszawskiego.

Pobyty dworu w Jazdowie zwracały uwagę książąt na zalety tego grodu nad Wisłą, na kontakty ze stołecznym Płockiem i w dół Wisły, w związku z początkami eksportu zbóż i produktów leśnych nad Bałtyk i do miast hanzeatyckich oraz nasycającym się towarami tranzytem z Rusi Włodzimiersko-Halickiej nad Bałtyk. Nad dolnym brzegiem Wisły powstawały od lat trzydziestych wieku XIII miasta nowego typu, z grupami rzutkich kupców, które przekształcały materialne warunki bytu, reorganizowały życie prawne miast i mieszczaństwa. Gdańsk, Elbląg, Chełmno i Toruń szybko stały się ożywionymi centrami handlu i wytwórczości; ich wpływy gospodarcze dawały się odczuć na Mazowszu nadwiślańskim od połowy XIII wieku. Miasta te szukały tędy drogi na Ruś Włodzimiersko--Halicką, której powiązania czarnomorskie żywo interesowały kupców nadbałtyckich. Na tej drodze – wodnej i lądowej – leżał obszar przyszłej Warszawy.

Pod koniec XIII wieku słabła, choć jeszcze dawała o sobie znać fala najazdów litewskich, która zahamowała rozwój Mazowsza. Ruch osadniczy na wsi mazowieckiej zaczął od nowa krzepnąć, sprzyjając już w XIV wieku zamysłom reformy agrarnej i miejskiej. Miasta nową swoją postać organizacyjną otrzymywały w drodze aktu książęcego zwanego lokacją na prawie typu zachodniego, w północnej Polsce na prawie chełmińskim. Na Mazowszu działo się to jednak późno, w XIV i XV wieku. Dwa są w tym wczesne wyjątki: Płock i Warszawa, do których też wolno zaliczyć Rawę, wszystkie położone na wspomnianym szlaku rusko-bałtyckim. Stolica zjednoczonego w roku 1294 księstwa mazowieckiego, Płock, miała od roku 1237 przywilej pisany dla grupy obcych kupców; nadawał on im „prawo rycerzy mazowieckich" i stanowił jedną z prób zastosowania miejscowych zwyczajów prawnych do nowych potrzeb społecznych. Grupy obce korzystały z doraźnie udzielanych im ustnie, lecz oficjalnie, bo na wiecu, przywilejów książęcych. Daleko im było do silnych gmin miejskich na dolnym Powiślu czy w innych dzielnicach Polski. Mazowsze trzymało się nadal obyczaju targowego. Są jednak poszlaki, że za księcia Bolesława II, na przełomie XIII i XIV wieku, lokacji podległ Płock, zanim tam w roku 1322 doszło do następnej „melioracji miasta", a około 1300 roku zaczyna się kariera miejska Rawy kosztem pobliskiej Białej. Jednoczesny z nimi wyłom w dawnym obyczaju uczyniła Warszawa.

Wskazówki archeologiczne płynące z poszukiwań i obserwacji dokonanych w czasie odbudowy Starego Miasta i Zamku Królewskiego każą przyjąć, że u schyłku XIII wieku powstał nowy gród zbudowany poniżej Jazdowa, cztery kilometry w dół rzeki, a rychło założono tu miasto noszące wraz z grodem nazwę Warszowy (jako pierwotną formę dzisiejszej Warszawy). Jakie były motywy takiej decyzji książęcej i dlaczego Jazdów nie mógł zapewnić sobie kontynuacji w dziele reformy życia miejskiego?

Tego rodzaju przemieszczenie zgadza się z przenosinami zalążka wczesnomiejskiego lub miasta w wielu osiedlach Polski średniowiecznej w inne miejsce, odległe czasem o kilka kilometrów. Przeniesienie obejmowało najczęściej także nazwę miejscową, jak w Radomiu, którego miasto lokacyjne w XIV wieku umieściło się w pobliżu Starego Radomia, osiedla targowego pod grodem kasztelańskim. Ale znamy także wypadki zmiany nazwy – jak w Błoniu, które jako miasto kontynuuje zalążek wczesnomiejski powstający opodal grodu w Rokitnie. Translokacji dokonywano z różnych powodów. Niekiedy dla założenia nowego miasta poszukiwano miejsca korzystniejszego przez to, że nie obciążały go uciążliwe dawne tytuły własności gruntów. Niekiedy poprzednia sytuacja miasta utrudniała rozwój rzemiosła wymagającego coraz więcej siły wody. Niekiedy wreszcie lepsze położenie nowego miejsca wobec dróg wodnych i lądowych skłaniało do jego wyboru na niekorzyść dawnego.

Jak było w Jazdowie? Wydaje się, że gród i jego najbliższe otoczenie miały zalety, którym Jazdów zawdzięczał uznanie książąt, ale które mniej odpowiadały grupie kupców i rzemieślników wezwanych przez władcę do zorganizowania miasta nowego typu. Grupa ta chciała rozporządzać łatwym i nie zagrożonym powodzią dostępem do Wisły. Jej koryto znajdowało się w znacznej odległości – jednego do dwu kilometrów – od Jazdowa, podczas gdy nurt rzeki omywał samą stopę wysokiego tarasu parę kilometrów w dół rzeki. Tam biły najliczniejsze do dziś na całym wyniesieniu warszawskim źródła wody pitnej, a piaszczysty grunt nadawał się pod zabudowę, gdy okolice najbliższe miały żyzne gleby stosowne do upraw rolnych niezbędnych wówczas i dla mieszczan. Wreszcie potoki, których nazwy znamy ze schyłku średniowiecza, dziś już wszystkie zaniklę: Kamionka spływająca wzdłuż południowej ściany grodu; ciek tak zwany Świętojański między grodem a farą staromiejską; potok Dunaj; Bełcząca płynąca z okolic ulicy Bagno linią Nalewek w pobliże mostu

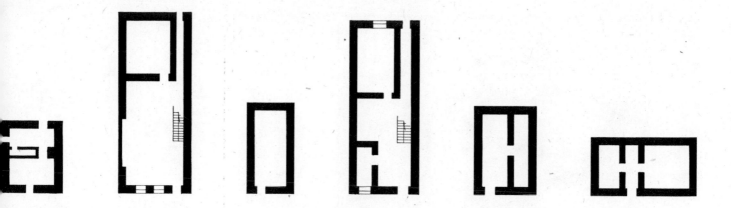

pod Cytadelą; równoległa do niej Drna, która czerpiąc wody z Czystego płynęła wzdłuż ulicy Okopowej i uchodziła do Wisły na północ od Cytadeli. Dwa ostatnie strumienie oraz Rudawka spod Koła, dziś istniejąca w dolnym biegu na Marymoncie, toczyły dość wody, aby ją spiętrzać już w XIV wieku dla wielu młynów miejskich.

Jazdów stracił w tym współzawodnictwie widoki rozwoju i ograniczył się do funkcji książęcego dworu wiejskiego. Władca przeniósł siedzibę swego kasztelana, a niedługo także własną rezydencję do Warszawy. Który z książąt mazowieckich podjął tę brzemienną w skutki decyzję? Można wahać się między Konradem II, księciem czerskim, zmarłym w roku 1294, a Bolesławem II, po śmierci brata księciem całego Mazowsza, który sam zakończył życie w roku 1313.

Jeśli niektórzy archeologowie chcieliby widzieć ślady nowego osiedla już w XIII wieku, to historycy i inni archeologowie skłonni są raczej je datować od samego początku następnego stulecia, co prowadzi do Bolesława II, rządnego gospodarza i zręcznego polityka, jako do postaci zasługującej na miano założyciela miasta. Jakoż są okoliczności, które umacniają ten domysł. Zainteresowanie lokacją nowego miasta łacniej przyjąć ze strony władcy całego mazowieckiego biegu rzeki, która łączyła księstwo z miastami, skąd wychodziły impulsy reformy urbanistycznej, niż ze strony rządcy tylko jej odcinka w dzielnicy czerskiej, jak było za Konrada II, a potem za następców Bolesława II. Zauważono podobieństwo układu i wymiarów założenia miejskiego w Warszawie i w Iławie, wiemy zaś, że Iławę lokowano w roku 1305, wolno więc przypuszczać, że obie lokacje są niedalekie w czasie. Uprawdopodobniono też wreszcie lokację Płocka już za czasów Bolesława.

WIEŚ WARSZOWA

Spróbujmy jeszcze odpowiedzieć na pytanie, czym była Warszawa, zanim powstało to miasto, i skąd pochodzi jej nazwa. Językoznawstwo od dawna odrzuciło niby-uczone lub poetyckie etymologizowanie tej nazwy miejscowej, między innymi wytworzenie mitu dwojga prarodziców miasta, Warsa i Sawy.

Nazwa jest w swej budowie przejrzysta. Warszowa – tak brzmiała ta nazwa w wiekach średnich, w ciągu XVII wieku zastępowana formą nowożytną „Warszawa" – należy do nazw dzierżawczych. W jej rdzeniu zawiera się nazwa osobowa Warsz, a przyrostek -owa wyraża dzierżenie przez owego Warsza włości, wsi czy dziedziny, która domyślnie towarzyszy nazwie. Któż był owym Warszem? Nie znany w czasie osadnik, który tu zagospodarował kawał ziemi, czy rycerz, który otrzymał część włości książęcej?

Więcej przemawia za drugim rozwiązaniem zagadki eponima wsi, a potem miasta. Imię Warsz znamy z tekstów polskiego średniowiecza; spotyka się je wśród członków rodu Rawów albo Rawiczów, nazywanych na Mazowszu Niedźwiadami. Pochodzili oni z możnego czeskiego rodu Vršovców, których część schroniła się w Polsce za czasów Bolesława Krzywoustego; otrzymali uposażenie na Mazowszu południowym między innymi w Starej Rawie. Ślady ich własności sięgają zachodniego obrzeża włości jazdowskiej. A wiemy także, że Solec, wieś niegdyś książęca, znajdował się w XIV wieku w rękach rodu Rawów; jeden z jego członków sprzedał ją w roku 1381 mieszczanom warszawskim. Można więc przyjąć, że nie znany nam bliżej Warsz z rodu Rawów otrzymał najpewniej w XIII wieku nadanie książęce, z którego powstała wieś nosząca jego imię, położona, jak wskazują ślady osadnicze z przełomu XII i XIII wieku, w dolinie ujścia Kamionki pod tarasem przy przewozie wiślanym, na miejscu dzisiejszego Mariensztatu.

U początków Warszawy stwierdzamy zjawisko znacznej prawidłowości rozwojowej. Miasto – z pozoru zupełnie nowe, powstałe około roku 1300 na surowym korzeniu, opodal niewielkiej wsi, i rozmierzone od razu zgodnie z wymaganiami urbanistyki ówczesnej – w istocie rzeczy rodziło się przez trzy stulecia z zalążków wczesnomiejskich, które z wolna umacniały podział funkcji społecznych i gospodarczych między krajobrazem wiejskim i miastem. Stanowi przykład powolnego i konsekwentnego rozwoju, który wymagał jednak bardzo silnych bodźców w ostatnim swoim etapie, aby radykalnie zmienić obraz urbanizacji tej części Mazowsza.

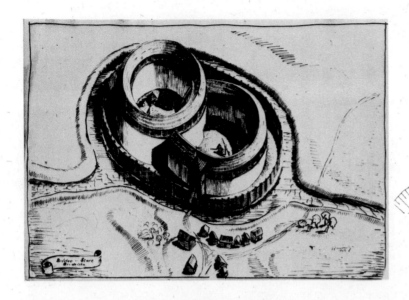

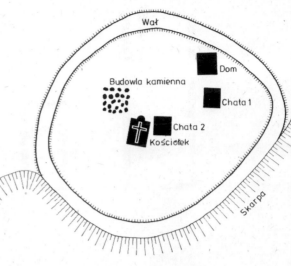

14. Gród na Starym Bródnie. Makieta rekonstrukcyjn
15. Plan grodziska w Jazdowie
16. Mury obronne. Stan po odbudowie. Widok z lot
ptaka

ROZWÓJ PRZESTRZENNY W LATACH 1339–1526

Pomyślny rozwój Warszawy w XIV i XV wieku uzewnętrznił się zagęszczeniem zabudowy w obrębie obu miast – Starego i Nowego – oraz ustaleniem zasięgu i układu przestrzennego przedmieść, który bez większych zmian przetrwał prawie do schyłku XVI wieku.
Wytyczoną przy lokacji sieć ulic i bloków budowlanych Starego Miasta utrwaliła gotycka zabudowa murowana. W stosunku do stanu pierwotnego zaszły jedynie zmiany w zagospodarowaniu południowego krańca miasta, a wiązały się ze wzrostem znaczenia Warszawy jako ośrodka władzy książęcej i kościelnej. Zainicjowana przez księcia Janusza Starszego budowa murowanego zamku książęcego obok starszej, istniejącej już w połowie XIV wieku, Wieży Wielkiej albo Grodzkiej i prowadzona przez jego następców rozbudowa zespołu zamkowego doprowadziły do wykształcenia nowego układu przestrzennego w miejscu dawnego grodu i jego przedpola. Nastąpiło uporządkowanie terenów przy południowej bramie wjazdowej oraz zabudowanie obu stron ulicy wlotowej do miasta, zwanej Bernardyńską (dzisiejsza pierzeja zachodnia placu Zamkowego jest jej pozostałością). Ulica ta biegła granicą między dominium książęcym a gruntami miejskimi, co rozstrzygnęło sprawę zróżnicowania własnościowego parcel i odmiennego rodzaju ich zagospodarowania. Po stronie zachodniej, miejskiej, powstało dziewięć krótkich działek z mieszczańskimi budynkami mieszkalnymi i gospodarczymi. Natomiast po stronie wschodniej (zamkowej), na wydzielonych czterech obszernych parcelach, które przez nadania książęce dostały się w posiadanie dygnitarzy i urzędników dworu książęcego, stanęły dwory i stajnie. Do zabudowy wschodniej strony ulicy Bernardyńskiej należał także, usytuowany na osi ulicy Grodzkiej, budynek zwany „Szopą", służący za kancelarię i miejsce sądów grodu i ziemi warszawskiej; jego pozostałości odkryte w czasie odbudowy Zamku Królewskiego posłużyły do rekonstrukcji podziemia włączonego do piwnic zamkowych.
Dalsze zmiany wiązały się ze stopniową parcelacją gruntów książęcych na przedpolu zamkowym na rzecz kapituły warszawskiej, erygowanej w latach 1398–1402. Na odcinku między dwiema furtami, wzdłuż murów obronnych, przy placu cmentarnym, powstała uliczka Kanonia ze zwartym ciągiem trzynastu budynków mieszkalnych. Czternastą, obszerniejszą działkę, tuż przy Dworze Mniejszym, przeznaczono na kustodię mieszczącą skarbiec, archiwum, bibliotekę oraz kancelarię kolegiaty. Również na książęcym dawniej gruncie powstała uliczka Dziekania i drugi zespół budynków kapitulnych. Obejmował on dwór dziekana, domy wikariuszy, psałterzystów, mansjonarzy oraz z dawna tu istniejącą szkołę świętojańską. Budowa kompleksu zamkowego, sprzężonego z systemem obronnym miasta, oraz zespołu budynków kapitulnych (1406–1526) była końcowym etapem kształtowania się gotyckiego układu przestrzennego Starej Warszawy.
U schyłku pierwszego ćwierćwiecza XVI wieku na ujętym murami obszarze Starej Warszawy znajdowało się ponad 150 działek. Dominowała własność mieszczańska. Wyodrębniające się enklawy należały do księcia (zespół zamkowy) i klasztoru Augustianów z kościołem św. Marcina. Teren wydzielony spod jurysdykcji miejskiej, zlokalizowany między ulicą Piekarską a ulicą Dunaj, posiadała gmina żydowska. Po usunięciu jej w 1483 roku posesje te przeszły na własność mieszczan.
W coraz ludniejszym Starym Mieście intensyfikuje się zagospodarowanie działek na ich tyłach. W Rynku i na głównych ulicach narasta budownictwo mieszkalne. Przybywa budynków związanych z produkcją i handlem, z ówczesną opieką społeczną, z codziennym życiem kupiecko-rzemieślniczej społeczności. Zabudowania handlowe: kramy, jatki, stragany i budy przekupek zacieśniają główny plac handlowy – Rynek, skupiając się wokół ratusza prawie centralnie usytuowanego i murowanego w formach gotyckich. W jego przyziemiu znalazła pomieszczenie piwnica miejska, gdzie szynkowano najprzedniejsze piwa piątkowskie i wareckie. W pobliżu ratusza wzniesiono również murowany budynek wagi miejskiej. Jatki rzeźnicze, stragany śledziarek i rybaczek zlokalizowano na placyku na Szerokim Dunaju. Tu również mieściła się przy murze miejska topnia wosku. Przy wylocie zaś Dunaju na Rynek drewniana, zapewne miejska, postrzygalnia sukna. Plac na tyłach ulicy Piekarskiej przeznaczono na zbożowy młyn koński, niezbędny dla licznych piwowarów, słodowników i piekarzy warszawskich. Z budynków użyteczności publicznej znane są dwie łaźnie: miejska, zbudowana w roku 1376, i wójtowska, darowana miastu w roku 1469. Jedyny w obrębie miasta szpital–przytułek mieścił się przy kościele św. Marcina. W korporacyjnej organizacji życia miejskiego istotne znaczenie miały gospody cechowe. Ich lokalizacja jest jednak mało znana. Wiadomo tylko o domu krawców przy ulicy Piwnej i domu szewców na Szerokim Dunaju. W międzymurzu, w pobliżu Bramy Bernardyńskiej (Krakowskiej), wydzielono plac strzelniczy dla bractwa kurkowego.
Młodsze o sto lat prawie Nowe Miasto warszawskie rozwijało się mniej dynamicznie. Jeszcze w roku 1510 zwarta zabudowa koncentrowała się wokół Rynku i dwóch ulic (przy Freta i Zakroczymskiej), a więc wzdłuż głównego szlaku komunikacyjnego, stanowiącego osadniczą oś obu miast warszawskich. Jego zabudowę stanowiło w tym czasie 125 domów drewnianych, murowany kościół Panny Marii ze szpitalem, szkołą i domem plebana oraz drewniany ratusz, w którym oprócz piwnicy miejskiej mieściła się także postrzygalnia sukna. Związaną z Nowym Miastem, ale odrębną jednostkę terytorialną, wydzieloną spod

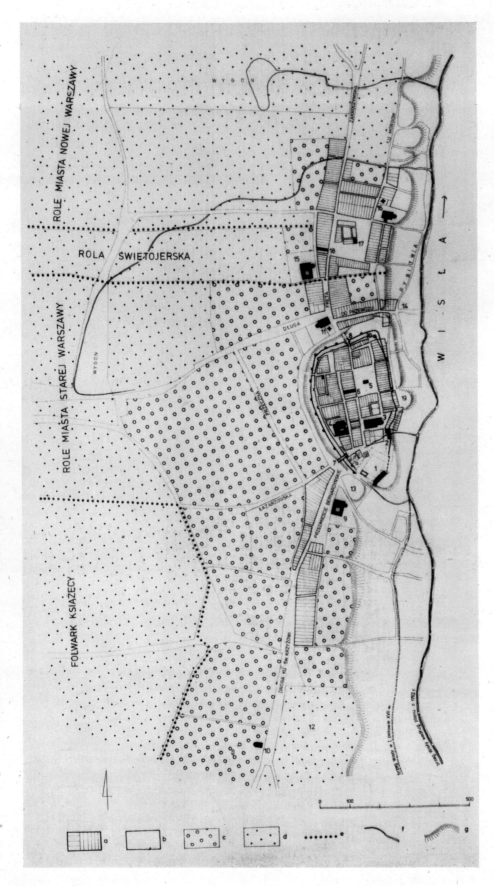

17. Układ przestrzenny Starej i Nowej Warszawy oraz przedmieść ok. 1526 r. Rekonstrukcja na podkładzie planu Warszawy z 1762 r. Opr. W. Szaniawska

a – zabudowa zwarta; b – nieustalony charakter zabudowy; c – zabudowa luźna, ogrodowo-gospodarcza z budynkami mieszkalnymi; d – role, folwarki; e – granice ról; f – strumienie, rzeczki; g – skarpa, fosa

1 – Dwór Wielki (Curia Maior); 2 – Dwór Mniejszy (Curia Minor); 3 – kościół farny św. Jana; 4 – kościół św. Marcina, klasztor augustianów i szpital; 5 – ratusz miasta Starej Warszawy; 6 – kamienica wójta miasta Starej Warszawy; 7 – Brama Bernardyńska, potem Krakowska; 8 – Brama Nowomiejska; 9 – kościół św. Anny i klasztor bernardynów; 10 – kaplica Świętego Krzyża; 11 – kościół Świętego Ducha i szpital; 12 – folwark książęcy; 13 – grunty należące częściowo do mieszczan i do konwentu bernardynek; 14 – droga do przewozu; 15 – kościół św. Jerzego i klasztor karoników regularnych; 16 – kościół farny Panny Marii i szpital; 17 – ratusz miasta Nowa Warszawa oraz hipotetyczny układ przestrzenny działek o zabudowie mieszkalno-gospodarczej; 18 – dom wójta miasta Nowa Warszawa

jurysdykcji miejskiej, tworzyła najstarsza warszawska jurydyka klasztorna karoników regularnych, z murowanym kościołem św. Jerzego. Stopniowo tworzyła się zabudowa mieszkalno-gospodarcza na tyłach działek w blokach rynkowych i przy drodze morgowskiej, wiodącej na północ do przemysłowego skupiska średniowiecznej Warszawy zlokalizowanego nad rzeczkami Bełczącą i Drną; część tej drogi w początku XVIII wieku otrzymała nazwę Przyrynku.

Szybciej niż Nowe Miasto zabudowują się przedmieścia Starej Warszawy. Już w XIV wieku odcinek drogi czerskiej przy wlocie do południowej bramy miejskiej przekształca się w szeroki plac przedbramny zwany Rynkiem Czerskim, później Przedmiejskim, o zwartej zabudowie mieszczańskiej po stronie zachodniej. Stronę wschodnią na skarpie zajmowały ogrody książęce. Dopiero w roku 1454 część z nich przeznacza księżna Anna pod budowę kościoła i klasztoru bernardynów, a pozostałą aż do drogi ku Wiśle nadaje miastu, mieszczanom, duchownym i dworzanom. Na klinie gruntów między murami obronnymi a posiadłością bernardynów zaczyna się formować od schyłku XV wieku jurydyka klasztorna franciszkanek. Ich posiadłość gruntowa rozszerza się w XVI wieku w miarę darowizn książęcych, królewskich i zamożnych mieszczan.

Ogrody za Rynkiem Przedmiejskim otrzymała kapituła warszawska. Podzielone na mniejsze parcele dostają się w emfiteutyczne posiadanie mieszczan warszawskich. Zapewne układ bloków w kształcie krzyża z dworem dziekana u jego szczytu nie był tylko dziełem przypadku.

W pobliżu przepływającego za jurydyką kapitulną strumienia, znanego pod nazwą Jordanu, znajdowało się w XV wieku okopisko żydowskie, czyli cmentarz, na skłonie skarpy. Nieco dalej zaś ku południowi założono po roku 1441 folwark na gruncie darowanym szpitalowi Świętego Ducha, wzniesionemu obok klasztoru Augustianów.

Dalsza część gruntów folwarku książęcego, leżąca po obu stronach drogi czerskiej aż do jej rozwidlenia w kierunku Solca i Jazdowa, przeszła w latach 1450–1526 w posiadanie mieszczan oraz mansjonarzy i wikariuszy kolegiaty świętojańskiej. Przed rokiem 1505, na gruncie darowanym przez bogatego mieszczanina staromiejskiego Serafina, malarza

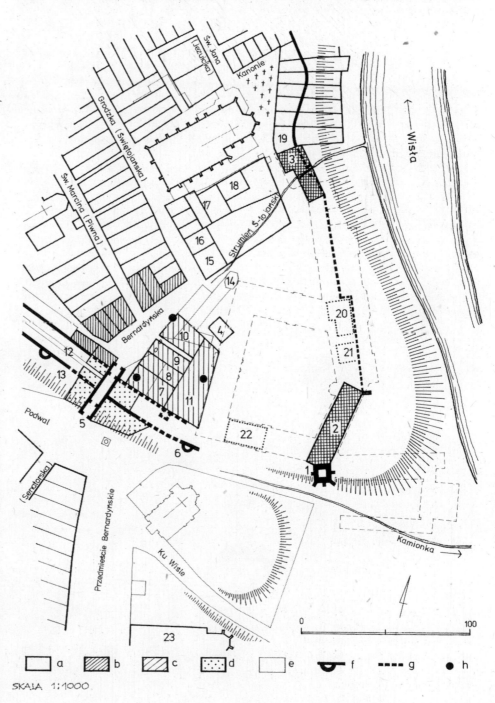

18. Plan sytuacyjny zabudowy na przedzamczu i przy ulicy Bernardyńskiej ok. poł. XVI wieku z zaznaczeniem zmian w XVII–XVIII w. Oprac. W. Szaniawska
a – parcele zabudowane w XIV–XV w.; b – parcele mieszczańskie usytuowane przy ul. Bernardyńskiej; c – parcele szlacheckie zlokalizowane na przedzamczu, układ i wielkość hipotetyczne; d – parcele w międzymurzu i na fosie zagospodarowane w XVII–XVIII w.; e – zabudowa ukształtowana w XVII–XVIII w.; f – mury obronne istniejące; g – mury obronne nieistniejące, przebieg hipotetyczny; h – relikty budynków z XIV–XVI wieku odkryte w czasie badań archeologicznych w 1977/8 r.

1 – Wieża Wielka (Grodzka); 2 – Dwór Wielki; 3 – Dwór Mniejszy; 4 – budynek sądu ziemskiego zwany Szopą; 5 – Brama Bernardyńska (Krakowska), w 1977 odkryto most przedbramia, 1977–1978 fragmenty międzymurza; 6 – baszta drugiej linii murów obronnych, 1. połowa XV w. Relikty baszty odkryto w 1951 r. Parcele na przedzamczu nadane w pierwszej połowie XV wieku dygnitarzom książęcym: 7 – Mniszewskim (od 1524 własność Wodyńskich); 8, 9 – Ściborom (w XVI w. własność Ciecieszewskich, Sinickich, Progroszewskich); 10 – Mińskim (od 1528 własność Wolskich, 1568 odkupił król Zygmunt August); 11 – Mrokowskim od 1528 Baltazara Smosarskiego, 1568 Arnolfa Uchańskiego, od niego nabył król Zygmunt August); 12 – uliczka Ślepa; 13 – fosa

SKALA 1:1000

i burmistrza Starej Warszawy, powstaje kaplica Świętego Krzyża. Od tego czasu odcinek drogi za Rynkiem Przedmiejskim nazywano drogą ku Świętemu Krzyżowi. We własności książęcej utrzymuje się usytuowany na jej krańcu po wschodniej stronie rozległy ogród z dworem myśliwskim. Tak więc do roku 1530 trwało kształtowanie się zabudowy obrzeżnej przy drodze czerskiej w zasięgu późniejszego Krakowskiego Przedmieścia.

Przypuszczalnie od schyłku XIV wieku zagospodarowano również grunty przedmiejskie na zachód od Starej Warszawy i Rynku Przedmiejskiego. Wzdłuż starej drogi wiodącej przez Tarczyn ku Warszawie, na jej krótkim odcinku przy wlocie w Rynek Czerski, powstała ulica Łazarzowska (późniejsza Senatorska). W XIV i XV wieku zagospodarowano odcinek drogi wiodącej przez Sochaczew i książęcą wieś Wielka Wola ku warszawskiej przeprawie przez Wisłę wąwozem Wieliszewskim. Na przedmiejskim odcinku tego szlaku tworzyła się zabudowa ulicy Długiej (Szerokiej) i ulicy do Przewozu (późniejszej Mostowej). Jeszcze w XIV wieku, przed założeniem Nowego Miasta, zabudowała się ulica Freta na jej odcinku od północnej bramy wjazdowej do jurydyki świętojerskiej. Potrzeby lokalnej komunikacji spowodowały utworzenie ulicy Miodowniczej łączącej dwie wspomniane drogi.

Zabudowa na przedmieściach rozwijała się wzdłuż głównych dróg dojazdowych do Starej Warszawy, głównie wzdłuż ich obrzeży. Na odcinku lokalnym wiodły one do podmiejskich wsi. Sąsiadujące z gruntami miejskimi, z wyjątkiem Solca, stanowiły własność książęcą. Łączyła je z miastem ożywiona wymiana towarowa. Stąd też rekrutowała się znaczna liczba mieszkańców, głównie rzemieślników. Poza najbliższym zapleczem w promieniu około 30 km rozciągał się rynek lokalny Warszawy, teren zbytu masowej produkcji rzemieślniczej i dostaw produktów rolnych do miasta.

WŁADZE MIEJSKIE DO ROKU 1526

Powstanie autonomicznego samorządu Starej Warszawy nie było następstwem jednego aktu. Samorząd ten tworzył się i rozrastał stopniowo w związku z ogólnym rozwojem organizacji miejskiej w Polsce, stając się wykładnikiem znaczenia miasta i zmian w gospodarczo-społecznej strukturze mieszkańców. Chronologia kształtowania się warszawskich władz miejskich przedstawia się następująco.

W początkowym okresie istnienia Warszawy, to jest od jej założenia u schyłku XIII i na początku XIV stulecia aż do lat siedemdziesiątych XIV wieku, władzę w mieście, zarówno sądową jak i administracyjną, sprawował dziedziczny wójt. Wiadomo, że w latach 1334–1339 był nim pisarz książęcy Bartłomiej, zapewne syn i następca pierwszego, nie znanego z imienia wójta warszawskiego. O pochodzeniu pierwszych wójtów Warszawy wiemy jedynie to, że zajmowali wysoką pozycję społeczną i majątkową. Przywileje książęce, zapewniające wójtom poważne dochody z różnych czynszów miejskich, nadania ziemi oraz obowiązek służby wojskowej stawiały ich na równi z zamożną grupą rycersko-szlachecką. Z wójtem Bartłomiejem liczono się na dworze księcia Trojdena. Znany też był na dworze księcia włodzimierskiego Bolesława Jerzego jako doradca w sprawach związanych z zakładaniem miast na prawie niemieckim. O jego wysokiej pozycji społecznej

19. Najstarszy zachowany przywilej miasta Warszawa 26.VII.1376 r.

0. Najstarsza pieczęć miasta Stara Warszawa z dokumentu z 1400 r.

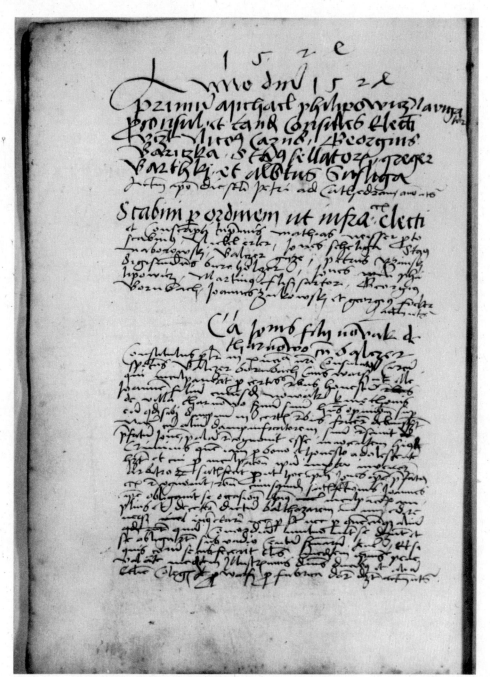

. Spis imienny rady i ławy wybranej w 1524 r.

świadczy fakt posiadania własnego kapelana. Ważna też była rola wójta w czasie procesu polsko-krzyżackiego. Gdy w roku 1338 wyznaczono Warszawę na miejsce tego procesu, a ówczesny książę mazowiecki Trojden, pan i dziedzic Warszawy, zachowując neutralność nie chciał czy nie mógł użyć swego warszawskiego dworu na potrzeby trybunału, najodpowiedniejszym, poza dworem książęcym, pomieszczeniem okazał się dom wójta Bartłomieja usytuowany w Rynku. W domu wójta znajdowała się niewątpliwie sala, w której zwykł sądzić mieszczan warszawskich. Tu też przypuszczalnie odbywał się ów proces o rozgłosie europejskim, ujawniający bezprawia mistrzów zakonnych. Akta procesu wymieniają najbliższych współpracowników wójta: jego zastępcę podwójciego Mirkę oraz pisarza Jana.

Podstawową domeną działalności wójta w mieście było sądownictwo. Funkcje te sprawował w imieniu księcia przy udziale ławników wybieranych spośród mieszczan. Informacje źródłowe o ławnikach warszawskich są późne, pochodzą dopiero z ostatniej ćwierci XIV wieku, choć ława musiała powstać znacznie wcześniej, już w pierwszym okresie osiedlania się mieszkańców. Początkowo ławników było przypuszczalnie siedmiu. W okresie między 1381 a 1430 rokiem liczba ich zwiększyła się do dwunastu i utrzymała się do czasu całkowitej reorganizacji władz miejskich u schyłku XVIII wieku. Ławie przewodniczył sam wójt lub jego zastępca – podwójci. Ława poza udziałem w sądach nie miała wpływu na zarząd miastem. Pozostawał on wyłącznie w gestii wójta, niezależnego od ówczesnej społeczności miejskiej.

Dziedzicznymi wójtami byli nie znany z imienia zasadźca oraz jego potomkowie: Bartłomiej (1334), wzmiankowany jako pisarz księcia Trojdena w latach 1338–1339.

31

Bartłomiej (1370), Klemens (1384–1408) i Andrzej (od 1414 wójt Nowej Warszawy). Następny etap w dziejach organizacji miejskiej wiązał się z powstaniem rady, właściwego organu samorządu miejskiego reprezentującego, przynajmniej w teorii, interesy ogółu mieszkańców. W praktyce rada miejska służyła realizowaniu polityki tych, którzy w niej zasiadali; w miastach większych reprezentowała więc przede wszystkim interesy kupców i najbogatszych rzemieślników. Warszawska rada miejska powstała przed 1376 rokiem. Przywilej bowiem książęcy z 26 lipca tego roku, zezwalający na budowę łaźni miejskiej, był nadany nie tylko obywatelom – *civibus* – i całej społeczności – *toti communitati*, ale także rajcom – *consulibus*. Z powstaniem rady rozpoczynał się zwykle proces zmierzający do ograniczenia dotychczasowej supremacji wójta nad miastem. Końcowym tego efektem było wykupienie wójtostwa przez miasto. W największych i najstarszych miastach polskich, stanowiących własność panującego, przechodzenie wójtostwa na rzecz miasta dokonywało się w XIV i XV wieku. W Warszawie proces ten trwał dłużej. Rada miejska nie wykorzystała okazji nadarzającej się na przełomie XIV i XV wieku. Być może nie dysponowała odpowiednią sumą, albo raczej nie mogła przeciwstawić się interesom i polityce księcia Janusza Starszego. Książę bowiem, korzystając z prawa pierwokupu, nabył przed rokiem 1408 wójtostwo warszawskie od małoletnich dzieci zmarłego wójta Klemensa. Uznając zaś, że według prawa chełmińskiego wójtostwo nie może być bez wójta wymierzającego sprawiedliwość, sprzedał wójtostwo 27 grudnia 1408 roku bogatemu mieszczaninowi warszawskiemu Piotrowi Pielgrzymowi.

W tym czasie mieszczaństwo warszawskie było już znacznie zróżnicowane majątkowo. Wyróżniało się kilkanaście najbogatszych rodzin kupiecko-rzemieślniczych, rywalizujących w zabiegach o zdobycie najwyższej władzy w mieście: intratnego wójtostwa i godności burmistrza. W pierwszej połowie XV wieku udało się to Pielgrzymom dzierżącym wójtostwo dziedziczne Starej Warszawy przez lat prawie sześćdziesiąt (1408–1464). Już sama suma zapłacona za wójtostwo, 200 kóp groszy praskich, świadczy wymownie o pozycji majątkowej tej rodziny. Na majątek Pielgrzymów, biorąc pod uwagę nieruchomości, składały się nie tylko posesje w Warszawie i podmiejskie łany wójtowskie, lecz także nieruchomości w Toruniu oraz podwarszawska wieś Górce w parafii Babice. Posiadanie Górców przyczyniło się do zmiany nazwiska Pielgrzymów na Górczewskich i podniosło rangę ich pozycji społecznej. Synowie i wnukowie Piotra piszą się coraz częściej „nobiles de Gorcze".

Już jednak w połowie XV wieku na czoło ówczesnego patrycjatu Starej Warszawy wysuwa się dość rozgałęziona, bogata rodzina młynarzy Wilków. Z tego właśnie rodu rekrutowali się w wieku XV wieloletni burmistrzowie staromiejscy. Im też, dzięki związkom rodzinnym z Pielgrzymami-Górczewskimi, udało się zdobyć w roku 1465 wójtostwo dziedziczne. Od tego czasu aż do schyłku XV stulecia najwyższe urzędy miejskie obsadzała jedna rodzina Wilków. Oni też decydowali o składzie rady miejskiej, dopuszczając do niej prawie wyłącznie własnych krewnych i powinowatych. Od schyłku XV wieku w radzie miejskiej będą zasiadać reprezentanci nowych generacji patrycjatu staromiejskiego, ale wójtostwo dziedziczne pozostanie w rodzinie Wilków do roku 1609, a właściwie do 1618, kiedy to umrze ostatni męski potomek wójtowskiej gałęzi tego rodu. Podobnie jak Pielgrzymom-Górczewskim, tak i Wilkom posiadanie dziedzicznego wójtostwa ułatwiło drogę do uzyskania szlachectwa. Od łanów wójtowskich we wsi Kałęczyn nazwali się Kałęckimi.

Analizując powiązania rodzinne wójtów staromiejskich dochodzi się do wniosku, że o tak długim przetrwaniu dziedzicznego wójtostwa w Starej Warszawie przesądziła jeszcze w początkach XV wieku zależność rady miejskiej od polityki kilku najbogatszych i skoligaconych ze sobą rodzin, zainteresowanych utrzymaniem takiej właśnie struktury organizacyjnej władz miejskich.

Rada miejska Starej Warszawy, opanowana w XV wieku przez rody kupieckie, służyła realizowaniu ich interesów i polityki. Ten stan rzeczy stał się jednym z istotnych powodów wytworzenia się opozycji rzemieślniczej oraz nasilania się antagonizmów w społeczności miejskiej, szczególnie ostro manifestowanych w tumulcie z roku 1525. Pod presją tumultu i dekretu książęcego rada musiała uwzględnić niektóre postulaty opozycji. Jeden z nich dotyczył kontroli gospodarki finansowej przez starszyznę cechową i przedstawicieli pospólstwa. Reprezentacja ta, początkowo powołana ad hoc, stała się od roku 1558 nowym ordynkiem miejskim liczącym na razie dwunastu panów gminnych, powiększonym w dwa lata później do liczby dwudziestu członków.

ŻYCIE MIAST WARSZAWSKICH W XIV I XV WIEKU

Pierwszy opis Warszawy przynosi relacja z procesu między Kazimierzem Wielkim a zakonem krzyżackim o ziemię chełmińską i dobrzyńską. Ogłoszenie pozwu dokonane zostało przez sędziów papieskich w kościele św. Jana dnia 1 grudnia 1338 roku. Pierwsze to i doniosłe wydarzenie polityczne o charakterze ogólnokrajowym i międzynarodowym, którego sceną stała się Warszawa. Legaci papiescy uzasadnili wybór Warszawy na miejsce procesu w następujący sposób: „My sędziowie [...] znaleźliśmy, że Warszawa jest miejscem bezpiecznym i odpowiednim dla odbywania w nim tego sądu, jako że książę mazowiecki

22. Wnęka gotycka z górną częścią polichromii w k mienicy przy Rynku Starego Miasta 20

w rzeczonej miejscowości Warszawie przebywa, a i dostęp do tego miejsca jest otwarty
[...], jest obwiedzione murem i zaopatrzone w towar sprzedażny. Ma domy i zajazdy dość
przyzwoite i bezpieczne [...]". Oprócz obwarowań miejskich wspomniano również o kamienicy wójtowskiej, miejscu obrad sądu, o kościołach: św. Jana, św. Jerzego i Świętego
Ducha za murami, o szkole przy kościele św. Jana. Świadkami przy odczytywaniu pozwu
i podczas procesu byli obok kapelanów księcia Trojdena mieszczanie warszawscy. Wśród
nich wójt Bartłomiej, podwójci Mirko, pisarz wójtowski Jan, rzemieślnicy: krawiec Gunter
i złotnik Mikołaj, rektor szkoły Hanko, wikariusze i plebani kościołów warszawskich oraz
kilku innych, jak Mikołaj Drygała czy Janusz Cyga. Rozprawa odbyła się w wyznaczonym
terminie 4–8 lutego 1339 roku, mimo niestawiennictwa przedstawicieli Zakonu. W ich
imieniu występował wójt warszawski Bartłomiej. Druga rozprawa i odczytanie wyroku
miały miejsce 15 września 1339 roku.
O ludziach wymienionych w aktach procesu niewiele wiadomo. O kościołach i systemie
obronnym miasta złożonym z Zamku i obwarowań miejskich czerpiemy jeszcze wiadomości z badań archeologicznych i pierwszych zachowanych dokumentów książęcych.
Czytelnik dowie się o etapach ich budowy w dalszych rozdziałach.
Dokumenty i przywileje książęce dotyczące miasta zachowały się dopiero z czasów
panowania Janusza I Starszego. Najstarszy z nich, z 26 lipca 1376 roku, zawiera przywilej
zezwalający na budowę łaźni i używanie płynących z niej dochodów na potrzeby miasta.
Łaźnia była usytuowana za murami, w okolicy Bramy Nowomiejskiej. Inny dokument z 23
listopada 1379 roku poświadcza, że mieszczanie warszawscy wykupili się od uciążliwego
obowiązku dostarczania podwód na użytek dworu książęcego. Z dalszych dwóch dokumentów wynika, w jaki sposób miasto Stara Warszawa otrzymało wieś Solec. W roku 1381
Goworek, podczaszy rawski i sochaczewski, sprzedał tę wieś za 100 kóp groszy Piotrowi
Brunowi, mieszczaninowi warszawskiemu, i Mikołajowi Panczatce, mieszczaninowi raw-
skiemu. Ci zaś w następnym roku przekazali Solec miastu, co książę zatwierdził 21 maja

1382 roku. W roku 1384 nawiedził Warszawę wielki pożar. Na odbudowę zniszczeń książę odstąpił miastu dochody z cła ziemskiego.

W ciągu drugiej połowy XIV wieku książęta coraz częściej zamieszkiwali w Warszawie. Uznaniem stołeczności Warszawy na południowym Mazowszu stało się przeniesienie kolegiaty z Czerska na przełomie XIV i XV wieku. Obok zabezpieczenia podstaw materialnych prałatów i kanoników ze strony księcia, uregulowano też stosunki między kolegiatą a miastem (tzn. wójtem i radą) oraz sprawy dotyczące składania dziesięcin, wina dla celów kościelnych, pogrzebów i szat liturgicznych.

Drugi – poza własnością kościelną – obszar nie podlegający prawu miejskiemu stanowiła niewielka dzielnica żydowska. Powstała w XIV wieku, zajmowała blok działek położonych przy ul. Żydowskiej, zwanej później Baryczkowską (dziś na południe od wylotu Piekarskiej), i mieściła synagogę. Gmina żydowska miała autonomię wewnętrzną potwierdzoną przez Konrada III w roku 1469, a członkowie jej podlegali jurysdykcji książęcej, nie miejskiej. Na czele gminy stała starszyzna kahalna reprezentująca ją na zewnątrz i zawiadująca jej majątkiem. Pierwsza o niej wiadomość pochodzi z roku 1428. Spory między Żydami, zwłaszcza w sprawach religii, rozstrzygał „doctor Judeorum" wraz z asesorami. Od roku 1425 znany jest także woźny sądu żydowskiego.

O strukturze gospodarczo-społecznej Warszawy w XIV i pierwszym dwudziestoleciu XV wieku wiadomo niewiele. O istnieniu i rozwoju rzemiosła świadczą odnalezione podczas prac wykopaliskowych przedmioty codziennego użytku z gliny, żelaza i drewna, na pewno wykonywane na miejscu. Przy budowie miasta, murów i Zamku musiało pracować wielu rzemieślników, wśród nich zapewne znaczna liczba miejscowych. O istnieniu w XIV wieku młynów nad rzeką Drzęsną (Drną) świadczy dokument Janusza I, który 27 grudnia 1425 roku na prośbę młynarza Piotra z Mąkolina odnawia mu zaginione, stare przywileje na posiadanie tam młyna.

O handlu warszawskim w owym okresie wiadomo więcej. Na przełomie XIII i XIV wieku miasto Warszawa przejęło funkcję osad targowo-rzemieślniczych położonych po obu stronach Wisły i obejmowało swoim zasięgiem przeprawy przez rzekę. Lokalizacja miasta na skrzyżowaniu dwu ważnych dróg handlowych nie mogła być sprawą przypadku. Jedna z tych dróg prowadziła ze wschodu na zachód, druga, wówczas ważniejsza, o charakterze tranzytowym – z południa na północ, wzdłuż Wisły. Przeniesienie na prawo czynszowe okolicznych wsi wpłynęło na pomnożenie elementów pieniężnych i stworzyło podstawy rozwoju rynku lokalnego Warszawy. Zwiększenie liczby dostawców i odbiorców wyrobów rzemiosła miejskiego spowodowało rozwój produkcji rzemieślniczej i handlu. W związku ze zmianami kierunków wielkiego handlu kupcy warszawscy uzyskali możliwości szerszej wymiany towarowej. W końcu XIV i na początku XV wieku maleje bowiem znaczenie dróg handlowych znad Morza Czarnego do krajów zachodnich, wzrastają natomiast kontakty handlowe z ziemiami litewsko-ruskimi. Poprzez Wielkie Księstwo Litewskie nawiązano stosunki z ważnymi ośrodkami Rusi, Nowogrodem i Moskwą. Pierwszą wiadomość o związkach handlowych Litwy z Mazowszem zawiera list Jagiełły do Krzyżaków z roku 1383, w którym proponuje on zaprzestanie działań wojennych z Mazowszem, w zamian za wypuszczenie przez książąt uwięzionych kupców wileńskich. Z roku 1395 pochodzi wiadomość, że kupcy warszawscy pośredniczyli między Nowogrodem a Wrocławiem w zakupie 38 000 skór i futer. Na przełomie XIV i XV wieku źródła wyraźnie mówią o miastach, przez które przechodziła wymiana. Były to Wilno, Warszawa i Wrocław. Do utrzymywania kontaktów z zakonem krzyżackim służyła kupcom Wisła jako szlak komunikacyjny. Aż do pokoju toruńskiego całe Mazowsze objęte było handlową działalnością Zakonu. Miał on tu swoich przedstawicieli, którzy rekrutowali się często spośród ludności miejscowej. Zorganizowani przez dwa wielkie szafarstwa: malborskie i królewieckie, eksportowali głównie towary leśne (drewno, popiół, dziegieć, smołę), zboże i bursztyn; importowali sukno, sól, towary luksusowe.

Również niektórzy kupcy warszawscy pełnili funkcję przedstawicieli handlowych Zakonu. Jednym z nich był pierwszy znany burmistrz Starej Warszawy Aleksander. Magazynuje on sukno flandryjskie oraz dostarcza szafarzowi malborskiemu dużych partii drewna różnych gatunków. Szafarze stosowali system płacenia z góry zaliczek dostawcom. Sprzedający po pobraniu zaliczki zobowiązywali się do dostawy towarów do Gdańska przeważnie wiosną „z pierwszą wodą", ceny wyznaczano przy umowie.

Jacy kupcy warszawscy brali udział w handlu z Zakonem? Na uwagę zasługuje Maciej Suszka, działający w latach 1419–1451, ruchliwy, zawierający różnorodne transakcje. Obok obywatelstwa Starej Warszawy przyjął obywatelstwo Nowej, zakupiwszy w roku 1428 jej wójtostwo. Najważniejszą gałęzią jego działalności był handel drewnem, zbożem, suknem, barchanem, pieprzem. Drewno w różnej postaci, między innymi wańczosu, czyli klepek, skupował Suszka czasem od mieszczan Nowej Warszawy. Dostarczał je wiosną do Gdańska Mikołajowi Galhornowi, także mieszczaninowi Starej Warszawy. Szafarze, zawierając umowę, zabezpieczali sobie wykonanie transakcji różnymi sposobami, na przykład brat Macieja, Piotr Suszka, z zawodu kuśnierz, który także trudnił się handlem, zobowiązał się dostarczyć do Gdańska znacznej ilości drewna, w przypadku zaś, gdyby zawiódł, miał zapłacić Galhornowi równowartość zamówionego towaru. Mikołaj Suszka skupował także zboże, głównie w okolicach Warszawy, które wywoził do Gdańska. Zawierał transakcje ze szlachtą i duchowieństwem z okolic Warszawy oraz z mieszczanami

nowomiejskimi, trudniącymi się rolnictwem. Z należności dla mieszczanina wileńskiego, Andrzeja Gamicza, wynika, że z Wilna sprowadzał produkty leśne.

Z kupców Starej Warszawy wymienić można jako bardziej aktywnych: Mikołaja Bartkowica, eksportującego wosk do Gdańska i utrzymującego stosunki handlowe z Płońskiem i Wrocławiem; Burcharda, który sprowadzał ze Lwowa aksamit i przyprawy korzenne; Jana Bujnę, utrzymującego kontakty z Wilnem, i wielu innych średnio zamożnych kupców. Kilka wielkich rodzin kupieckich Starej Warszawy rozpoczęło działalność w pierwszej połowie XV wieku; trwała ona do początków następnego stulecia.

Szczególnie ważna jest tu niewątpliwie rodzina Wilków. Najwcześniejszym znanym jej członkiem jest wójt Nowej Warszawy (1414–1418) Andrzej, zwany Górczewskim od dóbr Górce, które były jego własnością. Posiadał on również folwark w Jazdowie oraz kamienice i browar. Drugi z nich, Jan Wilk, zwany Hanusem, pełnił urząd burmistrza w Starej i wójta w Nowej Warszawie i był właścicielem wielu nieruchomości w mieście i poza murami. Wreszcie Kasper Wilk, również wójt, posiadał wiele nieruchomości. Kontrakty handlowe tej rodziny i charakter transakcji określają ich jako pośredników w wymianie towarowej wschodu z północą i zachodem Europy. Miasta, z którymi utrzymywali kontakty, to przede wszystkim Gdańsk, następnie Lublin, Brześć Litewski, Lwów, Poznań, Toruń, Wrocław i Norymberga. Przedmiotami handlu były: zboże (żyto, owies), sukno, wosk, sól, futra, a także wełna, bawełna i pasy. Z ich kontaktów z miastami mazowieckimi wynika, że zaspokajali potrzeby regionu w zakresie towarów luksusowych, skupując surowce na eksport. Działalność ich koncentrowała się na południowym i wschodnim Mazowszu (Grójec i Nur).

Wspomnieć należy także o innych: o kupcu hanzeatyckim Rejnoldzie Quackbecke, Mikołaju Nerce, Andrzeju Małodobrym, Stanisławie Koziemięso, Hermanie i Mikołaju Jeleniowicach, Janie Czejczu, Andrzeju Edlingerze. Podczas wojny trzynastoletniej handel z Gdańskiem prowadzony poprzez terytorium krzyżackie był utrudniony, ustalił się wówczas system organizowania konwojów większej liczby statków kupieckich przepływających obok zamków krzyżackich. Nie wszyscy kupcy mazowieccy, a więc i warszawscy, korzystali z kosztownego transportu pod konwojem. Łatwiejsze było uzyskiwanie glejtów od dowództw krzyżackich na przejazd lądem i wodą. Niewątpliwie otrzymywało się je za cenę częściowej sprzedaży przewożonych towarów na terytoriach krzyżackich. Sposób ten, jakkolwiek zabroniony przez króla, był szeroko stosowany.

Ciekawe, że w czasie wojny trzynastoletniej z Nowej Warszawy eksportowano do Gdańska garnki gliniane. Eksport ten trwał i w wieku XVI. W omawianym okresie Stara i Nowa Warszawa, obok innych miast mazowieckich, eksportowały do Gdańska zboże i produkty leśne, natomiast w rozpowszechnionym w tym czasie handlu bydłem kupcy warszawscy nie brali udziału. W tym zakresie w XV wieku Mazowsze było terenem eksploatacji kupców z Pomorza, Kujaw i Wielkopolski. Z przekazów źródłowych wynika, że najliczniejsze związki handlowe łączyły Warszawę z Gdańskiem i Toruniem drogą wodną. Drogą lądową utrzymywano kontakty z Brześciem Litewskim, następnie z Wilnem, Wrocławiem i Poznaniem. Mało rozwinęły się stosunki handlowe z Krakowem, Lwowem i Lublinem. Liczne związki z Brześciem Litewskim i Wilnem dotyczyły pośrednictwa w przewozie sukna i wosku do Gdańska i na Śląsk.

Z handlem wileńsko-warszawsko-wrocławskim można powiązać nazwiska takich kupców, jak: Maciej Heffter (z bogatej rzemieślniczej rodziny haftarzy ze Starej Warszawy, zajmującej się także handlem), Maciej Małodobry, Hincza Glazer i inni. Transakcje ich opiewały na stosunkowo wysokie kwoty i wskazywały na ścisły i stały kontakt kupców staromiejskich z nowomiejskimi.

W drugiej połowie XV wieku na skutek trudności czynionych przez miasta polskie (głównie Kraków) w handlu ze Wschodem wrocławianie szukają nowych szlaków. Wiodły one przez Lublin, który jeszcze przed unią uzyskał prawo wolnego handlu z Wielkim Księstwem Litewskim. Do Lublina kupcy śląscy jeździli przez Radom lub Sandomierz, omijając Warszawę; utraciła ona wówczas szansę objęcia kierowniczej roli w handlu tranzytowym Wschodu z Zachodem. Wydaje się, że kupcy warszawscy zbyt byli zaabsorbowani handlem wiślanym i nie posiadali dostatecznych środków finansowych.

Upadek hanzeatyckiego handlu bałtyckiego spowodował na krótko zmniejszenie znaczenia Wisły. Szansę większego jej wykorzystania jako szlaku komunikacyjnego dał w XVI wieku wzrost popytu w zachodniej i środkowej Europie na zboże i produkty leśne. Na początku XVI wieku pojawiły się nowe rody kupieckie w Starej Warszawie – przede wszystkim Walbachów, Kazubów i Baryczków. Jerzy Baryczka brał czynny udział także i w handlu z Europą Wschodnią. Świadczą o tym dwa przykłady: około roku 1510 wywiózł 1000 sztuk kos do Smoleńska (prawdopodobnie wyrobu warszawskiego), a w roku 1520 uzyskał prawo przewiezienia 1000 kamieni wosku bez cła przez Wieluń do Wrocławia. Utrzymywał kontakty handlowe z Poznaniem, Gdańskiem i Norymbergą z jednej strony, z Wilnem i Smoleńskiem z drugiej. Na przełomie XV i XVI wieku działalność w handlu skórami rozwijali Mikołaj Kazub, syn również znanego kupca Andrzeja, Maciej Neysser, utrzymujący kontakty z Poznaniem, i Wawrzyniec Małodobry.

Obok wyodrębniającej się w Starej i Nowej Warszawie grupy wielkich kupców, handlem lokalnym zajmowała się również znaczna część rzemieślników sprzedających swoje wyroby. Zasięg rozchodzenia się warszawskiej produkcji rzemieślniczej do połowy XV wieku ograniczał się do najbliższych okolic miasta. Odbywało się to na czterech dorocznych jarmarkach, do których prawo otrzymała Stara Warszawa w roku 1461.

Charakter produkcji rzemieślniczej kształtował się odmiennie w obu miastach. W Starej Warszawie rozwinęły się i osiągnęły największe znaczenie rzemiosła obróbki metali i skóry, a w Nowej Warszawie – rzemiosła obróbki gliny, skóry oraz tkactwo, sukiennictwo i piwowarstwo. Znalazło to swój wyraz w składzie osobowym i zawodowym członków samorządu miejskiego. Do połowy XV wieku w Starej Warszawie są to przedstawiciele rzemiosła – złotniczego, kuśnierskiego i siodlarskiego, w Nowej Warszawie w radzie miejskiej zasiadają ludzie bez określonego zawodu, prawdopodobnie rolnicy oraz garncarze, kuśnierze i piwowarzy. Po roku 1470 wzrasta liczebność i specjalizacja rzemiosł; w Starej Warszawie w dalszym ciągu przede wszystkim w grupie rzemiosł metalowych i skórzanych. Warszawska produkcja metalowa znajduje zbyt nawet za granicą.

W pierwszym dwudziestopięcioleciu XVI wieku Stara Warszawa liczyła zapewne wraz z przedmieściami około 3600 mieszkańców, z czego ponad 40% stanowiła ludność rzemieślnicza; Nowa Warszawa miała około 1100 mieszkańców, z czego na ludność rzemieślniczą przypadało około 50%.

W związku ze wzrostem zamożności miasta zwiększyła się jego atrakcyjność jako miejsca stałego zamieszkania, przybywa więc coraz więcej rzemieślników z większych miast polskich i zagranicy, co wpływa na podniesienie jakości produkcji.

25. Dzban gliniany z XIV w., wyrób warszawski

26. Klucz gotycki

27. Kubek gliniany pokryty zieloną polewą, zdobiony odciskami stempelka z rozetką, XIV w., wyrób warszawski

Z tego okresu pochodzą pierwsze statuty cechowe kuśnierzy i złotników. Struktura cechowa Starej Warszawy ustaliła się ostatecznie po zatwierdzeniu przez Zygmunta I w latach 1527 i 1529 wspólnego cechu dla jedenastu rzemiosł, które zostają uwolnione od jurysdykcji cechów krakowskich. Wymienione w przywilejach cechy i bractwa zostały określone jako dawno tu istniejące, podobnie jak ich organizacja wówczas uprawomocniona. Występują trzy zasadnicze grupy rzemiosł. Do największej z nich związanej z obróbką metali należą: kowale, ślusarze, płatnerze, miecznicy, iglarze, szlifierze i paśnicy; do grupy zajmującej się obróbką drewna – bednarze, kołodzieje, stolarze; obróbką skóry – rymarze i siodlarze.

SZTUKA W XIV I XV WIEKU

Omawiając gotycką sztukę warszawską od wieku XIV do lat trzydziestych wieku XVI – na te bowiem lata przyjmujemy umowną cezurę – wyróżnić trzeba jej podstawowe dyscypliny: architekturę oraz malarstwo, rzeźbę i rzemiosło artystyczne; inne bowiem rządziły nimi prawa, odmienne czynniki określały ich formę. Budowle były wznoszone przez zespoły rzemieślników pod kierunkiem muratorów wykorzystujących swoje doświadczenia nabyte w różnych warsztatach. Przybierały one zatem rozmaite formy w zależności od lokalnej sytuacji, tworzywa, a także życzeń inwestora. Dzieła malarskie, rzeźbiarskie czy złotnicze powstawały bądź w pracowniach lokalnych, bądź też były zamawiane w warsztatach zamiejscowych, stanowiły zatem import z obcych środowisk artystycznych. Liczne nazwiska warszawskich rzemieślników artystycznych z XV i XVI wieku, znane z przekazów archiwalnych, świadczą wprawdzie o ożywionej działalności w tym zakresie, jednakże nie znajdują niemal zupełnie pokrycia w zachowanym materiale zabytkowym, ze względu na znikomą liczbę ocalałych obiektów oraz ich anonimowość. Istniejące zabytki niejednokrotnie noszą cechy stylowe określające ich przynależność do odległych kręgów sztuki, jednakże fakt znalezienia się ich w Warszawie w omawianym okresie udziela im niejako prawa obywatelstwa, choćby dlatego, że oddziaływały na lokalnych artystów i odbiorców, pobudzając ich wyobraźnię plastyczną i niejednokrotnie inspirując miejscową twórczość. Zacznijmy od scharakteryzowania dziejów architektury w interesującym nas okresie. Należy pamiętać, że wskutek długotrwałej izolacji Mazowsza od pozostałych ziem polskich obszar ten wraz z Warszawą znalazł się na uboczu głównych nurtów rozwoju artystycznego. Do chwili przeniesienia siedziby dworu królewskiego z Krakowa, Warszawa nie odegrała większej roli na arenie artystycznych dziejów Polski. Od wieku XIV, poprzez wiek XV i długo w głąb XVI stulecia trwały tu formy stylowe gotyckie. Geograficzna przynależność do Niżu Polskiego włączyła Warszawę w orbitę wpływów sztuki północnej, to jest zakonu krzyżackiego i miast hanzeatyckich, a silny żywioł mieszczański (w tym również obcy) oraz kierunki kontaktów handlowych wyznaczyły drogę recepcji wzorców artystycznych. Formy stylowe w północnej odmianie docierały tu znacznie szybciej i były adaptowane powszechniej.
Zdając sobie sprawę z prowincjonalnego charakteru zjawisk artystycznych w Warszawie w stosunku do reszty kraju w XIV i XV wieku należy podkreślić, że w księstwie mazowieckim to miasto grało rolę jednego z ważniejszych ośrodków. Tu stosunkowo wcześnie w skali mazowieckiej rozpoczęto stosowanie cegły jako materiału budowlanego, używano jej do stopniowej modernizacji urządzeń obronnych, a także do wznoszenia siedzib mieszkalnych. Wcześniejsze ceglane budowle gotyckie poza Warszawą znane nam są obecnie tylko w Błoniu (2 poł. XIII w.) i Rokiciu (1310), z tego zaś samego okresu w Płocku. W Warszawie już w połowie wieku XIV powstały murowane elementy zarówno zamku, jak i fortyfikacji miejskich. W ogólnym obrazie średniowiecznego miasta przeważała jednak zabudowa drewniana, co tłumaczy się tanim i łatwo dostępnym budulcem. Najbliższym dla Mazowsza obszarem, na którym w ciągu XIV wieku wykształciła się i rozkwitała architektura ceglana, było państwo zakonne w Prusach. Po klęsce grunwaldzkiej, w okresie rozkładu Zakonu, rozpoczął się tam regres budownictwa spowodowany ograniczeniem potrzeb i możliwości potężnego w poprzednim stuleciu inwestora. Rzemieślnicy budowlani znaleźli zatrudnienie także na obszarach Mazowsza. Przenosili tu północne, czternastowieczne formy stylowe gotyckie z okresu świetności państwa krzyżackiego. Kolejne, wyuczone na tych wzorcach pokolenia muratorów długo w głąb XVI wieku powtarzały w sposób często uproszczony i schematyczny rozwiązania przestrzenne i formy dekoracyjne, zapóźnione w stosunku do rozwoju artystycznego i stylowego pozostałych ziem polskich. Administracyjna zaś przynależność kościelna do diecezji poznańskiej skłaniała do czerpania inspiracji również z kręgu wielkopolskiego.
Ożywienie ruchu budowlanego w zakresie architektury ceglanej przypada w Warszawie na koniec wieku XIV i pierwszą ćwierć wieku XV i wiąże się z podniesieniem miasta do rangi najważniejszego ośrodka władzy książęcej dzielnicy. Ruch budowlany objął w tym czasie główne obiekty powstające z inicjatywy Janusza I Starszego (rządzącego w latach 1374–1429); w zakres budownictwa książęcego wchodziły bowiem rezydencje własne na terenie zamku, mury otaczające miasto (kontynuowanie pierwszej linii obwodu), a także kościoły (kolegiata św. Jana i kościół Panny Marii na Nowym Mieście). Szersze stosowanie

cegły jako materiału budowlanego przypada jednak dopiero na drugą połowę wieku XV i pierwszą tercję wieku XVI, kiedy powstają kolejne murowane kościoły, zewnętrzny obwód murów, siedziby dygnitarzy dworu książęcego na przedpolu zamkowym, a także liczne kamienice mieszczańskie.

Trudno dziś osądzać na podstawie skąpej ikonografii, przerzedzonych archiwaliów i szczątkowych reliktów, jakie było oblicze średniowiecznej architektury w Warszawie, odbudowy bowiem po katastrofalnych pożarach 1544 i 1607 szybko zacierały obraz gotyckiego miasta.

Jeszcze więcej trudności nastręczają badania zabytków ruchomych, chociaż wiemy ze źródeł archiwalnych o żywym funkcjonowaniu środowiska artystycznego w Warszawie tego okresu. Już akta procesu krzyżackiego w 1339 roku wymieniają złotnika, a liczne przekazy źródłowe z XV i pierwszej tercji XVI wieku pozwalają na odtworzenie bogatej listy przedstawicieli rzemiosł plastycznych. Nie znane nam są jednak obrazy, rzeźby, monstrancje, kielichy, relikwiarze, tkaniny czy hafty z XIV i XV wieku pochodzące z warszawskich warsztatów. Z tego czasu przetrwały tylko zabytki bliskiej złotnictwu sfragistyki oraz ceramiki, to jest garncarstwa i kaflarstwa. Na pieczęciach wykonywanych zapewne przez złotników prześledzić można rozwój form ornamentalnych oraz styl przedstawianych postaci czy godeł od pierwszej połowy XIV wieku do pierwszej ćwierci wieku XVI. Obiekty te nie ustępują poziomem artystycznym współczesnym sobie pieczęciom z obszaru całego kraju.

Poprzednikiem książęcego, a następnie królewskiego zamku był gród o konstrukcji drewniano-ziemnej, siedziba przeniesiona na przełomie XIII i XIV wieku z Jazdowa na obszar wsi Warszowa, usytuowana w południowo-wschodniej części dzisiejszego Zamku. W ciągu XIV wieku nastąpiła modernizacja urządzeń obronnych grodu poprzez kolejne wznoszenie budowli murowanych. Niewątpliwie najstarszym murowanym elementem jest Wieża Wielka lub Grodzka na planie kwadratu o boku 12 m, grubości murów około 3 m, potężnie oskarpowana, co świadczy o jej pierwotnej znacznej wysokości. W tym samym czasie powstał również odcinek muru tarczowego od strony Wisły i rzeczki Kamionka, wieża bramna Żuraw, a także murowane elementy stopniowo wymienianego obwodu warownego wokół miasta sprzężonego z Zamkiem. Na ogół wiąże się tę działalność budowlaną z rządami Trojdena I w latach 1311–1341 (przed 1339), jednakże jest prawdopodobne, że przebudowę grodu podjął około połowy w. XIV następca Trojdena, Kazimierz I, książę warszawski, panujący w latach 1341–1354, lub jego brat Siemowit III (1354–1379), wzorujący się na działalności swego suwerena Kazimierza Wielkiego. Murowana zabudowa terenu książęcego w końcu XIV wieku oraz w początkach XV wieku zajmuje coraz większy obszar, co wiąże się z ogólnym ożywieniem ruchu budowlanego w czasach rządów Janusza I. Wówczas niewątpliwie powstał Dwór Większy (*Curia Maior*) – murowany pałac książęcy, usytuowany przy Wieży Wielkiej (na północ od niej). Pierwotny budynek Dworu Wielkiego (zniszczony w 1944 – zachowały się tylko piwnice – a ostatnio odbudowany) był piętrowy, na planie prostokąta, przykryty stromym dachem, ze sterczynowymi szczytami. Narożnik północno-wschodni ujęty był potężną wysoką skarpą; w jej górnej części znajdował się zapewne ustęp – dansker – dostępny z pierwszego piętra. Elewacja zachodnia od strony dziedzińca, odsłonięta w roku 1921, była rozczłonko-

ARCHITEKTURA ŚWIECKA
ZAMEK

28. Elewacja gotycka Dworu Większego z począt w. XV, przed zniszczeniem Zamku w 1944 r.

wana na wysokości pierwszego piętra szeregiem dekoracyjnych, smukłych, płytkich wnęk ostrołukowych w profilowanych obramieniach, z maswerkami w górnych partiach; przez umieszczony asymetrycznie pomiędzy wnękami portal wchodziło się na piętro z drewnianego ganku, na który prowadziły schody z dziedzińca. Z trzech piwnic najlepiej zachowało się kwadratowe pomieszczenie o sklepieniu krzyżowym, wspartym na ośmiobocznym słupie; gurtowe żebra schodzą do narożników pomieszczenia i łączą się z nimi za pomocą tromp. Jest to jedyna w Warszawie izba gotycka zachowana w swej pierwotnej formie. Pozostałe dwie piwnice oraz wszystkie pomieszczenia górnych kondygnacji były nakryte pierwotnie stropami. W przyziemiu mieściły się trzy izby o wysokości około 3,5 m; zapewne odbywały się w nich sądy książęce i urzędowała książęca kancelaria. W jednej z tych izb, mieszczącej w grubości muru zachowane schody wiodące na ganek straży i zapewne na Wieżę Wielką, odkryto zniszczone w katastrofie Zamku resztki polichromii, świadczące o istnieniu wystroju malarskiego, prawdopodobnie we wszystkich pomieszczeniach dworu. Komnaty książęce na piętrze powtarzały układ parteru i osiągały większą wysokość (ok. 5,5 m); ozdobione były wewnątrz wnękami ostrołukowymi i polichromią.

MURY MIEJSKIE   Miasto w początkowej fazie swego istnienia, to jest na przełomie XIII i XIV wieku, zostało opasane wałem ziemno-drewnianym, który w ciągu XIV i XV wieku ulegał modernizacji: poszczególne jego partie wymieniano na murowane. W pierwszej kolejności wbudowano w wał murowane wieże bramne: Dworzan (potem zwaną Krakowską) od południowego zachodu oraz Łaziebną (późniejszą Nowomiejską) od północy. Najwcześniejszym odcinkiem murów wydaje się fragment pomiędzy placem Zamkowym i ulicą Piekarską, rozczłonkowany od wewnątrz ostrołukowymi arkadami. Analogiczne arkadowanie muru występuje w najstarszych partiach murów miejskich w Toruniu (z połowy XIII w.), świadcząc o kręgu inspiracji i północnych wzorcach budowlanych warszawskiego rozwiązania. W roku 1379 książę Janusz I wystawił przywilej, rodzaj umowy z mieszczanami warszawskimi na budowę murów miejskich, będącej świadectwem kontynuacji wcześniej już rozpoczętej modernizacji obwarowań. Różna interpretacja zawartych w dokumencie tym wiadomości na temat planowanych robót jest przyczyną ciągnącej się od lat dyskusji naukowej wśród specjalistów. Najczęściej utrzymuje się pogląd o wzniesieniu w tym czasie odcinka murów wzdłuż Wisły (tj. od Wieży Marszałkowskiej do Zamku), aczkolwiek istnieją inne możliwości odczytania lokalizacji budowanych wówczas fragmentów, z czego wynikałoby datowanie pierwszej linii murów z prostokątnymi basztami na rok 1379. W dokumencie z 1413 roku zatwierdzającym prawa miejskie znajduje się fragment dotyczący uporządkowania i restauracji murów. Być może wówczas nastąpiła budowa cylindrycznej Wieży Marszałkowskiej, w północno-wschodnim narożniku murów, oraz odcinka murów wzdłuż Wisły. Datę 1413 wiązano w literaturze najczęściej z drugą, zewnętrzną linią o półkolistych basztach niemal równej wysokości z murem, pierwotnie zwieńczonych krenelażem i przykrytych wysokimi, stożkowymi, ceglanymi hełmami (jedna z nich, tzw. Prochowa, w sąsiedztwie Barbakanu, została zrekonstruowana w 1937). W basztach tych znajdują się strzelnice przystosowane do użycia broni palnej, tak zwanych hakownic. Tego typu baszty wznoszono w Malborku w latach 1417–1448; nie wydaje się możliwe, aby najnowocześniejsze rozwiązanie w zakresie budownictwa obronnego mogło wystąpić na Mazowszu wcześniej aniżeli w stolicy państwa Zakonu. Prawdopodobnie dopiero w dalszych latach wieku XV, a raczej u jego schyłku mogła nastąpić budowa zewnętrznego muru obwodowego w Warszawie, mającego na Mazowszu analogię do baszt obronnych w Pułtusku, gdzie biskup Erazm Ciołek zawarł umowę na budowę murów w latach 1508–1509. W tym też czasie przekształcono baszty pierwszej linii murów obronnych, zamurowując je od wnętrza i przykrywając dachami, a także rozbudowano przedbramia obu bram: Łaziebnej oraz Dworzan, wystawiając przed tą ostatnią dwuarkadowy most, odsłonięty ostatnio w trakcie prac wykopaliskowych na placu Zamkowym.

RATUSZE   Pierwsza wzmianka o staromiejskim ratuszu warszawskim pochodzi z roku 1429, nie określa jednak ani jego formy, ani materiału, z jakiego został wzniesiony. Druga wzmianka, również piętnastowieczna (z 1478), pozwala przypuszczać, że chodziło o budynek murowany, gdyż mowa jest o piwnicy pod ratuszem. Być może więc, że murowany ratusz został wzniesiony w pierwszej ćwierci XV wieku, w okresie bliskim wydania statutu miejskiego, skodyfikowanego przez Janusza I w roku 1413, a zarazem w okresie rozwoju samorządu miejskiego. Usytuowany pośrodku Rynku, reprezentował zapewne skromny typ złożony z niewielkiego budynku administracyjnego z przystawioną wieżą. Na Rynku Nowego Miasta wznosił się również ratusz, wzmiankowany w roku 1497. Był to zapewne wówczas budynek drewniany, który padł pastwą pożaru miasta w roku 1544.

KAMIENICE   Pierwotna, czternastowieczna zabudowa miejska była zapewne wyłącznie drewniana. Ożywienie ruchu budowlanego w Warszawie, związane z inwestycjami księcia Janusza Starszego, wpłynęło również na przekształcenie istniejącej zabudowy miejskiej i zastępowanie budynków drewnianych murowanymi, zapewne już od końca XIV wieku. Wiąże się to również z szybkim rozwojem gospodarczym miasta oraz z wydanym, w okresie rządów Bolesława IV (1429–1454), zakazem budowy domów drewnianych w Rynku, w obawie przed niebezpieczeństwem pożaru. W ciągu wieku XV ustala się typ zabudowy parceli oraz wykształca się układ przestrzenny warszawskiej kamienicy mieszczańskiej, nie odbiegający w zasadzie od środkowoeuropejskich i ogólnopolskich wzorców i rozwiązań stosowanych w tym czasie przy wznoszeniu murowanych domów mieszkalnych. Układ ten wyraźnie skłaniał się ku rozwiązaniom domu hanzeatyckiego. Kamienica piętnastowieczna była domem jednorodzinnym, przeważnie dwukondygnacyjnym, o znormalizowanym rozplanowaniu wnętrza (Rynek 13, 20, 31). Ustawiona szczytowo, ujęta była dwiema konstrukcyjnymi ścianami pełniącymi funkcję murów ogniowych. Trakt przedni wypełniała obszerna, wysoka, kryta stropem sień o charakterze reprezentacyjnym, z wejściem umieszczonym z reguły po prawej stronie. Ściany sieni ozdobione były malowidłami i ożywione wnękami. W głębi sieni znajdowała się drewniana klatka schodowa wiodąca do pomieszczeń na pierwszym piętrze. Płytszy trakt tylny mieścił izbę wielką, również krytą stropem, oraz przechód na podwórze. Znacznie niższe piętro powtarzało układ dwutraktowy. Parter służył do celów reprezentacyjnych, izba tylna, czyli wielka, do mieszkalnych, na piętrze znajdowały się mieszkania służby, czeladników lub składy. Z biegiem czasu parter przeznaczono wyłącznie na cele handlowe lub warsztaty, wyższe kondygnacje na mieszkania. Kuchnie mieściły się zapewne na wyższych kondygnacjach lub w zabudowie na tyle działki. Zabudowa gospodarcza działki, przeważnie drewniana, z biegiem czasu zastąpiona została budynkami murowanymi, połączonymi z kamienicą drewnianym gankiem.

Elewacje kamienic warszawskich cechowała skromność i prostota. Przeważnie trzy-, rzadziej czteroosiowe, ożywione smukłymi, ostrołukowymi wnękami, były zwieńczone trójkątnymi szczytami, później schodkowymi. Charakterem swym przypominały elewacje kamienic toruńskich, gdańskich czy elbląskich. Wejścia zdobiły ostrołukowe portale z profilowanym, uskokowym wałkiem w obramieniu (ul. Nowomiejska 5, Rynek 20). Portale piętnastowieczne zachowały się w kamienicy Rynek 21, z połowy wieku XVI – w sieniach kamienic Rynek 1 i 32. Z początku XVI wieku pochodzą portale wewnętrzne kamienicy Rynek 31. Te późnogotyckie portale siodłowe, rozpowszechnione w drugiej połowie XV wieku i na początku wieku XVI w środkowej Europie, szczególnie w architekturze czeskiej, wiążą się zapewne z kręgiem działalności budowlanej biskupa poznańskiego, Jana Lubrańskiego. Wykazują bliskie analogie do portali kościoła bernardyńskiego w Kazimierzu Biskupim oraz do portali na piętrze poznańskiego ratusza, z okresu jego przedrenesansowych przekształceń na początku wieku XVI. Pochodzą być może z poznańskiego warsztatu kamieniarskiego.

29. Wnętrze katedry po odbudowie

BUDOWNICTWO SAKRALNE

KOLEGIATA

Początki budowy murowanej świątyni św. Jana Chrzciciela prawdopodobnie wiążą się z translacją kapituły z Czerska do Warszawy w latach 1402–1406. Dotychczasowej zapewne drewnianej farze miejskiej, w związku z jej nową funkcją kolegiaty, nadano formę trzynawowej, pięcioprzęsłowej hali z wydłużonym, wielobocznie zamkniętym prezbiterium oraz z wieżą na osi fasady zachodniej. Korpus świątyni opięto uskokowymi skarpami, a wnętrze podzielono filarami ośmiobocznymi, charakterystycznymi dla nadbałtyckiego kręgu kultury budowlanej, przekazanymi na Mazowsze za pośrednictwem państwa zakonnego i miast hanzeatyckich. Obszerny korpus typowej miejskiej hali, powiązany z prezbiterium, sprawił, że fara mogła pełnić funkcję kolegiaty, a także kościoła zamkowego. Prace przy budowie kolegiaty były kontynuowane w ciągu wieku XV (kolejna dobudowa kaplic, założenie gwiaździstych sklepień). W roku 1472 naprawę dachu kościoła wykonali muratorzy, Niklos i Peter, przybyli z Gdańska (bezpodstawnie łączono ich w literaturze z osobami Petra Sommerfelda i Niklosa Tyrolda, działających tamże 50 lat wcześniej). Pochodzenie owych muratorów dowodzi, że recepcja wzorów budowlanych z północnego obszaru państwa zakonnego i miast hanzeatyckich odbywała się poprzez bezpośredni udział sprowadzanych stamtąd rzemieślników. Mówiąc o kolegiacie nie można pominąć wiążącej się z nią zabudowy tak zwanej kanonii. Po przeniesieniu kapituły do kościoła św. Jana, wokół cmentarza kościelnego, na wschód od prezbiterium, wyznaczono miejsce na domy dla kanoników. Początkowo zapewne drewniane, w ciągu XV i XVI wieku przekształcone na murowane, dwu- i trzyosiowe, niewątpliwie otrzymały formy gotyckie, o czym świadczy zachowany fragment wnęki okiennej z fazowaną, barwioną cegłą w domu przy ul. Jezuickiej.

Pierwotny drewniany kościół i klasztor powstał w związku z fundacją Siemowita III i jego żony Eufemii po roku 1356, dla sprowadzonych z Czech augustianów. W ciągu wieku XV drewniany zespół zastąpiono murowanymi budynkami klasztoru i kościoła o apsydzie skierowanej na wschód. Zniszczony w pożarze w roku 1478 został odbudowany po roku 1494, w ciągu pierwszej tercji wieku XVI. Wówczas to zapewne przeniesiono prezbiterium na zachód, wejście do kościoła było więc z ul. Piwnej, oraz wystawiono zachowaną do dzisiaj wieżę–dzwonnicę z ostrołukową bramą. KOŚCIÓŁ AUGUSTIAŃSKI ŚW. MARCINA

Kościół Panny Marii na Nowym Mieście został ufundowany w 1409 roku przez Janusza Starszego i jego żonę Annę Danutę; pełnił w nowo lokowanym mieście funkcję fary. Był on zapewne pierwotnie murowaną, jednonawową budowlą o wielobocznie zamkniętym prezbiterium. Rozbudowa, rozpoczęta w drugiej połowie XV wieku, przekształciła skromną świątynię w bazylikę. Prace budowlane, kontynuowane w końcu stulecia, w latach 1492–1497, uformowały ostatecznie trzynawową, czteroprzęsłową bazylikę, zwieńczoną schodkowymi szczytami, z zewnątrz oskarpowaną, we wnętrzu zaś rozdzieloną ośmiobocznymi filarami typu pomorskiego. Do nawy południowej przystawiono dzwonnicę, przeprutą w przyziemiu ostrołukowym przejazdem i oskarpowaną na narożach. KOŚCIÓŁ PANNY MARII

Nie zachowany do naszych czasów kościół św. Jerzego na Nowym Mieście, poprzedzony istnieniem drewnianej kaplicy, został wzniesiony z fundacji Bolesława IV i jego matki, Anny księżnej mazowieckiej, w połowie XV wieku wraz z erekcją parafii. Była to skromna, jednonawowa świątynia z węższym od nawy trójbocznie zamkniętym oskarpowanym prezbiterium, z wnętrzem przykrytym stropem. Fasadę wieńczył trójkątny szczyt ożywiony ostrołukowymi oknami i wnękami. Przy prezbiterium od południa wznosiła się czworoboczna, wolno stojąca wieża–dzwonnica. Od zachodu przylegał budynek klasztoru zgromadzenia kanoników regularnych, których prepozyturę zakonną, zależną od opactwa czerwińskiego, erygowano w 1453 roku. KOŚCIÓŁ ŚW. JERZEGO

Kościół św. Anny oraz klasztor Bernardynów zostały usytuowane poza murami miejskimi przy Krakowskim Przedmieściu (wówczas Czerskim), zgodnie z przyjętą przez ten zakon zasadą lokowania się u wylotu głównych traktów miejskich. Pierwotne budynki rzekomo murowanego kościoła oraz drewnianego klasztoru (drugiego – po krakowskim – klasztoru KOŚCIÓŁ BERNARDYŃSKI ŚW. ANNY

31. Kościół Panny Marii z dzwonnicą, w. XV i 3. terc[ji] XVI w. Stan obecny

bernardynów polskich) były ufundowane przez Annę Holszańską, księżnę mazowiecką, w roku 1454. Zniszczone pożarami, w latach 1513 i 1515, zostały odbudowane jako murowane w latach 1515–1533, z fundacji księżnej Anny Konradowej, jej synów Stanisława i Janusza, książąt mazowieckich, oraz biskupa poznańskiego, Jana Lubrańskiego. Powstał wówczas korpus kościoła z charakterystyczną dla rozwiązań bernardyńskich wtopioną czworoboczną wieżą, przy oskarpowanym istniejącym do dziś prezbiterium. Przy budowie czynny był prawdopodobnie murator Bartłomiej z Czerska. Murowany klasztor powstał na prostym i funkcjonalnym planie powtarzającym typowy, średniowieczny układ czworobocznego *claustrum* z wirydarzem pośrodku. Wnętrze klasztoru przykryto sklepieniami kryształowymi, zachowanymi we wschodniej części; charakteryzuje je duża inwencja, stosowanie różnych schematów formalnych w poszczególnych przęsłach i zarazem pewna nieporadność warsztatowa.

Analogie do nich znajdujemy między innymi w sklepieniach kościoła Bernardynów w Wilnie (1512–1513), wiązanych z autorstwem Michała Enkingera. Sklepienia te są przykładem pośredniego oddziaływania środowiska twórczego Gdańska, gdzie u schyłku wieku XV rozwinęła się bogata dekoracja późnogotycka.

MALARSTWO I RZEŹBA   Rozważania nad malarstwem i snycerstwem warszawskim ograniczyć się muszą do omówienia niewielkiej grupy obiektów, z których część w dodatku została zniszczona w czasie ostatniej wojny. Tak na przykład jedyny znany tablicowy obraz gotycki z kościoła Augustianów na Piwnej, późnogotyckie rzeźby świętych z tegoż kościoła, wreszcie malowane skrzydła tryptyku dawnego ołtarza głównego kolegiaty warszawskiej spaliły się w czasie powstania warszawskiego w 1944 roku. W sytuacji całkowitego niemal braku materiału zabytkowego z zakresu sztuk plastycznych z wieku XV i XVI, nie mówiąc już o wcześniejszym okresie, istnieje jedynie możliwość wysuwania wniosków o bardzo ogólnym charakterze. To zaś zmusza również do powoływania się na przykłady spoza Warszawy, przy czym znajomość materiału zabytkowego z obszaru Mazowsza jest jeszcze niepełna z powodu nieukończenia prac nad „Katalogiem zabytków sztuki". Uciekać się też trzeba do wnioskowania przez porównanie, do stawiania hipotez i snucia domysłów.

Wiadomo, że w czasach książęcych w ciągu XV wieku wraz z ugruntowywaniem się władzy miejskiej, rosnącym znaczeniem mieszczaństwa, wzrostem jego potrzeb i wymagań kulturalnych rozwinęły się w Warszawie rzemiosła artystyczne, tworząc ośrodek o nie znanych jednak bliżej rozmiarach i zasięgu produkcji. Z malarstwa sztalugowego w wieku XIV i XV nie zachował się w Warszawie do naszych czasów ani jeden obiekt, jakkolwiek przekazy źródłowe informują nas o istnieniu co najmniej kilku warsztatów malarskich (Piotra, Mikołaja, Piotra Brody czy Macieja Hoffnala, rzekomego malarza ostatnich książąt mazowieckich). Świadectwem orientacji artystycznej i powiązań ze sztuką śląską są wiadomości archiwalne, jak na przykład przekaz o Niklosie Poliŋie z Warszawy, przebywającym około roku 1488 przez kilka lat w pracowni Jakuba Beynhardta, najwybitniejszego malarza i snycerza wrocławskiego schyłku XV wieku.

Wszystkie zachowane zabytki rzeźby gotyckiej związane z Warszawą są w zasadzie dziełami importowanymi. Z warsztatu śląskiego lub pomorskiego pochodzi zapewne rzeźba Matki Boskiej z Dzieciątkiem, znajdująca się obecnie w kościele Matki Boskiej Loretańskiej na Pradze. Również importem – według ostatnich badań – jest pierwotny wielki ołtarz warszawskiej kolegiaty, ufundowany przez biskupa Jana Lubrańskiego, a przekazany przez warszawską kapitułę, być może już w początku XVII wieku, kościołowi w Cegłowie (pod Mińskiem Mazowieckim), pozostającemu pod patronatem kolegiaty.

34. Rzeźba Matki Boskiej z Dzieciątkiem w kościie Matki Boskiej Loretańskiej na Pradze, koniec XV w

35. Kwatera z tryptyku, dawniej w warszawskiej farz 1510 r. Cegłów

Rzeźba św. Jana z tryptyku, dawniej w warszaw-
j farze, 1510 r. Cegłów

Rzeźba św. Krzysztofa z kościoła św. Marcina,
XV/XVI

W kościele cegłowskim zachowały się płaskorzeźbione kwatery tryptyku, reprezentującego typ tak zwanego „ołtarza czterech dziewic", oraz figury w polu głównym. Natomiast
malowane skrzydła, przedstawiające legendę św. Jana Chrzciciela, przekazane w roku
1913 do Muzeum Diecezjalnego w Warszawie, spaliły się w 1944 roku. Na owych
skrzydłach widniała data 1510 oraz sygnatura Lazarus Pictor, zapewne Lazarusa Gertnera,
pochodzącego z Ulm, który sygnował również obraz *Zaśnięcie Marii* z początku XVI
wieku (w kościele w Łękach Górnych, woj. tarnowskie). Być może pomorskiej proweniencji były późnogotyckie, z przełomu wieku XV i XVI, rzeźby biskupów: Erazma i Ambroże-
go (lub Gaudentego) oraz św. Krzysztofa z kościoła poaugustiańskiego, spalone w roku
1944. Ich gipsowe kopie, sporządzone w roku 1938, zostały przekazane do kościoła przez
Muzeum Narodowe po wojnie.

Tradycją i legendą mocno związany z warszawskim środowiskiem, lecz również będący
dziełem importowanym, jest szczęśliwie ocalały krucyfiks, tak zwany baryczkowski,
z kolegiaty warszawskiej, pochodzący z początku wieku XVI, a według tradycji zakupiony
przez Jerzego Baryczkę w roku 1539 w Norymberdze. Wiązano go z warsztatem
wrocławskim, choć przypuszczenie o odleglejszej prowieniencji nie wydaje się bezpodstawne. Jego wybitne wartości plastyczne, jego potężna, a przy tym odosobniona siła wyrazu,
pełne ekspresji oblicze nacechowane bezgranicznym bólem i męką, prawdziwe włosy oraz
cierniowa korona i jednocześnie pewne techniczne szczegóły wykonania przywodzą na
myśl naturalistyczną, a zarazem pełną mistyki rzeźbę hiszpańską.

Jedynym znanym przykładem gotyckiej rzeźby kamiennej jest figura św. Anny Samotrzeć, z około 1520–1530 roku, umieszczona w ściętym narożniku fasady tak zwanej

kamienicy książąt mazowieckich; jest ona dość prymitywna i powstała najprawdopodobniej w warsztacie lokalnym.

O ile na rzeźbę mogły oddziaływać istniejące w tej dziedzinie dzieła, o tyle w malarstwie nadal posługiwano się grafiką jako wzorcem. Wspomniany już (spalony 1944) obraz Matki Boskiej Bolesnej z kościoła Augustianów, z końca wieku XV, był przykładem inspiracji przekazem graficznym. Nieznany autor wzorował się tu wiernie na sztychu tak zwanego Mistrza E S, czynnego w latach 1440–1468, lecz sztych ten posłużył mu do przedstawienia Matki Boskiej Bolesnej, a nie Chrystusa Bolesnego (Męża Boleści), jak to było w pierwowzorze graficznym. Obraz warszawski – tak jak podobne obrazy z krakowskiego kościoła Franciszkanów i Benedyktynek w Staniątkach oraz obrazy z Nieświeża i Parczewa – przedstawiał niezwykle ekspresyjne ujęcie postaci Matki Boskiej w malarstwie polskim tego okresu. Odstępstwem od wzoru było umieszczenie w warszawskim obrazie portretowo ujętych, klęczących u stóp Marii, przedstawicieli licznej rodziny: w postaciach tych tradycja upatrywała fundatorów kościoła.

Polichromie gotyckie, niewątpliwie zdobiące budowle świeckie i sakralne, prawie nie zachowały się. Nikłe ślady malowideł, przeważnie z początku XVI wieku, odkrywano przy odbudowie warszawskich kamienic – głównie we wnękach zdobiących reprezentacyjne

40. Obraz Matki Boskiej Bolesnej z kościoła św. Marcina, koniec XV w. (spalony w 1944)

pomieszczenia parteru (Rynek 20: *Głowa Chrystusa* z końca w. XV? i *Hołd Trzech Króli*
z ok. 1515; Rynek 8: *Św. Maria Magdalena* oraz *Pochód rycerzy* z w. XVI; Rynek 12: *Św.
Jerzy* z pocz. w. XVI; Rynek 17: *Matka Boska Tronująca* z pocz. w. XVI, obecnie
w Muzeum Historycznym). Te relikty nie mogą dać pełnego wyobrażenia o charakterze
i poziomie polichromii.

CERAMIKA
Liczne, odnalezione w czasie prac wykopaliskowych na Starym i Nowym Mieście, garnki,
dzbany czy kafle z XIV–XVI wieku świadczą o silnie rozwiniętej produkcji w tej dziedzinie, przy czym wyróżnić można obiekty importowane i wytwory miejscowych rzemieślników; te ostatnie charakteryzuje wysoki poziom techniczny, osiągany prostymi
metodami. Na przykładzie kafli możemy obserwować proces nadawania im cech dekoracyjnych: od kafli garnkowych czy miskowych ozdabianych maswerkami, a używanych od
wieku XIV do połowy XV, do kratowych i płytkowych wprowadzanych około połowy
wieku XVI, dających większe możliwości zastosowania ornamentacji. Ożywienie budowlane, wznoszenie nowych i przebudowa starych kamienic oraz rozbudowa Zamku wzmogły
zapotrzebowanie na kafle, przy czym większość z nich była zapewne wyrabiana na miejscu,
bardziej zaś ozdobne importowano z Krakowa, a także z Niemiec.

ZŁOTNICTWO
Podobnie jak w innych dziedzinach plastyki i rzemiosła, produkcja warszawskich złotników z XIV–XV wieku nie jest nam znana z zachowanych dzieł, a wiadomości o istnieniu
i rozwoju złotnictwa przekazują jedynie źródła archiwalne. Już w latach 1338–1339
wzmiankowany jest złotnik Mikołaj w aktach procesu polsko-krzyżackiego. Liczne
nazwiska występujące w aktach (Michał Bornbach, Mikołaj Łysy, Mikołaj Szomlin)
świadczą o rozwoju rzemiosła w ciągu tego wieku. Prawdopodobnie również w tej gałęzi
zapotrzebowanie zaspokajały w dużej mierze obiekty produkowane w pozamiejscowych
warsztatach, zwłaszcza gdańskich i toruńskich, podobnie jak i w następnych stuleciach.

47

KULTURA WARSZAWY ŚREDNIOWIECZNEJ

Najwcześniejsze pisane wiadomości o Warszawie świadczą, że niemal od początku istniały w tym mieście instytucje kulturalne i przebywali w nim ludzie wykazujący się umiejętnością co najmniej pisania i czytania z racji wykonywanego zawodu. Już w roku 1339 Warszawa miała kościół parafialny, szkołę oraz wójta, który w załatwianiu czynności urzędowych korzystał z pomocy pisarza. Pierwsze sto lat dziejów dzisiejszej stolicy to jednak przede wszystkim okres budowy zrębów gospodarki miejskiej i wykształcenia podstawowych form ustrojowo-organizacyjnych. Przeobrażenia decydujące o dalszym rozwoju miasta nastąpiły dopiero za panowania księcia Janusza Starszego (1374–1429). Od tego czasu Warszawa poczęła wysuwać się stopniowo na czoło miast południowo--wschodniego Mazowsza, przejmując w coraz większym zakresie rolę ośrodka stołecznego dzielnicy. Stała się miastem rezydencjonalnym, centrum archidiakonatu, skupiskiem instytucji służących sprawowaniu władzy świeckiej i duchownej, wykonywaniu kultu i upowszechnianiu oświaty.

Pobyt dworu książęcego w Warszawie oddziaływał w znacznej mierze zarówno na wygląd miasta, jak i na jego życie umysłowe i obyczajowe. Wprawdzie Janusz Starszy i jego następcy jeździli ustawicznie po kraju załatwiając bieżące sprawy podległych im ziem

41. Książęta mazowieccy. Miniatura z tzw. „Kodeks Świętosławów", 1450 r.

48

CIncenſiones & Oppoſitiones Luminarium ad annum a con-
ciliata Diuinitate.MDXXI.Tum tépora electa pro detra
ctione ſanguinis:cucurbicularum appoſitione:balnea
tione. Inſuper pro dandis pilulis:potionibus:ele
ctuariiſq:&pro faciendis enematibus per Bal
daſarem Samoſarſium Cziiechonouienſem
de Ducatu Mazouiæ bonarū artiũ docto
rem : Aſtronomiam in ſtudio Patauino
publice profitentem:ad commu-
nem hominum utilitatem
feliciter recollecta,

mazowieckich, ale właśnie na tutejszym Zamku utrzymywali właściwy dwór, tu przeważnie
zamieszkiwała rodzina książęca, tu spędzali oni regularnie święta Bożego Narodzenia i tu,
w kolegiacie św. Jana, znajdowało się miejsce przeznaczone na ich wieczny spoczynek.
W ciągu kilkunastu dziesięcioleci warszawski zamek był ważnym ośrodkiem administracyjnym, sądowym i polityczno-dyplomatycznym. Stąd wychodziły i tu ogniskowały się
różnorodne inicjatywy mające wpływ na rozwój kultury umysłowej na Mazowszu. Dość
wspomnieć kontakty Piastów mazowieckich z Uniwersytetem Krakowskim, ich zasługi
w rozwoju piśmiennictwa w języku narodowym czy owocną działalność przy kodyfikacji
prawa mazowieckiego.
Środowisko dworskie Warszawy skupiało liczne grono osób wykształconych i to niemal
wyłącznie Mazowszan. Przebywali oni w najbliższym otoczeniu książąt – między kapelana-
mi, medykami (Maciej Lis z Krajny, Baltazar Smosarski), wychowawcami dzieci książęcych (Mikołaj z Załęża, Piotr z Chotkowa, Stanisław ze Strzelec), ale głównym ich
skupiskiem była zwłaszcza kancelaria nadworna, tworząca wyodrębniony zespół pisarzy,
podpisków i sekretarzy pracujących pod kierunkiem kanclerza i podkanclerzego. Z reguły
byli to ludzie szlacheckiego stanu, duchowni, uposażeni przez księcia rozmaitymi benefi-
cjami kościelnymi, najczęściej kanoniami i prałaturami warszawskimi. Szczególna rola
kancelarii, wynikająca z bezpośredniego udziału w życiu państwowym, wymagała kadr
o najwyższych kwalifikacjach umysłowych i zawodowych. Stąd personel kancelaryjny
rekrutował się zazwyczaj spośród wychowanków Uniwersytetu Krakowskiego, a kanclerze
bywali dodatkowo jeszcze absolwentami głośnych uczelni włoskich w Bolonii, Padwie
i Rzymie (Gotard z Babska, Stefan z Mniszewa, Piotr z Chotkowa, Mikołaj z Żukowa).
Owa liczna gromadka wykształconych urzędników świadczy o znaczeniu, jakie książęta

49

przywiązywali do poziomu swej kancelarii. A że poziom jej był rzeczywiście wysoki, przekonuje zarówno znakomicie prowadzona Metryka Mazowiecka, jak i zachowane pomniki miejscowego ustawodawstwa – przykładem zbiór statutów Stefana z Mniszewa (zm. 1452) oraz ich polskie tłumaczenie dokonane przez Macieja z Rożana (zm. 1467). Bezpośrednia opieka książąt przyczyniała się do rozwoju różnych instytucji miejskich i kościelnych. Wystarczy wspomnieć, że prawie wszystkie powstałe w tym okresie budowle sakralne i fundacje dobroczynne zawdzięczała Warszawa książętom. Szczególnie bogatą działalnością fundacyjną odznaczały się niektóre księżne, a wśród nich przede wszystkim Anna Holszańska (zm. 1458), największa po Januszu Starszym dobrodziejka miasta. Była ona założycielką szpitala Świętego Ducha przy kościele augustiańskim św. Marcina, wespół z synem Bolesława IV przebudowała kaplicę św. Jerzego na murowany kościół, sprowadziła do Warszawy bernardynów, na koniec wreszcie uposażyła kilka kaplic w kolegiacie św. Jana, obdarzając ją sprzętem liturgicznym oraz ustanawiając tu kolegium mansjonarskie. Księżna utrzymywała własną kancelarię, z której wychodziły rozmaite pisma i dokumenty, między innymi korespondowała ze Stolicą Apostolską oraz z generałem zakonu bernardyńskiego, Janem Kapistranem. Notariuszem Anny był w roku 1447 kanonik warszawski, Marcin Nasierowski.

Nie mniejszy wpływ na kształtowanie kultury i świadomości społecznej w obu średniowiecznych miastach warszawskich wywierało duchowieństwo świeckie i zakonne. Pierwsze miejsce zajmowała kapituła przy kolegiacie św. Jana Chrzciciela, skupiająca liczną i zarazem najbardziej wykształconą grupę warszawskiego kleru. Prałaci i kanonicy warszawscy zajmowali odpowiedzialne stanowiska w hierarchii państwowej i nadwornej, brali stały udział w sejmach mazowieckich, wchodzili w skład rady książęcej, a w latach wdowieństwa czy regencji bywali faktycznymi współrządcami tej części Mazowsza. Niektórzy z nich sięgali z czasem po najwyższe stanowiska w organizacji kościelnej, jak na przykład Mikołaj Dzierzgowski, późniejszy arcybiskup gnieźnieński, czy Piotr z Chotkowa i Jan Bieliński, którzy zakończyli życie jako biskupi płoccy. Wielu członków kapituły szczyciło się stopniami naukowymi, a kilku odegrało nawet pewną rolę w dziejach naszej kultury. I tak, oprócz wymienionych wcześniej Macieja z Rożana i Stefana z Mniszewa, wspomnieć należy jeszcze Mikołaja z Błonia, autora popularnego w XV wieku podręcznika, obejmującego krótki wykład nauki o sakramentach, obrzędach kościelnych, ekskomunice i interdyktach, następnie Świętosława z Wojcieszyna, tłumacza na język polski statutów Kazimierza Wielkiego (ok. 1449), a także Stanisława ze Strzelec, kanonika, jednego z redaktorów zbioru ustaw mazowieckich, tak zwanego „Zwodu Prażmowskiego" (1531/32).

Najstarszym zgromadzeniem zakonnym w mieście byli augustianie, sprowadzeni w 1356 roku z Pragi czeskiej przez księcia Siemowita III i jego żonę Eufemię. Mieli oni zajmować się duszpasterstwem oraz pracą misyjną na Litwie i Rusi, ziemiach graniczących z Mazowszem. Brak źródeł nie pozwala niestety na konkretne przedstawienie ich działalności w Warszawie. Można jednak wątpić, czy udało się im w ciągu pierwszego stulecia obecności w mieście rozwinąć szerszą działalność. Około 1442 roku cierpieć mieli taki niedostatek, że według ówczesnej relacji „bracia nawet habitów nie mieli i godzin kanonicznych w swym kościele nie odbywali". Dopiero w kilka lat później księżna Anna Holszańska w zamian za opiekę nad sąsiednim szpitalem Świętego Ducha udzieliła im pomocy, „naprawiła kościół, a przede wszystkim podniosła blask nabożeństw [...], co przyciąga rzesze pobożnych do tej niezbyt dawniej uczęszczanej świątyni".

Aktywniejsze środowisko tworzyli bernardyni przybyli do Warszawy w 1454 roku, na fali wzmożonej dewocji wywołanej pobytem w Polsce Jana Kapistrana. Ufundowany wkrótce po krakowskim, klasztor św. Anny był jednym ze znaczniejszych domów bernardyńskich w wikarii polskiej, na co wskazują choćby licznie odbywane tu kapituły oraz częste przebywanie wpływowych zakonników. Niemal od początku stanowił on też ważne ogniwo życia religijnego i umysłowego miasta, dystansujące augustianów i rywalizujące skutecznie we wszystkich dziedzinach pracy duszpasterskiej z kolegiatą św. Jana. Bernardyni wpływali rozmaitymi sposobami na ożywienie życia religijnego miasta. Szczególnym powodzeniem cieszyły się ich kazania, które ściągały do kościoła św. Anny liczne rzesze wiernych. Źródła zakonne wspominają, że kaznodzieja Ludwik z Warki, jeden z pierwszych bernardynów warszawskich, musiał nauczać na ulicach, bo kościół nie mieścił wszystkich chętnych. Te same źródła świadczą, że już w XV wieku istniała w tutejszym konwencie szkoła przeznaczona do kształcenia młodzieży zakonnej w teologii i prawie kanonicznym, działało skryptorium kopiujące księgi liturgiczne, gromadzony był księgozbiór niezbędny w pracy kaznodziejskiej.

Obok kaznodziejstwa, będącego bezpośrednim przedłużeniem czynności nauczania, w środowisku tym uprawiano typową dla konwentów bernardyńskich działalność historiograficzną, wyrażającą się obowiązkowym prowadzeniem nekrologu zakonników i dobrodziejów, pracą nad utrwaleniem dziejów domu i prowincji, a wreszcie spisywaniem łask doznawanych od zmarłych w sławie świętości braci, pochowanych w kościele klasztornym. Szczególne zasługi na tym polu położyli w 1 ćwierci XVI wieku dwaj kolejni gwardianie warszawscy – Jan z Komorowa, autor erudycyjnej kroniki zakonu, oraz Innocenty z Kościana, któremu zawdzięczamy scalenie i opracowanie wszystkich nekrologów bernardyńskich. W tutejszym konwencie krzewiła się też religijna twórczość poetycka

43. Traktat o sakramentach Mikołaja z Błon[...] 1475 r.

w języku narodowym, a jej wybitnym przedstawicielem był Władysław z Gielniowa, autor wielu pieśni, między innymi „Żołtarza [czyli psałterza] Jezusowego" (powstał w 1488 r.). W ciągu wieku XV coraz większą rolę w życiu umysłowym miasta odgrywać począł wykształcony element świecki, którego skupiskiem stały się przede wszystkim istniejące na terenie Warszawy kancelarie. Z najstarszych zachowanych ksiąg miejskich Starej Warszawy (od 1427) wynika, że rozporządzała ona w tym czasie kilkuosobowym zespołem pisarzy, którzy dzielili między siebie czynności kancelaryjne. Byli to na ogół ludzie parający się zawodowo pracą umysłową i również mający często długoletni staż pisarski. Przykładem może być Cyryl ze śląskich Głubczyc, pisarz Starej Warszawy w latach 1496–1506, piastujący uprzednio ten sam urząd w Wilnie. Przygotowanie fachowe zdobył na Uniwersytecie Krakowskim, który ukończył w 1465 roku jako bakałarz sztuk wyzwolonych. Posiadanie wyższego wykształcenia nie należało do zjawisk rzadkich wśród ówczesnych pisarzy warszawskich. W Krakowie studiował także poprzednik Cyryla Błażej z Sycowa oraz jeden z jego następców, rodowity warszawianin Franciszek Łyszcz. Stałych urzędników z odpowiednim zasobem wiedzy i praktyką zawodową zatrudniała też kancelaria sądu ziemskiego. Stanowiska należących do niej pisarzy i podpisków obsadzali z reguły Mazowszanie, w większości wywodzący się z ziemi czerskiej lub warszawskiej. Wśród personelu kancelarii obok szlachty i duchowieństwa spotykamy też kilku mieszczan warszawskich – podpisków Marcina z Nowej Warszawy (1422) i Wielisława Poczpulę (1424) oraz pisarza Pawła Lewka (1485–1486).

Umiejętność czytania, pisania i rachowania była konieczna do pełnienia różnych godności miejskich, przydawała się także przy wykonywaniu zawodu rzemieślniczego i kupieckiego. Niezbędne minimum wiadomości z zakresu szkoły parafialnej można było otrzymać w jednej z dwóch czynnych w okresie średniowiecza szkół warszawskich. Starszą z nich była szkoła przy kościele św. Jana, wymieniana w źródłach już w 1339 roku. Nie znamy dokładnie daty jej założenia, należy jednak sądzić, że powstała wraz z erekcją parafii. W 1406 roku, w związku z ustanowieniem przy kościele świętojańskim kapituły kolegiackiej, dotychczasowa szkółka parafialna podniesiona została do rangi szkoły kolegiackiej. Odtąd pełny jej zarząd, obrona prawna mienia oraz opieka nad personelem i uczniami spoczywały w rękach kapituły. Przez blisko sto lat była ona jedynym ogniskiem wiedzy na terenie miasta i jego przedmieść. Dopiero w 1411 roku otwarto drugą szkołę, mieszczącą się przy nowo erygowanym kościele parafialnym Panny Marii, mającą zaspokoić potrzeby mieszczan Nowej Warszawy.

Niewiele wiadomo o metodach nauczania i poziomie nauki w najstarszych szkołach warszawskich. Zachowane wzmianki źródłowe mówią najczęściej o posunięciach zmierzających do zapewnienia uczącej się w nich młodzieży odpowiednich warunków materialnych. Można wszak przyjąć jako pewne, że wyższy poziom reprezentowała szkoła przy kolegiacie, kościele hierarchicznie wyżej postawionym i dysponującym bardziej wykształconym klerem. Świadczy o tym choćby fakt, że na stanowisko jej rektora, kapituła powoływała jedynie osoby promowane w Akademii Krakowskiej.

Jednym z niewielu konkretnych śladów tego, czego uczono w warszawskich szkołach, jest rękopiśmienny kodeks z końca XV wieku, przechowywany obecnie w zbiorach Biblioteki

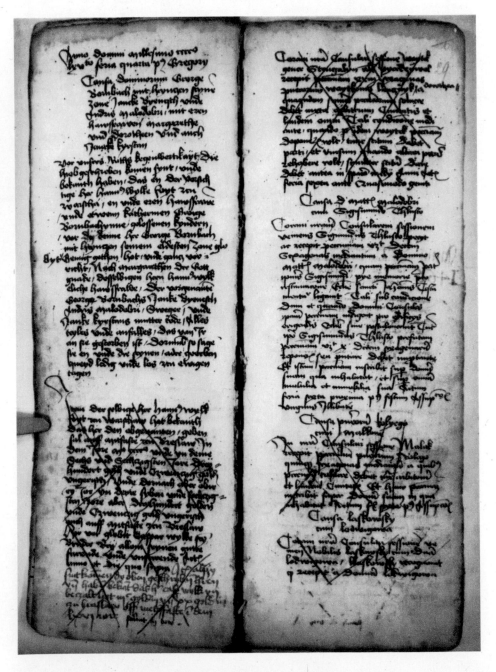

45. Księga rady miejskiej Starej Warszawy z lat 144 1476

Jagiellońskiej w Krakowie. Na jego oprawie zachowała się notatka stwierdzająca, że należał do bakałarza Andrzeja z Kobylina i że był pilnie słuchany i sumiennie glosowany w szkole św. Jana w 1499 roku. Kodeks, pisany głównie jedną ręką, zawiera, prócz wypisków z różnych słowników i gramatyk, kilku listów i wiersza o Mazurach, trzy wierszowane traktaty gramatyczne Ludolfa z Hildsheimu („Verba deponentalia"), Jana z Garlandii („De composicione verborum") oraz Hugona („De verbis neutralibus"). Zawartość rękopisu wskazuje na używanie w ówczesnych szkołach warszawskich starych średniowiecznych podręczników dalekich od odnawianej we Włoszech tradycji starożytnej i podtrzymujących łacinę szkolną, niekiedy modelowaną świadomie przez język narodowy. Jak wiadomo, dawna spekulatywna gramatyka łacińska utrzymywała się w wykładach uniwersyteckich jako użyteczne wprowadzenie także do logiki; w nauczaniu elementarnym trwała jeszcze dość długo w głąb XVI wieku.

Szkoły warszawskie mogły dać synom mieszczańskim jedynie niezbędne minimum wiadomości, toteż komu nie wystarczała zdobyta wiedza, ten wyruszał po dalszą naukę do któregoś z istniejących wówczas uniwersytetów. Pojedynczych warszawian spotykamy wśród Polaków studiujących w Wiedniu, Pradze czy Lipsku, najczęstszym jednak celem ich wyjazdów był przede wszystkim Kraków. W latach 1400–1526 zapisuje się na Akademię Krakowską ogółem 103 studentów z Warszawy, przy czym uwagę zwraca nagły wzrost zapisów poczynający się od lat siedemdziesiątych XV wieku (1400–1470: 25, 1471–1526: 78). Znajduje to uzasadnienie w rozwoju miasta, właśnie bowiem na okres ostatniej ćwierci tego stulecia przypada szybki postęp gospodarczy Warszawy, związany głównie z nowymi kierunkami handlu i jego przedmiotem. Liczny w tym czasie napływ studentów warszawskich do Krakowa jest zapewne wyrazem wzrostu zainteresowań bogacącego się mieszczaństwa perspektywami, jakie dla synów mogły otwierać studia wyższe.

Wielu warszawian po ukończeniu studiów i zdobyciu cenzusów naukowych rozpraszało się po całym kraju, podejmując różnoraką działalność w innych ośrodkach i środowiskach. Reszta wracała do miasta, powiększając w nim kadrę ludzi wykształconych. Studentami Uniwersytetu Krakowskiego byli między innymi dziekan warszawski Jan Pielgrzym, wpisany do metryki uniwersyteckiej w 1414 roku, ławnik Wojciech, tytułujący się w 1431 roku bakałarzem sztuk, rajca Jakub Ludwik Rechenmeister, immatrykulowany w 1483 roku, burmistrz Serafin Mahler, legitymujący się stopniem magistra sztuk wyzwolonych uzyskanym w 1484 roku, a także kanonik Piotr Baryczka, który po studiach w Krakowie zapisał się w 1496 roku na uniwersytet w Lipsku.

Zapewne w ścisłym związku z upowszechnieniem oświaty, ze zwiększeniem się w mieście grona ludzi władających łaciną, pozostawał rozwój czytelnictwa. Niestety, księgozbiory warszawskie uległy w ciągu wieków takiemu zdziesiątkowaniu, że zachowane do dziś resztki nie dają prawie pojęcia o najdawniejszych bibliotekach miasta. W każdym razie wiadomo, że już w XV wieku większe lub mniejsze zbiory ksiąg miały zarówno kolegiata św. Jana, jak oba warszawskie zgromadzenia zakonne augustianów i bernardynów. Pojedyncza książka rękopiśmienna, a od schyłku tego stulecia drukowana, trafiała także do rąk niektórych przedstawicieli ówczesnej „inteligencji" warszawskiej. Początkowo byli to przede wszystkim duchowni. W Bibliotece Jagiellońskiej jest przechowywany egzemplarz „Dekretu" Gracjana (Bazylea 1486), zapisany uniwersytetowi przez kanonika i altarystę warszawskiego, Stanisława z Nasierowa. Był on absolwentem Akademii Krakowskiej, w której w 1474 roku uzyskał stopień magistra sztuk wyzwolonych, a następnie zdobył tytuł bakałarza dekretów. Inny przedstawiciel tutejszego kleru – bakałarz sztuk wyzwolonych i wikariusz kolegiaty św. Jana – Mikołaj ze Skwar był posiadaczem zbioru kazań o świętych pióra popularnego wówczas kaznodziei węgierskiego Pelbarta z Temeszwaru („Sermones Pomerii de sanctis", Hagenau 1500). W pierwszej ćwierci XVI wieku wśród prywatnych właścicieli książek spotykamy również świeckich mieszkańców Warszawy. Należał do nich doktor medycyny Stanisław Tarnowski, który w 1521 roku zapisał w testamencie osiem książek o nie określonej bliżej treści innemu warszawskiemu lekarzowi, Maciejowi Świetlikowi.

O uprawianiu muzyki świadczy istnienie w mieście kilku kościołów świeckich i zakonnych. Można przypuszczać, że chór złożony z uczniów szkoły św. Jana prezentował swe umiejętności wokalne podczas nabożeństw już w XIV wieku. Wspomina o nim akt erekcyjny kolegiaty z 1406 roku, w którym książę Janusz Starszy nakazuje żakom świętojańskim, „aby dla zbawienia jego oraz przodków i następców jego, Psalmy, w domie bożym każdego dnia śpiewane były, i aby też imię Pańskie godne od wszystkich ludzi uwielbienia wpośród rzeczonego kościoła przez hymny głośno wysławiane było". Od tych obowiązków zwolnił ich dopiero Janusz III, ustanawiając w 1525 roku specjalne kolegium psałterzystów. O śpiew chóralny w kolegiacie dbało kilka pokoleń książąt mazowieckich. Do jego uświetnienia przyczyniła się szczególnie, obok wspomnianych, księżna Anna Holszańska; ustanowiła ona w 1428 roku specjalną fundację dla 7 mansjonarzy, zobowiązując ich przy tym do śpiewania w chórach maryjnego „officium de Beata". Wiadomo również, że już w połowie tego stulecia były w kościele kolegiackim organy.

Obok muzyki kościelnej rozwijała się także muzyka świecka, dworska i miejska. Liczną kapelę utrzymywał podobno Konrad Rudy (zm. 1503), a do domowników jego syna Janusza III (zm. 1526) należeli muzyk Maciej oraz lutnista Mikołaj Barzy. Stosunkowo najmniej wiemy o muzyce mieszczańskiej. Kilku jej przedstawicieli zatrudnionych zapewne i na dworze wymieniają najstarsze księgi miejskie przy okazji pewnych transakcji finansowych. Są to: piszczek Adam (1441–1452), trębacz Mikołaj (1498) oraz lutnista Marcin Gęsiec (1504).

Życie średniowiecznego mieszczanina związane było ściśle z religią i Kościołem. Ideologia kościelna jako jedyna w ówczesnych warunkach doktryna filozoficzna, moralna, społeczna ingerowała we wszystkie dziedziny działalności ludzkiej. Realnymi dowodami powszechności wiary były rozmaite miłosierne uczynki, dzieła dobroczynne i pobożne fundacje, których ślady znajdujemy na kartach ksiąg miejskich. O przemożnym wpływie Kościoła na życie codzienne miasta mówią nie tylko częste zapisy na rzecz kościołów i klasztorów czynione przez mieszczan, ale także religijny charakter istniejących organizacji mieszczańskich. W artykułach bractwa ławniczego miasta Stara Warszawa, uchwalonych w roku 1430, znajdujemy ustęp zobowiązujący braci do regularnego udziału we wszystkich obrzędach religijnych, szczególnie zaś w uroczystościach pogrzebowych zmarłych konfratrów. Podobną wagę do praktyk religijnych przywiązywały istniejące cechy rzemieślnicze oraz powstała na początku XVI wieku konfraternia kupiecka.

Organizacje cechowe i bractwa, prócz regulowania wszystkich przejawów życia zawodowego i religijnego swych członków, odgrywały zarazem ważną rolę w życiu towarzyskim. Zebrania braci rzemieślniczej lub kupieckiej miały w pewnych okolicznościach charakter spotkań poświęconych zabawom i rozrywkom. Urządzano je z powodu wyzwolenia czeladnika, uzyskania mistrzostwa, wyboru starszyzny, zebrań kwartalnych (suchedniowych) czy obchodu święta patrona cechowego. Chwile wolne od zajęć spędzali mieszczanie w licznych gospodach, gdzie przy kuflu można było porozmawiać z towarzyszami, posłuchać grajków i zabawić się w rozpowszechnioną i lubianą bardzo grę w kości. Miejscem szczególnie uczęszczanym musiała być piwnica pod ratuszem staromiejskim, w której szynkowano słynne piwo wareckie. Pito dużo i nieraz przy tej okazji dochodziło do burd i kłótni. Mimo to życie codzienne średniowiecznej Warszawy było na ogół dość spokojne i monotonne. Pewne ożywienie wnosiły jedynie dni targowe bądź większe uroczystości o charakterze państwowym lub kościelnym, ściągające do miasta tłumy okolicznej ludności. Ogólne zainteresowanie wzbudzały uroczyste procesje, pogrzeby znanych osobistości, wjazdy na zamek książęcy, wystąpienia popularnych kaznodziejów, a także egzekucje. Szczególnie atrakcyjnymi widowiskami musiały być igrzyska rycerskie, które urządzano od czasu do czasu na przedzamkowym dziedzińcu. Dwa takie turnieje odbyły się w roku 1479 przy udziale dworzan Bolesława V.

Rzecz naturalna, że obecność rodziny książęcej wywierała znaczny wpływ na styl życia w mieście. W ostatnim ćwierćwieczu niezawisłości Mazowsza życie dworu dalekie było jednak od atmosfery, jaka panowała na warszawskim zamku za Janusza Starszego. Rozkład obyczajów – widoczny już za rządów Konrada III Rudego – osiągnął niemal apogeum w okresie panowania jego następców, Stanisława i Janusza. Gorszący orgiami dwór młodych książąt wprowadzał do miasta znaczny zamęt i wykolejenie, wywierając nie tylko wpływ na mieszczan, ale i na duchowieństwo. Prałaci kolegiaty świętojańskiej zaniedbywali swe obowiązki, troszcząc się w coraz większym stopniu przede wszystkim o własne interesy materialne. Domy kanoniczne popadały w ruinę, kler pomocniczy uczęszczał do gospód biorąc udział w pijaństwach i zabawach, a i sami kanonicy budzili zgorszenie u pobożnych mieszczan, chodząc po mieście w krótkich i pstrych szatach świeckich. Rozwiązłego życia toczącego się na dworze nie przerwała ani śmierć matki ostatnich książąt, ani nagły zgon Stanisława. Jego brat Janusz po dawnemu trwonił bez opamiętania zarówno pieniądze, jak i zdrowie, dzieląc czas pomiędzy miłostki i nieustanne hulanki. Nowe szaleństwa nie trwały jednak długo, ostatni męski potomek Piastów mazowieckich zmarł w osiemnaście miesięcy później, w marcu 1526 roku.

Nagła zmiana sytuacji politycznej, utrata odrębnego bytu państwowego i niepewność zachowania pozyskanych praw i przywilejów podniecił umysły nie tylko szlachty mazowieckiej, ale i mieszczaństwa. Nie chciano wierzyć w naturalną śmierć młodego księcia. Wieść publiczna oskarżała różne osoby z otoczenia Janusza o zadanie mu trucizny. Niektórym z podejrzanych udało się uratować życie ucieczką poza granice Mazowsza, innych dosięgła ślepa zemsta tłumu. Torturami wydobyto z nich przyznanie się do rzekomej winy i skazano na śmierć męczeńską. Przebieg tych okrutnych egzekucji opisał naoczny świadek, kronikarz Bernard Wapowski: „Upiekli piekarkę z Krakowa i Kliczewską ziemiankę. Nieborzęta, mękę okrutną na nie wymyślono. Przed Warszawą wkopali w ziemię słup, do którego obiedwie na łańcuszku długo uwiązali, każdą na swoim łańcuszku nago, ręce związawszy, a około nakładłszy drew, wkoło zapalili. Piekły się około onego słupa jako pieczenie cztery godziny zanim pomarły, biegając około słupa, narzekając, kąsając zębami jedna drugą. Niesłychana męka. Potem też Jordanowskiego ścięto; Jakuba piwnicznego na kościele u Bernardynów i wiele innych tutaj potracono”. Przedwczesny zgon ostatnich książąt kładł ostateczny kres udzielności politycznej Mazowsza. Tragiczne wydarzenia 1526 roku były epilogiem Warszawy książęcej, w nowy etap swych dziejów wkraczała ona jako ośrodek administracyjny województwa w ramach obszernego terytorialnie państwa jagiellońskiego.

III. WIEK ZŁOTY 1526–1655

DROGA DO STOŁECZNOŚCI I JEJ OSIĄGNIĘCIE

25 sierpnia 1526 roku król Zygmunt Stary, w otoczeniu licznych dostojników świeckich i duchownych, przybył do stołecznej siedziby zmarłych książąt mazowieckich, aby objąć należną mu prawnie dzielnicę i swoją obecnością stłumić separatystyczne nastroje Mazowszan. Król nakazał uroczyście pogrzebać w kolegiacie warszawskiej zwłoki zmarłego księcia Janusza, które od marca leżały na marach. Ustalił też sytuację prawną księżniczki Anny, udaremniając jej zabiegi o utrzymanie księstwa i władzy i nadając jej w użytkowanie bogate włości. Wyznaczył też jej na siedzibę, do czasu zamążpójścia, Dwór Mniejszy zamku warszawskiego. Do własnej dyspozycji zatrzymał król Dwór Wielki, zlecając nadzór nad jego utrzymaniem staroście warszawskiemu. Wreszcie 13 września odebrał przysięgę wierności od szlachty mazowieckiej, a w tydzień później, respektując żywe poczucie odrębności księstwa, ustanowił swego namiestnika z tytułem wicegerenta i powierzył mu zarządzanie przejętą dzielnicą mazowiecką.

Zygmunt Stary opuścił Warszawę 23 września, odkładając decyzję w sprawie ustalenia prawno-politycznego stanowiska księstwa w Koronie. Do porozumienia doszło dopiero w 1529 roku na sejmie zwołanym w lutym przez króla do Warszawy, po raz pierwszy z udziałem panów koronnych. Ale ostateczny akt inkorporacji zatwierdzono 27 grudnia na sejmie w Piotrkowie.

Z włączeniem lenna mazowieckiego w skład Korony Warszawa, pozbawiona ośrodka władzy książęcej, stała się jednym z miast królewskich. Wprawdzie utrzymały się funkcje administracyjno-sądowe miasta, z dawna ośrodka powiatu i ziemi warszawskiej, a teraz stolicy województwa mazowieckiego, ale rytm życia politycznego osłabł. Skromny dwór siostry zmarłych książąt, Anny, mieszkającej do roku 1536 „za specjalną zgodą i łaskawym poleceniem królewskim" w mniej reprezentacyjnej części zamku warszawskiego – nie odgrywał po inkorporacji istotniejszej roli w życiu miasta i Mazowsza. Po wyjściu Anny za mąż Warszawa zachowała charakter prowincjonalnej rezydencji jako siedziba wicegerenta i starosty. Zygmunt Stary jeszcze tylko raz, w 1544 roku, gościł na zamku warszawskim.

Tak więc życie publiczne Warszawy w drugiej ćwierci XVI wieku ograniczało się do spraw lokalnych, związanych z działalnością odbywających się tu sądów grodzkich i ziemskich oraz sejmików ziemi warszawskiej. Natomiast sejm mazowiecki, straciwszy po inkorporacji władzę ustawodawczą, działał jeszcze do roku 1540 jako wyższa instancja sądowa. Pracowano w nim nad kodyfikacją prawa mazowieckiego, które w formie ostatecznej zatwierdzono w 1536 roku, a w pięć lat później wydano drukiem w Krakowie, jako że Warszawa drukarni jeszcze nie miała.

Inkorporacja Mazowsza nastąpiła w okresie korzystnego dla Warszawy układu stosunków gospodarczych dzięki poszerzonym perspektywom udziału w wielkim handlu wiślanym. Stopniowa zaś likwidacja partykularyzmu mazowieckiego sprzyjała narastaniu powiązań ekonomicznych, społecznych i kulturalnych w skali krajowej. Niemałą rolę w pomyślnym rozwoju miasta odegrała protekcyjna polityka Zygmunta Starego. Już w czasie pierwszej bytności w Warszawie uznał wszystkie prawa i wolności mieszczan warszawskich uzyskane od książąt mazowieckich, polecając staroście, aby praw tych przestrzegał. Nadał też nowe przywileje mając na względzie, jak stwierdzał w dokumencie z 1528 roku, dobro Warszawy, „ongiś stolicy księstwa, miasta na Mazowszu pierwszego i znakomitego".

Ranga Warszawy wzrosła, gdy w roku 1548, po śmierci Zygmunta Starego, przybyła tu królowa Bona, aby stąd zarządzać swoim wianem wdowim składającym się z królewszczyzn mazowieckich i podlaskich. Skłócona z synem osiadła nie w zamku warszawskim, dokąd na czasowe pobyty zjeżdżał Zygmunt August, lecz w niedalekim Jazdowie. W pobliżu zniszczonego starego grodu jazdowskiego i rozległego zwierzyńca dawniej książąt mazowieckich, tuż obok folwarku augustianów, a przypuszczalnie na miejscu myśliwskiego dworu książąt, Bona wzniosła nowy dwór i założyła piękne ogrody oraz folwark. Odtąd Jazdów stanie się ulubioną podmiejską siedzibą rodziny królewskiej.

W czasie ośmioletniego administrowania dobrami mazowieckimi Bona zajmowała się niewiele samym miastem. Jej ingerencja w sprawy mieszczańskiej Warszawy ograniczyła się do nadania kilku przywilejów natury gospodarczej i porządkowej. Niewątpliwie jednak pobyt królowej wdowy z trzema córkami i z licznym polsko-włoskim dworem wzbogacił życie codzienne miasta. Monarszy styl życia dworu Bony pobudzał mazowieckich dostojników i bogatą szlachtę do naśladownictwa, zwiększając obroty warszawskich kupców i rzemieślników.

Warszawski pobyt królowej skończył się skandalem głośnym w całej Polsce i na Litwie. Rzecz poszła o nagromadzone w Polsce olbrzymie skarby Bony i jej z nimi wyjazd do Włoch, czemu sprzeciwiał się Zygmunt August i panowie polscy. W roku 1556 na Rynku Starego Miasta otrąbiono edykt królewski zabraniający udzielenia podwód na wywiezienie skarbów. Wkrótce jednak edykt odwołano i na 24 poszóstnych wozach Bona zabrała bogactwa nagromadzone w Polsce.

Istotne zmiany funkcji politycznych Warszawy wiązały się z poczynaniami Zygmunta Augusta. Ostatni Jagiellończyk od roku 1553 coraz rzadziej i krócej przebywał w Krakowie. Problemy polityki północnej, głównie zaś sprawy Inflant, wojny z Moskwą, niezrealizowane królewskie marzenia o panowaniu nad Bałtykiem, a także finalizowanie unii realnej Korony i Wielkiego Księstwa Litewskiego – wszystkie te sprawy wymagały obecności króla i jego ministrów bliżej głównej widowni rozgrywających się wydarzeń. Centralne miejsce Warszawy w państwach jagiellońskich, zalety komunikacyjne jej położenia sprawiały, że król zatrzymywał się tu wielokrotnie w czasie swoich rozjazdów. Miasto stopniowo zaczęło dojrzewać do rangi ośrodka całego państwa. Król zwołał do Warszawy dwa sejmy koronne (1556–1557, 1563–1564), tu przyjął posłów Iwana Groźnego (1571). Doceniając położenie Warszawy inspirował wyznaczenie jej na miejsce sejmów walnych Korony i Litwy, zatwierdzone na sejmie lubelskim w roku 1569. Od tego czasu prawie co dwa lata odbywały się na zamku warszawskim zjazdy sejmowe, trwające po kilka tygodni, nierzadko po kilka miesięcy. Na rok przed unią podjął król rozbudowę dawnego zamku książęcego na dogodną rezydencję królewską i siedzibę sejmową. Następną poważną inwestycją stała się budowa pierwszego mostu stałego na Wiśle, ułatwiającego panom koronnym i litewskim dojazd na sejmy i spinającego oba brzegi przejściem dogodnym dla szlaku handlowego coraz większej wagi krajowej i międzynarodowej. Most otwarto 5 kwietnia 1573 roku.

Zainteresowania króla miastem wyraziły się także nadaniem dalszych przywilejów handlowych (1559) i przywilejów usprawniających produkcję rzemieślniczą. Król zobowiązał mieszczan do brukowania ulic, ustanawiając osobny podatek zwany brukowym (1557). Część dochodów królewskich przeznaczono na restaurację murów obronnych i budynków publicznych. Z nakazu królewskiego wydanego w obronie interesów miasta wszyscy mieszkańcy mieli podlegać prawu miejskiemu i byli obowiązani do ponoszenia ciężarów na rzecz miasta. Mieszczanie zostali wyłączeni spod jurysdykcji marszałka, wojewody i starosty (1570). W celu utrzymania porządku w czasie sejmów ustalono rozdział kwater, to jest gospód sejmowych (1570), oraz zakazano wyznaczania ich w browarach i w ogrodach.

Konsekwencją wzrostu znaczenia politycznego miasta sejmowego było ustalenie tu, po śmierci Zygmunta Augusta, miejsca elekcji królewskiej. Pierwsza z elekcji odbyła się na błoniach wsi Kamień, na prawym brzegu Wisły, następne odbywały się na gruntach wsi królewskiej Wielka Wola, na zachodnim przedpolu Warszawy. Doniosłym aktem politycznym, zatwierdzonym w roku 1573 na sejmie konwokacyjnym w Warszawie, była uchwała konfederacji warszawskiej gwarantująca szlachcie ochronę wolności wyznania.

W okresie dziesięcioletniego panowania Stefana Batorego utrwaliła się rezydencjonalność miasta przede wszystkim jako stałej siedziby królewskiej małżonki Anny Jagiellonki. Król, niechętny wyznaczonej mu przez sejm królowej, rezydował w Warszawie rzadko, głównie w czasie sejmów (1578, 1581, 1582, 1585). Szczególnie świetny był pobyt królewski w roku 1578, gdy w Jazdowie w obecności władcy, dworu i licznych gości odegrano pierwszą polską tragedię – „Odprawę posłów greckich" Jana Kochanowskiego. Król Stefan, choć zainteresowany teraz bardziej Grodnem, bliższym teatru wojen, obdarzył Warszawę szpitalem dla inwalidów wojennych. Mieszczanie uzyskali przywilej regulujący wybory do władz miejskich. Z kancelarii króla Stefana wyszły pierwsze przywileje osobiste dla warszawian, tak zwane serwitoriaty, nadawane kupcom i rzemieślnikom zasłużonym dla dworu królewskiego, zwalniające od opłat miejskich i obowiązku ubiegania się o obywatelstwo miejskie.

Krótkie panowanie Henryka Walezego nie sprowadziło go do Warszawy. Natomiast jego następca Zygmunt III stał się sprawcą jej ustołecznienia. Zamierzenia w tym kierunku, rozważane od roku 1588, zostały przyspieszone chęcią przybliżenia rezydencji królewskiej do państw korony szwedzkiej. W roku 1598 król przystąpił do rozbudowy zamku warszawskiego, w którym zamieszkał na stałe od roku 1611. Poza miastem, w Jazdowie, budował od roku 1624 rezydencję podmiejską. W latach panowania Zygmunta III utwierdził się stołeczny charakter Warszawy, oficjalnie nazywanej miastem rezydencjonalnym Jego Królewskiej Mości. Król odbył w Warszawie ponad trzydzieści sejmów, tu przyjął wziętych do niewoli cara Wasyla Szujskiego wraz z braćmi, hołdy lenników z Prus Książęcych oraz Kurlandii i Semigalii. W Warszawie odbywały się uroczyste wjazdy posłów i krwawe epilogi wyroków ferowanych przez sejm i króla: ścięcie Semena Nalewajki, przywódcy zbuntowanych Kozaków, w roku 1597, stracenie arianina Iwana Tyszkiewicza w roku 1611 oraz zamachowca na życie królewskie Michała Piekarskiego w roku 1620.

Będąc żarliwym rzecznikiem kontrreformacji, sprowadził król do Warszawy zakony: jezuitów, dominikanów, reformatów, brygidek. Na Pradze ufundował kościół Bernardynów. Odnowił i wyposażył kolegiatę staromiejską św. Jana. Zmarłym w niewoli Szujskim wzniósł kaplicę tak zwaną moskiewską, położoną opodal dzisiejszego Pałacu Staszica. Do Warszawy ściągał artystów i architektów, na zamku warszawskim zorganizował teatr i słynną w Europie kapelę. Do obsługi dworu powoływał warszawskich kupców i rzemieślników. Najbardziej zasłużonym dla dworu warszawianom nadawał tytuły sekretarzy królewskich, oddawał im w zarząd stajnie królewskie, intratne dzierżawy, powierzał prowadzenie królewskich budowli. Miastu potwierdził dawne przywileje i nadał nowe; zezwolił na sprzedaż soli z żup bocheńskich i wielickich. W roku 1590 wzbogacił skarb

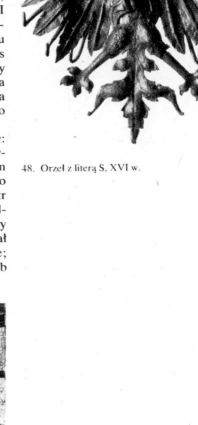

48. Orzeł z literą S, XVI w.

49. Sala Senatorska na Zamku Królewskim w Warszawie, 1611 r.

. Medal ślubny Władysława IV i Cecylii Renaty,
37 r.

miejski nowym podatkiem od piwa przywożonego do Warszawy; ograniczył konkurencję obcego kupiectwa w latach 1612 i 1614; nadał przywileje na sprzedaż książek (1588, 1589), a Janowi Rossowskiemu udzielił zezwolenia na założenie pierwszej stałej drukarni w roku 1624. Okresowo (1622–1628) funkcjonowała tu mennica. Z inicjatywy króla zyskała Warszawa nowożytne fortyfikacje bastionowe, wał Zygmuntowski. Kolumna z posągiem Zygmunta III, wzniesiona w roku 1644 przez jego syna Władysława IV, stała się architektonicznym symbolem Warszawy.

Za Władysława IV szczególnie mocno pulsował w Warszawie rytm życia politycznego i dworskiego. Wyjąwszy lata 1636 i 1644, co roku odbywał tu król sejmy, przyjmował liczne poselstwa; tu nastąpił w roku 1641 ostatni hołd lenny z Prus. Król odbywał uroczyste wjazdy przez miasto: z okazji elekcji, koronacji lub po powrocie z wyprawy moskiewskiej w roku 1635. Równie uroczyście odbywały się wjazdy weselne i koronacyjne obu kolejnych żon króla: Cecylii Renaty i Marii Ludwiki.

W latach 1637–1644 rozwijał król ożywioną działalność budowlaną. Rozbudowywał i przebudowywał warszawski oraz jazdowski zespół zamkowy, wzniósł pałac na Krakowskim Przedmieściu, zwany *Villa Regia* (dziś Pałac Kazimierzowski w zespole budynków uniwersyteckich), zbudował Arsenał przy ulicy Długiej. Na potrzeby Rzeczypospolitej zlecił Danielowi Tymowi urządzenie ludwisarni. Sprowadził i uposażył zakony pijarów i kamedułów bosych; na Pradze zbudował kaplicę Loretańską. Dbając o bezpieczeństwo i wygląd miasta zalecił mieszczanom w roku 1648 stawianie murowanych domów na przedmieściach, zatwierdził w roku 1644 uchwałę miejską o naprawie dróg publicznych i utrzymaniu czystości w mieście. Król popierał budownictwo mieszczańskie udzielając właścicielom nowych lub przebudowanych kamienic libertacji od kwater sejmowych. Towarzyszącą wielkiemu ruchowi budowlanemu drożyznę robót murarskich i ciesielskich ograniczał nakazem ustalenia taks za robociznę.

LUDNOŚĆ

Zróżnicowana pod względem społecznym i zawodowym ludność Warszawy tworzyła w wieku XVI i XVII znaczne skupisko, którego liczebność niełatwo obliczyć. Wysnuwane z rejestrów podatkowych dane obejmują zapewne głównie ludność osiadłą. Reszta wnosząca swój wkład w życie miasta uchodzi nam z szacunku. Trzon zasadniczy, to znaczy liczba stałych mieszkańców obu miast warszawskich obejmowała około 7 tysięcy mieszkańców w roku 1564 i ponad 15 tysięcy około roku 1620. Biorąc zaś pod uwagę cały zespół miejski, to jest Stare i Nowe Miasto wraz z przedmieściami oraz jurydykami: Lesznem, Grzybowem, Pragą, Skaryszewem, można szacować ogólną liczbę mieszkańców około roku 1655 na 15 do 20 tysięcy; trzeba ją podnieść o liczbę nieuchwytnej ludności przepływowej przybywającej do miasta w czasie jarmarków, roków sądowych, sejmów, świąt kościelnych, różnego rodzaju uroczystości.

Nasze wiadomości o społecznej strukturze ludności migrującej do Starej Warszawy są niepełne, wolno jednak przypuszczać, że w omawianym okresie utrzymywała się fala napływu chłopów i mieszczan, rekrutujących się głównie z mazowieckich wsi i miasteczek, wielkością swą zbliżona do połowy całej migracji. To synowie rodzin chłopskich z najbliższych wsi podwarszawskich: Gąsiorków z Woli, Wróblów z Pragi, Tralpów z Mokotowa, Zientarów i Wicherków z Milanowa (późniejszy Wilanów), Królów i Wioteszków z Jazdowa, Mrówków z Rakowca, Kozłów z Bródna – stali się założycielami znanych w wieku XVI i XVII warszawskich rodów rzemieślniczych. Migracja chłopska w latach 1525-1575 rekrutowała się z ponad 30 wsi podwarszawskich (największa z Wielkiej Woli, Jazdowa, Milanowa, Grochowa, Ożarowa) i z około 300 wsi mazowieckich.

Od roku 1526 Warszawa staje się ziemią obiecaną dla mieszkańców mniejszych miasteczek. Księga przyjęć do prawa miejskiego notuje w latach 1526–1575 przybyszów z 49 miast Mazowsza, najwięcej z Pułtuska, Przasnysza, Zakroczymia, Piaseczna, Grójca, Warki, Łomży. W migracji mieszczańskiej spoza Mazowsza największa liczba przybyszów pochodziła z Małopolski: 77 osób, przede wszystkim z Krakowa – 14 i z Radomia – 6. Napływ z Wielkopolski był już znacznie mniejszy (34 osoby z 19 miast, w tym z Poznania – 12, Piotrkowa – 5, Kalisza – 4). Podobne nasilenie cechowało migrację z Pomorza (35 osób z 26 miast, w tym z Gdańska – 14, Torunia – 6) i ze Śląska (30 osób z 12 miast, w tym 11 z Wrocławia, 4 ze Świdnicy, 3 z Legnicy). Dodajmy, że migracja ze Śląska z 10 osób w latach 1525–1550 wzrosła do 20 osób w latach 1551–1575. Charakterystyczny dla tego okresu był zwiększający się napływ mieszczan z Litwy (17 osób), głównie z Grodna i Wilna. Nieznaczną w tym okresie migrację obcą stanowili Niemcy (19 osób), Włosi (14), Czesi (7), Szkoci (3) oraz pojedynczy przybysze z Niderlandów i Francji. Ogółem migracja obca wynosiła od 4 do 9% uchwytnej w źródłach migracji mieszczańskiej oraz od 2 do 4% ogólnego napływu.

Najbardziej przedsiębiorczy przybysze spośród mieszczan, bogacąc się szybko na handlu (głównie zbożem) i rzemiośle, dochodzili do znacznych fortun i urzędów miejskich. Obok starego patrycjatu reprezentowanego przez Baryczków, Filipowiczów, Kazubów, Małodobrych wyrosła nowa generacja: Susługów z Pułtuska, Krzywopatrzów i Chociszewskich z Zakroczymia, Kranichów z Torunia, Szlichtyngów z Gdańska, Tregierów z Poznania, Korbów z Wrocławia, Fukierów z Norymbergi, Marianich z Cremony. Powstają także liczniejsze od kupieckich wybitne rodziny rzemieślnicze, na przykład: konwisarzy Drewnów, Mrugawków z Zakroczymia; złotników Zaleskich z Tarczyna, Słomkowiczów

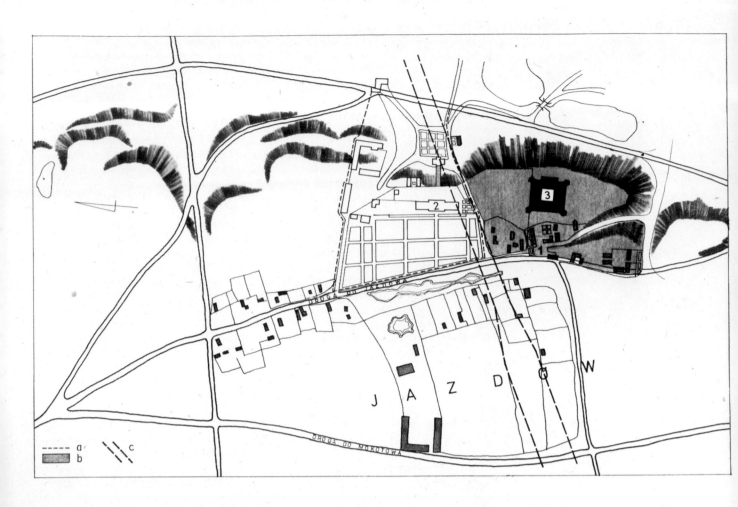

z Torunia, Szałapskich z Krakowa; piwowarów Niedbałów z Nadarzyna, Zabłotnych z Błonia, Łomiłazów z Piotrkowa; rzeźników Ożegałów i Nieznachów ze Stanisławowa. Kilka pokoleń piekarzy i trębaczy staromiejskich wiązało się z nazwiskiem Bębenków z Piaseczna, kuśnierzy zaś z nazwiskiem Śledziów z Sochaczewa. Należy też podkreślić, że nową, widoczną już w drugiej połowie wieku XVI, generację rzemieślników tworzyli przybysze ze wsi mazowieckich.

Struktura terytorialna migracji, będąca w pewnym stopniu odbiciem kontaktów rodzinnych, gospodarczych i kulturalnych, świadczy o najsilniejszym oddziaływaniu Warszawy w rejonie mazowieckim oraz o powiązaniach przede wszystkim z Małopolską, a w nieco mniejszym stopniu z Wielkopolską, Pomorzem, Śląskiem i Litwą.

Obok nurtu migracji mieszczańsko-chłopskiej występuje trudniejszy do uchwycenia na podstawie zachowanych źródeł, ale istotny dla Warszawy nurt drugi – szlachecki. Najbardziej widoczne jest przybywanie na dłuższe okresy pobytu, a także na stałe, szlachty zamożnej, nawet magnaterii zakładającej tu swe rezydencje; pod koniec wieku XVI liczono w aglomeracji warszawskiej 32 dwory i dworki. Z nimi wiązała się służba szlachecka i plebejska. A do miasta, do jego życia gospodarczego włączał się niejeden przedsiębiorczy szlachcic uboższego pochodzenia. Spośród nich Andrzejowi Humięckiemu (ok. 1540–1606) udało się zdobyć znaczną fortunę kupiecką.

Napływ obcych był symptomem wzrastającego znaczenia gospodarczego i politycznego

51. Podmiejskie posiadłości królewskie na obsza[r] Jazdowa XVI–XVII w. Opr. W. Szaniawska
a – granice folwarku królowej Bony; b – folwa[rk] augustianów wykupiony przez Zygmunta III Wazę; [c –] Trasa Łazienkowska
1 – budynki gospodarcze folwarku augustianów; 2 [–] dwór królowej Bony; 3 – Zamek Królewski wznoszo[ny] od 1324 przez Zygmunta III Wazę

52. Warszawa około 1630 r., Christian Melich (?)

Warszawy. Zwabiał ich dwór królewski, coraz liczniejsze w Warszawie dwory magnackie, protekcyjna polityka zarówno króla, jak i szlachty w stosunku do obcych rzemieślników i kupców. W wieku XVI wśród przybyszów znaleźli się głównie włoscy muratorzy oraz kupcy śląscy i niemieccy. W pierwszej połowie XVII stulecia obok rosnącej liczby Włochów i Niemców pojawiali się Flamandowie, Węgrzy, Czesi, Ormianie, Szkoci, a także, pojedynczy co prawda, Francuzi. Ogółem liczba obcych przybyszów wzrosła z około 1–2% w latach 1525–1575 do 8–12% w latach 1575–1665.

Cechą charakterystyczną ludności tego okresu była jednolitość wyznaniowa społeczeństwa miejskiego. Żydzi od roku 1525 musieli opuścić granice miasta i przedmieść. Innowierców zaś, luteranów czy kalwinów nie przyjmowano w poczet obywateli miasta Stara Warszawa, nie mogli oni też pełnić godności miejskich. Mimo rygorystycznych zakazów w latach 1580–1590 znajdowała się w Warszawie grupa innowierców odbywająca swoje nabożeństwa w jednej z kamieniczek Rynku Staromiejskiego. Większość ich jednak przyjmowała wyznanie rzymskokatolickie. Osiadali też oni na gruntach przedmiejskich, a także położonych przy dworach innowierczej szlachty.

Pomyślny rytm rozwoju Warszawy często przerywały i hamowały dotkliwe w skutkach klęski elementarne: pożary i epidemie moru, szczególnie groźne w latach 1555–1556, 1565, 1572–1573, 1591–1592, 1624–1626. Poza skutkami demograficznymi powodowały zubożenie niektórych mieszkańców i przesunięcia majątkowe wśród innych.

OBSZAR I ZABUDOWA

Narastaniu liczby mieszkańców towarzyszyło rozszerzanie się warszawskiego zespołu miejskiego. Wokół Starej i Nowej Warszawy zabudowywały się przedmieścia o charakterystycznej strukturze własności. Dominowała tu w pierwszej połowie XVII stulecia własność królewska, szlachecko-magnacka oraz klasztorno-kościelna. Mieszczańska parcelacja gruntów pod zabudowę sięgnęła natomiast pobrzeży wiejskiego dotąd Solca. Zagospodarowywanie zaś gruntów podmiejskich przez magnatów doprowadziło w połowie XVII stulecia do wytworzenia się miasteczek prywatnych: Skarszewa (1641, potem Skaryszewa), Pragi (1648), Leszna (1648) i Grzybowa (1650).

Tak ukształtował się rozległy zespół miejski o różnych formach organizacji i administracji. Temu stanowi rzeczy odpowiadała zróżnicowana struktura społeczna mieszkańców. Jakkolwiek w zespole tym dominowały nadal dwa główne ośrodki produkcyjno-handlowe: staromiejski i nowomiejski, to powoli tworzyły się nowe skupiska rzemiosła i wymiany, co prawda o znacznie mniejszym znaczeniu gospodarczym, ale niezależne od jurysdykcji miejskiej i cechowej Starej czy Nowej Warszawy.

Obszar gęsto zabudowany oceniać wolno w pierwszej tercji XVII wieku na około 126 hektarów. Ujmował go wał Zygmuntowski, nowoczesna fortyfikacja bastionowa wzniesiona w latach 1621–1624. Na północy przy Wiśle opierał się o ulicę Przyrynek na Nowym Mieście, na południu o Tamkę, a na zachodzie obejmował bastion, na którym stanął niebawem Arsenał.

Spis nieruchomości z roku 1655, który objął przede wszystkim zabudowę wewnątrz wału, wymienia ponad 100 budynków i posesji, a więc ponad 10% ogólnej liczby nieruchomości

3. Skaryszew, 1646 r., fragment portretu Adama Kazanowskiego

jako własność królewską, szlachecką i duchowną. Ustołecznienie Warszawy przyniosło powstanie w pobliżu rezydencji królewskiej okazałych pałaców największych dygnitarzy Rzeczypospolitej: Jerzego Ossolińskiego, kanclerza wielkiego koronnego, Stanisława Koniecpolskiego, hetmana wielkiego koronnego, Adama Kazanowskiego, marszałka nadwornego, Mikołaja Daniłłowicza, podskarbiego wielkiego koronnego, i pałacu prymasa oraz około połowy wieku XVII ponad 60 dworów szlacheckich. Równocześnie z fundacji królewskiej i magnackiej wyrastają obszerne kompleksy nowo wzniesionych kościołów i klasztorów.

W drugim ćwierćwieczu tego stulecia zabudowa wychodzi poza wał, posuwając się wzdłuż dróg wlotowych do miasta. Drewniane domy wznosi się na Nowym Świecie, częściowo na późniejszej Świętokrzyskiej i Chmielnej. Na północy luźna zabudowa podmiejska dociera do rzeki Drny (na obszarze dzisiejszego Żoliborza), a na zachodzie do dzisiejszej ulicy Żelaznej. Pod jurysdykcją miejską urządza się grunty nadbrzeżne wsi miejskiej Solec, gdzie umieściły się młyny i składy materiałów budowlanych. Miasto zagospodarowuje nieużytki, kolonizując tak zwanymi olędrami (chłopami czynszowymi), znawcami melioracji wodnych, Kępę Solecką (późniejszą Saską).

Sąsiedztwo stolicy wpływało na zmianę struktury własnościowej jej zaplecza. Zaczynała się likwidacja własności drobnoszlacheckiej, a obok starych kompleksów dóbr duchownych na prawym brzegu Wisły wyrastały na lewym nowe: kamedułów bielańskich oraz magnackie.

Pojawiły się też pierwsze rezydencje podmiejskie: królewski Jazdów; dworki mieszczańskie i duchowieństwa w Mokotowie; siedziby szlacheckich dygnitarzy w Okęciu; Włochy należały do Andrzeja Leszczyńskiego, kanclerza wielkiego koronnego, który skupił około 25 majętności w 10 wsiach podwarszawskich; w Rakowcu zażywał wczasów Albrycht Stanisław Radziwiłł, kanclerz wielki litewski, a Paweł Warszycki, wojewoda mazowiecki, miał część Rakowca i część Stenclewic (dzisiejszych Szczęśliwic). Przybysze napływający do aglomeracji warszawskiej wykupywali wiejskie grunty na zapleczu Starej i Nowej Warszawy oraz parcele podmiejskie, wznosząc na nich domy, dwory i budynki gospodarcze oraz zakładając ogrody. Powstawały rozległe przedmieścia.

Potrzeby zaopatrzenia rozwijającej się Warszawy oraz eksport zboża sprawiają, że zaplecze rolnicze miasta przeżywa w wieku XVI i aż do Potopu okres pomyślnej koniunktury. Proces ten wyraża się likwidacją nieużytków i rozbudową folwarków. Wczesnym przykładem racjonalnej gospodarki jest działalność królowej Bony, która w podległych sobie dobrach przeprowadziła daleko idącą reorganizację, aby zwiększyć ich dochodowość. Warszawa od swego początku znajdowała się w centrum kompleksu dóbr książęcych, w których skład wchodziły: Młociny, Buraków, Wólka Burakowska, Powązki, Pólków, Wielka Wola, Jazdów, Bródno i Żerań. W XIV i XV wieku były to dobrze zagospodarowane wsie, które wchodząc w skład starostwa warszawskiego, przynosiły książętom pokaźne dochody. Po wcieleniu Mazowsza do Korony zarządzali nimi nadal starostowie, prowadząc na dużą skalę handel zbożem. Areał królewszczyzn otaczających Warszawę w XVI wieku i w 1. połowie wieku XVII powoli się zmniejszał wskutek nadań królewskich bądź części, bądź całych wsi, na przykład Pólków i Żerań otrzymali w roku 1639 kameduli warszawscy.

Na południowy wschód od Warszawy ciągnęły się zagospodarowane klucze dóbr należących do biskupa płockiego (Kamion, Gocław, Grochów i Kawęczyn) oraz do opactwa czerwińskiego (Miedzeszyn, Kąty, Błota i Zawady).

55. Widok Warszawy, 1656 r.

Korzyści płynące ze stołeczności Warszawy znacznie osłabiły i opóźniły działanie regresu gospodarczego, w który cały kraj z wolna, lecz nieuchronnie wstępował najpóźniej od ostatniej ćwierci XVI wieku. Korzyści te nie rekompensowały jednak, w procesach dłuższego trwania, kurczących się możliwości mieszczaństwa warszawskiego w produkcji towarowej oraz w handlu wewnętrznym i regionalnym. Typowe dla stosunków gospodarczych rezydencjonalnej Warszawy zwichnięcie proporcji między produkcją towarową na szeroki rynek i usługową doprowadziło do zubożenia ogółu mieszczan, choć błyszczało wśród nich kilka prawdziwych fortun. Sytuację ich utrudniały dodatkowo klęski elementarne i pobory królewskie nakładane na miasto. Zubożenie mieszczaństwa jako całości wystąpiło jaskrawie w dobie napływu do Warszawy magnatów i szlachty. Odbiło się ono w stosunkach własnościowych i zabudowie miasta. Dominująca w XVI wieku na przedmieściu własność mieszczańska zmniejszyła się. Prawie trzy czwarte gruntów przeszło tam w posiadanie magnaterii, szlachty i kleru. Otoczone obszernymi ogrodami pałace, dwory, budowle kościelne i klasztorne, mimo że stanowiły tylko niewiele ponad dziesięć procent ogólnej liczby budynków, przytłaczały swoim ogromem i splendorem skromną i ścieśnioną zabudowę mieszczańską, uwidaczniając nowy układ stosunków gospodarczych i społecznych i nową funkcję miasta, rzeczywistej stolicy Rzeczypospolitej.

HANDEL DALEKOSIĘŻNY
I LOKALNY

Politycznej karierze Warszawy i jej drodze do ustołecznienia w wieku XVI towarzyszyła pomyślna jeszcze koniunktura handlowa miasta. Główną podstawą rozwoju Warszawy do pierwszych dziesięcioleci XVII wieku był nadal wielki handel, przy czym w połowie XVI wieku ponad tranzyt lądowy i spław towarów leśnych wyrósł eksport zboża. Zwolnione w roku 1558 od płacenia ceł wodnych kupiectwo Starej Warszawy wysunęło się na

56. Plan Warszawy, około 1641 r.

63

pierwsze miejsce wśród kupców miast mazowieckich. Zasięgiem skupu w drugiej połowie wieku XVI wykroczyło ono poza granice Mazowsza, podporządkowując sobie w pewnym stopniu Kazimierz Dolny, obejmując Podlasie, województwo lubelskie i ziemię chełmską. Oprócz wywozu zboża i towarów leśnych łączył Warszawę z Gdańskiem i Elblągiem zorganizowany na dużą skalę przywóz towarów masowego spożycia (śledzie, piwo), towarów przemysłowych oraz towarów luksusowych.

Równocześnie z dominującą rolą Warszawy w handlu wodnym wzrosło jej znaczenie w dalekosiężnym handlu lądowym. Warszawa stała się jednym z ważniejszych ośrodków tego handlu, współdziałając z głównymi jego ogniwami: Poznaniem, Wrocławiem, Lublinem i Wilnem. Poprzez Poznań i Wrocław nawiązywała kontakty handlowe z miastami południowych Niemiec: Augsburgiem i Norymbergą, a przez nie z miastami północnych Włoch, Szwajcarii, Francji. Uczestniczyła w zyskownym imporcie zachodnich towarów przemysłowych, głównie sukna, wyrobów metalowych, wszelakiej galanterii i przedmiotów zbytku. Natomiast dzięki kontaktom z Lublinem, Wilnem i finansjerą żydowską miast podlaskich uczestniczyła w eksporcie bydła, skór wołowych, łoju, wosku i futer wysyłanych tranzytem z ziem ruskich i litewskich w głąb krajów niemieckich.

Niezgorsze też zyski wobec dużego ruchu budowlanego dawał handel materiałami używanymi do budowy. Zjazdy sejmowe walnie przyczyniły się do organizowania znacznego importu win, zwłaszcza węgierskich. Częste wojny wpłynęły na rozwój handlu bronią i rynsztunkiem rycerskim.

Z zysków handlowych wyrosło kilka poważnych fortun. Kapitał handlowy lokowali kupcy w przedsiębiorstwach; tak na przykład słynny warszawski kupiec Melchior Walbach (zm. 1603) dzierżawił żupy ruskie, w których wprowadził znaczne ulepszenia techniczne. Jeden z najbardziej przedsiębiorczych kupców Warszawy pierwszej połowy XVII wieku, Jakub Gianotti, Włoch z pochodzenia, trudnił się głównie importem win, ale był też dzierżawcą największych w tym czasie kuźnic królewskich w regionie kieleckim. Na handlu zbożem i suknem wyrosły fortuny Gizów oraz Baryczków, najbardziej znamienitego rodu warszawskich patrycjuszy. Na korzeniach i winie węgierskim bogaci się rodzina Fukierów. Kupcy warszawscy mają domy handlowe w Gdańsku, Elblągu, a zasięgiem kontraktów obejmują całą Polskę. Wielu warszawskich kupców i rzemieślników dorabiało się na dostawach na dwór i na dzierżawach dochodów królewskich. ,,Warszawa ma wielu kupców i znaczny handel, który co dzień się pomnaża" – stwierdzali obcy podróżnicy.

Oprócz wielkich kupców, którzy w zarysowującej się kolejnej koniunkturze ekonomicznej przechodzili na import towarów zbytkownych, było w Warszawie wielu drobnych kramarzy, wśród nich byli również Szkoci handlujący różną galanterią i pasmanterią. Sprzedaż własnych wyrobów prowadzili także rzemieślnicy warszawscy. Handel koncentrował się przede wszystkim w Rynku Staromiejskim, gdzie oprócz różnych sklepów i składów towarów znajdowały się liczne kramy, budy i jatki, a także waga miejska. Podobne, lecz na mniejszą skalę, tworzyły się skupiska handlowe w Rynku Nowomiejskim, w rynkach jurydyk i na placach przedmiejskich. Na Lesznie mieścił się bazar ormiański. Handel zbożem, drzewem, materiałami budowlanymi skupiał się na wybrzeżu wiślanym koło Starej Warszawy, Solca i na brzegu praskim.

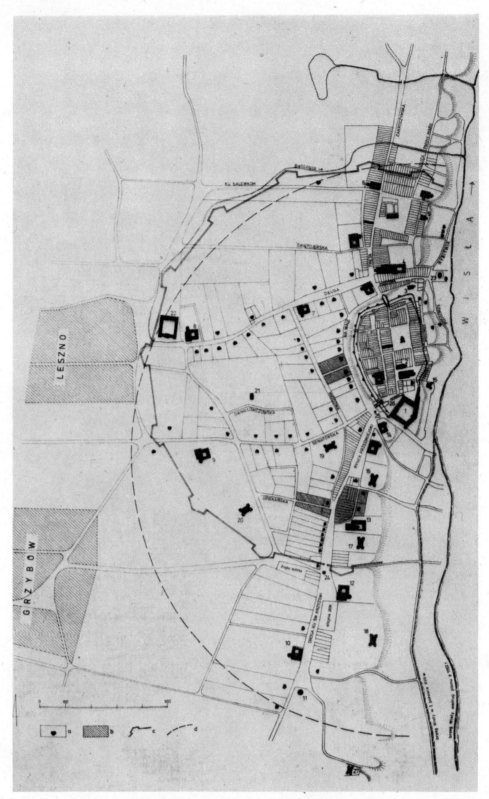

Układ przestrzenny Warszawy w połowie XVII ... ku (1655 r.).
... konstrukcja na podkładzie planu Warszawy z 1762 r.
... r. W. Szaniawska
... parcele z dworami, własność szlachty i duchowieńs-
...; b – grunty należące do jurydyk; c – wał bastionowy
... niesiony w latach 1621–1624; d – zasięg wału bastio-
... wego wg rekonstrukcji T. Zarębskiej na podstawie
... nu I. Hoppego z ok. 1641 r.
... Zamek Królewski
... ścioły: 2 – Jezuitów; 3 – szpital św. Łazarza z kaplicą;
... Dominikanów, 5 – Benonitów; 6 – Franciszkanów; 7
... ijarów; 8 – Brygidek; 9 – Reformatów; 10 – Święte-
... Krzyża, misjonarzy; 11 – Kaplica Moskiewska (mau-
... eum Szujskich); 12 – Wizytek; 13 – Karmelitów; 14
... ernardynek
... ace: 15 – królewicza Karola Ferdynanda; 16 –
... zanowskich (Radziejowskich); 17 – Kaniecpolskich;
... – Królewski – Villa Regia; 19 – arcybiskupa gnieź-
... ńskiego; 20 – Ossolińskich; 21 – Daniłowiczów; 22
... Arsenał; 23 – Baszta Mostowa, Prochownia; 24 –
... ara przydrożna u wylotu uliczki Ossolińskich; 25 –
... umna Zygmunta III Wazy; 26 – budynki Apteki
... ślewskiej (od strony muru) oraz osiem murowanych
... mów Buratiniego wzniesionych w latach 1655–
... 59; 27 – Zamek Ostrogskich

59. Melchior Walbach, kupiec Starej Warszawy (zm. 1603), żupnik królewski. Nagrobek w kościele parafialnym w Karczewie

60. Wojciech Oczko, lekarz warszawski (zm. 159?). Fragment nagrobka. Lublin, kościół Bernardynów

Szczególna gorączka handlowa ogarniała warszawskich mieszczan w okresach sejmów. Wówczas przed kamienicami w Rynku Staromiejskim stawiano jeszcze dodatkowo tak zwane budy kupieckie sejmowe z suknem, jedwabiami, galanterią, naczyniami, obuwiem i bronią, a także z zagranicznymi kobiercami, oponami i innymi towarami zbytkownymi. Głęboki strukturalny regres gospodarczy miast polskich w wieku XVII powodował kurczenie się ich rynku lokalnego i zmniejszenie liczby odbiorców artykułów masowego spożycia. Zmiany te mało odczuwało kupiectwo Warszawy, które zdobywało rekompensatę w dostawach na dwór królewski, w zaopatrywaniu szlachty zjeżdżającej na sejmy, w dochodowych dzierżawach przedsiębiorstw państwowych.

61. Stanisław Drewno, konwisarz (zm. 1621)

Rozwój rzemiosła warszawskiego był uzależniony nadal od potrzeb chłonnego jeszcze w XVI stuleciu rynku lokalnego. Wystąpiły jednak także nowe czynniki, które wpłynęły na ożywienie produkcji, na zmiany w jej strukturze, na rozszerzanie się zasięgu zbytu. Włączenie się Warszawy w orbitę wielkiego handlu, jakkolwiek dyskontowane głównie przez kupiectwo, ułatwiało rzemieślnikom warszawskim zaopatrywanie się w potrzebne surowce, a także zwiększało możliwości zbytu ich wyrobów. Świadczyłaby o tym ich ruchliwość wyrażająca się udziałem w jarmarkach ziem mazowieckich, a także popularność wyrobów rzemiosła warszawskiego w zasięgu rynku regionalnego, a nawet poza jego granicami, zwłaszcza na Podlasiu i na Litwie. Na rozwój warszawskiego rzemiosła korzystnie wpływała wspomniana już protekcyjna polityka królewska, przyrównująca jego położenie do sytuacji cechów w Krakowie i Poznaniu jako w głównych miastach koronnych. Dalszymi przywilejami królowie popierali stosowanie doskonalszej techniki produkcyjnej, zezwalając na przykład na budowę szlifierni i foluszy; ograniczali w pewnym stopniu konkurencję wyrobów obcych; zatwierdzali wyodrębnianie się nowych cechów, a więc specjalizację produkcji.

RZEMIOSŁO

Ludność napływająca do Warszawy zasila oprócz handlu i kramarstwa podstawowe gałęzie rzemiosła. W najliczniejszej grupie przybyszów z lat 1526–1575, związanych z produkcją spożywczą (104 osoby), dominowali piwowarowie (10), rzeźnicy (16), rybacy (27); w zakresie obróbki skóry (87 osób) – szewcy (32), kuśnierze (10), poza tym kaletnicy, białoskórnicy. W równie licznej grupie rzemiosł metalowych (87 osób) jest 12 iglarzy, 13 złotników, 14 kowali, 14 paśników, 4 konwisarzy, 4 mieczników, 4 kotlarzy. Pozostałe grupy tworzą członkowie rzemiosł odzieżowych (44 osoby) z najliczniejszymi krawcami (21); drzewnych (56 osób), głównie cieśle (31), bednarze, stolarze, kołodzieje. Z innych zawodów należy wymienić 12 muratorów, przez co należy rozumieć budowlanych różnej kwalifikacji, 6 szklarzy, 4 malarzy. Zaznaczyć jednak trzeba, że dane liczbowe zawodowej struktury migracji nie są dokładne, ponieważ w zapisach przyjęć do prawa miejskiego często zawodu nie określano.

Nowe możliwości zarobków zarysowały się dla niektórych rzemieślników z okazji okresowych pobytów dworu królewskiego. Istnieją przekazy o krawcach, haftarzach, cieślach jako wykonawcach prac dla królowej Bony rezydującej w latach 1548–1555 w dworze jazdowskim. Zwiększały się dla nich zamówienia w czasie częstych pobytów Zygmunta Augusta i rozbudowy zamku, a potem Stefana Batorego oraz jego małżonki, królowej Anny, która przez lat prawie pięćdziesiąt mieszkała w Warszawie. Niektórzy rzemieślnicy znaleźli chleb na dworze królewskim, gdy Zamek stał się oficjalną rezydencją króla. Liczba

2,63. Jacek i Wojciech Baryczkowie, przedstawiciele rodu partycjuszowskiego Starej Warszawy

rzemieślników na stałej służbie zmieniała się zależnie od upodobań króla i stylu życia dworu. Najwięcej zwykle bywało masztalerzy i rymarzy doglądających stajni i uprzęży. Mniej liczni haftarze, kuśnierze, krawcy dostarczali ubiorów rodzinie królewskiej, a także dworzanom. Stolarze, snycerze, kotlarze, konwisarze zaopatrywali Zamek w sprzęty i naczynia; złotnicy wykonywali klejnoty, srebrne i pozłacane zastawy stołów, cenne drobiazgi. Rzeźnicy, piekarze i rybacy na co dzień obsługiwali kuchnię królewską. W różnych okolicznościach, czy to z okazji przygotowań do uroczystości dworskich, czy też do stale prowadzonych robót budowlanych angażowano dziesiątki różnych innych rzemieślników, głównie ze Starej Warszawy.

Zwiększającą się grupę konsumentów stanowili pierwsi dygnitarze Rzeczypospolitej oraz pomniejsi urzędnicy dworscy i ziemscy, liczne duchowieństwo nowo zakładanych klasztorów i kościołów, nie tylko warszawskich, lecz też okolicznych wsi i miasteczek.

Warsztaty rzemieślnicze lokalizowały się w Starej i Nowej Warszawie oraz na przedmieściach. Ówczesny przemysł, z wyjątkiem topni wosku usytuowanej przy murze na Szerokim Dunaju i postrzygalni sukna w ratuszach obu miast, umiejscowił się na północy za Nową Warszawą, nad rzeczkami Bełczącą, Drną i dalej płynącą Rudą. Tam znajdowały się: młyn papierniczy, blech do bielenia płótna, folusz do spilśniania sukna, szlifiernia niezbędna przy wyrobie narzędzi i broni, a także kilka młynów zbożowych. Były one również na Solcu i pływały na Wiśle jako tak zwane młyny łodne.

Ówczesną organizacją produkcji miejskiej zajmowały się nadal cechy. W roku 1654 było ich w Warszawie 19. Jedenaście najliczebniejszych rzemiosł tworzyło cechy samodzielne: złotnicy, cyrulicy, kuśnierze, krawcy, zduni, piwowarzy, piekarze, rybacy, rzeźnicy, rymarze, szewcy. Natomiast pozostali rzemieślnicy, reprezentujący około 30 różnych gałęzi produkcji, zgrupowani byli w ośmiu cechach wspólnych. Od drugiej połowy wieku XVI coraz częściej występowała produkcja pozacechowa uprawiana przez tak zwanych partaczy, nie należących do cechu, oraz przez serwitorów królewskich i magnackich. Pomiędzy nimi i rzemieślnikami cechowymi wybuchały zatargi, które starano się łagodzić ustawami miejskimi i przywilejami królewskimi.

Z dawnych wyrobów warszawskich rzemieślników zachowało się trochę ślusarszczyzny i ceramiki. Świadectwem techniki murarskiej są zachowane fragmenty dawnego budownictwa. Najsłynniejszym zaś dziełem ludwisarstwa jest posąg Zygmunta III i tablice zdobiące kolumnę, wykonane z modelu Clementa Mollego w odlewie brązowym przez Daniela Tyma. Dawne księgi miejskie świadczą o popularności niektórych warsztatów. Bębenkowie słynęli z wyrobu dobrych chlebów i bułek, Morawowie, Krukowie i Maciej Papuga z wyrobu kafli. Najlepsze naczynia cynowe produkowano w warsztacie Drewnów, a wyroby złotnicze kupowało się i zamawiało przede wszystkim u Erlerów, Zaleskich, Półtoraków. Nie brakło malarzy i snycerzy cechowych.

Pomyślnie rozwijało się złotnictwo. Już w pierwszym pięćdziesięcioleciu XVI wieku czynne były w Warszawie 32 warsztaty. Dwukrotnie wzrosła ich liczba w drugiej połowie tego stulecia. A w latach 1600–1655 w księgach miejskich Starej Warszawy występuje aż 130 nazwisk złotników, co jest świadectwem chłonnego rynku najzamożniejszych odbiorców. Sygnowanych wyrobów warszawskich zachowało się tylko kilka. Jednym z najcenniejszych jest kurek bractwa strzeleckiego wykonany w roku 1552 przez złotnika Mikołaja Erlera na zamówienie ówczesnego króla kurkowego, czyli najlepszego strzelca w mieście, Jana Baryczki. Z tego okresu pochodzą dwie monstrancje. Jedna z nich znajduje się w kościele parafialnym w Prażmowie i jest dziełem przypuszczalnie Franciszka Fokasa, zmarłego w roku 1573. Druga, nieznanego złotnika warszawskiego, została wykonana dla kościoła w Sarbiewie. W roku 1559 wspomniany złotnik Mikołaj Erler zawarł umowę z Pawłem Łosiem, starostą międzyrzeckim, na wykonanie „6 mis srebrnych, wielkich, foremną robotą i z herby... talerzów 12 nie małych", a także nalewki i miednicy. Warszawscy złotnicy wykonywali na zlecenie mieszczan i szlachty zarówno przedmioty użytku domowego: kufle, puchary, łyżki, nożenki, jak też liczne przedmioty kultowe, monstrancje, kielichy, relikwiarze, ampułki. Około połowy XVI wieku cech złotników warszawskich podjął się wykonania cyborium srebrnego pozłacanego do kościoła św. Marcina w Warszawie. Najwięcej wyrabiano biżuterii i ozdób związanych z ówczesnym strojem. Tak na przykład na zamówienie królewskie wykonano 10 tysięcy haftek złotych do ubiorów dworskich. Część biżuterii Jagiellonów i Wazów pochodziła z warszawskich warsztatów. Wiadomo, że Anna Jagiellonka zamówiła w roku 1573 „zawieszenie", w którym to ozdobnym wisiorze był „szmaragd wielki, rubin mniejszy, dwa diamenty maluśkie, szafir maluśki i rubin maluśki". W jednym z inwentarzy nieruchomości, spisanym w roku 1597 przez złotnika Stanisława Zaleskiego, wymieniono łańcuchy srebrne i złote, „zawieszenia" ze szmaragdami wykrojonymi w kształcie serca, łyżki srebrne o rączkach wyrobionych w kształcie rycerzy lub apostołów, wielką liczbę pasów, pierścieni, obrączek pozłocistych, a także kufli, tacek i tym podobnych przedmiotów. W testamencie z roku 1622 innego złotnika, Joachima Pusza, wśród wyrobów złotniczych wymieniono kielichy z patenami, koneweczki srebrne, kubki pozłociste, guzy złociste i pierścionki z perłami, rubinami, turkusami, a także pierścionek ze smokiem. Inwentarz ruchomości pozostałych po złotniku Stanisławie Kędrowskim wylicza w roku 1626 wielką liczbę różnego rodzaju kamieni: są tam małe diamenciki, turkusy, rubiny szwedzkie, granaty, szmaragdy, opale i drobne perełki.

64. Pieczęć miasta Stara Warszawa używana w latac 1450–1650

65. Burmistrz powietrzny Łukasz Drewno, 1624–162

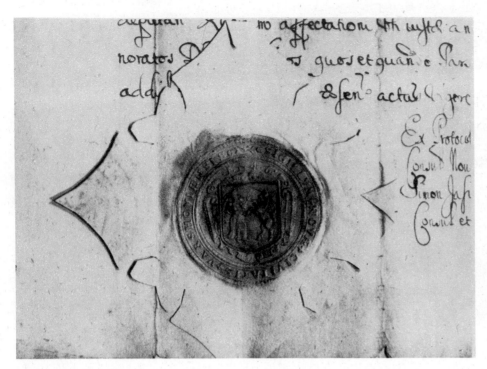

Warsztaty złotników mieściły się przy głównych i najbardziej ruchliwych ulicach. Takimi wówczas były Świętojańska i Nowomiejska i, oczywiście, Rynek. Prawie wszyscy złotnicy warszawscy byli właścicielami domów lub kamienic. Ich testamenty świadczą o znacznej zamożności, nagromadzonym bogactwie w formie, jak pisano, ,,gotowych pieniędzy" lub przedmiotów codziennego użytku, ubiorów, sprzętów, tkanin. Złotnicy bywali zwykle spokrewnieni z bogatymi rodami kupieckimi. Wchodzili do rady oraz ławy miejskiej i stanowili niewątpliwie elitę ówczesnego społeczeństwa miejskiego. Pilnie przestrzegano, aby każdy złotnik uprawiający swój zawód należał do cechu. Na tym tle dochodziło do nieporozumień, szczególnie między złotnikami cechowymi a złotnikami spoza cechu, serwitorami dworu królewskiego i dworów magnackich.

SZTUKA W XVI WIEKU

Wcielenie Mazowsza do Korony nie przyniosło istotnej zmiany w ewolucji stylowej. Przyjmowanie renesansu w jego ,,włosko-krakowskiej" odmianie było na Mazowszu procesem powolnym, opóźnionym i powierzchownym. Nowe formy stylowe dochodziły tu bowiem drogą pośrednią, niemal wyłącznie przez ośrodki artystyczne formujące się na Mazowszu od lat trzydziestych XVI wieku. Rozwijały się one w Płocku, potem w Pułtusku i Łowiczu pod opieką powiązanego z Krakowem i dworem królewskim wyższego duchowieństwa i łączyły się z działalnością fundacyjną biskupów: Andrzeja Krzyckiego, Andrzeja Noskowskiego i arcybiskupa Jakuba Uchańskiego.

Do Warszawy nowe prądy dotarły dopiero około połowy XVI wieku, zapewne w dużej mierze za pośrednictwem dworu Bony, przebywającej w latach 1548–1556 w podwar-

szawskim Jazdowie, zamienionym wówczas w świetną, podmiejską rezydencję. W tym czasie, po wielkim pożarze, który zniszczył znaczną część Starego i Nowego Miasta, Warszawę ogarnął ożywiony ruch budowlany. We wznoszonych budowlach przenikały się i stapiały dwa style: tradycyjny gotycki oraz nowożytny renesansowy. Dominował ten pierwszy, formy renesansowe pojawiały się sporadycznie. Jednakże daty powstania najwcześniejszych obiektów, którym nadano cechy nowego stylu, wyznaczają na połowę wieku cezurę istotną dla dziejów architektury warszawskiej. Drugą, ważniejszą cezurą zamykającą całą epokę będzie przełom wieku XVI i XVII, kiedy to długotrwała gotycka tradycja i renesansowa efemeryda, współżyjące ze sobą w drugiej połowie XVI wieku, ustąpią miejsca nowym zjawiskom artystycznym.

W rozwoju architektury Warszawy w drugiej połowie XVI wieku wyróżnić można dwa nurty. Na pierwszy, dominujący, składała się działalność miejscowych muratorów, wykształconych w obcych warsztatach lub na piętnastowiecznych wzorcach; w ciągu całego stulecia korzystali oni z nabytych umiejętności, tworząc stylowe formy gotyckie. Drugi nurt, istniejący od połowy XVI wieku, to działalność przybyłych bezpośrednio z Włoch muratorów, wprowadzających na nasz teren nowe wzorce i formy. Około połowy wieku XVI rozpoczyna się w Warszawie duży ruch budowlany zamieniając miasto w wielki plac budowy. Podstawowymi materiałami budowlanymi były cegła i drewno. Materiały kamie-

niarskie sprowadzano drogą wodną dowożąc je do dopływów Wisły: piaskowce z okręgu kunowskiego, szydłowieckiego i melsztyńskiego, marmury z Chęcin. W drugiej połowie XVI wieku dotarł do Warszawy alabaster z okolic Lwowa. Oddalenie Warszawy od kamieniołomów i nierozwinięcie się wskutek tego lokalnych warsztatów kamieniarskich spowodowały konieczność sprowadzania gotowych elementów architektonicznych i rzeźbiarskich. Importowano też kamienie z zagranicy: z Flandrii, Gotlandii, Węgier. Trwały prace przy murach miejskich uwieńczone budową Barbakanu w 1548 roku, potem bram: Białej, Mostowej, Pobocznej. Prace budowlane były prowadzone we wszystkich warszawskich świątyniach, najbardziej zaś znamienna była przebudowa (zapewne przez Jana Baptystę Wenecjanina) kościoła św. Jerzego na Nowym Mieście, w latach 1548–1549, jako wyraz nowej, renesansowej koncepcji ukształtowania wnętrza. Liczne grono architektów, muratorów i kamieniarzy skupiło się przy renesansowej przebudowie dawnej siedziby książęcej, w której coraz chętniej przebywać zaczęli ostatni Jagiellonowie. Wśród budowlanych prym wiedli obcy przybysze, tessyńczycy i komaskowie z północnych Włoch, z pogranicza lombardzko-szwajcarskiego. Wśród nich najwybitniejszym był Giovanni Battista Quadro z Lugano, twórca renesansowej przebudowy poznańskiego ratusza w latach 1550–1560. W pracach budowlanych na Zamku brał też udział Bernardo Morando, włoski architekt, późniejszy twórca renesansowego Zamościa, w Warszawie będący dopiero u progu swojej kariery. W roku 1560 trwały prace przy ratuszu na Nowym Mieście, a w roku 1580 uzyskał nową, renesansową szatę i ratusz staromiejski. Wznoszone, przekształcane, nadbudowywane i upiększane były warszawskie kamienice. Zadziwiał swoich i obcych most warszawski, wspaniałe na owe czasy osiągnięcie inżynierskie, a panoramę miasta od strony Wisły z dominantą XV-wiecznej wieży przy kolegiacie św. Jana wzbogacały nowe dzwonnice przy kościołach bernardyńskim i Panny Marii na Nowym Mieście.

ZAMEK   Szczupłość pomieszczeń reprezentacyjnych i mieszkalnych dawnej siedziby książęcej skłoniła Zygmunta Augusta do rozbudowy Zamku. Wiadomo, iż projekt przebudowy wykonał dla niego włoski architekt Gian Domenico Scamozzi. Opracowanie planów rezydencji zlecił jednak król w 1568 roku architektowi Janowi Baptyście Quadro. Rozpoczęte w 1569 roku prace trwały do połowy roku 1572, a przy budowie zatrudnieni byli liczni muratorzy i kamieniarze włoscy. Wśród nich Bernardo Morando, być może po wyjeździe Quadra do Poznania odgrywający większą rolę w prowadzonych na Zamku pracach. Według projektu Quadra wystawiono tak zwany Dom Królewski, przylegający pod kątem rozwartym (zgodnie z przebiegiem skarpy) do gotyckiego Dworu Wielkiego (w 35 lat potem wchłonięty on został przez płn.-wsch. skrzydło pałacu wazowskiego). Była to murowana, piętrowa budowla na planie prostokąta, kryta stromym, czterospadowym dachem, ze sklepionymi izbami w przyziemiu oraz mieszkalnymi komnatami królewskimi na piętrze. Archiwalia przekazują nam wiadomości o wyglądzie tych wnętrz, o bogato dekorowanych stropach, malowanych ścianach, kamiennych detalach architektonicznych, jak obramienia drzwiowe, okienne i kominkowe, o wspaniałych piecach z kolorowych kafli. Wiemy też, że przy dekoracji malarskiej wnętrz zatrudnieni byli malarze Łukasz i Matys. Przeprowadzono także gruntowną przebudowę Dworu Wielkiego oraz Dworu

Mniejszego. W Dworze Wielkim na dwu dolnych kondygnacjach zastąpiono stropy sklepieniami kolebkowymi. Uformowano też na parterze ciąg trzech reprezentacyjnych sal o sklepieniach wspartych kolejno na jednym, trzech i dwu słupach. W elewacji wybito nowe okna ujmując je kamiennymi obramieniami, wnętrza izb wyposażono w ozdobne piece. W ten sposób ukształtowano gmach sejmowy, rozdzielając funkcję administracyjno-reprezentacyjną od mieszkalnej, którą spełniał Dom Królewski. Oba te gmachy, włączone w nowo powstały podczas rozbudowy wazowskiej, w latach 1597–1619, kompleks, zdeterminowały jego układ pięcioboku.

Wzbogaceniu i wzmocnieniu uległy w XVI wieku mury miejskie. Barbakan warszawski został wzniesiony zapewne w roku 1548 przez budowniczego Jana Baptystę Włocha, być może identycznego z budowniczym Janem Baptystą Wenecjaninem, twórcą kościołów tak zwanej grupy pułtuskiej. Obok krakowskiego „Rondla", Barbakan warszawski należy do rzadkich w Europie rozwiązań fortyfikacyjnych, zapożyczonych wraz z nazwą z obronnej architektury arabskiej, a rozpowszechnionych w ciągu wieku XVI. Potężna, półkolista baszta, zwieńczona renesansową attyką, złożoną z trójkątnych szczycików i sterczyn, i przepruta okrągłymi otworami, chroniła północny wjazd do miasta, osłaniając szyję wspartą na zwodzonym moście. Pewne podobieństwa formalne Barbakanu do dzwonnicy kościoła św. Jerzego na Nowym Mieście uprawdopodabniają hipotezę, że autorem obu był Baptysta Włoch, Wenecjanin. Barbakan został ujęty dwiema parami półkolistych baszt posadowionych na prostokątnych filarach i połączonych z nimi ceglanymi wysklepkami, tak zwanymi trompami. Wchłonięty przez zabudowę miejską (głównie w ciągu w. XIX), został zrekonstruowany w latach 1953–1954. Mury w połowie XVI wieku były w nie najlepszym stanie, co stwierdziła lustracja przeprowadzona na życzenie Zygmunta Augusta. Zniszczenia dotknęły zwłaszcza odcinek od strony Wisły, gdzie zawaliła się furta Rybacka, na miejscu której wzniesiono w latach 1560–1564 Wieżę Bramną, później zwaną Wieżą Białą. Był to czworoboczny, dwupiętrowy, otynkowany budynek z wysoką wieżą, zakończony stromym hełmem, przeznaczony na więzienie. Wreszcie, w końcu wieku XVI, przebito mur na odcinku zachodnim u wylotu ulicy Dunaj i wzniesiono bramę miejską, zwaną Poboczną, zamykając tym wieloletni proces budowy obwarowań wokół Starego Miasta. Mury warszawskie konserwowane w ciągu wieku XVII były wykorzystywane jako obronne jeszcze w wojnie północnej w roku 1704. Likwidowane stopniowo, od wieku XVII, uległy znacznym wyburzeniom w ciągu wieku XIX bądź też zostały wchłonięte przez zabudowę miejską. Mur na odcinku w pobliżu Barbakanu został zrekonstruowany w roku 1937. Po zniszczeniach w roku 1944 przeprowadzono w latach 1952–1953 badania całego obwodu warownego, a w latach 1953–1963 zrekonstruowano częściowo obie linie murów wraz z basztami i Barbakanem.

Ratusz staromiejski w swej gotyckiej formie przetrwał do roku 1580, kiedy to miasto zawarło kontrakt z muratorem Antonim de Ralia na wybudowanie wieży ratuszowej z więzieniem w przyziemiu. Zapewne chodziło tu o przebudowę wieży (być może zarysowującej się), a także o rozbudowę niewielkiego budynku, nie wystarczającego już dla wzrastających potrzeb samorządu miejskiego. Być może wówczas właśnie powstała forma budynku z czterema cylindrycznymi skarpami na narożach (przekazana na widoku z 1662), tak charakterystycznymi dla niderlandzkiego nurtu szesnastowiecznej architektury kościelnej na Mazowszu. Renesansowa dekoracja wieży i jej zwieńczenie (również znane ze wzmiankowanego widoku) pochodzą jednakże zapewne z okresu gruntownej odbudowy ratusza po pożarze 1607 roku. Ratusz nowomiejski został strawiony pożarem w roku 1548. W tymże roku podjęto starania o jego odbudowę. Prace przy nowym, zapewne już murowanym budynku, prowadzono jeszcze około roku 1560, a w roku 1600 wystawiono wieżyczkę z dzwonem.

Przekształcenia funkcjonalne i stylowe objęły także miejską zabudowę mieszkalną. W XVI wieku kamienica staromiejska stała się domem wielorodzinnym. Od swojej piętnastowiecznej poprzedniczki odróżniała się wysokością dochodzącą często do czterech kondygnacji (ul. Nowomiejska 15), wprowadzonymi sklepieniami oraz podziałami wnętrza. W piętnastowiecznym obrysie kamienicy dokonały się istotne zmiany; polegały one na wyodrębnieniu się z sieni oddzielnego pomieszczenia o charakterze handlowym, przykrytego sklepieniem. Zaciemnioną przez powstanie przedniego sklepu klatkę schodową oświetli z góry latarnia z dachu. W XVI wieku zmienia się też charakter zabudowy na tyle działki. Murowane budynki gospodarcze wznoszą się na miejscu dawnych drewnianych; powstają piętrowe oficyny o charakterze mieszkalnym, z przejazdowymi sieniami w przyziemiu wyprowadzającymi na ulicę gospodarczą na tyle działki. Reprezentacyjny typ renesansowej kamienicy przedstawiają wnętrza kamienicy Baryczków (Rynek 32) i Fukierowskiej (Rynek 27). Ta ostatnia była w XVI wieku szczególnie okazała i ozdobna. Wystawił ją winiarz Jerzy Korb „ku wielkiej miasta ozdobie znacznym sumptem", za co w roku 1566 uzyskał zwolnienie z obowiązku goszczenia przybyłych do Warszawy dygnitarzy i posłów. W tym właśnie czasie został ukształtowany dziedzińczyk ujęty z dwóch stron arkadowymi krużgankami, a na piętrze gankami na konsolach, przebudowanymi wraz z fasadą w XVIII w.

MURY MIEJSKIE

RATUSZE

KAMIENICE

BUDOWNICTWO SAKRALNE

W XVI wieku wszystkie gotyckie kościoły warszawskie ulegają przekształceniom. Wieżę kolegiaty, zniszczoną pożarem w roku 1544, odbudowali do roku 1586 Hieronim Odoliński i Bartosz Szpaner, wspomożeni zapisem Anny Jagiellonki. Wówczas zmieniono lokalizację wieży, przenosząc ją z osi fasady na południe od kolegiaty. Wysoki, ostrosłupowy hełm wieży stanowił charakterystyczną dominantę w panoramie miasta do czasu zniszczenia przez huragan w roku 1602. Kościół przebudowywany kilkakrotnie w następnych stuleciach, niemal doszczętnie zniszczony w roku 1944, po wojnie został odbudowany w formach gotyckich. Obecną fasadę zwieńczono schodkowym szczytem, zaprojektowanym na nowo ze względu na brak jakichkolwiek przekazów; utrzymano ją w kategoriach stylowych gotyku ceglanego.

Prace budowlane przy augustiańskim kościele św. Marcina były kontynuowane w trzeciej ćwierci XVI wieku, o czym świadczy udział tessyńczyka Sebastiana Conti (Cuntha) z Lugano, „muratora Jego Królewskiej Mości" przy budowie „chóru większego". Kościół ten był miejscem sejmików szlacheckich.

W drugiej połowie XVI wieku podwyższono tak charakterystyczną dla sylwety Nowego Miasta ceglaną dzwonnicę przy kościele Panny Marii, ukończoną zapewne w roku 1581, zwieńczoną wczesnorenesansowymi szczytami, podobnymi do szczytów kościoła w Broku. Przy kościele bernardyńskim św. Anny wystawiono w latach 1578–1581, z fundacji Anny Jagiellonki, wolno stojącą, czworoboczną dzwonnicę o przysadzistych proporcjach, usytuowaną z boku kościoła, podobnie jak dzwonnice przy kościołach Marii Panny i św. Jerzego na Nowym Mieście, a także w Łomży, Czernicach i Przasnyszu.

Głównym przedsięwzięciem renesansowym stała się odbudowa kościoła św. Jerzego (po pożarze przed 1547 r.). Prowadził ją zapewne w latach 1548–1549 twórca kościołów tak zwanej grupy pułtuskiej, Jan Baptysta Wenecjanin. Grupa pułtuska, wiązana w literaturze z jego warsztatem, obejmuje kilka przebudowanych wówczas mazowieckich kościołów (Pułtusk 1560, Brok 1560, Cieksyn ok. 1560, Chruślin 1554–1558, a także Brochów 1551–1560). Grupa ta, odosobniona i wyjątkowa nawet na gruncie europejskim, stanowi u nas pierwszą próbę nowożytnego rozwiązania przestrzennego w architekturze kościelnej. Tendencja do scalenia i ujednolicenia wnętrza wyraziła się za pomocą „tunelowego" sklepienia, wspólnego dla nawy i prezbiterium, wspartego na półkoliście zamkniętych arkadach rozdzielonych filarami i oddzielonego u nasady niszowym pasem arkadkowym. Sklepienie pokrywała dekoracyjna siatka ornamentalna, apsydę zaś prezbiterium kryła koncha. Wnętrze warszawskiego kościoła (znane z przekazów ikonograficznych), nieco skromniejsze niż w pozostałych kościołach wyodrębnionej grupy, było najwcześniejszą realizacją tej koncepcji na gruncie mazowieckim.

MALARSTWO I RZEŹBA

Malarstwo i rzeźbę warszawską w XVI wieku znamy z pośrednich świadectw i niewielu zabytków. Archiwalnie od dawna potwierdzona dla Warszawy działalność malarza Jana Jantasa została udokumentowana odnalezieniem obiektu pochodzącego z jego warsztatu. Jest to sygnowany i datowany (1558) poliptyk z rzeźbioną sceną Ukrzyżowania w drewnianym kościele w Boguszycach, koło Rawy Mazowieckiej. Malarz Jan Jantas, autor malowanych skrzydeł boguszyckiego ołtarza, był właścicielem dużego warszawskiego warsztatu, skupiającego zapewne wielu pracowników, a może i sam był snycerzem. Późnogotyckie cechy jego warsztatu odnajdujemy na terenie Mazowsza w rzeźbach z Bogatego, Winnicy, Ogonowa, Sadownego, Jeruzala, Drobina, Cieksyna i w kilku obiektach z Muzeum Diecezjalnego w Płocku, a także w nie istniejącym od roku 1944 głównym ołtarzu kolegiaty warszawskiej. Rzeźby te łączą bardzo wyraźne podobieństwa

0. Poliptyk z warsztatu Jana Jantasa, 1558 r., Bogu-
:yce

w kształtowaniu głów i twarzy oraz w niezwykle charakterystycznym sposobie fałdowania szat, jak gdyby gniecionych z papieru.

W XVI wieku przebywają w Warszawie malarze, o których działalności wiemy jedynie ze źródeł. Byli to: Konstanty Broda, Maciej Goliszka, Jan Kolano, Marcin Laski. Wybitnym malarzem miał być Stanisław Pieczonka, twórca nie określonych malowideł w Pułtusku. Wielu malarzy znamy jedynie z imienia. Wzmiankowany jest około roku 1578 malarz Adam; w Warszawie jego warsztat wykonał malowidła ścienne w kaplicy kościoła Bernardynów oraz liczne obrazy ołtarzowe. Działali też przelotnie artyści z innych miast czy krajów oraz czasowo zatrudniani przez polskich zleceniodawców malarze obcego pochodzenia. Do wyjątków należeli malarze włoscy. Zygmunt Stary zatrudniał Giovannie-go Battistę Ferro z Padwy, który pracował w Warszawie około roku 1548. Malarzem warszawskim był nazywany też Piotr Ambrozino, syn Bartłomieja murarza. Obecność tych malarzy, dość szybko aklimatyzujących się i wrastających w polskie środowisko, a także import dzieł sztuki niewątpliwie przyspieszały utrwalanie się i krzepnięcie nowych form w naszym rodzimym malarstwie cechowym. Artyści mazowieccy nie tylko zresztą dostoso-wywali obce formy do swych upodobań czy życzeń zleceniodawcy, ,,do nieba i zwyczaju polskiego'', do wymagań klienta dostosowywano często sam importowany obiekt. Na przykładzie obrazu z Jasieńca przedstawiającego Hołd Trzech Króli (obecnie w Muzeum Narodowym w Warszawie) śledzić możemy interesujący proces ,,polonizowania'' importu i włączenia go w sposób trwały, choć nieco bezceremonialny, w krąg rodzimej kultury i polskiego dorobku artystycznego. Na obrazie tym (dziele malarza antwerpskiego Joosa van Cleve), sprowadzonym na początku XVI wieku do kościoła parafialnego w Jasieńcu pod Grójcem, nieznany malarz domalował postać fundatora – proboszcza jasieńskiego oraz jego herb Ogończyk.

Druga połowa wieku XVI jest w malarstwie polskim okresem regresu pod względem liczby, a także jakości obiektów. Nieco inna sytuacja powstała w zakresie malarstwa portretowego. Utrwalają się w nim bowiem charakterystyczne cechy i wypracowane już w pierwszej połowie wieku układy formalno-treściowe, które trwać będą w głąb następne-go stulecia.

Z kilku portretów wiążących się z Warszawą wymienić należy reprezentacyjny portret Konrada III, księcia mazowieckiego (przechowywany w Muzeum Narodowym), dzieło szesnastowieczne, o nieco prowincjonalnych i sprymitywizowanych formach. Znany z siedemnastowiecznej kopii portret ostatnich książąt mazowieckich powstał zapewne na początku wieku XVI jako jeden z pierwszych na polskim gruncie przykładów portretu zbiorowego o charakterze reprezentacyjnym, a autorstwo jego jest przypisywane Maciejowi Hoffnalowi. Portret Anny Jagiellonki w stroju koronacyjnym, malowany zapewne po roku 1576, był przesłany w roku 1586 z Warszawy do kaplicy Zygmuntowskiej na Wawelu. Renesansowy realizm połączony z dekoracyjnością formy, jej graficzno-rysunkowym charakterem i pewną nieporadnością warsztatową każą w nim widzieć wytwór malarstwa cechowego, być może związany ze środowiskiem warszawskim. Inny znany portret Anny Jagiellonki w stroju wdowim był przypisywany malarzowi Marcinowi Koberowi, przebywającemu w Warszawie pod koniec XVI wieku. Być może jego pobyt i działalność artystyczna nie pozostały bez wpływu na lokalne środowisko malarskie. Powstała zapewne w Warszawie wersja wspomnianego portretu znajduje się w zbiorach warszawskiego Muzeum Narodowego; inna, wysłana z Warszawy w 1. poł. XVII wieku do Monachium, powróciła obecnie na Zamek Królewski.

POLICHROMIE I SGRAFFITO

Polichromie renesansowe, niewątpliwie istniejące zarówno w budowlach świeckich jak i sakralnych, nie zachowały się niestety do naszych czasów. Przed ostatnią wojną odkryto spod tynku jednej z wnęk gotyckich Dworu Wielkiego fresk przedstawiający tarcze herbowe z motywem Białego Orła z literami S.A. (Zygmunta Augusta) na piersi, litewską Pogonią oraz herbem Katarzyny, trzeciej żona króla, córki cesarza Ferdynanda I, malowany po 1553 roku.

Rozmiar zniszczeń, jeśli chodzi o najstarsze warszawskie kościoły, przekreślił szanse na odkrycie polichromii niewątpliwie zdobiących niegdyś ich wnętrza. Istnienie takich polichromii sugerują – przez porównanie – ostatnio częściowo odsłonięte malowidła ścienne i sklepienie z około 1560 roku w Broku, w kościele wzniesionym przez warsztat Jana Baptysty Wenecjanina.

W wieku XVI wraz ze zwyczajem tynkowania ścian rozpowszechnia się również dekoracja sgraffitowa, o czym świadczy fryz ornamentalny, odkryty pod blankami, na zewnętrznym murze przylegającym od wschodu do ściany Barbakanu, oraz resztki dekoracji wykonane

w tej technice w baszcie Mostowej. Sgraffito stosowano również w obramieniach okiennych dla podkreślenia roli okien w fasadzie bądź też pokrywano nim całą jej powierzchnię w typie dekoracji kaboszonowej, naśladującej rustykę czy imitującej kamienną okładzinę.

NAGROBKI I EPITAFIA

Omawiając rzeźbę sepulkralną w Warszawie rozporządzamy materiałem fragmentarycznym i wyrywkowym, uszczuplanym przez działania wojenne już od XVII wieku. Obiekty te były niszczone również w czasie pokoju, podczas przebudowy kościołów. Tak na przykład większość nagrobków z kolegiaty św. Jana została usunięta w drugiej ćwierci XIX wieku, w czasie prac restauracyjnych prowadzonych w katedrze przez architekta Adama Idźkowskiego. Oddalenie Warszawy od kamieniarskich baz surowcowych spowodowało, że nie wykształcił się tu twórczy ośrodek rzeźbiarski, a potrzeby w tym zakresie zaspokajano importem dzieł lub sprowadzaniem artystów z innych ośrodków. Dlatego też zachowane w Warszawie nagrobki wykazują do roku 1600 różnorodność materiałów i technik kamieniarskich. Próby lokalne, które podejmowano, cechuje prowincjonalizm, charakteryzują się też sprymitywizowaniem form.

Na terenie Warszawy nie zachował się ani jeden zabytek sprzed XVI stulecia. Jedynie ze źródeł znamy, nie istniejący dziś, nagrobek Anny z Radziwiłłów, księżnej mazowieckiej, wystawiony w 1522 roku w ufundowanym przez nią kościele bernardyńskim św. Anny przez jej syna Stanisława i opatrzony łacińskim napisem o treści panegirycznej. Najwybitniejszym obiektem wczesnorenesansowym na terenie Warszawy jest znajdująca się w kolegiacie płyta nagrobna Stanisława (zm. 1524) i Janusza (zm. 1525), książąt mazowieckich, wykonana z czerwonego żyłkowanego marmuru chęcińskiego. Wykonał ją w latach 1527–1528 Bernardino Zanobi de Gianotis, zatrudniony przy budowie kaplicy

3. Płyta nagrobna książąt nazowieckich, 1527/1528, o rekonstrukcji

4. Nagrobek braci Wolskich z 1567 r. Stan przed ▶ niszczeniem

5. Płyta nagrobna Stanisława ze Strzelec, po 1532 r.

Zygmuntowskiej rzeźbiarz włoski, twórca grupy renesansowych nagrobków przyściennych w Polsce (Szydłowieckich w Opatowie, Gasztołda w Wilnie, Lasockich w Brzezinach). W tumbowym nagrobku ostatnich książąt mazowieckich podziwiamy świetny modelunek twarzy, podkreślenie związków uczuciowych pomiędzy postaciami widoczne w zwróceniu się tych postaci ku sobie, wreszcie umiejętność zróżnicowania materiałów wyrażoną w twardości zbroi i powiewności chorągwi.

Przykładem lokalnej produkcji rzeźbiarskiej i przejawem nowego renesansowego stylu jest też prymitywna w formie płyta fundacyjna Abrahama Chełchowskiego, sekretarza ostatnich książąt, wystawiona w 1526 roku w kościele w Tarczynie pod Warszawą. Interesującą formą odznacza się płyta nagrobna Stanisława ze Strzelec (zm. 1532), jednego z pierwszych humanistów na Mazowszu. Płyta odlana z brązu, z wypukłorzeźbioną postacią zmarłego, umieszczona jest na piaskowcowej płycie, uszkodzonej przez pożar w roku 1944, z nieczytelnym dziś napisem. Znajdowała się ona niegdyś w kaplicy Najświętszego Sakramentu, obecnie zaś wmurowana jest w północną ścianę nawy kolegiaty. Postać zmarłego przedstawiona w układzie frontalnym ujęta jest hieratycznie; płaskie fałdy odznaczają się niemal idealną symetrią. Płyta ta, wiązana z górnośląskim ośrodkiem artystycznym, być może pochodzi jednak z warszawskiego warsztatu odlewniczego, którego działalność w drugiej połowie XVI wieku potwierdzona jest dla Warszawy poważnymi zamówieniami.

Z drugiej połowy XVI wieku pochodziło kilka nie zachowanych dziś nagrobków w kolegiacie, reprezentujących „włoską" odmianę nagrobka przyściennego. Ocalały we fragmentach nagrobek braci Wolskich: Mikołaja, biskupa kujawskiego (zm. 1550), i Stanisława, kasztelana sandomierskiego i starosty warszawskiego, marszałka nadwornego koronnego (zm. 1566), ufundowany w roku 1567 przez Barbarę z Tarnowa, żonę Stanisława, wiązano nie bez protestów z kręgiem warsztatu rzeźbiarza Jana Michałowicza z Urzędowa, jednego z najwybitniejszych polskich twórców doby renesansu, zwanego polskim Praksytelesem. Układ objętych bratnim uściskiem postaci nawiązywał niewątpliwie do nagrobka ostatnich książąt mazowieckich.

Z innym znanym warsztatem rzeźbiarskim tego czasu – Hieronima Canavesiego – łączono nagrobek Łukasza Nagórskiego (zm. 1571), starosty garwolińskiego i marszałka nadwornego Anny Jagiellonki, przedstawionego na nagrobku wraz ze swym synkiem. Typ nagrobka, układ postaci, detal architektoniczno-rzeźbiarski, wreszcie pełna smutku i zadumy twarz zbolałego ojca wykazują podobieństwo do nagrobków Andrzeja Górki w katedrze poznańskiej i Jakuba Rokossowskiego w kościele w Szamotułach – dzieł wspomnianego rzeźbiarza. Z tego samego czasu, to jest z trzeciej ćwierci XVI wieku, pochodził nagrobek nieznanego rycerza, rzekomo Bartłomieja Zaliwskiego. Wykonany z czerwonego marmuru zdradzał rękę dobrego rzeźbiarza swobodą układu kompozycyjnego, drobiazgowym i starannym opracowaniem szczegółów zbroi oraz portretowym ujęciem twarzy zmarłego.

Po roku 1588 wykonano nagrobek Jana Wilka-Kałęckiego, wójta warszawskiego, reprezentujący inny typ, to znaczy północny: śląski lub niderlandzki. Jest on typowym, choć nieco słabym artystycznie przykładem epitafium nagrobnego z okresu kontrreformacji, zapewne opartego na wzorze graficznym. Siedemnaście drobnych, klęczących figurek przedstawicieli rodziny zmarłego potraktowano tu w sposób schematyczny, pozbawiając je cech indywidualnych czy portretowych i podporządkowując je głównej scenie Zmartwychwstania Chrystusa. W końcu wieku XVI wykonano piaskowcowy nagrobek Mikołaja Aleksandra Filomeda, zmarłego w roku 1595 burmistrza Warszawy.

Wysoką pozycję osiągnęło warszawskie złotnictwo na przełomie XV i XVI wieku. W roku 1516, przywilejem Zygmunta Starego, zostało obdarzone statutem cechowym, potwierdzonym i rozszerzonym w roku 1589 przez Zygmunta III. Wojny, zniszczenia i rabunki spowodowały, że w samej Warszawie zachowała się znikoma liczba obiektów. W XVI wieku wyroby warszawskiego złotnictwa rozchodziły się po Mazowszu, wyprzedzając pod tym względem Płock. Wyobrażenie o warszawskiej produkcji złotniczej można wyrobić sobie na podstawie obiektów zachowanych w kościołach prowincjonalnych. Tak na przykład opatrzone cechami Warszawy monstrancje, zachowane w kościołach w Sarbiewie i Prażmowie, wiązać można z działającym od roku 1498 przynajmniej do trzeciej ćwierci XVI wieku warszawskim warsztatem Półtoraków. Monstrancja sarbiewska ufundowana w roku 1549 przez Stanisława Sarbiewskiego nosi cechę imienną złotnika Andrzeja Półtoraka. Jej uderzające podobieństwo formalne do monstrancji prażmowskiej sprawionej w latach 1563–1565 przez księdza Wawrzyńca Prażmowskiego, kanonika płockiego, i opatrzonej cechą miejską Warszawy pozwala uznać tę ostatnią za wyrób tego samego warsztatu. Obie monstrancje są przykładem współistnienia dwóch stylów: renesansowe, owalne, puklowane stopy z trzonami i nodusami, również ozdobionymi puklami, dźwigają misterne, architektoniczne części górne, dekorowane całym arsenałem form późnogotyckich. W przezrocza obu monstrancji wkomponowane zostały figurki wyobrażające św. Stanisława biskupa oraz św. Wawrzyńca będących patronami fundatorów – Sarbiewskiego oraz Prażmowskiego.

Poza paroma przykładami złotnictwo warszawskie nie jest reprezentowane zachowanymi

76. Monstrancja z warszawskiego warsztatu złotnic go Półtoraków

ZŁOTNICTWO

77. Puszka późnorenesansowa, 2. poł. w. XVI, zap ne wyrób warszawski

. Kur Bractwa Strzeleckiego, 1552 r.

obiektami. O wielu złotnikach, a często o wykonywanych lub zamawianych u nich dziełach wiemy jedynie z archiwaliów. Tak na przykład Grzegorz z ulicy Piwnej, działający w latach 1497–1520, był specjalistą od naczyń liturgicznych i przyjmował zamówienia spoza Warszawy, między innymi z Czerwińska. W roku 1543 złotnik Łukasz, zapewne Ellenbranth, zobowiązał się wykonać pacyfikał dla ołtarza baryczkowskiego, legowany testamentem Mikołaja Baryczki.

Jednym z wybitnych, a szczęśliwie zachowanych dzieł z XVI wieku jest srebrny kur – godło Bractwa Strzeleckiego powstałe w okresie rozkwitu i największego znaczenia korporacji łuczniczych. Kilkunastocentymetrowa figurka ptaka opatrzona jest na podstawie datą 1552, gmerkami oraz inicjałami N.E. Jest to prawdopodobnie dzieło Mikołaja (Niklosa) Erlera, złotnika warszawskiego. Wykonanie jej w roku 1552 wiąże się być może z osobą Jana Baryczki, w tymże roku będącego rajcą i królem kurkowym.

Późnorenesansowa puszka ofiarowana do kościoła Bernardynek (Franciszkanek) w Warszawie, znajdująca się obecnie w kaplicy w Laskach pod Warszawą, jest najprawdopodobniej wyrobem warszawskim i reprezentuje przeciętny poziom produkcji warsztatowej z drugiej połowy XVI wieku.

Rozwój sztuki warszawskiej będącej wyrazem procesów artystycznych na całym Mazowszu toczył się głębokim nurtem gotyckim do końca XVI wieku, ulegając od połowy tego stulecia spóźnionym w stosunku do reszty kraju wpływom renesansowym. Zasięg artystycznego dorzecza włączył Mazowsze w krąg oddziaływania sztuki Pomorza, Prus i Wielkopolski w zakresie architektury, a Pomorza, Śląska i Małopolski w zakresie sztuk plastycznych: malarstwa, rzeźby i złotnictwa.

Oporna i nieśmiała recepcja renesansu przy silnie zakorzenionej tradycji gotyckiej sprawiła, że nowy styl nigdy nie wyraził się tu w sposób samodzielny i dojrzały, lecz pozostawał w symbiozie z gotykiem. Tak więc termin „gotycko-renesansowy" w odniesieniu do większości zabytków w Warszawie i na Mazowszu w drugiej połowie XVI wieku, a często i po roku 1600, najtrafniej określa istotę tej odrębnej fazy stylowej. Zarówno skromny gotyk warszawski, jak i opóźniony epizod renesansu zostały wchłonięte z rozpoczęciem nowego stulecia przez wczesnobarokowy styl Wazów.

ARCHITEKTURA ZA WAZÓW

ŚRODOWISKO I ARCHITEKCI

W wiek XVII wkroczyła Stara Warszawa w czerwono-białej szacie późnego gotyku mazowieckiego, renesansem przybranej z rzadka i powierzchownie. W obrębie murów stało jeszcze sporo domów drewnianych, a w Nowej Warszawie i na rozrastających się przedmieściach drewno długo pozostało podstawowym budulcem. Od końca pierwszej dekady stulecia w krajobraz aglomeracji warszawskiej zaczyna ingerować barok; proces barokizacji, nasilający się za Władysława IV, nie był ani ciągły, ani jednorodny, nie wykazywał też zgodności z dynamiką ruchu budowlanego.

Już na przełomie XVI i XVII wieku Warszawa urosła do głównego w nizinnych regionach Polski ośrodka architektonicznego. Okresy wzmożonego ruchu budowlanego, zawarte w przedziałach między pożarem 1607 roku, klęskami lat 1621–1624 i Potopem, nie następowały bezpośrednio po owych kataklizmach i nie powodowały nagłych przemian języka stylowego, o czym świadczą przełomowe daty ewolucji architektonicznej. Zarówno import wczesnego baroku rzymskiego na Zamek, jak i kodyfikacja lokalnego protobaroku w mieście przypadają dopiero po 1610 roku; kamienice modernizują układy i dekoracje około 1630 roku; lata 1635–1645 – to dekada rozkwitu architektury rezydencjonalnej; w latach po roku 1660 dogania rozwinięty barok architektura sakralna.

Jeżeli Kraków był ośrodkiem wczesnobarokowego budownictwa kościelnego, to nowa stolica przewodziła w XVII wieku w ewolucji architektury rezydencjonalnej. Jednocześnie na warszawskim dworze pojawił się nowy rodzaj sztuki, służący tworzeniu oprawy plastycznej barokowego ceremoniału czy raczej stylu życia. Stąd zakres obowiązków architektów królewskich zwiększył się o projektowanie rozmaitych dekoracji, urządzeń teatralnych, pomników, bram triumfalnych czy katafalków.

Warszawskim architektem Zygmunta III był od 1613 roku Matteo Castelli (zm. 1632), lugańczyk wykształcony w Rzymie. Za Władysława IV zastąpił go jego siostrzeniec Constante Tencalla (notowany w Polsce od 1623; zm. 1646), który w drugiej dekadzie stulecia pracował w Rzymie jako rzeźbiarz w warsztacie Maderny, skąd wyniósł swą barokową orientację artystyczną. Scenografią, inżynierią teatralną i „małą architekturą" zajmowali się dwaj rzymianie: Agostino Locci i Giovanni Battista Gisleni (1600–1672). Ten ostatni, czynny w latach około 1627–1666, projektował również w skali monumentalnej, przy czym twórczość jego, mniej doskonała niż Tencalli i bardziej dostosowana do tradycji miejscowej, utrzymana była jednak w tencallowskim stylu.

Kosmopolityczna sztuka architektów dworskich była przetwarzana i kojarzona z tradycyjnymi wzorcami przez budowniczych pośledniejszych, którzy zdolni byli jednak wykształcić własny lokalny nurt stylowy. W Warszawie nie istniał osobny cech murarsko-kamieniarski, ale ruch budowlany jeszcze od XVI wieku przyciągał wielu muratorów cechowych z innych miast. W wieku XVII tworzą oni już zwarte środowisko, korzystające z protekcji króla,

duchowieństwa i szlachty oraz powiązane rozlicznymi interesami z miejscowym patrycjatem, między innymi przez wielkich przedsiębiorców budowlanych, jak na przykład przez Wojciecha Gizę. W nowej architekturze monumentalnej stosowano kamień w zakresie w Warszawie dotąd nie spotykanym. Importowano go z kamieniołomów małopolskich, na ogół w postaci gotowych elementów o wczesnobarokowych formach (zwłaszcza piaskowiec szydłowiecki i marmury z Chęcin i Dębnika).
Omawiany tu rozdział dziejów architektury obejmuje jeszcze odbudowę po Potopie.

Największą inwestycją budowlaną Warszawy Zygmunta III była rozbudowa Zamku, zaczęta w 1598 roku od adaptacji na apartamenty królewskie i Salę Senatu istniejącego pałacu od strony Wisły. Dalsza rozbudowa została już zakrojona na skalę stołecznej rezydencji, mającej pomieścić zarówno centralne urzędy i instytucje państwowe, jak i liczny dwór monarszy, który przeniósł się tu ostatecznie w 1611 roku. Już w latach 1601–1603 murator Jakub Rodondo dobudował do istniejących gmachów skrzydło północne (zaczęte jeszcze za Zygmunta Augusta); realizację dalszych skrzydeł podjęto około 1610 roku, kończąc całość, przynajmniej w zakresie architektury zewnętrznej, w 1619 roku. Nowy Zamek Zygmunta III był w istocie dwupiętrowym pałacem o formie niewarownego zamku. Koncepcja jego pięcioboku, czy raczej czworoboku z jednym skrzydłem przełamanym, musiała być sformułowana wcześnie, natomiast kompozycyjna normalizacja tego układu za pomocą prostopadłych osi symetrii zapewne wiąże się dopiero z objęciem kierownictwa budowy w 1613 roku przez Castellego.

ZAMKI WARSZAWSKI
I JAZDOWSKI

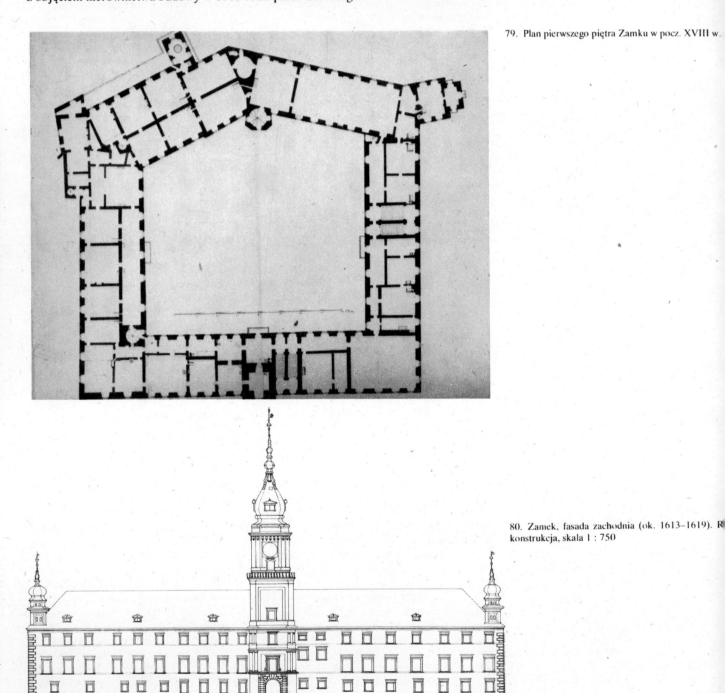

79. Plan pierwszego piętra Zamku w pocz. XVIII w.

80. Zamek, fasada zachodnia (ok. 1613–1619). R
konstrukcja, skala 1 : 750

1. Widok miasta Stara Warszawa, 1627 r.

Z okresu wcześniejszego pochodzi system elewacji o monotonnych sekwencjach okien, nadający budynkowi charakter surowej prostoty – bardziej klasztornej niż pałacowej. Jedyną ozdobą była elegancka kamieniarka otworów, wykuta przez Pawła di Corte: rustykowane bramy, nawiązujące do manierystycznego wzornika Sebastiana Serlia, oraz delikatnie oprofilowane i ogzymsowane okna, których przedbarokowe kształty były powielane na elewacjach Zamku do końca jego budowy.

W późniejszej fazie budowlanej, niewątpliwie pod wpływem przybyłego z Rzymu Castellego, ulegają wzmocnieniu pierwiastki wczesnobarokowe. W nowszych skrzydłach pojawiają się między innymi tunelowe klatki schodowe, a schemat elewacyjny zostaje nagięty do rzymskiego wzorca pałacowego za pomocą narożnych boni, płaskich kordonów podokiennych oraz ozdobniejszych portali. Wówczas też typowa dla baroku kierunkowość zaznaczyła się zaakcentowaniem osi ważniejszej, wjazdowej, wysoką Wieżą Zegarową. Jednocześnie elewacja skrzydła frontowego została ukształtowana na reprezentacyjną fasadę główną, po barokowemu podkreślającą środek płaskim ryzalitem. Pionowe akcenty Wieży Zegarowej i wieżyczek na narożach korpusu, genetycznie północnoeuropejskie, zwieńczono kształtnymi hełmami, podczas gdy ich ściany zyskały nieco bogatsze przybranie w charakterze architektury rzymskiej schyłku XVI wieku. Po 1619 roku wykańczano zamkowe wnętrza, między innymi kolorowymi marmurami niderlandzkimi, oraz otaczano murem z prymitywnymi bastionami ogród na skarpie wiślanej. Równolegle król zaczął prowadzić nową budowę: swej nieoficjalnej podwarszawskiej rezydencji w Jazdowie.

Zamek w Jazdowie, zaczęty w 1624 roku, jak świadczy odnaleziony przy jego odbudowie kamień węgielny, a dokończony już za Władysława IV, odzwierciedlał najpełniej ideał architektury pałacowej, jaki panował w kręgu królewskim około 1620 roku; wywarł też wielostronny wpływ na dalszy rozwój polskich rezydencji. Bardziej regularny i bardziej kompozycyjnie zwarty od zamku warszawskiego składał się z jednopiętrowych skrzydeł ustawionych w kwadrat i uzupełnionych ryzalitem z widokową loggią od strony Wisły oraz sześciobocznymi wieżami narożnymi. Tradycja północnoeuropejska uzewnętrzniła się w ogólnej koncepcji tego zamku-pałacu, w jego kubicznej bryle, w sylwecie stromych dachów i kształtnych wież. Symetria, umiar, a zarazem kierunkowość planu oraz osnowa krzyżujących się amfilad były jednak włoskie, podobnie jak wzorce dziedzińcowego krużganka, tunelowych schodów czy podziałów elewacji – płaskich, linearnych i już nie tak skąpych jak w zamku warszawskim, choć utrzymanych w tym samym stylu Castellego.

Oba zamki – w Warszawie i Jazdowie – były reprezentatywnymi przykładami polskiej odmiany wczesnego baroku kojarzącej zgodnie z artystyczną świadomością Zygmunta III

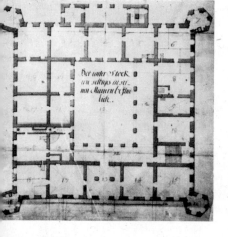

2. Zamek Jazdowski, rzut przyziemia

Zamek Jazdowski, elewacja wschodnia

pierwiastki rzymskie z północnoeuropejskimi: miały przy tym analogie nieliczne i nie najbliższe. Mimo udziału warszawskiego rzemiosła budowlanego w przedsięwzięciach królewskich formy tego „stylu Wazów" nie oddziaływały jeszcze na nowe budownictwo stolicy, chociaż i ono dążyło różnymi drogami do unowocześnienia.

W pierwszych dwóch dekadach stulecia tradycja przejawiała się najsilniej w stereotypowych budowlach o „porenesansowych" formach. Reprezentowany był wśród nich wzorzec kopułowej kaplicy grobowej (Kryskich w kościele Bernardynów, 1620), attykowej bramy miejskiej (Poboczna, 1603), szczytowej kamienicy (przebudowa kanonii, od 1608), ratusza z attyką i wieżą galeriową (rozbudowa 1620–1621), wreszcie masywnego „domu pańskiego", wykształconego z późnogotyckiej wieży mieszkalnej; wzorzec ten dla swych przedmiejskich siedzib przyjęli: wojewoda sandomierski Jerzy Mniszech (przed 1611), prymas Wojciech Baranowski (przed 1615) oraz podskarbi litewski Mikołaj Daniłłowicz (1616–1621). Pałac tego ostatniego wyróżniał się wspaniałością wyposażenia i bogactwem attyki.

Mocniej zróżnicowane oblicze miało budownictwo kontrreformacji, przede wszystkim kościoły zakonne (13 nowych klasztorów ufundowano w 1. poł. XVII w. w Warszawie i jej najbliższej okolicy). Najbardziej konserwatywny był późnogotycki chór w kościele Dominikanów (1605–1613) oraz kościół Bernardynek (1609–1617) jakoby wzniesiony przez bliżej nie znanego Mikołaja Duchnowskiego. Ten drugi kościół w pierwszej fazie budowlanej odznaczał się konwencjonalnym schematem jednonawowym, smukłą wieżą w tradycji budownictwa konwentów żeńskich oraz mało oryginalnym konglomeratem form późnogotyckich i porenesansowych.

Najnowocześniejsza była świątynia dowodzących kontrofensywą katolicyzmu jezuitów, ufundowana częściowo przez Zygmunta III (zasadniczo 1609–1620). W gęsto zabudowanym śródmieściu jezuici przyjęli wyjątkowo założenie jednonawowe o znacznej wysokości. „Uciekająca" z nawy przestrzeń znajduje górne ujście w eliptycznym bębnie z kopułą, zawieszonym nad prezbiterialną apsydą – rozwiązanie, które będzie kilkakrotnie powtórzone w polskich kościołach XVII wieku, a które zapewne zaczerpnięto z budownictwa cerkiewnego. Ta manierystyczna w istocie koncepcja przestrzeni została ujęta w barokowy system przęsłowy o nakładających się podwójnie pilastrach, wyłamanych gzymsach oraz wyrastających z nich pasach sklepiennych. Dekorację w zaprawie, zasnuwającą sklepienne pola, zaczerpnięto z Lublina, gdzie miejscowi muratorzy wprowadzili ją na sklepienia w początkach stulecia.

Propagandowe założenia architektury jezuickiej odzwierciedlają się też w potraktowaniu frontu świątyni. Ta pierwsza w Warszawie zakomponowana fasada kościelna, cofnięta ze

TRADYCJA I NOWATORSTWO
W TWÓRCZOŚCI MURATORÓW
WARSZAWSKICH

84. Rozbiórka kościoła Bernardynek na placu Zamkowym w 1843 r.

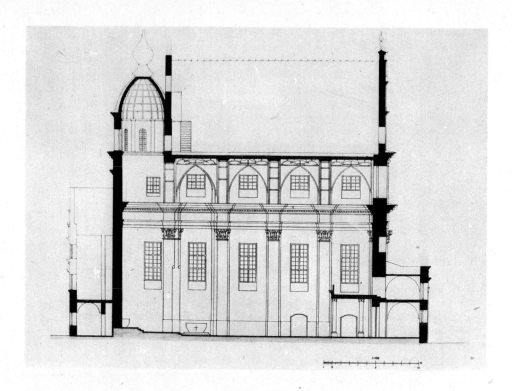

względów optycznych od ulicy i poprzedzona szeroką kruchtą, należała do tak zwanych fasad półtorakondygnacjowych – o nieproporcjonalnie obniżonym górnym opilastrowaniu. Jej muratorskie formy są nieco zbarbaryzowane, ale ostatecznie wczesnobarokowe; niewłoska jest natomiast zamiana wieńczącego frontonu na wysoki szczyt o późnogotyckiej zasadzie podziałów i sylwety – zjawisko mające współczesne analogie w Lublinie. Jeszcze bardziej północny charakter, mimo przewagi form włoskich, ma smukła wieża przy prezbiterium.

. Kościół Jezuitów, widok na wieżę i kopułę. Fot.
rzed 1939 r.

. Kościół Jezuitów, fasada. Fot. sprzed 1939 r.

Warszawski kościół Jezuitów był najmniej „rzymski" spośród polskich świątyń tego zakonu i spośród fundacji Zygmunta III. Niemniej jego anonimową architekturę można uznać za kontynuację pierwszych polskich dzieł architektów-jezuitów, w których także wczesnobarokowe organizmy obstawiano skarpami i wypełniano grubymi muratorskimi formami z trudem dostosowującymi się do rzymskich wzorców, których charakter wymagał raczej precyzyjnego, kamieniarskiego wykonania. Zbliżone oblicze stylowe miała warszawska Dziekania (1610) oraz sprzężony z nią ganek prowadzący z zamku do kolegiaty, a po 1620 roku również wiele innych nowych kościołów stolicy i Mazowsza.

W środowisku warszawskim większe świątynie budowano w tradycyjnym na Niżu układzie bazylikowym. Taki był korpus kościoła dominikańskiego w Warszawie (1614–1638), na zewnątrz jeszcze oskarpowany, ale wewnątrz o barokowym systemie przęseł. W tym dziele nie znanego bliżej Jana Włocha podziały porządkowe są stosunkowo masywne, dość przy tym schematyczne, a w każdym razie pozbawione owych pierwiastków swobody i inwencji, jakimi się ówcześnie wyróżniało pozastołeczne budownictwo cechowe. Niemniej i tu żebra sklepień ciągnięte są w zaprawie; nad nawami bocznymi układają się one w „lubelski" rysunek, prostszy jednak niż u jezuitów.

Podobnymi formami musiał się odznaczać przed późnobarokową przebudową kościół Augustianów, przekształcony na bazylikę przez muratora Jerzego i kamieniarza Jana Spinolę (1631–1635). W tym samym kręgu należy między innymi umieścić barokizację romańskiej bazyliki Kanoników Regularnych w Czerwińsku (przed 1635).

Najczęściej budowano skromne kościoły jednonawowe, o węższych prezbiteriach, przy czym typowa dla środowiska warszawskiego była ich odmiana ścienno-filarowa, rozwinięta z późnogotyckich kościołów o wewnętrznych arkadach przyściennych. Najwcześniejszy w tej grupie, podległy warszawskiej kolegiacie, kościół w Tarczynie (rozbudowa 1623) miał dekorację sklepienną ułożoną jeszcze w późnogotyckie gwiazdy, ale ciągniętą

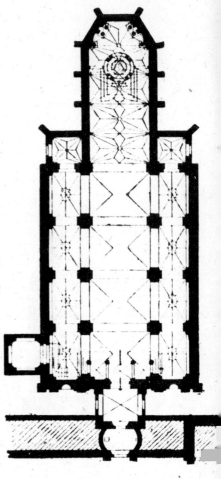

88. Kościół Dominikanów, rzut przyziemia

89. Kościół Dominikanów, fasada. Stan obecny

0. Kamienica Dzianotów, ul. Wąski Dunaj 8. Fot. ·rzed 1939 r.

w zaprawie i spływającą na filary o wczesnobarokowych formach. Doskonalsze było ścienno-filarowe wnętrze wstawione wtórnie w nawę wspomnianego już kościoła Bernardynek w Warszawie (faza 1634). Bliżej Warszawy do grupy tej należy kościół Reformatów w Pułtusku (1648), wiele przesłanek przemawia też za istnieniem podobnego wnętrza w praskim kościele Bernardynów (1628–1638). Ta wielka świątynia miała czteroprzęsłową nawę szerokości chóru, a jej formy także reprezentowały warszawski nurt muratorskiego protobaroku.

Bryły tych wszystkich kościołów były dość konserwatywne, nawet jeśli skarpy zastąpiono lizenami. Tradycyjne szczyty przyswajały już jednak niekiedy barokowe ślimacznice czy obeliski (przebudowa kościoła Bernardynek w Warszawie, 1634), rzadziej natomiast przejmowano parawanowe fasady, bardziej zgodne z oficjalnym programem architektury kontrreformacyjnej. Taką nowożytną fasadę o trzech opilastrowanych przęsłach ze spływami przy górnej kondygnacji, z frontonem i obeliskami, wznieśli warszawscy dominikanie (1639). Był to w istocie zubożony, niedekoracyjny wariant podobnych fasad nieco wcześniej importowanych z Rzymu do kościołów karmelitów bosych w Małopolsce.

Natomiast rozwiązaniem lokalnym, którego różne warianty przyjmą się później w Polsce środkowej, była dwuwieżowa fasada kościoła Bernardynów praskich (przed 1638), odzwierciedlająca powszechne w ówczesnych środowiskach prowincjonalnych tendencje do wysuwania wież z naroży kościoła i w ten sposób wyodrębniania ich z jego bryły.

Ci sami muratorzy, którzy wznosili wyżej omówione kościoły, zatrudnieni też byli przy budowie i modernizacji kamienic; angażowano ich również w charakterze architektów siedzib szlacheckich, dopóki „pałacowa" dekada 1635–1645 nie przyniosła zmiany mody w tym zakresie. Do tej wcześniejszej grupy stołecznych i pozastołecznych rezydencji, noszącej jeszcze piętno muratorskiego protobaroku, należy również między innymi pałac starosty warszawskiego Stefana Bonawentury Grzybowskiego w Chrzęsnem koło Wołomina (1635).

Największe przemiany kamienic Starej Warszawy przypadają na przełom panowania Zygmunta III i Władysława IV. Wówczas przerwana w nich zostaje tradycja domu północnoniemieckiego i rozwój układów i elewacji zaczyna iść w kierunku wytkniętym przez kamienice środkowoeuropejskie. Przemiany te stają się widoczne około 1630 roku w patrycjuszowskich kamienicach Dzianotów (Wąski Dunaj 8: 1632; Pod Murzynkiem: po 1630), Baryczków (1629–1633) i Plumhoffów (Wójtowska, tzw. Ks. Mazowieckich: 1635–1637). Ich elewacje zachowują jeszcze sporo motywów manierystycznych, jak świadczą portale o formach pińczowskich będące importami kamieniarskimi, grzebienie attyk (w Warszawie przeważnie nie podbudowane fryzami) czy sgraffitowa dekoracja płaszczyzn ściennych. Równocześnie jednak sekwencje uszakowych obramień okiennych naśladują castellowski detal zamków Zygmunta III, a nieco później – na kamienicy Falkiewiczowskiej (1643) – pojawi się nowa wersja attyki, przyswajająca najbardziej typowe motywy architektury wazowskiej.

Wnętrza kształtowano bardziej tradycyjnie. Skromne „lubelskie" sklepienia oraz późnogotyckie belkowane stropy dotrwały aż do następnego rozkwitu budownictwa mieszczańskiego w sześćdziesiątych latach XVII wieku. Równolegle jednak występują także malowane sufity typu pałacowego, a znacznie wcześniej, bo już w ozdobnych schodach baryczkowskich, pojawiła się stolarka wczesnobarokowa.

„PAŁACOWA DEKADA"

. Kamienica Baryczków, klatka schodowa. Fot. rzed 1939 r.

Koniec okresu największej i stylowo najbardziej indywidualnej produkcji warszawskich muratorów zazębiał się już z przełomową dla sztuki stołecznej „pałacową dekadą" 1635–1645, kiedy w budownictwie kręgu Władysława IV następuje dalsza i głębsza asymilacja pierwiastków barokowych. Pałacowe wzorce epoki Zygmunta III naginają się teraz (bez zatracania zresztą własnej tradycji rozwojowej) do nowszych rozwiązań włoskiej willi czy francuskiego *château*, inspirujących twórczość architektów królewskich.

Proces ten nie ominął także i dawnych rezydencji Zygmunta III, których rozbudowa i modernizacja przyspieszone zostały przez wesele Władysława IV w 1637 roku. Kończono wówczas podwarszawski Jazdów (przedsiębiorcą budowlanym był muzyk królewski i rymopis Adam Jarzębski), w latach 1637–1645 Tencalla rozbudował też zespół zamku warszawskiego.

Szczególny program oficjalnej siedziby króla i rządu, jak i to że budowla już istniała, sprawiły, że w zamku warszawskim ówczesne tendencje stołecznego baroku uzewnętrzniały się słabo i nietypowo. Do skrzydła wschodniego z apartamentami królewskimi dodano dwie dobudówki, a między nimi taras widokowy na arkadowej galerii; nadbudowano poza tym część skrzydła południowego w związku z umieszczeniem w nim widowni i skomplikowanej maszynerii scenicznej znakomitej opery Władysława IV. Urządzono również i okazale wyposażono wnętrza, między innymi kaplicę i słynny Gabinet Marmurowy.

Jednocześnie regulowano przed Zamkiem dziedziniec przedni, przedłużając główną oś kompozycyjną do nowej, reprezentacyjnej Bramy Świętojańskiej. Dążeniem do porządkowania otoczenia rezydencji królewskiej i podnoszenia okazałości dojazdu zostało też objęte południowe przedpole Zamku i Bramy Krakowskiej, gdzie głównym urbanistycznym akcentem stała się kolumna Zygmunta.

Kolumnę Zygmunta III (1643–1644) zaprojektował Tencalla na zlecenie Władysława IV (posąg króla rzeźbił Clemente Molli). Ten pierwszy w Polsce pomnik na otwartej

przestrzeni poświęcony jednostce wzorowany był dość wiernie na blisko trzydzieści lat
starszych włoskich kolumnach kultowych przed Santa Maria Maggiore w Rzymie i przed
Santa Eufemia w Mediolanie, przejawiał zresztą silniejszy od nich ładunek baroku
w rozwinięciu członów architektonicznych i w zestawieniu brązowych, pozłacanych
elementów z barwnymi marmurami. Ustawienie kolumny miało cel polityczny – glory-
fikować dynastię i pomóc królowi w walce o wzmocnienie władzy – dlatego umieszczono
ją w głównym węźle komunikacyjnym stolicy, przed Bramą Krakowską.
Kolumna Zygmunta była jakby słupem granicznym między średniowieczną Starą Warszawą a nowożytnym stołecznym zespołem osadniczym, wyrastającym wśród dawnych
przedmieść i dróg dojazdowych i wówczas wykraczającym już poza wały Zygmunta III (1621–1624). W tych nowych dzielnicach zlokalizowano liczne dwory oraz kilka
pałaców ważnych osobistości politycznych. Najbardziej monumentalne zbudowano na
skraju skarpy wiślanej, tak by miały od strony Krakowskiego Przedmieścia strefę
reprezentacyjną. Panorama Eryka Dahlberga z 1656 roku ukazuje te rezydencje, które
odznaczały się kubicznymi bryłami, wysokimi dachami i arkadowymi loggiami. Naroża
akcentowano już nie tylko wieżami, lecz także pawilonami i ryzalitami; wprowadzano przy
tym galerie i tarasy z widokiem na Wisłę i, ogólnie, nie przybierano elewacji w formy tak
surowe i wstrzemięźliwe, jakie stosował Castelli.
Najwcześniejszą wśród tych rezydencji była królewska *villa suburbana* (1634–1641),

zlokalizowana na miejscu dawnego folwarku książęcego. Swą późniejszą nazwę – Pałac Kazimierzowski – zawdzięcza Janowi Kazimierzowi, który ją parokrotnie przebudowywał. Tradycyjne rozplanowanie zamknięto tu w zwartym korpusie z czworobocznymi wieżami narożnymi, które od skarpy połączono wielką dwukondygnacjową loggią, tworząc konwencjonalny zestaw motywów willowych pochodzących od Serlia, ale szczególnie modny we Francji. Mniejszą loggię ze schodami przybudowano wtórnie do przeciwległej, frontowej elewacji pałacu, przed którą – ale nie w bezpośredniej styczności – leżał kwaterowy ogród. Ogród został rozplanowany przez Locciego, który między innymi w 1637 roku rozstawiał w nim rzeźby sprowadzone z Florencji (współdziałał tu ogrodnik Andrzej Frycowicz). Wszystkie te zielone i architektoniczne składniki willi królewskiej znajdowały się, mimo kompozycyjnego sprzężenia, w stanie przedbarokowej równowagi. Rezydencje w obrębie wałów odznaczały się większą zwartością kompozycji, ogrody były przy tym mniejsze i ściślej podporządkowane pałacowym korpusom. Pałac faworyta królewskiego Adama Kazanowskiego (około 1637–1643), budowany co najmniej częściowo przez Tencallę, obrazował następną po zamku warszawskim fazę przemiany wczesnobarokowego założenia zamkowego w pałac: czterokondygnacjowy blok głównego korpusu, stereotypowo rozplanowany, miał skrajne partie podwyższone na kształt pawilonów, a między nimi widokowy taras, ukryty za attykowym grzebieniem (attyka także należała do specyficznie warszawskiego bezfryzowego typu). Od strony Wisły przylegał prostokąt ogrodowych parterów, podmurowany wysokim tarasem, a od Krakowskiego Przedmieścia – kwadratowy dziedziniec, którego obrzeżne skrzydła nie zatraciły jeszcze organicznej, „zamkowej" więzi z korpusem. Część pomieszczeń reprezentacyjnych z kaplicą mieściła się w skrzydle północnym. Bajeczną wizję przepychu wnętrz tego pałacu daje opis Jarzębskiego, dzięki któremu można się także zorientować, jak bardzo rozwinięty i skomplikowany był program użytkowy całego zespołu.

Najbardziej postępowe oblicze miał zespół rezydencji hetmana Stanisława Koniecpolskiego (1643–1645) – również dzieło Tencalii. W wolno stojącym pałacu po raz pierwszy narożne akcenty przybrały formę ryzalitów. Wraz z partią środkową tworzą one w planie jakby literę H, przy czym w przyziemiu trzonem założenia jest obszerna, wyjątkowo poprzeczna sień, poprzedzona od dziedzińca długą loggią. Linearyzm architektury zewnętrznej nawiązuje do zamków Zygmunta III, ale system elewacji z boniowanym przyziemiem, wysokim *piano nobile* o oknach pod przełamanymi frontonami, niskim mezzaninem i ryzalitami nie miał w Polsce precedensu.

Na osi pałacu znalazł się kwaterowy ogród rzucony po pochyłości skarpy i oddzielony od korpusu tarasem z trójarkadową grotą – co nawiązywało w zredukowanym zakresie do nieco wcześniejszej siedziby hetmana w dalekich Podhorcach, kształtowanej zresztą pod przemożnym wpływem tego samego nurtu architektury warszawskiej.

Do grupy budowli o pałacowym charakterze można także zaliczyć Arsenał Władysława IV (1638–1643). Właściwy „cekauz" – piętrowy magazyn militariów – tworzył wraz z trzema krużgankami prostokątny kompleks o osi zaakcentowanej boniowaną bramą oraz – w narożach krużganka – dwoma piętrowymi pawilonami. Takie pawilony, kryte namiotowymi dachami z ozdobnymi boniami, były charakterystycznym, zapożyczonym z Francji, składnikiem ówczesnej architektury środowiska warszawskiego.

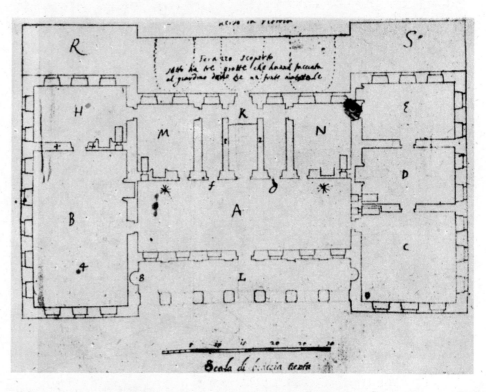

3. Pałac Koniecpolskich, projekt rzutu przyziemia

94. Arsenał, widok z 1701 r.

Z omawianego nurtu stylowego wyłamywał się natomiast pałac kanclerza Jerzego Ossoliń-skiego (1641), zlokalizowany poza strefą skarpy i odznaczający się ekscentrycznymi, manierystyczno-barokowymi formami, o najbliższych odpowiednikach w kręgu innych, prowincjonalnych fundacji rodziny Ossolińskich. Wielotraktowy plan i sześcioboczne narożne wieże nie były obce ówczesnej polskiej architekturze pałacowej, ale jednocześnie

95. Pałac Ossolińskich, schematy planu przyziemi i piętra. Oprac. na podstawie pracy W. Kreta

A

96. Pałac Jerzego Ossolińskiego. Rekonstrukcja bryły według W. Kreta

reprezentacyjne północnowłoskie ratusze (rozumiane przez współczesnych jako antyczne „bazyliki") inspirowały oryginalne zwieńczenie tarasem z balustradą, sponad której wyrastała góra wielkiej, reprezentacyjnej sali, nakryta baniastym hełmem. Liczne posągi oraz ozdobne podziały elewacji naśladowały rzymskie wille z początku wieku XVII, przy czym dekoracja tej wielowątkowej architektury miała silne zabarwienie polityczne.

Pierwotny wygląd najpóźniejszego z wielkich pałaców wazowskiej Warszawy – wystawionego przez podskarbiego Bogusława Leszczyńskiego na terenie jurydyki Leszno (po 1650) – nie jest znany, jeśli nie brać pod uwagę projektu Gisleniego na ozdobne zwieńczenie wieży. Zagadką pozostanie też architektura paru skromniejszych pałaców, których ślad zachował się jedynie we wzmiankach pisanych (np. biskupa krakowskiego Zadzika). Nie znany jest także bliżej charakter stylowy pałacyku królewicza Karola Ferdynanda (ok. 1640), postawionego na jednym z nadwiślańskich bastionów Zamku. Jego wyniosła bryła, flankowana przez okrągłe wieżyczki, sugeruje, że była to zapóźniona pochodna wieży mieszkalnej.

Architektura monumentalna oddziaływała oczywiście na nowe dwory możnowładcze i szlacheckie, których w 1643 roku już 71 istniało w nowych dzielnicach stolicy. Były to duże kompleksy zabudowań gospodarczych i mieszkalnych, niezbyt przestrzennie uporządkowane, niekiedy uzupełniane skromnym ogrodem. Wyróżniały się wśród nich drewniane „domy pańskie", rozplanowane dość tradycyjnie, ale przejmujące powierzchownie modne znamiona sąsiednich pałaców. Charakterystycznym przykładem takiego zespołu był zaprojektowany przez Gisleniego dwór biskupa Jana Gembickiego przy ul. Długiej (po 1649); aspiracje architektoniczne ujawniało tu murowane ogrodzenie z monumentalną bramą na osi, za którym wśród kuchni, stajen i innych zabudowań wznosił się prostokątny drewniany pałac z ozdobną loggią na piętrze.

Ten rodzaj drewnianej siedziby, wygodnej a ekonomicznej i coraz bardziej odpowiadającej obyczajówi szlacheckiemu, przechodzi w stolicy dalsze przekształcenia po Potopie. W latach sześćdziesiątych XVII wieku – w okresie wzmożonego ruchu budowlanego – na blisko dwa stulecia ulega tu kodyfikacji typ parterowego dworu szlacheckiego, o ile możności symetrycznie rozplanowanego, często uzupełnianego narożnymi alkierzami czy gankami. Ta sarmacka wersja włoskiej *villa rustica* zawdzięczała swój italianizm pośrednictwu warszawskiej architektury sprzed połowy stulecia.

DRUGA BAROKIZACJA BUDOWNICTWA SAKRALNEGO

Podczas kiedy punkt ciężkości przemian warszawskiej (a zarazem polskiej) rezydencji przypada na czasy Władysława IV, to proces barokizacji stołecznego budownictwa sakralnego przybiera na sile dopiero w ostatnich latach panowania Jana Kazimierza. Stylowe zapóźnienie obrazuje choćby nowa fasada tak znacznej i w założeniu reprezentacyjnej budowli, jak kolegiata warszawska (problem otwarty, które jej partie pochodzą z ok. 1637, a które z ok. 1670). Brak jej kompozycyjnej jednolitości barokowych fasad parawanowych. Nad korpusem wznosił się ogromny szczyt o tradycyjnych podziałach i sylwecie, pierwszy plan elewacji tworzyła jednak olbrzymia poprzeczna kruchta, opilastrowana i zwieńczona balustradową attyką; u jej boku stanęła nowa dzwonnica o smukłej nadbudowie w typie weneckiej kampanili (kończona u schyłku stulecia). Formy tej składanej architektury były manierystyczne i wczesnobarokowe, choć niekoniecznie z orbity mecenatu Wazów; niektóre z nich zdają się raczej wykazywać zbieżności z pałacem Ossolińskich.

Tencalla, który swój warszawski styl tak monumentalnie eksponował w Wilnie, w kościele Karmelitów Bosych i w kaplicy św. Kazimierza czy przy modernizacji katedry gnieźnieńskiej, stolicy pozostawił jedną tylko skromną budowlę sakralną: kaplicę Loretańską przy kościele Bernardynów praskich (1641–1645). Ta specyficzna fundacja Władysława IV była dość wierną kopią renesansowej kaplicy w Loreto (Bramante i A. Sansovino).

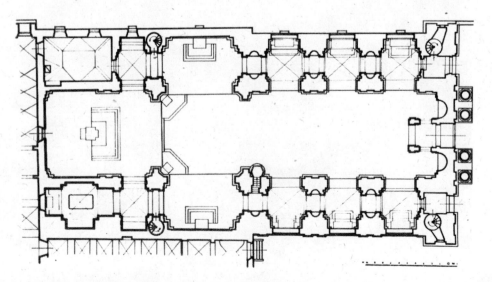

97. Kościół Karmelitów, rzut przyziemia

Otoczenie praskiej kaplicy w postaci arkadowego dziedzińczyka z okrągłymi kapliczkami w narożach, wzorowane zapewne na monumentalnych krużgankach kaplicy Loretańskiej w Pradze czeskiej, zapoczątkowało w Polsce serię podobnych założeń przyklasztornych. W kręgu Gisleniego natomiast pojawiają się barokowe wersje układu salowego (kościół Benedyktynów w Płocku, 1632) oraz jednonawowego o ścienno-filarowym korpusie (fundowany przez prymasa Andrzeja Leszczyńskiego kościół Brygidek w Warszawie: 1652–1658; kościół w Raszynie: 1654). Przełomowym momentem w ewolucji tego ostatniego typu wnętrza była anonimowa przebudowa kościoła Bernardynów w Warszawie (1660–1667). Filary szerokiej nawy rozrastają się tu do potężnych mas opilastrowanego muru; przyścienne wnęki pogłębiają się tworząc wysokie kaplice, tak że to przestrzenne wnętrze nabiera cech pośrednich między jednonawowym a halowym; system ów miał precedensy w południowych Niemczech. Plastyczna interpretacja wnętrza zapowiada już pełny barok, którego charakter wzmacnia dekoracja stiukowa z końca XVII wieku.

Współcześnie z przebudową kościoła Bernardynów wznoszono inny monumentalny kościół dla najmodniejszego w kręgach elitarnych zakonu karmelitów bosych (od 1661, wg projektu nieżyjącego już Tencalli; dekorowano go również u schyłku stulecia). Krzyżowy układ tego kościoła ze ślepą kopułą i parami przynawowych kaplic odzwierciedla budowlany program zakonu, architektura wnętrza najbliższa jest jednak jezuickiemu kościołowi św. Piotra i Pawła w Krakowie – najznakomitszemu importowi rzymskiej sztuki początku XVII wieku. Niemniej wiele motywów (m.in. szczyty transeptu i chóru) przejęto z małopolskich świątyń karmelickich, podczas gdy detal nawiązuje do sztuki dworskiej sprzed połowy stulecia. Podobne formy miała także kaplica Karmelitanek Bosych, powstała w 1663 roku, po przekazaniu zakonnicom zrujnowanego pałacu Kazanowskich (zachowało się tu sporo architektury Tencalli).

Najmniej interesujący w tej po „potopowej" serii sakralnej był chór kościoła Kamedułów na podwarszawskich Bielanach (1669; korpus już z XVIII w.). W tej fundacji Władysława IV budowę kościoła poprzedziło założenie zespołu eremów – domków kamedułów, które wraz z ogródkami i uliczkami tworzyły jakby małą urbanistykę barokową, wzorowaną na Bielanach podkrakowskch, gdzie układ taki zrealizowano jako jeden z pierwszych w Europie przed 1620 rokiem.

Jeszcze przed Potopem przemianom ulegają także fasady kościołów. W porównaniu z wczesnym barokiem Zygmunta III ich podziały są bardziej wyraziste i hierarchicznie zróżnicowane, nie wygasa jednak predylekcja do pewnych swoistych motywów, odziedziczonych jeszcze po Castellim. Najznakomitsze, najbardziej monumentalne fasady tworzą warszawscy architekci poza Warszawą. W środowisku stołecznym można natomiast obserwować modernizację, chociaż zarazem redukcję „półtorakondygnacjowego" schematu staromiejskich jezuitów (Raszyn, 1654), oraz specyficzne przetworzenie schematu karmelickiego (wprowadzonego przez nowomiejskich dominikanów) na potrzeby jednonawowego korpusu w taki sposób, że górna kondygnacja fasady obniża się do skali dachu i nabiera właściwości szczytu (Gisleniego projekt dla brygidek: 1652–1658, kościół św. Benona: przed 1648). Jest to w istocie kompromis między tradycyjną elewacją szczytową a nowożytnym schematem fasadowym. Wielkie kościoły lat sześćdziesiątych XVII wieku otrzymają fasady po przeszło stuleciu.

Mimo różnic stylistycznych i warsztatowych cała warszawska architektura epoki Wazów stanowi jedną sekwencję rozwojową, która po wstąpieniu na tron Jana III nie tyle zmienia zasadniczy kierunek, ile ulega nagłemu przyspieszeniu, dystansując pod względem poziomu i rozmachu realizacje wszystkich innych środowisk.

KULTURA W LATACH 1526–1655

Rozwój Warszawy w XVI i pierwszej połowie XVII wieku znalazł odbicie w karierze kulturalnej miasta, które z prowincjonalnego ośrodka awansowało do rangi jednego z centrów życia umysłowego i artystycznego Rzeczypospolitej. Tę przodującą pozycję osiągnęła dawna stolica mazowiecka dopiero z chwilą przeniesienia do niej na stałe rezydencji monarszej, jednak już w kilkudziesięcioletnim okresie poprzedzającym ów moment nie brak przykładów świadczących o współudziale tutejszego środowiska mieszczańskiego w tworzeniu ogólnonarodowego dorobku kulturalnego.

Wiek XVI przyniósł Warszawie dalszy rozwój szkolnictwa elementarnego. Obok otwartych już wcześniej szkół – kolegiackiej św. Jana i parafialnej Panny Marii – powstały nowe przy kościołach św. Jerzego, Świętej Trójcy i Świętego Ducha. Czołowe wśród nich miejsce zajmowała jednak nadal szkoła kolegiacka, wyróżniająca się zakresem nauczania i starannym doborem nauczycieli angażowanych tradycyjnie spośród absolwentów Akademii Krakowskiej. Jej rektorami w tym okresie byli między innymi Piotr Skarga (1556–1557) oraz Wojciech Oczko (1563–1564). Staraniu kapituły o szkołę, przejawiającemu się choćby w ustanowieniu specjalnego prałata-scholastyka (1520) czy w pomocy dla najuboższych uczniów, towarzyszyła łaska panujących wyrażająca się w specjalnych zapisach, jałmużnach i przywilejach, a także wzrastające zainteresowanie mieszczaństwa dążącego – podobnie jak w innych miastach – do wyłączenia jej spod administracji kościelnej i podporządkowania miasta. Dążenia te udało się zrealizować dopiero w 1622 roku.

Rezultatem działalności szkół warszawskich była zwiększająca się z każdym rokiem liczba rzemieślników, drobnych kupców, wyrobników umiejących czytać i pisać oraz rosnąca gromada młodzieży wyruszającej po dalszą wiedzę do istniejących ośrodków nauki. Synów mieszczan warszawskich spotykamy w gimnazjach protestanckich (Wrocław, Elbląg, Gdańsk, Toruń) i w kolegiach jezuickich (Braniewo, Pułtusk, Poznań); głównym celem naukowych wędrówek pozostawał jednak Kraków. W latach 1526–1600 wpisało się do metryki uniwersyteckiej tylu młodych warszawian (105), co przez cały XV i pierwsze ćwierćwiecze XVI wieku. W porównaniu z okresem poprzednim wzrosła również kilkakrotnie grupa studiujących na uniwersytetach zagranicznych, przy czym szczególnym powodzeniem cieszyły się uczelnie włoskie – w Padwie i Bolonii.

Znaczna część studentów i absolwentów wracała do rodzinnego miasta i wpływała na ożywienie życia umysłowego, społecznego i gospodarczego środowiska, z którego wyszła. Ludzi z cenzusem uniwersyteckim spotykamy na stanowiskach nauczycieli, pisarzy miejskich; piastowali urzędy burmistrzów, rajców i ławników; znajdujemy ich również wśród warstwy kupieckiej. Szczególnie wiele światłych umysłów liczyło grono warszawskich lekarzy – w większości uczniów słynnej szkoły padewskiej. Zasiadając często w radzie miejskiej wyróżniali się zrozumieniem potrzeb społecznych i udziałem w życiu miasta. Do bardziej znanych należeli między innymi: Baltazar Smosarski, lekarz ostatnich książąt mazowieckich, a następnie Zygmunta Starego i kapituły warszawskiej (zm. 1562), Tomasz Gmercjusz, rajca staromiejski (zm. ok. 1573), Mikołaj Alexandrini, burmistrz staromiejski i prowizor Bractwa Miłosierdzia (zm. 1595), Jakub Gosławski, lekarz Stefana Batorego i Zygmunta III, członek Bractwa Miłosierdzia (zm. ok. 1605), oraz Jan Klemens z Radziwia, burmistrz staromiejski i syndyk klasztoru Bernardynów (zm. 1621).

Najwybitniejszym przedstawicielem kultury mieszczańskiej ówczesnej Warszawy był Wojciech Oczko (1537–1599) – znakomity lekarz i uczony humanista. Od najmłodszych lat wspierany materialnie przez kapitułę warszawską, po odbyciu wstępnych nauk w szkole kolegiackiej studiował w Akademii Krakowskiej, a następnie we Włoszech, Francji i Hiszpanii, zdobywając dyplom doktora medycyny i filozofii. Po powrocie do Warszawy rozwinął szeroką praktykę, której ukoronowaniem stało się rychło stanowisko przybocznego lekarza Stefana Batorego i Zygmunta III. Oczko był jednym z niewielu lekarzy zajmujących się nie tylko leczeniem, ale również badaniami naukowymi. Jego dwa dzieła z zakresu balneologii i syfilidologii – „Cieplice" (Kraków 1578) oraz „Przymiot" (Kraków 1581) – należą do najcenniejszego dorobku medycyny polskiej XVI wieku. Pisząc po polsku dążył z całą świadomością do wzbogacenia mowy ojczystej. Reprezentował ten nurt humanizmu, który podnosił godność języka narodowego jako równouprawnionego z językami antycznymi środka wyrażania myśli. Nieprzypadkowy jest też wkład Oczki w realizację dwóch wyjątkowej wagi dla rozwoju naszego literackiego języka przedsięwzięć, a mianowicie w wyreżyserowanie „Odprawy posłów greckich" Jana Kochanowskiego (1578) oraz przygotowanie do druku „Gospodarstwa" (Kraków 1588) Anzelma Gostomskiego – pierwszej oryginalnej polskiej książki rolniczej, której autor związany był z Warszawą długimi latami pobytu.

Z tutejszego środowiska mieszczańskiego wyszli w XVI wieku również Dawid Leonard, profesor hebraistyki na Uniwersytecie Krakowskim w latach 1528–1534 i autor podręcznika „Elementale hebraicum" (Kraków 1530), Wojciech Rzymski, arianin, tłumacz kroniki Arysteusza (Kraków 1578), Stanisław Bornbach, badacz dziejów Pomorza, od 1555 roku osiadły w Gdańsku, oraz Wojciech Szeliga, doktor medycyny i filozofii, wydawca popularnego dziełka o toksykologii „De venenis et morbis venenosis" (Wenecja 1584), opracowanego na podstawie wykładów profesora padewskiego Hieronima Mercurialisa. Znakomitością w swoim rodzaju był kanonik kolegiaty św. Jana, Florian Susłyga – rzadki okaz oszusta i aferzysty intelektualnego w skali międzynarodowej, którego rozgłos przewyższył sławę wielu wybitnych postaci polskiego życia umysłowego doby Odrodzenia. Udawszy się w 1546 roku na studia do Paryża przez lat blisko dziesięć grasował w czołowych środowiskach reformacji i kontrreformacji, na dworach monarszych i w kołach dyplomatycznych, wyłudzając znaczne sumy pieniędzy oraz zwodząc największe osobistości tego okresu, jak Kalwin czy Ignacy Loyola.

Wzrostowi wykształcenia warszawskiego mieszczaństwa towarzyszyło zainteresowanie książką, choć nie wystarczające jeszcze do otwarcia w mieście stałych księgarni. Popyt zaspokajali trudniący się częściowo sprzedażą książek introligatorzy, a także wędrowni bibliopole, wystawiający towar w czasie dorocznych jarmarków. Dopiero w drugiej połowie tego stulecia warszawski rynek stał się na tyle chłonny i atrakcyjny, że osiedli tu pierwsi zawodowi księgarze – Eliasz Jencz (1571), Jan Gierasz (1578) i Paweł Fabrycy. Ten ostatni, zięć wybitnego drukarza krakowskiego Macieja Wierzbięty, był już przedsiębiorcą dużej klasy. Utrzymywał rozległe stosunki handlowe z Wrocławiem, Toruniem, Poznaniem, Lublinem, a nawet z głośnym ośrodkiem socyniańskim w Rakowie. W 1586 roku, broniąc uzyskanego przywileju na wyłączną sprzedaż książek w mieście, wdał się w przewlekły proces z introligatorem Janem Modzelewskim. Blisko dwunastoletni spór zakończyła decyzja Zygmunta III, który nadał obu rywalom koncesje na dożywotnie prowadzenie w Warszawie dwóch księgarni, zakazując równocześnie zakładania w tym czasie nowych. Po wygaśnięciu tego przywileju liczba księgarni zwiększała się stopniowo i około roku 1650 doszła do sześciu.

O przeciętnych zainteresowaniach czytelniczych mieszczan warszawskich na przełomie XVI i XVII wieku informują książki wymienione w ułamkowo zachowanych inwentarzach i testamentach. Dobór lektur wyznaczała najczęściej pozycja społeczna, zdobyte wykształcenie, zawód bądź ideologia religijna. Tak na przykład w inwentarzu kupca Hieronima Welcza (zm. ok. 1578) wymieniona jest między innymi rzeczami: „postilla lutherska in folio" oraz „biblia germanica"; aptekarz Erazm Dembiński (zm. 1582) miał herbarz, czyli zielnik „do apteki należący", a malarz Adam (zm. 1596) „ksiąg sesczioro rozmaitych", w których wymalowane były „kunsty" służące za wzór przy kompozycjach malarskich. Celom praktycznym służył też bez wątpienia – przechowywany obecnie w Muzeum Historycznym m. Warszawy – egzemplarz statutów i praw zwyczajowych Mazowsza, ogłoszony drukiem przez krakowską oficynę Wietora w 1541 roku, należący kolejno do dwóch dostojników staromiejskich: burmistrza Mikołaja Marianiego (zm. 1607) oraz wójta Jana Wilka-Kałęckiego (zm. 1612). Większe i ciekawsze zbiory gromadzili ludzie dysponujący nie tylko odpowiednimi warunkami materialnymi, ale i odznaczający się wyższym stopniem przygotowania intelektualnego. Znaczną wartość przedstawiały na przykład biblioteki burmistrza Zygmunta Ulrychowicza (zm. 1587) oraz pisarza miejskiego Szymona Wituńskiego (zm. ok. 1609), liczące po przeszło sto pozycji i reprezentujące rozmaite dziedziny wiedzy. Gorliwymi zbieraczami książek byli lekarze Wojciech Oczko i Jan Klemens z Radziwia, a także niektórzy przedstawiciele duchowieństwa, jak kanonik Zacheusz Pikarski (zm. przed 1597) czy proboszcz kolegiaty św. Jana, głośny humanista i filolog, mieszkający w latach 1570–1585 stale w Warszawie, Andrzej Patrycy Nidecki. Księgozbiory te uległy całkowitemu rozproszeniu, a o ich istnieniu świadczą dziś zaledwie pojedyncze ocalałe egzemplarze.

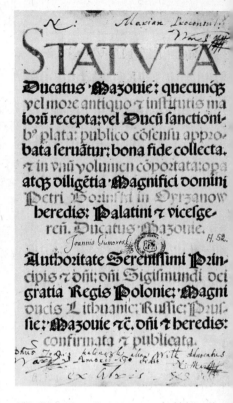

100. Egzemplarz „Statutów mazowieckich" wydany w 1541 r., z podpisami burmistrza Mikołaja Marianiego i wójta Jana Wilka Kałęckiego

101. W. Oczko, „Przymiot", Kraków 1581

Książki były jedną z dróg przenikania do miasta nowych prądów umysłowych, w tym nowinek i propagandy reformacyjnej. Jednak fala reformacji, która napłynęła w XVI wieku do Polski, w niewielkim stopniu objęła Mazowsze. Zastała tu trudniejsze niż gdzie indziej warunki recepcji ze względu na swoisty charakter tej dzielnicy, odznaczającej się słabością szlachty i mieszczaństwa oraz szczególnie silną pozycją kościoła katolickiego. Rozpowszechnieniu reformacji przeciwstawił się książę Janusz III, zabraniając pod karą śmierci w 1525 roku mieszkańcom Mazowsza, a zwłaszcza Warszawy, czytania pism Lutra i wyznawania jego nauk. Nieliczni tylko spośród mieszczan warszawskich pozyskani zostali przez różne kierunki protestantyzmu, jak nie znany bliżej Kasper z Warszawy, pastor kalwiński w Olkuszu czy wspominany już Wojciech Rzymski, który został arianinem. Znaczniejsze przejawy różnowierstwa w Warszawie dostrzec można dopiero w latach siedemdziesiątych i osiemdziesiątych tego stulecia. Natrafiają zresztą od początku na opozycję władz miejskich, wspieranych przez Annę Jagiellonkę i Stefana Batorego. Już w 1574 roku rada Starej Warszawy ustanawia rejestr kar za uczestnictwo w potajemnych zgromadzeniach luterskich, postanawiając zarazem na przyszłość nie przyjmować heretyków do grona obywateli i nie powierzać im urzędów miejskich. I jakkolwiek część z tych gróźb pozostała na papierze, o czym świadczy choćby ciągłe ich ponawianie, dążenia luteran do zorganizowania własnego życia religijnego i udziału w zarządzaniu miastem zostały poważnie ograniczone. Nie powiodła się też próba wzniesienia zboru, podjęta przez starostę warszawskiego, Jerzego Niemstę. W 1581 roku wzburzony tłum zrównał z ziemią rozpoczętą budowlę i rozrzucił materiały budowlane. Pewnego poparcia doznawali jeszcze miejscowi luteranie ze strony wojewody rawskiego, Anzelma Gostomskiego. W jego dworze przy Krakowskim Przedmieściu spotykała się na nabożeństwach i naradach kalwińska szlachta przebywająca w Warszawie podczas obrad sejmowych. Nie trwało to jednak długo, w 1598 roku bowiem wraz ze śmiercią syna wojewody, Stanisława, padła i ta, ostatnia w mieście, placówka dysydencka.

Wśród osiadłej w mieście szlachty zaledwie kilku skłaniało się wyraźnie ku protestantyzmowi, a grono mieszczańskich zwolenników reformy ograniczone było do niewielkiej grupki nowych obywateli – kupców i rzemieślników – świeżo przybyłych w tym okresie z Pomorza, Śląska i południowych Niemiec. Ogół pozostawał ortodoksyjnie katolicki i nie na darmo Gwagnin w swoim „Sarmatiae Europeae descriptio" (Kraków 1578) chwalił mieszczan warszawskich „tak porządnych i bogobojnych, że żadnego heretyka cierpieć między sobą nie mogą. Zborów im swych mieć nie dopuszczają. Sąsiadów tych, którzy byli od kościoła katolickiego oderwani, mieć też między sobą nie chcą". Świadectwem owej bogobojności obok mnożących się fundacji sakralnych był przede wszystkim rozwój rozmaitego typu bractw religijnych. Jedne z nich – jak Literackie, Najświętszego Sakramentu czy Różańcowe – miały charakter wyłącznie dewocyjny, inne – na przykład Bractwo Ubogich – zajmowały się także pracą charytatywną. Na wyróżnienie zasługuje Bractwo Miłosierdzia, instytucja filantropijna, powołana do życia z inicjatywy Piotra Skargi (1590), która utrzymywała specjalną kasę zapomogową (tzw. Mons Pietatis) oraz własny szpital pod wezwaniem św. Łazarza. Spośród warszawskich bractw dewocyjnych największe znaczenie miało bernardyńskie Bractwo św. Anny (1578), zawdzięczające swą pozycję opiece królowej Anny Jagiellonki. W 1579 roku papież Sykstus V podniósł je do godności arcybractwa z władzą erygowania bractw filialnych przy innych kościołach w Polsce. Z działalnością bernardynów związane było także krzewiące się zwłaszcza wśród kobiet tercjarstwo, które dało początek zorganizowanemu w tym stuleciu klasztorowi sióstr trzeciego zakonu św. Franciszka, zwanych w Warszawie popularnie „bernardynkami", a później „klaryskami" (od wezwania kościoła).

Nad prawowiernością religijną mieszczan czuwał kler warszawski, który podobnie jak w wiekach poprzednich wywierał niemały wpływ na życie miasta. Czołowym jego ośrodkiem pozostawała nadal kolegiata. W XVI wieku bywała ona widownią wielu ważnych wydarzeń i uroczystości kościelnych; gościła często panujących, tu zbierały się synody, tutaj wreszcie odprawiano nabożeństwa zaczynające sejmy i elekcje. Dobrze uposażone kanonie stanowiły atrakcję nie tylko dla ubogiej szlachty mazowieckiej, coraz częściej zabiegali o nie przedstawiciele znanych rodzin polskich. Niemal regułą stało się nagradzanie nimi ludzi związanych z dworem królewskim – kapelanów, spowiedników, sekretarzy, lekarzy, a nawet muzyków. Również pomyślny okres przeżywali bernardyni, których klasztor św. Anny, odbudowany po dwukrotnych pożarach i podniesiony do rangi kustodii, wysunął się na jedno z pierwszych miejsc wśród konwentów bernardyńskich w Polsce. Do większego znaczenia doszedł też kościół augustianów św. Marcina, obrany przez szlachtę mazowiecką na miejsce sejmików.

Śmierć ostatnich Piastów mazowieckich tylko na krótko pozbawiła miasto charakteru dworsko-rezydencjonalnego. Już wkrótce stało się ono siedzibą królowej Bony (1548–1556), której dwór rojny od dygnitarzy świeckich i duchownych wpływał dodatnio na ożywienie miasta. Po wyjeździe Bony do Włoch bywał w Warszawie często król Zygmunt August, a w ostatnich latach panowania (1569–1572) przebywał tu nawet stale wraz z całym dworem. Według kronikarzy wtedy właśnie na Zamku czarnoksiężnik Twardowski wywołał wizję Barbary Radziwiłłówny. Do tej głośnej sceny miano użyć łudząco podobnej do zmarłej królowej patrycjuszki warszawskiej Barbary Giżanki, kóra stała się niebawem królewską kochanką.

Szczególne więzy łączyły z Warszawą Annę Jagiellonkę, mieszkającą w niej z niewielkimi przerwami blisko pół wieku. Odsunięta przez brata od spraw państwowych, żywszą działalność rozwinęła dopiero po jego śmierci, a zwłaszcza w okresie małżeństwa ze Stefanem Batorym (1576–1583), które zapewniło jej odpowiednie środki finansowe. Zakończyła wtedy budowę stałego mostu na Wiśle, urządziła dwór jazdowski i rozbudowała otaczające go ogrody włoskie, zaplanowane jeszcze przez Bonę. W jej najbliższym otoczeniu przebywały takie znane ówcześnie postacie, jak na przykład wybitny humanista filolog, Andrzej Patrycy Nidecki, uczony dyplomata Stanisław Fogelweder, profesorowie Uniwersytetu Krakowskiego, bracia Jan i Andrzej Barscy, znakomity matematyk i jeden z pierwszych zwolenników nauki Kopernika, Sylwester Roguski oraz pisarz i wydawca Stanisław Reszka. Należeli doń także mieszczanie warszawscy, których znajdujemy między innymi wśród sekretarzy, aptekarzy i chirurgów. Ze swym licznym dworem Anna Jagiellonka prowadziła początkowo życie otwarte, wydając bale i przyjęcia czy przyjmując zagranicznych posłów, później – z upływem lat – oddawała się coraz bardziej dewocji, trawiąc czas na praktykach religijnych. Utrzymywała ścisłe kontakty z nuncjuszem i jezuitami, kontrolując warszawski kler, któremu „za biskupa i wyzytatora stała", ale też otaczając opieką bractwa i kościoły.

Spośród imprez dworskich, które za sprawą królowej miały miejsce w ówczesnej Warszawie, upamiętniły się przede wszystkim uroczystości weselne podkanclerzego koronnego Jana Zamoyskiego z Krystyną Radziwiłłówną w 1578 roku, uświetnione wystawieniem „Odprawy posłów greckich" Kochanowskiego – pierwszej polskiej tragedii granej w języku narodowym. Tekst dramatu opublikowany w tym samym roku przez wędrowną oficynę Mikołaja Szarffenbergera był zarazem pierwszym drukiem warszawskim. Szarffenberger, jako typograf Stefana Batorego, utrzymywał stale na potrzeby króla i jego kancelarii ruchomy warsztat drukarski, który przenosił się z miejsca na miejsce wraz z dworem królewskim. W Warszawie drukarnia ta bawiła jeszcze dwukrotnie w latach 1580–1582, wydając tu między innymi jeszcze dwa druki zawierające utwory Kochanowskiego („De expugnatione Pollotei ode", Warszawa 1580; „Pieśni trzy... O wzięciu Połocka. O ostatecznym słudze Rzeczypospolitej Polskiej. O uczciwej małżonce", 1580). Śladem pobytów wielkiego poety w tym mieście są także fraszki będące wyrazem podziwu dla mostu warszawskiego oraz wiersz zawierający „Skargę furty", do której kołacą wracający po nocy do domu rozochoceni biesiadnicy staromiejskich winiarni.

Coraz częstsze w drugiej połowie XVI wieku wizyty dworu królewskiego oraz odbywające się regularnie sejmy gromadziły w mieście wielu wybitnych przedstawicieli życia politycznego i kulturalnego. Poza Kochanowskim bywali tu Stanisław Orzechowski, Andrzej Frycz Modrzewski, Łukasz Górnicki, Reinholdt Heidenstein, Sebastian Klonowic, Andrzej Zbylitowski i inni. Środowisku warszawskiemu brakło jednak jeszcze znamion trwałości, a rytm życia dworskiego ówczesnej Warszawy rwał się i rozpadał na dziesiątki epizodów. Do stabilizacji miało dojść dopiero w początku następnego stulecia, gdy Zygmunt III Waza przeniósł ostatecznie po wojnach moskiewskich rezydencję monarszą z Wawelu na warszawski zamek.

W pierwszej połowie wieku XVII zaszły w życiu Warszawy znaczne zmiany, przeobrażające nie tylko fizjonomię miasta, ale wyciskające również trwałe piętno na jego kulturze i obyczaju. O pozycji nowej stolicy w życiu intelektualnym i artystycznym kraju decydował odtąd dwór królewski. Skupiał on liczne grono poetów, pisarzy, ludzi uczonych – Polaków i cudzoziemców – szukających oparcia w mecenacie Zygmunta III i jego synów. Tu w kręgu najbliższego otoczenia królewskiego krzewiła się dworska poezja, myśl historyczno-polityczna, a przede wszystkim rozwijały się badania i eksperymenty z zakresu nauk ścisłych, dzięki którym Warszawa awansowała do roli jednego z europejskich centrów nowej antyscholastycznej nauki.

Podwaliny świetności naukowej warszawskiego dworu położył już Zygmunt III, właściwe warunki jego rozwoju stworzyli jednak dopiero gruntownie wykształcony i wykazujący doskonałą orientację w ogólnej sytuacji współczesnej nauki Władysław IV oraz jego kontynuator, Jan Kazimierz, wspierany na tym polu przez „uczoną" żonę, Marię Ludwikę. W środowiskach naukowych Florencji, Paryża, Lejdy stały się wówczas głośne warszawskie wydarzenia naukowe: doświadczenia Waleriana Magniego dowodzące istnienia próżni i pierwsza przed Torricellim publikacja na ten temat („Demonstratio ocularis loci sine locato", Warszawa 1647); pokazy maszyny latającej Tytusa Liwiusza Burattiniego oraz sporządzenie przez niego soczewek do olbrzymiej lunety autora pierwszej mapy Księżyca, gdańskiego astronoma Jana Heweliusza; jedne z pierwszych, obok Florencji i Pizy, stałe pomiary meteorologiczne; osiągnięcia kartografów i inżynierów wojskowych, a zwłaszcza Kazimierza Siemienowicza, który właśnie w Warszawie napisał swój znakomity traktat o artylerii („Artis magnae artilleriae pars prima", Amsterdam 1650).

Nagromadzone na zamku warszawskim przyrządy i aparatura umożliwiły prowadzenie intensywnych badań chemiczno-alchemicznych. Oddawali się im królewscy sekretarze, medycy i aptekarze: Klaudiusz Germain, Piotr Des Noyers, Ludwik Pfuel, Andrzej Cnoeffel, Jan Kargen, Jan Jerzy Hahn i William Davidson. Wysoki poziom osiągnęły również badania nad przyrodą, których terenem były królewskie ogrody botaniczne, zaliczane do najlepszych w Europie – jeden *sub arce regia* na tarasach zamkowych, drugi *hortus suburbanus* przy Pałacu Kazimierzowskim. W kręgu ogrodników i botaników

102. J. Kochanowski, „Odprawa posłów greckich" Warszawa 1578

3. W. Magni, „Demonstratio ocularis", Warszawa
48

4. Rysunek maszyny latającej T.L. Burattiniego

nadwornych powstał naukowy katalog roślin hodowanych w obu ogrodach oraz flory rosnącej dziko w okolicach Warszawy („Catalogus plantarum tam exoticarum quam indigenarum quae anno MDCLI in hortis regiis Warsaviae et circa eandem in locis sylvaticis, pratensibus, arenosis et paludosis nascuntur collectarum", Gdańsk 1652). Jego wydawca Marcin Bernhardi-Bernitz, chirurg, a następnie lekarz i bibliotekarz Jana Kazimierza, był także twórcą bogatych zbiorów przyrodniczych.

Dzięki mecenatowi Wazów była również Warszawa widownią bujnego życia artystycznego, przede wszystkim zaś czołowym ośrodkiem sztuki muzycznej i teatralnej. W zakresie muzyki szczególnie wiele zdziałał Zygmunt III organizując doborową kapelę, która aż do najazdu szwedzkiego skupiała na dworze królewskim wielu instrumentalistów, wokalistów i kompozytorów. W jej skład wchodzili przedstawiciele kilku narodowości, głównie Włosi i Polacy. Dyrygentami byli wytrawni mistrzowie batuty, pełniący zarazem obowiązki pedagogów wobec podległych im muzyków – Asprilio Pacelli, Giovanni Francesco Anerio oraz Marco Scacchi. Wśród Polaków wyróżniali się Adam Jarzębski, Bartłomiej Pękiel i Marcin Mielczewski. Szczytowy okres rozwoju przeżywała kapela za Władysława IV, który nie szczędził wysiłków ani pieniędzy, aby zwerbować do niej artystów najwyższej klasy. Świadectwem jej ówczesnego poziomu jest zbiór kompozycji wszystkich członków zespołu wydany w „Xenia Apollinea", dodatku muzycznym do traktatu kapelmistrza Scacchiego „Cribrum musicum" (Wenecja 1643).

Naśladując dwór, własne zespoły wokalno-instrumentalne zakładali rezydujący w Warszawie dygnitarze świeccy i duchowni, między innymi Adam Kazanowski, Jerzy Ossoliński, Kazimierz Lew Sapieha i królewicz Karol Ferdynand. Świetną kapelę – rywalizującą z królewską – utrzymywali augustianie, którzy odznaczali się zamiłowaniem do muzyki. Przy kościele klasztornym działało Bractwo Muzyczne św. Cecylii, tam również chowano najczęściej warszawskich muzyków. Większe bądź mniejsze zespoły wokalne istniały zresztą niemal w każdym kościele. Śpiew chóralny uprawiały korporacje mansjonarzy i psałterzystów, uczniowie szkół parafialnych, a także członkowie licznych bractw religijnych. Muzyka w postaci lekkiej piosenki uprzyjemniała czas zasiadającym w szynkowniach i gospodach miejskich. Żadna uroczystość publiczna czy prywatna, świecka czy kościelna nie mogła się obyć bez udziału muzykantów i śpiewaków, w niejednym też domu mieszczańskim trzymano klawikord albo regał. Toteż niewiele jest przesady w relacjach cudzoziemców, którzy nazywali Warszawę jednym z najbardziej muzycznych miast Europy.

Bardziej elitarnym zjawiskiem był teatr dworski Wazów. Brak narodowego dramatu na wyższym poziomie artystycznym sprawił, że scena królewska stanęła otworem dla sztuki obcej: angielskiej i włoskiej. Za Zygmunta III, być może już w roku 1611, a z pewnością w latach 1616–1617 i 1618 występował w Warszawie – po objeździe Niemiec, Danii i Holandii – zespół wędrownych aktorów Johna Greena, który wystawił tu po raz pierwszy sztuki Szekspira, Marlowe'a i Dekkera. Poważny repertuar dramatyczny musiał odpowiadać upodobaniom króla i jego otoczenia, skoro kilka lat potem zaangażowano na dłużej inną trupę, pod kierownictwem Arenda Aerschena.

Kontakty z zawodowym teatrem angielskim, choć nie wyeliminowane całkowicie, uległy ograniczeniu z chwilą objęcia tronu przez Władysława IV, zdecydowanego zwolennika sztuki włoskiej, a zwłaszcza jej ostatniej zdobyczy, którą była opera. Staraniem nowego monarchy powstał na zamku warszawskim stały teatr operowy dysponujący liczną kadrą śpiewaków, muzyków i tancerzy oraz specjalną salą teatralną, której rozmiary i wyposażenie budziły podziw współczesnych. Prawą ręką króla w organizowaniu przedstawień, reżyserem oraz autorem wszystkich librett operowych był sekretarz królewski Virgillio Puccitelli. Nadzór nad całością spraw związanych z przygotowywaniem spektakli dzielili z nim ponadto ówczesny dyrektor kapeli i zarazem główny twórca partytur Marco Scacchi oraz odpowiedzialny za stronę choreograficzną baletmistrz Sanzio. Prócz samych wykonawców opera władysławowska zatrudniała jeszcze liczną grupę specjalistów – inżynierów, architektów, dekoratorów – służących swym talentem w rozwiązywaniu spraw technicznych i scenograficznych. W ciągu kilkunastu lat istnienia (1635–1648) włoski teatr Władysława IV wystawił wiele oper, baletów i przedstawień komediowych typu dell'arte, wyprzedzając w recepcji opery liczne dwory europejskie i zyskując rozgłos poza granicami Polski. Mimo obcojęzycznego charakteru i dworskiej elitarności wywarł on również pewien wpływ na rozwój życia artystycznego w kraju. Z jednej strony bowiem stał się źródłem podniet dla innych gałęzi sztuki, z drugiej zaś zdołał rozbudzić żywsze zainteresowanie teatrem w kręgu związanej z dworem magnaterii i szlachty.

Skromniej wypadają na tym tle mieszczańskie imprezy teatralne. Były to popularne dialogi sceniczne o tematyce przeważnie religijnej, wystawiane w kościele lub na terenie doń przylegającym. Jedynym ich śladem jest druczek „Summa comicotragediey na historyą żywota ś. Stanisława", który zawiera tekst sztuki wystawionej przez żaków warszawskich w 1633 roku. Jego autor, proboszcz kościoła Panny Marii i sekretarz królewski Mateusz Jagodowicz, pochodził z patrycjuszowskiej rodziny osiadłej na Nowym Mieście.

Bujne życie kulturalne Warszawy, zogniskowane na dworze, przyciągało najwybitniejsze pióra i umysły tej epoki. Naukowych ambicji i literackich zamiłowań nie brakło zarówno w gronie najwyższych dostojników państwowych, jak i wśród kapelanów, spowiedników, sekretarzy i bibliotekarzy królewskich. W Warszawie, u boku króla, uprawiali swe zainteresowania dziejopisarskie podkanclerzy koronny Stanisław Łubieński, kanclerz wielki litewski Albrycht Stanisław Radziwiłł i marszałek nadworny koronny Łukasz Opaliński. Tu rozwijali ożywioną działalność publicystyczno-religijną znani kaznodzieje: Piotr Skarga, Mateusz Bembus i Fabian Birkowski. Jako kaznodzieja Władysława IV spędzał w Warszawie ostatnie lata życia sławny w ówczesnej Europie poeta łaciński Maciej Kazimierz Sarbiewski. Bywali też w stolicy inni znani poeci, między innymi Stanisław Grochowski i Jan Andrzej Morsztyn.

Potrzebom dworu i administracji państwowej zawdzięczała Warszawa powstanie pierwszych oficyn drukarskich. Podstawę ich egzystencji tworzyły przede wszystkim przywileje królewskie, zapewniające im monopol wydawania druków urzędowych – zwłaszcza konstytucji sejmowych – będący dotąd w posiadaniu drukarzy krakowskich. W pierwszej połowie XVII wieku działają w mieście dwie stałe drukarnie: jedna założona przez Jana Rossowskiego (1624–1633), którą prowadziła dalej wdowa po nim Katarzyna, a następnie jej drugi mąż, Jan Trelpiński (1635–1647), oraz druga, należąca do dworzanina i muzyka Władysława IV, Piotra Elerta (1643–1652). Ten ostatni był właścicielem całego kombinatu obejmującego jeszcze księgarnię, introligatornię, a także papiernię, dzierżawioną od arcybiskupów gnieźnieńskich w Kęszycach pod Łowiczem. Umierając przekazał przedsiębiorstwo spadkobiercom, którzy kierowali nim aż do roku 1682.

Produkcja wydawnicza pierwszych oficyn warszawskich (ok. 250 druków) charakteryzuje życie umysłowe stolicy. Rossowski, Trelpiński i Elert nie ograniczali się do realizowania zamówień kancelarii i urzędów dworskich, ale obsługiwali także miejscowe środowisko twórcze. W pierwszym rzędzie zaspokajali oni potrzeby kulturalne dworu, drukując dzieła sekretarzy, kaznodziejów, lekarzy, dworzan królewskich. Tu między innymi ukazały się utwory Samuela Twardowskiego („Szczęśliwa moskiewska expedycja Władysława IV", 1634) i Jana Grotkowskiego („Dafnis przemieniona w drzewo bobkowe", 1635), pisma Waleriana Magniego („Demonstratio ocularis", 1647, „Admiranda de vacuo", 1647, „Logica Virgini Deiparae", 1648), traktat medyczny Jana Klaudiusza de la Courvée („Discours sur la sortie des dents aux petits enfants", 1651) oraz wszystkie libretta i programy operowe teatru władysławowskiego.

Poważnym klientem tutejszych oficyn był Kościół i jego instytucje. Spod pras warszawskich wychodziły akta zwoływanych do stolicy synodów i kapituł (augustianów 1634, archidiecezji gnieźnieńskiej 1644, dominikanów 1646 i 1655), statuty różnych bractw religijnych, wreszcie kazania, pisma polemiczne, dzieła hagiograficzne i teologiczne, których autorami byli liczni w ówczesnej Warszawie pisarze zakonni, np. Mateusz Bembus, Fabian Birkowski, Wincenty Morawski, Jan Gąsiorek, Stanisław Kornicki, Mateusz Skórski, Aleksander Ostropolski, Seweryn Karwat, Jan Chrzciciel Andreani i inni.

Najskromniej prezentuje się w tym zestawie wkład mieszczański. Spośród kilkunastu pozycji na uwagę zasługują jedynie, obok wspomnianego już uprzednio dialogu scenicznego Jagodowicza, cztery ulotki zawierające „Nowiny z Moskwy" (1634) pióra pisarza staromiejskiego Tomasza Kacpra Skupieńskiego oraz pierwszy przewodnik po Warszawie, słynny „Gościniec abo krótkie opisanie Warszawy" (1643) Adama Jarzębskiego, w którym autor – muzyk, kompozytor i budowniczy królewski – zawarł ogrom wiedzy o wyglądzie nowej stolicy.

Niewielki udział piśmiennictwa mieszczańskiego w produkcji oficyn warszawskich nie był dziełem przypadku. Aktywność intelektualna tego środowiska uległa wyraźnemu osłabieniu. Brakowało poważniejszych przykładów twórczości naukowej, a literacka ograniczała się na ogół do okolicznościowych panegiryków pisywanych rymem lub prozą. Do ciekawszych należała ulotka burmistrza Baltazara Strubicza upamiętniająca uroczystości weselne Władysława IV z Cecylią Renatą i wystawione z tej okazji przez magistrat staromiejski łuki triumfalne („Inscriptiones arcuum triumphalium..." b.m. 1637). Stosunkowo częstym zjawiskiem była również działalność rymopisarska urzędników miejskich, którzy ozdabiali płodami swego pióra powierzone im księgi. Bardziej znani – to wspomniany już autor „Nowin" Skupieński, pisarz radziecki, Marcin Łukaszewicz (zm. 1656) oraz aptekarz i wójt staromiejski Łukasz Drewno, który zasłużył się wielce miastu działalnością na stanowisku „burmistrza powietrznego" w okresie zarazy 1624–1625. Pod wpływem doznanych wówczas przeżyć napisał poemat zdradzający staranne wykształcenie oraz znaczne zdolności literackie.

Wyjątkową pozycję zajmowała rodzina Baryczków, rozmachem fundatorskim, darami na cele publiczne, rozległością zainteresowań i kontaktów wysuwająca się zdecydowanie przed inne rody patrycjuszowskie Warszawy. Jej przedstawiciele zasiadali stale we władzach miasta piastując w nich najwyższe godności, obejmowali kanonie warszawskie, wielokrotnie sprawowali urzędy sekretarzy, szafarzy i pokojowców królewskich, a w połowie XVII wieku dostąpili nobilitacji. O wszechstronnych ambicjach mecenasowskich Baryczków świadczą nie tylko zapisy filantropijne (między innymi na bursę filozofów w Krakowie) czy znaczne fundacje klasztorne (karmelici bosi, augustianie, a zwłaszcza dominikanie), ale i stosunkowo licznie kierowane do nich panegiryki oraz dedykacje książkowe wyliczające zasługi i głoszące sławę rodu (Mateusz Jagodowicz, Wojciech Samborski, Wojciech Tyłkowski). Spośród wybitniejszych członków rodziny wymienić należy przede wszystkim: doktora teologii, długoletniego przeora dominikanów warszaw-

CATALOGVS
PLANTARVM
Tum exoticarum quam indigena
rum quæ Anno M. DC. LI. in hortis
Regiis Warſaviæ,
Et circa eandem in locis ſylvaticis, pra
tenſibus, arenoſis & paludoſis naſcun-
tur collectarum,
exhibitus
Sereniſſimo ac Potentiſſimo Domino,
Dn. JOHANNI CASIMIRO III
POLONIÆ ET SVECIÆ REGI, MA
GNO DVCI LITHVANIÆ &c. &c.
Dno. ſuo Clementiſſimo.
à
Sua Maj. Regis
Subjectiſſimo Famulo &
Chirurgo
MARTINO BERNHARDO.
DANTISCI,
Sumptibus Erneſti & Andreæ Julij, Molle
rorum Fratr: S. R. M. Bibliopo-
lar: 1652.

105. H. Bernhardi-Bernitz, „Catalogus plantarum
Gdańsk 1652

106. V. Puccitelli, „Le nozze d'Amore e di Psyche
Warszawa 1646

LE NOZZE
D'AMORE E DI PSICHE
DRAMMA MVSICALE,
Rapreſentato nel feliciſſimo Ingreſſo
Della Sereniſima REGINA di
POLONIA E SUEZIA
LVDOVICA MARI
GONZAGA,
PRINCIPESSA di MANTOUA
E DI NIVERS, &c. &c.
IN DANZICA.
DI
VIRGILIO PUCCITELLI
Academico incognito.
DEDICATO
All' Illmo. & Eccmo. Sigr. Il Sigr.
VISCONTE DI BREG
Del Conſeglio di Stato di S. M.
Chriſtianiſſima, e ſuo Ambaſciatore
Straordinario, in Polonia.

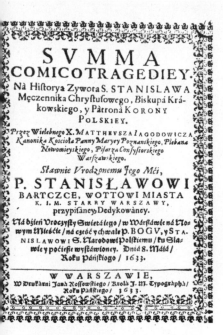

M. Jagodowicz, „Summa comicotragediey na his-
ą żywota św. Stanisława", Warszawa 1633
A. Jarzębski, „Gościniec...", Warszawa 1643

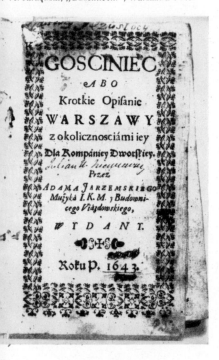

Superekslibris biblioteki Stanisława Baryczki

skich, Jacka Baryczkę (zm. 1650), który z własnego majątku ufundował w 1647 roku
szkołę wewnątrzklasztorną, „studium formale", zwane później Baryczkowskim; jego
brata, Stanisława Baryczkę (zm. 1651), burmistrza staromiejskiego i sekretarza królewskiego, wychowanka uniwersytetu padewskiego, długoletniego przyjaciela znanego huma-
nisty szkockiego Tomasza Segeta, oraz ich bratanka, także Stanisława (zm. 1682),
sekretarza królewskiego, uchodzącego za wybitnego znawcę matematyki stosowanej
i techniki wojskowej, z którego wiedzy korzystał w kampaniach wojennych Jan Kazimierz.
Dwaj ostatni zasłynęli również jako bibliofile, ich bogate zbiory – posiadające własny
superekslibris – stały się trzonem biblioteki klasztornej dominikanów.

Do szkół działających w ubiegłym stuleciu przybyła tylko jedna, przy nowo erygowanej
parafii Świętego Krzyża na Krakowskim Przedmieściu (1626). Pierwszym zakładem
naukowym Warszawy pozostawała szkoła kolegiacka, której przeszło dwustuletnie więzy
z Uniwersytetem Krakowskim usankcjonował w początku XVII wieku awans do grona tak
zwanych kolonii akademickich. Aż do najazdu szwedzkiego – mimo przebywania w mieście jezuitów i pijarów – nie było tu uczelni w rodzaju spotykanego gdzie indziej gimnazjum
czy kolegium, a młodzież warszawska, jak uprzednio, kontynuowała wędrówki po naukę.
O ile jednak częstotliwość wyjazdów na studia utrzymywała się niemal na tym samym
poziomie, o tyle pewnej zmianie uległ skład społeczny studiujących. Dostęp do wiedzy stał
się teraz przeważnie udziałem elity miejskiej.

Ustołecznienie Warszawy, które spowodowało daleko idące zmiany we wszystkich dziedzinach życia miasta, wywarło również istotny wpływ na wzrost jego znaczenia jako
ośrodka kościelnego. Warszawa stała się obok Krakowa, Wilna i Lwowa czołowym
ośrodkiem życia zakonnego. Od momentu przeniesienia tu stolicy trwała nieustanna
imigracja zgromadzeń, dawnych, które nie miały jeszcze w mieście swych domów
klasztornych, oraz nowych, powstałych dopiero w okresie potrydenckim. Za Zygmunta III
osiedlili się w Warszawie jezuici (1597), dominikanie (1603), brygidki (1622) i reformaci
(1623), w czasie panowania Władysława IV – karmelici bosi (1639), kameduli (1639),
karmelici trzewiczkowi (1641), pijarzy (1642), karmelitanki bose (1642), franciszkanie
(1646), a tuż przed Potopem jeszcze bonifratrzy (1650) oraz sprowadzeni do Polski przez
Marię Ludwikę misjonarze (1651) i wizytki (1654).

W fundowaniu tej wielkiej liczby nowych budowli sakralnych brały udział wszystkie stany.
Przywileje, fundacje, zapisy sypały się hojnie z rąk króla, magnatów, szlachty, a także
zamożnego mieszczaństwa – będąc wyrazem pobożności typowej dla wieku kontrreformacji. O wzroście dewocji świadczyły mnożące się uroczystości kościelne i procesje połączone
przeważnie z muzyką, hukiem moździerzy, a czasami nawet wymyślną iluminacją. Tłumy
pątników ściągały do uchodzących za cudowne obrazów Matki Boskiej u jezuitów na
Świętojańskiej, u karmelitów na Lesznie, a także u bernardynów na Pradze w kaplicy
Loretańskiej. Do miejsc otoczonych szczególną czcią należało też w kościele św. Anny
sanktuarium Władysława z Gielniowa, o którego beatyfikację zabiegał wówczas gorliwie
zakon bernardynów. Owa afektacja religijna robiła wstrząsające wrażenie na przyjezdnych cudzoziemcach. Francuz Laboureur, wspominając praktyki warszawskich bractw
religijnych w czasie Wielkiego Tygodnia, pisał: „W Wielki Piątek nieprzestannie biczowali
się po przedmieściach, w mieście i kościołach, do których wchodząc, pacierz mówili, potem
padali plackiem na ziemię, a wstając odkrywali gołe plecy i siekli je okrutnie przez całe
miserere. Widziałem wielu, których rany były na głębokość palca. Co się działo w mieście,
srożej jeszcze po wsiach się dopełniało. Z galerii zamku warszawskiego widzieliśmy wsie
nad brzegami Wisły, oświecone blaskiem pochodni i tysiączne procesje, których wrzask
obijał się o nasze uszy".

Nie były to wszak jedyne sceny przyciągające oczy odwiedzających Warszawę podróżni-
ków. Ogniskujące się w stolicy życie wielonarodowościowej Rzeczypospolitej obfitowało
w wydarzenia, które wzbudzały szerokie zainteresowanie nie tylko w całym kraju, ale
i poza jego granicami. Jednym z takich ważnych wydarzeń, a zarazem widowisk publicznych inaugurujących niejako stołeczność Warszawy był triumfalny przejazd przez miasto
hetmana Stanisława Żółkiewskiego, wiodącego w 1611 roku na Zamek Królewski
wziętego do niewoli cara Wasyla Szujskiego. Z wielkich zdarzeń, których widownią była
stolica w tej epoce, wspomnieć trzeba jeszcze ceremonie hołdów pruskich (1611, 1641),
kolejne elekcje (1632, 1648) oraz wspaniałe uroczystości związane z dwoma weselami
Władysława IV (1637, 1646). Należały zresztą do nich każdorazowo także zwoływane
sejmy.

Owa wielkomiejskość Warszawy miała i złe strony. Miasto stawało się podczas każdego
zjazdu miejscem zbornym nie tylko sejmujących oraz ich dworów; ściągały tu także rzesze
rozmaitych awanturników i hulaków. Sama zresztą szlachta dawała się mieszczanom
solidnie we znaki, urządzając burdy, siejąc zniszczenia i demoralizację. Te ujemne objawy
sejmowego życia miasta uchwycił w swym wierszu Jan Andrzej Morsztyn:

„Zjechało się siedem grzechów na sejm do Warszawy;
Hucznо, strojno wjechali, mając pilne sprawy:
Pycha w Rynku stanęła, Lenistwo w ulicy,
Gniew z Zazdrością po dworach, Obżarstwo w piwnicy.
Nieczystość chciała stanąć w Rynku przy senacie,

Pycha jej wnet odpowie: «Za bramą tam macie
Miejsce wasze od przodków waszych posadzone,
By nie były warszawskie panny zabrudzone».
Nieczystość się wnet rzuci na Pychę swym gniewem:
«Nie wiem, czemu by, gdyż mam wolność i pod niebem.
Zjechałam tu, żebym się z Warszawą poznała,
Za czym trzeba, bym w Rynku pierwsze miejsce miała».
Łakomstwo też stanęło przy pałacu blisko,
Aby mogło co porwać przed inszymi wszystko."

SZTUKA W LATACH 1600–1655. PRZED POTOPEM

Nowy okres w życiu kulturalnym, a zwłaszcza artystycznym, Warszawy rozpoczął się z chwilą osiedlenia się w niej dworu królewskiego. Dokonało się to ostatecznie w 1611 roku, kiedy Zygmunt III, wracając z wyprawy smoleńskiej, zamieszkał w zamku warszawskim, który odtąd stał się główną rezydencją monarszą.

Miało to kolosalne znaczenie na przyszłość. Jak wiemy z rozdziału o architekturze, oprócz Zamku powstały jeszcze dwie siedziby monarsze, a na terenie zamkowym wzniósł pałacyk królewicz Karol Ferdynand, w ślad zaś za rodziną królewską budowali pałace dygnitarze państwowi i możnowładcy, powstały dziesiątki dworów szlacheckich, które tak skrupulatnie opisał Adam Jarzębski.

Oczywiście, każdy z tych dworów i pałaców, zależnie od potrzeb wewnętrznych i możliwości finansowych ich właścicieli, posiadał odpowiednie wyposażenie wnętrza składające się nie tylko z mebli użytkowych, lecz dość często i z dzieł sztuki, między innymi z obrazów, tkanin artystycznych, wyrobów złotniczych. Któż to wszystko wykonywał? Król posiadał własny dwór artystyczny przywieziony po części z Krakowa i kompletowany dalej w Warszawie, a składający się przeważnie z cudzoziemców. Podobnie rzecz się miała z możnowładcami, takimi jak Ossolińscy czy Kazanowscy, którzy dekorowali swe pałace przy pomocy własnych artystów, ale przecież ci artyści nie byli tak liczni, by mogli wykonać wiele zamówień. Dużą rolę odgrywał import zagraniczny, a częściowo i krajowy (głównie z Gdańska), lecz był on kosztowny (transport), toteż jest rzeczą niewątpliwą, iż budująca się teraz Warszawa dworsko-magnacka w dość dużej części korzystać musiała z sił miejscowych – jeśli nie spośród malarzy, to przynajmniej spośród snycerzy, złotników czy kobierników. Niezależnie od udziału rzemieślników miejskich pozostających na usługach sztuki dworskiej życie tego okresu miało dwa różne istniejące obok siebie nurty: mieszczański i dworski.

O ile o nurcie dworskim wiemy stosunkowo dużo, o tyle nurt mieszczański przedstawia się nam dość enigmatycznie. Złożyły się na to dwie zasadnicze przyczyny: znikoma liczba zachowanych zabytków z tego czasu i skąpe materiały archiwalne. Wprawdzie źródła pisane ujawniają wiele nazwisk (częściej imion) członków cechów artystycznych, ale nie wspominają o ich dziełach, stąd znamienną cechą ówczesnej sztuki mieszczańskiej jest jej anonimowość, nie potrafimy bowiem powiązać znanych z zapisków twórców z ocalałymi (jakże nielicznie) obiektami. Jest to zresztą zjawisko ogólnopolskie w owym czasie: z anonimowością dzieł spotykamy się nawet w Krakowie, gdzie obiektów z omawianego okresu zachowało się przecież bez porównania więcej, a i tamtejsza baza źródłowa jest o wiele bogatsza (księgi cechowe).

Zresztą, jak już o tym była mowa, w wieku XVI Warszawa pod względem kultury artystycznej przedstawiała bardzo skromny prowincjonalny ośrodek, nie wytrzymujący porównania z Poznaniem i Lublinem, nie mówiąc już o Krakowie, Gdańsku, Toruniu czy Lwowie. Rzemiosło Warszawy pracowało niemal wyłącznie na potrzeby własnego miasta i jego najbliższych okolic, wyjąwszy krótkie okresy ożywionego ruchu handlowego podczas kadencji sejmowych, kiedy to, jak możemy się domyślać, był duży popyt na towary miejskie, a wśród nich i na takie, które można by nazwać wyrobami artystycznymi. Jednakże w tych przypadkach główną rolę odgrywały obiekty importowane z innych dzielnic Polski. Na jarmarkach okresowych rej wodzili Ormianie polscy, a ich towarem dostosowanym do aktualnej mody sarmackiej była przede wszystkim broń orientalna i różnego rodzaju tkaniny wschodnie (głównie kobierce).

Jednakże powoli, w miarę posuwania się w wiek XVII, widać pewne ożywienie nawet w takiej dziedzinie jak malarstwo. W końcu XVI wieku powstał odrębny cech malarzy służący głównie Kościołowi. Świadczą o tym przepisy obowiązujące czeladnika do wykonania majstersztyku przy wyzwolinach na mistrza; pod tym względem Warszawa nie różniła się od Krakowa, gdzie czeladnik przy wyzwolinach namalować musiał Madonnę z Dzieciątkiem, Chrystusa na krzyżu i św. Jerzego na koniu.

O tym, jak cech malarzy był słaby, świadczy fakt, że nie był on organizacją samodzielną, lecz występował w jednej korporacji ze szklarzami, potem stolarzami, a wreszcie ze złotnikami i szmuklerzami. Oczywiście, malarze cechowi nie byli bezczynni, pracowali głównie na potrzeby świątyń, a także dla miejscowych patrycjuszów; z zachowanego dokumentu wiemy, że Stanisław Baryczka posiadał w mieszkaniu dziesięć obrazów

110. Malarz nie określony,
Stygmatyzacja św. Franciszka

o tematyce nie tylko religijnej, skoro były tam portrety i „fruchta rozmaite". Wśród malowideł były i dzieła wybitne, dowodzi tego ocalały obraz *Stygmatyzacja św. Franciszka*, namalowany w drugiej ćwierci XVII wieku przez nieznanego mistrza cechowego dla kościoła Franciszkanów. Obraz charakteryzują jeszcze pewne cechy średniowieczne (tło), ale postacie świętego i anioła wskazują na niepośledni talent twórcy, któremu nieobce były zdobycze wczesnego baroku.

Sytuacja zmieniła się, gdy w mieście osiadł dwór królewski. W malarstwie pojawiła się tematyka świecka, a przede wszystkim portret. Czeladnik malarski umiejący malować portrety (tzw. konterfekty) pobierał wyższą pensję od swych kolegów nie posiadających tego kunsztu. Rozwijało się więc głównie malarstwo portretowe.

Tymczasem w pierwszej dekadzie XVII wieku malarze miejscowi na zamówienie właścicieli kamienic podjęli tematykę zgoła nie mieszczącą się w instrukcjach cechowych. Jak wiadomo, w 1607 roku olbrzymi pożar na Starym Mieście strawił między innymi dwadzieścia dwie kamienice rynkowe, które w latach następnych trzeba było odbudować, a raczej przebudować. Elewacje tych domów, zbliżone do dzisiejszych, zostały otynkowane, a na ich powierzchniach pojawiły się malowidła ścienne o tematyce... wiejskiej.

Freski te, oczywiście, od dawna nie istnieją i nic byśmy o nich nie wiedzieli, gdyby nie pewien utwór satyryczny z epoki. Mianowicie w roku 1620 poeta szlachecki, Józef

Domaniewski, ogłosił wiersz „Byt ziemiański i miejscki", w którym w sposób niezwykle uszczypliwy poddał krytyce obyczaje miejskie. W satyrze tej między innymi opowiada, jak to mieszczanie zazdroszczą szlachcie „żywota wiejskiego", jak stroje upodobniają do szlacheckich, a nawet na domach swych wymalowali różne tematy z życia wiejskiego. Czytamy tam:

> „Na ścianach tylko malują,
> W czym wielką uciechę czują,
> Góry, łąki, lasy, gaje,
> Pola i ich urodzaje,
> Bydła, konie, owce, woły,
> Folwarki, gumna, stodoły.
> A my to na jawi mamy
> Wszytko, czego pożądamy".

Niestety nie wiemy, kto był twórcą tych fresków. Jak można się domyślać, ich forma zaczerpnięta została z licznych tego rodzaju wzorów graficznych, a co do tematyki, to satyryk miał nieco racji: wielu patrycjuszów warszawskich posiadało folwarki podmiejskie, w których gospodarzono na wzór szlachecki, a na przedmieściach (np. Krakowskie) uprawiali ogrody i sady, które zwłaszcza w drugiej ćwierci stulecia sprzedawali jako parcele budowlane.

W opinii mieszczan ze wszystkich sztuk cechowych największym splendorem cieszyło się złotnictwo – rzemiosło bardzo dochodowe, ale specjalnym uznaniem poczęto otaczać dzieła malarskie, o czym świadczy jeden z głośnych podówczas procesów. Około 1630 roku umarł malarz Jan Cybulski, zostawiwszy w spadku bezdzietnej żonie małą kamieniczkę przy ul. Piwnej oraz szereg ruchomości, a wśród nich obrazy swego pędzla. O nic innego, tylko o te obrazy rozpoczął się spór rodzinny przekształcający się w wieloletni proces sądowy. Na pewno nie chodziło o wartość pieniężną malowideł (średnich rozmiarów obraz olejny kosztował ok. 20 zł), ale o posiadanie kilku obrazów w mieszkaniu, ponieważ należało to do dobrego tonu, co zdają się potwierdzać nieliczne zachowane testamenty. Trudno stwierdzić, czy wszystkie obrazy wymienione w testamentach były pochodzenia miejscowego. Kupcy warszawscy utrzymywali liczne kontakty z innymi miastami, na przykład z Toruniem, mogli więc i tam nabywać malowidła sztalugowe, którymi ozdabiali wnętrza swych kamienic i budynków municypalnych. Około 1624 roku podjęto remont ratusza staromiejskiego, gdzie znalazły się teraz nowe malowidła. Wówczas to niewątpliwie powstała zachowana dotąd kopia potrójnego portretu ostatnich książąt mazowieckich. Jarzębski, opisując izbę ławników, powiada, iż był tam obraz przedstawiający alegorię sprawiedliwości (Justycyja). Ta tematyka obok Sądu Salomona była u nas dość rozpowszechniona, jeśli chodzi o ławnicze izby miejskie. *Alegoria Sprawiedliwości* z ratusza toruńskiego zachowała się do naszych czasów – można przypuszczać, że w pewnym sensie posłużyła za wzór dla kompozycji warszawskiej.

Jak już wspomnieliśmy, malarze cechowi w znacznej mierze pracowali na potrzeby kościołów, nie zawsze korzystających z usług miejscowych. Przykładem może służyć kościół Dominikanów, do którego mnisi sprowadzali obrazy krakowskie, czy kolegiata św. Jana, gdzie znajdowały się malowidła zagraniczne z fundacji królewskiej.

Wśród mieszczan warszawskich niejednokrotnie występuje „pictor", ale pamiętać trzeba, że malarzem tytułował się każdy członek cechu posługujący się farbami i pędzlem – i to rzadko w celach artystycznych.

Podobnie rzecz się miała z rzeźbą. Według zwyczaju średniowiecznego rzeźbiarze w dzisiejszym tego słowa znaczeniu należeli do różnych cechów w zależności od materiału, jakim się posługiwali. A więc byli kamiennicy (*lapicidae*), uprawiający rzeźbę kamienną, i snycerze (*sculptores*), operujący drewnem; specjalną pozycję stanowił *statuarius*, rzeźbiący postacie i popiersia ludzkie w dowolnym tworzywie. Kamiennicy ówcześni to niemal wyłącznie rzemieślnicy uprawiający kamieniarkę architektoniczną (oprawa okien i drzwi, gzymsy, kapitele itp.). Największym wzięciem cieszyli się snycerze, wśród których znajdował się niejeden *statuarius*.

W przypadku rzeźby mamy również do czynienia z anonimowością – z jedynym właściwie wyjątkiem dotyczącym twórcy snycerki kościoła Augustianów (św. Marcina). W pierwszej tercji XVII stulecia, kiedy urządzano jego wnętrze, powstały liczne boazerie i nowe ołtarze z posągami świętych. Całe to urządzenie kościoła z rzeźbami barokowymi uległo zupełnemu zniszczeniu w czasie ostatniej wojny. Nie było ono opracowane naukowo w czasie, gdy jeszcze istniało, natomiast nowsze badania wykazały, że twórcą ówczesnej snycerki był Jan Henel. Nic o nim nie wiemy. Czy był on pierwotnie członkiem cechu miejskiego? Raczej wątpliwe, gdyż w czasach Władysława IV występuje on jako serwitor królewski: w spisie długów tego monarchy figuruje mianowicie nazwisko Jana Henla, snycerza, któremu król winien był niebagatelną sumę 4000 zł. Musiał więc to być bardzo wzięty i zapewne nieprzeciętny rzeźbiarz.

Trzeba także wspomnieć o nielicznych nagrobkach, z których zaledwie kilka zachowało się we fragmentach w kolegiacie św. Jana. Prawie wszystkie były poświęcone pamięci członków dworu królewskiego; jeżeli w tym miejscu mowa o nagrobkach, to dlatego że niektóre z nich zdradzają formy sztuki cechowej, a więc mogły być dziełem warszawskiej sztuki mieszczańskiej.

Mamy tu na myśli przede wszystkim nagrobek Asprilia Pacellego (zm. 1623), członka nadwornej kapeli królewskiej i zarazem kompozytora. Jest to właściwie tablica epitafijna z marmurową głową zmarłego powyżej inskrypcji. Właściwe nagrobki mieszczańskie tego okresu umieszczone w kolegiacie były głównie tablicami inskrypcyjnymi, niekiedy tylko ozdobionymi rzeźbą figuralną; były to albo reliefowe półpostacie zmarłych, albo pełne postacie przedstawione w charakterze orantów pod krzyżem. Do pierwszej grupy należał nagrobek ławnika Stanisława Drewny (zm. 1621), drugą grupę reprezentował nagrobek burmistrza Pawła Zakrzewskiego (zm. 1630). Były też liczne tablice epitafijne z malowanymi portretami na blasze, ale te już do rzeźby nie należą.

W roku 1910 powstało w Warszawie Muzeum Archidiecezjalne, w którym zgromadzono przedmioty kultowe pochodzące z miejscowych kościołów, a nie stanowiące już obiektów kultu. W zbiorach tych najliczniejszy dział stanowiła rzeźba, a wśród niej nie brakowało i barokowej; niestety, wszystko to uległo pożodze w czasie ostatniej wojny.

Warszawa otrzymała od Zygmunta III, jak się zdaje, jeden przedmiot artystyczny, wykonany jeszcze przed przeniesieniem rezydencji królewskiej do tego miasta. Chodzi tu o chrzcielnicę marmurową znajdującą się w prezbiterium kościoła Bernardynów (św. Anny) przy Krakowskim Przedmieściu. Jest to dość wysoki obiekt w kształcie kielicha przytwierdzonego do ściany obok drzwi wiodących do zakrystii. Wykonany jest z marmuru żyłkowanego, obecnie dość podniszczonego; na czaszy relief w postaci herbu Wazów.

Umieszczenie chrzcielnicy w tym miejscu można hipotetycznie wytłumaczyć w sposób następujący: w roku 1598 zmarła w Warszawie królowa Anna Austriaczka podczas nieobecności jej męża, który przebywał wówczas w Szwecji. Trumnę ze zwłokami aż do czasu pogrzebu ulokowano w kościele Bernardynów, skąd ją przewieziono na Wawel dopiero po powrocie Zygmunta III. Wydaje się więc, że dar królewski w postaci chrzcielnicy był pewnego rodzaju podziękowaniem dla kościoła. Obiekt ten mógł powstać w 1601 roku lub też wkrótce po nim.

Za takim datowaniem przemawia jeszcze jeden wzgląd. Rysunek herbu królewskiego na chrzcielnicy dość żywo przypomina kartusz herbowy z kominka sali Pod Ptakami na Wawelu. Wiadomo, że kominek ten powstał w roku 1600, najprawdopodobniej według projektu rzeźbiarza Antoniego Meazziego. Byłoby rzeczą naturalną, gdyby król powierzył wykonanie chrzcielnicy twórcy kominka. Chrzcielnica we fragmentach mogła być przewieziona Wisłą do Warszawy, gdzie ją ostatecznie zmontowano; tak się przecież praktykowało od dawna.

Nic natomiast nie wiemy o rzeźbie na Zamku Królewskim za panowania Zygmunta III. Wiadomo wprawdzie, że przy budowie tej rezydencji pracował kamieniarz Paweł di Corte, ale jak się wydaje, była to chyba rzeźba wyłącznie architektoniczna. Można prawie na pewno powiedzieć, że jego dziełem był do niedawna zachowany portal Bramy Senatorskiej z herbem Wazów. Jednakże ani o rzeźbie figuralnej tego artysty, ani innego nie mamy żadnych przekazów.

Wyraźne zaś zainteresowanie rzeźbą wykazał Władysław IV. Jak wiadomo z opisu Jarzębskiego, ogród królewski przy Krakowskim Przedmieściu posiadał sporo wolno stojących rzeźb figuralnych marmurowych i metalowych. Były to importy zagraniczne, głównie z Pragi, a częściowo z Florencji. W większości były to dzieła manierystyczne o tematyce przeważnie alegorycznej i fantastycznej. O ich proweniencji mówią kopie rzeźb z ogrodu dawnego pałacu Wallensteina w Pradze. Oryginały wywiezione przez Szwedów w 1649 roku wykonał w latach 1620–1630 manierysta Adrian de Vries. Władysław IV, jeszcze jako królewicz, parokrotnie bawił w Pradze i był gościem Wallensteina, z pewnością więc widział rzeźby Vriesa, które mu przypadły do gustu, więc po pewnym czasie złożył u artysty odpowiednie zamówienia. Sądząc z opisu, przeważająca liczba rzeźb w ogrodzie królewskim była trawestacją posągów praskich, powstała więc najpewniej w pracowni Vriesa.

Rzeźby te w czasie Potopu Szwedzi wywozili Wisłą, lecz w Szwecji ich nie odnaleziono. Wiadomo, że niektóre ze statków z łupami warszawskimi uległy zatopieniu. Jakoż przed kilkudziesięcioma laty piaskarze pracujący w okolicy Bielan wygrzebali z dna rzeki marmurową rzeźbę delfina (obecnie w Muzeum Historycznym m. Warszawy). Taką właśnie rzeźbę opisał Jarzębski, według niego wszakże na grzbiecie delfina siedziało chłopię trzymające w ręku strzałę (Amor?). Tej postaci chłopięcej brak, ale widoczny wywiercony otwór w grzbiecie delfina potwierdza pochodzenie rzeźby.

Najwspanialszym podarunkiem Władysława IV dla Warszawy jest powszechnie znana kolumna Zygmunta – najpiękniejszy po dziś dzień pomnik w stolicy. Pomnik ten, pierwszy wolno stojący w Polsce, powstał z inicjatywy samego króla i był dziełem czterech artystów: architekta królewskiego Constantina Tencalli, specjalnie sprowadzonego z Bolonii rzeźbiarza Clementa Mollego, który wykonał model postaci królewskiej, i Baltazara Tyma, odlewnika gdańsko-warszawskiego (model był odlany w brązie); nad całością prac czuwał pierwszy architekt królewski Agostino Locci. Odsłonięcie pomnika nastąpiło w 1644 roku. Kolumna Zygmunta, poza antykiem, oparta została na wzorach czerpanych z Włoch, gdzie w tym czasie zaczęły się pojawiać tego rodzaju monumenty (kolumna przed kościołem Santa Maria Maggiore w Rzymie). Zasadnicze różnice polegają na tym, że włoskie

kolumny pomnikowe mają charakter sakralny i mają na szczycie posągi świętych, podczas gdy kolumna warszawska po raz pierwszy w Europie od czasu antyku jest pomnikiem świeckim; następnym tego rodzaju monumentem monarchy była dopiero paryska kolumna Vendôme. Kolumna Zygmunta jest dziełem pełnym symboli: między innymi przedstawia suwerennego władcę jako obrońcę państwa i wiary.

Nie wiemy, jak wyglądała rzeźba w pałacu Ujazdowskim i w jego ogrodzie, gdyż Jarzębski opisuje tylko nieukończone posągi lwów mających zdobić portal wejściowy. Los tych rzeźb jest nie znany. Być może, iż wywiózł je Piotr I, skoro wiadomo, że zabrał on ze sobą sporo rzeźb zdobiących ogrody Ujazdowa i Wilanowa.

Mamy pewne przekazy, że jeszcze w początkach bieżącego stulecia w zbiorach moskiewskich znajdowało się naturalnej wielkości brązowe popiersie Władysława IV. O dziejach tej rzeźby nic nam nie wiadomo – niewątpliwie zdobiła ona niegdyś wnętrze którejś z rezydencji królewskich.

Najstarszymi popiersiami królewskimi, jakie znamy, są marmurowe biusty Jana Kazimierza i Marii Ludwiki, wykonane w 1651 roku przez przybyłego z Rzymu Giovanniego Francesca Rossiego. Rzeźby te wykonane zostały pod wpływem najwybitniejszego wówczas, poza Berninim, rzeźbiarza rzymskiego Allessandra Algardiego. Podobizna Jana Kazimierza powstała na podstawie grafiki, Marii Ludwiki – zapewne według modela. Obie te rzeźby znajdują się w zbiorach szwedzkich jako łupy wojenne z okresu Potopu. Do niedawna były nieco uszkodzone, toteż przed kilkoma laty Szwedzi podjęli ich konserwację, w czasie której odkryto sygnatury Rossiego, potwierdzające dotychczasowe informacje archiwalne.

Z dość licznych rzeźb zdobiących niegdyś pałace magnackie nic nie przetrwało do naszych czasów. Jedyny ich opis, mniej więcej sumaryczny, znaleźć można w wielekroć przytaczanym tu „Gościńcu" Jarzębskiego, który zresztą nie mówi o ich proweniencji, nie możemy więc odpowiedzieć na pytanie, ile wśród nich było importów zagranicznych, a ile wytworów krajowych, w tym warszawskich.

Najliczniejszy zespół rzeźb, dekorujących zarówno fasady, jak i wnętrza, posiadał pałac Ossolińskich. Na wysokości pierwszego piętra fasady frontowej znajdowały się cztery, zapewne marmurowe, posągi królów polskich; poniżej nad portalem środkowym stała *Alegoria Polski* „z metalu odlewana", a atrybutami jej były sierp, pług, snop i kopia. W salach reprezentacyjnych stały liczne posągi o nie zawsze znanej nam tematyce, przeważnie brązowe (m. in. Kupido). Ogród pałacowy ozdobiony był rzeźbami wolno stojącymi – zapewne również z brązu. Rzeźby na elewacjach frontowych miały i inne pałace magnackie. Na pałacu Daniłłowiczów spostrzegł Jarzębski tylko frontowe „statuae kamienne", natomiast nic nie mówi o rzeźbach z rezydencji Kazanowskich, chociaż wymienia liczne tam obrazy i obiekty rzemiosła artystycznego.

Ponieważ członkowie rodzin królewskich z reguły chowani byli w podziemiach katedry wawelskiej, więc też w Warszawie nie wzniesiono im nagrobków monarszych, natomiast w miejscowych świątyniach sporo było niegdyś nagrobków magnackich i szlacheckich, które tutaj zaliczamy do sztuki dworskiej. Do nowszych czasów w kolegiacie (katedrze) warszawskiej zachowało się kilka takich nagrobków, lecz były to raczej skromne tablice epitafijne bądź pozbawione wizerunku zmarłego, bądź zawierające jego portret malowany na blasze. Pod tym względem nie różniły się od nagrobków mieszczańskich. Na uwagę zasługuje zniszczony w czasie ostatniej wojny nagrobek podczaszego koronnego Zygmunta Kazanowskiego (zm. 1634). Jako jeden z wychowawców królewicza Władysława, od wczesnej młodości był Kazanowski związany z dworem. Nagrobek ufundowany przez synów zmarłego wykonany był z kolorowego marmuru, a alabastrowa postać zmarłego w niszy przedstawiona była w reliefie w postaci klęczącego oranta w polskim stroju magnackim ukazanym ze wszystkimi szczegółami. Nie znany twórca, być może pochodzenia miejscowego, podlegał wpływom nagrobnej plastyki gdańskiej, która z kolei brała swój rodowód z manieryzmu niderlandzkiego.

112. Zygmunt Waza, Alegoria Religii

Kościół Dominikanów zachował z tych czasów dwa nagrobki kobiece: Katarzyny z Kosiń-skich Ossolińskiej (1607) i Anny z Dobrzykowa Tarnowskiej (1608). Pierwszy z nich (bardzo uszkodzony w czasie ostatniej wojny) ufundowany był przez męża zmarłej, a wykonany z kamienia pińczowskiego. Ma on kształt trójczłonowy: po bokach postacie alegoryczne, u dołu czaszki; w partii środkowej w niszy leżąca postać zmarłej, jakby spoczywająca na marach, potraktowana jest płasko, w sposób już nawet nie realistyczny, lecz zgoła gotycki. Odnosi się wrażenie, że cała obudowa nagrobka mogła być sprowadzo-na z warsztatów pińczowskich Santi Gucciego, natomiast postać zmarłej wykonana została nieco później przez rzeźbiarza znacznie niższej klasy.

Zachowany nagrobek Tarnowskiej, wystawiony za jej życia, ma formę znacznie skromniejszą, jednoczłonową. Została ona ukazana w tradycyjnej formie renesansowej (postać śpiącej), z tym jednak że w jednej ręce trzyma książeczkę do nabożeństwa, co jest już wyraźnym akcentem sztuki kontrreformacyjnej. Skromne zwieńczenie zakończono obeliskiem, który wówczas w naszej plastyce nagrobnej zaczynał wchodzić w modę.

Stosunkowo więcej wiadomości posiadamy o malarstwie dworskim, zwłaszcza w zakresie mecenatu królewskiego. Jest rzeczą powszechnie znaną, że Zygmunt III lubował się w malarstwie, sam je po amatorsku uprawiając, że zatrudniał na dworze swym malarzy i że

113. Malarz nie określony,
Portret królewicza Władysława

104

wreszcie zakupywał wiele obrazów za granicą, zwłaszcza we Włoszech. Nie wiemy jednak, jak wyglądała dekoracja malarska apartamentów królewskich i jakie w nich wisiały obrazy, gdyż inwentarza zbiorów z tych czasów nie posiadamy, a Jarzębski opisał jedynie tak zwany Pokój Marmurowy. Niewątpliwie wśród tych obrazów znajdowały się własne malowidła królewskie. Według tradycji w zbiorach bawarskich aż do niedawna znajdowało się kilka obrazów, głównie o tematyce alegoryczno-religijnej, przypisywanych Zygmuntowi III; w Szwecji znajduje się *Alegoria Wiary*, niewątpliwie oryginalne dzieło króla, bo sygnowane przezeń i datowane na rok 1616, a więc powstałe w Warszawie.

Tak zwane antykamery zamkowe, to jest sale między Salą Senatorską a Pokojem Marmurowym zdobiło wiele obrazów sztalugowych, a między innymi pięć malowideł o tematyce historycznej: *Koronacja Zygmunta III, Bitwa pod Byczyną, Zdobycie Smoleńska, Prezentacja Szujskich na sejmie 1611 r.* i *Bitwa pod Chocimiem*. Twórcą tych wielkich kompozycji był nadworny malarz królewski, sprowadzony pod koniec wieku XVI z Wenecji, Tomasz Dolabella. Gdy dwór królewski przeniósł się do Warszawy, Dolabella pozostał w Krakowie, ale przez jakiś czas nadal pracował dla króla. Wiadomo, że w 1611 roku przyjechał do Warszawy, by z autopsji naszkicować scenę prezentacji Szujskich; rachunki dworskie, zwłaszcza z czasów Władysława IV, potwierdzają, że malarz ten drogą wodną przesyłał przez długi czas swe obrazy ,,dla pokojów warszawskich''.

Jak wyglądały wspomniane obrazy Dolabelli – nie wiemy, znając jednak jego twórczość, możemy przypuszczać, że były to wielkie kompozycje z tłumami postaci, o czym daje nam pojęcie ówczesny sztych Tomasza Makowskiego, przedstawiający prezentację Szujskich według obrazu Dolabelli. Żadne z tych malowideł nie dotrwało do naszych czasów. Dwa z nich, o tematyce rosyjskiej, zabrał z Zamku Piotr I, gdyż – jak ponoć twierdził – ,,obrażały jego dumę narodową''. Co się stało z innymi – nie wiadomo, w każdym razie nie było już ich w zbiorach Stanisława Augusta.

Stosunkowo najwięcej dziś wiemy o głośnym niegdyś Pokoju Marmurowym na Zamku. Z inicjatywy Władysława IV po roku 1640, to jest po narodzinach syna królewskiego, Zygmunta Kazimierza, urządzono wnętrze tego gabinetu, w którym przyjmowano najprzedniejszych gości. Projektantem wnętrz był architekt królewski Giovanni Battista Gisleni. Ściany obłożone były różnobarwnymi marmurami, większą część jednej ze ścian zajmował spiżowy kominek, ,,wielki jak fontana''; strop stanowił plafon z pozłacanego stiuku podzielony na kilka segmentów wypełnionych malowidłami. Wzdłuż ścian zawieszono około dwudziestu portretów ,,przodków królewskich'' po mieczu i kądzieli (w 1696 galeria składała się z 22 portretów). Galerię otwierał portret Jagiełły, a zamykały podobizny Władysława IV, Cecylii Renaty i ich nowo narodzonego syna. Obrazy te oprawione były w ramy ośmiokątne. Jak wykazały najnowsze badania, twórcą tej galerii był malarz nadworny Pieter Danckers de Rij (zm. 1662), sprowadzony przez króla

z Holandii. Z polecenia Stanisława Augusta Pokój Marmurowy został całkowicie przebudowany, a dawną galerię portretów zastąpiła nowa pędzla Bacciarellego. Malowidła
Danckersa znalazły pomieszczenie w zbiorach ostatniego króla, a po jego śmierci uległy
rozproszeniu. Obecnie znamy tylko los sześciu; cztery znajdują się w zbiorach nieborow-
skich (*Jagiełło, Zygmunt Stary, Królowa Bona, Jan Kazimierz*), jeden w zbiorach
wileńskich (*Jan III Waza*) i jeden w zbiorach moskiewskich (*Cecylia Renata*). Portret Jana
Kazimierza jest już dziełem innego, znacznie lepszego pędzla. Sądząc z ocalałych
obiektów, malowidła portretowe z Pokoju Marmurowego nie były wysokiej klasy: uderza
w nich i to, że wykonano je nie na podstawie zachowanej ikonografii, gdyż w większości
odznaczają się zgoła wyimaginowanymi rysami twarzy.
Jak już wspomniano, w Pokoju Marmurowym oprócz portretów znajdowały się malowidła
plafonowe o tematyce historycznej, przedstawiające triumfy wojenne i dyplomatyczne
Władysława IV, czyli, jak to pisał Jarzębski:

"Malowidła, co się działo
w Moskwie, gdzie indziej widziało;
I turecką wojnę znajdziesz,
Wiele tam rzeczy wynajdziesz,
Konterfekty, historyje,
Wielka sława
...Władysława".

Z tego cyklu nic się do późniejszych czasów nie zachowało. Być może, iż były to malowidła
Dolabelli, ponieważ właśnie w tym czasie przesyłał on do Warszawy wiele obrazów,
a podobną tematykę podjąć miał w kilka lat później dla pałacu biskupiego w Kielcach.
Przesłane natomiast cztery obrazy, wykonane na specjalne zamówienie przez Dolabellę,

zostały w latach 1642–1643 umieszczone w jednej z sal pałacu Ujazdowskiego; były to: *Wjazd Cecylii Renaty do Polski, Koronacja Cecylii Renaty, Narodziny królewicza Zygmunta Kazimierza, Alegoria Zwycięstw Władysława IV*. Obrazy te uległy zniszczeniu w nieznanych okolicznościach, posiadamy tylko ich krótkie opisy.

We wszystkich rezydencjach królewskich w Warszawie znajdowało się niewątpliwie sporo portretów monarchów i członków ich rodzin. Wazowie lubili się portretować. Należy chyba sądzić, że w rezydencjach królewskich znajdowały się te najlepsze, reprezentacyjne podobizny, na podstawie których powstawały repliki, kopie i trawestacje. W latach 1624–1625 królewicz Władysław odbył podróż po krajach europejskich, w tym też czasie pozował Rubensowi, a nawet zlecił mu wykonanie portretu konnego Zygmunta III na podstawie przywiezionej ze sobą podobizny. Te malowidła Rubensowskie ocalały do naszych czasów, lecz żadne z nich nie znajduje się w zbiorach polskich (najlepszy jest chyba portret konny Zygmunta III – obecnie w Szwecji). Portrety Zygmunta i królowej Konstancji w strojach koronacyjnych (zbiory bawarskie) wykonał któryś z uczniów Rubensa, zapewne Pieter Soutman, ale nie wiadomo kiedy i gdzie. Malarz ten był serwitorem królewskim, lecz o jego pobycie w Polsce nie posiadamy pewnych wiadomości. Większość portretów królewskich powstała oczywiście w kraju. Malował je między innymi wspomniany wyżej Danckers. Jego portret konny królowej Cecylii Renaty przechował się w zbiorach duńskich; takiż portret konny Władysława IV znany jest tylko ze współczesnego mu sztychu. Zdaje się, że najlepszym dziełem Danckersa był portret konny królewicza Zygmunta Kazimierza, uważany mylnie za podobiznę Jana Kazimierza (nie istnieje). Najwybitniejszy portret Jana Kazimierza, a nieco później i Michała Korybuta, wykonał gdańszczanin Daniel Schultz, przebywający głównie w Warszawie. Był to artysta wykształcony na wzorach holenderskich, a w znacznym stopniu na dziełach Rembrandta, toteż jego portrety monarchów odznaczają się efektami światłocieniowymi.

Spośród innych malowideł z kręgu mecenatu Wazów należy wspomnieć o dwóch kompozycjach. Jedna z nich to *Kapitulacja Szeina pod Smoleńskiem*, znana w dwóch nieco odmiennych wersjach – dzieło nie rozpoznanego malarza, zdradzającego znajomość sztuki holenderskiej; drugą jest *Panorama Warszawy* malowana od strony Wisły około 1620 roku. Jest to najstarsza malowana weduta stolicy przez nie znanego dotąd malarza, choć na obrazie tym sam siebie sportretował. Najprawdopodobniej był to Christian Melich, malarz królewski rodem z Antwerpii; w rachunkach dworskich jest on wielokrotnie wymieniony jako główny dekorator teatru operowego i autor „dek", czyli plafonów malowanych na deskach. Oryginał tej panoramy znajduje się w Monachium.

Władysław IV znacznie powiększył galerię malarstwa ojca, nabywając wiele bardzo cennych obrazów w Niderlandach i we Włoszech. Jednakże już za jego panowania zbiór ten uległ pomniejszeniu, gdy królewna Anna Katarzyna, córka Zygmunta III, wychodząc za mąż za jednego z książąt niemieckich, wywiozła ze sobą do Niemiec wiele portretów rodzinnych i wspomnianą panoramę Warszawy. W czasie Potopu kolekcja ta została zdziesiątkowana, tak że Jan Kazimierz po abdykacji wywiózł ze sobą do Francji tylko około stu pięćdziesięciu obrazów i to nie najlepszej jakości, choć sporadycznie występowały tam nazwiska Rembrandta, Rubensa czy Jordaensa. Po śmierci tego króla nawet i ta reszta uległa rozproszeniu wskutek licytacji.

Pewną liczbę malowideł posiadały również warszawskie pałace magnackie. Najwięcej z nich miał kanclerz Ossoliński. W pałacu jego poczesne miejsce zajmowała modna wówczas „galeria przodków", czyli cykl portretów rzeczywistych i domniemanych antenatów panów na Ossolinie. Twórcą tej galerii był któryś z norymberskich Ammanów, najprawdopodobniej Konrad lub Hans. Drugi cykl tworzyły obrazy o tematyce historycznej, przedstawiające sukcesy orężne i polityczne członków rodu kanclerza („różne wiktoryje, sądy, sławne historyje"); twórca czy twórcy tego cyklu nie są znani. Zwiedzający ten pałac zanotował obecność w nim innych jeszcze obrazów, jak portret Władysława IV „na białym koniu". Skądinąd wiemy, że w pałacu znajdowały się kupione za granicą obrazy Rafaela, Tycjana, Ribery, Guercina i wielu innych – przeważnie bez atrybucji.

Dość zasobny w dzieła malarskie był pałac Kazanowskich. Obok kilku portretów rodzinnych i królewskich odnotowano, że w sali reprezentacyjnej („galerii") było „obrazów pełno po stronach", nad stołem „nagie osoby zmalowane dla ozdoby". W innym znów pokoju znajdowały się obrazy zdradzające wyraźnie szkołę holenderską: „zwierzyna, wszelkie sałaty, ... dalej są okręty morskie, szkuty kunsztownie zamorskie". Również w gabinecie marszałka „na obrazach wszelkie wina, różne owoce – nowina"; natomiast w sypialni gospodarza nad łożem wisiał wielki obraz przedstawiający Adama i Ewę. Niektóre z tych obrazów pochodziły zapewne z zagranicy, ale większość musiała powstać na miejscu, gdyż Kazanowski zatrudniał w swym pałacu malarzy holenderskich, bowiem – jak pisał świadek naoczny – „malarze malują ... sztuki znaczne, Olendrowie, nie Polacy, bo pludrowie". Nazwisk tych artystów dotąd nie znamy.

Na dworze królewskim działała też, niezależnie od złotniczych warsztatów cechowych, pracownia złotniczo-jubilersko-zegarmistrzowska. Dzięki nielicznym przekazom archiwalnym możemy stwierdzić, że wśród złotników Zygmunta III znajdowali się między innymi złotnik i zegarmistrz Walenty rodem z Malborka, złotnicy Mikołaj Siedmiradzki, Michał Fross „Germanus", Jan Gregi, Jan Halsatyn i wielokrotnie w aktach wspomniany Michał Królik, który miał także stałą pieczę nad zegarem w Wieży Zygmuntowskiej. Cała ta brygada rzemieślników-artystów pracowała pod osobistym kierunkiem i nadzorem Zygmunta III, który, jak wiadomo, uprawiał między innymi złotnictwo – i to chyba z największym upodobaniem. Niektóre z wyrobów złotniczych sygnowane są literami S.R. (Sigismundus Rex), tak sygnował król i swe obrazy, można więc niemal z całą pewnością określić je jako własnoręczne dzieła monarchy lub przynajmniej powstałe przy jego wybitnym udziale.

Znaczna część tych wyrobów dworskich miała charakter liturgiczny. Takimi prezentami obdarowywał Zygmunt między innymi kościoły w Krakowie, Częstochowie czy Płocku, nie zapominając o Warszawie: przed ostatnią wojną katedra posiadała krucyfiks i złotą patenę z daru króla, a kościół Reformatów – srebrną pozłacaną puszkę (zwaną niesłusznie kielichem) własnoręcznej roboty Zygmunta III, co stwierdzał wyryty na niej napis.

Z pracowni królewskiej wychodziły oczywiście nie tylko przedmioty o przeznaczeniu liturgicznym. Pojęcie o nich daje kilka zachowanych obiektów w zbiorach bawarskich. Pochodzą one z wyprawy królewny Anny Katarzyny, szacowanej wówczas w samych tylko klejnotach na ogromną sumę 443 289 bitych talarów. Niektóre z tych przedmiotów po różnych kolejach losu znalazły się ostatecznie w skarbcu monachijskim (Schatzkammer). Większa część tych obiektów musiała pochodzić z pracowni królewskiej, choć trudno je zidentyfikować wobec braku znaków rozpoznawczych. Natomiast do wyrobów pewnych pod względem proweniencji należy złota solniczka ozdobiona brylantami, rubinami i emaliowaną tarczą z herbami Polski, Szwecji i Wazów, ponieważ sygnatura S.R. na tarczy potwierdza autorstwo króla. Takąż sygnaturę posiada dzban z kryształu górskiego. Za osobiste dzieło króla katalogi miejscowe uznają czarę złotą ozdobioną szmaragdami, szafirami i emaliowaną tarczą z herbami Polski, Litwy, Szwecji i Wazów. Natomiast puchar srebrny z repusowanymi postaciami faunów na nodusie i reliefowym fryzem przedstawiającym „walkę dzikich ludzi" uchodzi za wytwór niderlandzki (ok. 1620), chociaż z powodzeniem mógł powstać w warsztatach królewskich w Warszawie, bo nie było chyba potrzeby sprowadzania przedmiotów, które wyrabiało się na miejscu. Wśród przedmiotów należących do Jana Kazimierza wiele określono jako *d'argent polonais* – zapewne większość z nich pochodziła z warsztatów królewskich.

Na Zamku Królewskim były też warsztaty tkacko-kobiernicze. Wazowie posiadali piękną i bogatą kolekcję arrasów niderlandzkich i kobierców wschodnich – były to jednak wyroby sprowadzane z zagranicy. Tkaniny te wymagały stałej konserwacji, toteż warsztaty królewskie w pierwotnym założeniu miały charakter konserwatorski, z biegiem czasu musiały podjąć własną produkcję mniejszych tkanin (np. obicia mebli), a potem i większych kompozycji figuralnych. Niektóre tkaniny z wyprawy ślubnej Anny Katarzyny, ozdobione herbami, uważa się za obiekty powstałe w Polsce. W inwentarzu pośmiertnym Jana Kazimierza odnotowana była tkanina z przedstawieniami scen z wojny moskiewskiej – a więc na pewno też proweniencji polskiej.

Na czele warsztatów tkacko-kobierniczych przez długi czas stał Maciej Górski, *tentoriorum magister*, pobierający stałą pensję, a pod jego kierownictwem pracowali różni „kobiernicy, haftarze i jedwabnicy": między innymi Niderlandczyk Jan Strus, kobiernik, namiotniczka Dorota Jeleń, jedwabnik Albert Warszawianin, haftarze: Baptysta, Jan Kopf, Krzysztof Schebell. Za panowania Władysław IV do grupy tej dołączyli się Mikołaj Kiersten oraz Francuz Chrystian Karol Rumelier.

IV. LATA KLĘSK I ODBUDOWY 1655–1720

LOSY POLITYCZNE W LATACH 1655–1660

W pierwszej połowie wieku XVII Warszawa parokrotnie przeżywała alarmy wojenne, ale przedmiotem działań stała się w latach szwedzkigo Potopu. Wielkie miasto o dużym znaczeniu gospodarczym, położone w ważnym węźle drogowym, w świadomości polskiej i obcej zdobyło już rangę stolicy politycznej, a więc celu strategicznego. Sztuka wojenna ostatniego okresu wojny trzydziestoletniej kazała politykom, zebranym w Warszawie latem 1655 roku, przewidywać jej zagrożenie od chwili, gdy Szwedzi sforsowali dolinę Noteci i 31 lipca zajęli Poznań. Dlatego 7 sierpnia opuściła Warszawę wraz z dworem i skarbami królowa Maria Ludwika, a 18 tegoż miesiąca wymaszerował z gwardią Jan Kazimierz, nie porzucając myśli koncentracji pospolitego ruszenia w mieście rezydencjonalnym. Postanowił bronić się na rubieży Bzury, pozostawiając w Warszawie zaledwie 200 piechurów. Zaniechano więc naprawy rozległych wałów Zygmuntowskich i ograniczono się do wzmocnienia obronności warownego zespołu Starego Miasta i Zamku.

W obręb murów chronili się mieszkańcy Nowego Miasta i przedmieść, ale pod wpływem złych wiadomości napływających z Litwy, a nade wszystko odwrotu Jana Kazimierza znad Bzury na południe (3 września) powstała w Warszawie panika. Bogate mieszczaństwo i duchowieństwo zakonne opuszczało miasto (zostali tylko jezuici), wywożono to, co dało się zabrać. Tymczasem nad Bzurą armia szwedzka podzieliła się. Część ruszyła w pościg za Janem Kazimierzem, reszta z królem Karolem X Gustawem skierowała się w stronę Warszawy, by stąd nawiązać łączność z siłami podążającymi z Inflant i następnie przystąpić do podboju ziem pruskich Rzeczypospolitej, stanowiących cel wojny.

Warszawa nie stawiła oporu. Pierwsza okupacja miała trwać od 8 września 1655 do 1 lipca 1656 roku. Pobyt króla szwedzkiego był niedługi. Na wieść o trudnościach w Małopolsce ruszył tam z pomocą, polecając pozostawionemu w Warszawie generałowi G.O. Stenbockowi otwarcie drogi na północ.

Warszawa stawała się samodzielnym szwedzkim ośrodkiem działań. Administrację sprawował cywilny gubernator Bengt Oxenstjerna. Dnia 19 września nadjechał tu kanclerz Eric Oxenstjerna. Wojna wówczas żywiła wojnę, zadaniem administracji wojennej była systematyczna eksploatacja podbitego kraju na potrzeby wojska i wywóz zasobów trwałych do zubożałej Szwecji. Jednym z pierwszych zarządzeń było więc wyegzekwowanie kontrybucji w wysokości 240 000 złotych, obciążającej zresztą nie tylko mieszczan, ale i szlachtę, i duchowieństwo całego zespołu miejskiego.

Również 19 września ukończono budowę mostu na Pragę i Stenbock ruszył pod Nowy Dwór, gdzie na brzegu modlińskim zbierało się mazowieckie pospolite ruszenie. Dnia 30 września sforsował Bug i rozproszył Mazurów. Warszawa jako ośrodek działań wymagała umocnienia na miarę szczupłego garnizonu, który Szwedzi mogli wydzielić z armii polowej. Łuk umocnień średniowiecznych od baszty Marszałkowskiej do Zamku (ok. 700 m) wzmocniono, sypiąc za fosą miejską siedem szańców, które zasięgiem ognia i muszkietów zamykały dostęp do fosy i murów. Szaniec przed nowomiejskim Barbakanem objął też murowany kościół Świętego Ducha, przed którym dostosowano do obrony zwartą zabudowę klasztoru Dominikanów. Jego odpowiednikiem na południe były klasztory bernardynek i bernardynów z pałacem Kazanowskich na Krakowskim Przedmieściu. Na zachód wysuniętym ośrodkiem obrony był pałac biskupów krakowskich na rogu Senatorskiej i Miodowej. Te trzy wysunięte w przedpole fortyfikacje ogniem swej artylerii zabezpieczały Starą Warszawę i Zamek przed skutecznym ostrzałem artylerii oblegającej. Po ucieczce Jana Kazimierza na Śląsk Karol X Gustaw zarządził generalny zjazd szlachty polskiej w Warszawie, by uzyskać legalizację swych rządów w Rzeczypospolitej.

Do Warszawy król szwedzki wrócił 15 listopada, ale już 19 odmaszerował na podbój Pomorza. Położenie okupanta jednak się pogorszyło. Zaciemniał się horyzont międzynarodowy, a w Polsce rozpoczęły się i przybierały na sile chłopskie powstania. Szlachta nie kwapiła się na zjazd warszawski, a na Mazowszu się burzyła. Jan Kazimierz uniwersałem z 20 listopada wezwał cały naród do powstania i 18 grudnia wyruszył do kraju. Szerokim echem odbiła się obrona Jasnej Góry. Tymczasem sukcesy wojenne Karola po zdobyciu Torunia i Elbląga – otwarciu najkrótszej drogi do Szwecji – uległy zahamowaniu na potężnych fortyfikacjach Gdańska, zawsze wiernego swym żywotnym interesom, a więc Rzeczypospolitej.

Wymusiwszy więc 17 stycznia 1656 roku traktat przyjaźni z elektorem brandenburskim Fryderykiem Wilhelmem, gwałtownymi marszami rzucił się Karol gasić polski pożar. Ta nowa wyprawa omal nie doprowadziła go do katastrofy w widłach Wisły i Sanu. Na rozkaz króla z Warszawy wyszedł z odsieczą 29 marca margrabia badeński Fryderyk, by ostatecznie 7 kwietnia ponieść klęskę pod Warką. Jednak w tym czasie Karol Gustaw wydostał się z opałów i 13 kwietnia dotarł pod Pragę, po nowym moście, zbudowanym pod Ujazdowem, przeszedł Wisłę i poszedł do Wielkopolski w pościgu za Czarnieckim, a tymczasem już 20 kwietnia pod Pragą znaleźli się Litwini ścigający Szweda od Sanu. W końcu kwietnia przeprawili się na lewy brzeg Wisły pod Solcem i przystąpili do blokady szwedzkiej załogi Warszawy, gdy lewym brzegiem Wisły nadciągnął Jan Kazimierz z armią koronną.

Szwedzki garnizon Warszawy liczył 2000 ludzi pod dowództwem feldmarszałka Arvida Wittenberga, zdecydowanego na wytrwałą obronę nie tylko ważnego punktu strategicznego, ale i łupów zwożonych tu z całego kraju. Oblężenie, rozpoczęte na dobre 17 maja, dopiero po ściągnięciu ciężkiej artylerii oblężniczej uwieńczyła kapitulacja 1 lipca. Ważnym zdarzeniem politycznym było powtórzenie przez króla polskiego ślubów lwowskich, zapowiedzi reform społecznych. Decydujący szturm przeprowadziła (wzdłuż Krakowskiego Przedmieścia) uzbrojona masa plebejska, wiedziona nienawiścią do najeźdźców i różnowierców, a także nadzieją na łupy. Z trudem dało się wówczas pohamować odruch zawiedzionych kapitulacją tłumów i nie dopuścić ich do miasta i Zamku, zwłaszcza że potem przy podziale zdobyczy doszło do rażących nadużyć.

Niedługo Warszawa pozostała w polskich rękach. Od początku czerwca koncentrowało się w obozie warownym pod Modlinem wojsko mające przyjść z odsieczą. Przybór wody w lipcu uniemożliwił obu stronom działania i dopiero 28 lipca po odbudowanym moście przeszła Bug armia szwedzko-brandenburska (ok. 18 000) w nadziei, że dopadnie na Pradze rozdzieloną przez Wisłę armię polską, by po zniszczeniu odosobnionej na prawym brzegu części zawrócić do ujścia Bugu i tu, przeprawiwszy się na lewy brzeg Wisły z kolei pod Warszawą, zmierzyć się z resztą Polaków. Tego samego dnia po odbudowanym poniżej Warszawy moście odbyła się przeprawa głównych sił polskich do marszu na Nowy Dwór, a jednocześnie Czarniecki miał przeprowadzić demonstrację zbrojną naprzeciw Zakroczymia, z lewego brzegu Wisły. Polacy na Pradze nie dali się zaskoczyć, umacniając szańcami od północy naturalną jakby warownię, uformowaną pasmem wydm ciągnącym się równolegle do Wisły aż po łachę kamionkowską. Liczebność wojsk polskich (ok. 40 000) powiększały nadeszłe właśnie posiłki tatarskie (ok. 2000 jazdy). Klucz obrony polskiej stanowiła czterobastionowa silna reduta w miejscu, gdzie pasmo wydm przebijała droga (dziś ulica) Białołęcka.

Pod wieczór Szwedzi z marszu uderzyli od strony Żerania, wychodząc z lasu na wysokości ulicy Toruńskiej, i tu ich parokrotne uderzenia załamały się pod ogniem artylerii polskiej, ostrzeliwującej od wschodu z reduty białołęckiej, od zachodu ponad Wisłą z Kępy Potockiej. Polacy przeciwuderzali. Pierwszy dzień bitwy zakończył się polskim sukcesem. Nazajutrz, 29 lipca, Karol Gustaw rozpoznawszy rankiem teren postanowił obejść polskie szańce od wschodu i uderzając na pasmo wydm zepchnąć przeciwnika do Wisły. Manewr to był skomplikowany. Wymagał przy działaniach wiążących od północy przerzucenia głównych sił armii przez las porastający wydmy na pola wsi Białołęka, a następnie marszu na Bródno wąskimi pasmami terenu suchego na podmokłych łąkach i oparcia plecami o bagniste wówczas tereny ciągnące się ku Markom. Gdy Polacy zrozumieli ten manewr, a uporczywe wypady Tatarów i polskiej lekkiej jazdy rozbijały się o przewagę ogniową wroga, wypadło zmienić ugrupowanie rozwijając się wzdłuż pasma wydm na wschód. Przesunięcia obu armii i zajęcie nowych stanowisk ukończono jednocześnie i wtedy Jan Kazimierz, zebrawszy całą swą ciężką jazdę usarię (1200 koni) pod dowództwem Aleksandra Hilarego Połubińskiego, wąskim przejściem między podmokłościami rzucił ją wzdłuż dzisiejszego północnego muru cmentarza Bródzieńskiego w pełnym zapędzie koni niemal w środek szerokiego szyku nieprzyjacielskiego. Zdawało się, że zdoła rozerwać szyk i wepchnąć wroga w błota. Pierwszy rzut szwedzkiej jazdy pękł pod uderzeniem polskich kopii, ale osłabiony impet załamał się na drugim rzucie szwedzkich szwadronów, w ogniu bocznym sąsiednich czworoboków szwedzkich. Mało kto z usarzy polskich wrócił na bródzieńskie wydmy. Teraz król polski zrozumiał beznadziejność kontynuowania bitwy. Na noc armia szwedzko-brandenburska sformowała jeża pod wsią Bródno i 30 lipca rano rozwinęła się do ostatecznego natarcia. Pod osłoną broniącej się na wydmach piechoty jazda od nocy odchodziła od mostu. Ewakuacja całości jednak była niemożliwa. Gdy załamał się opór piechoty, masy jazdy polskiej i tatarskiej przemknęły się obok skrzydeł nacierającego szyku nieprzyjacielskiego na wschód i odpłynęły na Okunin. Król do ostatka trzymał się przy moście i kazał go zniszczyć, gdy już Szwedzi zaczęli się nań tłoczyć. Bitwa była skończona, armia polska uległa rozkładowi. Postanowiono wycofać się na południe, porzucając nagle Warszawę, by powyżej miasta nawiązać łączność między obu rozdzielonymi częściami. Pomimo zwycięskiej bitwy położenie strategiczne Szwedów nie było korzystne i 8 sierpnia armia brandenbursko-szwedzka wyruszyła w spóźnionym pościgu za Polakami. Pozostawiony garnizon bezwzględnie rabował miasto. W przewidywaniu ostatecznej utraty Warszawy ogołocono, aż do zrywania posadzek, Zamek i inne pałace królewskie, próbowano zabrać kolumnę Zygmunta i przystąpiono do burzenia murów obronnych Starej Warszawy. Zdobycze załadowano na statki wiślane do spławu, jednak ze względu na niski stan wody część ugrzęzła na mieliznach, część uległa zatopieniu. Wobec ogólnych niepowodzeń, 29 sierpnia szwedzko-brandenburski garnizon opuścił Warszawę. W opuszczonym mieście panowała epidemia. Z Wisły wydobyto część zatopionych łupów, w mieście hulały męty.

Zimą zarysowało się nowe niebezpieczeństwo wobec przystąpienia do wojny Siedmiogrodu. Warszawa na nowo przygotowywała się do obrony. Połączone wojska szwedzko-siedmiogrodzkie wielkim łukiem przez Brześć ominęły początkowo stolicę, a Karol X Gustaw odłączył się pod Zakroczymiem i opuścił Polskę wobec zbliżającego się starcia z Danią. Pozostawiony sobie książę siedmiogrodzki Jerzy II Rakoczy 14 czerwca dotarł pod Warszawę i 17 czerwca znów miasto kapitulowało. Wbrew warunkom kapitulacji nastąpił teraz barbarzyński rabunek i bezmyślne niszczenie, pokąd 23 czerwca ostatecznie miasto nie stało się wolne. W dalszym odwrocie armia siedmiogrodzka została zniszczona, a działania przeciw pozostawionym w Polsce Szwedom toczyły się przede wszystkim na Pomorzu i w Inflantach.

Rozproszona ludność zaczęła wracać do miasta, rozpoczynała się odbudowa zniszczeń. W roku 1659 już na tyle był uporządkowany Zamek, że można było w nim odbyć sejm. Następny sejm po ,,szczęśliwym roku 1660", roku pokoju oliwskiego i zwycięstw na wschodzie, pozwolił w teatrze zamkowym oglądać ,,Cyda" w przekładzie J.A. Morsztyna.

SPOŁECZEŃSTWO I KULTURA W LATACH 1655–1720

Dwa razy w ciągu zaledwie 45 lat Warszawa uległa ciężkim zniszczeniom. W latach 1655–1657 miasto odczuło skutki okupacji szwedzkiej i siedmiogrodzkiej. Podczas długotrwałego oblężenia Warszawy przez wojska polskie, zakończonego kapitulacją Szwedów w dniu 1 lipca 1656 roku, generał Wittenberg spalił Krakowskie Przedmieście, Senatorską, Freta i Mostową. Zrujnowane zostały wówczas kościoły i klasztory Bernardynów, Dominikanów i Świętego Ducha i wiele dworów i pałaców, między innymi Kazanowskich, Ossolińskich, Daniłłowiczów i Zadzikowski. Dużym spustoszeniom uległa Nowa Warszawa, przedmieścia, wraz z Lesznem i Grzybowem, gdzie przeważała zabudowa drewniana, a także wsie podwarszawskie: Pólków (dawniej Polików), Ruda, Wielka Wola i inne. W czasie wielkiej trzydniowej bitwy o Warszawę w dniach 28–30 czerwca 1656 roku

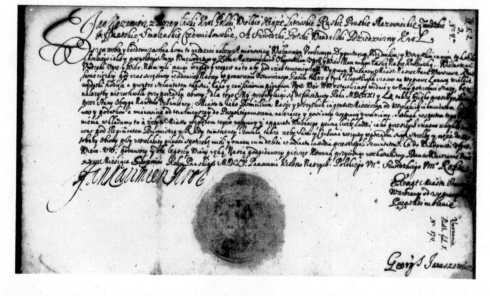

6. Uniwersał króla Jana Kazimierza z 18.III.1655 r.

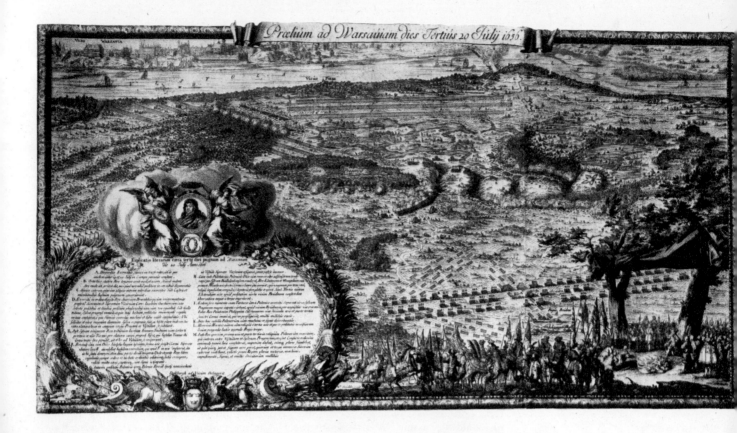

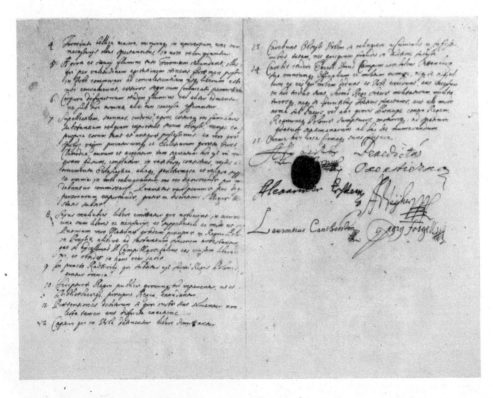

zostały doszczętnie zniszczone wsie na prawym brzegu Wisły: Bródno, Białołęka, Praga i Kamion. W sierpniu 1656 roku interwencja magistratu uchroniła mury obronne Starej Warszawy od planowanego przez Szwedów zburzenia. Jednakże 29 sierpnia Szwedzi ,,od wału ku zachodowi jedną basztę rozwalili, a dwie prochami wysadziwszy na pożegnanie, wyjechali, którzy aby tu więcej nie postali'' – pisał w swym pamiętniku ówczesny sekretarz rady miejskiej Franciszek Kazimierz Pruszkowski.

W czasie obu wojen warszawianie obciążeni byli licznymi kontrybucjami i daninami. Już we wrześniu 1655 roku Szwedzi nałożyli na Warszawę okup w wysokości 240 000 ówczesnych złotych polskich. Stara Warszawa złożyła wówczas 75 000, Nowa Warszawa 7500, Leszno 4500, kościoły 33 000 złotych polskich. Wysokość okupu nałożonego na Starą Warszawę ośmiokrotnie przewyższała jej roczne dochody. Mieszkańcy spłacali ten okup nie tylko w gotówce, ale również wyrobami rzemieślniczymi, towarami kupców,

117. Bitwa pod Warszawą, dzień trzeci, 20.VII.1656. Rys. Erik Jönsson Dahlbergh, ryt. Willem Swidde

118. Akt kapitulacji Szwedów z 1.VII.1656 r.

klejnotami lub nawet przedmiotami codziennego użytku. Magistrat udzielał uboższym pożyczek ze zdeponowanych w jego kasie funduszów wdowich i sierocych. Z ksiąg rachunkowych Starej Warszawy wynika wyraźnie, że biedota spłacała takie pożyczki aż do 1696 roku. Okupanci dopuszczali się również wielu zdzierstw i rabunków i zmuszali do robót. Jeden z mieszczan Starej Warszawy tak zeznaje później przed władzami miejskimi: „Kiedy Szwedzi przystąpili do Warszawy, dałem okupu od tego domu florenów 30. Kiedy Witemberk przyjechał, dałem na trzy raty po fl. 12. Przez niedziel dwanaście na robotnika po groszy 15 – talarów 12, nie rachując siebie ani dziewki. Na żołnierze florenów 15. Kiedy Rakocy przystąpił, strawowałem 12 piechoty – fl. 30". Inny znów bogaty kupiec warszawski, Marcin Fukier, tak opowiada przy okazji sporządzania testamentu: „Te wszystkie wzwyż mianowane rzeczy rok teraz, kiedy Rakocy obległ, po odstąpieniu jego tegoż dnia Szwedzi pobrali i do szczętu najmniejszego wyrabowali. Jedni przez tylne drzwi [...] a drudzy z podla, że przez całe odwieczerze i przez całą noc z wozami najechawszy rabowali i wszystkie rzeczy tak nieboszczykowskie, jak też i innych ludzi, co do schowania pod ten czas dali, pobrali, sklepy poodbijali, także i piwnice pokopali i skrzynie z towarami na półtora sążnia zakopane wykopali – zaczym nie zostało nic a nic – tylko ściany a obrazy".

Warszawę potraktowali Szwedzi jako magazyn łupów zgromadzonych z całej Polski. Sama jednakże stolica poniosła najdotkliwsze straty materialne i kulturalne. Trzy rezydencje królewskie, liczne pałace magnackie i dwory szlacheckie były dla Szwedów szczególnie łakomymi obiektami. Jak wynika z korespondencji między magistratem Starej Warszawy a królem Janem Kazimierzem, „...nieprzyjaciel łupu nienasycony, nie tylko nas ubogich złupił ludzi, ale też schronienie Majestatu W.K. Mości – pałac, przykładem murów miejskich zrujnowawszy, sam za łaską Bożą był dawszy, tych łupów, osobliwie dział, marmurów itp. dla małości wody [...] jedne w wodzie, drugie na piąskach w pół Wisły pod Polkowem pozostawił". Istotnie w Zamku Królewskim Szwedzi pozrywali nawet posadzki, zdemontowali płyty marmurowe i kolumny, powyjmowali oprawy okien i szyby, zrabowali nie tylko obrazy, ale również płafony; pozdejmowali obicia, wywieźli także cenne sprzęty, dywany, opony z tureckich namiotów, a także 33 arrasy z serii Dawida. Wywieziono również posągi, a z Pałacu Kazimierzowskiego rzeźby ogrodowe. Niektóre przeciążone szkuty nie dotarły nawet do Elbląga, lecz potonęły w Wiśle niedaleko Warszawy. Współczesny pisarz W. Odymalski w poetyckim utworze pt. „Żałosna postać Korony Polskiej", wydanym w Krakowie w 1659 roku, tak pisze o rabunkach szwedzkiego nieprzyjaciela:

„Wodze łakomstwu puszczając przestronne
Do tej sprośności nawet myśl obrócił,
Nie wstydząc się brać marmurów ciosanych,
Posągów rytych, tablic murowanych...
Które to rzeczy do Szwecyjej słano
Zwłaszcza z Warszawy".

W czasie działań wojennych spłonęło lub zostało zniszczonych wiele bibliotek i archiwów. Jeszcze w dniu 16 czerwca 1657 roku, w przeddzień zajęcia Warszawy przez wojska Rakoczego, spłonęła biblioteka bernardynów, „jakiej żaden klasztor w Polsce nie miał", oszacowana współcześnie na 30 000 złotych polskich. W sposób planowy i zorganizowany Szwedzi przeprowadzili w 1655 roku rabunek zasobów bibliotecznych i archiwalnych. Padły ofiarą warszawskie zbiory magnatów polskich, biblioteka jazdowska królewicza Karola Ferdynanda, biblioteka królewska i Archiwum Koronne w zamku warszawskim. Takie zniszczenia z czasów Potopu szwedzkiego w dużym stopniu obniżyły poziom oświaty, nauki i kultury w całej Rzeczypospolitej, a w Warszawie na wiele lat utrudniły rozwój życia intelektualnego i artystycznego.

Już w połowie 1702 roku Warszawa ponownie uwikłana została bezpośrednio w wydarzenia wojny północnej. Walki o zdobycie Warszawy nie przybrały wówczas takich rozmiarów jak w czasie Potopu, zabudowa miasta i okolic uległa zniszczeniom o wiele mniejszym, jednakże mieszczanie zostali ponownie zrujnowani materialnie, a miasto wyludnione. Stolica przechodziła znowu kilkakrotnie spod władzy Augusta II i wojsk moskiewskiego protektora pod okupację Szwedów, popierających Stanisława Leszczyńskiego. Trapiona była przez nieustanne przemarsze wojsk polskich, saskich, szwedzkich i moskiewskich, przez kilkakrotne pobyty Augusta II, Karola XII, Stanisława Leszczyńskiego i Piotra I. Wszystkie te wydarzenia wojenne, a również elekcja Stanisława Leszczyńskiego na polach Woli (12.VII.1704), później zaś jego koronacja (4.X.1705), dokonana pod osłoną wojsk szwedzkich, wiązały się z dodatkowymi poborami podatku podymnego, z robociznami przy budowie umocnień, z dostawami żywności, narzędzi i budulca, w najlepszym zaś razie z „pożyczkami" o nigdy nie zrealizowanych terminach płatności. A oto kilka jedynie przykładów: po zajęciu Warszawy w połowie 1702 roku Szwedzi obarczyli jej mieszkańców obowiązkiem zaprowiantowania ich czterdziestotysięcznej armii. Mieszczanie musieli dostarczyć 320 000 funtów chleba i tyleż mięsa, a równocześnie zebrać 80 000 złotych polskich, czyli 12 000 bitych talarów kontrybucji. W następnym roku wojny Szwedzi nałożyli znów na Warszawę obowiązek płacenia na utrzymanie wojska po 11 000 złotych

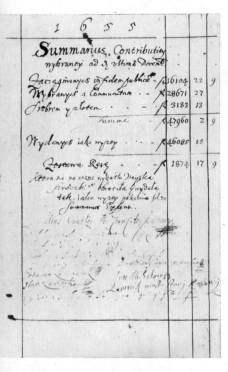

19. Karta tytułowa księgi rachunkowej Starej Warszawy: pobór okupu szwedzkiego 24.IX.1655 r.

polskich kontrybucji tygodniowo. Nakazali także dostarczyć 400 000 funtów sucharów, 4000 beczek piwa, oprócz tego żelaza, gwoździ i drzewa do budowy mostu oraz przygotować 500 łóżek dla rannych żołnierzy. Równocześnie zażądali 10 000 talarów „pożyczki" na weksel płatny w Sztokholmie, co było oczywistą kpiną.

Szczególna sytuacja wynikła z faktu, że przez kilka lat Polska miała właściwie dwóch władców. Stanisław Leszczyński na zmianę z Augustem II starał się wycisnąć ze stolicy różne świadczenia i aż dziw, że im się to udawało. Tuż po swojej elekcji Leszczyński wystąpił z żądaniem „pożyczki" 15 000 talarów bitych, którą obiecał zabezpieczyć na dochodach z pobliskiego miasteczka Leszno. Po pewnych targach magistrat pożyczył mu jedynie 5000 talarów, poręczając mieszkańcom zwrot całej sumy z własnej kasy, gdyby po trzech miesiącach nie została oddana przez królewskiego dłużnika. Domyślać się wolno, że tak się stało.

Odbudowa warszawskiego zespołu osadniczego rozpoczęła się po zakończeniu działań wojennych. Około 1670 roku kończy się faza odbudowy podstawowej, a rozpoczyna rozbudowa Warszawy, przerwana wypadkami wojennymi z pierwszej połowy XVIII wieku. W Starej i Nowej Warszawie zagęściła się zabudowa działek miejskich. W miejscu drewnianych powstawały domy murowane. W Starym Mieście mieszczanie wznoszą murowane piętrowe oficyny i nadbudowują piętra w kamienicach frontowych. Przez wprowadzenie nowych podziałów wewnętrznych udaje się im uzyskać dodatkowe środkowe pomieszczenia mieszkalne, oświetlone z góry oszklonymi nadbudówkami, które zwano altanami. Do 1669 roku liczba komorników wynajmujących mieszkania i pojedyncze izby w kamienicach warszawskich ciągle wzrastała. Podnajemcami byli drobni rzemieślnicy i kupcy, wędrowni handlarze, najemnicy, a także urzędnicy i serwitorzy królewscy. Około 1670 roku magistrat sięgnął do ostatniej rezerwy gruntów budowlanych, między murami obronnymi. Wydzierżawiając je zezwalał tylko na stawianie budynków drewnianych i nie przekraczających wysokością murów; w razie oblężenia budynki te miały ulec wyburzeniu.

ZABUDOWA MIEJSKA

120. Widok Starej Warszawy od strony Bramy Nowomiejskiej, 1662 r.

114

W mieście wybuchały częste pożary. W 1657 roku na Nowym Mieście spłonął kościół Franciszkanów. W 1660 roku ogień zniszczył domy na ulicach: Senatorskiej, Dziekańskiej (Trębackiej) i Krakowskim Przedmieściu. W 1669 roku, w czasie elekcji Michała Korybuta Wiśniowieckiego, służba pańska, biwakująca na Rynku Starej Warszawy, zaprószyła ogień, od którego spłonęło około 100 domów. Magistrat zwolnił wówczas na lat 16 pogorzelców oraz tych, którzy zdecydowali się stawiać domy murowane w miejsce drewnianych, od wszystkich podatków i od „gościa z urzędu", to jest przymusowej kwatery, głównie w czasie sejmów. Jako miasto rezydencjonalne JKMości Warszawa otoczona była także opieką władz państwowych. Dla przyspieszenia jej odbudowy w 1657 roku król Jan Kazimierz zezwolił mieszczanom na korzystanie z cegieł pochodzących z rozbiórki. W 1659 roku obradujący wówczas w Warszawie sejm powołał komisję do zorganizowania naprawy murów obronnych, przeprowadzenia pomiarów miasta i regulacji ulic, „tak aby budynki, które nowe stawić będą, publiczne, bezpieczne i ozdobne były". Dla uporządkowania wjazdu do miasta inna komisja, powołana przez króla Jana III, nakazała rozwalenie straganów i drewnianych budynków, stojących przed Bramą Krakowską i wokoło kolumny Zygmunta. Na skutek oporu mieszczan sprawa ciągnęła się przez kilka lat. W 1684 roku z inicjatywy królewskiej przebudowano Bramę Krakowską. Na ulicy Miodowej z fundacji króla Jana stanął kościół i klasztor kapucynów. Wszystko to świadczy o trosce tego króla, aby najbliższej Zamku Królewskiego części miasta nadać okazały wygląd.

W 1685 roku powstała nowa Komisja sejmowa, zwana Brukową. Jej zadaniem było stworzenie podstaw rozbudowy Warszawy. „Wielka w tym publiczna niewygoda – głosiła uchwała sejmowa – że w mieście Warszawie, sejmom i zjazdom publicznym z dawna zwykłej, przeprawy, drogi aż nazbyt popsowane, kanały i rynsztoki pozarzucane, przeto chcąc mieć w tym powinny porządek, powagą sejmu teraźniejszego zalecamy ten obowiązek marszałkom Obojga Narodów [oraz] staroście naszemu warszawskiemu, aby [...] zniósłszy się z magistratem miasta [...] o sposobie i rządzie dobrym , jakoby te drogi publiczne naprawione, kanały i rynsztoki wychędożone, błota i gnoje wywożone i na potym, aby na publiczne drogi żadne śmiecie i gnoje z domów, dworów i ogrodów nie wyrzucane być mogły [...]". Tak więc kanalizacja terenów, brukowanie i utrzymanie w należytej czystości ulic miały być głównymi zadaniami Komisji. Jej działalność napotkała trudności, których źródło tkwiło w braku jednolitej administracji całego zabudowującego się terenu. W latach 1695–1701 architekt Tylman z Gameren przeprowadził na zlecenie Komisji pomiary, właściciele nieruchomości mieli zostać opodatkowani na pokrycie kosztów brukowania ulic proporcjonalnie do szerokości ich posesji. W rezultacie opór szlachty i magnatów udaremnił przeprowadzenie tych prac. Jeszcze raz, chociaż daremnie, spróbował ożywić Komisję reskrypt króla Augusta II, wydany w 1710 roku. Utrzymywanie bruków, troska o kanalizację i dopływ wody w obrębie obu miast warszawskich należały do ich magistratów. Uchwały sejmów elekcyjnych w latach 1668, 1674 i 1697 nakazywały mieszczanom brukowanie własnym kosztem tych ulic, które prowadziły w kierunku pola elekcyjnego pod wsią Wielka Wola; uchwały te uwalniały od powyższego obowiązku dwory szlacheckie.

Tymczasem poza granicami Starego i Nowego Miasta powstawała nowa rozległa Warszawa. U schyłku XVII i na początku XVIII wieku zachodziły tam doniosłe przemiany. Obejmowały one obszar od Wilanowa na południu do Bielan na północy. Już w drugiej połowie XVII wieku wystąpiła przewaga przedmieść i jurydyk w stosunku do Starej i Nowej Warszawy. O charakterze i znaczeniu tych przeobrażeń przestrzennych zadecydowała odmienność struktury społecznej własności i osadnictwa na nowych obszarach. Role należące dawniej do mieszczan niemal w całości przechodzą teraz we władanie kościołów i klasztorów, w ręce szlachty i magnatów. Nowi posiadacze parcelują teraz większe kompleksy gruntów na drobne działki. Osadnictwo rozwija się zgodnie z kierunkiem ról, miedze między rolami przekształcają się w szerokie drogi, które z czasem staną się ulicami. Większe posiadłości rozbudowują się swobodniej w folwarki i skupiska domostw wokół dworów ich właścicieli. Taki charakter miało na przykład zagospodarowanie terenów położonych na wschodnim zapleczu Nowego Światu i na Powiślu, gdzie w drugiej połowie XVII wieku powstały większe osady. Niektóre z nich wyodrębniają się w jednostki administracyjno-prawne. Są to jurydyki Nowoświecka i Tamka. Z innych tworzą się mieszczańskie i szlacheckie siedliska o charakterze ogrodowo-rolniczym. Wspomnieć tu należy posiadłość Tytusa Liwiusza Boratiniego, nadaną mu przez króla w 1660 roku, z terenem poniżej skarpy wiślanej i dworem nad skarpą, do której prowadziła droga od Nowego Światu (późniejsza ulica Foksal). Następna w kierunku południowym posiadłość przy Nowym Świecie od lat sześćdziesiątych była własnością sekretarza JKMości Stanisława Skarszewskiego. Należały do niej rozległe tereny Powiśla dochodzące do granic jurydyki Tamka i kilka wąskich ról przebiegających w kierunku zachodnim. Dwór Skarszewskiego stał w miejscu zajmowanym obecnie przez Dom Partii. Na końcu Nowego Światu, u zbiegu z wąwozem ulicy Książęcej, stał dwór Macieja Rębowskiego, a jego grunty na Powiślu podchodziły pod skarpę i graniczyły z Solcem. Na włókach przebiegających prostopadle do skarpy wiślanej uprawiano rolnictwo. Zabudowa trzymała się okolic Nowego Światu, z rzadka między rolami rozrzucone były folwarki. Większe skupisko tworzyły zabudowania folwarku szpitala sióstr marcinkanek pod wezwaniem Świętego Ducha, mieszczące się w trójkącie między późniejszymi ulicami: Złotą, Zgoda i Marszałkowską. Drugi folwark marcinkanek znajdował się obok folwarku kapituły warszawskiej, wzdłuż Nowego Światu, między ulicami Warecką i Chmielną. Wzdłuż nie istniejącego już odcinka ulicy Widok, w miejscu późniejszego Dworca Kolei Żelaznej, mieściły się zabudowania folwarku paulinów. Najbardziej w Warszawie zasobny w role i grunty był zakon misjonarzy. Do nich należał największy w tych czasach folwark podwarszawski obejmujący około 85 mórg gruntu między późniejszymi ulicami Wspólną i Nowogrodzką; obecnie na tym obszarze znajduje się kościół św. Barbary i szpital Akademii Medycznej (dawniej Dzieciątka Jezus).

122. Skrzynia gospody czeladników krawieck[...] w Warszawie, 1682 r.

W północnych rejonach podwarszawskich osadnictwo rozwijało się głównie w pobliżu traktu Zakroczymskiego i nad skarpą. Większym skupiskiem domostw była tu między innymi posiadłość prymasa Mikołaja Prażmowskiego, niesłusznie zwana jurydyką, do której należała część pól „na Stawkach". Za Nalewkami i rolami klasztoru św. Jerzego widać było drobną zabudowę na gruntach dominikanów i paulinów oraz szlacheckich rodzin Parysów, Samborskich, Wołczyńskich. W tej okolicy wyróżniały się tylko dwa większe skupiska budynków. Na pustym wygonie należącym do Nowego Miasta architekt królewski Józef Bellotti wzniósł w 1685 roku pałacyk. Dla upamiętnienia rodzinnej miejscowości we Włoszech nadał całej posiadłości z zabudowaniami i ogrodami nazwę Murano. Na przełomie XVII i XVIII wieku posiadłość muranowska przeszła na własność architektów Solariego i Fontany. Od jej nazwy powstała później nazwa całej dzielnicy miasta. Niedaleko Muranowa dominikanie obserwanci otrzymali plac pod budowę klasztoru. Dopiero jednak w 1720 roku nie dokończoną budowlę zakupił biskup Krzysztof Szembek i ufundował tam szpital dla sierot pod wezwaniem św. Benona. Tu na północy miasta granice ról, dawniej miejskich, a teraz należących do bogatej szlachty, klasztorów i szpitali, dochodziły do rzeczki Drna, której wody poruszały warszawskie zakłady przemysłowe: młyny, tartaki, folusze i browary. Tu rozciągały się zabudowania folwarku szpitala Świętego Ducha, tu również w klinie u ujścia Drny do Wisły stał dwór wsi Pólków, należącej od 1641 roku do kamedułów z Bielan.

Pańskie siedliska o wyodrębnionym charakterze znajdowały się przy wszystkich drogach i ulicach ówczesnego centrum Warszawy. Odrębnym życiem żył każdy pałac i znaczniejszy dwór pański, skupiając wokół siebie znaczną liczbę sług i rzemieślników, nie podlegających prawu miejskiemu. W końcu XVII wieku wyodrębniła się nawet na krótko „fałszywa" jurydyka zwana Wierzbowską albo Radziwiłłowską. Założył ją biskup Stefan Wierzbowski w miejscu odpowiadającym dziś położeniu Hotelu Europejskiego i najbliższej części placu Zwycięstwa; składała się z pałacu, dworu i 8 domków. Żywot tej „jurydyki" był krótki – w 1726 roku wcielono ją w założenie saskie. Ślad jej istnienia pozostał na długo w nazwie przyległej ulicy Wierzbowskiej albo Radziwiłłowskiej. Tak bowiem w XVII–XVIII wieku nazywano późniejszą ulicę Ossolińskich (Czystą).

Do pierwszych lat XVIII wieku na terenach podwarszawskich założono 6 nowych jurydyk – magnackich i duchownych. Już w 1658 roku na prawym brzegu Wisły powstała jurydyka zwana Golędzinowem. W 1659 roku w okolicach Nowego Światu zasiadła jurydyka szpitala Świętego Ducha (dawniej książęcego), zwana popularnie Nowoświecką. Dochody z czynszów od osadników wchodziły w uposażenie szpitala przy ul. Piwnej, prowadzonego

123. Szkatuła srebrna z kałamarzem, ufundowana [...] sali posiedzeń Rady m. Stara Warszawa, 1710 r.

24–126. Typy mieszkańców Warszawy na przełomie
XVII i XVIII w. Szlachcic i mieszczanin, Rybak, Pacho-
ek miejski

przez siostry miłosierne zwane popularnie marcinkankami. Jurydykę zwano również Kapitulną, gdyż administracyjnie połączono ją z dwiema starszymi jurydykami kapituły św. Jana: Zadzikowską i Dziekańską. Między magistratem Starej Warszawy a władzami kapituły toczył się przez lat kilkadziesiąt ostry spór o prawa do sądownictwa w tej osadzie. W 1700 roku władze kościelne zastosowały przeciw miastu środek, ich zdaniem ostateczny: obłożyły energicznego prezydenta miasta klątwą, którą ogłoszono z ambon wszystkich warszawskich kościołów. Dzięki interwencji króla i podkanclerzego wielkiego koronnego sprawę ostatecznie przesądzono na korzyść miasta. Obszar jurydyki Nowoświeckiej obejmował kilkanaście posesji po wschodniej stronie Nowego Światu, na południe od ulicy Ordynackiej, teren między ulicami Ordynacką, Tamką i Szczyglą, obie strony ulicy Wróblej (dziś Kopernika), kilka posesji na południe od ulicy Wareckiej, a także wąską rolę wzdłuż Wareckiej i Siennej z jednej, a Złotej z drugiej strony i przedłużenia linii tych ulic do granic wsi Wielka Wola.

W 1659 roku powstała na Powiślu jurydyka zwana Tamką. Założyła ją królowa Maria Ludwika dla sprowadzonych z Francji panien miłosiernych, którym wzniosła istniejący do dziś kościół i klasztor św. Kazimierza. Zakonnice otrzymały również z prywatnego nadania grunt ciągnący się od Nowego Światu w kierunku zachodnim, wzdłuż linii, którą wyznaczały ulice Warecka i Sienna od południa, a Śliska od północy. W 1670 roku Aleksander Zasławski utworzył jurydykę zwaną Aleksandria. W chwili założenia należały do niej działki przy ulicach: Aleksandria, Leszczyńskiej, Topiel, Drewnianej i Zajęczej oraz północna strona ulicy Tamka. Jurydykę dziedziczyli później kolejno Lubomirscy i Sanguszkowie. Czwarta jurydyka, która powstała w okolicach Nowego Światu, nosiła nazwę Boży Dar. Założył ją w roku 1702 kasztelan sądecki Józef Szwarcenberg-Czerny, a więc podobnie jak Aleksandria była to jurydyka magnacka. Ciągnęła się po obu stronach Nowego Światu od miejsca skrzyżowania z Alejami Jerozolimskimi, które powstały w początku XIX wieku na roli należącej do tej właśnie jurydyki. Jurydyka obejmowała również obie strony ulic Smolnej i Solec.

W 1693 roku kanclerzyna Wielopolska otrzymała przywilej królewski na założenie jurydyki w zachodniej części terenów podwarszawskich. „Wielopole" powstało na części gruntów folwarku starostwa warszawskiego, nie objętych jeszcze parcelacją. Pozwoliło to na swobodne rozplanowanie miasteczka, zgodnie z obowiązującymi normami wymiaru działek i ulic, z niewielkimi odchyleniami, które spowodowały istniejące tam bagna i mokradła. Pierwotny projekt miasteczka, opracowany w latach 1696–1699 przez architekta Tylmana z Gameren, został prawdopodobnie przez kanclerzynę odrzucony. W rezultacie wytyczono sieć ulic prostopadłych do siebie, wymierzono przy nich działki o wymiarze 20 x 100 łokci, wyznaczono miejsce na plac targowy. Wielopole sąsiadowało z miasteczkiem Grzybów, przylegało do szlaku komunikacyjnego na Tarczyn i Rawę, którego odcinek w rejonie Wielopola stanowiły dwie jego ulice, później zwane Żabią i Graniczną. Dotykało także drogi, która prowadziła do wsi Wielka Wola i na tradycyjne miejsce pola elekcyjnego (później ulica Elektoralna). Jurydyka Wielopole była drugim po Lesznie przykładem świadomie projektowanego na obszarach podwarszawskich założenia urbanistycznego. Charakter założeń przestrzennych o mniejszym zasięgu mają natomiast dwie rezydencje magnackie powstałe w tych czasach: pałace Jana Andrzeja Morsztyna przy Krakowskim Przedmieściu i Jana Dobrogosta Krasińskiego w pobliżu ulicy Długiej. Poważnym rezerwatem gruntów nadających się do parcelacji były wówczas role folwarku starostwa warszawskiego, w połowie XVII wieku dochodzące jeszcze niemal do Krakowskiego Przedmieścia. Oddzielone były od niego jedynie posesjami należącymi do misjonarzy przy kościele Świętego Krzyża i posesjami nadanymi duchowieństwu, dworzanom i mieszczanom jeszcze w czasach książąt mazowieckich. Grunty folwarczne leżały w węźle ważnych szlaków komunikacyjnych. Od północy dochodziły do linii ulic Elektoralnej i Chłodnej, od południa do przyszłych ulic Świętokrzyskiej i Prostej; od zachodu graniczyły z jurydyką Wielopolskich i Grzybowem. Przecinało je kilka ważnych dróg, jak droga od Krakowskiego Przedmieścia i zabudowań folwarcznych do węzła komunikacyjnego w miasteczku Grzybów i droga biegnąca do Krakowskiego Przedmieścia od Arsenału i kościoła Świętej Trójcy.

Zabudowania folwarku starościńskiego usytuowane były na południowo-wschodnim krańcu gruntów, w pobliżu Krakowskiego Przedmieścia, w klinie dwóch dróg, które już w pierwszej połowie XVIII wieku stały się ulicami Mazowiecką i Królewską (są to obecnie okolice placu Małachowskiego i kościoła Ewangelickiego).

Grunty folwarczne już w pierwszej połowie XVII wieku zwróciły uwagę dygnitarzy państwowych i urzędników, którzy chcieli budować się w Warszawie. Również interes skarbu królewskiego wymagał, aby z gruntów tych można było osiągnąć dochód wyższy od tego, jaki przynosiła dotąd mało intensywna gospodarka rolna; większą intratę dawały niewątpliwie czynsze dzierżawne. Do 1669 roku stał tu już jeden klasztor należący do bonifratrów i około 17 dworów wielkopańskich. Cztery z nich, murowane, współcześni określali jako pałace. Były to rezydencje: Leszczyńskich, biskupa Stefana Wydżgi (później Wiśniowieckich), dwór Bokumowski (tzn. Bokumów, później Lubomirskich) i Jana Andrzeja Morsztyna.

Do końca XVII wieku obronny wał Zygmuntowski zrównano pod budowę posiadłości usytuowanych przy drodze zawalnej. Z 1661 roku pochodzi przywilej królewski,

27. Jan Andrzej Morsztyn, podskarbi wielki koronny 1668–1684). Mal. Hyacinthe Rigaud, ryt. Gerard Edelinck

zezwalający podskarbiemu wielkiemu koronnemu Janowi Andrzejowi Morsztynowi na rozrzucenie części tego wału i zasypanie fosy pod budowę pałacu. Ten właśnie pałac Morsztynowski, usytuowany frontalnie do linii Krakowskiego Przedmieścia, stał się zalążkiem rezydencji królewskiej, której koncepcję podjął August II około 1712 roku. Rezydencję zaprojektowano z dużym rozmachem na obszarze 17 hektarów między Krakowskim Przedmieściem a Wielopolem. Budowla morsztynowska została zachowana jako ośrodek przyszłego pałacu królewskiego i oś rozległego założenia przestrzennego. Całość założenia składała się z dziedzińca od strony Krakowskiego Przedmieścia, pałacu i ogrodu od strony zachodniej. Teren rozplanowano według wzorów francuskich w kształcie pięcioboku, z ogrodem o układzie wachlarzowym wzdłuż osi o kierunku wschód–zachód. Założenie było ujęte przebiegającymi dokoła drogami i włączone w ogólny układ komunikacyjny. Od wschodu rezydencję ograniczał szlak Krakowskiego Przedmieścia, północny bok wachlarza był uzależniony od kierunku drogi zawalnej. Jego odpowiednikiem od południa miała być droga prowadząca do folwarku starościńskiego do Grzybowa, odpowiednio uregulowana. Przyszła ulica Królewska została jednak przeprowadzona w stosunku do osi pod mniejszym kątem niż bok północny. Wynikło to z trudności wykupu istniejącego w tej stronie klasztoru Bonifratrów, który został usunięty dopiero w 1726 roku, kiedy podstawowy projekt założenia był już w fazie końcowej.

Najwcześniejsza faza realizacji rezydencji saskiej polegała na adaptacji pałacu Morsztynowskiego dla królewskiego użytkownika i na ogólnym rozplanowaniu założenia. Do 1720 roku August II wykupił większość dworów magnackich. W posiadłościach marszałka Kazimierza Bielińskiego (Morsztynowskiej), Tarłów i Lubomirskich urządził już centralną część ogrodu rozwiniętą wzdłuż osi założenia. Wiadomo, że w 1724 roku dawny pałac Morsztynowski był już zamieszkany, a w 1727 roku udostępniono ogród wytwornej publiczności. Po 1730 roku całość założenia została znacznie rozwinięta w kierunku

zachodnim aż do miejsca zetknięcia się jego osi z drogą wolską. Wzdłuż przedłużonej osi w latach 1731–1732 wzniesiono dwa szeregi budynków koszarowych dla Królewskiej Gwardii Konnej. Założenie zwane odtąd saskim stało się dzięki wyzyskaniu walorów położenia pałacu Morsztyna-Bielińskiego i istniejącej w sąsiedztwie sieci dróg pierwszą, a zarazem najwybitniejszą w Polsce kompozycją urbanistyczną XVIII wieku, która zadecydowała o ukształtowaniu tej części śródmieścia Warszawy.

Rozmach założenia saskiego wskazał na zachodnie tereny podwarszawskie jako na jeden z kierunków rozwoju. Możliwości zabudowy mieściły się tam w granicach miasteczek Grzybów i Wielopole (aż do późniejszej ulicy Ciepłej). Osadnictwo na roli misjonarzy od Świętego Krzyża i na gruntach miasteczka Leszno nie przekroczyło jeszcze drogi, która stać się miała ulicą Żelazną.

Inne kierunki rozwoju zabudowy prowadziły na południe i północ wzdłuż Wisły i jej terenów nadbrzeżnych. Rozrastał się Solec, starodawna wieś miasta Stara Warszawa. W związku z przesuwaniem się koryta Wisły przybywało tu nowych terenów. Na przełomie XVIII i XIX wieku Solec zaczyna się przekształcać w dzielnicę wypoczynkową bogatego mieszczaństwa i magnatów. Z mieszczan stawiają tu obszerne dwory otoczone ogrodami: Riaucourowie, Dulfusowie, Loupiowie; z dygnitarzy: Czartoryscy, Czapscy, Lubomirscy, Poniatowscy. W sąsiedztwie, także na miejskich gruntach, od 1693 roku zaczynają budować się trynitarze. Na prawym brzegu Wisły naprzeciw Solca, na tak zwanej Kępie (późniejsza Saska Kępa), przeważają jeszcze folwarki mieszczan i duży folwark należący do miasta Stara Warszawa. Już w końcu XVII wieku wojewoda malborski Ernest Denhoff i królewicz Jakub Sobieski wydzierżawiają tu od miasta większe posiadłości i wznoszą letnie pawilony rozrywkowe.

Powróciwszy na lewy brzeg Wisły, za Solcem widzimy posiadłość jazdowską z dawnym zamkiem królewskim. Po wojnach szwedzkich Ujazdów – bo ta forma nazwy miejscowej już przeważyła – stał się najpierw dzierżawą, a następnie, w 1683 roku, własnością marszałka wielkiego koronnego Stanisława Herakliusza Lubomirskiego. W powiązaniu z rozległymi dobrami ujazdowsko-czerniakowskimi Lubomirski zorganizował tu wielko-pańską posiadłość podmiejską o dużych walorach architektoniczno-przestrzennych.

W tym ustroniu, jak sam tę posiadłość nazwał, marszałek lubił wypoczywać po trudach działalności politycznej, filozoficznej i literackiej.

Skupienie rezydencji magnackich w aglomeracji miejskiej i w najbliższych okolicach Warszawy wynika z przewagi politycznej oligarchii umocnionej po wojnach szwedzkich. Kosztem zubożałej drobnej szlachty i chłopów własność ziemska w okolicach Warszawy pozostała w rękach możnowładztwa, które zabiegało o wygodne i zaopatrywane z własnego gospodarstwa siedziby na czas sejmów i pobytów na dworze królewskim.

Z drugiej strony wzrastające potrzeby żywnościowe stolicy pobudzały magnackich właścicieli do intensyfikacji gospodarki i rentownego handlu produktami rolnymi. Powstają więc pod Warszawą kompleksy dóbr rodowych Opackich, Grzybowskich, Prażmowskich, Leszczyńskich, Lubomirskich, Krasińskich, Bielińskich i jeszcze wielu innych. Dostojnicy budują w tych dobrach rezydencje wiejskie w odległości nie większej niż jeden dzień drogi konnej od miasta. Taką rezydencją był na przykład Wilanów dla króla Jana Sobieskiego, Marymont dla jego żony Marysieńki, Obory dla jego szwagra Jana Wielopolskiego, Otwock dla Bielińskich.

WŁADZE AGLOMERACJI WARSZAWSKIEJ

„Miasto rezydencjonalne JKMości" było w istocie luźnym zespołem miast i miasteczek, jurydyk i osiedli, kościołów i klasztorów, pałaców i dworów, folwarków, ornych pól i sadów. Funkcjonowały w nim najwyższe urzędy państwowe i dworskie oraz sądy najwyższej instancji. Krzyżowały się interesy dawnych gospodarzy miasta i prawowitych właścicieli gruntów, mieszczan Starej i Nowej Warszawy, z interesami szlachty i magnatów. „Miasto" to nie miało jednolitej administracji. W pewnych okolicznościach opiekę nad nim sprawowali: król, sejm i marszałkowie wielcy – koronny i litewski, sądy asesorskie oraz starosta warszawski. Opieka królewska wyrażała się najczęściej w ratyfikacji przez każdego nowego elekta dawnych przywilejów miejskich, których moc nie wykraczała poza granice Starego i Nowego Miasta oraz ich najbliższych tylko przedmieść. Często powtarzające się uchwały sejmowe i przywileje królewskie potwierdzały prawa obu miast do sądownictwa na wszystkich terenach miejskich pochodzących z pierwotnego nadania. Czasem usiłowały znosić już istniejące jurydyki, ale równocześnie powoływały do życia nowe, powiększając w ten sposób powikłania administracyjne. Marszałek wielki, powołany z tytułu swego urzędu do czuwania nad bezpieczeństwem króla w miejscu jego pobytu, sprawował opiekę nad miastem i jego okolicą. Szczególnie poważnym jego zadaniem było zachowanie porządku i bezpieczeństwa w czasie zjazdów sejmowych i elekcji królów; należał do niego również nadzór nad zakwaterowaniem przybyszów. Dla mieszczan obowiązek kwaterowania senatorów, posłów sejmowych i delegacji zagranicznych był szczególnie ciężki. Często łączył się bowiem z dewastacją ich domostw i wzniecaniem pożarów.

Groźba bezpośredniego zagrożenia miasta w razie wojny stała się realna w czasie obydwu najazdów szwedzkich. Obawy wywoływały najazdy tatarskie i wojny tureckie. Powstało wówczas pojęcie dystryktu warszawskiego jako jednostki obronnej, w której skład wchodziły obydwa miasta i pozostałe osiedla warszawskiego zespołu miejskiego. Gubernatorami lub komendantami dystryktu, jak ich wówczas też nazywano, bywali najczęściej starostowie i podkomorzowie warszawscy, czasami zaś starosta powierzał te funkcje samemu miastu Stara Warszawa, a więc jego magistratowi, znacznym osobistościom lub też znaczniejszym mieszczanom, takim jak na przykład Tytus Liwiusz Boratini lub kupiec Daniel Hennik.

LUDNOŚĆ

Zniszczenia wojenne z połowy XVII i początku XVIII wieku pogłębiły upadek gospodarczy Polski. Obie wojny doprowadziły do znacznego zmniejszenia ludności w całym kraju. Z większych miast Poznań, Kraków i Warszawa utraciły co najmniej połowę ludności, a centralnie położone miasta Mazowsza zapewne jeszcze więcej. Wiele mniejszych miasteczek nie podźwignęło się po wojnie, wiele z nich spadło do rzędu osad i wsi. Wojny zniszczyły także chłopów, którzy stracili na długo kontakt z rzemiosłem i handlem miejskim. Przez zubożenie chłopów zmniejszyły się bowiem możliwości zbytu na wsi dla rzemieślników i kupców. Trudności odbudowy rzemiosła i handlu zwiększała jeszcze szlachta przez swą politykę wobec miast, szlachcic bowiem w tych czasach głównie sam eksportował do Gdańska swe produkty rolne i sam sprowadzał z zagranicy większość potrzebnych mu towarów, omijając pośrednictwo kupców polskich.

W jaki sposób przemiany te odbiły się w Warszawie? Rytm życia stolicy w ogólnych zarysach zgadza się ze zjawiskami gospodarczymi i politycznymi tych czasów. Jednakże możliwości odbudowy życia i dalszego rozwoju zależały w dużym stopniu od warunków, w jakich miasto się znajdowało. O rozwoju Warszawy rozstrzygała jej stołeczność, obecność króla, dworu i urzędów centralnych, częstsze niż dawniej kadencje sejmów i różne zjazdy polityczne. Po każdej wojnie mieszczaństwo warszawskie, jakkolwiek z trudem i przez długie lata, odbudowywało jednak fortuny i zniszczone warsztaty pracy. Dwukrotnie również po każdej wojnie następowała odnowa ludności Warszawy i zmiana jej składu społecznego. Wzrost zaludnienia Warszawy spowodowany był napływem magnatów i szlachty, dworzan, urzędników i funkcjonariuszy dworskich oraz urzędników i dostojników państwowych. Równocześnie nie ustaje napływ do Starej i Nowej Warszawy oraz pobliskich miasteczek ludności miejskiej i wiejskiej z różnych dzielnic Polski i z zagranicy; narasta warstwa plebejska bez własnych warsztatów, wyrobników i najemników oraz wszelkiego rodzaju hultajstwa, tak zwanych ludzi luźnych.

Przybliżony (dyskusyjny) szacunek zaludnienia Starej Warszawy wraz z przedmieściami w 1655 roku na blisko 18 000 mieszkańców, a w 1659 roku tylko na prawie 6000 świadczyłyby o ogromnym ubytku, na który złożyły się zapewne: odpływ z miasta kilkakrotnie obleganego i przechodzącego z rąk do rąk, zmniejszenie liczby zawieranych małżeństw i narodzin oraz zwiększenie śmiertelności na skutek chorób epidemicznych. Epidemie dżumy, cholery i czerwonki były nieodłącznymi towarzyszkami wojen, nieurodzajów i głodu; największe z tych klęsk przypadły w Warszawie na lata 1656–1658, 1677–1679 i 1708–1712. Mniejsze trapiły jej ludność także w latach 1660–1663 i 1674–1675.

Nowa fala wojny na początku XVIII wieku przyniosła następne zniszczenia i ubytek ludności, zwłaszcza miejskiej. Kraków i Poznań spadły wtedy do rzędu miast kilkutysięcznych; również ludność Warszawy zmniejszyła się wówczas, zapewne w czasie działań wojennych, do 5–6 tysięcy. Mimo braku ogólnej stabilizacji politycznej i mimo zarazy, która kilkoma nawrotami ciągnęła się od 1708 do 1712 roku, zaludnienie Warszawy mogło podnieść się do 10 000–12 000 około 1720 roku.

W czasie obu wojen patrycjat warszawski politykuje, kłania się obu stronom wojującym z myślą o częściowym choćby uratowaniu swych majątków. Duże zasługi w pertraktacjach położył magistrat Starej Warszawy, a zwłaszcza jego prezydenci, bo taki tytuł przyjmują jej burmistrze. Prezydent Starej Warszawy z czasów Potopu, Aleksander Giza, za taką właśnie zręczność otrzymał od mieszczan przydomek „Rząd Warszawy”. Podobnie postępowali prezydenci z pierwszych lat XVIII wieku: drukarz, wydawca i księgarz Jan Andrzej Minich i kupiec Aleksander Czamer, którzy pełnili tę funkcję kolejno w 1701 i 1702 roku. Szczególnie jednak zasłużył się na tym stanowisku Jakub Sztyc, rodem z Międzyrzecza wielkopolskiego. Dobrze znany warszawianom z czterokrotnej kadencji w latach 1697–1700, został wybrany dwukrotnie w ciężkich dla Warszawy latach 1703 i 1704. Jego następca z lat 1705 i 1706, Adam Bucholtz, pozyskał wdzięczność warszawian, pełniąc w 1708 roku obowiązki „burmistrza powietrznego”. Zasługi tych prezydentów polegały głównie na zapewnieniu mieszczanom bezpieczeństwa osobistego i ratowaniu ich „substancji”, to jest stanu posiadania.

Przywiązanie do miasta wydaje się większe wśród warstw mniej zamożnych niż wśród patrycjatu, w dużym stopniu pochodzenia obcego, podczas gdy wśród drobnych rzemieślników i plebejuszy przeważał element rdzennie polski. Najczęściej pochodzili oni z Mazowsza i Małopolski, chociaż znaczny był również dopływ z Wielkopolski, Prus Królewskich, rozległych województw Wielkiego Księstwa Litewskiego. Wielu warszawian pochodziło z szarpanych w XVII wieku nieustannymi wojnami terenów wschodnich: ruskiego, wołyńskiego, czernihowskiego, podolskiego. Wielu przybyło z dużych miast: Krakowa, Lwowa, Lublina, Poznania, Wilna i Gdańska. Chętnie przesiedlali się do Warszawy mieszkańcy Warmii, szczególnie Olsztyna, Fromborka, Braniewa, Dobrego Miasta, Barczewa i Jezioran. Większość jednak wywodziła się z miasteczek mazowieckich. W kolejności liczby zapisów są to: Zakroczym, Latowicz, Łaskarzew, Stanisławów, Okuniew, Liw, Warka, Pułtusk, Ciechanów, Cegłów, Kamieńczyk n. Bugiem, Żelechów, Błonie, Łowicz i podlaski Węgrów; potem idą miasta województwa ruskiego: Przemyśl, Jarosław, Gródek i Zamość, a także Lubawa z województwa chełmińskiego.

Obcokrajowcy stanowią mniej niż 20% wszystkich przyjmujących obywatelstwo Starej Warszawy w latach 1679–1720. Najwięcej z nich, bo 65, pochodziło z ówczesnego imperium habsburskiego, przede wszystkim z krajów sąsiadujących z Polską: Węgier, Czech, Słowacji, Moraw i Śląska (połowa Ślązaków nosiła nazwiska polskie). Z cesarstwa pochodziło 47 warszawian (z Prus Książęcych 12, z Pomorza Zachodniego 3). Z wczesnego okresu panowania Augusta II zanotowano jedynie 6 przybyszów z Saksonii. Rodem z Francji były 32 osoby, z Włoch 29, ze Szwecji 4, z hiszpańskich Niderlandów 3, ze Szwajcarii 3, ponadto było 7 Turków, 3 Persów, 2 Greków, po jednym Angliku i Norwegu. Podane liczby odnoszą się tylko do Starej Warszawy i obejmują tylko tych jej mieszkańców, którzy byli zainteresowani w uzyskaniu formalnego obywatelstwa.

Cudzoziemcy przybywali licznie na dwór królewski, zwłaszcza w orszakach młodych królowych, i do pałaców dygnitarzy jako rzemieślnicy i słudzy, pokojowcy, dworzanie, sekretarze, lekarze, architekci i muzycy. Wchodząc w koligacje ze starymi warszawskimi rodzinami, polszczyli się najczęściej już w następnym pokoleniu, a włoskie, francuskie czy niemieckie nazwiska nie świadczą bynajmniej o ich obcości.

W drugiej połowie XVII wieku wyróżniały się dwie grupy narodowościowo-wyznaniowe: Szkotów i Ormian. Liczni wówczas w Polsce emigranci szkoccy byli przeważnie protestantami. Znaczną ich część stanowili wędrowni kramarze. Na zasadzie przywileju wydanego przez Stefana Batorego, a potwierdzonego przez następnych monarchów, w Warszawie jako rezydencji królewskiej mogło przebywać stale 8 Szkotów na usługach dworu. Wśród serwitorów spotykamy wówczas kupców: Daniela Forbesa, Tomasza Haka, Abrahama Innesa, Albrechta Gordona, Aleksandra Rossa i złotnika Piotra Petersena. Ci, którzy czuli się związani z Warszawą, przyjmowali wiarę katolicką, co było w tych czasach niezbędnym warunkiem otrzymania obywatelstwa, dorabiali się, piastowali stanowiska w samorządzie miejskim. Wśród obywateli spotykamy: ślusarzy Jana i Piotra Hansonów, kupców Jana

129. Klasztor, kaplica i konwikt teatynów przy ul. Długiej. Widok z 1701 r.

Opicza i Aleksandra Wooda, kupca i szmuklerza Piotra Robertsona, rajcę Chrystiana Rossa, starszego ławnika Marcina Martensona, Karola Gordona, jednego z kilku przedstawicieli tego nazwiska, i Czamerów: Aleksandra i Wilhelma, kilkakrotnych prezydentów Starej Warszawy. Szkoccy protestanci skupiali się na Lesznie. Tam spotykamy głównie jako kupców i ślusarzy rodziny Innesów, z których Piotr zostaje burmistrzem Leszna, Hespachów, między innymi wójta leszczyńskiego Andrzeja, Tamsonów, Komsonów, Watsonów, Jonstonów, Dawisonów i wielu innych.

Ormianie jako katolicy szybko włączali się w społeczeństwo warszawskie; głównie dzięki małżeństwom dorabiali się majątku i brali żywy udział w pracach samorządu. W drugiej połowie XVII wieku do wybitniejszych w Starej Warszawie należały kuśnierskie rodziny Foltynowiczów, Surmikowiczów i Ziębowiczów; byli też krawcy: Jan Praclewicz, Jakub Ptaszkowicz i Stanisław Chwierałowicz. Schyłek XVII wieku w związku z nasileniem wojen tureckich jest okresem wzmożonego napływu Ormian z kresów wschodnich. Zwłaszcza po 1672 roku napływają bardzo licznie ze Lwowa, Jarosławia, Jazłowca, Kamieńca i innych miast Podola, Wołoszczyzny, a nawet z głębi krajów tureckich. Często przybywają sprowadzani przez krewnych, którzy już wcześniej osiedli w Warszawie. Wszyscy ci Augustynowicze, Chodykiewicze, Jaśkiewicze, Jędrzejowicze, Muradowicze, Zachariaszewicze i dziesiątki innych dochodzą w Warszawie do znacznej zamożności. Handlują wschodnimi towarami, a zwłaszcza tkaninami i dywanami oraz orientalną bronią; słyną jako złotnicy, szewcy wyrabiający wytworne obuwie ze szlachetnych skór, kuśnierze i krawcy. Najznaczniejsza staje się kupiecka rodzina Minasowiczów z Jazłowca. W drugiej połowie XVII wieku jest ich już w Warszawie kilkunastu. Pierwszym był kupiec Jakub Minasowicz (zm. 1683), z żoną Marianną (zm. 1671), którzy zostali pochowani w kościele Dominikanów. Ich płyty grobowe, przechowywane do dziś w podziemiach kościoła, mają jeszcze napisy w języku ormiańskim. Dwaj z licznych ich synów: Florian Krzysztof i Jakub, w 1692 roku otrzymują już stanowiska sekretarzy królewskich. Jakub został doktorem filozofii i medycyny; działał w samorządzie, a w 1720 roku był rajcą i skarbnikiem Starej Warszawy.

HANDEL I RZEMIOSŁO

Odbudowę handlu po zniszczeniach obu wojen utrudniała antymieszczańska polityka szlachty. Uchwały sejmowe dawały przywileje szczególnie kupcom obcym, którzy mogli do Polski przywozić swoje towary bez cła. Trudności powiększało jeszcze przerwanie handlu ze Wschodem, a także przejęcie eksportu zboża przez szlachtę, która sama sprowadzała z zagranicy potrzebne jej towary, korzystając jedynie z pośrednictwa Gdańska i Torunia. W tych też dwóch miastach gromadziła się większość kapitałów handlowych. Trzecim miastem, w którym handel rodzimy korzystał z wyjątkowych warunków, była Warszawa. Miejsce dawnych rodów kupieckich zajęli teraz ludzie nowi, przybysze z Europy Zachodniej, Włoch, Francji, Szkocji, z krajów węgierskich i czeskich, z Gdańska, Prus i Warmii czy z miast śląskich. W końcu XVII wieku powstały fundamenty finansowej świetności rodów Czamerów, Loupiów, Riaucourów, Withoffów. Ich fortuny rosły w rywalizacji z kupcami obcymi i dawnymi serwitorami. Większość z nich, mimo posiadanego obywatelstwa Warszawy, ubiegała się również o przyjęcie na listę serwitorów, co im umożliwiało bezpośrednie kontakty handlowe z zagranicą. Na przełomie XVII i XVIII wieku do znaczniejszych kupców w Warszawie należeli: Piotr Sergeant, Walończyk z miasta Mons (należącego wówczas do Niderlandów hiszpańskich, obecnie w Belgii), i jego syn Franciszek, który przyjął obywatelstwo Starej Warszawy w 1680 roku. Utrzymywali oni kontakty handlowe przez Toruń i Gdańsk, Lubekę i Paryż z wieloma miastami handlowymi Europy Zachodniej, a także z Królewcem, Mitawą i Kłajpedą. Sprowadzali towary luksusowe, między innymi modne materiały i ubiory francuskie, peruki, strusie pióra, zegarki, ale równocześnie towary żelazne i śledzie. „Substancja" majątkowa Piotra Sergeanta według spisu inwentarza sporządzonego po jego zgonie w 1699 roku wynosiła: w towarach tynfów 352 221 i groszy 19, w fantach (tj. w zastawach) i ruchomościach 4695 i groszy 26, w długach 77 452 i groszy 10.

W 1657 roku warszawska Konfraternia Kupiecka po zrabowaniu przez Szwedów skrzynki brackiej otrzymała potwierdzenie dawnych swoich praw w przywileju wydanym przez króla Jana Kazimierza. W 1659 roku na liście członków tej konfraterni widnieją nazwiska 56 kupców i 7 wdów po kupcach. W 1673 roku na podobnej liście, zestawionej w celu ściągnięcia podatku pogłównego, znajdujemy 64 kupców (a więc liczbę niemal tę samą), zgrupowanych według zamożności w trzech ordynkach. Liczba członków konfraterni warszawskiej była zatem może ograniczona niezależnie od zmieniających się warunków i potrzeb życia miejskiego. Kupcy Starej Warszawy zapłacili większość okupu nałożonego przez Szwedów na miasto w 1656 roku. Wysokość indywidualnych wpłat, zależna od wartości nieruchomości, wahała się najczęściej w granicach 1000–1500 złotych polskich kupiec Amoreti z kamienicy swojej w Rynku zapłacił aż 3000 złotych polskich. W latach wojny na początku XVIII wieku ciężar nakładanych na stolicę kontrybucji spadł również głównie na kupców. Zgodnie z postanowieniem Augusta II w 1704 roku kontrybucję nałożono na najbogatszych kupców, a niektórzy z nich, jak rodzina Loupiów, „folgują ludziom ubogim sami więcej nad taksę postąpili".

Kupiec warszawski włoskiego pochodzenia, Wilhelm Orsetti udzielił w 1659 roku Rzeczypospolitej przeszło pół miliona złotych polskich pożyczki, za co miał otrzymać w zastaw starostwo knyszyńskie. W czasie bezkrólewia 1668 roku kupiec Jan Cinaki dysponował sumą 3 milionów liwrów przeznaczonych na agitację za kandydaturą Karola Lotaryńskiego. Tak więc Orsetti i Cinaki rozporządzali nie tylko kapitałem handlowym, ale pełnili także funkcje bankierów. Nadwyżki finansowe lokowali w nieruchomościach. Franciszek Withoff, syn Gerharda, prezydenta Starej Warszawy w 1691 roku, właściciel wielu kamienic i gruntów w Warszawie, przez współczesnych nazywany był bogaczem. To on w 1702 roku wzniósł przy ulicy Długiej imponujący pałac, który następnie przeszedł w ręce innego bogacza – gdańszczanina z pochodzenia – Jakuba Szulcendorfa (obecnie po wielu przebudowach jest w tym miejscu siedziba Archiwum Głównego Akt Dawnych). Ludwik, Jan i Wawrzyniec Melinowie, przybysze z Francji, kolejno przyjęli prawo miejskie Starej Warszawy w latach 1690, 1697 i 1715. Do nich należała czas jakiś posesja z dworem-pałacem przy Krakowskim Przedmieściu w pobliżu kościoła Świętego Krzyża. Inny kupiec, Frakelli, dzierżawił na początku XVIII wieku pałac Wiśniowieckich przy Krakowskim Przedmieściu, zburzony wkrótce pod założenie saskie, a kupiec Mikołaj Francoze otrzymał od królewicza Jakuba Sobieskiego Marywil w zastaw na nie spłaconą przez lat kilkanaście pożyczkę 30 000 bitych talarów.

W Warszawie toczyła się szczególnie ostra walka między kupiectwem zrzeszonym w Konfraterni Kupieckiej a przedstawicielami wolnego handlu. W 1662 roku król Jan Kazimierz pisał do ówczesnego starosty warszawskiego: „Skarżą się tameczni kupcy, iż obcy prawa miejskiego nie mający, a mianowicie z gdańskimi pieniędzmi, handle prowadzą i zarobkom tamecznym mieszczanom przez to siła uwłóczą; chcemy, abyś W.P. takowe handle wywołać kazał, bo nawet i serwitoraty nasze nikomu pod nieobecność naszą służyć i pożyteczne być nie mogą. Dość, że w osobach swych obronę od W.P. mieć powinne, ale handle ich i towary ich miejskiemu i pospolitemu niech podlegają ciężarowi".

Walka z kupcami obcymi i serwitorami przyjmuje niekiedy pośrednią formę wystąpień o charakterze religijnym przeciw dysydentom i żydom. Tej walce towarzyszy proces przesunięcia ośrodka handlowego ze Starej Warszawy na teren posiadłości magnackich. W 1695 roku ukończona została budowa imponującego zespołu gmachów wzniesionych z inicjatywy królowej Marii Sobieskiej, zwanego Marywilem. Oprócz apartamentów dla rodziny królewskiej znalazło się tam kilkadziesiąt lokali, składających się z mieszkania, sklepu i magazynu, wynajmowanych kupcom cudzoziemskim. W ten sposób powstał rodzaj bazaru, który konkurował ze sklepami i kramami kupców warszawskich na Starym Mieście. Dla podtrzymania handlu Starej Warszawy magistrat zlecił około 1700 roku wzniesienie wokół ratusza czworoboku murowanych sklepów, które wynajmowano jedynie kupcom będącym obywatelami Starej Warszawy.

Rzemieślnicy warszawscy z trudem wytrzymywali konkurencję wyrobów sprowadzanych z zagranicy, nie zrzeszonych partaczy (zwanych również przeszkodnikami), którzy uprawiali rzemiosło na terenie jurydyk i przedmieść, oraz serwitorów królewskich. Przykładem może być proces i wyrok, który Rada Miejska Starej Warszawy wydała w 1657 roku w sprawie wytoczonej przez rzeźników Starej Warszawy rzeźnikom Nowej Warszawy, rzeźnikom dworskim i „wagabundom". Przypomniano wówczas, iż rzeźnicy nowomiejscy mają wyznaczone miejsce targowe za Bramą Nowomiejską obok kościoła Dominikanów, że 8 rzeźników dworskich może sprzedawać mięso na Rynku Staromiejskim jedynie w czwartki, ,,wagabundom" zaś w ogóle nie wolno handlować w mieście pod karą 12 grzywien i więzienia w Wieży Marszałkowskiej. Charakterystyczne są również dwie sprawy prowadzone przed sądem radzieckim w latach 1657 i 1659. W pierwszej cech szewców oskarżył kupca Wojciecha Komaskiego i rybaka Walentego Gawłowicza o sprzedawanie obuwia zagranicznego. Skazano ich na karę 20 grzywien. W drugiej cech garncarzy oskarżył niejakiego Marcina Świebockiego o sprzedaż garnków zagranicznych, podkreślając, iż pozwany nie należy do cechu i nie zna się na sztuce garncarskiej. W uzasadnieniu skazującego wyroku Rada przypomniała: ,,Nie stoi obywatelom towary jakiekolwiek, a zwłaszcza naczynia sprowadzane i pochodzenia zagranicznego, jako tylko w czasie dni targowych i jarmarków sprzedawać". Mimo nieustannych sprzeciwów kupców rzemieślnicy korzystali wówczas z uprawnień do sprzedawania towarów krajowych, jeśli byli wpisani do Bractwa Kupieckiego.

W 1676 roku mieszczanie uzyskali potwierdzenie ważnego przywileju królewskiego, który miał zabezpieczać interesy warszawskiego handlu i rzemiosła. Ponawiał on i przypominał kupcom obcym zakaz detalicznej sprzedaży towarów poza jarmarkami i obradami sejmowymi. Zabraniał im również nabywania w Warszawie zboża i skór na eksport, gdyż to by zagrażało miastu brakiem artykułów pierwszej potrzeby. Z tychże względów cudzoziemcom nie wolno było doprowadzać do brzegów wiślanych szkut czy dubasów. Mimo dekretów królewskich, nakazujących usuwanie cudzoziemców z miasta, pozostawali oni w Warszawie, osłaniając się przywilejami serwitoratów; wielu dysydentów posiadało nawet nieruchomości. Równocześnie rozwijał się drobny handel kramarski, uliczny i domokrążny.

KULTURA

Zwycięstwo reakcji katolickiej odbiło się dotkliwie na poziomie oświaty i kultury Rzeczypospolitej. Kontrreformacja szerzyła nietolerancję i fanatyzm religijny. Zakony zmonopolizowały szkolnictwo w całym kraju. Także i w Warszawie szkolnictwo średnie przeszło we władanie pijarów i jezuitów. Nauczanie podstawowe odbywało się nadal w szkołach kolegialnych i parafialnych przy kościołach św. Jana, Panny Marii, Świętego Krzyża i św. Stanisława na Skaryszewie. Prowadziły je również niektóre zakony, na przykład augustianów i paulinów. Opiekę nad szkołą przy kościele św. Jana objęło miasto już w 1618 roku. Kandydatów na jej nauczycieli dostarczała Akademia Krakowska. Jednakże między proboszczem a władzami Starej Warszawy trwał spór o zwierzchnictwo. Ślad tego zatargu zachował się w protokołach posiedzeń magistratu z lat 1670–1671. Oto senior szkoły farnej Stanisław Niewieski prosił magistrat o obronę przez decyzją władzy kościelnej, która chciała go usunąć z zajmowanego stanowiska. Był on zapewne protegowanym ojców miasta, którym dedykował przygotowany przez siebie do druku kalendarz, za co magistrat w 1670 roku wyliczył mu 100 tynfów nagrody. Tuż po wojnie szwedzkiej pijarzy założyli w Warszawie szkołę elementarną, do której przyjmowali także dzieci innowierców. Wkrótce po nich początkowym nauczaniem zainteresowali się jezuici. W 1671 roku magistrat uznał za konieczne delegować rajców Daniela Hennika i Gerharda Withoffa do pijarów i jezuitów z prośbą, aby nie przyjmowali na naukę małych dzieci, ,,które jeszcze liter nie znają", ale odsyłali je do fary. W 1658 roku pijarzy, a w 1668 roku jezuici otworzyli w Warszawie kolegia, czyli zakłady naukowe odpowiadające dzisiejszym szkołom średnim. Nauczanie trwało w nich 7 do 9 lat. Poziom nauczania w obu szkołach był niemal jednakowy, jednakże pijarzy szybciej reagowali na nowiny płynące z Zachodu i stosowali je na warszawskim gruncie. W 1716 roku teatyni otworzyli w Warszawie nowe kolegium w klasztorze przy ulicy Długiej. Było ono przeznaczone dla młodzieży ze środowisk wielkopańskich, a liczba uczniów nie przekraczała kilkunastu.

Okres międzywojenny to również lata odbudowy życia kulturalnego na dworze królewskim i w środowisku magnackim. Teatr warszawski nie grał w tym okresie takiej roli jak za panowania pierwszych Wazów. Przedstawienia odbywały się w odbudowanej prowizorycznie Sali Teatralnej na Zamku Królewskim. Pewien cudzoziemski podróżnik z czasów Sobieskiego pisał, że Sala Teatralna na Zamku jest wielka, z galeriami, pozbawiona ozdób. Lustracja Zamku przeprowadzona w 1696 roku stwierdza jednak, że sala miała wszystkie potrzebne urządzenia: ławy, ,,chóry i perspektywy, niebiosy i kolumny". Przedstawienia dostępne były dygnitarzom, dworzanom i szlachcie. Znaczniejszych godnością mieszczan dopuszczano na miejsca ,,odgrodzone".

Wyjątkowym wydarzeniem kulturalnym w środowisku dworskim ówczesnej Warszawy było przedstawienie ,,Cyda" Corneille'a, w świetnym tłumaczeniu Jana Andrzeja Morsztyna. Spektakl odbył się na Zamku Królewskim w 1662 roku w czasie sesji sejmowej. Znakomity tłumacz wzbogacił scenariusz aluzjami politycznymi; w prologu przedstawienia pojawiła się Wisła, która wygłosiła do króla poetycką apostrofę z aluzją do pokoju oliwskiego: ,,Oddaję me pokłony za bieg oswobodzony i za zdjęte okowy u Torunia, Grudziądza, Malborka i Głowy". Podobnie ekskluzywny charakter miały przedstawienia szkolne u pijarów i jezuitów. Przybierały one formę religijnych i filozoficznych dysput, a celowali w nich szczególnie pijarzy. Zachował się opis jednego z takich ,,dialogów", który odbył się u jezuitów w 1695 roku:

,,O.o. jezuici po obiedzie odprawowali na sali swojej dialog, na którym byli królewiczowie ichm. Aleksander i Konstanty, był i imp. wojewoda wileński, imp. podskarbi i innych ichmościów niemało, ale też nie był podobnym dialogowi o.o. Piarum Scholarum wyprawionemu, bo i aktora z miejsca dobrego nie mieli; a potem na theatrum siéła się ludzi naszło, że rozeznać nie było, kto z nich aktorem. I tak in confusione [w zamieszaniu] wszystkie actus, a potem nie dokończone odprawione".

Za czasów Augusta II już od roku 1699 bywały w Warszawie włoskie i francuskie trupy komediowe, operowe i baletowe. Przedstawienia odbywały się w dalszym ciągu na Zamku w starej Sali Teatralnej lub w Sali Senatorskiej, czasami w Wilanowie. Nawet w czasie wojny w 1702 roku podskarbi wielki koronny, Hieronim Lubomirski, urządzał jakieś koncerty i przedstawienia dla uczczenia pobytu króla szwedzkiego. Po wojnie wznowiono je na dworze dopiero w 1710 roku. Król August II, rozmiłowany w sztuce teatralnej i operowej, miał początkowo duże trudności z organizacją spektakli. Zaczątkiem stałego teatru królewskiego był teatr plenerowy, urządzony jako amfiteatr w latach 1713–1715 na terenie przyszłego założenia saskiego, którego projekty dopiero opracowywano. Do 1728 roku, kiedy stanął w Ogrodzie Saskim pierwszy budynek teatru, przez lat 12 król, wynajmował lokal w kamienicy Kromlofowskiej, należącej do Franciszka Leśniewskiego. Warszawskie środowisko muzyczne kształtuje się nie tylko pod wpływem dworu królewskiego i magnatów, ale także dzięki mieszczanom. Królowie i magnaci utrzymywali kapele. Mieszczanie organizowali się w bractwach religijno-muzycznych przy kościołach. Zachowane ustawy niektórych bractw wymieniają kilkakrotnie „uzualistów" i „serbaków", to jest muzyków, którzy uprawiali muzykę zawodowo – „non arte sed usu". (Nazwa „serbaki" wywodzi się od „skrzypiec serbskich", rodzaju gęśli, których nie używano w kapelach artystycznych). Gdy szlachecka i pańska młodzież pobierała naukę muzyki i tańca w kolegiach u prywatnych nauczycieli, chłopcy z rodzin mieszczańskich kształcili się na muzyków zawodowych w tak zwanej bursie, prowadzonej przez warszawskich jezuitów. Z takich burs i bractw muzycznych wywodzili się zapewne organiści i śpiewacy warszawskich kościołów, na przykład Franciszek Zientalewicz, muzyk kościoła św. Jana (wdowie po nim magistrat wyznaczył rentę wdowią w wysokości 30 złp. rocznie). Stanisław Fabrowski, który był w końcu XVII wieku równocześnie organistą u fary i u jezuitów, w 1690 roku ożenił się z wdową po skrzypku z kapeli królewskiej, Andrzeju Studzieńskim. Z zapisków archiwalnych tuż po Potopie wyłaniają się nazwiska: Jana Baranowicza, trębacza Urzędu Miejskiego, muzyków Szczepana Świdzińskiego, Stanisława Wieluńskiego czy skrzypka Stefana Srockiego i cymbalisty Jędrzeja. Czasami migną sylwetki Aleksandra Daszkiewicza, byłego organisty królewicza Karola Ferdynanda, lub Macieja Bleta, trębacza kardynała Radziejowskiego. Często występuje w aktach Walenty Kwiatkiewicz vel Kwiatkowski, śpiewak z kościoła św. Jana, o którym wiadomo, że pochodził z Wierzbna pod Warszawą. Kroniki wspominają również niejakiego Szymakowskiego, organistę i śpiewaka (zm. 1722), i Zachariasza Witernickiego (zm. 1723), grającego na różnych instrumentach. Cała rodzina Witernickiego uprawiała muzykę, córki grały na klawikordzie i szpinecie, a synowie na lutni i skrzypcach.

Najwybitniejszą postacią warszawskiego środowiska muzycznego był Jacek Różycki, kompozytor i kapelmistrz na dworach czterech królów: Jana Kazimierza, Michała Wiśniowieckiego, Jana III i Augusta II; stanowisko dyrygenta kapeli królewskiej objął w 1657 roku po Bartłomieju Pękielu. Wśród członków kapeli królewskiej spotykamy nie tylko cudzoziemców, ale również Polaków, a nawet być może warszawian. Cudzoziemcy to między innymi Tomasz Asmus, flecista występujący w latach 1664–1686. Jest on z pochodzenia Duńczykiem, protestantem i obywatelem miasteczka Leszno, gdzie dochodzi do godności wójta. Muzyk królewski Jan Biszof (zm. ok.1659), spokrewniony blisko z rodziną warszawskiego kupca Juliusza Gintera, ma kamienicę na Krakowskim Przedmieściu. W drugiej połowie XVII wieku właścicielami kamienic w Starej Warszawie są następujący członkowie kapeli królewskiej: kornecista Jerzy Szymonowic, muzyk Jan Baltazar Karczewski, Szymon Strodownicki (prawdopodobnie syn Zygmunta) – lirnik bandurzysta, Szymon Jarzębski, syn sławnego Adama, niewątpliwie więc nie tylko mieszkańcy, ale i obywatele Warszawy. Często również w zapisach archiwalnych można spotkać nazwiska tak znakomitych cudzoziemców, członków kapeli królewskiej, jak trębacze: Jan Bagert, Hieronim Caesarini, Andrzej Dingelstad, Marcin Duchard, oraz muzycy: Antoni Farinaci, Franciszek Grossi, Adam Hebel, Fabian Redzius, Jan Kazimierz Lauri (również budowniczy królewski), Bartłomiej Sasini, kompozytor Jan Kremer i organista Andrzej Lochman, który w latach 1657–1660 naprawiał pozytywy w Zamku Królewskim. Członkowie kapeli królewskiej o rdzennie polskich nazwiskach to: Jakub Górski (1657), Mikołaj Gaśnicki, skrzypek (1659), Marcin Chojnacki (1665–1676), Benedykt Paszkowski (1666–1671), Grzegorz Graniczny (Granecki – 1666–1675), Mikołaj Kwiatkowski (do 1692), Wawrzyniec Kotuliński (1683–1694), Piotr Kosmowski (1680–1711). Z chwilą wstąpienia na tron polski Augusta II Sasa kapela królewska zostaje przeniesiona do Drezna. Jednym z jej dwóch kapelmistrzów był do około 1707 roku Jacek Różycki, a jednym z dwóch organistów Piotr Kosmowski. W tak zwanej Polskiej Kapeli, która od 1707 roku towarzyszy Augustowi II w podróżach do Polski, nie ma już ani jednego Polaka.

Patronowanie poczynaniom naukowym uchodziło zawsze za obowiązek monarchów i podnosiło blask i splendor ich władzy. Zainteresowania humanistyczne Jana Sobieskiego, jego zamiłowanie do sztuk i architektury, a także do nauk przyrodniczych i ścisłych

NAUKA

sprawiły, że pozostawał on w ścisłym kontakcie z astronomem gdańskim Heweliuszem. Z florenckimi Medyceuszami prowadził korespondencję, w której pośrednikiem był jego sekretarz Tomasz Talenti, spokrewniony ze znanym kupcem warszawskim Piotrem Talentim. Na jego dworze znaleźli dobre warunki pracy dwaj jezuici, wybitni matematycy tych czasów: Stanisław Solski i Adam Kochański. Solski, który jeszcze w 1661 roku demonstrował w Warszawie przed królem Janem Kazimierzem „maszynę biegu nieustannego” – *perpetuum mobile,* niedoścignione marzenie wszystkich czasów, stał się w późniejszych latach, już jako sekretarz króla Jana, autorem „Geometry polskiego” i „Architekta polskiego”, dzieł, które były pierwszymi w Polsce podręcznikami geometrii praktycznej, geodezji, mechaniki i hydrauliki. Adam Kochański, matematyk, mechanik i statyk, przez wiele lat wykładał matematykę w Kolonii, Moguncji i Pradze, został wreszcie sekretarzem królewskim i bibliotekarzem w Wilanowie. Jego praca o statyce kończy książkę Kaspra Schotta „Cursus mathematicus”, wydaną w 1661 roku. Był on również autorem IX księgi dzieła tegoż uczonego „Technica curiosa”, gdzie znajdujemy pierwszy w historii nauk praktycznych wykład o zegarmistrzostwie. Kochański utrzymywał żywe stosunki naukowe z filozofem niemieckim Leibnizem. Jak wynika z analizy jego prac, był bliski wynalazku rachunku różniczkowego i całkowego, którego dokonali niemal równocześnie Leibniz i Newton.

Stanisław Solski i Adam Kochański reprezentują postępowy nurt nauki polskiej w drugiej połowie XVII wieku, natomiast wielotomowe prace drukowane Wojciecha Tylkowskiego, stanowiące wykład nauki Arystotelesa, są przykładem jezuickiej kazuistyki. Jego „Uczone rozmowy wszystką prawie w sobie zawierające filozofię” (Warszawa 1692) to rodzaj encyklopedii katechizmu zawierającej ówczesną wiedzę począwszy od logiki, a skończywszy na metafizyce. W podobny sposób opracował łacińską książkę, nie bez pretensji do uczoności, warszawianin Stanisław Kleinpolt-Małopolski, uszlachcony syn znanego z pierwszej połowy XVII wieku na warszawskim terenie budowniczego Erharda Kleinpolta. Dziełko to, wydane w Warszawie w drukarni pijarskiej w 1707 roku, nosiło tytuł „Leges mensae małopolscianae”.

Spóźnioną renesansową postacią, *l'uomo universale* w środowisku warszawskim, był Tytus Liwiusz Boratini (zm. ok. 1683), fizyk-wynalazca, architekt, geograf, egiptolog i dyplomata. Zostawszy dzierżawcą mennicy królewskiej, prowadził ją czas jakiś w zamku Ujazdowskim, bijąc nie znane przedtem w Polsce szelągi miedziane. Równocześnie urządził w zamku obserwatorium astronomiczne, w którym w 1665 roku odkrył plamy na planecie Wenus. Założył tam także warsztaty mechaniki precyzyjnej, budował mikroskopy i teleskopy. Pełen różnorodnej pomysłowości, zaopatrywał ogrody swoich warszawskich przyjaciół w wiatraki do czerpania wody, a w 1666 roku zbudował most na Wiśle. W 1675 wydał drukiem rozprawę „Misura universale”, w której przedstawił projekt jednolitej dla całego świata „miary powszechnej”, nazwanej przez niego „metrem”. W ten sposób wyprzedził o całe stulecie twórców francuskiego systemu metrycznego. W czasie najazdu szwedzkiego Boratini pożyczył skarbowi państwa około 60 000 złotych polskich i otrzymał za to indygenat.

Z warszawskim środowiskiem dworskim i mieszczańskim był związany doktor Marcin Bernhardi-Bernitz. Z pochodzenia Łużyczanin, chirurg z zawodu, był dworzaninem, a później sekretarzem i bibliotekarzem Władysława IV, Jana Kazimierza i Michała Korybuta. Jego pióra katalog roślin rosnących w okolicach Warszawy i hodowanych w warszawskich ogrodach królewskich miał wydania w 1652, 1658 i 1756 roku. Zbiory przyrodnicze po zgonie uczonego zakupił Dominik Radziwiłł.

Niewielu zapewne mieszczan warszawskich udawało się wówczas na studia uniwersyteckie w Krakowie czy za granicą. Bliskie kontakty z Zamkiem Królewskim i dworami wielkich panów zacierały różnice między mieszczanami i szlachtą w obyczajach, ubiorach i przyzwyczajeniach kulturalnych. Z mieszczaństwa warszawskiego rekrutowali się nie tylko służący, pokojowi i dworzanie, ale nawet urzędnicy zatrudnieni w aparacie państwowym. Zwłaszcza prawnikom udawało się przebyć dystans od urzędów miejskich do kancelarii czy Skarbu Koronnego, znaleźć pracę w sądownictwie państwowym czy kościelnym. Przykładem może służyć awans społeczny Stefana Kazimierza Hankiewicza. Przybysz nieznanego pochodzenia, ożeniony z córką burmistrza Łukasza Drewny, odziedziczył po nim wszystkie warszawskie majętności, zrobił błyskawiczną karierę w magistraturach miejskich i niemal równocześnie został pisarzem królowej. W 1653 roku był już sekretarzem króla i dzięki poparciu kanclerza Stefana Korycińskiego otrzymał stanowisko pisarza sądów nadwornych i metrykanta ziem ruskich. Niebawem objął jedną z najważniejszych funkcji urzędniczych w aparacie państwowym – metrykanta Kancelarii Wielkiej Koronnej. W 1655 roku otrzymał od króla Jana Kazimierza indygenat szwedzki, a w 1673 roku został nobilitowany przez sejm. Równocześnie otrzymywał liczne nadania dochodów z wójtostw i młynów, między innymi wójtostwo kijowskie. W 1683 roku nabył wieś Łubiec w województwie sandomierskim. Wolno domyślać się, że miał wyższe wykształcenie prawnicze. Wiemy, że pisał pamiętniki, wiadomo też, że w początkach swojej kariery miejskiej porządkował akta Starej Warszawy z dużą znajomością zawodu archiwisty. W 1664 roku został delegowany przez króla do dwuosobowej komisji, która przejęła akta Metryki Koronnej, zwrócone przez Szwedów na mocy pokoju oliwskiego. Na pewno należał do elity intelektualnej i towarzyskiej nie tylko środowiska mieszczańskiego, lecz również dworskiego. Pani Hankiewiczowa, córka cukiernika warszawskiego Mikołaja Perota, była jedną z dam tego środowiska. W 1703 roku w jej dworze przy ulicy Miodowej podczaszy koronny Towiański urządził bal karnawałowy „z maszkarami", na którym, co było charakterystyczne dla tej wojny, bawili się dyplomaci pospołu z przedstawicielami stron wojujących.

Franciszek Kazimierz Pruszowski nie został co prawda wysokim urzędnikiem państwowym, lecz kontentował się stanowiskiem notariusza urzędu radzieckiego Starej Warszawy, na którym przetrwał lat kilkadziesiąt. W okresie najazdu szwedzkiego prowadził w księdze protokołów magistratu zapiski z bieżących wydarzeń w Warszawie. Pisane jędrną, lapidarną polszczyzną tamtych czasów, świadczą o szerokiej orientacji politycznej Pruszowskiego w ówczesnej sytuacji politycznej i wojennej.

Do mieszczańskiego środowiska kulturalnego należała i przodowała w nim rodzina Baryczków, zwłaszcza bracia Wojciech, Stanisław, Bartłomiej i Jan, zmarły w 1682 roku wójt Starej Warszawy, a równocześnie sekretarz i owiesny, czyli zarządca stajni królewskiej; był on podobnie jak jego stryj Stanisław dobrodziejem konwentu dominikanów warszawskich, którym wybudował i wyposażył księgami bibliotekę. Wielu zapewne mieszczan posiadało podręczne biblioteki związane z zawodem. Karol Zabrzeski, burmistrz Starej Warszawy w 1669 roku i notariusz konsystorza warszawskiego, zgromadził znaczną bibliotekę, którą w testamencie przekazał karmelitom warszawskim. Z jego księgozbioru zachowało się około 180 tomów, przechowywanych obecnie w Bibliotece Uniwersyteckiej. *Sum Caroli Zabrzeski* (Należę do Karola Zabrzeskiego) – mówi jego ekslibris, a w innym czytamy prośbę: *Oretur pro eo* (Módlcie się za niego).

Z mieszczańskich literatów ówczesnych wyszedł nobilitowany w 1685 roku Wojciech Stanisław Chrościński, autor panegirycznego poematu „Trąba wiekopomnej sławy Jana III", wydanego w 1684 roku w warszawskiej drukarni Karola Ferdynanda Schreibera. Należał do nich także dominikanin Jan Alan Bardziński, z czasem przeor warszawskiego klasztoru, zasłużony tłumacz pisarzy starożytnych, między innymi Lucjana, Lukana i Seneki. Warszawianin Mikołaj Chwalkowski wydał w Warszawie w 1696 roku encyklopedyczną książkę pod tytułem „Singularia quaedam polonica", w której znajdujemy legendę o warszawskim bazyliszku oraz dumne stwierdzenie, że Warszawa leży w środkowym punkcie kręgu wszystkich stolic europejskich. Żartobliwe dziełko Daniela Bratkowskiego, „Świat po części przejrzany" (wydane w Krakowie w 1697), zawiera charakterystyczny epigramat o Warszawie-matce. W drugiej połowie XVII wieku pojawiło się po raz pierwszy nowoczesne wyobrażenie Syreny jako pół kobiety i pół ryby z mieczem i tarczą. W takiej postaci zamieścił herb Warszawy Sebastian Stawicki w drukowanym w 1662 roku z okazji objęcia przez paulinów częstochowskich kościoła Świętego Ducha kazaniu pod długim barokowym tytułem: „Łódka kościoła Chrystusowego po burzliwym świata pływająca morzu...". Podobnie Jan Antoni Gordon w 1679 roku wydał panegiryk na cześć Syreny, zawierający jej podobiznę, dedykowany ówczesnemu burmistrzowi Dawidowi Zappio oraz rajcom i ławnikom Starej Warszawy.

Były również w siedemnastowiecznej Warszawie dwie uczone białogłowy, córki Corbiniusa, doktora obojga praw. Jedna z nich, Teodora, małżonka Juliusza Gintera, zamożnego kupca, rajcy i prezydenta Starej Warszawy, dożyła późnej starości i ciesząc się ogólnym szacunkiem często była nazywana *doctissima*. Siostra jej, Zofia Anna (Sophianna Corbinianna), żona Marcina Bernhardiego-Bernitza, znana była w środowisku dworskim jako poetka łacińska pisząca ody do wysoko postawionych osobistości; między innymi do królowych: Marii Ludwiki i Marii Kazimiery, u których była dworką.

DRUKARNIE I KSIĘGARNIE

Wraz z oświatą i wychowaniem przechodzą w ręce zakonów drukarnie. W Warszawie część podzielonej między spadkobierców drukarni Piotra Elerta wykupują w 1682 roku pijarzy, część prowadzi jeszcze czas jakiś Karol Ferdynand Schreiber, typograf przybyły ze śląskiego miasta Freywald. W 1693 roku Schreiber musi sprzedać swoją oficynę pijarom, którzy odtąd działają już bez konkurencji; wykorzystują oni uzyskany od spadkobierców elertowskich przywilej królewski, gwarantujący im monopol na terenie Warszawy. W ciągu następnych lat pijarzy zarzucają Warszawę kazaniami, żywotami świętych, książkami do nabożeństwa i wszelkiego rodzaju drukami dewocyjnymi i panegirycznymi. Z ich oficyny wychodzą również wydawnictwa urzędowe, głównie konstytucje sejmowe. W 1699 roku jezuici zakładają przy swym kolegium najpierw małą oficynę, ale po sprowadzeniu z Gdańska w 1717 roku dużej maszyny drukarskiej zaczynają coraz poważniej zagrażać pijarom. Ostra walka między obu zakonami rozgorzeje jednak dopiero w latach trzydziestych XVIII wieku.

W okresie od 1655 do 1720 roku spotykamy w Warszawie nazwiska przeszło dwudziestu księgarzy, brak jednak potwierdzenia, jak długo prowadzili tu swoją działalność. Sklepy księgarskie prowadzili prawdopodobnie w miejscach najbardziej uczęszczanych – w Rynku lub przy ulicy Świętojańskiej. Przy tej właśnie ulicy, tuż obok fary, Antoni Paweł Repelowicz z żoną Anną wykupili w 1698 roku budę, w której sprzedawali książki. O Repelowiczu wiemy, że pochodził z Kazimierza pod Krakowem, a w 1696 roku przyjął prawo miejskie Starej Warszawy. Do 1679 roku spotykamy również księgarzy: Jana Eustachiusa, Wojciecha Ganowicza, Baltazara Malinowskiego, Marcina Noiszowskiego, Marcina Ogonowskiego, Stanisława Sienkiewicza, Mikołaja Sterskiego, Walentego Szep-

kowskiego, Adama i Wojciecha Szydłowskich. W 1660 roku przywilej księgarza królewskiego otrzymuje Eliasz Schroeder, a w 1688 roku znany już drukarz Karol Schreiber. W latach 1679–1694 przyjmują prawo miejskie księgarze: Stanisław Królikowski z Częstochowy, Mateusz Suchecki z Jasła, który jest także księgarzem królewskim, Jan Kieler, Krzysztof Domański i Wawrzyniec Kosidarski. Dużą rolę w Warszawie gra rodzina Minichów, z której Michał w 1672 roku otrzymuje serwitorat i przywilej na prowadzenie księgarni, a księgarz i wydawca Jan Andrzej Minich jest w 1683 roku burmistrzem Starej Warszawy.

Nowiny polityczne z kraju i ze świata docierały do Warszawy jako informacje z dworu królewskiego przez prywatną korespondencję i za pomocą tak zwanych gazet pisanych. Możni panowie utrzymywali stałych płatnych korespondentów, którzy dostarczali regularnie możliwie aktualnych wiadomości i plotek. Jedną z takich gazet pisanych redagował od 1646 roku na potrzeby dworu królewskiego Hieronim Pinocci, sekretarz królewski, historyk i dyplomata. W 1661 roku z inicjatywy królowej Marii Ludwiki zaczął wydawać czasopismo drukowane „Merkuriusz Polski". „Merkuriusz" wychodził przy współpracy Jana Aleksandra Gorczyna, który pełnił funkcje „redaktora technicznego i administracyjnego" tego czasopisma. Pierwsze numery – od 1 do 27 – wyszły w Krakowie od 3 stycznia do 5 maja. Następnie redakcję i druk przeniesiono do Warszawy, gdzie ukazały się już tylko numery od 28 do 41, datowane od 14 maja do 22 lipca. To pierwsze czasopismo drukowane w Polsce XVII wieku było więc zjawiskiem przelotnym. Powołane do życia jako organ dworu królewskiego miało propagować profrancuskie i reformistyczne poglądy oraz zjednywać zwolenników dla programu elekcji *vivente rege*.

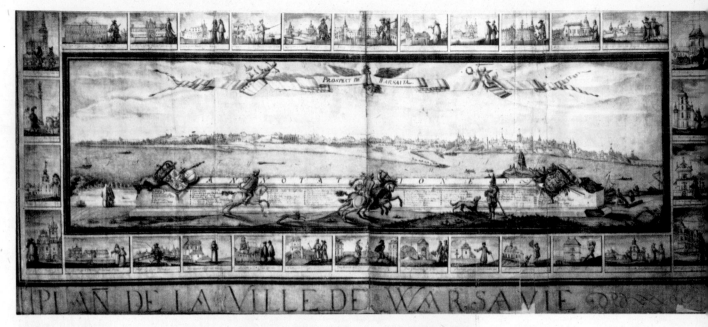

131. Widok Warszawy od strony Wisły, ok. 1701 r.
132. Widok Warszawy od strony Wisły, 1701 r.

ARCHITEKTURA W LATACH 1670–1720

Druga połowa XVII wieku była w dziejach architektury warszawskiej okresem rozstrzygającym. Z przesunięciem Starego Miasta na margines ruchu budowlanego zmienił się zasadniczo charakter zabudowy przedmieść. Równocześnie umacniały się tam podstawy całego przyszłego rozwoju monumentalnej architektury stolicy. Nie tylko budynki się zagęszczały i mur stale wypierał drewno, lecz i skromne domy mieszczan usuwały się coraz częściej w cień wzrastających siedzib szlacheckich, wśród których pałace wiejskiego typu zaczynają majoryzować dwory, jeśli nie liczbą, to wagą przestrzenno-urbanistyczną. Liczba tych pałaców wzrasta w końcu XVII wieku do przeszło 30 (większość z nich po późniejszych przekształceniach należeć będzie do najwybitniejszych zabytków Warszawy). Stawały wśród obszernych założeń dziedzińcowo-parkowych, które hamowały procesy miastotwórcze i decydowały do XIX wieku o specyficznej „rozluźnionej" urbanistyce śródmieścia. Podobnie jak jurydyki, była to aglomeracja w istocie szlachecka, a nie mieszczańska, odzwierciedlająca swoistą społeczno-państwową strukturę Rzeczypospolitej i działająca hamująco na komunalne budownictwo miejskie. Inicjatywę w tym ostatnim zakresie przejmował sporadycznie król lub marszałek wielki: u podłoża wzniesienia nowych kramów staromiejskich, Marywilu czy rozbudowy Bramy Krakowskiej nie leżał, jak dawniej, racjonalny utylitaryzm patrycjatu, lecz z góry płynące dążenie do programowego upiększenia stolicy.

ŚRODOWISKO BUDOWLANE,
MECENASI, ARCHITEKCI

Odbudowa po Potopie kończyła się około 1670 roku wraz z przejściem baroku w fazę pełni; wówczas już Warszawa zdecydowanie przewodziła w ewolucji form architektonicznych w Polsce. Ruch budowlany był nadal żywy, najżywszy w piętnastoleciu 1680–1695. Zastój przychodzi po 1702 roku, podczas wojny północnej i następujących po niej kataklizmów. W drugiej dekadzie XVIII wieku budowy ruszają znowu, ale mniej tu już tradycji baroku pełnego niż antycypacji późnego, który rozkwita w Warszawie w okresie następnym.

W przeciwieństwie do pierwszej połowy XVII wieku działalność fundatorska jednostek była bardziej skoncentrowana na terenie stolicy. Oprócz interesującego mecenatu Jana III i Marii Kazimiery oraz później Augusta Mocnego, którego program artystyczny był bardziej świadomy, trzeba wskazać na mnożące się fundacje nie tylko czołowych mężów stanu i intelektualistów, jak podskarbiego Jana Andrzeja Morsztyna czy marszałka Stanisława Herakliusza Lubomirskiego, lecz również mniej „heroicznych" postaci w rodzaju dorobkiewiczowskiego małżeństwa Kotowskich.

Żywy ruch budowlany przyciągał do stolicy szersze niż dawniej rzesze rzemieślników, budowniczych i architektów, przy czym wewnątrz tej całej grupy można teraz obserwować znacznie większe zróżnicowanie profesjonalne i społeczne. Na szczycie stały jednostki o wykształceniu inżynierskim; niekiedy zyskiwały one nobilitację. Projektowanie, nadzorowanie budowy, prowadzenie przedsiębiorstwa budowlanego oraz wyspecjalizowane domeny twórczości architektonicznej, jak na przykład sztukatorstwo, coraz rzadziej bywały łączone w jednym ręku. Jednocześnie zwykli, bezpośredni wykonawcy budowli tracili aspiracje twórcze, powszechne jeszcze wśród rzemieślników cechowych pierwszej połowy XVII wieku.

Najwybitniejszym architektem tego okresu był naturalizowany Holender Tylman van Gameren (ok. 1632–1706). Wszechstronnie wykształcony, również jako malarz, znał Włochy i inne kraje, toteż ówczesna architektura europejska nie była mu obca. Aczkolwiek początki jego działalności w Warszawie sięgają lat siedemdziesiątych XVII wieku, osiadł tu później, uzyskując szczyt powodzenia dopiero przed 1690 rokiem. Miał już wówczas monopol na projekty wszystkich ważniejszych przedsięwzięć budowlanych, projektował też wiele dla całego kraju. Ta wielka płodność wynikała z jego nowożytnej pozycji zawodowej – jako architekt dostarczał jedynie rysunków, realizowanych później przez innych budowniczych. W Warszawie jako tak zwani konduktorzy służyli mu inżynierowie Izydor Affaita i Karol Ceroni, a także architekt Bellotti.

Wenecjanin Józef Szymon Bellotti (zm. 1708) był nie tylko zdolnym architektem, lecz i sztukatorem, który przyczynił się znacznie do rozpowszechnienia bogatych barokowych stiuków północnowłoskiego typu. Bellotti, mimo że związany z Warszawą, najwięcej tworzył w Wielkopolsce (Ląd, Rydzyna); w stolicy był często spychany do roli przedsiębiorcy i konduktora dzieł innych architektów. Podczas gdy Bellotti należał do środowiska fachowych budowniczych o tradycjach cechowych, trzeci z najczynniejszych ówczesnych architektów warszawskich – spolonizowany inżynier królewski – Augustyn Locci młodszy (ok. 1650–po 1729) był amatorem o większym talencie niż wykształceniu zawodowym. Wśród jego eklektycznych dzieł, ale stojących na europejskim poziomie, najważniejsze powstały w latach osiemdziesiątych na zlecenie Jana III oraz jego sekretarza, późniejszego podkanclerzego litewskiego Stanisława Antoniego Szczuki – między innymi pałac w Radzyniu Podlaskim.

Około 1693 roku przyjeżdża do Polski Józef Piola (zm. 1715) i szybko staje się najczynniejszym architektem warszawskim, a zarazem jedynym poważniejszym kontynuatorem kierunku reprezentowanego przez twórców poprzedniej generacji. Większość

133. Pałac Morsztynów, makieta

dzieł Pioli powstała jednak poza Warszawą: na Mazowszu i Podlasiu, a nawet w Prusach i w Małopolsce. Zresztą nie tylko wyżej wymienieni, lecz i inni, mniej znaczni architekci pracowali na prowincji, toteż wpływy stołecznej architektury w odleglejszych dzielnicach Rzeczypospolitej ulegały wówczas dalszemu wzmocnieniu.

Żywsze przemiany architektury warszawskiej w latach siedemdziesiątych XVII wieku dotyczyły bardziej wzbogacenia programów czy uplastycznienia dekoracji niż ewolucji typów budowlanych. Trwało dalej, odziedziczone po wczesnym baroku, przejrzyste rozczłonkowanie brył oraz kubiczne, a zarazem płaszczyznowe traktowanie ich składników. Ówczesne budownictwo świeckie reprezentował najpełniej pałac czołowej osobistości politycznej i literackiej – podskarbiego Morsztyna (po 1669), późniejszy punkt wyjścia Osi Saskiej. Czworoboczny, konserwatywnie rozplanowany korpus wraz z narożnymi pawilonami, wieżami i innymi przybudówkami, które mnożono do emigracji Morsztyna w 1683 roku, ujęto w bezporządkowe elewacje, nawiązujące w zasadzie do epoki Wazów. Nowością było wzbogacenie sylwety malowniczymi hełmami wież, rozmaitymi zwieńczeniami przybudówek i szczycików oraz podkreślenie osi założenia ozdobną facjatą, a także wenecką triadą okien w układzie serliany. Ten ostatni motyw powtórzy się na fasadzie pałacu warszawianina Stanisława Kleinpolta, awansowanego na szlachcica o nazwisku Małopolski. Pałac ten (później kolegium teatynów) znajdował się przy ul. Długiej (przed 1685). Wiele form morsztynowskiego pałacu można też odnaleźć w skromniejszym założeniu najwcześniejszej siedziby Jana Bonawentury Krasińskiego (przy ul. Długiej: 1676–1685). Cała ta grupa budowli o zwiększonym ładunku dekoracyjności, ale pozbawiona jeszcze skali pełnego baroku, była niewątpliwie dziełem jednego nie zidentyfikowanego na razie architekta. Zapewne blisko tej grupy należałoby także postawić niektóre pałace późniejsze, trzymające się stereotypów rozplanowania i bryły, jak na przykład pałace przy ulicy Senatorskiej: Warszyckich i biskupa Teodora Potockiego (późniejszy Błękitny, 1699?).

W drugiej połowie XVII wieku odbudowano też w Warszawie blisko 80 dworów. Ich przemiany w stosunku do okresu poprzedniego polegały przede wszystkim na większym akcentowaniu oraz nadawaniu regularności kształtom głównego budynku mieszkalnego, który podobnie jak pałac stawał się ponadto dominantą osiowego zespołu dziedzińcowo--ogrodowego. Natomiast mieszczańska zabudowa Starego Miasta staje się coraz mniej interesująca. Rozbudowywane są co prawda kamienice, ale ich architektoniczne wyposażenie ubożeje (jedyną istotną zmianą jest teraz nadbudowywanie latarń nad środkowymi traktami z klatką schodową).

Większą rozmaitość przejawiało budownictwo sakralne, choć i ono rozwijało w zasadzie modele wprowadzone do stolicy za Jana Kazimierza, tyle że nadawało im nową skalę,

POCZĄTKI I RÓZKWIT PEŁNEGO BAROKU; BELLOTTI I LOCCI

134. Kościół Reformatów, wnętrze

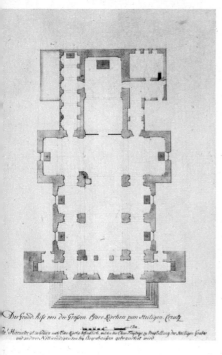

Der Grund Riß von der Großen Pfarr Kirchen zum Heiligen Creutz.

5. Kościół Misjonarzy, rzut przyziemia, XVIII w.

6. Kościół Misjonarzy, wnętrze

7. Kościół Reformatów, fasada

masywność oraz coraz częściej skrywało linearyzm podziałów pod mięsistymi stiukami. Dzięki tym stiukom awansowały także stylowo kościoły poprzedniej epoki, kończone u schyłku stulecia (Bernardynów i Karmelitów Bosych). Realizowano przy tym niekiedy projekty dawniejsze, jak w przypadku nietypowego, centralizującego kościoła Pijarów (1678–1681), zaprojektowanego jeszcze przez Tencallę. Nowy kościół Reformatów (1671–1678) parafrazował tak zwany schemat jezuicki, akcentując przestrzennie nawę kosztem spłycenia kaplic. Do tej samej odmiany sakralnej należał korpus kościoła Dominikanów Obserwantów (od 1688; przebudowany w XVIII w.) oraz miał zapewne należeć kościół Franciszkanów, na razie tylko w zakresie tradycyjnie wydłużonego chóru, zrealizowany przez Jana Chrzciciela Ceroniego (1680–1698).

Bawarska wersja ścienno-filarowego wnętrza, wprowadzona w siódmej dekadzie XVII wieku przez bernardyńską nawę, została monumentalnie wpasowana w krzyżowy układ kościoła misjonarzy (Świętego Krzyża: 1679–1796): masywne ujęcie przęseł wykazuje tu ponadto zależności od kościoła S. Giustina w Padwie. Koncepcję tego wnętrza można odnieść do wcześniejszej weneckiej i południowoniemieckiej działalności twórcy kościoła – Bellottiego. Było to szczytowe osiągnięcie tego architekta. Skala i artykulacja wnętrza kościoła Świętego Krzyża – masowanie pilastrów i gurtów, łamanie gzymsów – przesądzają o jego przynależności do pełnego baroku w stopniu, którego nie osiągnął ani jeden z warszawskich kościołów XVII wieku. Ta sama wersja wnętrza, tyle że w uproszczonej postaci i zredukowanej skali, występuje w przypisywanym Locciemu kościele Karmelitów Trzewiczkowych na Lesznie (1683–1731).

Współczesne fasady kościelne, chociaż mnożyły i przegrupowywały opilastrowania, w istocie pozostawały wczesnobarokowe w swej płaskości czy braku akcentowania środkowych przęseł. Nie kontynuowały jednak wzorców okresu poprzedniego. Reformaci zeschematyzowali rzadki w Polsce model rzymskiej fasady Il Gesù, a kościoły ścienno-filarowe zyskały gęsto opilastrowane fasady trójkondygnacyjne (kościół Brygidek, Karmelitów Trzewiczkowych). Bardziej okazały dwuwieżowy front wznieśli pijarzy, których klasztor otrzymał ponadto pałacową elewację, gęsto rozczłonkowaną kolosalnymi pilastrami.

134

Niemal wszystkie wymienione wyżej obiekty – i świeckie, i sakralne – reprezentowały barok w wydaniu statycznym, spokojnym, w miarę monumentalnym, drugoplanowo ożywionym dekoracją czy bogaciej potraktowanymi szczegółami. Było tu na pewno więcej tradycji baroku wczesnego niż zbliżonych doń tendencji klasycyzującego nurtu tego stylu, współcześnie lansowanego przez van Gamerena, który to nurt – jak zobaczymy dalej – łatwo się na tym podłożu przyjmował. Większość dzieł omawianego kierunku architektury stołecznej nie da się związać z nazwiskami budowniczych czynnych ówcześnie w Warszawie, choć wydaje się, że do dziewiątej dekady stulecia największy wpływ wywierała tu twórczość Bellottiego oraz Locciego. Ten ostatni wsławił się przede wszystkim budową Wilanowa.

WILANÓW

Rezydencja w podwarszawskim Wilanowie (zitalianizowanym z Milanowa na *Villa Nuova*) zajmuje pierwsze miejsce zarówno wśród dzieł Locciego, jak i fundacji Jana III. Początkowo (ok. 1680) był to murowany dwór o alkierzowym rozplanowaniu, typowym dla ostatniej tercji XVII wieku, a zaczerpniętym z archaicznego wzornika Serlia. Nadbudowany w latach 1681–1682 upodobnił się do wiejskiej willi włoskiej, ale już przybranej w szaty pełnego baroku, o ścianach traktowanych po rzeźbiarsku, z dążeniem do wielkiej skali i bogactwa. Widać to szczególnie na elewacjach, które wzorem ogrodowych willi rzymskich pokryto przerośniętą dekoracją sztukatorską. Bardziej klasyczna była tylko fasada główna, ujęta w wielki porządek ze ślepym portykiem. Tendencje do parawanowego poszerzenia fasady, wywodzące się z polskiej tradycji pałacowej, uzewnętrzniły się w monumentalnych galeriach o formach nawiązujących do *maniera grande* Michała Anioła oraz w kończących owe galerie wieżach. Z latami królewska siedziba stawała się coraz monumentalniejsza, a heroiczno-sielankowy program jej wystroju – coraz bardziej zawikłany. Kiedy zyskała bogate attyki z płaskorzeźbami i posągami oraz środkową nadbudowę z wielką salą (1692), straciła ostatecznie charakter willi na korzyść pałacu. Jednocześnie z rozmachem dotąd w Polsce nie spotykanym zagospodarowywano otocze-

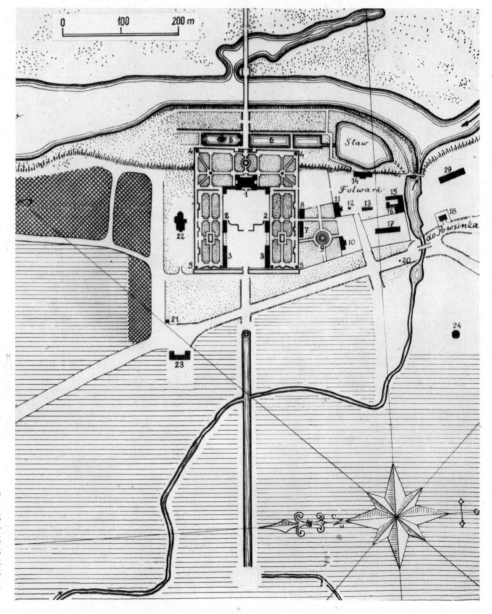

40. Wilanów. Rezydencja. Plan sytuacyjny z końca VII w. Opr. G. Ciołek, 1947 r.

1 – pałac; 2 – spichrze; 3 – stajnie; 4 – altany; – groty; 6 – sadzawki; 7 – figarnia; 8 – pomarańczarnia; 9 – góra Bachusowa; 10 – dom ogrodnika; – dom podstarościego; 12 – pasieka; 13 – gołębnik; – browar; 15 – owczarnia; 16 – stajnie dla mułów; 7 – stodoła; 18 – słodownia; 19 – holendernia; 20 – p kamienny; 21 – kaplica; 22 – kościół we wsi; – karczma; 24 – wiatrak

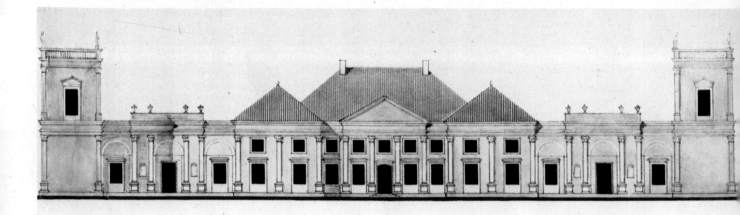

141. Wilanów. Pałac, rekonstrukcja fasady zachodnie
z lat 1681–1682

143. Wilanów. Pałac, antykamera króla ▶

142. Wilanów. Pałac, widok od strony wschodnie
(osiowy)

nie pałacu: podwórze przemienione w dziedziniec paradny poprzedzono przeddziedzińcem o symetrycznej bocznej zabudowie i cały ten prostokątny kompleks, ukierunkowany pałacową osią, ujęto w podkowę geometrycznych parterów i sadów; dalej – za tarasem – rozciągała się strefa strzyżonych szpalerów i sadzawek. Zarówno strefowanie dziedzińców i parku, jak i optyczne przedłużenie osi w nieskończoność miało genezę francuską. Kulminacją tego założenia był korpus główny pałacu, a ściślej jego wnętrze recepcyjne od strony ogrodu. Bardziej francuski niż włoski charakter otrzymała też dekoracja głównych wnętrz, umieszczonych w przyziemiu zgodnie z konwencją willi: boazerie, brokatowe obicia, bogato zdobione fasety i malowane plafony.

Wilanów stanowi typowe „kompleksowe" dzieło sztuki barokowej, którego ostateczne oblicze jest wkładem wielu twórców: nie tylko Locciego, który ustalił ramy architektoniczne, lecz i tych, którzy je plastycznie dopełniali – rzeźbiarzy, jak Szwaner oraz znakomity Andrzej Schlüter, współtwórca północnoeuropejskiego baroku; malarzy, jak Palloni czy Siemiginowski. Rezydencja królewska była najwspanialsza w ówczesnej Polsce, pełniej przy tym wcielała cechy dojrzałego, włoskiego baroku niż inne, znakomitsze może nawet, budowle, wzniesione przez najwybitniejszego architekta epoki – Tylmana van Gameren.

Północnoeuropejski nurt baroku, do którego należała twórczość van Gamerena, pozbawiony był patosu i dynamiki pełnego baroku rzymskiego, będąc bliższy wcześniejszemu klasycyzmowi północnych Włoch (Scamozzi). Styl van Gamerena był jednak dość dekoracyjny, a przy tym twórca potrafił z wielką inwencją korzystać z najrozmaitszych modeli i motywów czerpanych z wzorników albo z konkretnych budowli europejskich, a także miejscowych – nie tylko najnowszych, lecz nawet renesansowych.

Budował przede wszystkim rezydencje. Ich przejrzyste plany ujawniały przejęcie modnej francuskiej dyspozycji wnętrz, którą w skali zarówno pałacu czy willi, jak i drewnianego dworu po mistrzowsku naginał do różnych wzorców planistycznych, na ogół nie najaktualniejszych. W przeciwieństwie do daleko posuniętej unifikacji pałaców lokalnej grupy warszawskiej – już scharakteryzowanej – założenia van Gamerena cechuje brak kodyfikacji typologicznej. Potrafił rozwijać indywidualne kompozycje na podstawie najróżnorodniejszych odmian rezydencjonalnych, przy czym wcześniejsze przykłady cechuje większa komplikacja przestrzeni, bryły i artykulacji, które to właściwości ustępują później na rzecz prostoty, harmonii i klasycznych sekwencji porządkowych.

Większość warszawskich pałaców van Gamerena miała plany skupione, wielotraktowe. Założony na kwadracie, wielokondygnacyjny pałac Kotowskich (1683–1688) nawiązywał układem wnętrz do starszego o blisko pół wieku pałacu Ossolińskich, ale w istocie stanowił rozwiniętą i kompozycyjnie unormowaną wersję archaicznego wzorca wieży mieszkalnej, ujętego w centralne ramy barokowej architektury. Najczęściej jednak przy podobnych kubicznych korpusach pojawiały się harmonijnie z nimi wyważone wieże, alkierze czy pawilony, nieraz znacznie rozbudowane dla pomieszczenia całych apartamentów; front pałacu wzbogacano przy tym często arkadowymi galeriami. Taki był pałac Radziwiłłów przy ulicy Miodowej (1673–1697) czy pałac marszałka nadwornego Józefa Karola Lubomirskiego (1681–1694). Ten ostatni, rozbudowany ze wspomnianego pałacu Ossolińskich, zyskał między innymi znakomitą oprawę elewacyjną, po mistrzowsku zdynamizowaną zmiennym rytmem arkad i pilastrów.

Te i inne pałace oraz dwory zakłada van Gameren z zasady na kompozycyjnej osi między dziedzińcem a ogrodem. Zasługą jego była formalna kodyfikacja specyficznie warszawskiej odmiany założenia rezydencjonalnego, w której budynek mieszkalny stał osobno w głębi działki, natomiast jej przyuliczne narożniki zajęte były przez pawilony, oficyny i podobne budynki użytkowe, często dostosowane do sytuacji dwuramiennymi narysami planów; łączyły je przy tym monumentalnie potraktowane bramy (pałace Kotowskich, Lubomirskich). Przy rozbudowie mniejszego pałacu wojewody Krasińskiego przy ulicy Długiej (ok. 1685) podobne przyuliczne partie wybrzuszono na późnobarokowy sposób, a całość założenia dzięki organicznemu związaniu oficyn z korpusem pałacowym upodobniła się do paryskiego *hôtel*.

Z omawianego schematu wyłamywało się olbrzymie, niestety tylko w małej części zrealizowane, założenie pałacu Gnińskich (1681–1685). Geometryczny ogród wyjątkowo poprzedzał tu od strony Nowego Światu właściwy zespół rezydencjonalny, w którym fantazyjnie poprowadzone narysy dziedzińcowych ogrodzeń miały wiązać pałac i dwie monumentalne oficyny, ustawione nad skarpą wiślaną na wysokich rampach (zrealizowano tylko jedną: tzw. dziś pałac Ostrogskich).

Najświetniejszym ze wszystkich dzieł van Gamerena w stolicy i poza nią był bez wątpienia pałac większy Jana Bonawentury Krasińskiego, wojewody płockiego. Majestatyczna architektura (zasadniczy etap budowy 1689–1694) wykazuje tu różne zapożyczenia ze sztuki Włoch, Francji czy Holandii, ale wszystkie wielki talent architekta stopił w dzieło oryginalne i w skali europejskiej wybitne, którego ogólna koncepcja i dekoracja naginane były programowo do obowiązującego ówcześnie ideału antyku.

Jest to budynek wolno stojący o bryle rozczłonkowanej ryzalitami i narożnymi pawilonami, ale ujednoliconej przez opasanie kolosalnym porządkiem, ustawionym na cokole boniowanego przyziemia. Była to dyspozycja elewacji pałacu miejskiego, wprowadzona przez skrajnie „antykizujących" architektów włoskich XVI wieku – tu zbarokizowana za

144. Projekt fasady pałacu Kotowskich, Tylman va Gameren

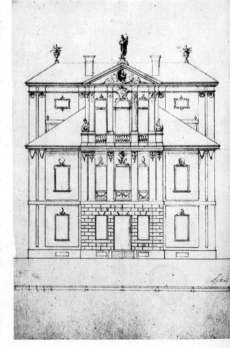

138

145. Pałac Lubomirskich. Rys. 1740 r.

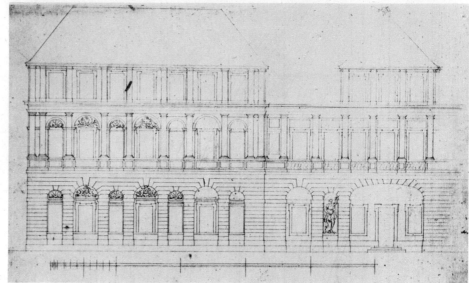

146. Projekt rozbudowy elewacji ogrodowej pałacu
Lubomirskich, Tylman van Gameren

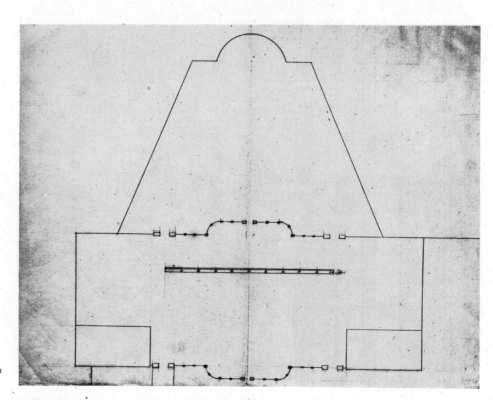

147. Założenie pałacu Gnińskich, Tylman van
Gameren

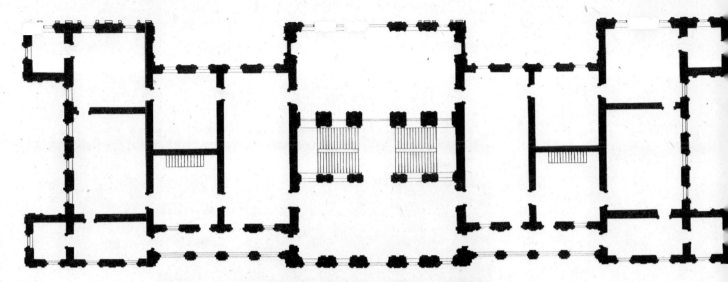

148. Pałac Krasińskich, plan piętra (rekonstrukcja
skala 1:400

149. Pałac Krasińskich, widok klatki schodowej. Drze
woryt Edwarda Gorazdowskiego z 1876 r.

150. Pałac Krasińskich, fasada główna

pomocą zróżnicowania planów, zwielokrotnienia artykulacji, a szczególnie przez mocny, po rzeźbiarsku traktowany i rzeźbą dopełniony detal. Tu także działał Schlüter, spod którego dłuta wyszły wspaniałe płaskorzeźby frontonów.

Znakomicie został rozwiązany środkowy człon pałacu, w którego centrum wpuszczono monumentalną klatkę schodową nowego całkiem typu: jej biegi rozchodziły się i schodziły na poprzecznej osi budynku, były przy tym wstawione do wysokiego wnętrza, otwierającego się arkadami na sąsiednie salony – co wzmacniało wrażenie barokowej jedności przestrzeni.

Nie zrealizowana do końca kompozycja dziedzińca paradnego zorientowana była ku najnowszej architekturze francuskiej i wprowadzała po raz pierwszy w Polsce długie, symetryczne oficyny, o elewacjach zunifikowanych i nawiązujących do form pałacu, oraz ażurowe ogrodzenie z ozdobną bramą, łączące czoła oficyn.

Największym mecenasem van Gamerena był marszałek wielki koronny Stanisław Herakliusz Lubomirski, który zarówno powierzał mu prace dla siebie, jak i protegował, gdy chodziło o zlecenia publiczne. Program architektoniczny Lubomirskiego odznaczał się nie tylko wysokimi aspiracjami artystycznymi, lecz i niezwykłym ładunkiem treściowym, odbijającym różne strony osobowości, światopoglądu i kultury tej wybitnej jednostki. Program ten w bardzo szerokim zakresie realizowany był po 1683 roku w podwarszawskich dobrach marszałka: Ujazdowie, Czerniakowie i pod Mokotowem.

W Ujazdowie van Gameren dostosował tylko dawny zamek Wazów do potrzeb oficjalnej, reprezentacyjnej siedziby, nie zmieniając oprawy formalnej i zamkowego „charakteru" budowli. Większe natomiast zmiany przeszedł przyległy zwierzyniec pod skarpą, który zyskał sieć regularnych sadzawek i kanałów, oraz centralne pawilony ogrodowe: Ermitaż (po 1683) – pustelnię służącą samotnej kontemplacji religijnej – oraz ozdobny pałacyk w typie *maison de plaisance* (1683–1689), kojarzący ponadto funkcje łazienki z tradycją ogrodowej groty. Ta ostatnia budowla, ustawiona na prostokątnej, oblanej wodą platformie, łączyła malowniczość sylwety i obfitość sztukatorsko-malarskiego zdobnictwa z klasy-

51. Ujazdów, ok. 1700 r., rekonstrukcja zespołu rezydencjonalnego, wykonanego według projektu Tylmana an Gamerena

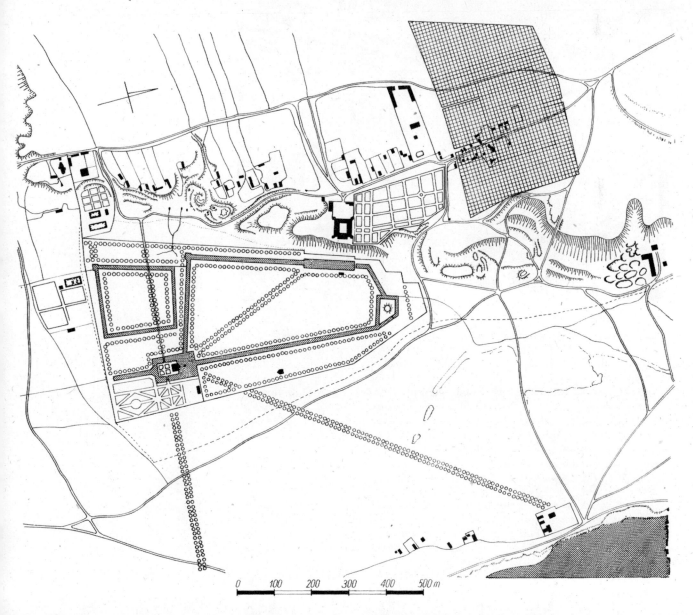

0   100   200   300   400   500 m

152. Ujazdów. Łazienka. Rzut przyziemia wraz z tarasem. Rys. 1720–1733
153. Łazienka, elewacja południowa. Rys. 1698 r.

154. Łazienka, wnętrze pokoju kąpielowego

cyzmem ślepego portyku, szczątkowo zachowanego w dzisiejszym pałacu Łazienkowskim. Wewnątrz wytworne salony, łazienki i gabinety skupiały się wokół kopulastej, bogato dekorowanej Rotundy, pośrodku z fontanną, która miała treściowy związek z nazwą pałacyku: Hipokrene.

Dążenie do centralności widać też w Domku Pasterskim, postawionym w Mokotowie na zboczu skarpy – w małej ,,Arkadii'', gdzie znalazły schronienie uprawiana przez marszałka filozofia i swoisty kult antyku. Urokom sielskości, a zarazem mniej oficjalnemu życiu towarzyskiemu miała natomiast służyć ,,sarmacka'' *villa rustica* w Czerniakowie. Jej centrum stanowił piętrowy pałacyk z drewna (1683–1687) o rozplanowaniu ściśle symetrycznym w stosunku do obu osi; cztery pawilony przylegały tu do naroży wielkiego salonu, nawiązując do schematu Serlia, który służył wielu ówczesnym pałacom i dworom, z Wilanowem włącznie.

Wszystkie te budowle oraz związane z nimi założenia składały się jakby na wielką ,,rodzinę'' rezydencji Lubomirskiego, tworząc całość użytkową i treściową, ale jeszcze nie kompozycyjno-przestrzenną. Funkcji głównego akcentu nie pełni tu również pomnik dewocji, a zarazem wieczystej chwały marszałka, jakim był połączony z jego mauzoleum kościół i klasztor bernardynów w Czerniakowie.

W kościele tym (1689–1693) powiązał van Gameren centralne składniki ukierunkowaną osią. Kulminacją bryły oraz wnętrza jest ukoronowana bębnem i kopułą nawa o ulubionym

155. Czerniaków. Pałac, plan przyziemia

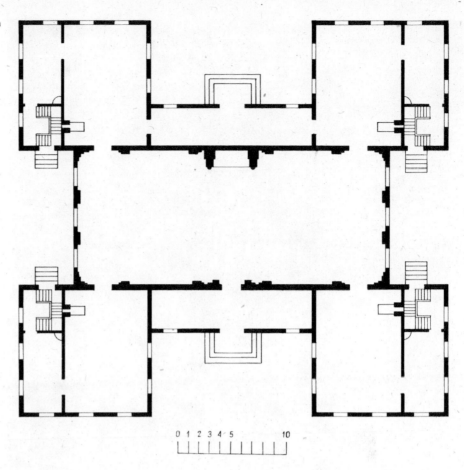

156. Czerniaków. Pałac, elewacja frontowa

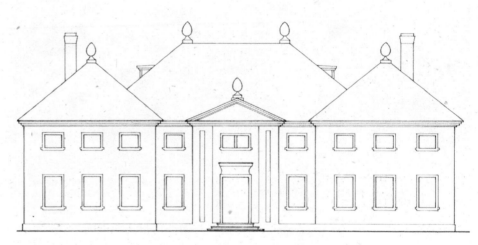

7. Czerniaków. Plan kościoła i klasztoru. Rzut
zyziemia

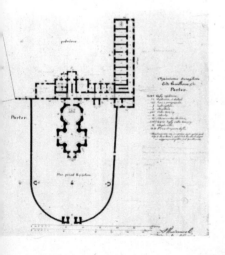

8. Czerniaków. Kościół Bernardynów, przekrój
dłużny 1:400

143

przez architekta planie krzyża greckiego ze ściętymi rogami, zastosowanym po raz pierwszy w nie dokończonym kościele Bonifratrów w Warszawie (1669–1683). Nawę poprzedza niska kruchta, a uzupełnia ośmioboczny chór z ołtarzem-relikwiarzem w środku; za chórem oś zespołu przebija poprzeczne skrzydło klasztorne, kończąc się klatką schodową. Nawa i chór kształtowane są jako odrębne, skończone formy geometryczne, ale optycznie stanowią jedno wnętrze, ujęte w ten sam system artykulacji i zachowujące barokową zasadę jednorodności kompozycji. Znakomita, mimo dość ograniczonej skali, architektura sprzężona została z bogatą, lecz wytworną dekoracją malarską i sztukatorską.

W tym samym czasie wznoszono w Warszawie ściśle centralny kościół dla sakramentek (1688–1692), rozwiązany jak rozbudowana i zmonumentalizowana wersja czerniakowskiej nawy, w której ponadto znacznie większy nacisk położono na architekturę zewnętrzną (ukształtowanie kościoła nasuwa skojarzenia z formą ołtarzowego cyborium, szczególnie czczonego przez ten właśnie zakon). Jest to jedno z najznakomitszych dzieł van Gamerena: doskonale wyważona bryła zyskała szlachetną artykulację o subtelnie rozłożonych akcentach. Najklasyczniej przedstawia się lico wejściowego ramienia z trójkątnym frontonem wieńczącym zestaw pilastrów, arkady i portalu.

Kościół Sakramentek był fundacją królowej Marii Kazimiery, podobnie jak *Marie-mont* i *Marie-ville* (zob. dalej); zaprojektowane przez van Gamerena świadczą, że około 1690 roku w kręgu mecenatu królewskiego wysuwał się on przed Locciego. Do dziś nie zostało jednoznacznie ustalone autorstwo nieco wcześniejszej fundacji Jana III dla warszawskich kapucynów: przy projektowaniu kościoła dla tego zakonu (1681–1686) Locci wygrał jakoby konkurencję z van Gamerenem, którego wkład musi być jednak brany pod uwagę. W tym programowo skromnym kościele, który doczekał się wielu

naśladownictw, nawa ujęta w boczne kaplice i przedłużona płytkim prezbiterium odznaczała się niezwykłą zwartością kompozycyjną oraz doskonałością artykulacji ścian, bardzo gamerenowskiej w stylu. Fasada, przetwarzająca w kierunku uproszczenia, spłaszczenia i linearyzmu rzymski wzorzec kościoła Gesù e Maria Rainaldiego, zestawem par kolosalnych pilastrów i trójkątnego zwieńczenia wnosiła ładunek klasycyzmu, nie znanego dotąd w budownictwie sakralnym Polski.

Marie-mont (ok. 1691 – dzisiejszy Marymont) był podmiejskim pałacykiem o formie sześcianu oplecionego biegami zewnętrznych schodów i nakrytego namiotowym dachem. Wewnątrz dominował salon o ulubionym przez van Gamerena planie krzyża ze ściętymi rogami. Reminiscencją wiejskich siedzib francuskich było rozwiązanie otoczenia budynku: stanął on na prostokątnej platformie, której dwa frontowe naroża zajęły symetryczne pawiloniki, powtarzające w drobnej skali bryłę pałacyku.

Marie-ville (czyli Marywil) było natomiast wielkomiejskim centrum mieszkalno-handlowym (1691–1695) zajmującym zachodnią część dzisiejszego placu Teatralnego i stanowiącym przeciwwagę Warszawy zdezurbanizowanej, która poza Starym i Nowym Miastem składała się głównie z pałaców, dworów, ich ogrodów i dziedzińców czy z na poły wiejskiej zabudowy jurydyk. Marywil był reprezentacyjnym placem czy raczej dziedzińcem, o znormalizowanej zabudowie pałacowego charakteru, od swych pierwowzorów – tak zwanych placów królewskich, zakładanych w Paryżu z inicjatywy monarchów od początku XVII wieku – różniący się zarówno pięciobocznym planem, jak i opracowaniem nie tylko elewacji wewnętrznej, lecz i zewnętrznej. Cztery boki stanowiły skrzydła o wysokiej, segmentowej zabudowie z podcieniami od dziedzińca, bok piąty natomiast zamykała jedynie niska galeria, przepołowiona centralnym, kopułowym kościółkiem, akcentującym

161 Kościół Kapucynów, fasada

162. Kościół Kapucynów, wnętrze

163. Marywil, widok perspektywiczny, XVIII w.

koniec osi kompozycyjnej, żaczętej monumentalną bramą na przeciwległym załamaniu skrzydeł.

Budowa Marywilu przypadała już na ostatnią dekadę stulecia, kiedy słabła aktywność van Gamerena, przy jednoczesnym uspokojeniu, jeśli nie schematyzacji jego form, które stały się jeszcze bardziej klasyczne. Nieliczne warszawskie prace architekta miały wówczas przeważnie charakter oficjalny i wiązały się głównie z poczynaniami urbanistycznymi. Oprócz pomiaru miasta i budowy Marywilu, przedsięwzięcia na poły już urbanistycznego, należy wymienić przebudowę Bramy Krakowskiej (1694) i wzniesienie nowych kramów na Rynku Starej Warszawy (ok. 1700).

Przebudowa Bramy Krakowskiej, a właściwie jej przedbramia, której van Gameren dokonał na zlecenie Jana III, polegała nie tylko na ujęciu nadbudowy przejazdu w ślepy portyk, lecz również na symetrycznym dostawieniu po bokach dwóch czterokondygnacyjnych kamienic i stworzeniu jednej fasady o monumentalnych formach. Aspiracje do przybrania motywami klasycznymi miały też staromiejskie kramy, ustawione w prostokąt dostosowany do kształtu rynku i ujmujący zsunięty z jego środka ratusz.

NASTĘPCY TYLMANA VAN GAMERENA

U schyłku XVII wieku obok van Gamerena, Bellottiego i Locciego wyrastają inni architekci albo rekrutujący się z ich konduktorów, jak Karol Ceroni, albo o bardziej indywidualnej pozycji, jak świeżo do Polski przybyły Józef Piola, który wysuwa się na czoło w pierwszym piętnastoleciu XVIII wieku. Kontynuują oni z małymi na ogół modyfikacjami styl swoich poprzedników, przejmując od nich zasadnicze modele formalne; pracują przy tym często dla tych samych zleceniodawców. Wobec ograniczenia ruchu budowlanego w stolicy działają głównie poza nią, rozpowszechniając pełny barok warszawski na prowincji.

W architekturze sakralnej podstawowym wzorcem stał się warszawski kościół Kapucynów, naśladowany w całości lub tylko w zakresie ukształtowania wnętrza czy fasady. Do jego mniej lub bardziej bezpośrednich pochodnych należą między innymi fundacje wojewody Krasińskiego w Węgrowie, realizowane przez Ceroniego, być może w oparciu o rysunki van Gamerena, a także kościoły Pioli: Pijarów w Szczuczynie (fundacja podkanclerzego Szczuki), Kamedułów w Wigrach oraz Paulinów w Warszawie. Ten ostatni (1707–1713) otrzymał wnętrze wzorowane ściśle na kościele szczuczyńskim; w przeciwieństwie do pierwowzoru kapucyńskiego obie te świątynie miały układ bazylikowy, wynikający z zamiany tradycyjnych bocznych kaplic na nawy. Dwuwieżowa fasada nawiązuje do pobliskiej pijarskiej – z tą różnicą że miejsce wieńczącego szczyciku zajmuje klasyczny fronton. Niemniej bogatszy system organizacji ściany i plastyczny detal nadają tej fasadzie charakter baroku bardziej rozwiniętego i bardziej ozdobnego niż klasycyzująca twórczość van Gamerena.

Na przełomie XVII i XVIII wieku pojawia się w środowisku stołecznym nowa wersja małej świątyni jednonawowej, reprezentowana przez kościółek w podwarszawskiej Woli (od 1695) oraz przez kościół Trynitarzy na Solcu (1698–1721). Ich fasady, rozwiązane jako ślepe portyki, nawiązują do wzorców klasycyzującego baroku północnowłoskiego (fasadę tej odmiany przybudowano do kościoła w podwarszawskim Tarczynie już ok. 1685).

W ówczesnej architekturze rezydencjonalnej mało obiektów wyłamuje się ze stereotypów obowiązujących już na początku omawianego okresu. Pałacowa twórczość Pioli nie przedstawia się interesująco – przynajmniej w świetle dwóch zachowanych przykładów o konwencjonalnym rozplanowaniu i dość biernym potraktowaniu elewacji (pałace w Nakomiadach w Prusach Książęcych oraz w podkrakowskich Kościelnikach), do których podobieństwa wykazywał anonimowy dotąd pałac Denhoffów przy Krakowskim Przedmieściu (ok. 1700).

Z nowych rezydencji stołecznych warto przede wszystkim wspomnieć o pałacu Pod Blachą (ok. 1700), wzniesionym dla Jerzego Dominika Lubomirskiego. Potężny blok tego pałacu, wtopiony w skarpę wiślaną, miał niezwykłą parawanową fasadę, rozczłonkowaną w całości kolosalnym porządkiem; nowością był też francuski dach mansardowy. Formy z około 1700 roku, nieco ozdobniejsze i bardziej zdynamizowane, reprezentował pałac wojewody Stefana Bidzińskiego, wykazujący cechy twórczości van Gamerena zarówno w rozplanowaniu i w bryle, jak i w normalizacji i zmonumentalizowaniu pawiloników, odsuniętych od ulicy Miodowej. Równocześnie jednak dla dekoracyjnych obramień otworów oraz dla frontonów wieńczących alkierzowe wieże można znaleźć odpowiedniki w budowlach kręgu architektów saskich, co oczywiście nie przesądza autorstwa pałacu.

Po zastoju budowlanym na początku XVIII wieku pojawiają się także w stolicy architekci, którzy się wsławią dopiero w okresie późnego baroku. Karol Bay i Kasper Bażanka byli notowani w kręgu mecenatu Sieniawskich już w drugiej dekadzie stulecia, coraz większą działalność rozwijali też architekci Augusta II.

POCZĄTKI DZIAŁALNOŚCI SASKIEGO BAUAMTU

August II, jak wielu władców baroku, miał manię budowania, wyładowującą się w olbrzymich kompozycjach pałacowych, których bywał współautorem, a z których żadna nie doczekała się pełnej realizacji. Posługiwał się architektami saskimi; ich twórczość, stojąca już na pograniczu baroku późnego, rozwijała się niezależnie od pełnego baroku stolicy i jego klasycyzujących tendencji. Do lat dwudziestych XVIII wieku poczynania budowlane Augusta II w ośrodku stołecznym były w istocie nieliczne i stosunkowo niewielkie, choć jego ówczesne zamysły architektoniczne zakrojone były na skalę wielkiego absolutystycznego monarchy. Modernizacja zamku warszawskiego objęła tylko nieliczne wnętrza oraz przyzamkową zabudowę użytkową, ale projekt Jana Fryderyka Karchera z 1698 roku przedstawiał gigantyczną budowlę utrzymaną w bogatym „patetycznym" stylu, pokrewnym ówczesnemu barokowi wiedeńskiemu.

Początki przekształcania dawnej siedziby Morsztynów w założenie saskie (od 1713) oraz przekomponowywania zespołu ujazdowskiego (od 1717) nie wyszły na razie poza etap projektowania i pierwszych prac. W tych schyłkowych latach omawianego okresu architekci Augusta II zaczynają także pracować dla zleceniodawców prywatnych: wybitny wojskowy i inżynier Gerhard Burchard von Münnich wznosi pałac Mniszchów (1716–1720) o pewnych elementach zapożyczonych z baroku Hesji, skąd przybył.

Sytuacja zmieni się diametralnie po 1720 roku wraz z nowym nasileniem ruchu budowlanego i zwycięstwem późnego baroku, do czego w znacznej mierze przyczynią się teraz architekci Augusta II.

SZTUKA W LATACH 1655–1720. PO POTOPIE

Okres Potopu spowodował nie tylko zniszczenie zabudowy Warszawy, lecz także ruinę finansową mieszczaństwa, a wreszcie wyludnienie stolicy. Zubożeni przez różnego rodzaju daniny i kontrybucje, pozbawieni rynku zbytu mieszczanie poczęli masowo emigrować przede wszystkim do wielkich latyfundiów magnackich i kościelnych.

Klęska ekonomiczna, która dotknęła cały kraj, stosunkowo najmniej dała się odczuć w majątkach magnackich, biskupich i klasztornych. Korzystając z pauperyzacji średniej i drobnej szlachty, magnaci poczęli od niej wykupywać ziemię, a powiększające się majątki przekształcali w samowystarczalne organizmy gospodarcze z własnymi warsztatami rzemieślniczymi, w których zatrudniano pracowników z zubożałych miast, a z Warszawy w szczególności.

Rzecz oczywista, iż zmiany te najsilniej odczuć musiały cechy artystyczne, zajmujące się między innymi malarstwem, rzeźbą i złotnictwem. Odbudowujące się z pogorzelisk miasto zatrudniało wielu murarzy i cieśli, ale na „subtelniejsze" rzemiosła nie było jeszcze zapotrzebowania. Również w latyfundiach ci *artifices* byli najmniej potrzebni, toteż powierzano im prace w ostatniej kolejności.

W rezultacie więc w tym przejściowym, kilkunastoletnim okresie odbudowy miasta wszystkie dziedziny sztuki, poza architekturą, znalazły się w stagnacji. Rzecz jasna, że od czasu do czasu wykonano jakąś rzeźbę sakralną, lecz były to przypadki dość wyjątkowe. Obiekty te, o których będzie jeszcze mowa, tworzono wciąż w stylu późnego baroku rzymskiego, zajmującego u nas w sztuce sakralnej pozycję dominującą.

Zasadnicze zmiany w sztuce warszawskiej przynieść miała ze sobą ostatnia ćwierć stulecia, kiedy to Warszawa stała się głównym ośrodkiem artystycznym Rzeczypospolitej Obojga Narodów. Złożyło się na to kilka przyczyn. Przede wszystkim miasto było już odbudowane, powstały nowe pałace magnackie, nowe kościoły, wymagające dekoracji rzeźbiarskich i malarskich, powstała nowa podmiejska rezydencja królewska w Wilanowie. Nowy monarcha, Jan III Sobieski, był wybitnym mecenasem sztuki, znał się na wielu jej dziedzinach, blisko współpracował ze swymi artystami – serwitorami, inspirując, a nawet inicjując ich twórczość. W sprawowaniu tego patronatu pozwalały mu jego zasoby finansowe. W przeciwieństwie do młodszych Wazów, nie mówiąc już o Michale Wiśniowieckim, Jan III był człowiekiem bardzo zamożnym: posiadał wielkie latyfundia osobiste na Rusi, przed objęciem tronu czerpał znaczne dochody jako hetman i marszałek wielki koronny. Sobieski był świetnym gospodarzem, doskonale operował zasobami pieniężnymi. Te właśnie zasoby króla Sobka (jak go często współcześni nazywali) pozwalały mu na szerokie poczynania mecenasowskie.

Dotrzymywali królowi kroku pod tym względem rezydujący w stolicy magnaci, przede wszystkim Lubomirscy i Krasińscy, a za nimi i inni, boć przecież, jak wiemy, Warszawa wkraczała w okres nazywany często przez historyków „magnackim". Wobec spauperyzowania średniej szlachty i ograniczenia władzy królewskiej nastał okres rządów oligarchicznych, którego apogeum nastąpić miało w czasach saskich. Magnaci z przyczyn choćby politycznych poczęli chętnie wznosić rezydencje w Warszawie; w ich dekorowaniu oprócz architektów brali udział rzeźbiarze, snycerze, malarze i przedstawiciele różnych rzemiosł artystycznych.

Zanim jednak do tego doszło, miasto przeżywało kilkunastoletni okres przejściowy związany z latami panowania Jana Kazimierza i krótkotrwałymi rządami Michała Korybuta Wiśniowieckiego. W pierwszej fazie, po odparciu najazdów nieprzyjacielskich, porządkowano i restaurowano wnętrza nie zrujnowanych budowli, z reguły jednak zdewastowanych i ograbionych z cenniejszych ruchomości. Chyba najpierw odrestaurowano wnętrza rezydencji królewskich, a zwłaszcza Zamku, w którym już w roku 1657 mógł odbyć się sejm. Doprowadzono też do porządku pomieszczenia teatralne, skoro w 1662 roku odbyło się tam przedstawienie „Cyda" Corneille'a w tłumaczeniu Jana Andrzeja Morsztyna. Najdłużej trwał remont apartamentów królewskich na Zamku, toteż Jan Kazimierz i Maria Ludwika przez dłuższy czas mieszkali w Pałacu Kazimierzowskim.

Ponieważ po klęskach wojennych skarb świecił pustkami, można przypuszczać, że Jana Kazimierza nie stać było na zakup zagranicznych dzieł sztuki, a luki starano się zapełnić dziełami artystów krajowych, w pierwszym rzędzie malarzy. Bliższe dane mamy tylko o portretach, których twórcą był wspomniany już Jerzy Daniel Schultz. Jeszcze przed Potopem namalował on wielki portret Jana Kazimierza *en pied* (obecnie w Szwecji); król jest tu przedstawiony wyjątkowo w stroju polskim, co pozwala datować obraz na rok 1651, kiedy to monarcha, jadąc na wyprawę beresztecką, ze względów propagandowych przywdział żupan, delię i kołpak. W kilka lat później powstał tak zwany bielański portret króla w zbroi, w której odbija się łuna pożaru. Wreszcie wspomnieć należy o portretach króla i królowej, malowanych pod koniec rządów Jana Kazimierza; malowidła te Maria Ludwika ofiarowała fundowanemu przez się klasztorowi misjonarzy przy kościele Świętego Krzyża, gdzie się szczęśliwie przechowały (zawisną w zamku). Żeby nie wracać do twórczości Schultza, wspomnijmy, że król Michał polecił temu malarzowi wykonać swój portret reprezentacyjny. Ten wielki obraz, odznaczający się świetnymi efektami luministycznymi, należy do czołowych dzieł polskiej sztuki portretowej okresu przedrozbiorowego.

Niewątpliwie z mecenatem dworskim tego okresu przejściowego wiążą się *Mistyczne zaślubiny św. Katarzyny*. Obraz ofiarowany przez Marię Ludwikę jednemu z kościołów warszawskich nosi datę 1659, natomiast brak na nim sygnatury malarza. Na temat autorstwa wysuwano różne hipotezy, w występujących na obrazie postaciach dopatrywano się strawestowanych portretów królowej i dam jej dworu.

Jan Kazimierz, wyjeżdżając po abdykacji do Francji, ogołocił swe rezydencje ze wszystkich prawie ruchomości, poczynając od mebli, a kończąc na dziełach sztuki. Apartamenty królewskie na Zamku świeciły taką pustką, że nowy król Michał zamieszkać musiał na razie w pałacu Ujazdowskim. Nie był on człowiekiem zamożnym, toteż nie stać go było na restytucję zbiorów królewskich, ale wiadomo, że miał ambicje mecenasowskie: już w pierwszym roku panowania nadał serwitorat sześciu malarzom. O działalności ich (poza Schultzem) nic dotąd nie wiemy. Zapewne w miarę swych możliwości finansowych nabywał król obrazy za granicą; może wtedy kupiono dwa piękne portrety pędzla Rembrandta, które później zabrał z Zamku August II do Drezna, gdzie stanowią ozdobę tamtejszej galerii.

Dopiero czasy Jana III przyniosły rzeczywiste ożywienie ruchu artystycznego. Lata 1675–1710 to czasy bujnego rozkwitu sztuki warszawskiej, wtedy to najwybitniejsi artyści stale lub okresowo pracowali w stolicy. Końcowa data tego okresu sięga poza panowanie Jana III, kiedy to jeszcze działali artyści wykształceni w dobie jego mecenatu. Czynnikiem najbardziej oddziaływającym na sztukę ówczesną był mecenat królewski i możnowładczy. Rola dysponenta w tych czasach była niezwykle ważka: od niego zależała tematyka i treść wewnętrzna dzieła sztuki, on to dyktował twórcy ideę przewodnią kompozycji, nierzadko wtrącając się do spraw formy artystycznej. Między serwitorami a ich patronami stosunki ułożyły się teraz nieco inaczej: większość z nich nie miała mecenasów stałych; miało to tę dobrą stronę, że artyści nie wpadali w rutynę i manierę, ponieważ każdy z mecenasów miał inne upodobania i wymagania.

W Warszawie skupiała się grupa magnatów, którą niedawno określono trafnym mianem „sarmatów oświeconych" (Lubomirscy, Krasińscy, Bielińscy, Radziejowscy). Była to elita umysłowa dobrze oczytana zarówno w literaturze antycznej, jak i we współczesnym piśmiennictwie francuskim epoki Ludwika XIV. Cechą charakterystyczną tej grupy była, niekiedy dobrze maskowana, pogarda dla „pospólstwa" szlacheckiego i jego sarmacko-
-barokowego stylu życia. Oczywiście, ci „oświeceni" nie byli wolni od cech sarmatyzmu,

wśród których megalomania rodowa i środowiskowa („wielcy ludzie") odgrywała niepoślednią rolę. Mimo tych obciążeń grupa ta manifestowała swe odrębne upodobania wyrażające się przede wszystkim na polu kultury artystycznej, a zwłaszcza architektury i sztuk plastycznych. Ludziom tym nie wystarczała już orientalna pompa, a obserwując bacznie ówczesną ewolucję kulturalną w Europie, doszli oni do wniosku, że barok rzymski powiedział już wszystko, co miał do powiedzenia, że źródeł inspiracji należy teraz szukać we Francji. Ewolucję tych poglądów postanowili zamanifestować w sztuce, której hasłem stała się antykizacja treści i klasycyzacja formy.

Areną, na której sprawdzić się miał ten nowy front, były rezydencje warszawskie i podstołeczne owych sarmatów oświeconych, przy czym mamy tu na myśli nie tyle bryły architektoniczne pałaców, ile ich dekoracje rzeźbiarsko-malarskie, stanowiące swego rodzaju manifesty fundatorów. Główną jednak rolę, jak nigdy przedtem, a chyba i potem – jeżeli chodzi o Warszawę – odegrać miała rzeźba. Wprawdzie wiele obiektów rzeźby ówczesnej nie zachowało się do naszych czasów, wprawdzie niektóre z nich uległy uszkodzeniu czy niewłaściwej modyfikacji – jednak znane nam dziś dzieła są istotnym sprawdzianem antykizacji treści i klasycyzacji formy. Zaczniemy od pałacu Krasińskich.

Jan Dobrogost Krasiński, wojewoda płocki, miał albo szczęśliwą rękę, albo raczej dobre rozeznanie w ówczesnym środowisku artystycznym: projekt pałacu powierzył najwybitniejszemu z architektów polskich, Tylmanowi van Gameren, a dekorację rzeźbiarską siedziby Andrzejowi Schlüterowi, najzdolniejszemu – jak przyszłość miała okazać – rzeźbiarzowi w Europie Środkowej. Schlüter urodził się w Gdańsku prawdopodobnie w roku 1659 (zm. w Petersburgu w 1711), pierwsze swe prace wykonał w Gdańsku, w kaplicy królewskiej fundacji Jana III. W roku 1682 przybył do Warszawy, aby podjąć pracę nad dekoracją pałacu Krasińskich. Być może, iż sprowadził go, czy też zaprotegował, Tylman van Gameren, który poznał rzeźbiarza w Gdańsku projektując wspomnianą kaplicę. Pierwszym warszawskim zamówieniem u Schlütera było sześć kamiennych postaci wieńczących szczyt pałacu Krasińskich. Niestety, figury te w czasie ostatniej wojny zostały kompletnie zniszczone.

Głównym dziełem Schlütera, wykonanym nieco później dla wspomnianego pałacu, były płaskorzeźby tympanonów, stanowiące przemyślany program ikonograficzny. Zjawiskiem dość powszechnym wśród ówczesnych rodów magnackich było dobieranie sobie zaszczytnych genealogii. Tak więc poszczególni możnowładcy zaczęli wywodzić swe rodowody od

. Tympanon ogrodowy pałacu Krasińskich. Andrzej
..lüter

Piasta, Giedymina czy Ruryka, ale większości to nie wystarczało – dużo piękniej było wynaleźć protoplastę w świecie antycznym. Tak właśnie postąpili Krasińscy. Ponieważ pieczętowali się herbem Korwin, stworzyli legendę, iż są potomkami wodza Corvinusa, który walczył z Galami. Dziejom tego rzekomego protoplasty poświęcone zostały sceny obu tympanonów pałacowych.

Według legendy wynik bitwy miał rozstrzygnąć pojedynek między obu wodzami. Do zwycięstwa Rzymian przyczynił się kruk (łac. *corvinus*), który usiadł na głowie Gala i dziobał go w oczy. Oczywiście zwyciężył wódz rzymski, Marcus Valerius; od tej pory przybrał on imię Corvinusa – owego mitycznego protoplasty Krasińskich. Tympanon od strony dziedzińca przedstawia scenę pojedynku, przyglądają się jej Rzymianie i Galowie. Po obu stronach tympanonu ustawione były postacie Marsa i Pallas Ateny, a na szczycie – posąg Marka Valeriusa; na hełmie siedzi kruk, a u stóp wodza leżą dwie postacie jeńców. Tympanon ogrodowy przedstawia wjazd triumfalny do Rzymu tegoż Valeriusa na rydwanie; w lewym kącie tympanonu muza historii, Klio, zapisuje czyny bohatera. Na szczycie i na narożnikach tej płaskorzeźby ustawione były trzy personifikacje rycerskich cnót rzymskich – Męstwa, Honoru i Prawości.

Najciekawszą część zespołu stanowią płaskorzeźby odznaczające się doskonałym modelunkiem i efektami perspektywicznymi. W dziełach tych uderza dobra znajomość realiów rzymskich, ubiorów i uzbrojenia antycznego, co się tłumaczy wyraźnymi zapożyczeniami z reliefów kolumny Trajana i innych obiektów antycznych. Pojedynek Valeriusa odbywa się na tle Rzymu: widać Koloseum, świątynię Westy, kolumnę Trajana. Rzecz jasna, iż niekiedy za wzór służyła grafika i zapewne rysunki wykonane z autopsji prawdopodobnie przez architekta Tylmana van Gamerena (Schlüter Rzymu chyba nie znał).

Tak więc dekoracje rzeźbiarskie pałacu Krasińskich doskonale odpowiadają hasłu artystycznemu ,,oświeconego sarmatyzmu'': mamy tu i antykizację treści, i klasycyzację formy. Całości patronował ideał sarmacki apologii rodu, inspiratorem jej był niewątpliwie sam inwestor, wojewoda Krasiński.

Mieszkając w Warszawie przez lat jedenaście, założył Schlüter własną pracownię, która pod okiem mistrza wykonywała wiele zamówień dla prowincji. Były wśród nich dzieła tak wybitne, jak nagrobek Adama Konarskiego dla katedry fromborskiej, z dwiema pełnoplastycznymi alegoriami Wiary i Nadziei, oraz nagrobek prymasa Andrzeja Olszowskiego w Gnieźnie; postać zmarłego przedstawiono na nim w tradycyjnej pozie klęczącego oranta. Nie ustalono dotychczas, czy artysta ten wykonał jakieś rzeźby dla Wilanowa, faktem jest jednak, że na zlecenie Jana III wyrzeźbił nagrobki jego przodków dla fary żółkiewskiej. Dzieła te i krucyfiks węgrowski wykonane były wprawdzie w stolicy, ale przeznaczone dla innych miejscowości, toteż je na tym miejscu jedynie sygnalizujemy. Dla samej stolicy natomiast wykonał Schlüter rzeźby ołtarzowe w jednym z kościołów, lecz do tego wrócimy przy omawianiu rzeźby sakralnej.

Budowlą znacznie mniejszych rozmiarów niż pałac Krasińskich była Łazienka Lubomirskiego. Marszałek wielki koronny, Stanisław Herakliusz Lubomirski, odziedziczywszy w spadku Ujazdów, na terenie dawnego zwierzyńca (obecnie park Łazienkowski) za przykładem Wersalu wzniósł kilka pawilonów, wśród których na szczególną uwagę zasługuje Łazienka, jako że fragmenty jej przetrwały do naszych czasów w formie części składowej pałacu Na Wodzie, wzniesionego z kolei dla Stanisława Augusta. Łazienkę projektował Tylman van Gameren, który naszkicował kilka wariantów; zachowały się też jego projekty rzeźbiarskie wnętrz, nie wiadomo jednak, co było wówczas zrealizowane, gdyż wnętrze uległo znacznym zmianom w XVIII wieku.

Wnętrze to, wykonane w całości w stiuku, miało program całkowicie przemyślany. W westybulu dominują dwie postacie: odpoczywającego Aresa oraz kobiety, którą niesłusznie uważa się za personifikację Polski rozkwitającej, a która w zgodzie z ówczesnym napisem przedstawiać miała Szczęśliwy Wiek. Jest to całkiem zrozumiałe: bóg wojny odpoczywa, gdyż wojna się skończyła, następuje era pokoju, czyli Wiek Szczęśliwości zarówno dla państwa, jak i dla inicjatora Łazienki. Właśnie jesienią 1676 roku zawarto pokój żurawiński kończący długotrwałą wojnę turecką, a w tym samym czasie Lubomirski zawarł ponownie związek małżeński, po którym spodziewał się wielu radości życia.

Te szczęśliwości symbolizują płaskorzeźby pokoju kąpielowego. Część ich jest całkiem czytelna: są tam różne postacie związane z wodą (a więc z łazienką), jak Danaidy, Andromeda, Akteon, Pan, Syrinx. Wiadomo jednak, że dekoracje te przedstawiały również sceny bardziej ,,intymne'', mało czytelne z powodu niezachowania się całości; składały się nań tonda z puttami w różnych, nie zawsze jasnych sytuacjach (np. putto z pawiem, z kwiatami, z dzbankiem wody).

Stanisław Herakliusz bowiem traktował swą Łazienkę nie tylko jako miejsce kąpieli, ale również jako ,,świątynię Muz i Amora''. Tam, w odosobnieniu powstawały jego utwory literackie, tam było specjalne pomieszczenie wypoczynkowe poświęcone służbie antycznego boga miłości. Pamiętać trzeba, że Łazienka powstała głównie dla drugiej żony marszałka, Elżbiety Dönhoffówny, słynącej z urody. Tematy plastyczne układane były przez samego Lubomirskiego, co było dlań (jak to słusznie powiedziano) ,,rodzajem intelektualnej zabawy''. Nad całością panował duch uwielbianego przez dysponenta antyku, a niektóre fragmenty dadzą się wyraźnie związać z poezją Horacego. Jak przystało na protagonistę oświeconego sarmatyzmu, marszałek wzrok swój kierował zarówno ku antykowi, jak i ku współczesnej Francji. Jakoż sama koncepcja Łazienki Ujazdowskiej przypomina nieco *Maison de plaisance*, a znajdująca się w niej (znana tylko z rysunku) grota z wodotryskami była trawestacją wzoru wersalskiego.

Reliefy z pokoju łazienkowego są wysokiej klasy, odznaczają się wielką subtelnością i delikatnością rysunku. Niestety, twórcy ich nie znamy dotąd z imienia, możemy tylko stwierdzić, iż był to niezawodnie ten sam sztukator, który pracował w kościele czerniakowskim. Do sprawy tej jeszcze wrócimy.

W przeciwieństwie do pałacu Krasińskich i Łazienki Lubomirskiego pałac Wilanowski zachował przeważającą część dekoracji rzeźbiarskich z czasów Jana III (pomijamy tu, oczywiście, dodatki późniejsze). Dekoracje te stanowią konkretnie przemyślany program ikonograficzny, inspirowany przez samego króla. Z grubsza biorąc, program ten poświęcony jest idei pomyślności, pokoju i szczęścia Rzeczypospolitej, zawiera wyraźne aluzje dynastyczne, gloryfikuje cnotę i piękno jako dobra najwyższe. Jeżeli Krasińskiemu przy dekorowaniu pałacu patronowali historycy rzymscy, to Sobieski inspirował się poezją antyczną, a w szczególności sielankami Wergiliusza; kilka płaskorzeźb nawiązuje tu do czwartej eklogi („Sielanki") tego autora. Jest to bardzo charakterystyczna na naszym gruncie symbioza antyku z sarmackim zamiłowaniem do sielankowości, występującym zarówno w poezji, jak i w plastyce. Fasada dziedzińcowa (zachodnia) pałacu miała pierwotnie portyk na osi elewacji, na nim wznosił się trójkątny fronton zwieńczony wielką postacią Minerwy; płaszczyznę frontonu (tympanon) wypełniały płaskorzeźby przedstawiające słońce, dwie tarcze herbowe Sobieskich oraz alegorie Sławy dmące w trąby.

Fasada dziedzińcowa, przedzielona portalem wejściowym, składa się z dwóch części, których dekoracje mają identyczny układ kompozycyjny, lecz różnią się tematyką. Po prawej stronie znajdują się w niszach posągi Męstwa i Świetności Imienia; trzy płaskorzeźby przedstawiają scenę zbierania gałązek laurowych, triumf Jana III i pochód jeńców

67. „Triumf Jana III", płaskorzeźba na elewacji fronowej galerii południowej pałacu w Wilanowie. Autor nie określony

tureckich; nad portalem łuku – medalion z głową Herkulesa. Po lewej stronie fasady niszowe posągi Honoru i Wielkoduszności; płaskorzeźby przedstawiają Hory zbierające kwiaty na łące, Aurorę rozrzucającą kwiaty oraz Amora siedzącego na delfinie; powyżej – medalion z głową kobiety – przypuszczalnie Aurory.

Znamienne są różnice występujące w dekoracji obu części fasady; hermy po stronie prawej stanowią półakty męskie oplecione girlandami z owoców granatu, po lewej stronie występują półakty kobiece oplecione wieńcami róż, nad nimi medalion z postacią Jutrzenki. Rzecz zrozumiała: strona prawa, „męska", prowadziła do apartamentów króla, lewa, „kobieca", do apartamentów królowej (Marię Kazimierę malowano jako Jutrzenkę).

Elewacja ogrodowa (wschodnia) pałacu Wilanowskiego poza nie istniejącym już dzisiaj posągiem Apollina posiada wiele zachowanych płaskorzeźb, jak medaliony z Sybillami, lwia skóra, herby Korony i Litwy, sceny z Odysei. Główną rolę gra jednak Saturn pochylony nad zegarem słonecznym, co pozwala rozwiązać treść tego zespołu: według przepowiedni sybilińskich po zakończeniu władztwa Apollina nastąpić miała epoka Saturna, czyli złoty wiek pokoju i szczęśliwości. Tak więc Jan III, jak i Lubomirski, wierzył w nastanie dla państwa okresu sielanki, oczywiście – jak na to wskazują różne aluzje – pod rządami rodziny Sobieskich.

Jeżeli treści ideowe (o których w sposób szczegółowy nie sposób tu mówić) zespołu wilanowskiego zostały przez historyków sztuki w znącznej części rozwiązane, to trudniej jest mówić o sprawach atrybucyjnych. Rzekomy udział Schlütera w pracach wilanowskich, jak dotąd, nie potwierdza się. Wiadomo, że pracowało tam pod kierunkiem Józefa Bellottiego kilku sztukatorów (Jan, Antoni), lecz nie da się ich dzieł rozszyfrować pod względem atrybucyjnym. Niektóre rzeźby, zwłaszcza pełnopostaciowe, wykazują wpływy włoskie, co by wskazywało na udział artystów pochodzenia włoskiego lub Polaków wykształconych na tamtejszych wzorach. Wiadomo też było, że wśród rzeźbiarzy wilanowskich jakieś poważne prace wykonywał sprowadzony ze Lwowa rzeźbiarz Szwaner o nie ustalonym imieniu.

Dopiero w ostatnich badaniach podjęto próbę zidentyfikowania prac Szwanera na podstawie skąpych przekazów źródłowych i analizy porównawczej. Jak z badań tych wynika, był on twórcą siedmiu posągów antycznych stojących dziś na attyce pierwszego piętra pałacu (Wenus, Diana, Iris, Hera, Bachus, Hermes, Mars). Wszystkie te postacie są w mniejszym lub większym stopniu trawestacjami rzeźb antycznych, jedynie Mars został usarmatyzowany dzięki ubraniu w zbroję łuskową, jaką noszono w Polsce w czasach Sobieskiego. Wreszcie do prac Szwanera zaliczono również dwie postacie kobiece zdobiące bramę wjazdową na dziedziniec.

Drugim zespołem szwanerowskim jest osiem płaskorzeźb attykowych o tematyce historycznej, a raczej batalistycznej, związanej z osobą króla. Są to głównie sceny bitewne, poczynając od słynnej wyprawy na czambuły tatarskie, a kończąc na oswobodzeniu Wiednia i bitwie pod Parkanami; całość zamyka *Wjazd triumfalny Jana III do Krakowa* – zapewne po kampanii wiedeńskiej. Niestety, reliefy te w ubiegłym stuleciu uległy tak

168. „Orzeł". S. Szwaner (?)

169. „Pogoń". S. Szwaner (?)

170. Ołtarz główny w kościele Bernardynów na Czerniakowie

gruntownej „konserwacji", że właściwie trudno o nich mówić jako o dziełach oryginalnych; po prostu w większości przypadków wykonano nowe płaskorzeźby utrzymując jedynie dawny schemat kompozycyjny, który świadczy o tym, że wzory czerpane były w znacznej mierze z tradycyjnej grafiki batalistycznej, zwłaszcza polskiej.

Omawiając rzeźbę kościelną tego czasu, ograniczymy się do dwóch przykładów, stanowiących dowód istnienia dwóch różnych kierunków ówczesnej plastyki; są to jednocześnie dzieła o dość wysokim poziomie artystycznym. Mamy tu na myśli kościół misjonarzy Podwyższenia Świętego Krzyża przy Krakowskim Przedmieściu i bernardyński kościół św. Bonifacego na Czerniakowie.

Kościół św. Bonifacego powstał w dobrach czerniakowskich należących podówczas do marszałka Lubomirskiego, a zatem na jego zlecenie. Projektantem kościoła był Tylman van Gameren, twórcą głównych rzeźb – Andrzej Schlüter, a więc ta sama para czołowych artystów, która równolegle zajęta była pracami przy pałacu Krasińskich. Czerniakowski ołtarz główny zaprojektował Tylman van Gameren w dość niezwykły sposób: jest on obiektem wolno stojącym pośrodku prezbiterium, a więc ma awers i rewers z postaciami aniołów i towarzyszących im puttów. Uwaga aniołów skupiona jest na obrazie patrona, który jakby pokazują widzowi. Rzeźby te o wysokiej wartości artystycznej (zwłaszcza uskrzydlonych aniołów) wykonane zostały nie z marmuru czy stiuku, lecz z drewna, i chyba z tego powodu nie zwracały na siebie większej uwagi i nie próbowano ich wiązać ze Schlüterem i jego warsztatem. Dopiero analiza porównawcza z innymi dziełami mistrza pozwoliła na ustalenie autorstwa. Warsztat Schlütera dał się rozpoznać i w bocznych ołtarzach (postacie puttów, z których jedno zostało uznane za dzieło samego artysty).

W charakterze sztukatora pracował w Czerniakowie przez kilka lat sprowadzony z Włoch Carlo Giuseppe Giorgioli. Jak się można domyśleć, jest on autorem dekoracji stiukowych pod kopułą i na sklepieniu nawy.

Zupełnie inne cechy miały rzeźby z kościoła Świętego Krzyża. Używamy tu czasu przeszłego, gdyż w przeciwieństwie do kościoła czerniakowskiego świątynia ta uległa w czasie ostatniej wojny poważnym uszkodzeniom: z ośmiu bogato ozdobionych rzeźbą figuralną ołtarzy zachowały się tylko cztery. Istniejące postacie aniołów i świętych kobiet (Katarzyny, Barbary, Agnieszki, Doroty) świadczą o bliskim pokrewieństwie między sobą, co się wywodzi stąd, że twórcami tych rzeźb byli między innymi: Matys Hanvis, Jan Zefrens (Seffrens) i Michał Braun – „snycerze z Elbląga", jak ich określają ówczesne zapiski. Z tego głównie względu rzeźby świętokrzyskie zaliczono do tak zwanego nurtu pomorskiego, którego głównym ośrodkiem nie był wówczas Gdańsk, lecz Elbląg.

Charakterystyczną cechą tych rzeźb, odróżniającą je od dzieł Schlütera, jest pewien konserwatyzm dość właściwy barokowi północnemu. Postacie są statyczne, dość wydłużone, o małych stosunkowo głowach, o pociągłych rysach twarzy, o ciężkich szatach opadających prostymi fałdami ku dołowi. Wreszcie dodać trzeba, że wszystkie te rzeźby są wykonane z drewna.

Z kościołem Świętego Krzyża mocno był związany Józef Szymon Bellotti, głównie jako architekt nadzorujący budowę kościoła. Był on również rzeźbiarzem i sztukatorem (m.in. fasety w pałacu Wilanowskim), jednakże jego spuścizny rzeźbiarskiej w tej świątyni nie udało się zidentyfikować. Natomiast z jego osobą związana jest dość unikalna na gruncie warszawskim kamienna postać Matki Boskiej Passawskiej, która przetrwała wszystkie burze dziejowe i zdobi skwer przy Krakowskim Przedmieściu.

171. Figura Matki Boskiej Passawskiej. Józef Szymo Bellotti

Rzeźba ta, ukończona w 1683 roku, jest w Warszawie drugim chronologicznie monumentem po kolumnie Zygmunta, jeśli pominąć rzeźby ogrodowe. Fundatorem pomnika i, jak się można domyślać, jego twórcą był Bellotti. Figura Madonny jest rzeźbiarską trawestacją passawskiego obrazu Matki Boskiej (powstałego w kręgu Cranacha), słynnej w Europie Środkowej opiekunki w czasie epidemii. Madonna warszawska przygarnia do siebie w sposób macierzyński Dzieciątko, lecz patrzy ponad nim – na miasto. Ujęcie całości wskazuje na doświadczonego rzeźbiarza: przemawiają za tym pewne deformacje twarzy obu postaci, zastosowane dlatego, iż ustawiony na dość wysokim cokole posąg ogląda się z dołu i frontalnie. Pomniczek przy bliższym oglądzie robi wrażenie więcej niż przeciętnego dzieła plastyki.

Malarstwo tego okresu rozwinęło się u nas również pod skrzydłami mecenatu królewskiego i możnowładczego. Pod względem tematycznym dominuje tu portret, ale najcharakterystyczniejsze jest malarstwo dekoracyjne wnętrz pałacowych i malarstwo ścienne.

Fresk od dłuższego czasu był w Polsce zaniedbany; jeżeli się nim posługiwano, to raczej na głębokiej prowincji i głównie w sztuce ludowej. Wywodziło się to z pewnych obaw: tak na przykład znany architekt poznański, Bartłomiej Wąsowski, bawiąc w Rzymie w 1655 roku, zanotował w swym raptularzu wielki rozwój tamtejszego malarstwa freskowego, dodając jednak, że malarstwo to nie ma widoków powodzenia w Polsce, gdzie klimat nie sprzyja trwałości tego gatunku sztuki. Okazało się, że Wąsowski nie miał racji. Już w kilka lat po jego uwagach w lubelskim kościele Dominikanów powstał wielki fresk Sądu Ostatecznego, co było znamienną zapowiedzią. Na Warszawę przyszła kolej nieco później – dopiero z pojawieniem się na jej gruncie Palloniego.

Michelangelo Palloni (1637–ok. 1713), znany na gruncie włoskim freskant florencki, na ziemiach polskich znalazł się około 1674 roku, sprowadzony na Litwę przez rodzinę Paców, która dla odmiany wywodziła swą genealogię od starego rodu florenckiego

Pazzich. Jako już dość głośny we Włoszech malarz (ówczesne jego prace zachowały się głównie w Turynie) ściągnięty został na Litwę, aby malowidłami ozdobić leżący w dobrach pacowskich kościół Kamedułów w Pożajściu, a następnie ufundowany przez Paców kościół św. Piotra i Pawła na Antokolu wileńskim.

W roku 1684 przybył Palloni do Warszawy, zaangażowany przez wojewodę Krasińskiego. Malowidła w pałacu Krasińskich (plafon wielkiej sieni) nie przechowały się do naszych czasów, toteż nic bliższego o nich powiedzieć nie można. Wiadomo natomiast, że po roku 1688 przeszedł Palloni na służbę królewską jako dekorator Wilanowa. Na zlecenie Jana III namalował cykl zwany ogólnie *Historią Psyche*, a więc jakby ilustrację do znanej powszechnie opowieści Apulejusza o Amorze (właściwie Erosie) i Psyche; temat ten był niezwykle popularny w sztuce i literaturze barokowej (w Polsce utwory Jana Andrzeja Morsztyna i Samuela Twardowskiego). Niewątpliwie opowieść ta znana była królowi i musiała mu się podobać, skoro polecił uwiecznić ją pędzlem w galeriach pałacu Wilanowskiego.

Palloni opowieść tę ujął w kilkunastu scenach. Ile ich było pierwotnie, dokładnie nie wiemy, przypuszczalnie trzynaście, w dobrym stanie do naszych czasów zachowały się cztery w Galerii Otwartej: *Zaślubiny sióstr Psyche, Wyrocznia Apollina, Wygnanie Psyche, Psyche w pałacu Amora*. Pozostałe sceny, zwłaszcza w Galerii Zamkniętej, uległy mniejszym lub większym uszkodzeniom.

W czasie kilkunastoletniego pobytu w Warszawie pracował Palloni dorywczo dla niektórych klasztorów i kościołów. Tak więc wiadomo, że w 1702 roku dla karmelitów bosych w refektarzu klasztornym wykonał trzy freski o nie znanej bliżej tematyce; malowidła te znajdują się pod grubą warstwą tynku i czekają na odkrycie. Palloniemu przypisuje się też autorstwo obrazu sztalugowego *Św. Antoni Padewski* dla kościoła św. Klary przy klasztorze Bernardynek (po rozbiórce tego kościoła w XIX w. obraz przeszedł do klasztoru Wizytek, gdzie się obecnie znajduje). Najciekawsze jednak warszawskie malowidło tego artysty znajduje się w pokamedulskim kościele na Bielanach.

Jest to *Ofiara Salomona* na sklepieniu zakrystii kościelnej. Fresk ten zasługuje na szczególną uwagę: przede wszystkim jest dziełem wybitnym, a ponadto przetrwał szczęśliwie w stanie pierwotnym, nie uległszy niefortunnym przeróbkom konserwatorskim, a więc zachował oryginalny rysunek i koloryt. Te właściwości fresku bielańskiego pozwalają określić cechy charakterystyczne pędzla artysty w jego okresie warszawskim, a więc dotyczą również i malowideł wilanowskich.

Postacie fresku są nieco zniekształcone według weneckiej zasady perspektywicznej *dal sotto in su*, pozwalającej na uniknięcie błędów wzrokowych, jakie powstają przy patrzeniu z dołu na wysoko umieszczone malowidło. Z tego powodu figury ludzkie zostały znacznie uwysmuklone. Fresk ma wielkie walory kolorystyczne – w tym miejscu zacytujemy słowa polskiego monografisty malarza: ,,Brunatnozłotawe i szare tony schodów, ołtarza, dymu i płomienia są znakomitym tłem dla srebrnej szaty i wiśniowozłotego mieniącego się płaszcza młodzieńczego króla. Optyczną przeciwwagę stworzył malarz z drugiej strony ołtarza plamami błękitu i zieleni szat obu kapłanów, kładąc identyczny ultramarynowy błękit również u lewej krawędzi, będący barwą szaty pazika stojącego za Salomonem".

Godzi się także niejako na marginesie wspomnieć, że Palloni już po przyjeździe do Warszawy wykonał freski w Łowiczu i Węgrowie. W okresie warszawskim namalował też kilka portretów sztalugowych, między innymi swego mecenasa Krasińskiego i biskupa Wyhowskiego.

W owym czasie rozwijało się również warszawskie malarstwo freskowe pod mecenatem marszałka Lubomirskiego, a miejscem tych prac był kościół na Czerniakowie. W roku 1688 przybył do Warszawy sprowadzony przez Stanisława Herakliusza freskant włoski Francesco Antonio Giorgioli, rodzony brat sztukatora czerniakowskiego.

Stosunkowo krótki pobyt tego malarza ograniczył się, jak się wydaje, do fresków w kopule kościelnej i w jej tamburze. Freski kopułowe uległy wielkiemu zniszczeniu, natomiast dobrze zachowały się malowidła tamburowe, przedstawiające cztery grupy grających i śpiewających aniołów. Freski te cechuje realizm, wyróżniający się na przykład bardzo dokładnym rysunkiem instrumentów muzycznych, i jednocześnie iluzjonizm perspektywistyczny. Tambur ma cztery okna oraz cztery płaszczyzny pokryte malowidłami; Giorgioli owe cztery pola potraktował jako dalsze okna, na których przysiedli trójwymiarowi aniołowie spoglądający z góry na widzów.

Giorgioli nie był freskantem na miarę Palloniego, nie był wybitnym kolorystą, nie celował

173. Michelangelo Palloni, Ofiara Salomona

74. Mistrz Żywota św. Antoniego, Św. Antoni uzdra-
iający ślepych

w ekspresyjności, natomiast dobrze dawał sobie radę z iluzjonizmem, świeżo (1686) zastosowanym przez Bacciccię w rzymskim kościele Gesù. Giorgioli tej dekoracji rzymskiej nie widział, ale oglądał ją w parę miesięcy po odsłonięciu marszałek Lubomirski; to on z pewnością namówił swego freskanta do zastosowania tego rodzaju iluzjonizmu. Tu można wspomnieć, że Stanisław Herakliusz żywo interesował się powstawaniem fresków czerniakowskich, stale sprawdzał postępy prac, o czym sam malarz donosił w korespondencji. Niewątpliwie temu mecenasowi można przypisać fakt, że iluzjonistyczne pomysły Baccicci już w dwa lata po ich ujawnieniu znalazły reperkusje w Polsce.

Mimo wzorowania się na włoskich freskach jest w tej twórczości coś, co nam nasuwa uwagę, że jednak jesteśmy w Sarmacji. Myślimy tu o zagadkowej do niedawna postaci rycerza rzymskiego z herbem Śreniawa, występującej na tamburze. Dopiero nie tak dawno stwierdzono, że jest to rzymski wódz Druzus, „pierwszy Śreniawita", a więc rzekomy protoplasta Lubomirskich. Marszałek Stanisław Herakliusz nie mógł być gorszy od wojewody Jana Dobrogosta.

Kościół czerniakowski posiada wiele malowideł ściennych. Oprócz omówionych prac Giorgiolego na uwagę zasługują freski nawowe. Jest to seria złożona z ośmiu wertykalnych malowideł przedstawiających żywot św. Antoniego Padewskiego, a głównie sceny z uzdrowień przez świętego; ostatni fresk ukazuje scenę jego śmierci. Malowidła te przetrwały w dobrym stanie.

Tegoż artysty jest z pewnością okrągła *Gloria św. Antoniego* umieszczona na sklepieniu prezbiterium (mocno zniszczona, restaurowana) oraz malowidła w czterech pendentywach przedstawiające personifikacje czterech części świata (bez Australii). Wszystkie te freski przywykliśmy wiązać z osobą Mistrza Żywota św. Antoniego, a więc anonima, którego nazwisko dotąd nie jest rozszyfrowane. Czy same malowidła mogą coś powiedzieć o ich twórcy?

Jest to malarstwo dość niejednolite. Jego mocną stroną jest kolorystyka, umiejętne operowanie światłem, znajomość zasad iluzjonizmu włoskiego, natomiast stroną słabą jest rysunek poszczególnych postaci i wręcz niekiedy po amatorsku traktowanie szat. Całość sprawia wrażenie, iż freski te, jeśli nawet są dziełem zawodowego freskanta, to w każdym razie jest to malarz o niewielkim doświadczeniu. Ponadto, o ile freski Mistrza Żywota wykazują znajomość malarstwa włoskiego, zwłaszcza weneckiego, o tyle zimne niekiedy barwy, pobłyski metaliczne, tak obce Włochom, zdają się wskazywać na autora znającego malarstwo północne, a zwłaszcza niderlandzkie. Z tych wszystkich względów wysunięto ostatnio śmiało hipotezę, że Mistrzem Żywota św. Antoniego jest sam projektant kościoła czerniakowskiego, Tylman van Gameren, a więc Holender z pochodzenia, zarówno architekt jak i malarz uczący się sztuki malarskiej w Wenecji; hipotezę tę zdają się potwierdzać niektóre rysunki z albumu Tylmana van Gamerena. Jest to na razie tylko hipoteza, sprawa Mistrza Żywota św. Antoniego pozostaje nadal otwarta.

Z warszawskim środowiskiem malarzy freskantów związane są także dekoracje ścienne pałacu w Starym Otwocku, będące ilustracją do niektórych utworów Horacego, a więc odpowiadające ideałom artystycznym oświeconego sarmatyzmu, pomijamy je tu jednak, ponieważ nie dotyczą Warszawy nawet w najszerszych jej granicach. Można by tu natomiast zamieścić uwagi o freskach Siemiginowskiego w Wilanowie, wydało się jednak rzeczą słuszniejszą zrobić to, gdy będzie mowa o tak zwanej szkole wilanowskiej.

Warszawskie malarstwo sztalugowe tego okresu wiąże się przede wszystkim z Wilanowem i mecenatem Sobieskiego. Król zatrudniał na dworze licznych artystów, lecz pracowali oni w Warszawie, Żółkwi, a nawet we Lwowie. Tak na przykład czołowy batalista Marcin Altomonte przebywał głównie w Żółkwi, gdzie malował swe wielkie płótna przedstawiające zwycięstwa Jana III dla tamtejszego zamku i kościoła. Z czasów jego pobytu w Warszawie możemy jedynie odnotować obraz religijny przedstawiający *Matkę Boską Bolesną* (obecnie kościół w Świętej Lipce na Warmii), natomiast udziału jego w pracach wilanowskich nie udało się dotąd stwierdzić.

W samym Wilanowie w pewnym okresie jego budowy pracowało kilku młodszych malarzy pod kierunkiem Francuza Claude Callota; było tam coś w rodzaju szkoły malarskiej – tak to współcześni określali. Callot (1620–1687), bratanek głośnego grafika Jacques Callota, wiele lat spędził we Włoszech, skąd przybył do Polski jeszcze w czasach Jana Kazimierza. W roku 1677 związał się z Wilanowem. Musiał wykonać tam różne prace dekoracyjne, których dziś nie znamy, natomiast jako pewne jego dzieła przechowały się dwa malowidła plafonowe w bibliotece królewskiej: *Alegoria Nauki* i *Alegoria Teologii*. Malowidła, o których mowa, utrzymane w stylu późnego baroku rzymskiego, wykonane są w tonacji ciemnej, brunatnej, robiącej na pierwszy rzut oka wrażenie monochromatycznych.

W gabinecie królowej znajduje się piękny plafon *Jutrzenki* mającej rysy Marii Kazimiery. Pierwotnie wiązano go z twórczością Callota, jako że nosi cechy zarówno malarstwa włoskiego, jak i francuskiego. Ostatnio ze względów kolorystycznych atrybucję tę odrzucono, wysuwając hipotezę, że twórcą *Jutrzenki* był stypendysta królewski Jan Reisner. Wilanowska działalność Callota przypadła na jego wiek podeszły, toteż powoli tracił siły twórcze, a gdy w Warszawie pojawili się rzymscy stypendyści króla, artysta nie czuł się na siłach sprostać konkurencji, więc w 1686 roku porzucił służbę królewską i przeniósł się do Wrocławia, gdzie niezadługo umarł. Miejsce jego w Wilanowie zajął Jerzy Szymonowicz.

Jan III był właściwie jedynym monarchą polskim (przed Stanisławem Augustem), który nie tylko korzystał z usług malarzy miejscowych i zagranicznych, lecz pomyślał o przygotowaniu sobie młodych artystów przez odpowiednie ich wykształcenie fachowe. W tym celu dwóch młodych malarzy, Szymonowicza i Reisnera, skierował na studia do rzymskiej Akademii św. Łukasza, najbardziej ekskluzywnej instytucji tego rodzaju. Obaj stypendyści spisali się świetnie: nie tylko otrzymali nagrody za prace dyplomowe, ale zostali przyjęci

175. Jerzy Szymonowicz-Siemiginowski, Lato

w poczet członków Akademii, co wówczas w stosunku do cudzoziemców było rzeczą wyjątkową. W czasach rzymskich Szymonowicz przyjął pseudonim Eleuter. Prawdopodobnie pod koniec 1683 roku obaj stypendyści wrócili do kraju, gdzie stali się wkrótce serwitorami królewskimi.

Jerzy Szymonowicz (ok. 1660–1711) był synem snycerza lwowskiego, będącego na usługach króla. Po kilku latach pracy w Wilanowie został uszlachcony i przeszedł do historii pod nazwiskiem Siemiginowski. Był to wybitny i wielostronny artysta. Uprawiał malarstwo sztalugowe i ścienne o tematyce mitologicznej i alegorycznej, malował portrety, a ponadto zajmował się rysunkiem i grafiką. U współczesnych cieszył się tak wielkim powodzeniem, że nazywano go „Rafaelem polskim".

Wkrótce po zjawieniu się w Wilanowie wysunął się na czoło i zajął miejsce Callota jako kierownik zespołu malarskiego. Sobieskiemu odpowiadało jego malarstwo o nowatorskich tendencjach kolorystycznych. Do czołowych wilanowskich dzieł Siemiginowskiego zaliczamy obecnie cztery malowidła plafonowe, przedstawiające alegorię pór roku, fasety i malowidła ścienne w gabinecie Al Fresco.

O ile *Wiosna* i *Lato* zdradzają we fragmentach zapożyczenia obce, o tyle *Jesień* i *Zima* są utworami całkowicie samodzielnymi. W malowidłach tych uderza śmiałość kompozycji, efekty kolorystyczne i ekspresyjność, a ściślej mówiąc dramatyczny dynamizm, głównie w przedstawieniu świata wichrów w alegorii *Zimy*.

Przy plafonach *Wiosny* i *Lata* namalował Siemiginowski kilka obrazków fasetowych (prostokątne i okrągłe), będących nawiązaniem do „Georgik" Wergiliusza, a przedstawiających wiosenne i letnie prace na roli oraz szczęśliwe życie człowieka na łonie natury. W malowidłach tych artysta okazał się nieprzeciętnym pejzażystą i animalistą (bardzo interesująca walka dwóch byków). Dopiero po ostatniej wojnie w parterowym pomieszczeniu pałacu odsłonięto spod tynków malowidło freskowe Siemiginowskiego, poświęcone Apollinowi. Kiedy była mowa o rzeźbie wilanowskiej, wspomnieliśmy, że apartamentom króla patronowała postać Minerwy (Męstwo Rozumne), natomiast apartamentom królowej – Apollo (Piękno); omawiany gabinet, zwany Al Fresco, należał do królowej – stąd sceny związane z Apollinem. Malowidła te imitują gobeliny pokrywające ściany i nawiązują do rzymskich dzieł antycznych. Widzimy tam między innymi Apollina z Sybillą Kumejską i Apollina w roli pasterza grającego na flecie. Szczególnie piękny jest Apollo grający: klasycznie zbudowana postać męska w jasnoróżowym płaszczu doskonale kontrastuje z zielenią krzewów, a rozległy pejzaż z prawej strony malowidła zda się przesycony muzyką, której „echo grało". Malowidła ścienne w gabinecie Al Fresco są doskonałym, może najlepszym przykładem ideologii artystycznej oświeconego sarmatyzmu, wyrażającej się w tematyce antycznej i klasycystycznej formie.

Oprócz malowideł dekoracyjnych w pałacu wykonał Eleuter na zlecenie mecenasa sporo portretów władcy i członków rodziny. Obok dawnych portretów popiersiowych i reprezentacyjnych pojawił się teraz portret majestatyczny postaci siedzącej w fotelu; tak malowano nie tylko monarchę, lecz i wielmożów, czego przykłady widzieliśmy w twórczości Pallonie-go. Nastała też moda na portret podwójny i zbiorowy rodziny królewskiej.

Portrety dworskie malowali różni artyści. Nadsyłał je do Wilanowa krakowski serwitor króla Jan Tricjusz, wiele podobizn wyszło spod pędzla nie rozpoznanych dotychczas artystów, a że adepci „szkoły wilanowskiej" malowali niekiedy w sposób podobny, więc też wiele było kontrowersji na temat autorstwa poszczególnych obrazów. Wśród tej plejady portrecistów wybił się jednak Siemiginowski jako naczelny „konterfekcista" Jana III.

Siemiginowski malował głównie antykizowane portrety króla w stylizowanej zbroi, jako cezara rzymskiego, co miało znaczenie propagandowe. Takim też celom przyświecał podwójny portret monarchy z królewiczem Jakubem. Król został tu również ukazany w zbroi antykizowanej, na którą narzucona jest tkanina w rodzaju togi rzymskiej; smukła postać królewicza kontrastuje z zażywnością ojca: ma on na sobie współczesną zbroję zachodnioeuropejską, rękę opiera na tarczy opatrzonej krzyżem. W tym wypadku chodziło o przedstawienie Jakuba jako następcy ojca i przyszłego obrońcy chrześcijaństwa. Zaletą tego obrazu jest wydobycie rysów psychologicznych portretowanych. Niejako pendant tego obrazu stanowi portret Marii Kazimiery z córką Teresą Kunegundą, lecz jest to zapewne dzieło innego malarza.

Na uwagę zasługuje heroizowany portret Jana III na tle bitwy wiedeńskiej. Tego rodzaju gloryfikacja (król w zbroi antycznej) miała swe źródło we wzorach starorzymskich (reliefy z łuku Konstantyna) i włosko-barokowych (Bernini) i stała się u nas bardzo wzięta. Spopularyzowana przez królewskiego grafika Karola de la Haye była wzorem dla późniejszych tego rodzaju kompozycji, nie wyłączając pomnika Jana III w Łazienkach.

Siemiginowski niejednokrotnie portretował dzieci królewskie *en pied* i konno, toteż prawie wszystkie portrety w tym rodzaju w zbiorach wilanowskich uchodzą za dzieła Eleutera, chociaż zdają się wskazywać na różne pędzle. Natomiast wszystkie cechy tego malarza przedstawia portret *en pied* królewicza Konstantego w stroju rzymskim.

Specjalną pozycję przypisywaną Siemiginowskiemu stanowi *Portret zbiorowy Marii Kazimiery z dziećmi*. Cała rodzina została tu ujęta w niebanalnym układzie kompozycyjnym na tle rzeźbionego popiersia Jana III. Królowa przedstawiona jest jako Rhea, matka Bogów, i jednocześnie jako Caritas (wzoru do tego ujęcia dostarczyła rzeźba Berniniego z grobowca Urbana VIII). Obraz jest pełen aluzji dotyczących młodych Sobieskich i ich przeznacze-

nia w przyszłości. W sumie to dzieło Eleutera stanowi malarskie odbicie programu dynastycznego Jana III.

Trzeba jeszcze dodać, iż Siemiginowski uprawiał także malarstwo religijne. W warszawskich kościołach znajdowało się niegdyś pięć jego obrazów: jeden w kościele Świętego Krzyża (wielkich rozmiarów ołtarzowe Ukrzyżowanie) i cztery w kościele Kapucynów – wszystkie one padły pastwą płomieni w czasie ostatniej wojny.

Gdy po kampanii wiedeńskiej osoba króla nabrała rozgłosu europejskiego, wielu malarzy zagranicznych malowało jego portrety lub sceny z odsieczy wiedeńskiej, jak na przykład Rugendas w Niemczech czy Gascar we Francji (portret rodziny Sobieskich). Jeden z nich zjawił się przelotnie w Wilanowie. Był to François Desportes, głośny w przyszłości animalista i autor scen myśliwskich. Jest rzeczą pewną, że malował portret królowej, portrety całej rodziny Sobieskich, ojca i siostry królowej, wielu senatorów; niestety, obrazy te nie zostały dotąd przekonywająco zidentyfikowane.

W ostatniej ćwierci XVII wieku Warszawa stała się, po raz pierwszy w dziejach kraju, jego głównym ośrodkiem artystycznym. Gdy w tym czasie dawne ośrodki artystyczne – Kraków i Gdańsk – poczęły podupadać, na plan pierwszy wysunęła się stolica promieniując na całą Rzeczpospolitą Obojga Narodów.

V. STOLICA OŚWIECENIA

SPOŁECZEŃSTWO I KULTURA W LATACH 1720–1795

ROZWÓJ TERYTORIALNY

Z drugiej wojny szwedzkiej Warszawa wyszła zbiedniała, dotknięta kontrybucjami, zdzierstwem różnych najeźdźców i „wyzwolicieli", nawiedzona srogą epidemią, drożyzną i głodem. Odbudowa Warszawy zaczęła się niemal natychmiast po ustaniu działań wojennych, a jej rozbudowa trwała aż do ostatnich lat istnienia Rzeczypospolitej. Zaczyna się za Augusta II (zm. 1733), rozwija w czasie panowania jego syna Augusta III (1733–1763), najintensywniej postępuje w końcowym okresie tych rządów, przeobrażając stolicę sarmacką w oświeceniową.

Oświecenie zatriumfuje pod rządami ostatniego króla, Stanisława Augusta Poniatowskiego (1764–1795); odnowie i próbom reform towarzyszyć będą gwałtowne wstrząsy, wśród nich pierwszy rozbiór Polski. Osłabiona politycznie Polska wewnętrznie wzmacnia się, czego wyrazem jest ożywienie gospodarcze i kulturalne kraju oraz ostatnia wielka próba naprawy Rzeczypospolitej podjęta przez Sejm Czteroletni (1788–1792).

Jeszcze nie przebrzmiały echa drugiej wojny północnej, kiedy z inicjatywy Augusta II podjęto prace nad wielkim przedsięwzięciem urbanistycznym – słynną osią barokową, zwaną Osią Saską. Końcowa faza jej budowy przypadnie na lata panowania Augusta III. Dwa inne założenia urbanistyczne na krańcu północnym i południowym miasta to, na obszarze zajętym później przez Cytadelę, budowa koszar dla Gwardii Pieszej Koronnej na Żoliborzu (1725) oraz wytyczenie drogi Ujazdowskiej jako Kalwaryjskiej (1724–1731). Utrwalenie rządów magnackich w kraju znajduje swój wyraz w Warszawie w odbudowie, wznowieniu działalności i powiększeniu liczby jurydyk. Skupiały one ludność rzemieślniczą i kupiecką, chroniły Żydów, którym nie wolno było mieszkać na terenie Starej i Nowej Warszawy. Na początku XVIII wieku było tych jurydyk w Warszawie co najmniej trzynaście. Przy Nowym Świecie powstaje jeszcze jedna nowa jurydyka, zwana Ordynacką, erygowana w 1739 roku przez Jana Jakuba Zamoyskiego. Sporo było tu handlarzy, którzy mieli swe jatki i kramy na Tamce. Jurydyka miała swój ratusz przy Nowym Świecie, natomiast jej właściciele mieszkali w pałacu Gnińskich (na Tamce). Ośrodkiem jurydyki uczyniono ulicę Ordynacką, którą przeprowadzono na osi pałacu do Nowego Światu.

Obszar osadniczy powiększył się przez założenie nowej jurydyki, Bielino, w roku 1757 przez rzutkiego marszałka Franciszka Bielińskiego, który nadał jej kształt kwadratu w układzie szachownicy. Oś miasteczka stanowiła szeroka ulica (26 m), nazwana nieco później Marszałkowską, wytyczona od Królewskiej do Świętokrzyskiej i przecięta drogami Próżną i Zielną. Na osi pałacu Bielińskich, zbudowanego przy Królewskiej naprzeciw Ogrodu Saskiego, wytknięto ulicę Jasną. Rynek miasteczka (dzisiejszy plac Dąbrowskiego) znalazł się poza nurtem komunikacyjnym. Bieliński zadbał o dojazd do miasteczka. Wybrukowano Królewską, a następnie kawałek Marszałkowskiej; dalszą część do Świętokrzyskiej wybrukowali mieszkańcy, zyskując w zamian zwolnienie od podatków. Wzdłuż ulicy wytknięto długie place 200 × 70 m, przeznaczając je na dwa szeregi domów ze sporymi ogródkami wewnątrz. Już za Stanisława Augusta, w 1765 roku, ulicę Marszałkowską przedłużono i wyprostowano aż do dzisiejszej Wilczej, stanowiącej granicę ról

7,178. Żeton koronacyjny Augusta II z 1697 r. iełо medaliera Jana Kocha

te na rozkaz marszałka Stanisława Lubomirskiego zostały naniesione na plan miasta w 1770 roku. Ulica Marszałkowska, szeroka i zabrukowana, stała się prędko główną arterią, poza Nowym Światem i Bracką, prowadzącą z Warszawy na południe. Chociaż na planie kończyła się na Wilczej, w rzeczywistości poprzez rogatki mokotowskie łączyła się z traktem Czerskim wiodącym do Mokotowa i z traktem Krakowskim – do Rakowca.

W drugiej połowie XVIII wieku regulacja terenów pod osadnictwo mieszkaniowe objęła również obszary zachodnie. Wyznaczono tu nowe ulice: Ceglaną, Ciepłą, Chłodną, Solną, Ogrodową, Wolność, Żytnią, Kaczą, Nowolipki, Dzielną, Pawią i Gęsią. Nowo wyznaczone ulice były dość szerokie, liczyły około 15 metrów. W tym czasie zaczęło się też szybko zaludniać Powiśle, atrakcyjne również ze względu na możliwości przemysłowe. Pierwszym krokiem w kierunku zasiedlenia i uporządkowania Powiśla było założenie w 1762 roku za Augusta III jurydyki Mariensztat.

Inną jurydykę na Powiślu, Stanisławów, założył król Stanisław August w 1768 roku. Miasteczko stanowiły trzy bloki ograniczone ulicami: Leszczyńską, Radną, Lipową i Wiślaną. Granica wschodnia jurydyki biegła wzdłuż Browarnej, a zachodnia – szeroko projektowaną ulicą odpowiadającą dzisiejszej Dobrej. Ulica ta szybko się zabudowywała, stanął przy niej niebawem pałacyk i 17 dworków. Wschodnia strona ulicy była narażona na niebezpieczeństwo w razie wylewu Wisły. Zresztą klęska powodzi groziła często całemu obszarowi Powiśla. W 1780 roku Stanisław August zwiększył swój stan posiadania w tej dzielnicy, kupując Mariensztat i łącząc nowy nabytek ze Stanisławowem. Po kilku jednak latach, bo już w 1784 roku, odstąpił obydwie jurydyki magistratowi Starej Warszawy w zamian za część gruntów miasteczka Solec, przylegających do Łazienek, gdzie miał ostatecznie skupić się główny wysiłek inwestycyjny i artystyczny króla. Dawne jurydyki Aleksandria i Tamka rozrosły się też w kierunku Powiśla, a na południe od Tamki rozbudował się Stary Solec z ulicami Solec i Czerniakowską. Było to ważne miejsce dla gospodarki miasta, bo znajdowały się tu 33 magazyny i składy handlowe.

W początkach swego panowania, w 1766 roku, Stanisław August zakupił od Lubomirskich Ujazdów i przystąpił do przebudowy zamku na nowoczesną rezydencję monarszą. Na osi pałacu wytknięto długą trasę, zwaną Drogą Królewską, a później aleją Wolską. Na przecięciu drogi Kalwaryjskiej z nową aleją wyznaczono w 1768 roku plac Na Rozdrożu. Dalszy etap rozplanowania miasta, a szczególnie opracowanie skrzyżowań alei Wolskiej z ulicami Mokotowską, Marszałkowską i Wielką, wiąże się z budową wałów wokół miasta, które wzniesiono w 1770 roku w celu kontroli sanitarno-policyjnej w mieście, w obawie przed zarazą grasującą wówczas w Polsce. Na opracowanie projektu budowy okopów obok marszałka Stanisława Lubomirskiego, z którego nazwiskiem je związano, duży wpływ miał dyrektor budowli królewskich August Moszyński, a zarys linii wału korygowano w czasie budowy zgodnie z życzeniami króla. Na lewym brzegu Wisły wał objął obszar 1469 hektarów i liczył 12,8 kilometra długości. Oba końce okopów, północny i południowy, opierały się o Wisłę. Na północy wał obejmował Żoliborz, na zachodzie oparty był o koryto Drny, co odpowiadało dzisiejszym ulicom Towarowej i Okopowej; na południu bieg wału wyznaczył ulice Polną i Klonową, obejmował prawie całe – na życzenie króla – Łazienki, znaczną część Czerniakowskiej oraz przystań na Solcu. Wał ten odegrał poważną rolę w scaleniu miasta, które do tej pory składało się z luźno związanych miasteczek, a w czasie powstania kościuszkowskiego miał również spełnić ważną funkcję militarną. Do miasta prowadziło teraz kilka wjazdów. Pragę również otoczono w tym czasie wałem liczącym około 3 kilometrów długości; biegł on równolegle do Targowej i wpłynął przede wszystkim na ukształtowanie południowej dzielnicy Warszawy. Ulicę Marszałkowską przedłużono wtedy do wału za przejazdem Mokotowskim. Przecięcie Marszałkowskiej z ówczesną Wolską zaprojektowano jako okrągły plac – Rotundę (dzisiaj plac Zbawiciela), przeprowadzając przezeń nadto ulicę Mokotowską. Uporządkowano również plac Na Rozdrożu, skomponowany jako pęk alei. Place i aleje obsadzono lipami i kasztanami.

W 1784 roku, zmierzając do powiększenia parku Łazienkowskiego i uporządkowania całego założenia, zlikwidowano wieś Ujazdów, która składała się z dwudziestu paru zagród na terenach dzisiejszego parku Ujazdowskiego, Ogrodu Botanicznego i górnych Łazienek. Chłopów przesiedlono do nowego osiedla, zwanego Nową Wsią (tereny dzisiejszej ulicy Nowowiejskiej). Wieś ta miała być wzorową osadą rozplanowaną i zbudowaną według zaleceń publicystyki i ekonomiki oświeceniowej. Dlatego też porządne budynki, wzniesione po trzy z każdej strony Nowowiejskiej, były murowane i kryte dachówką. Wieś prosperowała dobrze, głównie dzięki sadownictwu i ogrodnictwu.

Nowa dzielnica północna, Żoliborz, wyrosła na wysokim brzegu Wisły i stała się szybko przedmieściem zamożnym, zabudowanym pałacykami, willami i dworkami tonącymi w zieleni. Zamieszkiwali Żoliborz dygnitarze, wyżsi oficerowie, kupcy, bankierzy. Prawie każdy dom miał obszerny ogród, ozdobiony według ówczesnej mody sztucznymi ruinami, grotami, altanami, a także malowniczymi sadzawkami. Dzielnica rozwijała się w nawiązaniu do alei Gwardii; między wąwozami rzek Drny i Bełczącej powstały ulice Fawory i Zielona, a geometra Jan Tylmer wyznaczył dalszą sieć ulic Żoliborza, przede wszystkim Muranowską, Pokorną, Inflancką i ich przecznice. Nazwę swą zawdzięcza Żoliborz konwiktowi pijarów. Teren, na którym pijarzy zbudowali swą szkołę, nazwano Joli Bord, w przyszłości nazwę tę przyjęła cała dzielnica, której atrakcyjność, poza pięknym położeniem, zwiększała dobra komunikacja ze śródmieściem.

Zabudowa Warszawy posuwała się w trzech kierunkach – północnym, południowym i zachodnim, gdzie przekroczyła okopy, dając początek nowym przedmieściom: Woli i Czystemu. Znaczne jednak obszary objęte okopami, szczególnie na południu i północy, miały bardzo luźną zabudowę. Ruch budowlany na Starym i Nowym Mieście osłabł bowiem w drugiej połowie XVIII wieku. Centrum miasta przesunęło się na Krakowskie Przedmieście. Tutaj też oraz przy Miodowej, Senatorskiej i Długiej buduje się najwięcej. Poza Starym i Nowym Miastem oraz kilku głównymi ulicami zwarta zabudowa nie występuje. Najbardziej typową ówczesną budowlą warszawską był drewniany dworek kryty gontem, rzadziej dachówką, z gankiem i ogrodem. Niebawem miał on ustąpić kamienicom i drewnianym domom czynszowym, budowanym z myślą o lokatorach. W całej Warszawie wiele było też ubogich chałup, w których gnieździła się nędza.

Szczególne zasługi dla modernizacji miasta położyła Komisja Brukowa. Wznowiona w latach czterdziestych pod kierunkiem marszałka wielkiego koronnego Franciszka Bielińskiego porządkowała ulice Warszawy. Wybrukowano główne ciągi komunikacyjne miasta, przede wszystkim zaś trasę od placu Trzech Krzyży (dla upamiętnienia tych prac marszałek Bieliński wzniósł na nim figurę św. Jana) poprzez Nowy Świat (brukowany 3 lata), Krakowskie Przedmieście (brukowane 4 lata), Zakroczymską i aleję Gwardii. Składając sprawozdanie w 1762 roku, Komisja wspomina o wybrukowaniu 18 najważniejszych ulic, w tym również zjazdów z głównego traktu ku Wiśle. Ogólnie położono 118 371 m² bruków. Brukowano tylko pas szerokości 10–13 metrów.

Innym ważnym rezultatem prac Komisji były mosty na rzekach Żurawce, Bełczącej i Drnie, przepływających ku Wiśle, kanały, skanalizowanie Żurawki na odcinku od Brackiej przez Książęcą, Czerniakowską i Solec do ujścia, zbudowanie pod Warecką, Ordynacką i Tamką kanału, który osuszał tereny placu Wareckiego (do 1771 znajdowało się tam bagno po spuszczeniu stawu) oraz rozbudowa wzdłuż Królewskiej i Karowej kanału, do którego podłączono kanały jurydyk: Grzybów, Wielopole i Bielino. Nadto naprawiono i rozbudowano kanały Starej i Nowej Warszawy, otwarte lub częściowo kryte, drewniane lub murowane. Jako budulca używano dębiny smarowanej smołą i cegieł. Drewniane kanały miały też dno wykładane cegłą; kanały te wymieniono dopiero w połowie XIX wieku.

ROZWÓJ GOSPODARCZY I STRUKTURA SPOŁECZNO-ZAWODOWA

Wraz z rządami Wettinów napływają do Warszawy liczni cudzoziemcy. Obok Sasów widzimy w Warszawie również Niemców z innych części cesarstwa, coraz częściej też zaglądają do stolicy Polski Francuzi i Włosi. Wśród Francuzów przeważają hugenoci, tułacze, wygnańcy z własnej ojczyzny, którzy opuściwszy kraj na skutek nietolerancyjnej polityki wyznaniowej Ludwika XIV czasem przez Drezno przyjeżdżali do Polski, próbując tu szczęścia. Przybyli do Warszawy około 1720 roku dwaj Francuzi, Jakub Malherb i Jakub Pellisson, założyli w Warszawie duży dom handlowy. Dzięki poparciu magnatów i protekcji królewskiej, a wbrew sprzeciwowi miejscowych kupców Francuzi sprzedawali towary luksusowe, sprowadzane głównie z Lipska, ponadto z Paryża, Amsterdamu, Frankfurtu, Królewca i Londynu. Dom zajmował się detaliczną sprzedażą w kantorze w Warszawie lub wysyłkową poza stolicę. Przedmiotem handlu były artykuły dość różnorodne, jak materiały włókiennicze, koronki, meble, porcelana, szkło, lustra, zegarki, tabakierki. Pierwszym klientem domu towarowego był król, następnie magnaci, w końcu też kupcy warszawscy. Dom prowadził również transakcje bankowe, między innymi przyjmował zlecenia finansowe od kupców zagranicznych do wypłaty w Warszawie. Z usług finansowych korzystali ci sami ludzie, którzy kupowali tam towary, przede wszystkim król i magnaci. Także inni kupcy warszawscy nabierają stopniowo większego znaczenia ze względu na zamożność, stosunki z dworem i magnatami. Spośród nich w drugiej połowie XVIII wieku wyłonią się wielcy bankierzy, a dom Malherba i Pellissona przejmie od 1763 roku najbogatszy i najbardziej wpływowy bankier w czasach Stanisława Augusta, Piotr Tepper.

Ludność Warszawy wzrosła szybko. W 1764 roku miasto liczyło około 30 000 mieszkańców, a w 1792 roku miało ich już 115 000. W niespełna 30 lat zaludnienie stolicy wzrosło więc prawie czterokrotnie. Przyczyniła się do tego migracja do Warszawy ze wsi i miast mazowieckich, a także z innych dzielnic Polski. W poszukiwaniu zarobku napływała tłumnie drobna szlachta, chwytając się handlu, rzemiosła, a najchętniej zajmując posady urzędnicze. Przybywali i ci przedstawiciele stanu szlacheckiego, którzy nie rezygnując z majątku ziemskiego część swych kapitałów lokowali w mieście, próbując na tej drodze wzbogacenia. Najwięcej jednak było ludzi, którzy wynajmowali się do każdej roboty, mieszkali byle gdzie, a nie ułożywszy sobie życia wędrowali dalej w poszukiwaniu chleba.

Na tle innych miast Rzeczypospolitej Warszawa była miastem uprzemysłowionym. W 1784 roku miała 166 budynków przemysłowych, w tym 66 browarów, 27 młynów, 31 cegielni oraz 45 składów i magazynów. Najwięcej budynków przemysłowych powstało w najszybciej zabudowującej się dzielnicy zachodniej, gdzie również poza okopami, na Woli, było już 50 młynów, 5 cegielni i kilka browarów, co stwarzało zaczątek przyszłej dzielnicy przemysłowej. Najmniej uprzemysłowione były willowe dzielnice na północy i południu.

Warszawa stanowiła również największy wówczas w Polsce ośrodek rzemieślniczy; rosła liczba warsztatów, które z czasem miały się przekształcić w manufaktury. Wzrastała liczebnie w mieście grupa ludzi uprawiających wolne zawody; wśród nich elitę stanowili lekarze, aptekarze i palestranci. Najbogatsi z nich dorabiali się kamienic i trzymali po kilkoro służby. Odpływ kupiectwa i bogatych przedstawicieli wolnych zawodów ze Starego Miasta czynił je coraz niepodzielniej twierdzą żywiołu rzemieślniczego. Zaczyna się rozwijać nowa forma produkcji – manufaktura, stanowiąca ważny etap przemian gospodarczych. Jedną z najważniejszych dla państwa manufaktur – ludwisarnię – założył król w 1765 roku przy rogu Wąskiego Dunaju i Podwala. Do roku 1780 odlano tam 28 armat, nie licząc innych dział oraz produkcji wozów i sikawek. Po przejęciu ludwisarni przez skarb państwa w latach 1780–1789 odlano 53 działa oraz zwiększono produkcję innego sprzętu artyleryjskiego. Stanisław August założył też „fabrykę farfurową" w Belwederze; wyrabiano tam między innymi talerze, półmiski, filiżanki, nocniki, wazony, wazy, kałamarze. Manufaktura miała szczupły personel, w organizacji przypominała raczej poszerzony warsztat rzemieślniczy, co odbijało się na rozmiarach jej produkcji. Ponieważ nie dawała spodziewanego dochodu, król zwinął ją, sprzedając urządzenia dwóm mieszczanom, Bernardiniemu i Wolffowi, którzy przejęli je dla swej manufaktury założonej na Bielinie i zatrudniającej przeszło 40 osób.

Spośród manufaktur mieszczańskich wymieńmy znaną w całej Europie wytwórnię powozów Dangla. W obszernych domach na Senatorskiej i na Elektoralnej zatrudniał Dangel około 300 osób, a na składzie miał zazwyczaj około 100 powozów w cenie od 100 do 2000 czerwonych złotych. Dbał o nowoczesność swych wyrobów, wzorując się na najnowszych modelach z Londynu. Oprócz Dangla istniały inne wytwórnie powozów w Warszawie, ale nie dorównywały mu wielkością i rozmachem. Charakter manufaktur miały też niektóre krochmalnie i browary warszawskie, a także „fabryka" perkali na Marymoncie i odlewnia czcionek drukarskich.

Manufaktury warszawskie rozbudowują się w latach Sejmu Czteroletniego. Zwraca uwagę ożywienie rzemiosła i manufaktur pracujących na rzecz wojska. Rozszerza się kilkanaście dużych warsztatów puszkarskich, a wśród warsztatów kowalskich jeden, należący do Jana Mariańskiego, rozbudowuje się tak dalece, że zasługuje na nazwę manufaktury. Położona przy ulicy Świętojerskiej manufaktura Mariańskiego wyrabiała „wozy wojenne", karety i tym podobne rzeczy, zatrudniając w 1791 roku 29 mężczyzn i 8 kobiet. Inną manufakturą, stanowiącą własność państwową, a również wówczas zreorganizowaną, była wspomniana już ludwisarnia. W okresie Sejmu odlano tam podobno 102 działa. Pod kierunkiem ludwisarza Jana Dietricha pracowało 15 majstrów i 30 czeladników. Zwiększyły się zasoby Arsenału warszawskiego, którego fronton w duchu klasycystycznym przebudował w 1792 roku nowy jego gospodarz, generał artylerii Stanisław Kostka Potocki. Z innych ważnych obiektów wojskowych leżących już poza murami miasta wymienić trzeba prochownię znajdującą się na Woli i młyn prochowy zbudowany w Łomiankach za Młocinami. Zapotrzebowanie armii na mundury ożywiło warsztaty i manufaktury sukienne. Bardzo interesującym przedsiębiorstwem sukiennym była manufaktura Rehana.

Postęp gospodarczy kraju niósł rosnące zapotrzebowanie na kredyt, przede wszystkim ze strony szlachty i państwa. Wywołało to powstanie licznych banków w Warszawie. Wśród bankierów największym potentatem finansowym stolicy był wspomniany już Piotr Tepper. Ten wielki bankier, kupiec i kamienicznik był kasjerem króla, udzielał pożyczek ambasadorom rosyjskiemu i austriackiemu, a obrotność jego była tak znaczna, że nawet Katarzyna II korzystała z jego pośrednictwa przy zakupie klejnotów. W liczbie kilkunastu najwybitniejszych mieszczan uzyskał prawo nabywania dóbr ziemskich na Sejmie 1772– 1775 i zakupił kilka majątków w okolicy Warszawy, starając się je uprzemysłowić (Falenty, Gołków, Sękocin). Współpracowali z nim inni bankierzy warszawscy: Karol Szulc, August Wilhelm Arndt, Fryderyk Kabryt i Jan Meysner, a Piotr Blank wraz z Tepperem był kasjerem króla. Właściciel pięknego pałacu przy Senatorskiej i willi na Faworach, Blank słynął z przebiegłości i inteligencji. W udzielaniu kredytu ostrożny był tak dalece, że potrafił i królowi odmówić, nie mając zbytniego zaufania do zasobności jego szkatuły. Pozwoliło mu to przetrwać krach finansowy, jaki miał miejsce w Polsce po drugim rozbiorze. Z Warszawą związany był również bankier magnackiego pochodzenia, Prot Potocki, który między innymi obiektami przemysłowymi posiadał manufakturę sukienną na Pradze.

Spośród około 115 000 mieszkańców Warszawy pod koniec Sejmu Czteroletniego rzemiosłem trudniło się 4570 osób, a wraz z rodzinami utrzymywało się zeń 21 097 osób. Najliczniej reprezentowane były gałęzie zaspokajające codzienne potrzeby mieszkańców. Najwięcej było rzemieślników trudniących się wyrobem odzieży (2661), wśród nich zaś dominowali krawcy i szewcy (593 i 621). Drugą grupę stanowili rzemieślnicy związani z budownictwem (1206), wśród nich najwięcej było cieśli i murarzy (517 i 336). W trzeciej dużej grupie (494) związanej z wyrobem artykułów spożywczych najliczniejsi byli piekarze, rzeźnicy i młynarze. Z obróbką drewna związanych było 389 rzemieślników, metali – 282 i skóry – 143. Mimo starań Stanisława Augusta rzemiosło artystyczne było dość słabo rozwinięte. Wśród rzemieślników występowało duże zróżnicowanie majątkowe, ale widoczna była ogólna tendencja do zwiększania warsztatów rzemieślniczych. Jeszcze większe różnice cechowały kupiectwo warszawskie – od wielkich bankierów i bogatych kupców do drobnych przekupniów-śledziarzy. Ogółem kupiectwem miało się trudnić w Warszawie 1467 osób (w tym 9 bankierów, 396 kupców, 219 przekupniów), a dawało ono podstawę egzystencji 5430 osobom. Wielu ludzi pracujących w rzemiośle parało się równocześnie kupiectwem, inni będący na służbie utrzymywali się okresowo z żebractwa. Pokaźna liczba osób prowadziła w Warszawie traktiernie i kawiarnie; lokale były szczególnie rozpowszechnione, ponieważ od 1764 roku wolno było w Warszawie wszystkim sprzedawać wszelkie trunki. Spory udział w wyszynku, zwłaszcza piwa, miała uboga szlachta, która w swych dworach warzyła ten trunek, a następnie rozwoziła w beczkach po mieście. Ludzi trudniących się rolnictwem, ogrodnictwem i rybołówstwem było w stolicy 276, a żyło z ich zarobku 1051 osób. Największą grupę stanowili ogrodnicy. Stale wzrastała liczba urzędników rekrutujących się przeważnie ze szlachty; było ich 1529, a utrzymywały się z tego źródła 9583 osoby. Niezbyt liczna jak na tak duże miasto była służba zdrowia, bo liczyła tylko 211 osób, w tym lekarzy i chirurgów 42, aptekarzy zaś 19. Rozwój teatru i umuzykalnienie Warszawy powodowały, że aktorów, baletmistrzów i muzyków było aż 326, a żyło z ich zarobku 927 osób. Nauczyciele i wychowawcy stanowili grupę 151-osobową. Bardzo poważna musiała być liczba służby domowej, sięgała zapewne kilku tysięcy. Trudny do statystycznego ujęcia element stanowili również ludzie bez zawodu, doraźnie zatrudniani wyrobnicy i żebracy, których zapewne również było kilka tysięcy. Walkę z tymi ostatnimi Komisja Policji prowadziła na wielką skalę. Przy pomocy wojska i milicji miejskiej wyłapywano żebraków, zdrowych kierowano do prac przymusowych w manufakturach (stąd właśnie czerpał robotników Rehan i inni), a chorych i starych zamykano w szpitalach. Wielką obławę na żebraków zorganizowano w Warszawie 2 listopada 1791 roku, gdy na ulicach miasta, szczególnie przed kościołami, a nawet i w kościołach zatrzymano przeszło 400 osób. Od tej pory zabroniono udzielania żebrakom noclegów i pożywienia i przeprowadzano systematyczne obławy na ulicach, zaczepiano ludzi biednie ubranych i żądano zaświadczeń, że pracują. Nawet robotnicy wynajmujący się do pracy dorywczej, którzy w oczekiwaniu zajęcia gromadzili się według zwyczaju pod kolumną Zygmunta, mieli obecnie prawo przebywać tu tylko do godziny ósmej rano w lecie, a do dziewiątej w zimie.

Napływ chorych i starych żebraków do szpitali wymagał poprawy opieki społecznej. Rolę przytułków spełniały szpitale, które były też zakładami leczniczymi. Ścisła kontrola dziesięciu szpitali warszawskich pozwoliła zorientować się, że znajduje się tam 800 osób, nadto zaś szpital generalny Dzieciątka Jezus mieścił w swych murach przeszło 2660 osób. Szpital generalny opiekował się podrzutkami, ale przebywali w nim również „żebracy kalecy, o których uleczeniu nie ma nadziei, głupi i szaleni". Dzieci podrzucone rozdawał szpital mamkom w Warszawie i okolicznych wsiach płacąc „...od każdego dziecięcia na miesiąc po zł. pol. 7, jeżeli dziecię prędzej niż w miesiąc umrze, szpital daje jej inne. Takowych dzieci przez szpital rozdanych na mamki jest blisko tysiąc". Warunki sanitarne szpitala były złe, a śmiertelność wśród dzieci duża. Komisja Policja energicznie zabrała się do usprawnienia organizacji szpitali warszawskich, przede wszystkim zaś poddała kontroli ich wydatki i zaczęła szukać nowych źródeł dochodu, organizując składki i egzekwując zaległe należności od kawalerów Orderu św. Stanisława.

Z zagadnień narodowościowych wspomnijmy o sprawie żydowskiej. W okresie Sejmu Czteroletniego liczba Żydów w Warszawie uległa zwiększeniu, dochodząc do 6750 osób; niewątpliwie przedłużająca się sesja Sejmu legalizowała ich pobyt w stolicy. Konkurencyjna walka między kupcami i rzemieślnikami chrześcijańskimi i żydowskimi uległa zaostrzeniu. Doszło nawet do pogromu Żydów, co odbiło się w Europie szerokim echem, budząc w kołach oświeconych niechętne nastroje wobec nietolerancji, brutalności i ciemnoty uczestników tych zajść.

Charakteryzując rolę gospodarczą Warszawy w czasie powstania 1794 roku trzeba zauważyć, że udział ludności stolicy w powstaniu polegał nie tylko na czynnej obronie miasta na szańcach czy na intensywnej budowie okopów i umocnień, ale również na pracy przy produkcji uzbrojenia dla całej armii powstańczej. Zorganizowano w stolicy produkcję kos i pik bojowych, zaopatrując w tę broń milicję warszawską i trzecią część piechoty armii regularnej. Nie zdołano natomiast uruchomić produkcji ręcznej broni palnej. Do Warszawy ewakuowano manufaktury karabinów z Końskich i Kozienic. W lipcu 1794 roku uruchomiono duże warsztaty reperacji broni, zatrudniające ponad 100 robotników. Zdołały one zreperować i dostarczyć wojsku około 3000 sztuk broni palnej. Uruchomiona w sierpniu w Warszawie manufaktura dostarczyła powstańcom około 2000 sztuk zreperowanej broni. Produkcja dział miała dla powstania duże znaczenie. Powstańcy w trudnych warunkach zdołali uruchomić ludwisarnię warszawską i skompletować znaczny zespół rzemieślników do pracy nad odlewnictwem dział. W celu zgromadzenia potrzebnych surowców przeprowadzono rekwizycję, zdjęto dzwony z kościołów i ściągano metale z całego kraju. Z wielkim trudem zdołano odlać około 40 dział, wśród których przeważały działa ciężkiego kalibru, najpotrzebniejsze, ale i najtrudniejsze w produkcji. W czasie walk pod Warszawą przystąpiono do budowy nowej ludwisarni w stolicy; ukończono ją dopiero na kilka dni przed upadkiem powstania. Podjęto natomiast produkcję amunicji, uzyskując wystarczającą liczbę nabojów karabinowych oraz pocisków armatnich, bomb, kartaczy, fajerbali, których produkcja wymagała zatrudnienia różnych specjalistów i zgromadzenia surowców rzadkich w Polsce. Uruchomiono duży młyn prochowy na Pradze, a także mniejsze młyny na Gęsiej, Smolnej i w koszarach Artylerii. Łatwiej było z umundurowaniem, bo żołnierz dymowy przychodził we własnym odzieniu, a rozbudowane w poprzednim okresie manufaktury sukienne i warsztaty krawieckie, szewskie i garbarskie pracowały intensywnie w Warszawie.

Ostatnia wielka próba naprawy Rzeczypospolitej – Sejm Wielki obradował w Warszawie w latach 1788–1792. Sejm ten, zwany również Czteroletnim, i uchwalona przezeń Konstytucja 3 maja były przede wszystkim dziełem szlachty, jednakże wpływ mieszczaństwa przyspieszył przemiany. Wśród mieszczaństwa polskiego główną rolę odegrało mieszczaństwo stolicy. Walka o prawa dla miast i reformę miejską jest jedną z najistotniejszych spraw Sejmu Czteroletniego. Program mieszczański sformułował pisarz magistratu Michał Świniarski, wskazując w nim na znaczenie gospodarcze Warszawy dla kraju. Tenże pisarz z dwu innymi wybitnymi prawnikami mieszczańskimi, Franciszkiem Barssem i Antonim Mędrzeckim, powoływali się w swych pismach na historyczne prawa miast. Postępowa część posłów sejmowych rozumiała konieczność reformy, zdając sobie sprawę z konieczności dopuszczenia mieszczan do współrządów w państwie. Na czele ich znajdował się wybitny statysta, energiczny i konsekwentny Hugo Kołłątaj. Patrycjat miejski, zgromadzony wokół ratusza Starej Warszawy, gdzie przewodził inny bojownik o reformę miast, prezydent Jan Dekert, chciał skłonić Sejm do działania na rzecz miast, daleki był natomiast od uciekania się do metod rewolucyjnych. Utworzony przez Kołłątaja przy ulicy Czerniakowskiej ośrodek publicystyczno-propagandowy zwany „Kuźnicą" prowadził agitację na cały kraj. Kołłątaj zmobilizował do walki tęgie pióra. Artykuły, broszury, pamflety, programy pisali: ksiądz Franciszek Salezy Jezierski, Franciszek Dmochowski, Antoni Trębicki, Florian Jelski i inni. Ożywienie wśród mieszczaństwa warszawskiego wzrasta w ślad za wiadomościami o postępach rewolucji francuskiej. Jesienią 1789 roku, chcąc skłonić Sejm do zajęcia się sprawą miast, magistrat Warszawy organizuje z inicjatywy Kołłątaja zjazd przedstawicieli miast polskich do Warszawy. Słynna „czarna procesja" odbyła się 2 grudnia 1789 roku. Mieszczanie złożyli memoriały królowi i kanclerzom, domagając się reformy. Nie doczekał się jej Jan Dekert, który umarł, przepowiadając szlachcie rewolucję w razie dalszego odsuwania reformy. Dopiero 21 kwietnia 1791 roku uchwalono ustawę o zasadniczym znaczeniu dla miast królewskich; przyznawała mieszczanom nietykalność osobistą, wolność nabywania dóbr ziemskich, dostęp do urzędów, rang i godności państwowych; scalono miasta pod względem administracyjnym, znosząc jurydyki, a magistraty miejskie podporządkowano centralnemu organowi administracji państwowej – Komisji Policji, co było równoznaczne z usunięciem władzy starostów. Dwadzieścia jeden większych miast miało wysyłać 21 plenipotentów na sejm z głosem doradczym.

W kilkanaście dni po reformie miast Warszawa przeżyła doniosłe chwile: na zamku warszawskim na posiedzeniu Sejmu w dniu 3 maja 1791 roku uchwalono nową konstytucję. Od rana gwardia królewska i Regiment Piechoty imienia Działyńskich stanęły pod bronią, z Arsenału wyprowadzono działa. Arbitrzy, przeważnie starszyzna cechowa i kupcy, wypełnili szczelnie galerie dla publiczności. Po dramatycznym posiedzeniu król zaprzysiągł konstytucję i aby powtórzyć przysięgę, udał się do kolegiaty św. Jana, a z nim senatorowie i posłowie. Radośnie i uroczyście kończył się w iluminowanej stolicy przełomowy dzień panowania Stanisława Augusta. W kilka dni później, 8 maja, szczegól-

W WALCE POLITYCZNEJ
I ZBROJNEJ O NIEPODLEGŁOŚĆ

0. Stanisław Konarski. Malarz nie określony,
VIII w.

1. Wjazd Augusta III do Warszawy w 1734 r. Mal.
n Samuel Mock

nie uroczyście obchodziła Warszawa imieniny Stanisława Augusta i marszałka Małachowskiego. Król odbierał życzenia i gratulacje, nadawał Order św. Stanisława. Wieczorem miasto znów iluminowano. Na placu Zamkowym wzniesiono inicjały królewskie ozdobione różnokolorowymi lampionami. Nad Bramą Krakowską umieszczono napis: „Król z narodem – naród z królem". To hasło dnia znalazło się również na gmachach publicznych i na domach prywatnych. Prezydent miasta Stara Warszawa wydał na ratuszu bankiet, na którym mieszczaństwo stolicy podejmowało szlachtę; uroczystość tę uświetnił swą obecnością król.

Na wzór francuski założono wkrótce potem klub polityczny, który obradował w pałacu Radziwiłłowskim pod nazwą Towarzystwo Przyjaciół Ustawy Rządowej, gromadząc zwolenników Konstytucji 3 maja. Opozycji magnackiej Kołłątaj przeciwstawiał wojsko i lud Warszawy, zapewniając, że w razie próby zamachu 100 000 ludzi stanie w stolicy do obrony monarchy.

Pierwszą rocznicę Konstytucji postanowiono uczcić założeniem podwalin pod Świątynię Opatrzności, którą zamierzano wznieść na obszarze dzisiejszego Ogrodu Botanicznego. Po uroczystym nabożeństwie w kościele Świętego Krzyża król w otoczeniu dygnitarzy udał się w procesji przez Nowy Świat na miejsce, gdzie założono fundamenty pod nowy kościół. Tam wmurował Stanisław August cegłę pod przyszły gmach, a za nim biskupi i ministrowie. Do zebranych przemówił biskup Adam Naruszewicz. Wieczorem odbyła się iluminacja miasta, a na przedstawieniu teatralnym zgotowano królowi gorącą owację. Uroczystości trwały jeszcze kilka dni. Mieszczanie warszawscy wystąpili z obiadem na sto osób w pałacu Radziwiłłowskim, podejmując króla, ministrów i senatorów. Stół zdobiły symboliczne figury.

W dziesięć dni później, 18 maja 1792 roku, wojska rosyjskie wtargnęły w granice Rzeczypospolitej. W czasie wojny polsko-rosyjskiej w Warszawie było na ogół spokojnie. Poruszenie wśród rzemieślników wywołała rekrutacja do wojska. Magistrat skarżył się, że w wyniku rekrutacji „regimenta konsystujące w Warszawie, ludzi w służbie aktualnej zostających, rzemieślników, terminatorów i cudzoziemców gwałtem biorą". Zwracał się więc do władz wojskowych, aby wydały zarządzenie, że nikt z „mających zaświadczenie od

182. Biblioteka Załuskich, widok fasady. Ryt. Jan Fryderyk Mylius, 1752 r.

zwierzchności miejskiej, policyjnej, poniewolnie na żołnierza brany być nie ma". Prezydent Ignacy Wyssogota-Zakrzewski wskazywał, że szczególnie wśród czeladzi grożą zaburzenia. Ludność Warszawy skarżyła się również na kwaterunek żołnierski. Potrzeby wojny zmuszały do rozmieszczenia żołnierzy po domach, gdyż koszary były za ciasne. Wobec zaś utrzymywania licznej armii rezerwowej w okolicy Warszawy duża liczba kwater, szczególnie na Pradze, była ustawicznie potrzebna. Wieść o klęsce rozeszła się po Warszawie szybko, gdy na posiedzeniu Straży Praw 23 lipca 1792 roku Stanisław August zapowiedział przystąpienie do Targowicy. Wojna była skończona. Władzę w kraju przejąć mieli targowiczanie. Stolica zareagowała wrzeniem skierowanym przeciw królowi, targowiczanom i zbliżającym się wojskom rosyjskim. Przywódcy stronnictwa patriotycznego, twórcy Konstytucji 3 maja, opuszczali Warszawę i kraj udając się na emigrację.

Nowi władcy zajęli się likwidacją urzędów utworzonych w okresie Sejmu Czteroletniego i prześladowaniem tych przeciwników politycznych, których zdołali ująć; zakrzątnęli się także wokół rozbudowy systemu policyjno-donosicielskiego. Zmuszono do ustąpienia władze miejskie Warszawy, utworzone w czasie Sejmu. Po opuszczeniu miasta przez prezydenta Warszawy Ignacego Wyssogotę-Zakrzewskiego powołano magistrat w dawnym składzie, sprzed Konstytucji 3 maja. Zamknięto wiele manufaktur i warsztatów rzemieślniczych, gdyż produkcja ich nie znajdowała nabywców wobec zastoju gospodarczego. Kryzysowi towarzyszył upadek największych bankierów warszawskich z Tepperem na czele. Redukcja armii polskiej sprawiła, że dymisjonowani żołnierze i oficerowie znaleźli się bez środków utrzymania. Podwyższenie cen artykułów żywnościowych jeszcze bardziej zaostrzyło sytuację. Byli żołnierze głodowali, poszukując pracy i angażując się do najrozmaitszych robót. Tymczasem rozzuchwalony bezkarnością obcy żołnierz dopuszczał się nadużyć i brutalnych rekwizycji. Ciężary kwaterunkowe dały się Warszawie we znaki szczególnie dotkliwie wobec koncentracji wojska w stolicy.

Sejm grodzieński otwarty 17 czerwca 1793 roku dokonał potwierdzenia drugiego rozbioru Polski. W okresie obrad zaszły zmiany w Warszawie. Część magnatów usiłowała pogodzić się z nowym porządkiem w Polsce, nie wierząc w możność oporu oraz dając posłuch wieściom o radykalizacji metod i programów politycznych we Francji. Śmierć Ludwika XVI wstrząsnęła opinią polskich kół konserwatywnych. Głośno potępiano Francuzów i demonstracyjnie goszczono oficerów rosyjskich. Na życzenie ambasadora rosyjskiego wezwano wszystkich mieszkających w stolicy Francuzów do przysięgi na wierność królowi Ludwikowi XVII i aresztowano opornych. Słynna była sprawa dyplomaty Jeana Bonneau, którego po śledztwie zesłano na Syberię. Jeszcze gorsze czasy nastały dla Warszawy i całej Rzeczypospolitej, gdy po odwołaniu ambasadora rosyjskiego Sieversa, zbyt pobłażliwego dla Polaków, jak sądzono w Petersburgu, jego funkcję przejął generał Osip Igelström, brutalny i bezwzględny, a przy tym prymitywny i pozbawiony talentów politycznych i wojskowych. Postępowaniem swym przyśpieszył on znacznie scementowanie spisku powstańczego.

Od czasu przejęcia władzy przez targowiczan ustaliła się w Warszawie znamienna dwuwładza policyjna. Dowództwo policji nadal spoczywało w rękach marszałka koronnego, którym od sejmu grodzieńskiego do powstania był Fryderyk Moszyński. Prawdziwą zmorą stała się natomiast rosyjska policja wojskowa. Na jej czele stał Karol Bauer, człowiek sprytny i obrotny, utrzymujący stosunki towarzyskie z Polakami. On to właśnie werbował kandydatów do służby wywiadowczej, dawał wskazówki, prowadził śledztwa, dokonywał rewizji i aresztowań, podsycając nienawiść ludności.

Na wiosnę 1793 roku powstaje w dwóch ośrodkach, w kraju i za granicą, tajne sprzysiężenie przygotowujące walkę zbrojną z zaborcami. Na ziemiach polskich centrum spisku powstańczego stanowiła Warszawa, na emigracji Drezno. Ugrupowanie prawicowe sprzysiężonych myślało o wojnie opartej na armiach regularnych, a obawiając się rewolucji na wzór francuski, chciało powrotu do Konstytucji 3 maja. Inaczej lewica, szczególnie silna w ośrodku warszawskim. W skład jej wchodzili dawni członkowie Kuźnicy Kołłątajowskiej, przedstawiciele wolnych zawodów, rzemieślnicy, a także sporo młodych oficerów. Ludzie ci uważali, że trzeba posłużyć się wzorami rewolucji francuskiej i porwać do walki szerokie rzesze ludu. Koncepcję organizacyjną powstania opracowano na emigracji, powierzając władzę dyktatorską Tadeuszowi Kościuszce. Gdy na zebraniu w domu szewca Jana Kilińskiego 1 marca 1794 roku bankier Andrzej Kapostas sprzeciwił się żądaniom lewicy, aby doprowadzić do wybuchu powstania bez oglądania się na emigrację, doprowadzony do rozpaczy kapitan artylerii Karol Meller dobył nań szpady. Nazajutrz i w ciągu kilku następnych dni posypały się aresztowania przeprowadzone przez policję Igelströma. Strach padł na spiskowców, jedni zbiegli, niektórzy zaś z aresztowanych nie zdołali wytrzymać śledztwa i składali obszerne zeznania. W końcu marca 1794 roku sprzysiężenie warszawskie zostało rozbite i gdy 24 marca w Krakowie Kościuszko ogłosił uroczyście akt powstania, konspiracja warszawska właściwie już nie istniała.

Od pierwszych chwil powstania Kościuszko dążył do opanowania Warszawy, doceniając strategiczną rolę stolicy jako największego skupiska ludności, przemysłu zbrojeniowego i najważniejszego węzła drogowego Rzeczypospolitej. Toteż emisariusze Naczelnika przybywają do Warszawy z wezwaniem do walki, a sprzysiężenie warszawskie odbudowuje Tomasz Maruszewski. Próba Kościuszki przedarcia się z wojskiem do Warszawy nie powiodła się; odniósł on wprawdzie zwycięstwo pod Racławicami (4 kwietnia), ale następnie zepchnięty pod Kraków patrzył bezsilnie na umocnienie kordonu prusko-rosyjskiego wzdłuż Wisły. Przyśpieszenie powstania w Warszawie stało się więc w planach Naczelnika koniecznością.

Sprzysiężeniem Maruszewskiego kierowali radykałowie, jakobini polscy, młodzi oficerowie, rzemieślnicy. Dużą rolę grał w pracy konspiracyjnej popularny szewc warszawski Jan Kiliński. Za jego pośrednictwem spisek ogarnął starszyznę cechową i czeladników. Zdając sobie sprawę, że mała liczba wojska polskiego w stolicy (3500) nie wystarczy do pobicia znacznie liczniejszego garnizonu nieprzyjacielskiego (7500), sprzysiężeni liczyli na porwanie tło walki szerokich rzesz mieszkańców miasta. Wczesnym rankiem 17 kwietnia powstańcy zaatakowali rozrzucone w mieście oddziały wojsk rosyjskich i przypuścili szturm do ambasady Igelströma przy ulicy Miodowej. Na czele oddziałów powstańczych stanęli młodzi oficerowie, głównie artylerzyści; nie udało się natomiast skłonić do objęcia ogólnego dowództwa żadnego z wyższych oficerów. Po całodziennej walce szala zwycięstwa przechyliła się na stronę powstańców. Decydujące znaczenie miały zwłaszcza dwie bitwy: jedna, którą stoczył 10 Regiment Piechoty imienia Działyńskich, rozbijając silny oddział wojsk rosyjskich pod dowództwem generała Miłaszewicza, i druga, którą stoczył lud Warszawy w okolicy pałacu Saskiego z idącą na odsiecz Igelströmowi kolumną wojsk rosyjskich. Wprawdzie 18 kwietnia ambasador na czele kilkuset żołnierzy zdołał opuścić Warszawę i schronić się pod opiekę Prusaków, ale nie miało to już większego znaczenia wojskowego. Wojska rosyjskie straciły około 4400 ludzi. Powstańcy zdobyli 28 dział, przeszło 2000 karabinów i wiele innej broni, kasę wojska nieprzyjacielskiego, liczne jego magazyny, a także dużą część archiwum ambasady rosyjskiej z papierami kompromitującymi zdrajców i jurgieltników carskich.

Straty polskie były również bardzo dotkliwe, bo w wielu punktach miasta Rosjanie bili się uparcie. Wśród garnizonu polskiego niektóre oddziały straciły w zabitych i rannych około

184. Konew Rady Miejskiej Starej Warszawy. Wyrób srebrny Antoniego Mietelskiego, przed 1726 r.

50% stanu, straty pozostałych przekraczały 30%. Jeszcze więcej ofiar na polu walki poniosła ludność cywilna. Trudno podać rzeczywistą liczbę strat, ale ocenia się je na 700 do 1400 zabitych. Miasto poniosło też bolesne straty materialne. Pożar wzniecony podczas walk szerzył się przez parę dni. Dewastacji uległa większość pałaców przy Miodowej i Długiej, spłonęło też wiele drewnianych dworków.

Zwycięstwo było wyłącznie dziełem warszawian i garnizonu stolicy. Na ulicach bili się rzemieślnicy, wyrobnicy, mieszkańcy miasta różnych narodowości; obok Polaków walczyli Żydzi, Niemcy, Francuzi. Dowództwo oddziałów, poza czynnymi w sprzysiężeniu młodymi oficerami, sprawowali również ochotnicy, głównie szlachta zamieszkująca Warszawę, spośród której wielu kiedyś służyło w wojsku. Ten na wskroś ludowy charakter insurekcji warszawskiej dostrzegali już współcześni; sławę stolicy na całą Polskę głosił Najwyższy Naczelnik. W parę dni po Warszawie chwyciło za broń Wilno, gdzie władzę objęli radykałowie. Oni to właśnie w powstańczej „Gazecie Wileńskiej" opisywali z największym uznaniem postawę ludu Warszawy, jego bohaterstwo i odwagę, wskazując na wydarzenia warszawskie jako na odstraszający dla zdrajców przykład gniewu ludowego.

Pierwszy rozdział dziejów powstańczej Warszawy – wyparcie wrogów z miasta – został zamknięty. Teraz należało powołać władze miejskie, zbroić się i nagrodzić zwycięski lud. Jest to nowy etap w dziejach powstańczego miasta, pełen dramatycznych spięć i walk wewnętrznych o charakter powstania, o jego społeczną treść. Lewica powstańcza potrafiła zwyciężyć, nie umiała jednak utrzymać władzy w wyzwolonej stolicy. Ważną funkcję prezydenta miasta objął popularny wśród ludności Warszawy Ignacy Wyssogota-Zakrzewski, szczerze oddany sprawie powstańczej, ale ulegający królowi i podzielający obawy prawicy przed zaprowadzeniem w Polsce metod walki wzorowanych na rewolucji francuskiej. Natomiast komendantem Warszawy został za sprawą króla typowy przedstawiciel prawicy pówstańczej, a do tego niechętny Kościuszce generał Stanisław Mokronowski. Wyrazem dążeń lewicowych było utworzenie 2 kwietnia klubu jakobinów polskich, którzy ostro krytykowali utworzony w ośrodku warszawskim rząd powstańczy, Radę Zastępczą Tymczasową, złożoną z przedstawicieli prawicy. Mając poparcie ludu Warszawy jakobini demonstracjami ulicznymi chcieli zmusić rząd do najenergiczniejszej obrony. Żądali też szybkiego wymiaru sprawiedliwości wobec zdrajców. Pod naciskiem manifestacji zorganizowanej 9 maja Sąd Kryminalny wydał wyroki śmierci na czterech targowiczan: hetmanów Ożarowskiego i Zabiełłę, na przewodniczącego Rady Nieustającej Ankwicza i na biskupa Kossakowskiego. W kilkanaście dni później, 28 maja, Kościuszko usunął Radę Zastępczą Tymczasową powołując nowy rząd, Radę Najwyższą Narodową, wprawdzie z udziałem Kołłątaja, ale w większości o prawicowym obliczu.

Dowództwo powstańcze obok zwiększenia stanu liczebnego garnizonu stolicy przystąpiło do zorganizowania milicji, czyli pospolitego ruszenia ludu Warszawy. Organizację mieszczańskiej siły zbrojnej oparto na podziale administracyjnym miasta na siedem cyrkułów. Obowiązkowi służby w milicji podlegała cała ludność męska stolicy w wieku od 15 do 50 lat. Na czele każdego cyrkułu stał komendant, który miał do pomocy tak zwanego komendanta militarnego, to jest oficera wojska liniowego. Komendantowi cyrkułu podlegali tysiącznicy, to jest dowodzący tysiącem obywateli-milicjantów podzielonych na 10 rot, z setnikami na czele. Na najniższym szczeblu znajdowali się dziesiętnicy; każdy z nich dowodził grupą dziesięcioosobową. Komendant cyrkułu, zatwierdzany przez komendanta miasta, pochodził z wyboru tysiączników i setników, tysiączników z kolei wybierali setnicy i dziesiętnicy, a setników obywatele danej roty. Dziesiętnicy nie pochodzili z wyboru, lecz byli mianowani przez setników. W razie alarmu połowa milicji szła na wały, jedna czwarta zgromadzona w cyrkułach oczekiwała rozkazów, a reszta gromadziła się w wyznaczonych punktach zbornych do dyspozycji prezydenta. W szeregach milicji stanęło w czasie insurekcji 21 580 mężczyzn, czyli około 15% ogółu ludności stolicy (miernik statystyczny bardzo wysoki). Liczby te świadczą o niemal powszechnym udziale mieszczaństwa warszawskiego w walce zbrojnej.

Równocześnie z organizacją milicji rozbudowywano garnizon wojskowy. Generał Stanisław Mokronowski przeprowadził werbunek i intensywnie szkolił rekrutów. W połowie czerwca Kościuszko odwołał Mokronowskiego, dając mu dowództwo dywizji pod Błoniem. Nowym komendantem mianował Naczelnik swego przyjaciela, generała Józefa Orłowskiego; nie był on tęgim dowódcą, ale dobrym administratorem i rzetelnym wykonawcą rozkazów. Orłowski zwrócił baczną uwagę na wzmocnienie fortyfikacji. W myśl planów pułkownika Karola Sierakowskiego, korygowanych przez Kościuszkę, wzmacniano wały, wznoszono baterie i umocnienia fortyfikacyjne na przedpolu wału obronnego.

Jedną z największych trudności, z którą borykali się powstańcy, było zaopatrzenie miasta w żywność. Niemal nazajutrz po kwietniowym zwycięstwie głód zajrzał w oczy mieszkańcom stolicy. Rosjanie skrupulatnie spustoszyli okolice Warszawy, a także zatrzymywali tratwy i barki ze zbożem płynące Wisłą i Narwią. W Warszawie musiano więc za drogie pieniądze kupować zboże z magazynów pruskich i ściągać, ile się tylko dało, żywność drogami lądowymi, głównie z Podlasia i Lubelskiego. Jedynie barki austriackie płynące Wisłą nie były zatrzymywane ani przez Polaków, ani przez Rosjan. Jest rzeczą zrozumiałą, że powstańcom zależało na neutralności Austrii, a istniały nawet różne – bezpodstawne zresztą – przypuszczenia o jej życzliwości dla insurekcji. Austriakom zależało na szlaku

85. Księga protokołów miejskich z 1750 r. Karta tytułowa

173

wiślanym do Gdańska, tędy bowiem aprowidowali swą armię walczącą z Francuzami w Belgii. Wygłodniała Warszawa patrzyła z rozpaczą, jak statki z żywnością płynęły spokojnie w kierunku Gdańska. Ostatecznie jednak władze powstańcze zdecydowały się na zatrzymanie tych transportów i zakupienie ich na rzecz wojska polskiego i ludności stolicy. Zatrzymanie statków austriackich 23 czerwca przyniosło Warszawie 62 748 korców owsa, 8574 korce innego ziarna i 469 beczek mąki. Dokonano też następnych rekwizycji w lipcu i sierpniu, które wprawdzie nie mogły rozwiązać zasadniczo problemu zaopatrzenia miasta w żywność, niemniej wydatnie Warszawie pomogły.

Tymczasem po zadanej Kościuszce klęsce szczekocińskiej (6 czerwca) wojska prusko-rosyjskie rozpoczęły 27 czerwca marsz na Warszawę spod Pińczowa. Mając tylko 18 000 ludzi, nie mógł Kościuszko stawić czoła czterdziestotysięcznej armii wroga, toteż cofał się w kierunku Warszawy, opóźniając posuwanie się armii nieprzyjacielskiej. Na przedpolu Warszawy stoczył on pomyślną bitwę, aby następnie zająć stanowisko obronne pod samym miastem. Wiadomości te wywołały w stolicy podniecenie. Obawiano się zdrady, pomawiano rząd o słabość i niezaradność. Jakobini przygotowywali nową demonstrację. Żądania ich wyraził memoriał Maruszewskiego do Rady Najwyższej Narodowej z 22 czerwca. Zarzucał on rządowi brak energii, żądał szybkiego powiększenia wojska, mobilizacji do pracy dla armii, nałożenia podatku na bogaczy, konfiskaty złota i srebra oraz rozbudowy przemysłu zbrojeniowego. W kilka dni później, 28 czerwca, lud wdarł się do więzień i bez sądu powiesił kilku targowiczan. Na ulicach i rynkach śpiewano znamienną piosenkę: ,,My krakowiacy nosim guz u pasa, powiesim sobie króla i prymasa". Kościuszko nie docenił rewolucyjnej siły; inspirowany przez prawicę, zarządził represje, co utrwaliło przez najbliższy miesiąc wpływy prawicy w rządzie.

186. Kołatka żelazna do bramy, 1. poł. XVIII w.

Równocześnie czyniono ostatnie przygotowania do obrony, wzmacniając i rozbudowując okopy wokół miasta. Budziły one obawy wojskowych swoim szerokim zasięgiem, obrona ich bez udziału ludności była niemożliwa. Na początku lipca fortyfikacje Warszawy obejmowały 34 baterie. Na bastionach stanęły działa, odcinki okopów między bastionami obsadziła milicja mieszczańska i nieliczne wojska garnizonu warszawskiego. Wewnątrz okopów zbudowano łańcuch wysokich lunet. Trudność obrony zwiększał fakt, że zwartą budowę murowaną posiadało tylko Stare Miasto, a inne obszary Warszawy objęte okopami miały przeważnie zabudowę drewnianą; przeważały tu drewniane dworki, wiele było pól i ogrodów. Armię swą zgrupował Kościuszko w warownych obozach na zewnątrz murów. Odcinek południowy najbardziej zagrożony, pod Mokotowem, zajęła dywizja dowodzona osobiście przez Kościuszkę (10 000 ludzi). Dywizja generała Zajączka (5300 ludzi) objęła pozycje na Czystem, a dywizja Mokronowskiego (5200 ludzi) stanęła na północy miasta między Bielanami i Marymontem. Zaczęła się obrona Warszawy, jedna z najpiękniejszych kart powstania. Dnia 11 lipca Kościuszko dokonał przeglądu umocnień Warszawy, a 14 lipca Fryderyk Wilhelm, który osobiście dowodził Prusakami, wkroczył na Marymont, chcąc wtargnąć do Warszawy od północy. Wobec niepowodzenia Prusacy przystąpili do systematycznych robót oblężniczych, umacniając się przede wszystkim w zdobytej Woli. Polacy kontratakowali; największy sukces odniósł wówczas książę Józef Poniatowski, który opanowawszy Szwedzkie Góry (dzisiejsze Bemowo) zagroził Prusakom na Woli. Po nadejściu ciężkich dział Prusacy ponowili atak 26 sierpnia, spychając Polaków na Powązki i opanowując znów Szwedzkie Góry. Dzień 28 sierpnia stał się dniem najzaciętszej bitwy w ciągu całego oblężenia; uporczywy bój trwał na Powązkach i Bielanach. Odcinkiem tym w zastępstwie rannego księcia Józefa dowodził generał Jan Henryk Dąbrowski. Ten ciężki szturm, który obok wojska odpierała miejska milicja, był zarazem szturmem ostatnim. Wybuch powstania w Wielkopolsce i obawa Fryderyka Wilhelma, by nie odcięto mu linii komunikacyjnych, zadecydowały o odwrocie Prusaków na linię Bzury, a Rosjan nad Pilicę. Dnia 6 września Warszawa była wolna. Zwycięstwo było wspólnym dziełem ludu i wojska pod utalentowanym wodzem.

Wyzwolenie Warszawy z oblężenia prusko-rosyjskiego było jednak ostatnim sukcesem powstania. Klęska Kościuszki pod Maciejowicami (10 października) i jego niewola wstrząsnęły Polakami i zachwiały wolę walki.

Tymczasem armie rosyjskie spływały w kierunku Pragi, której wzięcie szturmem miało szanse powodzenia. Fortyfikacje nie były tam ukończone, wały usypane z lotnego piasku, nie wzmocnione należycie, szybko się psuły i nie stanowiły poważnej przeszkody. Trudno jest określić, ilu obrońców liczyła Praga, prawdopodobnie około 16 000 ludzi i 104 działa. Wojska rosyjskie miały zapewne około 24 000 żołnierzy zaprawionych w boju, zwycięskich, dowodzonych przez utalentowanego wodza. Szturm rosyjski 4 listopada zakończył się zwycięstwem. Spalona w czasie walk Praga dostała się w moc wroga, a jej obrońcy zostali zmasakrowani.

W tej sytuacji nie można było dłużej bronić miasta. Po siedmiomiesięcznej walce z armiami obu zaborców zasoby kraju były wyczerpane, nie było czym walczyć, nie było z czego wyrabiać broni, a równocześnie wobec zacieśnienia obszaru aprowizacyjnego miasta w związku z zajęciem Podlasia, wschodniego Mazowsza i Lubelszczyzny widmo głodu przekreśliło możliwość dalszego oporu.

Warszawa skapitulowała. W kilkanaście dni później resztki wojsk powstańczych uległy przemocy. W mieście rządził Suworow, a następnie generał rosyjski Buxhövden. Trzej zaborcy dobijali targu o ostateczny podział Polski. Rosjanie likwidowali resztki urzędów centralnych, wywozili państwowe archiwum i biblioteki, grabili zbiory, wreszcie nakazali królowi opuścić Warszawę, podpisać abdykację i udać się do Grodna. Polska przestała istnieć. Warszawa przeżywała okres upadku. Zdetronizowana w swej stołeczności, zrujnowana, wyczerpana gospodarczo, przechodziła pod panowanie pruskie.

KULTURA

W początkach osiemnastego wieku Warszawa miała dwie drukarnie. Starsza, bardzo czynna i zasłużona, należała do pijarów. Zakonnicy ci drukują dużo, jednak najwartościowsze dzieła wyjdą z tej drukarni dopiero wtedy, gdy wybitny pisarz i pedagog, ksiądz Stanisław Konarski, pchnie zakon na drogę postępu.

Drugą drukarnię założyli w Warszawie jezuici na początku XVIII wieku; mieściła się ona w gmachu kolegium na Starym Mieście przy dzisiejszej ulicy Jezuickiej. Niebawem zagarnęła najkorzystniejsze prace, a August III obdarzył ją mianem Królewskiej, co wpłynęło na zwiększenie produkcji. Po likwidacji zakonu jezuitów w 1773 roku drukarnię przejęła komisja Edukacji Narodowej. Od tej pory nosiła nazwę Drukarni Nadwornej JKMości i Prześwietnej Komisji Edukacji Narodowej; zarządzali nią jednak nadal eksjezuici.

W 1756 roku przybyła Warszawie trzecia drukarnia, założona przez Wawrzyńca Mitzlera de Kolof, lekarza nadwornego Augusta III, filozofa, nadto zaś biegłego w teologii i prawie. Za Stanisława Augusta liczba drukarni powiększyła się do dziesięciu. Wśród nich największe i najnowocześniejsze były dwie: Michała Grölla (1722–1798) oraz Piotra Dufoura (zm. około 1797). Gröll był nie tylko drukarzem, ale również księgarzem i nakładcą. Z książką polską i polskim rynkiem księgarskim zetknął się w latach pięćdziesiątych, prowadząc firmę księgarską w Dreźnie. W połowie 1759 roku przeniósł się do Warszawy i mając zapewnione mieszkanie na Zamku, załatwiał królewskie zakupy, poważnie uzupełniając księgozbiór monarszy. Znaczenie Grölla na gruncie warszawskim wzrosło, gdy z początkiem 1762 roku otworzył biuro ogłoszeń i zaczął wydawać pierwszą polską gazetę ogłoszeniową, ,,Warszawskie Ekstraordynaryjne Tygodniowe Wiadomości''. Wreszcie w 1763 roku otworzył w Marywilu nie tylko księgarnię, lecz i kantor ogłoszeń oraz salę aukcyjną. Na szczególne uwzględnienie w jego dorobku wydawniczym zasługuje publikowanie dzieł najwybitniejszych pisarzy polskich okresu Oświecenia, a także luminarzy życia literackiego Francji. O jego ruchliwości i energii świadczyć może fakt, że poza dziełami zwartymi wydawał także periodyki, a mianowicie w różnym czasie aż osiem czasopism w językach: polskim, francuskim i angielskim. Gröll cieszył się sympatią i poparciem Stanisława Augusta. Drukarnia jego, mieszcząca się również w Marywilu, była przedsiębiorstwem na miarę europejską: miała 4 prasy do tłoczenia i zatrudniała około 20 pracowników. Szczyt jej produkcji przypada na lata Sejmu Czteroletniego. Gröll współpracował w 1794 roku z władzami powstańczymi oraz, mimo sędziwego wieku, podpisał akces do powstania.

Drugi obok Grölla wybitny drukarz i nakładca warszawski, Piotr Dufour, pochodził z Francji. W 1775 roku uzyskał przywilej na założenie drukarni w Warszawie. Trudnił się nie tylko drukowaniem książek, ale również pożyczał pieniądze na procent, a nawet przystąpił do spółki mającej na celu fabrykację potażu. Lata przed Sejmem Czteroletnim i okres Sejmu to największe triumfy drukarni rzutkiego Francuza; liczyła ona podobno aż osiem pras w 1792 roku. Później przyszedł zastój, trzeba było ograniczyć produkcję

87. Elekcja Stanisława Augusta Poniatowskiego 1764 r. Malarz nie określony. 2. poł. XVIII w.

175

188. Michał Jerzy Wandalin Mniszech. Mal. Ja
Chrzciciel Lampi, pocz. XIX w.

drukarni i liczbę tłoczących pras do jednej. Dufour również współpracował z władzami
powstańczymi, jednakże nie podpisał akcesu do powstania. W latach 1784–1794 Dufour
kierował także drukarnią Korpusu Kadetów. Wydawane przezeń książki nie dorównywały
pod względem estetycznym gröllowskim, natomiast obejmowały znacznie szerszy i różno-
rodniejszy zakres tematyczny. Oprócz dzieł w języku polskim, niemieckim, francuskim,
a czasem włoskim i łacińskim, potrafił Dufour wydawać druki cerkiewno-słowiańskie,
a więc pisane cyrylicą, a nawet w początkach swej działalności druki hebrajskie.
W 1729 roku pijarzy zaczęli wydawać w Warszawie pierwsze czasopismo ogólnokrajowe,
dla którego przyjęto tytuł „Kurier Polski"; redaktorem był geograf i historyk Jan
Naumański. Obok tego czasopisma, przynoszącego informacje z kraju, Naumański
wydawał równolegle dwutygodnik „Uprzywilejowane Wiadomości z Cudzych Krajów".
„Kurier Polski" zabiegał o informacje z całego kraju. Oczywiście wiadomości te to często
drobne i niezbyt ciekawe sprawy dworu czy rezydencji magnackich, opisy urodzin, ślubów,
pogrzebów, trochę też informacji sensacyjnych, trochę kryminalnych. Mimo monopolu
prasowego Jan Naumański walczył z trudnościami finansowymi; zapewne też one przyczyniły się do przejęcia „Kuriera Polskiego" i „Uprzywilejowanych Wiadomości" w 1736
roku przez jezuitów, którzy aż do likwidacji zakonu utrzymywali monopol gazetowy.
Informacje dostarczane przez te czasopisma nie były jedynymi, które docierały z Warszawy do rezydencji magnackich i dworów szlacheckich. Ważną rolę informacyjną spełniały
bowiem nadal, szczególnie dla magnatów, gazety pisane.
Po zniesieniu zakonu jezuitów monopol gazetowy w Warszawie oddał król byłemu
współwydawcy zlikwidowanej prasy jezuickiej, księdzu Stanisławowi Łuskinie. W 1774
roku rozpoczął on wydawanie „Gazety Warszawskiej" i trudnił się nim aż do śmierci
w 1793 roku. Był to wydawca rzutki, z dużą rutyną. „Gazeta Warszawska" była jedyną
gazetą polską aż do czasów Sejmu Czteroletniego. Oprócz niej ukazywały się czasopisma
specjalistyczne i społeczne, wydawane na ogół sporadycznie. Na uwagę zasługuje „Monitor", wychodzący w latach 1765–1785, a redagowany przez Franciszka Bohomolca,
Ignacego Krasickiego i Józefa Minasowicza; propagował on poglądy stronnictwa dworskiego na sprawy społeczne i polityczne. Organem literackim ludzi gromadzących się na

obiadach czwartkowych u króla były „Zabawy Przyjemne i Pożyteczne", wydawane
w latach 1770–1777, redagowane przez Adama Naruszewicza i Jana Albertrandego;
wychwalano tam czołowych luminarzy europejskiego Oświecenia.

Inne pożyteczne dla ówczesnych odbiorców periodyki, kalendarzyki polityczne zaczęły
ukazywać się w Warszawie w początkach XVIII wieku. Wydawali je najpierw jezuici,
a niebawem również pijarzy. Poza Warszawą kalendarzyki drukowano też w Krakowie,
Wilnie, Poznaniu, Lwowie, Kaliszu, Lublinie. Kalendarzyki warszawskie podawały bieżące wiadomości polityczne oraz wybrane informacje historyczne, wzmiankowały o literaturze i odkryciach naukowych. Zamieszczały dane statystyczne, trochę wiadomości z biologii
czy geografii. Po dziś dzień historycy sięgają do tych kalendarzyków jako do źródła,
w którym można znaleźć między innymi informacje o dygnitarzach zarówno na szczeblu
centralnym, jak i lokalnym.

Lata Sejmu Czteroletniego to nie spotykany dotychczas w Polsce rozkwit literatury
politycznej, publicystyki i prasy. Wśród nowych czasopism wymienić należy wychodzący
od 1782 roku, a przeżywający wówczas swój rozkwit „Pamiętnik Historyczno-Polityczny"
księdza Piotra Świtkowskiego, liczący aż 200 prenumeratorów, organ postępu w dziedzinie
politycznej i ekonomicznej. Zamieszczano tam obszerne artykuły z zagadnień gospodar-
czo-społecznych i obszerną kronikę wydarzeń krajowych. Świtkowski śmiało wytykał
społeczeństwu szlacheckiemu wady i bolał nad zacofaniem.

Znajomość położenia gospodarczego kraju szerzył postępowy „Dziennik Handlowy",
wydawany od 1786 roku przez Tadeusza Podleckiego. Jednak za największy sukces
w zakresie prasy uznać należy pojawienie się drugiego obok „Gazety Warszawskiej"
regularnie ukazującego się pisma „Gazeta Narodowa i Obca", wydawanego przez
młodych postępowych posłów: Juliana Ursyna Niemcewicza, Tadeusza Mostowskiego
i Józefa Weyssenhoffa. Propagowali oni reformy Sejmu Czteroletniego, sławili Konstytucję 3 maja, wiedli ostre boje z Łuskiną, który w tym czasie atakowany ze wszystkich stron
bronił się zawzięcie, jednakże talentem i lotnością umysłu nie potrafił dorównać swym
adwersarzom.

Po zwycięstwie targowiczanie przede wszystkim rozprawili się z prasą. Ze względu na

191. Uniwersał Komisji Edukacji Narodowej z ...
24.X.1773 r.

192. Medalion z popiersiem Stanisława Augusta z Sali Balowej Zamku. Andrzej Le Brun, 1781 r.

193. Medalion alegoryczny „Architektura" z Biblioteki Stanisławowskiej na Zamku

postępowy charakter „Gazety Narodowej i Obcej" – organu stronnictwa patriotycznego – została ona zlikwidowana najprędzej; podobny los spotkał „Pamiętnik Polityczno-Ekonomiczny" Świtkowskiego. Nadal natomiast wychodziła „Gazeta Warszawska" wydawana przez Łuskinę. Po jego śmierci monopol gazetowy przejął targowiczanin Tadeusz Włodek, który do wybuchu powstania karmił stolicę na łamach swej „Gazety Krajowej" wiadomościami prowokującymi uczucia narodowe Polaków: sławił dobroć Katarzyny II, opisywał hołdy oddawane jej przez targowiczan wydelegowanych do Petersburga. Gazetę „Pismo Periodyczne Korespondenta" wydawał w Warszawie ksiądz Antoni Malinowski, który ogólnikowo i lakonicznie informował o wydarzeniach krajowych, a szczegółowo rozwijał tematykę zagraniczną, był to bowiem temat łatwiejszy i nie narażał na represje.

Prasa warszawska tego okresu była więc nieciekawa, dlatego wielką poczytnością cieszyły się gazety pisane, swoista i bardzo popularna w Polsce forma przekazywania wiadomości. Najinteligentniejszym redaktorem takiej warszawskiej gazety pisanej był Jan Dembowski, sekretarz Ignacego Potockiego. Jego korespondencja z Warszawy stanowiła ważne źródło informacji dla przyszłych przywódców powstania, którzy na ich podstawie podejmowali istotne decyzje.

W czasie powstania nadzór nad sprawami kulturalno-propagandowymi w ramach Rady Najwyższej Narodowej objął Wydział Instrukcji kierowany przez jakobina, księdza Franciszka Dmochowskiego. Interesującą osobistością w tym Wydziale był komediopisarz i satyryk Franciszek Zabłocki. Pracował tu również Karol Lelewel, ojciec historyka Joachima. Akcja propagandowa prowadzona z Warszawy przez władze powstańcze znajdowała wyraz w stałym ogłaszaniu drukiem uniwersałów, proklamacji, rezolucji,

komunikatów wojennych, dzienników czynności władz oraz pieśni żołnierskich, śpiewów okolicznościowych i kazań patriotycznych. Jakobini byli inicjatorami wydania kilkunastu numerów różnych wydawnictw ciągłych, periodycznych, które traktować można jak gazety. Wymieńmy tu interesujące pismo „Przyjaciel Ludu", wyrażające podziw dla francuskiego Komitetu Ocalenia Publicznego, a w rozważaniach nad przyszłością kraju – opowiadające się za likwidacją przywilejów szlacheckich. Dziennikarzem z temperamentu był przede wszystkim ksiądz Józef Mejer, który budził szczególną obawę prawicy swoim radykalizmem, energią, rzutkością. Wydawał on „Gazetę Obywatelską i Patriotyczną Warszawską" oraz „Dziennik Powstania Narodu".

Prasa jakobińska miała zbyt małe możliwości techniczne i finansowe, aby zwiększyć częstotliwość pism i dać im lepszą formę zewnętrzną. Nic więc dziwnego, że dwie inne gazety, stanowiące niejako oficjalną prasę rządową, „Gazeta Wolna Warszawska" i „Gazeta Rządowa" cieszyły się większą poczytnością. One też podawały wiadomości krajowe i zagraniczne, były najbogatszym źródłem informacji politycznej kraju. Redaktorzy obu tych gazet należeli do radykałów o sympatiach jakobińskich. Dla Niemców i Francuzów mieszkających w Polsce wychodziły czasopisma w językach obcych „Warschauer Zeitung" i „Bulletin National", mające także na celu informowanie zagranicy o sprawach związanych z powstaniem. Ogólnie rzecz biorąc, rozmach wydawniczy ośrodka warszawskiego w okresie powstania był imponujący.

Literaturę piękną czasu Oświecenia trudno wiązać tylko z Warszawą. Tu jednakże powstawały dzieła najprzedniejsze i tu mogły liczyć na światłych oraz licznych odbiorców. Literatura polska tego okresu wskazywała na zalety i wady społeczne, moralizowała uprawiając dydaktykę i otwierając pole do refleksji intelektualnej. Satyra, komedia, bajka żywo przemawiały do społeczeństwa. Literatura piękna stała się widomym symbolem dokonującego się przełomu umysłowego.

95. „Delineacya miasta Warszawy z przedmieścia-
ł". Plan Warszawy Antoniego Hiża z 1771 r.

96. Park Łazienkowski. Rys. Jan Piotr Norblin, 1789 r.

197. Przekupnie pod kolumną Zygmunta. Mal. Bernardo Bellotto zw. Canaletto. Fragment obrazu „Krakowskie Przedmieście od placu Zamkowego"

198. Rodzina szlachecka. Mal. Bernardo Bellotto zw. Canaletto. Fragment obrazu „Plac Żelaznej Bramy"

199. Handel obrazami na ul. Senatorskiej. Mal. Bernardo Bellotto zw. Canaletto. Fragment obrazu „Ulica Miodowa"

200,201. Złoty zegarek kieszonkowy. Wyrób Franciszka Gugenmusa, kon. XVIII w.

Ograniczając się do najwybitniejszych nazwisk twórców żywo związanych ze środowiskiem warszawskim zacząć wypada od Ignacego Krasickiego. W twórczości jego znamienna jest pasja dydaktyczna: chciałby zreformować obyczaje, chłoszcze próżność, pijaństwo, pochlebstwo, okrucieństwo, lichwiarstwo, obłudę. Książki Krasickiego podbiły Warszawę, ale był czytany i na zapadłej prowincji. Stanisław August z uznaniem i sympatią tak pisał do Krasickiego: „Jeśli gust do czytania po wsiach rozszerzył się, przyznać trzeba sprawiedliwie, że Waszej Książęcej Mości dziełom ledwie nie najbardziej dziękować za to potrzeba". Dzięki Krasickiemu rozwinęła się powieść, nowa wówczas forma literacka, znajdując swój dojrzały kształt w „Mikołaja Doświadczyńskiego przypadkach" i „Panu Podstolim".

Wśród twórców piszących w Warszawie wymienić należy Stanisława Trembeckiego. Ten dworski poeta, zdolny i cyniczny, a równocześnie subtelny i sarkastyczny ironista, był bacznym obserwatorem polskiego życia. Pisał pięknie, jego język jest bogaty, styl wytworny i plastyczny. Przez wiele lat mieszkał na Nowym Mieście, a drzwi swego domu ryglował starannie przed dłużnikami, zasypując równocześnie Stanisława Augusta prośbami o pieniądze.

W kręgu mecenatu Stanisława Augusta tworzył również biskup smoleński Adam Naruszewicz. Do dziejów kultury polskiej wszedł on jednak nie jako poeta, lecz jako historyk. Został nim na życzenie Stanisława Augusta. Historia – w myśl żądań Stanisława Augusta – miała w pełni splendoru i chwały ukazywać wielkość królów; miała akcentować znaczenie idei monarchicznej dla rozwitu i wielkości państwa. Napisanie tak pojętej „Historii narodu polskiego" powierzył król Naruszewiczowi. Biskup rozpoczął żmudne poszukiwania archiwalne. Materiał pęczniał. Powstawały niezrównane „Teki Naruszewicza", ale przygnieciony nadmiarem źródeł, biskup zdołał doprowadzić dzieło zaledwie do 1386 roku.

Ożywienie ruchu umysłowego wyraża się nie tylko w rozwoju prasy i literatury pięknej, lecz ogarnia prawie wszystkie dziedziny nauki i kultury. Są to czasy takich wydawnictw, jak „Zbiór praw polskich", słynnych „Volumina legum", wydanych przez Konarskiego (t. 1–6: 1732–1739; t. 7–8: 1782), czy zbiór traktatów polskich „Codex diplomaticus Regni Poloniae et Magni Ducatus Lithuaniae" (wydany przez Macieja Dogiela w latach 1758–1764). Do podjęcia tych prac zachęcał najwybitniejszy bibliofil polski, biskup kijowski, Józef Andrzej Załuski. Dzięki niemu uzyskała Warszawa pierwszą wielką bibliotekę publiczną, największy zbiór prywatny w Europie, wynoszący 300 000 książek i 10 000 rękopisów; udostępnił go bowiem do użytku publicznego 3 sierpnia 1747 roku. Załuski znał swój zbiór doskonale, książki kazał skatalogować, a rękopisy odczytał i streścił. Niepośledni erudyta, kochał swoje zbiory, był miłośnikiem książek i nauki, a jednocześnie nietolerancyjnym fanatykiem w sprawach religijnych.

Warszawa posiadała również wiele bibliotek szkolnych, wśród których poczesne miejsce zajmował księgozbiór Szkoły Rycerskiej. Niezbyt obszerną, ale starannie dobraną bibliotekę zgromadził na Zamku król Stanisław August. Liczyła ona około 16 000 woluminów. Król sam dobierał książki i usuwał te, które jego zdaniem dostały się do biblioteki przypadkowo. Najobficiej przedstawiał się dział książek technicznych. Król zabiegał o to, aby wszystkie nowości z tego zakresu ukazujące się na Zachodzie jak najszybciej znalazły się w jego zbiorach. Obok książek technicznych sprowadzał wszelkie modne wówczas informatory i wydawnictwa encyklopedyczne. Poza techniką najbardziej interesował się król historią i zgromadził około 4000 dzieł historycznych, nadto zaś sporo książek z dziedziny geografii, archeologii, filozofii i ekonomii. Mniej obficie reprezentowana była literatura piękna, ale znaleźli się w okazałym wyborze i pisarze starożytni, i współcześni angielscy oraz francuscy, w tym również liczne wydania Szekspira, którego król specjalnie wyróżniał, niezwykle wysoko oceniając geniusz angielskiego autora.

W 1748 roku została podjęta w Warszawie pierwsza próba reformy oświaty, dokonana przez zakon pijarów z inicjatywy Stanisława Konarskiego. Otworzył on zakład naukowy *Collegium Nobilium*, oparty na nowym programie, a ostro zwalczany przez jezuitów. Konarski dbał o język narodowy, kładł nacisk na naukę języków nowożytnych, francuskiego i niemieckiego, na nowych podstawach oparł naukę geografii i historii. Wprowadził nowe metody nauczania, zerwał z werbalizmem, sięgnął do doświadczeń. Dążył do wychowania w duchu patriotycznym, nakłaniał młodzież do zrozumienia potrzeby reform w państwie. Dzięki niemu zreformowali szkolnictwo pijarzy, a w ślad za nimi poszli w tym kierunku i ich wrogowie – jezuici. Naturalnie Konarski nie objął wszystkich problemów oświaty, w programie nie docenił nauk ścisłych, nie propagował tolerancji wobec różnowierców, ponadto zasięg oddziaływania społecznego szkół pijarskich był nadal bardzo ograniczony, bo uczyła się tam głównie bogata szlachta.

Z dziejami Warszawy wiąże się również inne ważne posunięcie w dziedzinie reformy oświaty. W 1765 roku Stanisław August otworzył w stolicy pierwszą uczelnię świecką, zwaną Szkołą Rycerską lub Korpusem Kadetów. Szkoła ta miała cel dwojaki: przygotowanie młodzieży szlacheckiej do służby wojskowej oraz politycznej. Król chciał mieć światłych ludzi realizujących jego program polityczny reformy kraju i wzmocnienia władzy królewskiej. Wśród kadetów znaleźli się synowie ubogiej szlachty, również mazowieckiej, utrzymywani przez króla. Szkoła Rycerska była dalszym etapem reformy szkolnictwa; w programie jej zaznaczył się postęp w porównaniu ze szkołami pijarskimi przez szersze uwzględnienie nauk ścisłych i metod eksperymentalnych. W szkole Rycerskiej wykładali

nauczyciele świeccy. Panował w niej duch tolerancji i oświecenia. Szkoła wydała piękny plon. Spośród jej uczniów wyszedł między innymi Tadeusz Kościuszko.

Uwieńczeniem dzieła reformy oświaty była utworzona w 1775 roku Komisja Edukacji Narodowej. Wielkie i postępowe dzieło reformy nauczania, kierowane i przeprowadzane

przez najwybitniejszych mężów stanu i pedagogów, nie ograniczało się tylko do Warszawy
i kilku większych miast, ale objęło cały kraj. Przez około dwadzieścia lat swej działalności
Komisja zdołała wychować młode pokolenie lepiej i mądrzej w duchu praktycyzmu,
tolerancji i patriotyzmu. Ulepszając stale swą organizację, Komisja Edukacji ustaliła
w końcu podział kraju na dwie prowincje szkolne – koronną i litewską – i dziesięć
wydziałów. Szkoły wydziałowe spełniały rolę szkół średnich wyższego typu (siedmioletnie
nauczanie, 6 klas), szkoły podwydziałowe trwały sześć lat i miały 3 klasy. Szkoły główne
w Krakowie i Wilnie, odpowiadające stopniowi uniwersyteckiemu, za pośrednictwem
szkół wydziałowych i podwydziałowych sprawowały kontrolę nad szkołami parafialnymi,
jednakże rozwój tych ostatnich zależał w dużej mierze od inicjatywy miejscowego kleru.
Na Mazowszu nie było szkoły głównej, ponieważ – jak wiadomo – do końca istnienia
Rzeczypospolitej mimo zamiarów Stanisława Augusta nie powstał w Warszawie uniwersytet, podlegała więc ta dzielnica pod względem oświatowym Szkole Głównej krakowskiej.
W Warszawie istniały natomiast szkoły wydziałowe i podwydziałowe.
W czasie powstania nie zaniedbano spraw związanych ze szkolnictwem. Wydział Instrukcji
przejął wszelkie fundusze przeznaczone na ten cel, bo nie wznowiono w czasie powstania
Komisji Edukacji Narodowej. Dopiero jednak po wycofaniu się nieprzyjaciela spod
Warszawy można było zająć się uruchomieniem szkół w stolicy. Dnia 13 września 1794
roku Wydział Instrukcji wydał odezwę, nawołującą do otwierania szkół. Odzew na ten apel
nastąpił dość szybko, już bowiem 29 września otworzyli swoje szkoły pijarzy. Ponieważ zaś
do początku listopada panował w stolicy spokój, przypuszczać można, że dzieci uczyły się
w szkołach warszawskich normalnie.
Korpus Kadetów był szkołą, która budziła ze względu na swój wojskowy charakter
szczególnie duże zainteresowanie w powstańczej Warszawie. Starsi kadeci bili się w dniach
insurekcji na ulicach Warszawy, a potem zaciągnęli się do wojska. Młodsi chłopcy pozostali
w większości w Korpusie, a zajęcia szkolne wznowiono tu w październiku. Plan zajęć
zreformował dyrektor nauki Jan Michał Hube. Z jego inicjatywy na wykłady dotyczące
spraw wojskowych mogli uczęszczać wszyscy, którzy chcieli zdobyć doświadczenie.
Przypuszczalnie bez większych zakłóceń praca w szkole trwała aż do upadku powstania.
W życiu kulturalnym Warszawy XVIII wieku niemałą rolę grał teatr. Najważniejszą
przyczyną założenia go w tym mieście były osobiste upodobania Augusta II. Mógł też teatr

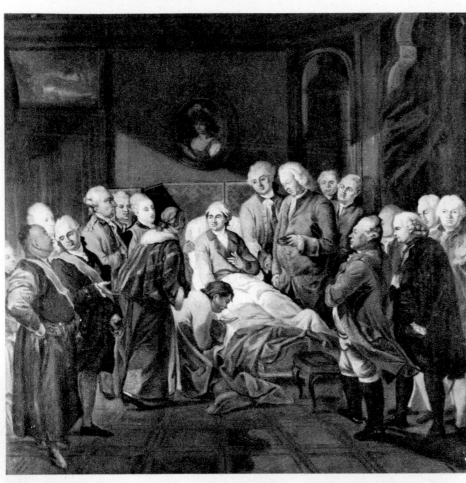

205. Posłuchanie młynarza u Stanisława Augu[st]a w dniu 4.XI.1771 r. Mal. Fryderyk Antoni Lohrma[n] według obrazu Marcella Bacciarellego

206. Uchwalenie Konstytucji 3 maja 1791 r. Ryt. Jó[zef] Łęski według rys. Jana Piotra Norblina

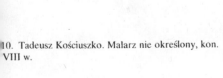

207. Konstytucja 3 maja 1791 r. Strona tytułowa druku ustawy

208, 209. Medal ku czci Stanisława Małachowskiego. Dzieło medaliera Jana Filipa Holzhaeussera, 1790 r.

210. Tadeusz Kościuszko. Malarz nie określony, kon. XVIII w.

grać pewną rolę w arsenale politycznych zamierzeń króla, powiększając swą działalnością splendor panującego i przyczaniając się w ten sposób do popularyzowania jego absolutystycznych planów. Do Warszawy zjeżdżały różne trupy teatralne, przeważnie francuskie. Repertuar wypełniały komedie Moliera i jego epigonów. W 1715 roku, jeszcze przed zakończeniem wojny północnej, bawił w Warszawie teatr drezdeński i jego występy powtarzają się regularnie przez następne 15 lat. Odwiedzają Warszawę i inne trupy aktorskie, między innymi włoska Thomasa Ristori, lub baletowe, jak balet francuski ze znakomitym tancerzem o europejskiej sławie – Louis Depré.

August III, podobnie jak jego ojciec, był miłośnikiem teatru, gustował jednak najbardziej w operze włoskiej i komedii dell'arte. W latach 1739–1754 grupa aktorów komedii dell'arte, zorganizowana przez Bartholdiego, towarzyszyła królowi w jego wyjazdach do Polski. Najlepsze dla rozwoju teatru warszawskiego lata to wojna siedmioletnia, podczas której król, wobec okupacji Drezna przez Prusaków, musiał się przenieść do Warszawy i pozostał w niej aż do 1762 roku. Wraz z dworem ewakuowała się również i opera drezdeńska. Liczba widzów w teatrze publicznym stale się zwiększa. Zawodowe trupy niemieckie dają liczne spektakle. Najbardziej znana trupa Konrada Ackermana wystawia dzieła Racine'a, Moliera. Natomiast próby założenia prywatnego przedsiębiorstwa teatralnego nie powiodły się. Dalszy rozwój sceny warszawskiej wiąże się z mecenatem Stanisława Augusta. W początkach jego panowania ożywił się znów saski Opernhaus (Operalnia). Już w 1765 roku król sprowadził grupę aktorów francuskich. Do repertuaru wchodzą pomału i sztuki polskie. Najpłodniejszym pisarzem jest ksiądz Bohomolec, który oprócz komedii szkolnych napisał 12 sztuk dla „teatrum narodowego". Jednakże już w 1767 roku ustały przedstawienia w Operalni, ponieważ budynek groził zawaleniem i w 1772 roku został rozebrany. Teatr obcy, francuski, niemiecki i włoski, wystawiał w pałacu Radziwiłłowskim. Na widowiska teatralne wyrobił sobie monopol wojewoda gnieźnieński, książę August Sułkowski, który odprzedał go następnie byłemu kamerdynerowi królewskiemu, staroście piaseczyńskiemu Ryksowi. W przeciwieństwie do Sułkow-

skich płacił on z tego tytułu 200 dukatów rocznie do kasy brukowej, wybudował również nowy gmach teatralny na placu Krasińskich, naprzeciwko Pałacu Rzeczypospolitej. Ryks nie zajmował się sam prowadzeniem teatru, lecz wydzierżawiał go różnym przedsiębiorcom. Pierwszym z nich był reżyser Bizesti. Próbę dzierżawy podjęli w 1781 roku aktorzy polscy z Wojciechem Bogusławskim na czele. Ten przyszły ojciec teatru polskiego był wówczas młodym człowiekiem, u progu kariery miał 24 lata. Wyróżniał się wśród aktorów pochodzeniem, był bowiem szlachcicem posesjonatem. Pełen temperamentu aktor, reżyser i pisarz, Bogusławski odebrał staranne wykształcenie w zreformowanych szkołach pijarów i należał do masonerii. W dalszej przyszłości miał się zasłużyć szerzeniem idei postępowych i niepodległościowych. Spółka aktorska przetrwała tylko rok, popadła bowiem w trudności finansowe, a nadto doszło do nieporozumień między Ryksem i Bogusławskim, którego popierał wpływowy na dworze Stanisława Augusta magnat August Moszyński, natomiast zwalczał doradca króla, Glayre. W 1783 roku dzierżawę teatru objął Jerzy Marcin Lubomirski, znany w całym kraju hulaka i awanturnik, ale mimo swych wad, a może dzięki nim, popularny i lubiany. Dyrektorem teatru był jeszcze przez rok Bogusławski. W końcu jednak Ryks i Bogusławski rozeszli się ostatecznie. Bogusławski na parę lat opuścił Warszawę przenosząc się do Grodna. Ryks prowadził teatr warszawski aż do roku 1789. Wielu spośród aktorów, którzy wyjechali na Litwę z Bogusławskim, wróciło do Warszawy, między innymi Świerzawski, Truskolascy. Zawzięcie ściągał do Warszawy scenicznych kolegów aktor Pierożyński, nienawidzący Bogusławskiego, z którym jego żona miała przynajmniej czworo dzieci.

Król subsydiował teatr, płacił, gdy Ryks płakał, że traci na tej interpryzie, a wszystko dlatego, że Stanisław August lubił teatr i doceniał jego znaczenie. W repertuarze teatralnym obok licznych przekładów angielskich czy francuskich, zwłaszcza Moliera, w którym zresztą król nie gustował, pojawiła się twórczość rodzima. Wyrasta wówczas najwybitniejszy komediopisarz polski tego okresu, Franciszek Zabłocki. Niebywale płodny i pracowity, potrafił napisać w latach 1779–1784 przeszło 60 komedii. Ponoć w 1781 roku odbyły się premiery aż siedmiu jego sztuk, a w następnym roku pięciu. Zabłocki przyswoił polskiemu teatrowi dzieła komedii francuskiej. Zdolniejszy od Bohomolca, potrafił lepiej korzystać ze wzorów obcych, zwłaszcza Moliera, i trafniej adaptować je do warunków polskich. Akcja jego sztuk toczyła się w Warszawie lub na wsi polskiej, tematem była charakterystyka postaw ludzkich na tle codziennego życia. Zabłocki był świetnym obserwatorem i tęgim satyrykiem bezlitośnie szydzącym z przywar bliźnich. „Fircyk w zalotach" stanowi dziś jeszcze żelazny repertuar teatrów polskich. Wśród sztuk tłumaczonych przez Zabłockiego największy sukces odniosło „Wesele Figara" Beaumarchais'go, wystawione w teatrze warszawskim w 1786 roku.

Stanisław August otaczał opieką i interesował się losami sceny publicznej w Warszawie, ale również utrzymywał teatr dworski. Przedstawienia odbywały się początkowo w odpowiednio zaadaptowanej sali zamkowej, a potem w nowo wybudowanym teatrze zamkowym, przewidzianym na prawie 400 osób. W końcowych latach panowania Stanisława Augusta teatr zamkowy uległ likwidacji, a przedstawienia dworskie odbywały się w rezydencji podmiejskiej króla w Łazienkach, gdzie obok teatru małego w Pomarańczarni znajdował się również teatr Na Wyspie z amfiteatrem. W teatrze dworskim grywali nie tylko najznakomitsi z przebywających w Warszawie aktorów obcych i krajowych, ale również próbowała tu swych sił arystokratyczna śmietanka stolicy. Za role kobiece chwalono księżnę Izabelę Czartoryską, grały tu również księżna Helena Radziwiłłowa, Urszula Mniszchowa i inne wielkie damy. W rolach męskich można było zobaczyć marszałka wielkiego koronnego Michała Mniszcha, występował rezydent pruski Buchholtz, grywał Jan Potocki i młodziutki książę Józef Poniatowski.

Lata poprzedzające Sejm Wielki dobrze zapisały się w dziejach teatru polskiego, a niebawem miał on grać rolę w dziedzinie politycznej, stając się propagatorem obozu postępu. Dnia 14 lutego 1790 roku Bogusławski otwiera Teatr Narodowy. Sejm Wielki znosi niebawem monopol teatralny, kończą się rządy Ryksa. W repertuarze teatralnym tych lat pierwsze miejsce należy się komedii Niemcewicza „Powrót posła", wystawionej 15 stycznia 1791 roku. Znakomity satyryk umiał przenieść na scenę problematykę historyczno-polityczną. Wyszydził, wyśmiał wsteczników, wskazał, jakim groźnym nonsensem było liberum veto i czyim interesom służyła wolna elekcja.

Teatr warszawski miał również piękne osiągnięcia w ponurym okresie rządów targowickich. Ze sceny padały śmiałe aluzje, które świetnie pojmowała publiczność. Upamiętniło się zwłaszcza wystawienie sztuki Bogusławskiego „Henryk VI na łowach". We wrześniu 1792 roku sztuka była grana przy przepełnionej widowni, a aluzyjne wstawki o przelaniu krwi bratniej przez magnatów wywoływały ogólny entuzjazm. Najgłośniejszą swą sztukę, „Krakowiaków i górali", wystawił Bogusławski 1 marca 1794 roku. Wprowadził tu na scenę lud, pokazał jego obyczaje i zabawy. Ze sceny padały znów słowa o położeniu kresu intrygom możnych. Gorąco witane śpiewki rozumiano jako wezwanie do walki. Po trzech przedstawieniach ambasador rosyjski zawiesił spektakl. W czasie powstania aktorzy wzięli udział w walkach. Bogusławski pracował we władzach powstańczych, przyczyniając się tym do podniesienia rangi społecznej swego zawodu. Po 11 października wznowiono przedstawienia w teatrze, nie było ich jednak wiele i nie miały już tego charakteru co poprzednio. W tych trudnych latach teatr grał rolę marginesową.

1. Wieszanie zdrajców na Rynku Starego Miasta
V.1794 r. Rys. Jan Piotr Norblin

2. Walki na ulicy Miodowej podczas insurekcji
...94 r. Rys. Jan Piotr Norblin

ARCHITEKTURA W LATACH 1720–1760

Około 1720 roku pojawiają się nowe tendencje w sztuce, z jednej strony czerpiące natchnienie z borrominiowskiego nurtu baroku rzymskiego, a z drugiej oparte na wzorach francuskich, które z czasem swoiście przetworzone rozwiną się w warszawską odmianę rokoka. Dopiero po tej dacie powstaną w Warszawie wszystkie znaczące dzieła nowego nurtu, co sprawia, że data ta wydaje się właściwą cezurą czasową w sztuce warszawskiej, wyraźnie oddzielającą pełen umiaru barok XVII wieku od późnego baroku i rokoka drugiej tercji XVIII wieku.

Rokoko było najbardziej żywotną tendencją artystyczną epoki. Jego rozwój od lat trzydziestych XVIII wieku trwa równolegle do nurtu późnego baroku, który najbardziej utrwalił się w architekturze fasad kościelnych. W budownictwie świeckim, a ściślej pałacowym, można wydzielić dwa kierunki: późnobarokowy, inspirowany sztuką francuską epoki Ludwika XIV, przetworzoną jednak w krajach środkowoeuropejskich, na ogół stosujący porządki architektoniczne i dekorację jeszcze barokową lub utrzymaną w typie regencji, oraz nurt drugi, wyrastający także z inspiracji francuskich, lecz o formach mniej akademickich, zmiękczonych i bogatej dekoracji, która architekturze tego nurtu nadała cechy rokoka. Żaden z tych kierunków nie był stylowo jednolity. Elementy dekoracji rokokowej często współżyły z formami barokowymi, a nawet – już w latach sześćdziesiątych – klasycystycznymi.

W środowisku warszawskim ornamentyka rokokowa zetknęła się z ugruntowaną tu silną tradycją północnoeuropejskiego baroku, który najpełniejszy wyraz osiągnął w twórczości Tylmana van Gameren. W dekoracyjności jego stylu można upatrywać początków lekkiej i eleganckiej sztuki, tak bujnie rozkwitłej w połowie XVIII wieku. Tradycja ta okazała się gruntem bardzo podatnym na przyjęcie płynących z Francji nowych tendencji.

Proces asymilowania rokoka odbywał się w Warszawie bez pośrednictwa Drezna. Za saskim monarchą ściągały do Warszawy liczne grupy architektów i majstrów pochodzących z bardzo wówczas zróżnicowanych krajów niemieckich. Większość z nich tylko epizodycznie przewinęła się przez Drezno. W Polsce poszukiwali szerszych możliwości działania i lepszego zarobku, który zdawał się zapewniać nie tylko dwór królewski, lecz przede wszystkim szeroki i znany wówczas w tej części Europy mecenat magnaterii i Kościoła, dysponującego ogromnymi środkami finansowymi. Jednakże tylko nieliczni zdołali uzyskać zamówienia u polskiej klienteli. Pozostałych zatrudniał król przy swoich prywatnych przedsięwzięciach budowlanych. Na ogół reprezentowali oni umiejętności bardzo przeciętne. Cała ta grupa nie stanowiła w Warszawie środowiska, które by przewyższało umiejętności architektów miejscowych, głównie pochodzenia włoskiego, lecz z dawna osiadłych w Polsce i często całkowicie już spolonizowanych.

Pewne podobieństwo niektórych warszawskich i drezdeńskich kreacji artystycznych wynika z oddziaływania na środowiska twórcze obu stolic wybitnej indywidualności Zachariasza Longuelune'a. Jego twórczość, inspirowana klasycyzmem epoki Ludwika XIV, lecz mniej monumentalna, o formach delikatniejszych, bliższych duchowi epoki, zetknęła się w Warszawie z dawno przyjętą i akceptowaną tradycją artystycznych wpływów francuskich. Wystarczy wspomnieć, że francuski dach łamany pojawia się w Warszawie przed 1700 rokiem (pałac Pod Blachą, wówczas Lubomirskich), podobnie jak ornamentyka regencyjna (m.in. ambona w kościele Świętego Krzyża, 1698). Francuska była też dyspozycja wnętrz w siedemnastowiecznych pałacach warszawskich. Jest rzeczą znamien-

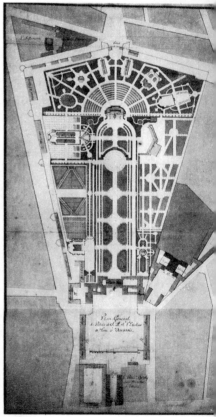

213. Plan założenia saskiego. Rysunek inwentaryzacyjny, po 1763 r.

214. Sala Senatorska na Zamku. Rysunek inwentaryzacyjny według projektu Zachariasza Longuelune'a z około 1720 r.

5. Fasada pałacu Pod Blachą, po 1730 r. Stan obecny

ną, że dysponenci polscy czerpali bezpośrednio ze źródeł ówczesnej sztuki. Marszałek wielki koronny, Franciszek Bieliński do swojego pałacu przy ulicy Królewskiej, a Czartoryscy do Puław zamawiali projekty u najgłośniejszego wtedy dekoratora paryskiego J. A. Meissoniera. Dekoracje salonu dla Bielińskiego zostały w całości wykonane w Paryżu (1734–1735) i przed wysłaniem do Polski zademonstrowane francuskim amatorom sztuki na wystawie w pałacu Tuileryjskim. Wyrazem uznania przodującej roli Francji przez miejscowe środowisko twórcze było wysłanie przez Józefa Fontanę syna Jakuba na studia architektoniczne do rodzinnych Włoch i przede wszystkim do Paryża. Nic natomiast nie słychać, ażeby ktokolwiek jeździł z Polski po inspiracje twórcze do Drezna. Przeciwnie, w celu budowy katolickiego kościoła dworskiego w saskiej stolicy musiano w Warszawie zaangażować wybitnego architekta włoskiego – Gaetano Chiaveri.

Przyjmowanie rokoka ułatwiała też społeczna i polityczna struktura Rzeczypospolitej. Patetyczny barok był sztuką pozostającą na usługach absolutyzmu monarszego lub triumfującego potrydenckiego Kościoła. Rokoko – to sztuka szlachty lub może raczej arystokracji. Stąd szybka i łatwa akceptacja tego kierunku w szlacheckiej Rzeczypospolitej, a zwłaszcza w arystokratyczno-magnackiej Warszawie.

ŚRODOWISKO. MECENASI I ARCHITEKCI

Zapoczątkowany w latach dwudziestych XVIII wieku żywy ruch budowlany trwał nieprzerwanie do końca panowania Wettinów, osiągając niebywały rozwój w następnym okresie, pod artystycznymi rządami Stanisława Augusta. Podobnie jak w stuleciu poprzednim, działalność budowlana koncentrowała się głównie na terenie przedmieść, poza obrębem murów staromiejskich. Stosunkowo szybko usunięto ślady zniszczeń pozostawionych przez wojnę północną. Dokończono budowę kościołów zaczętą jeszcze w XVII wieku, kilka z nich otrzymało nowe kolumnowe fasady, ukształtowane pod wpływem baroku rzymskiego, lub fasady dwuwieżowe, rzadziej łączące te dwa typy. Wzniesiono kilkanaście nowych pałaców, a większość dawnych przebudowano w duchu nowej epoki. Korzystniejsza niż w innych miastach sytuacja społeczna i materialna stanu miejskiego przyczyniła się do znacznego rozwoju budownictwa mieszczańskiego. Na Rynku Przedmiejskim, Nowym Mieście i w jurydykach powstało wiele kamienic zdobionych dekoracją regencyjną lub rokokową. Pojawia się także, nowy na gruncie warszawskim, typ budowli użyteczności publicznej: gmach pierwszej w Europie biblioteki powszechnie dostępnej, ufundowanej przez braci Załuskich i przekazanej Rzeczypospolitej, budynki szkolne (*Collegium Zaluscianum, Collegium Nobilium*), szpitale bonifratrów, Dzieciątka Jezus, św. Rocha. Najbardziej jednak charakterystyczną budowlą stolicy pozostała nadal rezydencja magnacka, założona na obszernej posesji pomiędzy dziedzińcem i ogrodem. Liczne ogrody nadawały specyficzne piętno ówczesnej Warszawie. Rozciągały się przy pałacach, klasztorach, dworach typu miejskiego, a także na tyłach kamienic mieszczańskich. Pałacowe i klasztorne były zwykle ukształtowane na wzór geometrycznych ogrodów francuskich. Najokazalszy był ogród królewski (Saski), założony około 1720 roku i w 1727 roku przeznaczony na użytek publiczny.

Dla rozwoju sztuki warszawskiej podstawowe znaczenie miał mecenat licznych dworów magnackich, które w podejmowaniu rozmaitych inicjatyw artystycznych skutecznie rywalizowały z dworem królewskim. W początku omawianego okresu na szczególną uwagę zasługuje mecenat hetmana wielkiego koronnego Adama Sieniawskiego (zm. 1726), a zwłaszcza jego żony Elżbiety z Lubomirskich (zm. 1729), córki Stanisława Herakliusza, która zamiłowania artystyczne odziedziczyła po ojcu. Gruntownie wykształcona, obdarzona wysoką kulturą artystyczną, skupiła wokół siebie liczny dwór artystyczny. Jej pierwszym architektem był Włoch Giovanni Spazzio (zm. 1726), sprowadzony w 1714 roku z Czech, a doradcą Augustyn Locci (zm. 1729), dawny nadworny architekt Jana III. Do Sieniawskich należały w Warszawie dwa pałace: pałac hetmana, później Czapskich przy Krakowskim Przedmieściu 5, i pałac hetmanowej, odziedziczony następnie przez Czartoryskich, przy Krakowskim Przedmieściu 15, ponadto rezydencja czerniakowska i odkupiony od Sobieskich Wilanów. Wszystkie te rezydencje zostały przekształcone lub rozbudowane. Mecenatowi Sieniawskiej zawdzięcza Warszawa najdoskonalsze dzieło późnego baroku w Polsce – fascynującą fasadę kościoła Wizytek (1727–1733).

Szerszy program miała działalność marszałka wielkiego koronnego Franciszka Bielińskiego, który z racji zajmowanego urzędu podjął też wielką akcję uporządkowania stolicy. Bieliński należał do tych oświeconych magnatów, którzy najłatwiej ulegli kulturze francuskiej. Profrancuskie sympatie polityczne i artystyczne odziedziczył po ojcu Franciszku Ludwiku, także marszałku wielkim koronnym, i po matce Ludwice z Morsztynów. O kontaktach Bielińskiego z Meissonierem była już mowa. Można przypuszczać, że jakieś prace wykonywali dla niego François Boucher lub Charles Joseph Natoire. Pałac marszałka przy ulicy Królewskiej, wzorowany na rezydencjach paryskich, był jedną z najbardziej udanych artystycznie budowli stołecznych. Z jego inicjatywy wzniesiono też kilka innych budowli, między innymi drugi pałac Bielińskich przy ulicy Żabiej (1730, przebudowany w XIX w., zniszczony 1944), kaplicę przy kościele Jezuitów, oraz przebudowano pałac w Otwocku (ok. 1757).

Odmienny typ mecenatu reprezentowali bracia Załuscy – Andrzej Stanisław, kanclerz wielki koronny i biskup krakowski, oraz Józef Andrzej, biskup kijowski. Józef Załuski był właściwym twórcą sławnej Biblioteki. Najznakomitszy w ówczesnej Europie bibliofil przeznaczył na gromadzenie księgozbioru całe swoje dochody. Należał do przyjaciół Stanisława Leszczyńskiego, którego reprezentował jako ambasador przy dworze papieża Klemensa XII. Był wielkim jałmużnikiem króla i kanclerzem królowej Katarzyny z Opalińskich. Bywał często w Lunéville, gdzie przesiąknął artystyczną atmosferą panującą na dworze króla-filozofa.

Jego brat Andrzej Załuski, także stronnik Leszczyńskiego, hojny mecenas sztuki, należał do najwybitniejszych prekursorów polskiego Oświecenia. Był on współfundatorem Biblioteki, na której użytek oddał dawny pałac Daniłłowiczów. Przebudowy dokonali specjalnie w tym celu sprowadzeni z Włoch dwaj architekci, bracia, o nazwisku Melano, z których jeden – Mateusz – kształcił się na koszt kanclerza. Nie są oni znani z innych prac w Polsce. Przebudowany przez nich pałac uzyskał późnobarokową elewację, utrzymaną w duchu włoskim, znaną z ryciny Tiregaille'a, oraz funkcjonalne wnętrze, przystosowane do nowych celów (1740–1746). Projekt Melanów nie został jednak w pełni zrealizowany. Można przypuszczać, że znaną rycinę J. F. Myliusa z 1752 roku z widokiem Biblioteki Załuskich sporządzono na podstawie nie wykonanego projektu.

Dla artystycznego obrazu Warszawy wielkie znaczenie miał też mecenat innych rodów: Mniszchów, Czartoryskich, Czapskich, Radziwiłłów, Branickich, Sapiehów i Lubomirskich. Z ich fundacji powstało wiele budowli rezydencjonalnych, sakralnych i użyteczności publicznej. Kilka interesujących założeń pałacowych powstało dla ministra Henryka Brühla (ogród na Nowym Świecie, Wola, Młociny, pałac, dawniej Sandomierski, i pałac przy ul. Wierzbowej).

Na usługach magnaterii duchownej i świeckiej pozostawała liczna grupa architektów pochodzenia włoskiego, przedstawicieli całych dynastii Bellottich, Ceronich, Rachettich, Solarich i Fontanów. Reprezentowali oni orientację włoską, lecz stosunkowo łatwo poddawali się nowym tendencjom w sztuce i gustom zleceniodawców. Poziom ich dzieł jest na pewno nierówny. Trzeba jednak przyznać, że mieli opanowaną sztukę budowania w stopniu bardzo wysokim, jaki dać może tylko wielowiekowa tradycja. Zajmowali się nie tylko projektowaniem, lecz także zakładali cegielnie i prowadzili przedsiębiorstwa budowlane. Byli ze sobą skoligaceni lub zaprzyjaźnieni. Zadania budowlane podejmowali często wspólnie, dlatego określenie ich dorobku twórczego i oddzielenie go od prac, które prowadzili jako konduktorzy budowlani lub przedsiębiorcy, napotyka znaczne trudności. Architektem i właścicielem przedsiębiorstwa budowlanego był Józef Fontana II (ok. 1670–1741), jeden z licznych budowniczych o tym nazwisku pochodzących z Valsoldy, czynnych w Polsce w końcu XVII i XVIII wieku. Od 1715 roku mieszkał stale w Warszawie, gdzie brał udział w realizacji wielu wybitnych przedsięwzięć budowlanych. Pozwala to sądzić, że był on architektem twórczym, a nie tylko przedsiębiorcą i wykonawcą cudzych projektów. Jego dorobek wymaga jeszcze zbadania i właściwej oceny.

Przedsiębiorstwo budowlane prowadził też architekt Karol Bay (zm. przed 1742), który podpisał z hetmanową Sieniawską kontrakt na budowę kościoła Wizytek. Nie wiemy, czy był on także autorem projektu. Niemniej wzniósł kilka wybitnych budowli. Współpracował często ze swoim krewnym Wincentym Rachettim. Miał szeroką klientelę wśród magnaterii, mieszczaństwa i kleru. W dokumentach nazywany jest „architektem JKMci" i określany jako „nobilis", co wskazuje na jego wysoką pozycję społeczną.

W kręgu mecenatu Sieniawskiej działał w Warszawie wybitny architekt krakowski Kasper Bażanka, który w 1713 roku razem z Karolem Bayem wykonał konkursowy projekt na przebudowę pałacu hetmana, nie zatwierdzony jednak do realizacji. Z nazwiskiem Bażanki łączy się też architekturę pomnika nagrobnego prymasa Michała Radziejowskiego w kościele Świętego Krzyża (1719–1722) oraz światłocieniową, o falistej linii, malowniczą fasadę kościoła Pijarów w pobliskim Łowiczu.

Czołowym dziełem Spazzia było wzniesienie skrzydeł bocznych pałacu Wilanowskiego, nawiązujących do architektury korpusu głównego, lecz o formach bardziej miękkich i malowniczych (1723–1730).

Architektem ściśle związanym z miejscowym środowiskiem był Antoni Solari (1700–1763), syn Rocha, także architekta. Piastował on godność „architekta JKMci i Rzeczypospolitej". Z racji tej funkcji kierował przebudową Zamku Królewskiego (1740–1746), wywierając zdecydowany wpływ na ostateczne uskształtowanie korpusu głównego od strony Wisły. Kilka jego prac, jak na przykład monumentalna, utrzymana w typie baroku rzymskiego fasada krakowskiego kościoła Paulinów na Skałce (1740–1742), stawia go w rzędzie pierwszych architektów kraju.

Architektem czynnym w Warszawie już w drugim pokoleniu był syn Józefa Fontany II – Jakub Fontana (1710–1773). Jego wieloletnia i wszechstronna działalność zjednała mu uzasadnioną opinię współczesnych jako „najznakomitszego architekta polskiego".

W porównaniu z bogatym i różnorodnym mecenatem magnaterii niewiele zawdzięcza Warszawa przedsięwzięciom budowlanym podejmowanym przez króla. August II upatrywał w sztuce, a zwłaszcza w architekturze środek do podniesienia powagi monarszej. Jednakże w poczynaniach artystycznych króla trudno dopatrzyć się szerszego programu lub choćby konsekwencji. Ograniczał się głównie do roztaczania splendoru w maskaradach, turniejach i karnawałach, do których architekci królewscy sporządzali nieskończoną liczbę projektów. Z inicjatywy Augusta nie powstała żadna budowla sakralna lub użyteczności publicznej. Liczne projekty gigantycznych pałaców, będące odbiciem absolutystycznych aspiracji Wettina, nie doczekały się realizacji. Budował przede wszystkim koszary dla wojska saskiego, utrzymywanego w Warszawie mimo nieustannych protestów izby poselskiej. Niewątpliwie interesował się architekturą, lecz było to zainteresowanie powierzchowne. Nie dostrzegał nowych tendencji w sztuce, czego wyrazem było faworyzowanie architektów reprezentujących kierunki zachowawcze. Przypisywanie mu współautorstwa koncepcji przestrzennej rozmaitych rezydencji jest nieporozumieniem. Jak większość ludzi baroku, opanowany był manią projektowania, budowania i przebudowywania dawniejszych budynków, zwykle ze stratą ich rzeczywistych artystycznych wartości. Wszedł w posiadanie wszystkich pałaców należących niegdyś do królów polskich (Ujazdów, Pałac Kazimierzowski, Wilanów, Marymont). Wszystkie te rezydencje zamierzał przebudować, lecz zrealizował tylko mało znaczące przebudowy wewnętrzne. Jedynym wartościowym przedsięwzięciem królewskim było przestrzenne ukształtowanie Osi Saskiej, której monumentalne koncepcje nie doczekały się jednak realizacji. Przebudowa dawnego pałacu Morsztynów na prywatną rezydencję królewską (pałac Saski) też nie została spełniona. Dokończył ją, w bardzo skromnym zakresie, dopiero August III (od 1735 do ok. 1750).

Do przebudowy prywatnych rezydencji królewskich, budowy koszar, projektowania uroczystości dworskich powołał August II specjalny urząd, zatrudniający architektów, kreślarzy i różnego rodzaju rzemieślników budowlanych (1715). Początkowo kierownictwo tego urzędu spoczywało w rękach J. Ch. Naumanna, następnie „dyrektorem budowlanym" został J.J.D. Jauch, a po jego śmierci w roku 1754 funkcję tę objął J. F. Knöbel. Wśród zatrudnionych tam budowniczych większą indywidualnością odznaczał się Jan Zygmunt Deybel (zm. 1752). Był to jedyny architekt saski, który zwrócił na siebie uwagę polskiej klienteli. W 1734 roku porzucił on pracę w urzędzie. Pewną łatwość projektowania posiadali też Karol Fryderyk Pöppelmann (1697–1750) i Jan Fryderyk Knöbel (czynny w Polsce 1753–1765). Warto podkreślić, że urząd królewski działał obok urzędu „architekta JKMci i Rzeczypospolitej"; do jego obowiązków należało prowadzenie prac podejmowanych przez państwo, to znaczy sejm i urzędy koronne, a także nadzór budowlany nad będącymi własnością Rzeczypospolitej zamkami królewskimi w Warszawie, Krakowie, Malborku i Grodnie. Architektem Rzeczypospolitej do 1763 roku był wspomniany już Antoni Solari, a po nim Jakub Fontana.

Architekci ci i oświeceni mecenasi z kręgów magnaterii świeckiej i duchownej byli właściwymi twórcami kultury artystycznej Warszawy.

Od początku XVIII wieku w katolickich krajach środkowej i wschodniej Europy rozpowszechnił się typ budowli sakralnej, której zasadniczą cechą był skomplikowany rzut, malownicza sylweta, „poruszona", światłocieniowa, o falistych liniach fasada i fantazyjny, zaskakujący rozmaitością efektów układ przestrzenny. Architektura ta zrodziła się w północnych Włoszech (Piemont) w kręgu Guarina Guariniego, skąd promieniowała na kraje sąsiednie, między innymi na Czechy i Austrię, a za ich pośrednictwem przenikała do Polski. Ta pełna malowniczości i dynamiki architektura, popularna w całym kraju, nie przyjęła się w środowisku stołecznym i jak gdyby zatrzymała u granic miasta. Jedynie w okolicach Warszawy powstało kilka kościołów wykazujących podobieństwo do dzieł późnego baroku piemonckiego (Karczew 1737, Kobyłka 1741–1763 – Guido Longhi). W bezpośrednim sąsiedztwie stolicy odosobnionym przykładem pozostał kościół Kamedułów na podwarszawskich Bielanach (1734–1758). Założony na planie wydłużonego ośmioboku, z wieńcem otwartych do nawy kaplic, przykryty rodzajem sklepienia klasztornego, tworzy bogato ukształtowane przestrzennie wnętrze. Kościół bielański, którego autorstwa nie udało się dotychczas ustalić, nawiązuje do centralno-podłużnych kościołów, jakie pod wpływem szkoły piemonckiej rozwinęły się w krajach habsburskich.

Rzuty innych kościołów, gruntownie przebudowanych lub wzniesionych od nowa, nawiązywały do klasycznych wzorów jezuickiego kościoła Gesù w Rzymie. Zaprojektowany jeszcze w XVII wieku kościół Franciszkanów uzyskał szereg kaplic w miejsce naw bocznych i ukrytą kopułę na skrzyżowaniu naw. Uproszczoną formę tego schematu, bez nawy poprzecznej i kopuły, nadano kościołom Wizytek i św. Marcina. Jednakże do oryginalnych osiągnięć warszawskiej architektury sakralnej należy zaliczyć nie eksperymenty przeprowadzane z rzutem świątyni, lecz interesujące, a w wielu przypadkach nowatorskie

216. Fasada kościoła Wizytek, po 1727 r. Stan obec

rozwiązania w komponowaniu fasad. W omawianym okresie stosowano w Warszawie co najmniej cztery rodzaje fasad kościelnych.

Najbardziej tradycyjny typ fasady, wywodzący się jeszcze z pełnego umiaru baroku warszawskiego, reprezentuje płaska, trzykondygnacjowa, rozczłonkowana nikłymi pilastrami i zwieńczona trójkątnym szczytem elewacja główna kościoła Karmelitów Trzewiczkowych na Lesznie (1732). Fasady takie, zredukowane jednak do dwóch kondygnacji, popularne były do połowy XVII wieku (kaplica szpitala św. Rocha, 1749, i szpitala Dzieciątka Jezus, 1754–1762 – Jakub Fontana).

Najpopularniejszy w Polsce północnowłoski schemat kościoła dwuwieżowego reprezentuje w Warszawie kilka interesujących rozwiązań. Monumentalna fasada kościoła Świętego Krzyża, zaprojektowana w okresie poprzednim, budowana przez wiele lat, ostatecznie została skończona w 1756 roku przez Jakuba Fontanę. Zmienił on w stosunku do poprzedniego projektu międzywieżową część środkową elewacji, między innymi nieznacznie cofając ją, a przez zastąpienie trójkątnego frontonu okazałym, półowalnym zwieńczeniem, znacznie występującym poza lico, spotęgował wrażenie głębi. Rozwiązaniem tym, zastosowanym po mistrzowsku, przybliżył dosyć płaską fasadę kościoła do operującej efektami światłocienia architektury późnego baroku i rokoka. Według koncepcji Fontany wykonano też rokokową dekorację rzeźbiarską elewacji (J. J. Plersch) oraz okazałe o wygiętej linii schody prowadzące do kościoła (przebudowane 1818). Również zaprojektowane przez Fontanę hełmy były wielokrotnie naśladowane w innych budowlach sakralnych (dzwonnica kościoła Dominikanów na Nowym Mieście, zwieńczenie niskich wież kościoła św. Anny, sygnaturka na kościele Karmelitów na Lesznie, wieża ratusza na Nowym Mieście).

Nie dokończona nigdy fasada bernardyńskiego kościoła św. Anny w pierwszym zamyśle miała przypominać kościół Świętego Krzyża. Zaczęta prawdopodobnie jeszcze w XVII wieku, do 1734 roku uzyskała tylko jedną kondygnację, podzieloną pilastrami na pięć osi,

podobnie jak fasada świętokrzyska. Ta nie dokończona fasada w latach pięćdziesiątych została zwieńczona attyką z trójkątnym frontonem nad wejściem, a na skrajnych wieżowych osiach przykryta hełmami; cała budowla nabrała przez to charakteru niskiej kruchty dobudowanej do gotyckiego kościoła, którego wystającą elewację ozdobiono półowalnym szczytem, wspartym na zdwojonych pilastrach. Budowla ta, niezbyt udana, zasługuje na uwagę jako fragment nie spełnionego projektu o niewątpliwych walorach artystycznych. Oryginalnym przeobrażeniom została poddana skromna fasada typu „kapucyńskiego", ujęta parą wysmukłych pilastrów wielkiego porządku, zwieńczona trójkątnym szczytem, której strzelistość podkreślały umieszczone po bokach niskie przybudówki połączone z częścią wyższą spływami. Schemat ten, stosowany jako ściana czołowa w kościołach o układzie bazylikowym, inspirowany był siedemnastowiecznym palladianizmem, reprezentowanym w Warszawie przez sztukę Tylmana van Gamerena. Po raz pierwszy zastosowany w warszawskim kościele Kapucynów, następnie powtarzany w wielu wariantach, najpełniej został rozwinięty w fasadach klasztornych kościołów Pijarów i Kamedułów. Fasady tych kościołów, bardziej monumentalne od swego dalekiego pierwowzoru, zostały ukształtowane z większą dekoracyjnością i dążeniem do uzyskania efektów światłocieniowych. Mimo niewątpliwych wpływów baroku rzymskiego stanowią rozwiązania oryginalne. Okazała fasada kościoła Pijarów została wzbogacona arkadową wnęką, której archiwolta spoczywa na kolumnach. Dalej posunięte stadium ewolucji tego schematu ukazuje piękna elewacja główna wspomnianego już kościoła bielańskiego (przed 1758), gdzie w części środkowej pilastry skrajne zastąpiono kolumnami, wywołując tym efektowną grę światła. Oba te kościoły reprezentują oryginalną wersję połączenia dwuwieżowej bryły z fasadą autonomiczną, nie związaną z wieżami.

Typ fasady „kapucyńskiej", zredukowanej do części środkowej, stosowany był w skromnych kościołach jednonawowych (Trynitarzy na Solcu, 1721, św. Wawrzyńca na Woli, 1750–1755). Podobną, lecz nieco bardziej złożoną kompozycją jest fasada jednonawowego kościoła Bonifratrów, w której boczne przybudówki zrównano w wysokości z częścią środkową i zwieńczono attyką z bogatą figuralną dekoracją rzeźbiarską (1726–1727 – A. Solari, Józef Fontana II). Kościół Bonifratrów, ujęty budynkami klasztoru i szpitala, których boczne skrzydła znacznie wysunięte do przodu tworzyły dziedziniec, zamknięty od ulicy lekko wygiętym ogrodzeniem z dwiema bramami, prezentuje nowatorską na terenie Warszawy późnobarokową koncepcję zabudowań klasztornych, nawiązującą do trójskrzydłowych założeń pałacowych.

Zbliżone rozwiązanie, pozbawione jednak dziedzińca, zastosował Józef Fontana II w klasztorze Pijarów (1729–1735), wiążąc omówiony już kościół z budynkami klasztoru i kolegium, których jednolicie opracowane pałacowe elewacje, rozczłonkowane kolosalnymi pilastrami, nadają całemu kompleksowi wybitnie monumentalny charakter.

Najbardziej interesującym zjawiskiem, jakie wytworzyła architektura późnego baroku w Warszawie, jest grupa fasad kolumnowych, zapoczątkowanych doskonałą kreacją kościoła Wizytek (1727 projekt, do 1733 wyprowadzono mury magistralne). Do grupy tej należą kościoły: św. Marcina (przed 1733–1744 – Karol Bay), Pijarów w Leśnej (1730–1752 – Wincenty Rachetti), Pijarów w Łowiczu (przed 1730 ? – Kasper Bażanka) i Dominikanów Obserwantów (1727–1730 i po 1760 – Efraim Schroeger, kościół rozebrany w 1818). Wszystkie te kościoły niewątpliwie inspirowane były malowniczą fasadą kościoła Wizytek. Wspólna jest dla nich partykulacja kolumnowa. Jednakże fasady kościołów św. Marcina, w Łowiczu i w Leśnej, są w części środkowej wgłębione, a w przypadku kościoła Dominikanów Obserwantów wrażenie głębi dodatkowo potęgują wysunięte do przodu i ustawione ukośnie wieże, przez co uzyskano silny, typowy dla późnego baroku efekt „chwytania przestrzeni". W kościele Wizytek podobny efekt, w mniejszym jednak natężeniu, odnajdujemy w kompozycji ołtarza głównego, który powstał w latach 1754–1757, prawdopodobnie w wyniku współpracy Schroegera i Plerscha. Natomiast fasada kościoła Wizytek jest zasadniczo prosta, nieznacznie tylko wysunięta do przodu w partii środkowej, co ją wyróżnia w grupie omawianych obiektów. Należy do najdoskonalszych i najbardziej wyważonych dzieł późnego baroku na ziemiach dawnej Rzeczypospolitej. Niezwykle harmonijnie skomponowana, o znakomitych proporcjach i efektownych, choć dyskretnych walorach światłocieniowych, uzyskanych przez wyszukaną partykulację kolumnową, przywodzi na myśl rzymskie dzieła Carla Rainaldiego. Wydaje się jednak, że w środkowej Europie z równym mistrzostwem operował kolumną jedynie Gaetano Chiaveri.

Fasada kościoła Wizytek mimo harmonijnych proporcji nie jest jednak dziełem jednolitym. Jej trzecia kondygnacja powstała dopiero w latach pięćdziesiątych może według projektu Schroegera lub raczej Jakuba Fontany. To pełne wdzięku zwieńczenie, przypominające rokokową architekturę wileńską, nadało poważnej i monumentalnej fasadzie znamię niezwykłej lekkości i elegancji i pozwoliło jednemu z uczonych przyrównać ją do ozdobnego bukietu lub strzelistej fontanny.

ARCHITEKTURA ŚWIECKA

W architekturze rezydencjonalnej można wydzielić trzy zasadnicze typy pałaców miejskich: wolno stojące, założone na planie podkowy z otwartym dziedzińcem i przyuliczne. Dwa pierwsze typy reprezentowane są wywodzącymi się z Francji założeniami pałacowo-ogrodowymi (*entre-cour-et-jardin*), w których korpus główny poprzedzony jest honorowym dziedzińcem, odgrodzonym od ulicy ozdobną kratą; na tyłach pałacu rociąga się ogród. Rezydencje takie tworzyły obszerne zespoły o złożonym programie reprezentacyjno-użytkowym.

Pałace wolno stojące wywodziły się jeszcze z tradycji siedemnastowiecznej. W wielu przypadkach były to dawne budynki, jedynie przebudowane w XVIII wieku. Założone zwykle na planie prostokąta, z alkierzami i wysuniętymi do przodu partiami środkowymi, stanowiły skomplikowane bryły, dobitnie akcentowane przez mansardowe, łamane dachy, często o wypukło-wklęsłych połaciach. Dziedziniec otaczały zwykle oficyny i zabudowania gospodarcze, nad którymi pałac zdecydowanie dominował. Typ taki reprezentuje pałac hetmana Adama Sieniawskiego, przebudowany z dawniejszego tylmanowskiego według projektów K. Baya, skorygowanych przez A. Locciego (1713–1718, po raz drugi przebudowany 1743–1752 dla Tomasza Czapskiego). Wśród licznych dawniej tego typu rezydencji malowniczą sylwetą wyróżnia się pałac Przebendowskich (1728 – J. Z. Deybel).

Jeszcze w 1733 roku większość siedzib magnackich – między innymi Czartoryskich (dawniej hetmanowej Sieniawskiej), Radziwiłłów, Bielińskich, pałace Prymasowski i Sandomierski (Brühla) – miała charakter pałaców wolno stojących. W następnych latach pałace te zostały przekształcone. Korpus główny złączono z oficynami, tworząc układ trójskrzydłowy z dziedzińcem otwartym od strony ulicy. Koncepcja rezydencji z paradnym

dziedzińcem w formie podkowy znana była w Warszawie już w XVII wieku (pałac Krasińskich). Zasadnicze jednak znaczenie dla spopularyzowania trójskrzydłowych założeń pałacowych miało wzniesienie skrzydeł bocznych pałacu Wilanowskiego przez Spazzia, zapewne według wcześniejszej ogólnej koncepcji Locciego (1723–1730). Powstałe w tym czasie pałace: Mniszchów (1710–1717, ostatecznie ukształtowany przed 1733), Błękitny (1726), Pod Blachą (przed 1733) i Kazimierza Czartoryskiego, później Tarnowskich (lata dwudzieste), które najwcześniej uzyskały założenie trójskrzydłowe, niezależnie od inspiracji płynących bezpośrednio z Francji powtarzały schemat wilanowski. Do najokazalszych tego typu należały pałace: Bielińskich (przed 1730 – Józef Fontana II, przekształcony na regularny układ trójskrzydłowy około 1742 przez Jakuba Fontanę, rozebrany 1896), Sapiehów przy ulicy Zakroczymskiej (1731–1734 – J. Z. Deybel), Radziwiłłów, obecnie Rady Ministrów (projekt wykonał Maurizio Pedetti, 1738–1740, oraz skrzydła boczne dobudowane przez A. Solariego, Augusta Roszkowskiego 1750–1756 i Macieja Jakimowicza 1759–1762; przebudowany w XIX w.), Czartoryskich przy Krakowskim Przedmieściu 15 (przebudowywany od 1735, zrealizowany ok. 1740 przy udziale Józefa Fontany II, K. Baya i J. Z. Deybla, dekorację rzeźbiarską kordegardy wykonał S. Zeisel, 1765), Branickich (od 1738 – J. Z. Deybel, dekorację rzeźbiarską wykonał J. Redler, 1743), Jana Małachowskiego, kanclerza wielkiego koronnego, przy Krakowskim Przedmieściu (ok.

219. Elewacja ogrodowa pałacu Czapskich, po 1726 r. i około 1743 r. Stan obecny
220. Gabinet w pałacu Bielińskich. Projekt Juste Aurèle Meissoniera, 1735 r.

221. Pałac Czartoryskich-Potockich, około 1762 r. Stan obecny

198

22. Elewacja Zamku od strony Wisły. Projekt Gaeta-
） Chiaveriego z około 1737 r.

23. Kamienica Prażmowskich, po 1753 r. Stan obecny

1750, dziedziniec i skrzydła zniesiono 1785) i pałac Sandomierski, należący wówczas do ministra Brühla (od 1754 – J.F. Knöbel, dekoracja rzeźbiarska P. Coudray i F.A. Matielli 1759, zniszczony 1944).

Pałace przyuliczne, usytuowane w linii zabudowy ulicy, z dziedzińcem, zwykle gospodarczym, rzadziej z ogrodem położonym na tyłach budynku, tylko skalą i liczbą osi różniły się od kamienic mieszczańskich. Wydaje się, że najwcześniejszym przykładem tego typu był pałac Lubomirskich przy Krakowskim Przedmieściu (przed 1713, przebudowany w duchu rokoka 1759). Typ ten reprezentowały między innymi siedziby ordynatowej z Poniatowskich Zamoyskiej (1739–1740 – Józef Fontana II), Załuskich, później Wesslów (około 1740), Brühlów-Potockich (1756–1758 – J. F. Knöbel) oraz najokazalszy, utrzymany w duchu późnego baroku, pałac biskupów krakowskich (przed 1760).

Elewacje utrzymane w charakterze pałacowym nadawano też budynkom użyteczności publicznej, jak wspomnianej już Bibliotece Załuskich czy klasztorowi i kolegium pijarów przy ulicy Długiej. Z fundacji biskupa płockiego, Łukasza Bartłomieja Załuskiego, wzniósł Karol Bay monumentalną, ozdobioną kolosalnymi kolumnami fasadę budynku jezuickiego *Collegium Zaluscianum* (1722–1726) Najbardziej jednak monumentalną formę nadał Jakub Fontana elewacji *Collegium Nobilium* (1743–1754). Gmach kolegium – rozczłonkowany pilastrami wielkiego porządku, z trzema nieznacznie wysuniętymi ryzalitami zwieńczonymi okazałymi, późnobarokowymi szczytami – należał do najnowocześniej wówczas w Polsce zaprojektowanych budynków szkolnych, z salą teatralną i innymi pomieszczeniami dostosowanymi do potrzeb zreformowanej przez Konarskiego metody nauczania.

W latach trzydziestych, bezpośrednio po elekcji Augusta III (1733) i uspokojeniu politycznym w kraju, podjęto przebudowę Zamku Królewskiego. Inicjatywa przebudowy wyszła od sejmu Rzeczypospolitej, co trzeba z naciskiem podkreślić. Nadzór budowlany sprawował z urzędu A. Solari, a zasadniczy projekt wykonał Włoch Gaetano Chiaveri (przed 1737). Projekt nowego korpusu głównego od strony Wisły z trzema ryzalitami, z których środkowy zwieńczono wysokim szczytem wypełnionym dekoracją rzeźbiarską z herbami Rzeczypospolitej, oraz wiążącymi ryzality arkadowymi galeriami utrzymany był w duchu późnego baroku rzymskiego. Korpus ten, znakomicie wkomponowany w dawniejsze zabudowania zamkowe, został wzniesiony w latach 1741–1746. Jednakże już w trakcie realizacji projekt Chiaveriego został nieco zmodyfikowany. Zmieniono kształt ryzalitu środkowego oraz wystrój elewacji, nadając jej formy rokokowe. Zmiany te przeprowadzono pod kierunkiem Z. Longuelune'a i A. Solariego. Dekorację rzeźbiarską w obu tympanonach i prawdopodobnie na attyce ryzalitu środkowego wykonał J. J. Plersch. Projekty przebudowy innych skrzydeł nie zostały w całości wykonane. Niemniej nowo wzniesiony zamkowy korpus główny stał się najokazalszą budowlą pałacową, jaką wzniesiono w Polsce w pierwszej połowie XVIII wieku, która w istotny sposób oddziałała na dalszy rozwój architektury rezydencjonalnej.

W budownictwie mieszczańskim utrzymywał się nadal tradycyjny, trwający od średniowiecza schemat kamienicy miejskiej. Nowe kamienice, wznoszone na nieco szerszej działce budowlanej niż w obrębie murów staromiejskich, otrzymywały zwykle cztero- lub pięcioosiowe elewacje ozdobione lizenami lub gładkie, z rokokową dekoracją w płycinach międzyokiennych lub górnych,partiach lizen. Ozdobą elewacji były też kute żelazne kraty balkonowe. Powszechnie stosowano dachy łamane. Najpiękniejszym przykładem patry-cjuszowskiego domu mieszczańskiego z czasów rokoka jest tak zwana kamienica Prażmo-wskich na Krakowskim Przedmieściu (około 1740).

Odrębnym zagadnieniem artystycznym w pierwszej połowie XVIII wieku była architek-tura wnętrz. Liczne niegdyś późnobarokowe i rokokowe dekoracje apartamentów pałaco-wych uległy w większości przypadków zniszczeniu w wyniku zmiany gustu już w ostatniej tercji XVIII wieku. Cechą charakterystyczną ówczesnych wnętrz rezydencji magnackich, a nawet kamienic mieszczańskich było tworzenie zespołów niewielkich, intymnych gabine-tów o różnorodnym przeznaczeniu, pokrytych drewnianą płycinową boazerią, zdobioną typową dla rokoka ornamentyką. Jednym z nielicznych zachowanych przykładów takiej dekoracji jest pokój sypialny z pałacu Kazimierza Czartoryskiego, później Tarnowskich (około 1740, obecnie w Zamku Królewskim), oraz subtelnie modelowane sztukaterie w parterowych salach pałacu Radziwiłłowskiego (około 1739 – A. Solari lub M. Pedetti). Ogromne znaczenie dla spopularyzowania w Warszawie rokokowej dekoracji wnętrz, oprócz powszechnie używanych wówczas wzorników, między innymi G. Boffranda (1745), miały wspomniane już prace Meissoniera dla Czartoryskich i Bielińskiego.

W zakresie monumentalnych wnętrz świeckich czołowym osiągnięciem była przebudowa zniszczonej podczas wojny północnej Sali Senatorskiej na Zamku. Sala ta, utrzymana w typie spokojnego francuskiego klasycyzmu z początków XVIII wieku, została zaprojek-towana przez Z. Longuelune'a i zrealizowana przez J.J.D. Jaucha (1721–1723, przebudowana 1740). Jej naśladownictwem jest Wielka Jadalnia Augusta II w pałacu Wilanowskim, w której przewagę zyskały jednak formy późnego baroku (około 1733 – J. Z. Deybel).

ZAŁOŻENIA URBANISTYCZNE

Czołowym założeniem urbanistycznym tych czasów była tak zwana Oś Saska, wzorowana na wielkich, zachodnioeuropejskich układach przestrzennych tworzonych wokół rezyden-cji monarszych (Wersal). Założenie wykorzystało istniejącą już sytuację dawnego pałacu Morsztynów, przebudowanego na siedzibę królewską (pałac Saski) i twórczo rozwinęło wcześniejszą koncepcję Tylmana van Gameren. Obejmowało obszerny teren, rozciągają-cy się od Krakowskiego Przedmieścia do Wielopola. Głównymi składnikami kompozycji były: dziedziniec parádny, pałac i ogród z wytyczoną na osi szeroką aleją, zamkniętą okazałym ażurowym pawilonem, tak zwanym Wielkim Salonem (1724), od którego rozchodziły się promieniście alejki ogrodowe. Na osi Wielkiego Salonu, od strony zachodniej, znajdowała się tak zwana Żelazna Brama, stanowiąca główne wejście do ogrodu. Przedłużeniem osi w kierunku Woli były symetrycznie ustawione pawilony koszar Gwardii Królewskiej (Mirowskie), między którymi miał prowadzić od zachodu główny wjazd do miasta na projektowany plac przed Żelazną Bramą. Plac ten zamierzano przeciąć w kierunku północnym i południowym dwiema ukośnie skrzyżowanymi ulicami (Prze-chodnią i Żabią). Realizacja tego rozwiązania stałaby się istotnym czynnikiem urbanizacji tej dzielnicy miasta. Jednakże Oś Saska miała akcentować skalą i regularnością jedynie majestatyczność rezydencji królewskiej, a nie koncentrować procesy miastotwórcze. Przeciwnie, usytuowana w poprzek miasta na osi wschód–zachód, na wiele lat zahamowała naturalny, trwający od średniowiecza rozwój Warszawy wzdłuż Wisły.

Oś Saska była realizowana etapami przez wiele lat, poczynając od 1713 roku aż do połowy XVIII wieku, i nigdy ostatecznie nie została zakończona. Autorami zasadniczej koncepcji założenia byli Matthäus Daniel Pöppelmann, najwybitniejszy przedstawiciel drezdeńskie-go baroku, oraz Jean de Bodt i Johann Ch. Naumann. Ogród reprezentował geometryczny styl francuskiej szkoły Le Nôtre'a. Przy realizacji poszczególnych elementów założenia pracowali też inni architekci Z. Longuelune i K. F. Pöppelmann, a nadzór sprawował J.J.D, Jauch.

Większe znaczenie dla dalszego rozwoju urbanistyki Warszawy miała założona w 1757 roku przez F. Bielińskiego jurydyka Bielino, położona między ulicami Królewską, Mazowiecką, Świętokrzyską i Zielną. Autorem rozplanowania Bielina był Jakub Fontana, który nadał mu regularny, szachownicowy układ ulic z prostokątnym rynkiem (obecny plac Dąbrowskiego), usytuowanym na tyłach pałacu Bielińskich. Na wprost pałacu wytyczono ulicę Jasną. Bloki pod przyszłą zabudowę zostały podzielone na regularne posesje. Nowością na gruncie polskim było opracowanie przez Fontanę typowych projektów domów wznoszonych w jurydyce. Miasteczko Bielino, które wyznaczyło oś późniejszej ulicy Marszałkowskiej, wywarło zdecydowanie dodatni wpływ na powstanie – już w XIX wieku – południowych dzielnic miasta, których rozwój zahamowała Oś Saska.

Mniejsze znaczenie, lecz zgodne z kierunkami rozwoju miasta i ruchu drogowego, miało uregulowanie dawnych traktów, prowadzących do Belwederu i kościoła Ujazdowskiego w południowej części miasta i do koszar Gwardii Pieszej Koronnej – w północnej. W 1731 roku z inicjatywy Augusta II dawny trakt Belwederski obsadzono drzewami i zmieniono na tak zwaną drogę Kalwaryjską, wzdłuż której ustawiono 28 kapłíc według projektu J.J.D. Jaucha. Wykonane z nietrwałych materiałów, kaplice te uległy zniszczeniu już w drugiej połowie XVIII wieku. Niemniej droga Kalwaryjska już w czasach Stanisława Augusta przekształciła się w jedną z głównych ulic stołecznych – Aleje Ujazdowskie. W północnej części Warszawy, na przedłużeniu ulicy Zakroczymskiej, około 1742 roku uregulowano i także obsadzono drzewami drogę prowadzącą do koszar, tworząc tak zwaną aleję Gwardii (zniszczoną w związku z budową Cytadeli).

Kasper Bażanka, Karol Bay, Wincenty Rachetti, a w niektórych swoich dziełach także Jakub Fontana, przyswoili architekturze warszawskiej inspirowany dziełami F. Borrominiego i C. Rainaldiego dekoracyjny i ruchliwy, dążący do efektów światłocieniowych, a jednocześnie monumentalny styl późnego baroku rzymskiego. Czesko-austriacką redakcję tego kierunku reprezentował Giovanni Spazzio. Obfita i różnorodna twórczość Józefa Fontany II pozwala określić go jako zdolnego eklektyka, który z łatwością przyswoił sobie różne tendencje stylowe. Formy reprezentacyjnej architektury francuskiej, wzbogaconej obfitą dekoracją rzeźbiarską, utrzymaną jednak jeszcze w guście środkowoeuropejskiego późnego baroku, były charakterystyczne dla twórczości Deybla. Wywodzące się także z Francji płaskie, rozczłonkowane lizenami lub płycinami elewacje stosowali najchętniej K. F. Pöppelmann i J. F. Knöbel. Antoni Solari z równą swobodą posługiwał się formami barokowymi, jak lizenową artykulacją ścian i finezyjną dekoracją rokokową. Już z tradycji artystycznej wypracowanej w środowisku warszawskim czerpali toruńczyk Efraim Schroeger (1727–1783) i Szymon Bogumił Zug (1733–1807), których wczesny okres twórczości przypada na czasy rokoka. Dopiero jednak w pałacach projektowanych przez Jakuba Fontanę skrystalizował się typ architektury rokokowej, w której odnajdujemy cechy odmienne od dzieł powstałych w innych środowiskach. W architekturze tej, programowo pozbawionej monumentalności, lekkiej i eleganckiej, mistrzowsko kontrastowały płaskie bezporządkowe elewacje z bujną i rozwichrzoną dekoracją rzeźbiarską, stosowaną obficie, lecz racjonalnie. W budowlach Fontany i innych architektów warszawskich, które możemy nazwać rokokowymi, dekoracja rzeźbiarska stała się elementem równorzędnym z architekturą w kształtowaniu wyrazu stylowego. Dlatego rzeźbiarze współpracujący z architektami muszą być uznani za współtwórców stylu.

W kształtowaniu sztuki tego okresu w Warszawie, tak jak w całym kraju, główne impulsy artystyczne szły z Włoch i Francji, utartym przez wielowiekowy nawyk szlakiem. Impulsy te w sposób bardzo żywy pobudziła twórczość dwóch najwybitniejszych architektów, działających wówczas w tej części Europy – Francuza Longuelune'a i Włocha Chiaveriego. Zachariasz Longuelune (1669–1748), wykształcony we Francji i Włoszech, od 1698 roku pracował na dworze elektorskim w Berlinie. W 1715 roku, mając 46 lat, jako artysta w pełni ukształtowany przybył do Warszawy i został przyjęty do służby przez Augusta II. W ciągu prawie trzydziestoletniej działalności w Warszawie i Dreźnie wykonał dla obu stolic wiele projektów. Jednakże przebieg jego kariery pozwala sądzić, że orientacja artystyczna, którą reprezentował, nie została zrozumiana przez królewskiego mecenasa. Mimo to sztuka Longuelune'a, wywodząca się z francuskiego wielkiego stylu czasów Ludwika XIV, lecz o formach delikatniejszych, a jednocześnie bardziej dekoracyjnych, wywarła przemożny wpływ na architektów drezdeńskich i warszawskich. Zasługą Longuelune'a było uspokojenie bryły i wysubtelnienie podziałów architektonicznych. Wprowadzone przez niego płaskie, rozczłonkowane lizenami elewacje zostały przyjęte przez J. C. Knöffla i działającego w Polsce K. F. Pöppelmanna. Longuelunowskie zasady kształtowania architektury w warszawskich i nielicznych drezdeńskich dziełach Knöbla przybrały formy oschłe i schematyczne, ażeby w bogatej twórczości Krubsaciusa, działającego już w czasach klasycyzmu, ulec zupełnej degeneracji. Ślady inspiracji płynących z dzieł Longuelune'a odnajdujemy też w twórczości Solariego, Jakuba Fontany, Schroegera i Zuga. Tylko nieliczne projekty Longuelune'a doczekały się realizacji. Jednakże siły jego oddziaływania należy upatrywać nie w liczbie zrealizowanych projektów, lecz w tym, że był on twórcą stylu, który nadał zdecydowany ton architekturze obu stolic.

24. Efraim Schroeger, projekt Sali Balowej w zamku jazdowskim w Warszawie, 1770 r.

Drugą wybitną indywidualnością był Gaetano Chiaveri (1689–1770), reprezentant późnego baroku rzymskiego. W młodości pracował w służbie Piotra I w Petersburgu. Od 1726 roku był już w Warszawie, nie został jednak zaangażowany przez króla. Wczesne lata jego pobytu w Polsce pozostają na razie zagadką. Czy jednak zbieżność dat przyjazdu Chiaveriego i rozpoczęcie budowy kościoła Wizytek jest tylko przypadkiem? W wielu dziełach warszawskich odnajdujemy reminiscencje twórczości tego artysty, szczególnie widoczne w grupie kościelnych fasad kolumnowych. Dopiero jednak w latach trzydziestych wykonał on projekty przebudowy Zamku. O tym, że Chiaveri był uznany w Warszawie za wybitnego twórcę, świadczy fakt zaangażowania go w charakterze budowniczego katolickiego kościoła dworskiego w Dreźnie, gdzie nie było wówczas architektów zdolnych do podjęcia takiego zadania.

W sztuce warszawskiej tego okresu trzy fakty artystyczne mają jak gdyby stymulujące znaczenie dla istniejących tu już dawniej tendencji: późnobarokowa o monumentalnych dążeniach twórczość Chiaveriego, pełna umiaru i elegancji klasycyzująca sztuka Longuelune'a i dzieła Meissoniera, które ukazały Warszawie rokoko nie za pośrednictwem wzorników ornamentyki, lecz w oryginałach wykonanych przez jednego z inspiratorów kierunku.

ARCHITEKTURA W LATACH 1760–1795

Wpływ idei Oświecenia na architekturę wyraził się zwłaszcza w nowych jej funkcjach. Rozwinęły się nowe typy budowli miejskich służące szerszym niż dotąd warstwom społecznym. W dziedzinie architektury i innych sztuk plastycznych idee Oświecenia nie znalazły jednak odpowiednika w postaci odrębnego stylu, choć panuje przekonanie, że architektura klasycyzmu, wysuwająca na pierwszy plan logikę, harmonię i rytm, była najbliższa umysłowości ludzi tej epoki.

Klasycyzm nie był jednak jedynym zabarwieniem stylowym ostatniego czterdziestolecia XVIII wieku. Obok klasycyzmu występowały również nurty późnobarokowy i rokokowy (silne zwłaszcza na prowincji aż do końca stulecia) oraz rodzące się nurty neogotycki i egzotyczny. Mamy zatem do czynienia ze zjawiskiem pluralizmu stylistycznego.

Późny barok nie obumarł w Warszawie z chwilą pojawienia się nurtu klasycystycznego. Jego pozycja jako kierunku dominującego utrzymała się w Warszawie przynajmniej do około roku 1780. Król Stanisław August i pracujący dlań architekci bardzo długo zachowali upodobanie do niektórych cech baroku. Wszystkie projekty przebudowy Zamku Królewskiego w Warszawie, powstałe w pierwszym okresie panowania króla, noszą wyraźne piętno tego stylu. Realizacje późnobarokowe zdarzają się również w środowisku magnaterii i bogatych mieszczan. Czołowymi przedstawicielami tego nurtu na gruncie warszawskim po roku 1760 byli architekci: Jakub Fontana (1710–1773), Efraim Schroeger (1727–1783), Dominik Merlini (1730–1797) i Szymon Bogumił Zug (1733–1807), którzy przeszli następnie mniej lub bardziej wyraźną ewolucję w kierunku klasycyzmu.

Nurt rokokowy przetrwał dłużej przede wszystkim w dekoracji wnętrz. Do rokokowych dekoracji miał zdecydowane upodobanie Stanisław August w początkowym okresie swego panowania, czego dowodem jest zaangażowanie znanego malarza dekoratora Jeana Pillementa (1728–1808), specjalisty od dekoracji typu rokokowych *chinoiseries*. Rokokowe wnętrza powstawały na zlecenie króla zarówno na Zamku Królewskim, jak i zamku Ujazdowskim. Modzie tej hołdowali również niektórzy magnaci, między innymi wnętrza parteru pałacu Błękitnego (stanowiącego wówczas siedzibę Adama Kazimierza i Izabeli Czartoryskich) otrzymały w latach 1766–1768 nową dekorację rokokową. Przykładem syntezy późnobarokowej bryły i rozwichrzonej rokokowej dekoracji rzeźbiarskiej był kościół Dominikanów Obserwantów (stojący w zamknięciu perspektywy Krakowskiego Przedmieścia, na miejscu późniejszego Pałacu Staszica), ukształtowany w latach 1760–1771 przez Efraima Schroegera.

Nurt klasycystyczny w Warszawie pojawił się około roku 1760, początkowo w postaci dekoracji opartej na motywach antycznych. Dekoracja ta skutecznie wyparła z wnętrz rokoko, a niebawem pokryła również elewacje. Wkrótce nastąpił zwrot w kierunku znacznego uproszczenia barokowych brył i struktur nowo wznoszonych budowli. Głównym akcentem koncepcji plastycznej gmachu stał się portyk kolumnowy, wzorowany na świątyni antycznej, lub przynajmniej pilastrowanie w wielkim porządku. Podziały elewacji stają się przejrzyste i konsekwentne, dekoracja upraszcza się coraz bardziej, z czasem zostaje ograniczona do minimum. Dachy mansardowe ustępują miejsca zwykłym czterospadowym, ukrytym niekiedy za balustradą – attyką. W nowym stylu przebudowuje się w Warszawie przede wszystkim pałace pochodzące z wcześniejszych epok stylowych, a zwłaszcza przekształca się ich wnętrza. Materiały używane do dekoracji nie były drogie: przeważało drewno (na boazerie) i stiuk (imitujący marmur). Dużą rolę grały dekoracje malarskie we wnętrzach (plafony i malowidła ścienne o tematach alegorycznych i historycznych). Motywy antyczne stosowane do dekoracji architektonicznej to arabeskowe wici i liście akantu, wieńce i girlandy, medaliony ze wstęgami i urny, skrzyżowane sztandary i rózgi liktorskie.

Pierwsza faza nurtu klasycystycznego przypada na lata od około 1760 do 1795, druga na lata od 1795 do 1815, wreszcie trzecia na lata 1815–1830. Tylko pierwsza faza klasycyzmu należy zatem do sztuki doby Oświecenia i tylko tą fazą zajmować się będziemy w niniejszym rozdziale. W jej obrębie wydzielimy jeszcze dwa okresy rozdzielone cezurą lat 1780––1785. W ciągu pierwszego okresu nurt klasycystyczny torował sobie dopiero drogę, stąd nazywany jest często barokowym klasycyzmem. Cezura 1780–1785 oznacza między innymi pojawienie się na firmamencie artystycznym grupy młodych architektów Polaków, wykształconych już w dobie Oświecenia i reprezentujących dojrzały klasycyzm. Byli to: Stanisław Zawadzki (1743–1806), Hilary Szpilowski (1753–1827), Wawrzyniec Gucewicz (1753–1798), Chrystian Piotr Aigner (1756–1841), Jakub Kubicki (1758–1833); później dołączyli do nich jeszcze Jakub Hempel (1762–1831) i Fryderyk Albert Lessel (1767–1822). Dojrzały klasycyzm reprezentował również ulubiony architekt Stanisława Augusta, saksończyk Jan Chrystian Kamsetzer (1753–1795). Ta sama cezura interpretowana jest niekiedy jako sygnał pojawienia się klasycyzmu romantycznego. W każdym razie po roku 1780 nurt klasycystyczny stał się dominujący w architekturze polskiej.

Nurt ten nie był jednak zjawiskiem jednolitym. W okresie 1760–1830 zauważyć możemy dwojaki stosunek do sztuki antyku. O ile architekci klasycyści traktowali antyk w dobie Oświecenia na ogół jako ideał doskonałości, o tyle później dokonała się pod tym względem przemiana: antyk przestał być dla wielu architektów naczelnym ideałem estetycznym i klasycyzm stał się powoli jednym ze stylów historycznych, na który właśnie przyszła moda. Początki nowego stosunku do antyku są już widoczne u schyłku XVIII stulecia.

Niejednolitość nurtu klasycystycznego ujawniła się jeszcze w inny sposób. W ramach ostatniego czterdziestolecia XVIII wieku możemy zauważyć kilka jego odmian. Jedną z takich odmian stanowiły próby nawiązywania przez niektórych twórców, wykształconych jeszcze w epoce baroku, do architektury klasycyzmu francuskiego XVII wieku. Próby te obserwujemy w latach sześćdziesiątych i siedemdziesiątych XVIII stulecia. Jakub Fontana, Efraim Schroeger i Dominik Merlini w swych projektach przebudowy Zamku Królewskiego nawiązywali do kolumnady paryskiego Luwru (cieszącej się w XVIII wieku opinią jednego z największych arcydzieł architektury nowożytnej), a Efraim Schroeger w projekcie fasady kościoła Karmelitów Bosych na Krakowskim Przedmieściu powodował się francuską redakcją typu dwukondygnacjowej i dwuporządkowej fasady kościelnej. Jednocześnie sięgnięto i do innych wzorów architektury XVII wieku. Jakub Fontana w projekcie przebudowy kolegiaty św. Jana wzorował się na przykład na fasadzie katedry św. Pawła w Londynie.

Podobny charakter miało uznanie niektórych architektów polskich dla twórczości Andrea Palladia. Traktat jego „I quattro libri dell'architettura" znajdował się w wielu bibliotekach polskich tego czasu i był jednym ze źródeł poznania architektury antycznej. Dzieła Palladia fascynowały ludzi doby Oświecenia jako możliwości i wzorce przystosowania architektury antyku do potrzeb epoki nowożytnej. Jednym z takich wzorców był schemat kompozycyjny fasad weneckich kościołów Palladia, który inspirował Stanisława Kostkę Potockiego i Chrystiana Piotra Aignera przy komponowaniu fasady kościoła Bernardynów w Warszawie, innym – Villa Rotonda pod Vicenzą naśladowana w Warszawie przez Dominika Merliniego w projekcie pałacyku Królikarnia, a jeszcze innym – typ willi z ćwierćkolistymi galeriami łącznikowymi przejmowany przede wszystkim przez rezydencje wiejskie. Do tego typu willi palladiańskiej nawiązał w Warszawie Efraim Schroeger, projektując klasycystyczną przebudowę Pałacu Prymasowskiego przy ulicy Senatorskiej. Należy podkreślić, że w Polsce przejmowano z palladiańskiego wzorca niekiedy tylko charakterystyczne elementy lub sam zasadniczy pomysł, aby dostosować je potem do barokowej struktury.

W związku z architekturą Palladia i jego osiemnastowiecznymi naśladowcami pozostaje zjawisko „klasycyzmu akademickiego". Przez określenie to rozumiemy nurt architektury, który oparł się na wiedzy zaczerpniętej z traktatów włoskich teoretyków architektury XVI wieku, propagowany przede wszystkim przez Akademię św. Łukasza w Rzymie. Jednym z przykładów tego nurtu w Warszawie jest elewacja północna pałacu Na Wyspie w Łazienkach, powstała w 1788 roku, jedno z najlepszych dzieł Dominika Merliniego. Do nurtu tego wypadnie poza tym zaliczyć większą część twórczości Stanisława Zawadzkiego, Chrystiana Piotra Aignera i Jakuba Hempla. Wszyscy oni mieli kontakty ze wspomnianą już Akademią św. Łukasza.

W połowie lat siedemdziesiątych XVIII wieku pojawiła się w Polsce zupełnie inna odmiana klasycyzmu, przypominająca nieco twórczość francuskich architektów, tak zwanych rewolucjonistów. Odmianę tę nazywamy czasem nurtem awangardowym, ponieważ powstałe w jej zasięgu dzieła odbiegają charakterem dość znacznie od większości produkcji architektonicznej tego czasu i przywodzą nieraz na myśl kubistyczną architekturę XX wieku. Odmianę tę zrodziły eksperymenty prowadzone nad bryłą, rozplanowaniem i powierzchnią budowli. U jej podstaw nie leżało naśladowanie antyku, lecz przede wszystkim dążenie do znalezienia dla dzieła architektonicznego nowego, odrębnego wyrazu plastycznego. Zestaw podstawowych brył geometrycznych w budowlach należących do tego nurtu grał niejednokrotnie większą rolę niż elementy architektury antyku, sprowadzane nieraz do roli niezbędnej dekoracji. W eksperymentach z bryłą i powierzchnią możemy często zauważyć tendencję do ograniczenia roli porządków architektonicznych, a nawet do całkowitej ich eliminacji. Architekci zdawali już sobie sprawę, że przy projektowaniu można obyć się bez form zaczerpniętych z antyku. Jednocześnie jednak antyk starannie studiowano, wybierając zeń niektóre elementy interpretowane teraz na nowo. „Odkryty" wówczas porządek dorycki w redakcji greckiej (z kolumnami bez baz) narzucił projektowanym z jego użyciem budowlom proporcje surowe i ciężkie. Ugruntowało się również przekonanie, że powierzchnię budowli można pozostawić gładką, bez żadnych ozdób, lub też pokryć ją całkowicie surowym i masywnym boniowaniem. Subtelna gradacja faktury elewacji lub też gwałtowne jej kontrasty stały się przedmiotem żmudnych nieraz studiów. Eksperymenty te były reperkusją podobnych poczynań dokonywanych we Francji. Do najbardziej znanych przykładów tej odmiany klasycyzmu w Warszawie należą między innymi kościół Ewangelicko-Augsburski projektowany przez Szymona Bogumiła Zuga, projekty domu Pani Krakowskiej (siostry króla) w Łazienkach Jakuba Kubickiego, projekty mauzoleum Stanisława Augusta w Łazienkach Jana Chrystiana Kamsetzera.

Jak już powiedzieliśmy, nurt klasycystyczny był najbliżej związany z podstawowymi założeniami Oświecenia i najpełniej odzwierciedlał życie epoki. W duchu klasycyzmu zaprojektowano większość nowych budowli wyrażających tendencje Oświecenia i zwiastujących początki układu kapitalistycznego: teatry, hotele, różnorakie budynki użyteczności publicznej, kamienice czynszowe i domy bankowe.

Niemal jednocześnie z nurtem klasycystycznym pojawił się w Polsce nurt neogotycki, zrazu nikły i nie rzucający się w oczy, z czasem coraz wyraźniejszy, interpretowany jako jeden z przejawów rodzącego się romantyzmu. Pierwsza znana nam budowla neogotycka w Polsce to brama triumfalna na Rynku Starego Miasta w Warszawie, wzniesiona z okazji koronacji Stanisława Augusta w listopadzie 1764 roku. Później styl ten stosowany był do pawilonów parkowych (m.in. w Mokotowie, Powązkach i na Solcu), z czasem przedostał się do architektury sakralnej i rezydencjonalnej. Repertuar form gotyckich stosowany u schyłku XVIII wieku był nader skromny i obejmował przede wszystkim łuk ostry używany do otworów, obramień i blend, poza tym krenelaże, sterczyny, iglice oraz spiczaste daszki nakrywające wieże. Z czasem, w miarę rozwoju badań nad architekturą średniowiecza, repertuar ten znacznie się powiększył, nawet o elementy gotyku rodzimego. Na dobę Oświecenia przypada pierwsza faza nurtu neogotyckiego w Polsce; trwa ona jednak nieco dłużej i kończy się w roku 1812, wraz z pojawieniem się pierwszych wypowiedzi polskich teoretyków architektury, którzy dostrzegli ten nurt jako jedno ze zjawisk architektury współczesnej. U schyłku XVIII stulecia chętnie projektował w stylu gotyckim Szymon Bogumił Zug.

Nurt egzotyczny, pozostający głównie w zasięgu sztuki orientalnej, był zjawiskiem złożonym. Wyraźnie daje się w nim wyodrębnić wątek chiński oraz wątek inspirowany przez architekturę islamu. Obok nich występowało również zjawisko zainteresowania sztuką starożytnego Egiptu.

Na czoło wszystkich wątków egzotycznych wysuwał się z pewnością wątek chiński. Jednakże nawet to wyodrębnione zjawisko jest skomplikowane i dzieli się w obrębie lat 1760–1795 na dwie fazy. Pierwsza z nich – faza rokokowa – przypada na pierwsze lata panowania Stanisława Augusta i trwa do około roku 1770; motywy sztuki chińskiej splatały się wówczas ściśle z ornamentyką rokokową. Dla fazy tej szczególnie charakterystyczna jest działalność wspomnianego już malarza dekoratora Jeana Pillementa, twórcy rokokowych *chinoiseries* w gabinetach w Zamku Królewskim i w zamku Ujazdowskim. Dla drugiej fazy, obejmującej ostatnie trzydziestolecie XVIII wieku, znamienna była również dekoracja wnętrz w guście chińskim, jednakże już bez motywów rokokowych. W ciągu drugiej fazy wątku chińskiego powstała wielka liczba pawilonów ogrodowych (które pojawiły się u nas jednocześnie z angielsko-chińską formą ogrodu pejzażowego), budowli komponowanych najczęściej według zagranicznych wydawnictw ilustrowanych. Pawilony chińskie były ozdobą między innymi ogrodów na Solcu, na Książęcem, w Mokotowie, w Górcach, na Faworach, na Czystem i w Jabłonnie; projektował je Szymon Bogumił Zug. We wszystkich tych ogrodach moda na chińszczyznę ograniczała się do wprowadzania pojedynczych altan lub mostków, które występowały tam obok innych pawilonów utrzymanych dla rozmaitości w innym stylu. W Polsce zdarzył się jednak wypadek, że niemal cały zespół rezydencjonalny przybrał na kilkanaście lat uniform chiński. Tak rzecz się miała w Łazienkach, gdzie pomiędzy rokiem 1775 a 1790 powstały między innymi: dekoracja jednego z pokoi w Białym Domku, dekoracja pokoju króla w pałacu Na Wyspie, mosty łączące pałac Na Wyspie z lądem stałym, galeryjki przy Białym Domku, brama, altana, pawilon „Trou-Madame", wreszcie projekt Pomarańczarni; wszystko utrzymane w „guście chińskim". Stanisław August miał szczególne upodobanie do chińszczyzny, któremu musieli się podporządkować jego artyści: Jan Bogumił Plersch, Dominik Merlini i Jan Chrystian Kamsetzer, twórcy chińskiej przemiany Łazienek.

Drugi wątek orientalny łatwy do wyodrębnienia inspirowany był przez architekturę islamu, a przejawiał się również w pawilonach parkowych. Celował w tym Szymon Bogumił Zug, który zaprojektował między innymi minaret i Domek Imama w ogrodzie na Książęcem, wzniesione około roku 1776. Inną taką budowlą był Dom Turecki w Łazienkach, projektowany przez Jana Chrystiana Kamsetzera i wzniesiony w latach 1786–1787. Oddziaływanie sztuki starożytnego Egiptu zaznaczyło się między innymi w projekcie przebudowy gmachu Biblioteki Załuskich w Warszawie (S.B. Zug – 1774), w projekcie urządzenia tak zwanych ogrodów symboliczno-emblematycznych w podziemiach pod korpusem głównym pałacu „mniejszego" Franciszka Ksawerego Branickiego na Nowym Świecie (S.B. Zug – 1775–1777) oraz w projektach egipskich kominków przeznaczonych do jednego z pawilonów pałacu Łazienkowskiego (J.Ch. Kamsetzer, ok. 1792).

Szybko rozszerzająca się ekspansja cywilizacji europejskiej przyczyniła się do wzbudzenia zainteresowania w połowie XVIII wieku nowymi odległymi obszarami kuli ziemskiej. Stąd w architekturze ogrodowej doby Oświecenia znalazły odbicie także prymitywne kultury ludów pierwotnych, czego dowodem może być między innymi „szałas okrągły indyjski" zbudowany z pni brzozowych, który znalazł się w ogrodzie mokotowskim.

Warszawa w ostatnim czterdziestoleciu XVIII stulecia zmieniła oblicze architektoniczne. Przyjrzyjmy się teraz z bliska najważniejszym przedsięwzięciom architektonicznym podjętym w tym okresie.

ARCHITEKTURA KRÓLEWSKA

Mecenat artystyczny Stanisława Augusta Poniatowskiego głównie dzięki popularności przedwojennych prac Władysława Tatarkiewicza i Alfreda Lauterbacha długo kojarzył się z pojęciem stylu nazwanego imieniem tego monarchy, stylu mającego być narodową odmianą ogólnoeuropejskiego nurtu klasycyzmu.

Pojęcie „stylu Stanisława Augusta" uległo w miarę postępu badań przewartościowaniu. Dopiero niedawno zwrócono uwagę na zjawisko znamienne dla pierwszych dwudziestu lat panowania Stanisława Augusta, że skłaniał się on już wprawdzie do klasycystycznego nurtu w architekturze, ale realizację konkretnych zadań chętnie jeszcze widział w formach rokoka czy późnego baroku. Tak się rzecz miała między innymi z niefortunną przebudową zamku Ujazdowskiego prowadzoną w latach 1766–1772 przy współudziale Dominika Merliniego, Efraima Schroegera i Augusta Moszyńskiego. Zamek otrzymał wówczas szatę zewnętrzną w duchu późnego baroku, natomiast jego wnętrza miały być na przemian rokokowe i późnobarokowe.

Na przełomie lat sześćdziesiątych i siedemdziesiątych XVIII stulecia król zdradzał szczególne upodobanie do typowo rokokowej dekoracji wnętrz z użyciem motywu palmy zamiast przyściennej kolumny. Trzony palm oplatały spiralne girlandy róż, a gęste korony z liści palmowych stykały się z sobą wspierając sklepienie. Palmy były polichromowane. Zamek Ujazdowski, gdyby jego przebudowa doprowadzona została do końca, miałby aż trzy sale dekorowane w podobny sposób, a mianowicie Salę Biblioteczną w jednej z baszt, Salę Bacciarellego i Salę Balową, wszystkie projektowane przez Schroegera (dwa zachowane warianty Sali Balowej powstały w latach 1768 i 1770). Zdołano zrealizować tylko Salę Biblioteczną, którą znamy z opisów. Pomysł dekoracji palmowej narodził się u Schroegera najprawdopodobniej pod wpływem obejrzanego w 1767 roku teatru dworskiego w rezydencji monachijskiej; motyw palmy mógł również zauważyć w Paryżu, choć był już tam wtedy zupełnie niemodny.

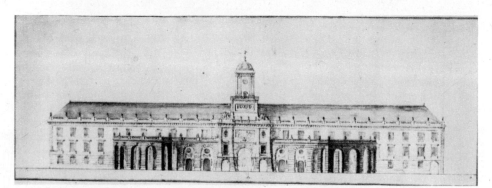

Stanisław August miał również zamiłowanie do *chinoiseries*. W roku 1766 wspomniany już Jean Pillement wymalował w Zamku Królewskim rokokową dekorację Gabinetu Królewskiego z motywami chińskimi, w tym samym czasie wymalował w zamku Ujazdowskim rokokowy „Gabinet Chyński w treliasz oleyno malowany", znajdujący się na pierwszym piętrze w baszcie południowo-wschodniej. Zaraz obok, w skrzydle od strony Wisły, powstał w roku 1769 apartamencik chiński, złożony z przedpokoju i sypialni malowanej przez Jana Ścisłę, połączony w 1771 roku wewnętrznymi schodami z jeszcze jednym pokojem chińskim na parterze.

Obok projektów wnętrz rokokowych powstawały na zamówienie króla projekty utrzymane w duchu późnego baroku. Dla przykładu wymienimy tu projekt Sali Balowej Zamku Królewskiego wykonany przez Jana Bogumiła Plerscha w roku 1765, projekt Sali Audiencyjnej w zamku Ujazdowskim – tego samego artysty, także w roku 1765; należy również wspomnieć o polichromii klatki schodowej w tymże zamku, będącej dziełem

29. Efraim Schroeger, projekt przebudowy zamku warszawskiego i ukształtowania placu Zamkowego, 1777 r.

30. Dominik Merlini, projekt przebudowy zamku warszawskiego, fasada, 1788 r.

31. Sala Balowa w zamku warszawskim. Stan sprzed roku 1939

Antoniego Smuglewicza (ok. 1767–1768), a projektowanej najprawdopodobniej przez Efraima Schroegera, wreszcie o projekcie Sali Senatu w Zamku Królewskim, sporządzonym w 1767 roku również przez Schroegera, w którym formy późnego baroku przenikają się z rokokową dekoracją. Nie można jednak zapominać, że w tym samym czasie powstawały w zamku Ujazdowskim pierwsze wnętrza o niewątpliwie klasycyzującym charakterze, projektowane przez Dominika Merliniego.

Jak widzimy, poczynania młodego monarchy w zakresie architektury dotyczyły początkowo dwóch rezydencji warszawskich: oficjalnej, jaką był Zamek Królewski, i prywatnej, jaką miał być zamek Ujazdowski. Piszemy „miał być", ponieważ przebudowa tego zamku dla króla nie została nigdy ukończona. Stanisław August zniechęcony trudnościami przy przekształcaniu siedemnastowiecznych murów budowli oddał ją ostatecznie na koszary. Jedynym śladem wielkich zamierzeń wobec zamku Ujazdowskiego pozostało rozplanowanie całej otaczającej go dzielnicy. W latach 1766–1768 rozpoczęto regulację dróg dotychczas przebiegających płynnie i wytyczono nowe ulice tworzące w sumie jednolitą kompozycję, której ośrodkiem był zamek Ujazdowski. Wtedy powstał plac Na Rozdrożu, skomponowany jako pęk alei, oraz dzisiejsze place Unii Lubelskiej i Zbawiciela. Na osi symetrii zamku wytyczono dzisiejszą ulicę Nowowiejską (od osady Nowa Wieś) biegnącą w kierunku Woli. Całość tego założenia nie została zrealizowana. Autorstwo koncepcji generalnej łączy się na ogół z osobą Augusta Moszyńskiego, doradcy artystycznego króla w pierwszym okresie panowania.

Zagadnienie przebudowy Zamku Królewskiego pasjonowało Stanisława Augusta Poniatowskiego już w marcu 1764 roku, to jest na kilka miesięcy przed elekcją. Przyszły król tak pewien był swego zwycięstwa, że wysłał do Paryża kupca warszawskiego Czempińskiego ze zleceniami zakupów i zamówień. Po wstąpieniu na tron rozporządzał funduszami przyznanymi przez sejm na odnowienie zaniedbanego Zamku. Projekty przekształcenia Zamku Królewskiego, jakie tworzyli dla króla architekci, zmierzały w trzech kierunkach. Proponowały przede wszystkim uregulowanie zespołu zamkowego i stworzenie dlań odpowiedniego otoczenia, przewidywały stworzenie nowych okazałych sal Senatu i Izby Poselskiej, wysuwały propozycje wspaniałego zespołu apartamentów reprezentacyjnych z Salą Teatralną, biblioteką i galerią obrazów. Trudności finansowe, w jakich Stanisław August znajdował się w czasie całego niemal panowania, sprawiły, że ostatecznie zrealizowano tylko program minimum, ograniczając się do przebudowy wnętrz w ramach już istniejącej bryły. Nowym dodatkiem było tylko wąskie skrzydło biblioteczne wzniesione w latach

1780–1784. Kierownictwo robót sprawował początkowo Jakub Fontana, a po jego śmierci w roku 1773 – Dominik Merlini, z którym współpracował Jan Chrystian Kamsetzer. Przebudową Zamku zainteresowano również Efraima Schroegera, a z zagranicznych architektów Victora Louis, który w roku 1765 odwiedził Warszawę, a w ciągu roku następnego dostarczył licznych plansz z klasycystycznymi projektami przebudowy Zamku, nie pozbawionymi zresztą elementów barokowych. Projekty francuskiego architekta zrealizowano co prawda tylko w nieznacznym stopniu, lecz oddziałały one na środowisko architektów królewskich.

Około roku 1766 w środowisku królewskim zaznaczył się wyraźny wpływ siedemnastowiecznego klasycyzmu francuskiego, widoczny między innymi w inspirowanych przez kolumnadę Luwru barokowo-klasycystycznych projektach przebudowy Zamku Jakuba Fontany i Efraima Schroegera z lat 1766–1767 i w projekcie Dominika Merliniego z roku 1779. Wpływ ten nie ogarnął całokształtu przedsięwzięć Stanisława Augusta w zakresie architektury, świadczył jednak o coraz wyraźniejszych skłonnościach króla do klasycyzmu. Jak różnorodne były poszukiwania artystów królewskich pod koniec lat sześćdziesiątych XVIII wieku, mogą świadczyć projekty późnobarokowych elewacji od dziedzińca skrzydeł północnego i południowego Zamku, wykonane przez Jakuba Fontanę wyraźnie pod wpływem architektury saskiej, najprawdopodobniej w 1767 roku. Projekt elewacji skrzydła południowego został zrealizowany, a zachowana do roku 1944 elewacja ujawniała niewielkie odstępstwa od projektu, polegające na odmiennym nieco rozwiązaniu zwieńczenia ryzalitu środkowego. Elewacja ta stała się z kolei wzorem dla fasady pałacu kasztelana wiskiego, Kazimierza Karasia, wzniesionego w latach 1769–1772 na rogu Krakowskiego Przedmieścia i Oboźnej. Podobny charakter miała również elewacja od dziedzińca skrzydła północnego Zamku.

Piętno późnego baroku nosiły w mniejszym lub większym stopniu wszystkie późniejsze projekty przebudowy Zamku Królewskiego, sporządzone przez Jakuba Fontanę i Efraima Schroegera. Wszystkie one proponowały skomplikowane i urozmaicone barokowe bryły oraz bogaty i różnorodny wystrój o elementach późnobarokowych i wczesnoklasycystycznych. Odmienne w nastroju są dopiero trzy projekty Dominika Merliniego, pierwszy powstały po roku 1773, dwa następne w roku 1788, skomponowane już w duchu akademickiego poprawnego klasycyzmu, przewidujące monumentalne opilastrowane elewacje z kolumnowymi portykami.

W celu zilustrowania szerokiej skali zainteresowań Stanisława Augusta warto przypomnieć podjętą przezeń inicjatywę odrestaurowania Pokoju Marmurowego w Zamku. W wyniku zaprojektowanej przez Jakuba Fontanę w 1768 roku, a rozpoczętej na początku roku 1770 restauracji przywrócono temu pokojowi jego siedemnastowieczną architekturę i ozdobiono nowymi wizerunkami królów polskich pędzla Marcella Bacciarellego oraz plafonem będącym dziełem Bacciarellego i Plerscha. Zabieg ten podyktowany był nie tylko chęcią ratowania historycznego sanktuarium poświęconego pamięci królów polskich, lecz również skłonnością monarchy do form rozwiniętego baroku. W latach 1774–1777 powstała pierwsza seria wnętrz Merliniego (tzw. Sala Canaletta, Kaplica, Sypialnia, Dawna Sala Audiencyjna). Projekty tych pomieszczeń w miarę zbliżania się do roku 1780 wyzbywały się stopniowo cech barokowych. Należy jednak podkreślić, że Stanisław August i pracujący dlań architekci długo zachowali upodobanie do niektórych cech baroku, jak na przykład do form mocnych, ciężkich i bogatych, dzięki czemu zespół wnętrz powstałych po roku 1780 pod artystycznym nadzorem monarchy wyróżnia się swoistą odrębnością na tle klasycyzmu europejskiego. Mocne belkowanie, zaokrąglone naroża, pary kolumn, lustra, pasy wolutowe dzielące potężną fasetę zwierciadlanego sklepienia, wreszcie barwny plafon Bacciarellego – oto najbardziej rzucające się w oczy barokowe cechy Sali Balowej Zamku Królewskiego, ukończonej w roku 1781, projektowanej przez Dominika Merliniego i Jana Chrystiana Kamsetzera. Inne wnętrza zamkowe, powstałe po roku 1780 i projektowane przez tych samych architektów, miały już znacznie silniejsze piętno klasycyzmu. Wśród nich na największą uwagę zasługuje Sala Rycerska (1781–1786) poświęcona pamięci najznakomitszych mężów narodu polskiego, ozdobiona serią malowideł Bacciarellego o tematyce zaczerpniętej z dziejów Polski oraz popiersiami wodzów, mężów stanu, uczonych i poetów, będącymi dziełami rzeźbiarzy André Le Bruna i Giacoma Monaldiego. Według intencji Stanisława Augusta dekoracja tej sali miała budzić patriotycznego ducha, wskazując na wielkie wydarzenia z historii ojczystej i na wizerunki znakomitych obywateli. Dalej wymienić należy Salę Tronową, ukończoną w 1786 roku, ze ścianami wybitymi karmazynowym adamaszkiem ujętym w bogato rzeźbione, złocone listwy. Cokoły, supraporty i faseta plafonu tej sali ozdobione były złoconymi ornamentami arabeskowymi na białym tle. Z pozostałych wnętrz wymienimy jeszcze Pokój Konferencyjny (1788), ozdobiony wizerunkami panujących wówczas monarchów i malowidłami arabeskowo-groteskowymi Jana Bogumiła Plerscha, oraz Salę Biblioteczną (1780–1784), mieszczącą się w dobudowanym skrzydle, jedyne ocalałe wnętrze zamkowe pochodzące z epoki stanisławowskiej. Salę tę podzielono parami kolumn na trzy segmenty, aby nie wydawała się nazbyt długa. W górnej partii ozdobiono ją dwudziestoma ośmioma owalnymi medalionami, przedstawiającymi symbole dziedzin reprezentowanych w księgozbiorze.

Stanisław August, porzuciwszy w 1774 roku zamek Ujazdowski, poświęcił wiele uwagi

pawilonowi Łazienki, położonemu malowniczo na wyspie niewielkiej wówczas sadzawki na terenie Zwierzyńca, wzniesionemu u schyłku XVII wieku przez architekta Tylmana van Gamerena dla Stanisława Herakliusza Lubomirskiego, ówczesnego właściciela Ujazdowa. Król początkowo ograniczył się do przekształcenia tylko kilku pokoi dawnej Łazienki, w roku 1777 kazał jednak nadbudować piętro; w roku 1784 skomponowano nową elewację południową pawilonu z charakterystycznym wgłębnym portykiem, w roku 1788

5. Pałac Na Wyspie w Łazienkach, elewacja północna. Stan obecny

powstała elewacja północna z portykiem wysuniętym, a w latach 1792–1793 wzniesiono pawilony boczne na lądzie stałym i połączono je kolumnowymi galeriami z pałacem właściwym. Roboty przy dekoracji wnętrz ukończono dopiero w 1795 roku, tak że król całkowicie ukończonej swej siedziby już nie mógł oglądać. Twórcą architektury pałacu Na Wyspie (jak nazwano tylmanowską Łazienkę) był Dominik Merlini, przy dekoracji wnętrz współpracował z nim Jan Chrystian Kamsetzer oraz malarz Marcello Bacciarelli i Jan Bogumił Plersch.

6. Sala Salomona w pałacu Na Wyspie w Łazienkach. Stan sprzed 1939 r.

211

237. Sala Balowa w pałacu Na Wyspie w Łazienkach Stan obecny

238. Wnętrze teatru w Starej Pomarańczarni w Łazienkach. Stan obecny

Sam Zwierzyniec ujazdowski przekształcano powoli w krajobrazowy park angielski ozdobiony wielu pawilonami. W latach 1774–1776 wzniesiono Biały Domek, w latach 1774–1779 pałacyk Myślewicki, w latach 1775–1778 odbudowano spalony Ermitaż pochodzący z czasów Stanisława Herakliusza Lubomirskiego, w latach 1777–1778 powstał Rezerwuar na wzór grobowca Cecylii Metelli, w latach 1786–1788 wzniesiono budynek Starej Pomarańczarni z teatrem, a w roku 1788 ukończono Wielką Oficynę. Autorem tych wszystkich pawilonów był Dominik Merlini. Z kolei Jan Chrystian Kamsetzer zaprojektował między innymi Dom Turecki (1786), Amfiteatr (1790) i Starą Kordegardę wzniesioną nad brzegiem stawu północnego w roku 1793. Należy jeszcze wspomnieć o projektowanej, lecz nie zrealizowanej rozbudowie pałacu Na Wyspie, o projektach Kamsetzera mauzoleum dla króla i jego rodziców (ok. 1784), wreszcie o projektach domu dla Elżbiety z Poniatowskich Branickiej (siostry króla, tzw. Pani Krakowskiej), wykonanych około roku 1783 przez Jakuba Kubickiego, na nowo opracowanych później przez Kamsetzera. Zabarwienie barokowe, tak charakterystyczne dla poczynań artystycznych króla, ma jeszcze elewacja południowa pałacu Na Wyspie, malownicza i wytworna, z wgłębnym klasycystycznym portykiem. Zawdzięcza to przede wszystkim detalowi, poza tym wieńczącej ją drobnej balustradzie z ustawionymi na niej posągami oraz wygiętym rokokowym kratom balkoników pierwszego piętra. Świadectwem wyraźnej ewolucji upodobań króla i Merliniego w kierunku klasycyzmu jest elewacja północna pałacu Na Wyspie, ukształtowana w roku 1788, będąca niemal przeciwieństwem elewacji południowej. Jest płaska i sucha mimo pilastrów w wielkim porządku i wysuniętego do przodu portyku. Skomponowano ją w duchu akademickiego klasycyzmu. Reprezentuje ona ten sam odcień stylowy co wspomniane już projekty Dominika Merliniego przebudowy Zamku Królewskiego, powstałe również w 1788 roku. Projekty te wraz z elewacją północną pałacu Na Wyspie rozpoczynają wprawdzie nową fazę twórczości Merliniego, dalekie są jednak od awangardy architektonicznej tego czasu. Pod względem nowatorstwa formy znacznie wyprzedzają je istotnie awangardowe projekty domu Pani Krakowskiej i mauzoleum króla, powstałe około lat 1783–1784 i będące dziełem młodego pokolenia artystów królewskich. Jak doniosłą jednak zmianę w upodobaniach artystycznych króla i Merliniego oznaczała elewacja północna pałacu Na Wyspie, zrozumiemy dopiero wtedy, gdy porównamy ją z Ermitażem, Białym Domkiem i pałacykiem Myślewickim. W zestawieniu z tą elewacją

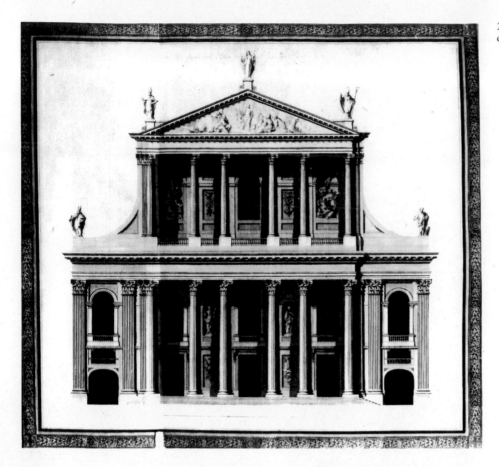

wszystkie one wydają się budowlami zdecydowanie późnobarokowymi, mimo elementów klasycystycznych występujących w dekoracji.

Wnętrza łazienkowskie, tak jak i wnętrza Zamku Królewskiego, reprezentują ten sam wysoki poziom artystyczny. I one nie są wolne od późnobarokowego nalotu, świadczącego o ich odrębności stylowej. Barokową mięsistością kształtów i nasyceniem barw odznaczają się nawet ostatnie wnętrza powstałe z inicjatywy króla, a mianowicie Sala Salomona (1793) i Rotunda (1795) w pałacu Na Wyspie. Sąsiadująca z nimi Sala Balowa (1793) ma już jednak charakter zdecydowanie klasycystyczny i świadczy o ciągłych poszukiwaniach nowego wyrazu artystycznego przez króla i jego artystów.

Król zainteresował swych architektów między innymi problemem przebudowy kolegiaty św. Jana, budową kościoła ujazdowskiego i Świątyni Opatrzności. Interesował się również budowlami publicznymi, czego dowodem mogą być liczne projekty teatrów znajdujące się w jego zbiorach lub projekt gmachu Akademii Nauk. Wszystkie one nie doczekały się realizacji. I w tej dziedzinie widoczna jest wielka rozmaitość stylów i form. Wspominaliśmy już o projekcie z lat 1767–1768 Jakuba Fontany przebudowy kolegiaty św. Jana, której nowa fasada miała nawiązywać do fasady katedry św. Pawła w Londynie. Diametralnie różny w nastroju, zdecydowanie klasycystyczny jest projekt Jakuba Kubickiego przebudowy tejże kolegiaty, pochodzący z lat osiemdziesiątych XVIII wieku, proponujący podłużny korpus kościoła zakończony od strony Wisły rotundą z kolumnowym portykiem na wzór Panteonu rzymskiego. Z licznych projektów kościoła ujazdowskiego i Świątyni Opatrzności (ta ostatnia miała być wzniesiona jako votum narodu po uchwaleniu Konstytucji 3 maja) do najciekawszych należą dwa projekty Kubickiego z lat 1783 i 1786, stanowiące twórczą awangardową interpretację tego samego wzorca antycznego. Wśród projektów teatrów publicznych znajdujących się w zbiorach królewskich na czoło zdecydowanie wysuwa się klasycystyczny projekt Szymona Bogumiła Zuga z około roku 1778, proponujący we wnętrzu amfiteatr zamiast lóż, co należy uznać za jeden z dowodów demokratyzacji tej dziedziny architektury. Wreszcie projekt gmachu Akademii Nauk Dominika Merliniego z lat 1774–1776 przewiduje olbrzymią budowlę o trzech dziedzińcach, zamkniętą od frontu galerią o 32 parach koryńckich kolumn, i proponuje ciekawą symbiozę form późnobarokowych, klasycystycznych i romantycznych. Ośrodkiem kompozycji tego olbrzymiego założenia jest bowiem Obserwatorium Astronomiczne, którego kształt przypomina obronną basztę z krenelażem.

Czy późny barok i rokoko tak istotne dla wielu realizacji królewskich umniejszają w jakiś sposób wartość i znaczenie tego mecenatu? Na pewno nie. Obiekty wzniesione na życzenie króla nie należą wprawdzie do awangardy architektonicznej XVIII stulecia, ale reprezentują niezwykle wysoki poziom artystyczny. Zamierzeń królewskich w zakresie architektury nie można zresztą rozpatrywać jako zjawiska zwartego i jednolitego. Jest to raczej cykl poszukiwań w rozmaitych kierunkach dokonywanych w ciągu lat trzydziestu.

ARCHITEKTURA MAGNACKA

Odmiennie przedstawia się architektura środowiska magnackiego. Zwrot w kierunku klasycyzmu dokonał się tu znacznie szybciej niż w kręgu mecenatu królewskiego. Dla arystokracji obok artystów dworskich zatrudnionych przeważnie przez członków rodziny królewskiej pracowali również torunianin Efraim Schroeger i Szymon Bogumił Zug.

Arystokracja zgodnie z nakazem mody poczęła przekształcać w nowym stylu swe późnobarokowe rezydencje. W latach 1777–1783 wspomniany wyżej Efraim Schroeger przebudował i z rozmachem rozbudował Pałac Prymasowski przy ulicy Senatorskiej na polecenie prymasa Antoniego Ostrowskiego. Korpus główny ozdobił portykiem kolumnowym. Wzorując się na założeniach will palladiańskich, dobudował do korpusu wielkie ćwierćkoliste skrzydła zakończone pawilonami wyposażonymi również w portyki kolumnowe od strony dziedzińca. Po śmierci Schroegera w roku 1783 prace budowlane prowadził dalej Zug, niektóre wnętrza projektował Kamsetzer.

Jeżeli jednak budowano pałac od nowa, to wznoszono go zazwyczaj w linii zabudowy ulicy bez bocznych skrzydeł i dziedzińca honorowego z przodu. Typ ten reprezentuje między innymi piękny pałac Tyszkiewiczów na Krakowskim Przedmieściu, wybudowany w latach 1785–1792 według projektu Jana Chrystiana Kamsetzera dla hetmana Ludwika Tyszkiewicza. Przy dekoracji wnętrz architekt zatrudnił współpracujących z nim stale sztukatorów: Paola Casasopra, Giuseppa Amadia i Jana Michała Graffa. Do ozdoby pałacu przyczynili się również sztukatorzy Józef Probst i Giuseppe Borghi, rzeźbiarz Józef Duldt i malarz Wawrzyniec Jasiński. Atlanty wspierające balkon od strony Krakowskiego Przedmieścia wykonał rzeźbiarz królewski André Le Brun, współpracował z nim Giacomo Contieri. Apartamenty reprezentacyjne pałacu znajdowały się na pierwszym piętrze od

41. Pałac Prymasowski przy ul. Senatorskiej. Stan obecny

42. Pałac Tyszkiewiczów przy ul. Krakowskie Przedmieście. Stan sprzed 1939 r.

strony Krakowskiego Przedmieścia. Były to bodaj najpiękniejsze klasycystyczne wnętrza w Warszawie, dorównujące poziomem artystycznym wnętrzom Zamku Królewskiego i Łazienek Królewskich. Zrekonstruowano je starannie po zniszczeniach ostatniej wojny. Wśród nich na specjalną uwagę zasługuje Sala Jadalna, ciągnąca się przez dwie kondygnacje, utrzymana w białej tonacji, przypominająca trochę Salę Balową w pałacu Łazienkowskim, dalej Sala Bilardowa ze ścianami pokrytymi marmoryzacją w zielonym, złotawym i białym kolorze, wreszcie owalna Sala Balowa, zwana także Muszlową, również dwukondygnacjowa ze sklepieniem zakończonym po obu stronach konchami przypominającymi muszle. Pomieszczenia na parterze pałacu przeznaczone były na mieszkanie właścicieli.

Do tego samego typu pałacu „przyulicznego" należy również pałac Raczyńskich przy ulicy Długiej, przebudowany gruntownie w roku 1786 i w latach następnych według projektu Jana Chrystiana Kamsetzera na polecenie Kazimierza Raczyńskiego, marszałka nadwornego koronnego. Fasada pałacu uzyskała wówczas przyścienny portyk kolumnowy porządku jońskiego i zachowany do dziś skromny klasycystyczny wystrój. Wnętrza pałacu, zwłaszcza apartamenty reprezentacyjne pierwszego piętra, otrzymały nową klasycystyczną dekorację. Wśród nich zwracała uwagę wspaniała Sala Balowa ciągnąca się przez dwie kondygnacje, przypominająca Salę Jadalną w pałacu Tyszkiewiczów.

Ten sam typ pałacu „przyulicznego" reprezentował również wielki klasycystyczny pałac Aleksandra Lubomirskiego przy placu Żelaznej Bramy, przebudowany pomiędzy rokiem 1790 a 1793 według projektu architekta Jakuba Hempla. Do czasów budowy corazziańskiego Teatru Wielkiego pałac ten miał największy w Warszawie, bo dziesięciokolumnowy portyk.

Arystokracja stworzyła również wiele siedzib podmiejskich. Były to niewielkie pałacyki-wille przeznaczone na krótki pobyt za miastem. Budowano je najczęściej na skraju skarpy wiślanej jako najbardziej malowniczym terenie w okolicach Warszawy. Powstały wówczas między innymi Rozkosz (późniejszy Ursynów), Bażantarnia (późniejszy Natolin) i Królikarnia, a po drugiej stronie Wisły – Jabłonna i Tarchomin. Należy tu również wspomnieć o siedzibie Stanisława Poniatowskiego w Ustroniu, która mimo pozorów willi użytkowana była przez właściciela stale.

216

Pałacyk w Bażantarni, bodaj najpiękniejsza klasycystyczna rezydencja podwarszawska, powstał w roku 1780 według projektu architekta Szymona Bogumiła Zuga dla Augusta Aleksandra Czartoryskiego, wojewody ruskiego. Pałacyk pięknie położony wśród olbrzymiego parku odznacza się wielkim owalnym salonem otwartym poprzez jońską kolumnadę na taras, skąd roztacza się wspaniały widok na okolicę. Po śmierci księcia wojewody ruskiego w 1782 roku posiadłość przeszła na własność jego córki Izabeli Lubomirskiej, która prowadziła dalej roboty budowlane. Od roku 1799 Bażantarnia należała do córki Izabeli – Aleksandry, zamężnej za Stanisławem Kostką Potockim. Z inicjatywy tego ostatniego pałacyk przebudowano w latach 1806–1808 z przeznaczeniem na siedzibę letnią syna Aleksandra ożenionego z Anną z Tyszkiewiczów. Jednocześnie zmieniono nazwę miejscowości na Natolin na cześć urodzonej w 1807 roku ich córki Natalii Potockiej. Przebudowa pałacyku została przeprowadzona według koncepcji ogólnej Stanisława Kostki Potockiego, jego pomysłu jest między innymi nowa elewacja od podjazdu. Architekt Chrystian Piotr Aigner zaprojektował nową dekorację sal na parterze, zrealizowaną przez słynny warsztat sztukatorski Wergiliusza Baumana. Sale te tworzą jeden z najpiękniejszych zespołów wnętrz klasycystycznych, jakie powstały na ziemiach polskich na przełomie XVIII i XIX stulecia.

Pałacyk w Królikarni powstał nieco później, bo w latach 1782–1786, według projektu architekta królewskiego Dominika Merliniego dla międzynarodowego awanturnika hrabiego Karola de Valery Thomatisa. Pałacyk wzniesiono na planie prostokąta zbliżonego do kwadratu z dużą okrągłą salą pośrodku, nakrytą wysoką kopułą na bębnie. Kompozycja budynku wzorowana jest na słynnej Villa Rotonda pod Vicenzą, jednym z najpopularniejszych dzieł architekta Andrea Palladia. W porównaniu z innymi dziełami Merliniego

45. Pałac w Natolinie (Bażantarni), widok od strony tarasu. Stan obecny

217

Królikarnia jest słabsza. Klasycystyczna architektura pałacyku jest sucha i nie opracowana w szczegółach tak starannie jak na przykład Łazienki, gdzie nad każdym drobiazgiem czuwał król Stanisław August. Jest jednak Królikarnia znamiennym przykładem nawiązania do aktualnej wówczas twórczości Palladia przez architekta drugiej połowy XVIII wieku. Według legendy Thomatis miał przedsięwziąć budowę kosztownego pałacyku w nadziei odstąpienia go z zyskiem Stanisławowi Augustowi, uwikłanemu w kłopoty budowlane przy przekształcaniu Łazienek. Transakcja ta nie doszła jednak do skutku. Thomatis prowadził w Królikarni przez pewien czas wykwintną restaurację. Tuż przy pałacyku wznosił się pawilon mieszczący kuchnię, wzorowany na grobowcu Cecylii Metelli w Rzymie, wybudowany nieco wcześniej niż pałacyk główny. Kuchnię z pałacykiem łączył podziemny korytarz.

Klasycystyczny pałac Ustronie należący do Stanisława Poniatowskiego, znanego mecenasa sztuk pięknych i bratanka króla, wznosił się na północno-wschodnim krańcu wzgórza Ujazdowskiego, u zbiegu dzisiejszych ulic Myśliwieckiej i Górnośląskiej. Stanisław Zawadzki wzniósł tę siedzibę w dwóch etapach: w 1780 roku i około roku 1784. Mamy tu do czynienia z nie spotykaną na naszym gruncie koncepcją ogromnej willi o trzech dziedzińcach, zawierającej nie tylko apartamenty reprezentacyjne i mieszkalne właściciela, lecz również olbrzymią krytą ujeżdżalnię, stajnię na 42 konie oraz pomieszczenia gospodarcze. Wszystko to stanowiło nieregularny zespół, rozplanowany niezwykle funkcjonalnie, zrywający z barokową symetrią i osiowością. Przy projektowaniu tej budowli architekt kierował się przede wszystkim względami użytkowymi. W Warszawie była to budowla niemal rewolucyjna, dla której trudno znaleźć odpowiednik na terenach ówczesnej Rzeczypospolitej. W jej formie i rozplanowaniu znalazły wyraz najbardziej postępowe tendencje współczesnej architektury europejskiej. Ustronie przestało istnieć w XIX stuleciu, rozebrane wskutek rozbudowy późniejszego szpitala wojskowego.

Wśród rezydencji prawobrzeżnych na specjalną uwagę zasługuje Jabłonna, nieco wcześniejsza od Bażantarni i Królikarni, własność Michała Poniatowskiego, biskupa płockiego, a później prymasa, brata Stanisława Augusta. Pałacyk wzniesiono w latach 1774–1777 według projektu Dominika Merliniego. Nie jest to budowla w pełni klasycystyczna, reminiscencje późnego baroku są tu bardzo wyraźne. Barokowa jest przede wszystkim bryła pałacyku z okrągłym salonem na osi, wysuniętym w postaci trójbocznego ryzalitu w elewacji ogrodowej. Szczególnie charakterystycznym motywem całej kompozycji jest wieżyczka na osi środkowej fasady zwieńczona hełmem z kulą. Przy dekoracji pałacyku pracowali malarze Szymon Mańkowski (twórca m.in. plafonu z iluzjonistycznie malowanym niebem z chmurkami w salonie okrągłym), Antonio Tavelli (autor malowideł

246. Pałac Królikarnia, widok od podjazdu. Stan obecny

w podziemiach pałacyku) oraz sztukator Antonio Bianchi (wykonawca m.in. dekoracji salonu okrągłego). Pałacyk zawierał tylko mieszkanie właściciela; apartamenty gościnne oraz dwór prymasa mieściły się w dwóch pawilonach bocznych, z których lewy zwany jest Królewskim na pamiątkę bytności Stanisława Augusta w Jabłonnie. Do ukształtowania parku prymas powołał Szymona Bogumiła Zuga, który w latach 1778–1784 zaprojektował i wystawił grotę, wieżyczkę i kiosk chiński, a samemu parkowi nadał charakter krajobrazowy. Około 1800 roku wybudowano zaprojektowaną przez Zuga oranżerię, ustawioną skośnie poza prawym pawilonem.

Arystokracja obok will podmiejskich popierała również inny typ rezydencji położonej zwykle na peryferiach miasta lub w najbliższym jego sąsiedztwie. Były to założenia ogrodowe w duchu wczesnego romantyzmu, pełne malowniczych budowli rozrzuconych w nieregularnym krajobrazowym parku, pozbawione nierzadko pałacu głównego, którego funkcja została przejęta przez poszczególne pawilony. Do najpiękniejszych należały ogrody Izabeli z Flemingów Czartoryskiej na Powązkach, Izabeli z Czartoryskich Lubomirskiej na Mokotowie oraz Kazimierza Poniatowskiego na Solcu i na Książęcem, wszystkie komponowane przez Szymona Bogumiła Zuga.

Rezydencja Czartoryskich na Powązkach powstawała stopniowo od roku 1771. Początkowo pracował przy niej Efraim Schroeger. Znajdowała się na terenie ograniczonym dzisiejszymi ulicami Elbląską, Libawską, Powązkowską i Pieńkowską. Każdy z członków rodziny Czartoryskich miał tu własną chatkę z bierwion krytą strzechą, wewnątrz urządzoną z olśniewającym przepychem. Szczególnie luksusowo wyposażona była chatka księżny Izabeli. Znajdowała się w niej między innymi wspaniała łazienka wyłożona kafelkami z porcelany sewrskiej. Na terenie ogrodu znajdowały się ponadto ruiny starożytnego łuku triumfalnego, kolumnada, amfiteatr, folwark w stylu gotyckim, młyn, zameczek pseudośredniowieczny, mieszkanie pustelnika, oberża i namiot turecki. Skomplikowany program rezydencji powstał pod wpływem romantycznego sentymentu do natury, a źródłem jego były poglądy rozpowszechnione przez Jana Jakuba Rousseau. Ogród powązkowski uległ zniszczeniu w czasie oblężenia Warszawy w 1794 roku.

Ogród mokotowski Izabeli Lubomirskiej, położony przy dzisiejszej ulicy Puławskiej, powstawał jednocześnie z Powązkami począwszy od roku 1771. Najpierw, w latach 1772–1774, wybudowano wczesnoklasycystyczną willę według projektu Efraima Schroegera (usytuowaną na skraju dawnej skarpy wiślanej); ten sam architekt był również autorem pierwotnej koncepcji całego założenia, zmienionej następnie przez Szymona Bogumiła Zuga. Górny ogród zajęty był przez wzorowo prowadzony folwark i ogrody warzywne, natomiast dolny, rozciągający się u stóp skarpy, miał charakter dekoracyjny. „W Mokotowie znalazł odbicie wyrafinowany w istocie rzeczy kult natury, przeszłości i egzotyki" – pisała Bożenna Majewska-Maszkowska w pracy o architekturze w mecenacie artystycznym Izabeli z Czartoryskich Lubomirskiej. „Hołdem złożonym pojmowaniu natury pod postacią pierwotności była Dzika Promenada, jak zapewne i groty, które otrzymały nową interpretację formalną i treściową. Do prymitywizmu początków budownictwa nawiązywały altany, wykonane z pni drzew pokrytych korą, szałas, chatki wyplatane z trzciny i sitowia. Do przeszłości nawiązywały budowle Folwarku Dolnego, «które zdają się być bardzo stare» – jak je określał ich twórca Zug, oraz świadomie historyzująca «wieża gotycka, wysoka a kwadratowa» gołębnika. Warto tu podkreślić, iż wieża ta wybudowana w 1780 roku należy do jednych z pierwszych budowli neogotyckich w Polsce. Do tych realizacji, które odzwierciedlają archeologiczny stosunek do architektury, dodano z czasem neoklasyczną kolumnadę (przed 1780). Egzotykę reprezentowały zarówno chińskie mostki i altany, namiot turecki, szałas «indyjski» (raczej może indiański), jak i sprowadzone z dalekich krajów drzewa, krzewy, barwne ptactwo i nawet żółwie". Pałacyk i park uległy w XIX stuleciu wielokrotnym przekształceniom i do dziś zachowały się w zmienionej postaci. Z licznych pawilonów przetrwała tylko neogotycka wieża mieszcząca gołębnik oraz pawilon zwany „Gloriette à la Flamande", ale w formie, jaką otrzymał w XIX stuleciu.

Kazimierz Poniatowski, starszy brat króla i były podkomorzy wielki koronny, założył w Warszawie aż trzy ogrody: na Solcu, na Książęcem i na Górze. Żaden z nich nie zachował się do dziś. Ogród na Solcu położony był wzdłuż ulicy Ludnej przy zbiegu jej z Solcem. Szymon Bogumił Zug rozpoczął prace nad jego ukształtowaniem w roku 1771. W ogrodzie tym od ulicy Solec znajdował się dziwaczny pałac składający się z rodzaju belwederku na rzucie zbliżonym do kwadratu oraz dwóch skrzydeł biegnących w głąb posesji i ograniczających wewnętrzny dziedziniec położony za belwederkiem. Skrzydło prawe zawierało pomieszczenia gospodarcze, lewe mieściło pokoje reprezentacyjne. Przylegał do niego budynek położony wzdłuż ulicy Solec, ukształtowany od strony ogrodu na sztuczną ruinę. Obok niego ustawiono antyczną kolumnadę nieco podrujnowaną. Prawą część posesji zajmował regularny ogródek spacerowy, za którym znajdował się ogród warzywny, natomiast lewą – nieregularny park angielski z wielką sztuczną sadzawką i usypanym wzgórzem. Zug nad brzegiem sadzawki ustawił drewniany młyn (nie mający charakteru użytkowego), w głębi ogrodu wybudował kilka chat krytych słomą oraz teatr stwarzający pozór świątyni gotyckiej. Na początku lat osiemdziesiątych XVIII wieku Kazimierz Poniatowski sprzedał ogród Aleksandrowi Sapieże; później rezydencja wielokrotnie zmieniała właścicieli. Zniknęła w XIX stuleciu, rozparcelowana pod zabudowę.

Ogrody na Książęcem i na Górze (położone po obu stronach wąwozu, przez który dziś przebiega ulica Książęca) komponowane były od około roku 1776 również przez Szymona Bogumiła Zuga. Miały charakter podobny do opisanego ogrodu na Solcu, przewyższały go jednak malowniczym położeniem. W ogrodzie na Książęcem wzniesiono między innymi Domek Imama (mieszczący kuchnię) i minaret w guście arabskim, poza tym drewnianą oberżę krytą strzechą, antyczną świątynię, kiosk chiński, ukształtowano sztuczną grotę i podziemny salon zwany Elizeum, nie zapomniano o mleczarni z oborą. Ogród na Górze zawierał między innymi okazałą oberżę z mieszkaniem właściciela oraz pawilon zwany Belwederem. W obu tych założeniach na czoło wysuwał się kult egzotyki i zamiłowanie do rzeczy niezwykłych, tak znamienne dla rodzącego się romantyzmu.

Ze środowiskiem magnaterii wiążą się dwie wybitne realizacje w zakresie architektury sakralnej. Jedną z nich była fasada kościoła Karmelitów Bosych na Krakowskim Przedmieściu, drugą – fasada kościoła bernardynów pod wezwaniem św. Anny, położonego przy tej samej ulicy.

Fasadę kościoła Karmelitów Bosych skomponował Efraim Schroeger w duchu wczesnego klasycyzmu na przełomie lat 1761 i 1762. Była to fundacja Radziwiłłów nieświeskich, do których należał sąsiedni pałac. Ukończono ją około roku 1780. Projektując tę fasadę Schroeger nawiązał do siedemnastowiecznego tradycyjnego schematu dwukondygnacyjnej fasady kościelnej, popularnego we Francji jeszcze po połowie XVIII wieku. Architekt uprościł ten schemat eliminując elementy barokowe, między innymi spływy ujmujące wyższą kondygnację fasady. Zamiast grup figuralnych ustawił po jej bokach niewielkie oryginalne dzwonniczki i zwieńczył je charakterystyczną banią symbolizującą kulę ziemską. Fasada (jedna z nielicznych w Warszawie) wykonana była z ciosu. Dziś, pięknie spatynowana, stanowi jeden z piękniejszych akcentów Krakowskiego Przedmieścia.

Fasada kościoła Bernardynów powstała w latach 1786–1788 w wyniku współpracy arystokratycznego amatora Stanisława Kostki Potockiego i zawodowego architekta Chrystiana Piotra Aignera. Miała ona zasłonić stary i niemodny już kościół. Zaprojektowano ją na podstawie schematu kompozycyjnego zapożyczonego z fasad weneckich kościołów Andrea Palladia (w myśl zamierzenia twórców miała nawiązywać do fasady słynnego kościoła S. Giorgio Maggiore). Aigner i Potocki nie powtórzyli jednak dosłownie

247. Efraim Schroeger, projekt fasady kościoła Karmelitów, fasada, 1761/1762 r. (akwaforta z ok. 1766

palladiańskiego wzorca i stworzyli kompozycję samodzielną, której motywem dominującym są półkolumny i pilastry korynckie w wielkim porządku. Nowo ukształtowana fasada łączyła przenikające się elementy rzymskiego łuku triumfalnego i frontu antycznej świątyni (podobnie jak jej palladiańskie pierwowzory), ale stylowo należała już całkowicie do klasycyzmu schyłku XVIII stulecia.

ARCHITEKTURA MIESZCZAŃSKA

Środowisko bogatego mieszczaństwa obsługiwali niemal wyłącznie dwaj znani nam już architekci Schroeger i Zug. Klasycystyczna architektura powstała na zamówienie tego środowiska jest na ogół prostsza i surowsza od omówionych poprzednio. Niejednokrotnie znajdują w niej wyraz zalążki narastającego układu kapitalistycznego. Przykładem tego zjawiska może być nie istniejący już dziś wczesnoklasycystyczny dom bankiera Piotra Teppera przy ulicy Miodowej. Stał on pomiędzy ulicą Senatorską a kościołem Kapucynów, w miejscu wylotu dzisiejszego tunelu Trasy W–Z. Wzniesiony w 1774 roku według projektu Efraima Schroegera, zwany dla swej okazałości pałacem, pełnił funkcję nie tylko rezydencji bankierskiej. Na parterze gmachu mieścił się kantor, wspaniały apartament pierwszego piętra przeznaczony był do wynajęcia, dopiero drugie piętro zajmował sam właściciel. Był to więc prototyp warszawskiej kamienicy dochodowej. Już w całym tego słowa znaczeniu kamienicą czynszową, obliczoną na przynoszenie dochodu, był dom Roeslera i Hurtiga na Krakowskim Przedmieściu, zbudowany około 1785 roku według projektu Zuga. Parter kamienicy zajmował wielki, dziś powiedzielibyśmy „wielobranżowy", magazyn, w którym można było nabyć wszystko, czego dusza zapragnie, natomiast na wyższych kondygnacjach mieściły się apartamenty do wynajęcia.

Narastający kapitalizm znalazł swój wyraz nawet w ukształtowaniu wewnętrznym pałacu magnackiego. Wspomniany już wielki pałac Lubomirskich przy placu Za Żelazną Bramą,

249. Dom Teppera przy ul. Miodowej, fasada

przebudowany na polecenie obracającego kapitałami Aleksandra Lubomirskiego, obok luksusowego apartamentu właściciela na pierwszym piętrze mieścił na drugim piętrze i w oficynach co najmniej osiemnaście większych i mniejszych mieszkań do wynajęcia.

W miarę wzrostu fortuny bankierzy warszawscy zaczęli sobie wznosić rezydencje mieszkalne z dala od kantorów i miejsca pracy. W architekturze tych siedzib zauważyć możemy dwa odcienie: jeden naśladuje rezydencję króla i arystokracji rodowej, do której starała się zbliżyć młoda plutokracja polska; drugi odcień wyróżnia się swoistymi, bardziej samodzielnymi rozwiązaniami.

Pierwszy odcień uwidocznił się w niewątpliwie późnobarokowym pałacu Pod Czterema Wiatrami przy ulicy Długiej, przebudowanym w latach 1769–1780 i około roku 1784 przez architekta Szymona Bogumiła Zuga dla rozrzutnego Piotra Fergussona Teppera młodszego; architekt proponował między innymi dobudowę skrzydła z wielką klasycystyczną salą, przypominającą Salę Balową Zamku Królewskiego. Podobny charakter miała rezydencja innego warszawskiego bankiera, Piotra Blanka, który zakupił w 1777 roku późnobarokowy pałac Filipa Nereusza Szaniawskiego (wzniesiony w latach 1762–1764 wg projektu Szymona Bogumiła Zuga) i kazał gruntownie przebudować jego wnętrza królewskiemu architektowi Janowi Chrystianowi Kamsetzerowi.

Drugi odcień pokazuje willa zaprojektowana przez Zuga w latach osiemdziesiątych XVIII wieku dla Piotra Teppera starszego. Willa miała stanąć w Głoskowie pod Warszawą. Miała to być budowla pełna prostoty, niemal surowa, której rzut poziomy i bryła nawiązywałyby do słynnej palladiańskiej Villa Rotonda pod Vicenzą. Jeszcze bardziej odrębna była willa bankiera Łyszkiewicza na Faworach (dzielnicy willowej zniesionej następnie pod budowę cytadeli), projektowana przez architekta Schroegera. Niewielka klasycystyczna budowla o bryle zbliżonej do sześcianu i skromnych przejrzystych elewacjach reprezentuje ten typ domu mieszkalnego, który w podmiejskich miejscowościach i dzielnicach willowych rozwinął się w XIX i XX wieku i przetrwał do dziś.

Działalność budowlaną rozwijało również średnio zamożne mieszczaństwo, głównie na obszarze Starego i Nowego Miasta. Zwarta zabudowa średniowiecznego ośrodka Starej Warszawy nie pozostawiła wiele miejsca na nowe obiekty, ruch budowlany wyraził się zatem we wznoszeniu kamienic na miejscu domów drewnianych oraz w nadbudowie i modernizacji już istniejących. Ściśle obudowano wówczas mury obronne, nowe kamienice stanęły na Podwalu, Rycerskiej, Freta, Mostowej i Rybakach. Zwartą zabudowę otrzymał wówczas Rynek Nowego Miasta, Przyrynek, Świętojerska i Franciszkańska. Często modernizowano szatę zewnętrzną starszych domów, tak było między innymi ze znaną kamienicą Fukierowską przy Rynku Starego Miasta: jej fasada oraz elewacja od ulicy Piwnej mają cechy talentu Szymona Bogumiła Zuga.

Inicjatywa środowiska mieszczańskiego przejawiała się jednak nie tylko w budowaniu własnych siedzib. W dobie Oświecenia doszło do zaprojektowania i częściowej realizacji zabudowy terenów położonych między ulicami Senatorską, Bielańską i Arsenałem, skupywanych planowo około 1779 roku przez bankiera Karola Schultza, zięcia Piotra Teppera. Przy ulicy Bielańskiej, tuż przy Senatorskiej, miał stanąć dom Królewsko-Pru-

51. Efraim Schroeger, projekt willi bankiera Łyszkiewicza na Faworach, fasada, ok. 1780 r.

skiej Kompanii Handlu Morskiego, a dalej po wyburzeniu zabudowań na Tłomackiem zamierzano stworzyć obszerny plac, przez który od Bielańskiej do Leszna miała następnie przebiegać nowa ulica. Zamówienie na zaprojektowanie zabudowy całego tego terenu otrzymał najpierw Efraim Schroeger, a po śmierci tego architekta w 1783 roku przejął je Szymon Bogumił Zug.

52. Szymon Bogumił Zug, projekt kościoła Ewangelicko-Augsburskiego, elewacja frontowa, 1777 r.

Dom Królewsko-Pruskiej Kompanii Handlu Morskiego zaprojektowany przez Zuga i wzniesiony w latach dziewięćdziesiątych XVIII wieku miał być budowlą jednopiętrową utrzymaną w duchu surowego klasycyzmu. Na parterze miał mieścić lokale handlowe (m.in. skład porcelany, lombard, kantor i szynk), a na pierwszym piętrze lokale mieszkalne. W podwórzu miały znajdować się obszerne magazyny na towary, remizy i stajnie na kilkadziesiąt koni. Projektowany plac na Tłomackiem otaczać miały kamienice dochodowe (wśród nich dwupiętrowy hotel „Pod Orłem Białym"). W pierzei wzdłużnej placu umieścił architekt pałac bankiera Karola Schultza z kolumnowym portykiem zwieńczonym trójkątnym frontonem pośrodku fasady. Projekt Zuga w niewielkim stopniu doczekał się realizacji. Do dziś zachowała się tylko studnia zwana „Grubą Kaśką", znajdująca się pierwotnie na środku placu na Tłomackiem, obecnie w rozwidleniu Trasy W–Z.

Czołowym pomnikiem architektury środowiska mieszczańskiego był kościół Ewangelicko-Augsburski na dzisiejszym placu Małachowskiego, zbudowany w latach 1777–1781 według projektu Szymona Bogumiła Zuga. Do gminy ewangelickiej należeli wówczas niemal sami mieszczanie, jednym z fundatorów kościoła był bankier Piotr Tepper starszy. Kościół założony został na planie koła z czterema aneksami na osiach; jeden z tych aneksów był czterokolumnowym doryckim portykiem, dwa dalsze mieściły klatki schodowe wiodące na empory, czwarty zakrystię i salę sesjonalną kolegium kościelnego. Wnętrze obiegała dwupiętrowa galeria kolumnowa z amfiteatralnie ustawionymi siedzeniami dla wiernych, podobnie jak w wielu współcześnie powstających świątyniach wyznania ewangelicko-augsburskiego. Rotundę nakrywała potężna kopuła zwieńczona latarnią w formie jońskiej świątyńki. Szymon Bogumił Zug nadał kościołowi charakter niezwykle surowego i poważnego klasycyzmu, dzięki czemu sprawia wrażenie dzieła późniejszego, niż jest w istocie. Kościół ten („rewolucyjne i doskonałe pod każdym względem dzieło", jak pisał Adam Miłobędzki) zapoczątkował nową epokę w dziejach architektury polskiej. Jest pierwszym zrealizowanym w Polsce dziełem, w którym tak silnie przemawia ekspresja geometrycznej struktury doprowadzonej, zdaniem Miłobędzkiego, „do zestawu najbardziej elementarnych brył – walców, półkul, prostopadłościanów". Nie był naśladowany dosłownie, ale posłużył za punkt wyjścia dalszych poszukiwań nowego wyrazu artystycznego. Kościół Ewangelicko-Augsburski w Warszawie był szczytowym osiągnięciem twórczości Szymona Bogumiła Zuga i zarazem ukoronowaniem jego drogi artystycznej, której początki tkwiły w saskim rokoku.

Na zakończenie należałoby wspomnieć o tworzeniu się jeszcze jednego mecenatu w zakresie architektury, mianowicie państwowego, niezależnego od trzech omówionych wyżej mecenatów tradycyjnych. Jednym z przejawów tego zjawiska była w Warszawie budowa nowoczesnych koszar finansowana przez skarb państwa. W roku 1784 Stanisław Zawadzki na zlecenie Departamentu Wojska i Komisji Lokacyjnej rozpoczął jednocześnie cztery prace na terenie Warszawy: przebudowę zamku Ujazdowskiego na koszary Gwardii Pieszej Litewskiej, budowę koszar Artylerii Koronnej przy ulicy Dzikiej, rozbudowę koszar Gwardii Pieszej Koronnej na Żoliborzu i przebudowę saskich koszar Gwardii Konnej Koronnej (zwanych też Mirowskimi lub Wielopolskimi). Szczególnie koszary na Ujazdowie i przy ulicy Dzikiej otrzymały staranną szatę architektoniczną w duchu poprawnego akademickiego klasycyzmu, odznaczały się również funkcjonalnym rozplanowaniem. Koszary Zawadzkiego to pierwsze monumentalne budowle użyteczności publicznej, reprezentujące godnie powagę Rzeczypospolitej.

Z mecenatem państwowym należy utożsamić niektóre poczynania Stanisława Augusta, ale tylko te, które nie dotyczyły jego rezydencji. W tych kategoriach należy rozpatrywać wspomniany już projekt Merliniego gmachu Akademii Nauk, podobnie jak liczne projekty Merliniego, Moszyńskiego, Zuga i Kubickiego wielkiego teatru publicznego, znajdujące się w zbiorach królewskich. Dodajmy jeszcze, że projekt takiego teatru dostarczyli również Stanisław Kostka Potocki i Chrystian Piotr Aigner. Ten sam Potocki wykonał również projekty gmachu muzealnego, a inny arystokratyczny amator – Józef Kossakowski – przedstawił projekt wielkiego gmachu szkoły wojskowej. Zamyślano również o gruntownej modernizacji budynku Biblioteki Załuskich, który miał stać się nowoczesną biblioteką publiczną. Wszystkie te projekty pozostały na papierze, warunki polityczne i gospodarcze uniemożliwiły ich realizację. Powstała jednak suma doświadczeń architektonicznych, która pozwoliła twórcom młodszej generacji podjąć podobne zadania w okresie Królestwa Kongresowego.

SZTUKA W LATACH 1760–1795

Rzeźba, malarstwo i rzemiosło artystyczne na terenie Warszawy w wieku XVIII rozwijały się nierównomiernie. Pierwsza połowa wieku to czas dominowania rzeźby nad pozostałymi dziedzinami, natomiast za Stanisława Augusta pierwszeństwo przypadło malarstwu i tym gałęziom rzemiosła artystycznego, które wiązały się z wystrojem wnętrz reprezentacyjnych. Twórcy miejscowi, których liczba na początku XVIII wieku była znacznie mniejsza niż w ubiegłym stuleciu, nie mogli sami sprostać zamówieniom. Powodowało to napływ do Warszawy artystów obcych: Niemców, Francuzów, Włochów, Czechów i innych, którzy znajdowali tu możliwość pracy twórczej. Pomimo ścierania się na terenie Warszawy różnorodnych prądów i szkół artystycznych już w pierwszej połowie XVIII wieku sztuka miejscowa miała charakter indywidualny. Było to zasługą wybitnych artystów, którzy na stałe związani z Warszawą, potrafili tradycje warsztatów siedemnastowiecznych połączyć z nowymi nurtami i doprowadzić do wytworzenia się form charakterystycznych dla tego środowiska artystycznego.

Zmiana w organizacji i charakterze warszawskiego środowiska nastąpiła podczas panowania Stanisława Augusta, który w przeciwieństwie do Augusta II i Augusta III doceniał twórców miejscowych i dopomagał im. Król zatrudniał także cudzoziemców, malarzy i rzeźbiarzy, zwłaszcza Francuzów i Włochów, sprowadzał również przedmioty wykonywane za granicą. Czynił to jednak nie w celu zastąpienia nimi twórczości miejscowej, lecz aby dostarczyć artystom warszawskim wzorów i nauczycieli na poziomie europejskim. Zaraz po wstąpieniu na tron zamierzał zorganizować akademię sztuk pięknych w Warszawie i na miejscu kształcić przyszłe pokolenia polskich artystów. Plany te jednak nie zostały w pełni zrealizowane. Przy Zamku powstała tylko pracownia malarska, kierowana przez Marcella Bacciarellego, grupa rzeźbiarzy królewskich współpracujących z Andrzejem Le Brunem oraz różnorodne warsztaty rzemieślnicze. Młodym artystom starał się król zapewnić jak najlepsze warunki pracy – wysyłał ich na stypendia zagraniczne, sprowadzał dla studiów kopie wybitnych dzieł, zwłaszcza antycznych, zgromadził między innymi pokaźny zbiór odlewów gipsowych i grafiki. W tym czasie warszawski ośrodek artystyczny nabrał cech sztuki narodowej. Wzrosła w każdej dziedzinie liczba twórców, wykonywane przez nich dzieła często osiągały poziom europejski, a w okresie porozbiorowym artyści wykształceni za Stanisława Augusta stali się propagatorami rodzimej sztuki polskiej.

Wiek XVIII to okres trzech stylów – baroku, rokoka i klasycyzmu. Jednak w Warszawie, pomimo przyswajania form i dekoracji zgodnych z nowymi prądami artystycznymi, dominowała przez cały czas tradycja sztuki barokowej, wprowadzając w subtelne rokoko element dostojnego patosu, a w klasycyzmie – ożywienie w statycznych, harmonijnych kompozycjach. Z olbrzymiej liczby wykonanych w XVIII wieku obiektów tylko niewielka część zachowała się do dzisiaj. Większość, zwłaszcza związanych z architekturą, uległa zniszczeniu w czasie II wojny, a powojenne rekonstrukcje w wielu przypadkach nie oddały atmosfery sztuki XVIII wieku, tylko powtórzyły jej formę.

RZEŹBA Rzeźby w XVIII wieku były nieodłączną częścią architektury i ważnym elementem wystroju wnętrz. Pełnoplastyczne figury zdobiły pałace magnackie i kościoły, place miejskie i ogrody, a dekoracyjne płaskorzeźby ożywiały i wzbogacały powierzchnie ścian. Nadawało to budowlom lekkość, zrywało z jednostajnością płaszczyzn, przerywało horyzontalne linie fasad, dachów, gzymsów nadokiennych.

Większość rzeźb umieszczanych na fasadach budowli warszawskich wykonywana była w piaskowcu lub modelowana w narzucie, który był stosowany zwłaszcza do kompozycji płaskorzeźbionych. Sporadycznie na zewnątrz budowli umieszczano rzeźby wykonane w innym materiale, na przykład w drewnie, które dla trwałości obijano blachą. Czasem, w celu zabezpieczenia przed działaniem czynników atmosferycznych, dekoracje plastyczne pociągano pokostem lub malowano farbą olejną. Marmur, jako materiał ówcześnie trudno dostępny, stosowano rzadko i w zasadzie tylko do rzeźb umieszczanych we wnętrzach. Wykonywano z niego nagrobki, popiersia oraz posągi alegoryczne ustawiane w reprezentacyjnych salach, zwłaszcza w czasach Stanisława Augusta. Rozpowszechniła się wtedy również rzeźba odlewana w brązie. W wystroju wnętrz przez cały wiek XVIII królowało drewno polichromowane lub złocone oraz stiuk, w którym modelowano nakładane elementy dekoracyjne.

W okresie saskim rzeźby przedstawiano w ruchu, często w nienaturalnym skręcie ciała, wiążąc je z sobą żywą gestykulacją i mimiką. Dekoracyjne, ornamentalnie udrapowane szaty, podbite zazwyczaj w górę jakby uderzeniami wiatru, podkreślały dynamizm kompozycji. W drugiej połowie wieku można zauważyć wyraźne uspokojenie formy, stopniowe przechodzenie do harmonijnego układu ciała i proporcji; zanika gwałtowny ruch ustępując miejsca wystudiowanym pozom. We wszystkich rzeźbach, które zostały wykonane w XVIII wieku przez warszawskich rzeźbiarzy, odnajdujemy wyraźne reminiscencje plastyki barokowej; spowodowane to było kontynuowaniem form siedemnastowiecznych przez rzeźbiarzy miejscowych oraz gustem fundatorów.

W latach 1720–1729 rzeźbiarze zaangażowani przez ówczesną właścicielkę Wilanowa, Elżbietę Sieniawską, wykonywali liczne posągi alegoryczne, popiersia, wazony i płaskorzeźby, umieszczane zwłaszcza na nowo wzniesionych skrzydłach bocznych pałacu. Część artystów wyjechała później do Puław, wiążąc się na stałe z organizującym się tam ośrodkiem artystycznym, inni natomiast przystąpili do prac na terenie Warszawy. W Wilanowie rozpoczął działalność jeden z najwybitniejszych rzeźbiarzy XVIII wieku – Jan Jerzy Plersch (około 1704–1774), który przez blisko 50 lat prowadził w stolicy duży warsztat, gdzie wykonywano rzeźby przeznaczone nie tylko do budowli warszawskich, ale także do Białegostoku, Łowicza i Białej Podlaskiej. W stolicy rozpoczął Plersch prace od dekoracji pałacu Błękitnego, gdzie znajdowały się tympanony wypełnione płaskorzeźbami oraz atlanty hermowe podtrzymujące balkony, a na przylegających, niskich skrzydłach bocznych baraszkowały grupy rozbawionych puttów wśród dekoracyjnych wazonów. Rzeźby te, wykonane po 1730 roku (od 1812–1815 nie istnieją), po raz pierwszy w plastyce warszawskiej nawiązywały do rokoka.

Wykonawcą dekoracji jednego z najładniejszych warszawskich pałaców, marszałka Franciszka Bielińskiego przy ulicy Królewskiej, był około 1750 roku zapewne Jan Chryzostom Redler (czynny od ok. 1740 do ok. 1775), drugi wybitny rzeźbiarz warszawski pierwszej połowy XVIII wieku. Pałac, rozebrany w 1896 roku, miał półkolisty tympanon z alegoryczną sceną, powyżej którego umieszczone były dwa rokokowe kartusze z herbami pod koroną, a po bokach rozbawione putta dosiadały jedno lwa, drugie pantery.

W tym samym czasie prowadzone były prace nad przyozdobieniem skrzydła Zamku Królewskiego od strony Wisły; w latach 1742–1752 umieszczone tam zostały rzeźby z warsztatu Jana Jerzego Plerscha. Nad ryzalitem środkowym znalazła się dekoracyjna tarcza pod koroną z herbem Rzeczypospolitej, po jej bokach alegoryczne figury kobiece, przedstawiające Polskę i Litwę, oraz rycerskie torsy ze zdobyczami wojennymi. Podobne trofea wojenne wieńczyły trójkątne tympanony nad ryzalitami bocznymi. Pola tympanonów wypełniały płaskorzeźby z centralnie umieszczoną tarczą podtrzymywaną przez uskrzydlone postacie kobiece z trąbami w rękach na tle liści palmowych i rogów obfitości. Tę bogatą dekorację rzeźbiarską fasady ponad oknami uzupełniały rokokowe kompozycje ornamentalne oraz figury i wazony ustawione na galerii pomiędzy ryzalitami.

Niezwykle interesującą dekorację rzeźbiarską miał zniszczony bezpowrotnie w 1944 roku pałac Brühla. W oprawę plastyczną tej budowli, wykonaną po 1756 roku, zostały wkomponowane posągi siedemnastowieczne, pochodzące z przebudowanego pałacu Sanguszków. Otrzymały one nowe podstawy z rokokowym ornamentem, harmonizujące z delikatnymi grupami puttów i wazonów od strony ogrodu oraz rokokowymi kartuszami i rzeźbami bardziej monumentalnej fasady głównej. Plastyczną dekorację miały również

254. Zwieńczenie ryzalitu środkowego skrz[...] wschodniego Zamku Królewskiego. Jan Jerzy Ple[...] po 1746 r. Stan przed 1939 r.

55. Tympanon lewego ryzalitu skrzydła wschodnie-
o Zamku Królewskiego. Jan Jerzy Plersch, po 1742 r.
an przed 1939 r.

Pałac Brühlowski. Dekoracje rzeźbiarskie: war-
Piotra Coudraya. Stan przed 1939 r.

skrzydła boczne ujmujące dziedziniec oraz zamykające ogrodzenie z alegorycznymi figurami symbolizującymi sztuki piękne. Dekoracja rokokowa tego pałacu wiązana jest z twórczością Piotra Coudraya. Możliwe, że przy tych pracach zatrudniony był również Jan Chryzostom Redler, który w latach 1753–1757 wykonywał rzeźby na attykę pałacu Jana Klemensa Branickiego na Podwalu. Pierwotna doskonała kompozycja wraz z opracowaniem umieszczonych tam licznych figur alegorycznych i puttów jest obecnie, po rekonstrukcji z początku lat pięćdziesiątych naszego stulecia, trudno czytelna. Redler w swoim warszawskim warsztacie odkuwał nie tylko dekoracje dla Warszawy, wśród których należy wymienić jeszcze rzeźby z attyki pałacu Pod Blachą (ok. 1740), lecz także posągi przeznaczone do Białegostoku i Radzynia Podlaskiego.
Nie wszystkie pałace warszawskie posiadały tak indywidualnie potraktowaną oprawę plastyczną. Ogólnie jednak można stwierdzić, że w latach 1740–1760 rzeźby stały się lżejsze i subtelniejsze pod wpływem przyswojonych już form rokokowych; uzupełniała je coraz bogatsza ornamentyka zgodna z wymogami obowiązującego stylu. Pomimo mody na dekoracje plastyczne nie wszystkie zaprojektowane rzeźby doczekały się realizacji (np. na fasadzie *Collegium Nobilium*), wykonywano je w skromniejszym zakresie (np. dekoracja pałacu Saskiego czy Biblioteki Załuskich), dodawano, w nieco zmienionej formie, w kilka lat po zakończeniu prac budowlanych (np. pałac Czapskich, Czartoryskich, Mniszchów). Rozbieżności te były najczęściej spowodowane brakiem funduszów na wykonanie kosztownych prac rzeźbiarskich. Problem finansowy rzutujący na ostateczną postać obiektów

ostrzej występował przy budowlach sakralnych, ponieważ Kościół w XVIII wieku korzystał głównie z datków i fundacji świeckich.

Jedną z najwcześniej ukończonych fasad wraz z dekoracją rzeźbiarską otrzymał (ok. 1730) kościół Karmelitów Trzewiczkowych na Lesznie. Umieszczone tu posągi należy zaliczyć jeszcze do plastyki barokowej, pomimo widocznego uwysmuklenia form zdradzających wczesne wpływy rokoka. Podobnie w świetle analizy stylistycznej wyglądały figury świętych na fasadzie kościoła Augustianów przy ulicy Piwnej. Posągi umieszczone w płytkich niszach kontrastowały z delikatnymi płaskorzeźbami o cechach i ornamentyce rokokowej. Dekoracja ta była przykładem dostosowania kompozycji całej fasady do miejscowych warunków. W ciasnej uliczce trudno byłoby objąć wzrokiem i podziwiać pełnoplastyczne, odsunięte od ściany figury. Opracowano je więc niemal na pograniczu wypukłej płaskorzeźby, uzyskując tym samym delikatne wzbogacenie form tej malowniczej fasady. Efekt został całkowicie zatracony po zniszczeniu posągów w czasie powstania 1944 roku.

Odmienną w wyrazie i kompozycji dekorację rzeźbiarską otrzymał jeden z najwspanialszych kościołów XVIII wieku w Polsce – warszawski kościół Wizytek. Centralne miejsce zajmuje subtelnie opracowana Grupa Nawiedzenia, z którą tematycznie i kompozycyjnie związane są umieszczone obok posągi. W niszach środkowej kondygnacji znajdują się figury dwóch biskupów (kilkakrotnie konserwowane), a wystrój rzeźbiarski uzupełniają cztery wazony (dwa górne dodane w XIX wieku), dwa anioły na szczycie oraz liczne płaskorzeźby z atrybutami świętych. Przewidziane w pierwotnym projekcie figury do nisz dolnych nigdy nie zostały wykonane. Dekoracja plastyczna fasady tego kościoła powstała w latach 1754–1762 w warsztacie Jana Jerzego Plerscha i jako jedna z nielicznych dotrwała do dziś w prawie nie zmienionym stanie, świadcząc o poziomie osiemnastowiecznej rzeźby warszawskiej.

W tym samym czasie (1756–1760) warsztat Plerscha wykonywał rzeźby na fasadę

257. Kościół Wizytek. Dekoracje rzeźbiarskie: sztat Jana Jerzego Plerscha

znajdującą się nie opodal kościoła Świętego Krzyża. Opracowane w narzucie posągi świętych Piotra i Pawła ornamentalnie zakomponowanymi szatami stapiały się z niszami, przechodząc stopniowo w płaskorzeźbione tło. Całość dekoracji uzupełniały kamienne alegorie Wiary i Nadziei umieszczone nad trójkątnym przyczółkiem portalu oraz anioły adorujące wieńczący fasadę krzyż. Rzeźby te uległy zniszczeniu wraz z poważnym uszkodzeniem kościoła, a obecnie zrekonstruowane figury zatraciły pierwotną delikatność form – zwłaszcza przekute w piaskowcu posągi Piotra i Pawła.

Wiele innych kościołów warszawskich otrzymło dekoracje rzeźbiarskie około połowy XVIII wieku, na przykład Franciszkanów, Dominikanów Obserwantów, św. Wawrzyńca, Bonifratrów, Pijarów. Większość posągów nie dochowała się jednak do naszych czasów nie tylko ze względu na zniszczenia wojenne, ale również z powodu zmian dokonywanych w drugiej połowie wieku XVIII i w wieku XIX. Figury zdejmowano w trakcie przebudowywania kościołów (np. z fasady kościoła Franciszkanów), w czasie rozbiórki budowli (np. Dominikanów Obserwantów) lub z powodu przeznaczenia obiektu na inne cele (np. zmiana kościoła Pijarów na cerkiew). Rzeźby ulegały zniszczeniu, wywożono je w nieznanym kierunku lub umieszczano w innych kościołach, najczęściej poza granicami Warszawy. W ten sposób Plerschowskie figury z fasady kościoła Pijarów, wykonane około lat 1762–1764, znalazły się w Rokitnie, a w Warszawie pozostał z tej dekoracji tylko Niedźwiedź – atrybut jednego ze świętych – postawiony obecnie na schodach prowadzących do kościoła Jezuitów.

Oprócz rzeźb umieszczanych na fasadach budowli na wygląd Warszawy w XVIII wieku miały wpływ posągi na ogrodzeniach i balustradach oddzielających od ulic budowle świeckie i kościelne. Dekorowano je elegorycznymi figurami (np. pałac Brühla, Mniszchów, Kotowskich), grupami puttów (jak pałac Branickich) lub licznymi wazonami (np. pałac Sapiehów). Indywidualnie potraktowane zostało ogrodzenie pałacu Czartoryskich przy Krakowskim Przedmieściu, gdzie ozdobione wazonami bramy rozdzielono dekoracyjną kordegardą zwieńczoną (po 1765) rzeźbami dłuta Sebastiana Zeisla (czynny w latach 1745–1773). Dekoracyjne ogrodzenie ozdobione figurami świętymi i wazonami znajdowało się też przed kościołem Franciszkanów, a przed kościołem Świętego Krzyża – półkolisty podjazd z abażurową balustradą (w XIX wieku zmieniony na schody), gdzie w 1760 roku ustawiono posągi „4 Geniuszów” oraz liczne wazony.

Zgodnie z panującą modą prawie wszystkie pałace warszawskie posiadały doskonale skomponowane ogrody geometryczne, w których oprócz roślinności ozdobą były alegoryczne rzeźby ustawione na wysmukłych cokołach. Najokazalszy był w Warszawie Ogród Saski, otwarty dla publiczności w 1727 roku. Ustawiano tam w latach 1727–1735 rzeźby w miarę wykonywania ich przez warszawskich artystów. Postawiono tam również figury dłuta Jana Jerzego Plerscha – Wiosnę rozrzucającą dokoła siebie kwiaty i otulającą się przed chłodem Zimę. Po wielu wypadkach dziejowych, z pierwotnej liczby około 60 rzeźb zachowało się zaledwie kilkanaście, a niektóre z nich, poddawane wielokrotnym konserwacjom, zatraciły już niemal zupełnie osiemnastowieczny charakter. Podobne ogrody posiadały i inne budowle warszawskie, na przykład pałace Błękitny, Brühla, Zamek Królewski.

Zbliżone w ogólnej kompozycji do posągów ogrodowych były rzeźby umieszczane na placach miejskich i przy drogach. W XVIII wieku stawiano w tym miejscu chętnie figury św. Jana Nepomucena jako patrona broniącego ludność od powodzi i zarazy. Posągi takie znajdują się w Warszawie przy ulicy Senatorskiej (1731), na drodze prowadzącej do

259. „Grupa Zaślubin". Rzeźba z lewego ołtarz[a] kościoła Karmelitów Bosych. Autor nie określony, p[o] 1750 r.

230

Wilanowa (1729) i przy placu Trzech Krzyży (1752). Pierwszy z nich ma na cokole płaskorzeźbione sceny z życia świętego i związany jest z twórczością Jana Cieverottiego (czynny w 1 poł. XVIII w.); pozostałe dwa wykazują cechy Plerschowskiego dłuta.

Oddzielny rozdział w twórczości warszawskich rzeźbiarzy stanowią wykonywane przez nich dekoracje wnętrz świeckich i kościelnych. Rokoko na zachodzie Europy rozwinęło się najpełniej w dekoracji wnętrz. Modne stały się niewielkie pomieszczenia, utrzymane w jasnym kolorycie z przewagą białych, stiukowych dekoracji. Twórcy wnętrz warszawskich pałaców starali się dorównać najlepszym wzorom francuskim, tym bardziej że w warszawskim pałacu Bielińskich i w niezbyt odległych Puławach znajdowały się pomieszczenia zaprojektowane przez jednego z teoretyków stylu rokokowego, Juste-Aurèle Meissoniera. Większość warszawskich pałaców w latach 1740–1760 otrzymała dekoracje w duchu rokoka, a nawet zgodnie z modą przekomponowano pomieszczenia już istniejące. Takie zmiany dokonywane były między innymi w pałacu Czapskich, Sapiehów, Mniszchów, w Wilanowie oraz w reprezentacyjnych salach i prywatnych pokojach Zamku Królewskiego. Wygląd ówczesnych wnętrz pałacowych jest znany obecnie tylko fragmentarycznie, ponieważ niemal wszystkie zostały przekomponowane w drugiej połowie XVIII wieku zgodnie z wymogami klasycyzmu lub uległy zniszczeniu w trakcie wypadków dziejowych.

Więcej możemy powiedzieć o rzeźbiarskim wystroju ówczesnych wnętrz kościelnych. Umieszczano tam w XVIII wieku bogato ozdobione posągami ołtarze i ambony, obudowywano organy, a całość dekoracji uzupełniały liczne nagrobki i epitafia oraz indywidualne kompozycje, takie jak obramienie rokokowego zegara z siedzącą figurą Chronosa na łuku tęczowym wykonane przez J.J. Plerscha do kolegiaty św. Jana w 1746 roku (zniszczone)

50. Ołtarz główny w kościele Augustianów. Stan rzed 1939 r.

231

lub pochodząca z około 1740 roku postać Sławy z trąbą w ręku, stojąca na kuli ziemskiej w kościele św. Anny.

Różnice między plastyką barokową a formami snycerki warszawskiej okresu rokoka można zauważyć w dekoracji rzeźbiarskiej kościoła Świętego Krzyża. Figury ołtarza głównego tego kościoła i dwóch pierwszych ołtarzy bocznych (prawy Najświętszego Sakramentu zniszczony w czasie wojny, główny rekonstruowany) były dziełem warszawskiego warsztatu Bartłomieja Bernatowicza (zm. 1730) i snycerzy elbląskich. Były to rzeźby jeszcze barokowe, spokojne, zajęte jakby sobą i własnymi atrybutami. Natomiast w środkowych ołtarzach bocznych tego kościoła, pochodzących z lat 1740–1750, dekoracja rzeźbiarska jest już bardzo ożywiona. Po bokach kolumn stoją posągi poruszone, korespondujące między sobą gestykulacją, zgodnie z większością ówczesnych rzeźb ołtarzowych. Podobny rozwój form można zaobserwować w kościele Karmelitów Bosych na Krakowskim Przedmieściu, gdzie w lewym ołtarzu przy tęczy znajduje się jedna z najlepszych rzeźb rokokowych w Warszawie: grupa Zaślubin i adorujące ją posągi św. Anny i św. Joachima. Figury te, wykonane w latach pięćdziesiątych XVIII wieku, zdradzają doskonałego mistrza, który w wirtuozerski sposób potrafi stworzyć ornamentalną kompozycję.

Swoiście potraktowany został również ołtarz główny w kościele Augustianów (całkowicie zniszczony w 1944). Architekturę ożywiały rzeźby pochodzące z różnych epok i różnych warsztatów rzeźbiarskich. Centralnie ustawiono tam figury czterech ewangelistów wykonane niewątpliwie w pierwszej połowie XVIII wieku, a w bocznych skrzydłach ołtarza posągi Ojców Kościoła. Trzy ze znajdujących się tam rzeźb wykazywały jeszcze cechy plastyki siedemnastowiecznej. Odbiegał od nich w kompozycji i szczegółach posąg św. Hieronima. Ta żywa i ekspresyjna rzeźba starca z rozwianymi na wietrze szatami nie miała niemal równej w warszawskiej plastyce z połowy XVIII wieku. Zbliżone nieco są do niej figury wykonane w latach 1746–1747 do łowickiego kościoła Pijarów oraz posągi z ołtarza głównego tamtejszej kolegiaty (1761–1764), które wyszły z warsztatu Jana Jerzego Plerscha. Ten sam rzeźbiarz opracował około 1760 roku ołtarz główny znajdujący się w kościele Wizytek w Warszawie, gdzie w rozbudowanym zwieńczeniu umieszczona jest figura błogosławiącego Boga Ojca.

Jedynym na terenie Warszawy przykładem całkowitego prawie zerwania z ramami architektonicznymi jest dekoracja rzeźbiarska i skomponowane z niej ołtarze w kościele Kamedułów na Bielanach. Doskonała współpraca nie znanego architekta i rzeźbiarza doprowadziła tam do stworzenia jednolitego wystroju wnętrza tylko za pomocą efektów plastycznych.

261. Ambona w kościele Wizytek. Jan Jerzy Plersch 1760 r.

262. Nagrobek Jana Tarły w kościele Jezuitów. Jan Jerzy Plersch, 1752–1753. Stan przed 1939 r.

Większość jednak warszawskich kościołów wypełniały w XVIII wieku ołtarze z alegorycznymi figurami o niemal świeckim wyglądzie (np. w kaplicy bł. Ładysława w kościele św. Anny), wysmukłe, nieco kanciaste posągi (np. u Franciszkanów) czy jednostajne w kompozycji i nie wyrastające ponad przeciętność rzeźby świętych z atrybutami (np. we wnętrzu kościoła Karmelitów Trzewiczkowych). Na uwagę zasługują jeszcze dwa kościoły posiadające wystrój z okresu rokoka. Pierwszy to kościół Pijarów, do którego po II wojnie przywiezione zostały rzeźby ze Śląska, drugi natomiast – kościół św. Katarzyny na Służewie, gdzie około połowy XVIII wieku nie znany rzeźbiarz umieścił figury nieporadnie naśladujące dobre wzory plastyki rokokowej.

W XVIII wieku wykonywano dekorowane rzeźbami ambony, które umieszczano w warszawskich kościołach, na przykład Franciszkanów, Augustianów, Dominikanów, Wizytek i w kolegiacie św. Jana. Do najciekawszych kompozycji należały zniszczone ambony u Augustianów i Dominikanów, gdzie na balkoniku umieszczone były siedzące posągi i płaskorzeźby, a baldachim wieńczyła stojąca figura, w kościele Augustianów mająca u swych stóp alegorie grzechów. Zupełnie odmiennie skomponowana została ambona znajdująca się w kościele Wizytek. Jest to łódź z rozpiętym żaglem podtrzymywanym przez lecącego obok aniołka, wykonana w 1760 roku przez Jana Jerzego Plerscha.

We wnętrzach warszawskich kościołów znajdowały się liczne i różnorodne nagrobki. Z początku XVIII wieku pochodzi nagrobek kardynała Michała Radziejowskiego (zm. 1705), umieszczony w kościele Świętego Krzyża: zmarły przedstawiony został w postaci klęczącej na tumbie. Ten popularny w XVII wieku typ nagrobka zastąpiono w dobie rokoka różnymi odmianami bardziej lub mniej rozbudowanych pomników. Wykonywano w tym czasie epitafia i nagrobki z malowanymi lub płaskorzeźbionymi portretami zmarłych (np. ok. 1730 Aleksandra Józefa Załuskiego i jego żony Ludwiki z Ossolińskich w kościele Reformatów, ok. 1746 Karoliny de Bouillon–Turenne w kościele Sakramentek) lub ozdobione rzeźbionymi popiersiami (np. po 1729 Jana Przebendowskiego w kościele Reformatów). Wszystkie te nagrobki miały rozbudowane obramienie rzeźbiarsko–architektoniczne, w którym podobizny zmarłych grały mniejszą rolę niż ujmujące je kompozycje rzeźbiarskie. Do najwybitniejszych dzieł plastyki sepulkralnej XVIII wieku należał niewątpliwie nagrobek Jana Tarły, wykonany przez Jana Jerzego Plerscha w latach 1752–1753 do kościoła Pijarów, potem przeniesiony do Jezuitów i w dużej części zniszczony w czasie II wojny światowej. Tutaj niemal świeckie figury alegoryczne i putta okalały płaskorzeźbione popiersie zmarłego, a górną część nagrobka, ujmującego pierwotnie wejście do zakrystii, podtrzymywały dwie hermy z wyrazem smutku na twarzach.

Dekoracje rzeźbiarskie zdobiły też organy, umieszczone zazwyczaj nad wejściem do kościoła. Prospekty organowe ujmowano w XVIII wieku w sploty ornamentów z towarzy-szącymi aniołkami trzymającymi instrumenty (np. w kościele św. Anny) lub tworzono całe kompozycje rzeźbiarskie, jak w kościele Świętego Krzyża – z symbolicznym Dawidem grającym na lutni.

Sporadycznie w XVIII wieku ozdoby rzeźbiarskie otrzymywały również bogatsze kamieni-ce mieszczańskie; dowodem na to jest wspaniała płaskorzeźba przedstawiająca okręt na spienionych falach, umieszczona około 1750 roku przy ulicy Świętojańskiej 31, lub ozdobione rokokowymi rzeźbami i ornamentami kamienice u zbiegu Krakowskiego Przedmieścia z placem Zamkowym (np. kamienica Prażmowskich).

Odmienny rozwój rzeźby przyniosła druga połowa XVIII wieku. Zanim pod wpływem artystycznych zamiłowań Stanisława Augusta zaczęły w plastyce występować znamiona nowego stylu, w Warszawie wykonywano nadal rzeźby o cechach sztuki rokokowej. Jest to tym bardziej zrozumiałe, że zarówno Jan Jerzy Plersch, jak i Jan Chryzostom Redler pracowali także po 1764 roku i król korzystał z ich usług, zanim zorganizował nową grupę artystów. Rzeźb jednak powstawało w drugiej połowie XVIII wieku znacznie mniej. Tylko nieliczne kościoły otrzymywały nowe dekoracje, a w architekturze zewnętrznej budowli świeckich niemal zupełnie zrezygnowano z ozdoby plastycznej.

W latach 1762–1780 warszawski kościół Karmelitów Bosych na Krakowskim Przedmieś-ciu otrzymał nową fasadę. Nie spotykany dotychczas w architekturze spokój i harmonijny podział został tu zakłócony przez dekorację rzeźbiarską o wyraźnych znamionach jeszcze rokokowego stylu. Widać to na umieszczonych pomiędzy kolumnami posągach i płasko-rzeźbach, a zwłaszcza znajdujących się na szczycie alegoriach Nadziei i Miłości, przedsta-wionych jako kobiety otoczone niespokojnymi, ruchliwymi dziećmi. Dekorację rzeźbiar-ską zgodną natomiast z wymogami nowego stylu otrzymała w latach 1786–1788 fasada

63. Pomnik Jana III. Franciszek Pinck, 1786–1788

233

kościoła św. Anny. W dolnych niszach zostały tutaj umieszczone figury ewangelistów,
modelowane w narzucie przez włoskiego rzeźbiarza Jakuba Monaldiego, a w płycinach
płaskorzeźby z centralnie usytuowanym, symbolicznym orłem w girlandzie.

Podobnie powolną zmianę form można zaobserwować w świeckich dekoracjach rzeźbiarskich. W 1767 roku zostało zniszczone przez pożar południowe skrzydło Zamku Królewskiego. W ciągu niespełna dwóch lat odbudowano je i ozdobiono rzeźbami od strony
Dziedzińca Wielkiego. Dekoracja ta miała na szczycie orła, a dołem zwisający feston
ujmował umieszczone centralnie emblematy wojenne. Artysta, który wykonywał te
rzeźby, próbował stworzyć odmienną od dotychczasowych, uspokojoną kompozycję,
uzyskując jednak tylko formalny ład i nie najwyższy poziom wykonanego dzieła.

Dopiero sprowadzeni przez Stanisława Augusta rzeźbiarze nadali nowy kierunek plastyce
warszawskiej. Byli to: Andrzej Le Brun (1738–1811) przybyły z Francji w 1768 roku,
Jakub Monaldi (1730–1798) z Włoch, w Warszawie od roku 1768, Franciszek Pinck
(1733–1798), sprowadzony z Wiednia w 1765 roku, Tomasz Righi (1727–1802), zatrudniony od 1787 roku.

Twórczość zamkowych warsztatów rzeźbiarskich najlepiej można prześledzić na przykładzie figur przeznaczonych do dekoracji Łazienek. Wykonywano tu posągi różnorodne, od
wyraźnie jeszcze rokokowych kompozycji, jak *Hermafrodyta odtrącający Salmacydę* czy
Nimfa chwytająca grono z rąk Satyra, poprzez uspokojone figury – na przykład *Wenus
wychodząca z kąpieli* – aż po kopie rzeźb antycznych, jak *Umierający gladiator* dłuta
Tomasza Righiego, który wykonał również alegoryczne posągi *Wisła* i *Bug* (umieszczone

obecnie na dziedzińcu Wydziału Architektury w Warszawie; na ich dawnym miejscu znajdują się analogiczne rzeźby, wykonane w XIX wieku przez Ludwika Kauffmanna). Bardzo rozbudowaną dekorację rzeźbiarską nawiązującą do barokowych kompozycji otrzymał pałac w Łazienkach. Po ukończeniu w 1784 roku fasady południowej na attyce stanęły posągi kobiece symbolizujące pory roku, a po wykonaniu fasady północnej w 1788 roku umieszczono pozostałą dekorację plastyczną z trójkątnym tympanonem wypełnionym herbem królewskim, symbolicznymi postaciami Sławy i Pokoju oraz ustawionymi po bokach figurami Marsa i Ateny. Na wieńczącym belwederze znalazły się Cztery Żywioły odpowiadające na skrzydłach bocznych Czterem Kontynentom. Posągi te wykonał Le Brun przy współpracy innych rzeźbiarzy. Wybitnie barokowy charakter miał wykonany w latach 1787–1788 przez Franciszka Pincka pomnik Jana III ustawiony na moście w Łazienkach. Posąg ten, przedstawiający Sobieskiego na wspiętym koniu, pełen dynamizmu, świadczy o dużej biegłości technicznej artysty i wyraźnym inspirowaniu się schematami polskiej sztuki XVII wieku.

W latach 1790–1793 pod kierunkiem Le Bruna Tomasz Righi wykonał 16 siedzących posągów do nowo wzniesionego teatru Na Wyspie. Figury przedstawionych tu dramaturgów oraz symbole *Tragedia* i *Komedia* w wystudiowanych pozach były przykładem dominującej już w latach dziewięćdziesiątych XVIII wieku polskiej odmiany klasycyzmu. Rzeźby te, wykonane w narzucie, zostały w znacznej części przekute w kamieniu w latach 1926–1927, a ich rozmieszczenie tak zmieniono, że obecnie trudno cokolwiek powiedzieć o ich formie i pierwotnej kompozycji.

Rzeźba warszawska drugiej połowy XVIII wieku najpełniej jednak wypowiadała się w dekoracji wnętrz świeckich. Zarówno w Zamku Królewskim, jak i w Łazienkach umieszczono liczne alegoryczne figury oraz bogate dekoracje stiukowe. Królewscy sztukatorzy, którzy współpracowali z rzeźbiarzami, wykonywali liczne putta, girlandy, medaliony, symbole sztuk i sceny mitologiczne. W reprezentacyjnych wnętrzach główne miejsce obok malarstwa zajmowały rzeźby pełnoplastyczne.

Najwybitniejszym rzeźbiarzem czasów Stanisława Augusta był Andrzej Le Brun, uczeń znanego francuskiego rzeźbiarza Jeana Baptisty Pigalle'a i Szkoły Francuskiej w Rzymie. W trakcie swego pobytu w Warszawie od 1768 roku, przerwanego pięcioletnim wyjazdem do Rzymu w celu kopiowania rzeźb antycznych na polecenie króla, wykonywał on liczne posągi, głównie na zamówienie Stanisława Augusta. Oprócz wspomnianych już figur do Łazienek jego dłuta była *Sława* przeznaczona do Sali Rycerskiej na Zamku oraz posągi *Apolla* i *Minerwy* ustawione w Sali Balowej, gdzie znajdował się również medalion z płaskorzeźbą króla. Poza tym wyrzeźbił dekoracyjne kariatydy do łazienkowskich kominków, nad którymi umieszczone zostały kopie antycznych posągów wykonane przez rzeźbiarzy włoskich w XVIII wieku, kinkietowe figury w formie antycznych kobiet trzymających świeczniki do teatru w Pomarańczarni oraz wiele figur o tematyce alegorycznej i mitologicznej. Wybitnym jego dziełem, realizowanym przy współpracy innych rzeźbiarzy, były dwie serie popiersi oraz głów sławnych Polaków wykonane w brązie (1781–1786) i przeznaczone do dekoracji Sali Rycerskiej, gdzie uzupełniały historyczny cykl malowideł Marcella Bacciarellego. W rzeźbach tych potrafił artysta uchwycić i doskonale oddać charakter portretowanych postaci (np. popiersie Jerzego Ossolińskiego, głowa Adama Naruszewicza). Projektu Le Bruna były również cztery posągi królów polskich, przeznaczone do dekoracji Rotundy w Łazienkach, wykonane wspólnie z Pinckiem i Monaldim.

Jakub Monaldi wyrzeźbił w marmurze statuę Kazimierza Wielkiego. Pomagał on również Le Brunowi przy realizowaniu serii brązowych portretów oraz wykonywał alegoryczne posągi *Sprawiedliwości* i *Pokoju*, podtrzymujące Le Brunowski medalion z podobizną króla w Sali Balowej. Najbardziej znaną jego rzeźbą jest figura *Chronosa dźwigającego Glob*, przeznaczona do Sali Rycerskiej, oraz mała replika tej rzeźby umieszczona w Łazienkach. Był on autorem wspomnianych już posągów na fasadzie kościoła św. Anny. Wykonywał rzeźby do pałacu Myślewickiego, wśród których należy wymienić subtelnie opracowaną *Florę*. Realizował także zamówienia osób prywatnych, wykonując rzeźby do nielicznie stawianych w tym czasie nagrobków, na przykład prymasa Antoniego Kazimierza Ostrowskiego do Skierniewic czy biskupa Andrzeja Młodziejewskiego (przeznaczony do katedry warszawskiej, a obecnie znajdujący się w Słubicach).

Oprócz rzeźbiarzy wykonujących duże dzieła Stanisław August zatrudniał wybitnego, ale mało obecnie znanego gliptyka, Jana Regulskiego (1760–1807). Wykonywał on drobne płaskorzeźby, medale, a zwłaszcza kopie gemm antycznych oraz portreciki króla i współczesnych osób rżnięte w kamieniach szlachetnych lub półszlachetnych, a nawet w barwionym szkle. Na polecenie królewskie wykonywano w tym czasie również liczne medale, zwłaszcza z wizerunkami wybitnych postaci współczesnych; tworzył je między innymi Jan Filip Holzhaeusser (1731–1792), gdańszczanin zatrudniany przez króla od roku 1765.

5. Chronos. Rzeźba z Sali Rycerskiej Zamku Królewskiego. Jakub Monaldi, 1784–1786

266. Fragment Sali Balowej Zamku Królewskiego. Rzeźby: z lewej Apollo, z prawej Minerwa, nad drzwiami popiersie Stanisława Augusta dłuta Andrzeja Le Bruna, po bokach popiersia alegorie: Sprawiedliwość i Pokój dłuta Jakuba Monaldiego, wykonane o 1780 r.

MALARSTWO

W pierwszej połowie XVIII wieku malarstwo stało na niezbyt wysokim poziomie artystycznym. Wykonywano w tym czasie portrety typu „sarmackiego" i reprezentacyjne wizerunki, nieliczne sceny alegoryczne i sielankowe, kompozycje o tematyce religijnej oraz sporadycznie dekoracje ścienne. Nie znamy z tego okresu ani wybitnych nazwisk, ani wybitnych dzieł, które można by porównać z malarstwem rozwijającym się na zachodzie Europy. Sprowadzani przez Sasów artyści obcy nie wiązali się w zasadzie z warszawskim środowiskiem, a w ich twórczości bardzo rzadko można znaleźć wpływy miejscowych tradycji. Malarstwo warszawskie pierwszej połowy XVIII wieku rozwijało się dwoma nie związanymi ze sobą nurtami. Z jednej strony byli artyści miejscowi, którzy kontynuowali formy, kompozycje i sposób przedstawiania uświęcony tradycją malarstwa polskiego ubiegłych stuleci, z drugiej malarze obcy, którzy przyjeżdżali do Warszawy na krótko lub przesyłali tylko zamówione obrazy. Ten podział utrudnia w chwili obecnej prześledzenie rozwoju malarstwa warszawskiego do połowy XVIII wieku, zwłaszcza że artyści miejscowi z reguły nie podpisywali swoich dzieł.

W okresie panowania Stanisława Augusta sytuacja uległa zmianie. Nastąpił rozwój różnorodnych form malarstwa. Wykonywano liczne portrety, pejzaże oraz niepopularne dotychczas w Polsce weduty, powstawały obrazy historyczne i rodzajowe, a wnętrza budowli ozdabiano wielobarwnymi kompozycjami – od dekoracyjnych ornamentów po wielofigurowe sceny. Przybyło w tym czasie do Warszawy wielu malarzy, którzy swoją działalnością przyczynili się do podniesienia poziomu miejscowego środowiska artystycznego. Pracowali również Polacy, których twórczość popierał Stanisław August, ułatwiając im naukę w Malarni Zamkowej, wysyłając na stypendia za granicę oraz dostarczając zleceń, zwłaszcza przy dekorowaniu urządzanych właśnie wnętrz. Pomimo rozwijającego się w drugiej połowie XVIII wieku klasycyzmu w malarstwie odnajdujemy nadal cechy baroku, czytelne zarówno w kompozycji, jak w kolorystyce obrazów. Nurt ten odpowiadał królowi, który dążył do przedstawienia swoich rządów w najbardziej okazałej formie oraz zamierzał utrwalić w obrazach dzieje Polski.

Cały wiek XVIII to zdecydowanie epoka portretu, który w zależności od przyjętego stylu

267. Malarz nie określony, Portret Elżbiety Sieniawskiej, 1 poł. XVIII w.

i gustu zamawiającego przybierał różnorodne formy. Zapotrzebowanie na ten typ malarstwa spowodowane było tradycyjnym przyozdabianiem wnętrz wizerunkami najbliższej rodziny oraz panującego króla.

W pierwszej połowie XVIII wieku popularne były nadal portrety typu „sarmackiego", rozpowszechnione w Polsce w ubiegłych stuleciach. Były to najczęściej obrazy dużych rozmiarów, przedstawiające osobę w całej postaci lub w popiersiu z emblematami sprawowanej władzy, pochodzenia itp. Tradycyjny schemat wymagał dekoracyjnego odtworzenia szczegółów, którymi pokrywano niedociągnięcia rysunkowe i kompozycyjne, realistycznego opracowania twarzy modela, nawet z podkreśleniem jego brzydoty, oraz utrzymania obrazu w spokojnej tonacji kolorystycznej z neutralnym najczęściej tłem. Wykonywano również liczne portrety trumienne i epitafijne, umieszczane zazwyczaj we wnętrzach kościołów. Wizerunki takie tworzyli na miejscowe zlecenie najczęściej anonimowi malarze, związani z organizacją cechową lub popierani przez magnata hołdującego tradycji. Wśród licznych obrazów miejscowej szkoły artystycznej, których przykładem może być portret Zofii z Sieniawskich Czartoryskiej, noszący wszelkie cechy tradycyjnego malarstwa, zdarzały się również wizerunki o silnym ekspresyjnym wyrazie i indywidualnie opracowane, jak portret Augusta Czartoryskiego (ok. 1730) czy reprezentacyjny portret Elżbiety Sieniawskiej wykonany przed 1729 rokiem przez nieznanego malarza, doskonale oddający despotyczny charakter i temperament ówczesnej właścicielki Wilanowa.

Dopiero około połowy wieku zaczęły występować w portrecie wpływy malarstwa zachodnioeuropejskigo, co uwidoczniło się w zmianie kolorystyki i schematu kompozycyjnego.

Ten nowy dla miejscowego ośrodka typ rozpowszechnił się w Warszawie dzięki artystom obcym, sprowadzanym przez magnatów i królów saskich, którym nie odpowiadały formy miejscowej twórczości. W kręgu dworskich artystów dominowały wpływy barokowego malarstwa francuskiego, zwłaszcza rozpowszechniony od początku XVIII wieku typ portretu reprezentacyjnego, wzorowany na wizerunku Ludwika XIV pędzla Hyacinthe Rigauda.

Malarstwo reprezentacyjne spopularyzował na terenie Warszawy uczeń francuskiego malarza i dekoratora, Charles Le Bruna, Louis de Silvestre (1675–1760), nadworny malarz Augusta II, potem Augusta III. Wykonywał on liczne portrety królewskie, między innymi całopostaciowy wizerunek Augusta II w zbroi oraz Augusta III w szkarłatnym stroju polskim, związanym z odznaką Orderu Orła Białego. Z czasem, prawdopodobnie na życzenie zleceniodawców, Silvestre zaczął nawiązywać do tradycji miejscowego malarstwa, tworząc obrazy reprezentacyjno-panegiryczne z realistyczną charakterystyką osoby portretowanej i szczególnym uwydatnieniem emblematów jej władzy.

Do francuskiej szkoły artystycznej nawiązywał również Adam Manyoki (1673–1757), Węgier z pochodzenia, wykształcony jednak w Paryżu. W jego twórczości (np. portret Jana Szembeka czy Anny Orzelskiej, ok. 1730) występowały wyraźne cechy kosmopolitycznego malarstwa dworskiego o bogatej gamie kolorystycznej. Magnaci polscy chętnie korzystali z jego usług.

Liczne zamówienia otrzymywał również sprowadzony w 1730 roku i popierany przez Jana Klemensa Branickiego Augustyn Mirys (1700–1790). Wykonywał on portrety swego mecenasa zarówno reprezentacyjne, jak i utrzymane w atmosferze malarstwa rodzimego. Umiejętne nawiązywanie do tradycji miejscowej można zauważyć w portrecie Branickiego z około 1752 roku; hetman przedstawiony jest w popiersiu na spokojnym neutralnym tle. Postać jednak namalowana jest bez przesadnego realizmu i schematyzacji, a artysta potrafił doskonale uchwycić psychikę portretowanego. Mirys umieszczał chętnie w tle obrazów sceny batalistyczne lub pejzaże, malował nawet na zamówienie całe kompozycje alegoryczno-historyczne, a także nieliczne ,,lanszafty'', jak ówcześnie nazywano malarstwo krajobrazowe. Był on również twórcą fresków ozdabiających rezydencję Branickiego w Białymstoku i pałac na Podwalu w Warszawie.

Od początku lat trzydziestych XVIII wieku, zgodnie z nową modą urządzania wnętrz, zaczęło się rozwijać również w Warszawie malarstwo ścienne. W większości przypadków były to kompozycje pokrywające płaszczyzny wydzielone złoconymi ramami lub sztukateriami. Przedstawiano najczęściej sceny mitologiczne i alegoryczne umieszczane w rozległym krajobrazie oraz różnorodne ornamenty i sploty roślinne. W kompozycji i kolorystyce dominowały wpływy iluzjonistycznego malarstwa włoskiego, które spopularyzowało się w Polsce już w wieku XVII. Malarstwem ściennym na terenie Warszawy zajmowali się artyści, których nazwisk obecnie prawie nie znamy. Wiadomo, że dla Elżbiety Sieniawskiej pracował Józef Rossi (czynny w 1. poł. XVIIIw.), a z usług Jana Samuela Mocka (zm. 1740), który przybył do Warszawy w 1731 roku, korzystali chętnie warszawscy zleceniodawcy. W tym miejscu na uwagę zasługuje dekoracja kościoła św. Anny w Warszawie, wykonana w połowie XVIII wieku (ok. 1751) przez Walentego Żebrowskiego (zm. 1765); malarz związany z zakonem bernardynów. Na ścianach i sklepieniu kaplicy bł. Ładysława z Gielniowa umieścił malarz przedstawioną w oddzielnych obrazach legendę patrona, a we wnętrzu kościoła – sceny krajobrazowe utrzymane w jasnym kolorycie. Sztywne i nieco nawet zabawne postacie potrafił wkomponować w obramienia architektoniczne i w tło pejzażowe z delikatną roślinnością oraz motywami rokokowego ornamentu.

Samuel Mock poza malarstwem ściennym wykonywał obrazy sztalugowe, wśród których znalazł się jeden z nielicznych widoków Warszawy. W 1734 roku przedstawił *Wjazd Augusta III do Warszawy* uwieczniając ówczesny wygląd Bramy Krakowskiej z przejeżdżającym orszakiem królewskim, zabudowania kościoła św. Anny oraz fragment Zamku. Wykonywał też obrazy religijne, między innymi przypisywany mu jest *Chrystus na krzyżu* z kościoła Świętego Krzyża z centralnie ustawionym krucyfiksem na tle zanikającego w oddali krajobrazu o groźnej, niemal niesamowitej atmosferze.

Artystą większość czasu poświęcającym malarstwu religijnemu był Szymon Czechowicz (1689–1775), uczeń rzymskiej Akademii św. Łukasza, a późniejszy współzałożyciel – razem z Łukaszem Smuglewiczem (o którego twórczości nic prawie nie wiemy) – warszawskiej pracowni malarskiej, gdzie kształcili się między innymi Jan Bogumił Plersch i Franciszek Smuglewicz. Czechowicz malował wielopostaciowe sceny religijne utrzymywane w stylu barokowym, napełnione nienaturalnym światłem (np. *Cud świętego Ulryka*), ożywiającym ciemny i dość jednostajny koloryt kompozycji. Zajmował się też malarstwem portretowym, starając się połączyć typową dla niego idealizację z cechami sarmackiego realizmu. Tworzył wiele, malując obrazy szybko i pewnie, jednak często, mając zbyt wiele zleceń, nie doprowadzał ich do końca, pozostawiając spuściznę na bardzo nierównym poziomie artystycznym.

Na włoskiej szkole malarskiej wzorował się również Tadeusz Konicz (1733–1793), który wykonywał liczne bogate kompozycje alegoryczne oraz obrazy o tematyce religijnej i rodzajowej. Z Warszawą związany był on krótko, malując między innymi obraz *Nawiedzenie Panny Marii*, umieszczony w kościele Wizytek.

Pod koniec panowania Sasów przyjechał do Polski artysta, który swoją twórczością związał

się już z czasami Stanisława Augusta, stając się doradcą króla w sprawach artystycznych
i jego nadwornym malarzem. Był to Włoch Marcello Bacciarelli (1731–1818), który po
krótkim pobycie w Dreźnie w 1756 roku przybył do Warszawy. Wykonywał on wtedy
portrety o cechach francuskiego malarstwa rokokowego, zwłaszcza rodziny Poniatowskich, utrzymane w alegorycznej atmosferze, na przykład *Apolonia z Ustrzyckich Poniatowska z synem Stanisławem jako Flora z amorkiem* (1757). Główny okres działalności
Bacciarellego przypada jednak na drugą połowę wieku, kiedy po dwuletnim pobycie
w Wiedniu (1764–1766) został ponownie sprowadzony do Warszawy przez Stanisława
Augusta, między innymi w celu zorganizowania miejscowej akademii sztuk pięknych. Do
realizacji tego zamierzenia nie doszło, ale na Zamku powstała pracownia, w której
Bacciarelli kierował grupą malarzy zatrudnionych przez króla i kształcił uczniów.

Bacciarelli wykonywał na zlecenie Stanisława Augusta i magnatów portrety, sceny
historyczne i alegoryczne oraz duże kompozycje ścienne, utrzymane zazwyczaj w jasnej
tonacji z przewagą barwy żółtej i różnych odcieni czerwieni. O zakresie jego talentu jako
portrecisty świadczyć mogą dwa najbardziej popularne, powielane w replikach wizerunki
króla: *Portret Stanisława Augusta w stroju koronacyjnym* (1768) oraz niewielkich
rozmiarów wizerunek w popiersiu *Portret Stanisława Augusta z klepsydrą* (1793).
Pierwszy obraz, typu reprezentacyjnego, namalowany z rozmachem, zaskakuje biegłością
techniczną, zwłaszcza w odtwarzaniu różnorodnych materii i fragmentów stroju królewskiego. W drugim natomiast portrecie oddał artysta doskonale zamyśloną twarz Stanisława
Augusta, jakby starając się w tym wizerunku odzwierciedlić wszystkie nurtujące króla
problemy. Bacciarellego jako portrecistę interesowała psychiczna strona modela – świadczą o tym również jego autoportrety – lecz w większości wykonywanych na zamówienie
wizerunków rezygnował z indywidualnej charakterystyki postaci, tworząc portrety zgodne
z wymogami wykwintnego, wyidealizowanego malarstwa dworskiego. W tym duchu
wykonywał portrety magnatów, dam dworu oraz wizerunki osób historycznych, przeznaczone do dekoracji budowli królewskich, a zwłaszcza malowane do Sali Rycerskiej
Wizerunki sławnych Polaków i *Poczet królów polskich* do Gabinetu Marmurowego. Do
reprezentacyjnych sal zamkowych i Łazienek wykonywał sceny alegoryczno-mitologiczne

umieszczane na ścianach i plafonach, utrzymane w atmosferze iluzjonistycznego malarstwa dekoracyjnego o wyraźnych cechach włoskiego baroku. W kompozycjach tych starał się gamę kolorystyczną dopasować do pozostałego wystroju wnętrza, a najlepszymi jego dziełami, zniszczonymi w czasie zburzenia Zamku, były *Apoteoza Sztuki* umieszczona na plafonie Sali Audiencyjnej oraz *Rozwikłanie Chaosu* w Sali Balowej.

Na zlecenie króla malował Bacciarelli również obrazy o tematyce historycznej, przeznaczone głównie do dekoracji Sali Rycerskiej na Zamku. Artysta miał jednak trudności w przedstawianiu wieloosobowych, wymyślonych kompozycji, takich jak *Hołd pruski*, *Kazimierz Wielki słuchający próśb chłopów*, *Unia Lubelska* i inne; pomimo wykonywania licznych szkiców w scenach tych nie uniknął sztywności, teatralnego patosu i sztucznej atmosfery. Ogólnie Marcello Bacciarelli kontynuował jeszcze malarstwo barokowe, a wpływy klasycyzmu odnajdujemy tylko w nielicznych kompozycjach ściennych.

Przy dekoracji rezydencji królewskich pracowali również inni artyści, wśród których, jako przedstawicieli modnego malarstwa ściennego, należy wymienić przede wszystkim Polaków: Jana Bogumiła Plerscha, Jana Ścisłę oraz Francuza Jeana Pillementa.

Jan Bogumił Plersch (1730–1817), syn warszawskiego rzeźbiarza Jana Jerzego Plerscha, kształcił się w pracowni Czechowicza, a potem w Augsburgu i Wiedniu. Był on głównym dekoratorem królewskim, brał udział w ozdabianiu niemal wszystkich budowli Zamku, Łazienek, Pomarańczarni, Białego Domku, pałacu Myślewickiego i innych. Wykonywał liczne sceny alegoryczne oraz dekoracyjne, arabeskowe kompozycje (1784–1788); między innymi w Gabinecie Konferencyjnym na Zamku. Malował również iluzjonistyczne sceny w sali teatru w Pomarańczarni (1788) z doskonale przedstawionymi typami szlachty i dam dworu siedzących w lożach. Poza tym w pałacu w Łazienkach i na Zamku umieszczał obok malowideł Bacciarellego motywy „dzieciaków formujących z kwiatów cyfry królewskie" i inne drobne dekoracyjne scenki.

Wspólnie z Plerschem, między innymi przy ozdabianiu wnętrz Białego Domku, pracował

Marcello Bacciarelli, Kazimierz Wielki słuchający
śb chłopów (z serii płócien historycznych z Sali Rykiej Zamku Królewskiego), ok. 1786 r.

Jan Ścisło (1729–1804), wykonując fantazyjne pejzaże, pełne latających ptaków, kwiatów i małych figurek Chińczyków, zgodnie z modnym w okresie rokoka stylem *chinoiseries*. W podobnym duchu utrzymane były pierwotne dekoracje Gabinetu Chińskiego na Zamku Królewskim, które stworzył Jean Pillement (1728–1808), przebywający w latach 1765–1767 w Warszawie. Projektował on również kompozycje ornamentalno-roślinne utrzymane w delikatnej, rokokowej atmosferze, przeznaczone do różnych sal Zamku Królewskiego i Ujazdowskiego. Wykonywał też pejzaże umieszczane w supraportach, drobne scenki rodzajowe, dekoracje z girland, pnączy roślinnych i motywów arabeski oraz nieliczne pastelowe portrety, podobnie jak jego rodak Louis Marteau (1715–1805), który w pierwszych latach panowania Stanisława Augusta gościł w Warszawie, malując uczestników obiadów czwartkowych.

Przedstawicielami warszawskiego malarstwa portretowego byli w tym czasie prawie wyłącznie artyści obcy, i to przebywający w Polsce przez bardzo krótki czas. Tylko dwa lata (1767–1768) przebywał na dworze Stanisława Augusta szwedzki malarz Per Krafft (1724–1793), pozostawiając spokojne w kolorycie i kompozycji obrazy, zgodnie z duchem klasycyzmu (np. *Portret Stanisława Augusta w stroju koronacyjnym*). Przez parę zaledwie lat przebywał w Polsce Jan Chrzciciel Lampi (1751–1830), który pracował w Warszawie od 1787 do 1791 roku, wykonując liczne portrety o doskonałej charakterystyce przedstawianego modela, utrzymane w żywej, bogatej gamie kolorystycznej, zgodnie z francuską szkołą malarską drugiej połowy XVIII wieku (np. *Portret Wandalina Mniszcha*). Odmienny nastrój miały obrazy Józefa Grassiego (1758–1838), w 1790 roku sprowadzonego do Warszawy, skąd w 1795 roku wyjechał do Drezna. Malował on liczne portrety, zwłaszcza kobiece, delikatne, przepojone światłem i romantyczną atmosferą pod wpływem ówczesnego malarstwa angielskiego. Chętnie umieszczał w tle zamglone krajobrazy, nadając wizerunkom nutę osiemnastowiecznej sielankowości (np. *Portret Tekli Jabłonowskiej*).

Malarstwem portretowym zajmował się również polski artysta Franciszek Smuglewicz (1745–1807), uczeń pracowni Czechowicza, potem kształcony w Rzymie, dokąd pojechał jako stypendysta króla. Portrety jego (np. *Portret Rodziny Prozorów*, 1789) linearne

271. Franciszek Smuglewicz, Portret rodziny Prozorów, 1789 r.

i nieco sztywne, nie dorównywały lekkim, kolorowym wizerunkom obcych artystów dworskich. Smuglewicz starał się malować kompozycje w duchu klasycyzmu, przedstawiając zwłaszcza sceny alegoryczne, epizody z historii Greków i Rzymian oraz ilustrując pod patronatem Kołłątaja dzieje Polski; ten ostatni cykl zakończył historycznym wydarzeniem współczesnym *Przysięga Kościuszki*. Malował również krajobrazy, sceny rodzajowe, duże kompozycje historyczno-batalistyczne oraz obrazy religijne zgodne z tradycją barokowego malarstwa ołtarzowego.

Za Stanisława Augusta istniał drugi nurt malarstwa portretowego, kontynuującego miejscowe tradycje. W większości anonimowi malarze wykonywali nadal płaskie, stonowane wizerunki sarmatów, portrety trumienne i epitafijne. Byli to jednak epigoni miejscowej twórczości coraz częściej rezygnujący z uświęconych tradycją form i kolorytu. W drugiej połowie XVIII wieku rozwinęło się w Warszawie malarstwo wedutowe, dotychczas prawie nie znane na terenie Polski. Reprezentantem tego nurtu był pochodzący z Wenecji Bernardo Bellotto zwany Canaletto (ok. 1720–1780), który przybył do Polski w 1767 roku po krótkim pobycie w Dreźnie i Wiedniu. Jego głównym, ale nie jedynym dziełem, ponieważ pracował także przy dekoracji zamku Ujazdowskiego oraz malował widoki miast włoskich, było wykonanie cyklu obrazów przedstawiających ówczesną Warszawę i jej okolice, przeznaczonych w większości do dekoracji sali Zamku Królewskiego, już w czasach Stanisława Augusta zwanej ,,Salą Canaletta''. Płótna były tam umieszczane na ścianach bez dzielących je ram i stanowiły niecodzienną dekorację pomieszczenia. Malarz wykonywał poszczególne obrazy po zaplanowaniu całej sali i kompozycja każdego widoku dopasowana była do ogólnej koncepcji wnętrz. Canaletto był doskonałym obserwatorem i z dokumentacyjną dokładnością umieszczał na płótnie wygląd warszawskich pałaców, kościołów i ulic. Z tą samą drobiazgowością w odtwarzaniu szczegółów, obok pełnych przepychu budowli, malował ubogie drewniane domki i ożywiał obrazy bogatym sztafażem. Znajdujemy tu modnie ubranych dworaków, miejskie przekup-

273. Bernardo Bellotto zw. Canaletto, Krakowskie Przedmieście od strony Nowego Światu, 1773–1779

ki i przytulonych do muru żebraków. Wiele fragmentów z jego obrazów należy zaliczyć do malarstwa pejzażowego – jak rozległe widoki okolic Wilanowa, na przykład *Widok łąk wilanowskich* – i do malarstwa rodzajowego, utrwalającego codzienne sceny i ważne wypadki z życia miasta, jak na przykład *Elekcja Stanisława Augusta*. Na podstawie obrazów Canaletta, utrzymanych w żywym kolorycie, ukształtowało się nasze pojęcie o Warszawie drugiej połowy XVIII wieku, a po zniszczeniu stolicy w czasie II wojny światowej w wielu przypadkach obrazy Bernarda Bellotta były dokumentem pozwalającym zrekonstruować zburzone zabytki.

Podobnie jak Canaletto, z nową swoją ojczyzną związał się na długo francuski malarz Jan Piotr Norblin de la Gourdaine (1745–1830), który w 1774 roku został sprowadzony do Polski przez Adama Czartoryskiego, między innymi do dekoracji pałacu na Powązkach. Norblin zajmował się początkowo malarstwem rodzajowym, utrzymanym w duchu rokokowym o wyraźnych wpływach szkoły Watteau (np. *Kąpiel w parku*). Jednak stopniowo zmieniał nastrój i tematykę swoich obrazów, od sielankowości przechodząc do daleko posuniętego realizmu. W licznych rysunkach i akwarelach przedstawiał doskonale

274. Piotr Norblin, Walki powstańcze na Krakowskim Przedmieściu, 1794

244

scharakteryzowane typy szlachty, mieszczan, a nawet podwarszawskich chłopów. Obrazy jego stały się odzwierciedleniem ówczesnego życia i atmosfery ostatnich lat niepodległości Polski. W 1794 roku rejestrował on wypadki na bieżąco, przedstawiając między innymi *Walki uliczne, Wieszanie zdrajców* oraz wydarzenia z powstania kościuszkowskiego. Norblin był prekursorem polskiego malarstwa rodzajowego, które miało rozwijać się dalej w wieku XIX. Był on także doskonałym grafikiem, kształtującym kompozycje silnym światłocieniem i delikatnym rysunkiem. Wykonywał drobne ryciny o tematyce biblijnej, alegorycznej, widoki oraz autoportrety.

Rozpoczęli też działalność malarze kształceni w pracowni Bacciarellego oraz stypendyści króla. Należeli do nich: Józef Wall (1754–1798), który wykonywał liczne portrety i obrazy religijne, Wincenty de Lesseur (Lesserowicz, 1745–1813), nadworny miniaturzysta króla, oraz rysownik Zygmunt Vogel (1764–1826), który w 1780 roku przyjęty do Malarni Zamkowej zwrócił na siebie uwagę króla doskonałym rysunkiem. Stanisław August otoczył go szczególną opieką i zlecał mu wykonywanie licznych widoków architektonicznych. W latach 1785–1786 stworzył Vogel kilkadziesiąt pejzaży warszawskich, a od 1786 roku na polecenie króla podróżował po kraju, szkicując napotykane zabytki, ruiny i widoki miasteczek. Jego rysunki, akwarele i gwasze o bardzo delikatnej linii i niemal romantycznej atmosferze utrwaliły wiele zniszczonych później obiektów i poza walorami artystycznymi mają obecnie wartość dokumentalną.

RZEMIOSŁO ARTYSTYCZNE

W pierwszych latach XVIII wieku niemal całkowicie zahamowany został rozwój warszawskiego rzemiosła artystycznego. Z wielu warsztatów, które w drugiej połowie XVII wieku wytwarzały na zamówienie miejscowe obiekty zbytku, elementy wystroju wnętrz oraz kunsztowne przedmioty codziennego użytku, pozostały tylko nieliczne. Od około 1720 roku wzrosło zapotrzebowanie dworu królewskiego i zjeżdżających do Warszawy magnatów na wyroby rzemiosła artystycznego. Spowodowała to ogólnoeuropejska moda na różnorodne przedmioty artystyczne, których kształty i dekoracje, w przeciwieństwie do wieków ubiegłych, zmieniały się szybko, nadążając za rozwojem form stylowych. Wymaganiom tym nie mogli sprostać nieliczni w tym czasie artyści warszawscy; w dodatku kontynuowali oni jeszcze tradycje twórczości ubiegłego stulecia, co nie zawsze odpowiadało gustom zleceniodawców. Powodowało to napływ do Warszawy rzemieślników różnych specjalności z innych terenów Polski i z zagranicy. Przybywali oni z rodzinami i czeladnikami, od razu przystępując do pracy i w wielu wypadkach wiążąc się na stałe z nowym warszawskim ośrodkiem artystycznym.

W latach 1740–1760 można już zauważyć wyraźny rozwój wielu dziedzin rzemiosła na terenie stolicy, a w drugiej połowie wieku, w latach 1764–1780, możemy mówić o wyrobach warszawskich miejscowych warsztatów. Były to pracownie już na wysokim poziomie artystycznym, w których wykonywano dzieła dorównujące wyrobom zagranicznym, jakie przez cały XVIII wiek sprowadzano do Warszawy. Ten rozkwit rzemiosła został w końcu stulecia nagle zahamowany nie sprzyjającymi wypadkami historycznymi oraz częściowo konkurencją nowo zakładanych manufaktur.

Warszawskie rzemiosło artystyczne rozwijało się przez cały wiek XVIII dwoma nurtami, nierzadko ze sobą rywalizującymi. Już w pierwszej połowie stulecia wyodrębniła się grupa artystów dworskich, na ogół nie związanych z organizacją cechową. Drugą grupę stanowiły warsztaty miejskie, podległe cechom broniącym ich interesów, pokrywające głównie zapotrzebowanie miejscowej szlachty, duchowieństwa i bogatszych mieszczan. Warszawa była więc przez cały czas miejscem rywalizacji artystycznej. Miało to dodatni wpływ na poziom wyrobów, konkurujących dodatkowo z zalewającym kraj importem.

O rzemiośle artystycznym w czasach saskich posiadamy tylko fragmentaryczne wiadomości, a liczba zachowanych obiektów, które można bez zastrzeżeń związać z Warszawą, jest znikoma. Wiadomo jednak, że w związku z intensywnym ruchem budowlanym rozwijały się warsztaty kowalsko-ślusarskie, dostarczające niezbędnych elementów architektonicznych, jak dekoracyjne kraty, okucia czy zamki. Już w końcu XVII wieku kowalstwo artystyczne stało w Warszawie na bardzo wysokim poziomie, o czym świadczy wykonana w 1699 roku przez Mikołaja Tetera żelazna ambona w kościele Świętego Krzyża. Z miejscowych warsztatów wychodziły misternie kute kraty architektoniczne osadzane w ogrodzeniach i wnętrzach kościołów, ozdobne drzwi, zamki, zawiasy, emblematy cechowe oraz użytkowe przedmioty, jak klucze czy przybory kominkowe, tak zwane wilki, potrzebne ówcześnie w każdym pomieszczeniu. Około połowy wieku barokowe dekoracje z przewagą motywów roślinnych, łączone z ażurowymi wolutami, wzbogacone zostały elementami ornamentu rokokowego. Na płaszczyznach zamków czy fantazyjnych zawiasów, na powierzchni drzwi, nawet rozkutych prętów pojawiły się repusowane esowniki, delikatne motywy kwiatowe i nieregularne, zanikające linie. Pracownie warszawskie wykonywały zarówno obiekty skromne (np. krata w kościele Sakramentek – 2 ćw. XVIII w.), jak i wzbogacone skomplikowanymi formami wyłaniającymi się z powyginanych prętów (np. krata kamienicy Kurowskiego, ok. 1737) aż po rozbudowane i przeładowane dekoracjami kompozycje, jak ambona wykonana około połowy XVIII wieku w Warszawie, a potem przeniesiona do Głuchowa Skierniewickiego. W przeciwieństwie do innych terenów Polski w warszawskim kowalstwie ornamentykę rokokową szybko zastąpiono prostymi i skromnymi formami, odpowiadającymi wymaganiom klasycyzmu. Przeważały

75. Kandelabr z Sali Tronowej Zamku Królewskiego. Proj. Jean Louis Prieur, 1780 r., wykonany we Francji

kompozycje z motywów pionowych, często zakończonych strzałami, połączonych płaskownikiem i skromnymi wolutami (np. ogrodzenie przed kościołem Reformatów, 1770) lub z rozkutych, lekko wygiętych i poprzewlekanych prętów, z których formowano między innymi kosze okienne, balustrady balkonów, attyki (np. balkon kamienicy przy ul. Freta 25, ok. 1780). W końcu wieku nastąpiła wyraźna schematyzacja i ujednolicenie form. Tylko nieliczne obiekty miały indywidualnie opracowane wzory, a sposób ich wykonania świadczył o kunszcie wybitnych artystów kowali. Z tego także czasu na uwagę zasługuje wykonana około 1790 roku brama ogrodzenia pałacu arcybiskupiego w Warszawie o bardzo delikatnej kompozycji, ze spokojnym, powtarzającym się ornamentem geometrycznym.

Z rozwojem architektury i wystrojem wnętrz wiązały się bardzo cenione ówcześnie wyroby artystów brązowników. Dostarczali oni obiektów z brązu złoconego, odlewanych a potem misternie cyzelowanych, od drobnych okuć drzwiowych i meblowych, dekoracyjnych kołatek, poprzez bogate w sceny figuralne oprawy zegarów, zwłaszcza kominkowych, i różnorodnych lichtarzyków, aż po wielkie kandelabry, aplik i wieloramienne żyrandole, służące do dekoracji i oświetlenia reprezentacyjnych sal. W czasach saskich ozdobne przedmioty brązowe przeznaczone do wystroju wnętrz sprowadzane były z zagranicy, ponieważ w Warszawie specjalność ta rozwinęła się w zasadzie dopiero w drugiej połowie XVIII wieku.

Początkowo również Stanisław August przy urządzaniu wnętrz zamkowych korzystał z obiektów importowanych, zwłaszcza z Francji. Na Zamku Królewskim znalazły się wyroby najlepszych paryskich warsztatów brązowniczych, projektowane przez tak wybitnych artystów, jak Jean-Louis Prieur czy Étienne-Maurice Falconet, i wykonywane przez doskonałych twórców, jak Philipe Caffieri. Były to wieloramienne kandelabry (do Sali Balowej), świeczniki wsparte na podstawach z siedzącymi orłami (do Sali Tronowej), wspaniałe zegary, których misternie wykonane obudowy, często z licznymi rzeźbami, znajdowały się na pograniczu rzemiosła artystycznego i rzeźby odlewanej w brązie (np. zegar do Sali Tronowej, podarowany królowi przez papieża Piusa VI w 1766), a poza tym różnorakie aplik i gerydony o motywach dekoracyjnych, zgodnych z nurtem klasycyzmu, specjalnie dobierane do poszczególnych sal, harmonizujące z pozostałym wystrojem wnętrza i służące za doskonały wzór dla artystów miejscowych.

W warszawskich warsztatach około 1786 roku powstały delikatne aplik w formie gałęzi wawrzynu, projektowane przez królewskiego architekta Jana Chrystiana Kamsetzera z przeznaczeniem do Sali Rycerskiej. Wykonywano też różnorodne elementy dekoracyjne Zamku, Łazienek, Białego Domku i innych. W zamkowej „forderni", czyli odlewni metali, powstawały brązowe elementy wystroju wnętrz oraz fragmenty potrzebne innym warsztatom rzemieślniczym, na przykład zamki i okucia przeznaczone do różnorodnych mebli.

W każdej dziedzinie sztuki w wieku XVIII starali się artyści dogodzić coraz bardziej wyrafinowanym gustom najbogatszych warstw społeczeństwa. Poza przepychem i bogactwem panowała moda na wygodnie urządzone prywatne wnętrza, gdzie najważniejszą rolę grały meble. Już w pierwszej połowie stulecia miejsce ciężkich, rzeźbionych barokowych sprzętów zaczęły zajmować lekkie, delikatne, funkcjonalne meble, zgodnie z obowiązującym stylem o skomplikowanych, powyginanych formach, zwłaszcza poręczy i nóżek.

276. Aplika z Sali Rycerskiej. Proj. Jan Chrystian Kamsetzer, ok. 1786 r., wykonana w królewskich warsztatach zamkowych

277. Konsola hebanowa przeznaczona do Pokoju Marmurowego na Zamku Królewskim, wykonana ok. 1770 r. w warsztatach królewskich na Zamku

W okresie klasycyzmu i w tej dziedzinie zapanowały prostota i umiar. Meble stawały się smuklejsze, mniej skomplikowane, ozdobione delikatnymi brązami i profilami. Ten ogólnoeuropejski nurt, wprowadzający również nowe, nie znane dotychczas meble, jak komody czy kątowe szafki, na pewno szybko się przyjął i w Warszawie. Początkowo jednak dwór i magnaci, chcąc wprowadzić zmiany we wnętrzach, korzystali z obiektów importowanych, ponieważ miejscowi stolarze nie opanowali jeszcze zupełnie odmiennej techniki wykonywania i dekorowania modnych mebli.

Z warszawskich warsztatów w pierwszej połowie XVIII wieku wychodziły sprzęty o bogatych barokowych formach, intarsjowane różnymi gatunkami kolorowego drewna. Do dzisiaj możemy podziwiać tego typu wyroby w kościele św. Anny, gdzie między innymi pracowali stolarze sprowadzeni z Warmii. Podobne meble, często prostsze, wykonywane były na zlecenia świeckie, zaspokajając rynek miejscowy, długo jeszcze hołdujący tradycyjnym formom.

Około połowy wieku i w czasach Stanisława Augusta nowe meble stały się obiektem bardzo poszukiwanym. Stolarze, którzy dawniej oprócz mebli wykonywali równolegle i inne wyroby z drewna, specjalizowali się. Poczynając od lat sześćdziesiątych możemy mówić o istniejących w Warszawie pracowniach ebenistów. Twórczością ich interesował się sam król, organizując również zamkowe warsztaty i polecając wykonywanie mebli według wskazanych wzorów i z różnorodnych gatunków drzew krajowych. Z warsztatów tych wychodziły meble, które stawały w zamkowych salach obok sprowadzanych z zagranicy (np. konsola z Gabinetu Marmurowego, ok. 1770). W latach 1770–1780 poziom warszawskich mebli musiał być wysoki, ponieważ zdarzało się, że sprzedawano je w coraz bardziej popularnych domach handlowych prowadzonych przez Teppera, Hurtiga, Prota Potockiego i innych jako poszukiwane meble zagraniczne. W zamkowych warsztatach wykonano między innymi prawdopodobnie cztery trony królewskie z umieszczonym na oparciu herbem Rzeczypospolitej i króla, komodę o prostych formach dekorowaną polichromowanymi plakietkami oraz kanapę i fotele obite gobelinem, specjalnie projektowane do Sali Salomona w Łazienkach (obecnie nie stniejące).

Przez cały XVIII wiek modne były tkaniny dekoracyjne, którymi pokrywano meble lub obijano ściany. W zależności od stylu zmieniał się tylko wzór, koloryt i rodzaj materiałów, które w większości sprowadzane były do Warszawy. Na miejscu pracowały warsztaty dostarczające tradycyjnych wyrobów z płótna, sukna i wełny.

Około połowy XVIII wieku założono w Warszawie pracownię gobelinów prowadzoną przez francuskiego artystę F. Glaize'a (czynny ok. poł. XVIII w.), który już wcześniej prowadził warsztat w Krakowie. Wykonywano tu gobeliny i obicia mebli oraz w niewielkich ilościach inne tkaniny, przeznaczone między innymi na ornaty i jedwabne antepedia, z reguły według wzorów francuskich. W dekoracji przeważały bogate kompozycje kwiatowe i sploty ornamentalne. Stopniowo, pod wpływem miejscowych zamówień, zaczęto wprowadzać motywy polskie, zwłaszcza stylizowane elementy wschodnie.

Od około 1791 roku czynna była w Warszawie wytwórnia stale poszukiwanych pasów kontuszowych; kierownikiem jej był Paschalis Jakubowicz (zm. 1816), posiadający wcześniej pracownię w podwarszawskiej Kobyłce. Współpracował z nim Franciszek Selimand (czynny w 2 poł. XVIII w.), który w 1794 roku przeniósł się do Korca, zakładając tam własną wytwórnię. W Warszawie wykonywano tradycyjne pasy stanowiące nieodzowną część szlacheckiego stroju polskiego. Były one wielobarwne, przetykane nicią złotą lub srebrną, bogate w różnorodne motywy ornamentalne, w zasadzie o tematyce wschodniej; zdobiła je wić roślinna, a nawet całe bukiety kwiatowe. Pasy te, będące już w XVIII wieku przedmiotem zbytku i luksusu, przez samych twórców traktowane były jako indywidualne dzieła sztuki; ich wzory i kompozycje w zasadzie się nie powtarzały, a każda sztuka była sygnowana przez wytwarzającego ją mistrza. W pracowni Paschalisa obowiązywał znak „PI" wpleciony w dekoracje lub symbol Baranka Wielkanocnego. Różne poszukiwane w XVIII wieku wyroby z tkanin sprowadzano do Warszawy z innych okolic Polski lub z zagranicy.

W podobny sposób zaspokajano potrzeby Warszawy w dziedzinie przedmiotów wykonywanych ze szkła, ponieważ w mieście nie istniały ani huta, ani pracownie szlifierskie. Przywożono również do stolicy wyroby z cenionej w XVIII wieku porcelany, której sposób wytwarzania odkryto w 1708 roku w Miśni, strzegąc pilnie tajemnicy produkcji. Już w latach trzydziestych został w Warszawie założony sklep, gdzie sprzedawano miśnieńskie wyroby, między innymi popularne figurki, wśród których znalazła się seria poloników przedstawiających szlachtę polską. Umiejętność produkcji porcelany i stworzenie własnej „farfurni" były marzeniem niemal wszystkich ówczesnych władców europejskich. Ten cel przyświecał również Stanisławowi Augustowi, gdy w 1768 roku w Belwederze pod Warszawą kazał otworzyć eksperymentalną pracownię. Liczne próby nie przyniosły rezultatów, ponieważ w okolicach Warszawy nie ma niezbędnych do produkcji porcelany złóż glinki kaolinowej. Król postanowił jednak nie zamykać zorganizowanego już warszta-

279. Wazon fajansowy malowany, ok. 1770–17?? talerz z serwisu „sułtańskiego" ok. 1776–1777; waz? malowany „chinoiserie" ok. 1770–1780; wykona? w królewskiej wytwórni w Belwederze

248

280. Waza do zupy. J.J. Bandau, ok. poł. XVIII w.

281. Miecz Stanisława Augusta. Warsztat warszawski, 1764 r.

tu, lecz rozpocząć produkcję wyrobów fajansowych. Pod kierownictwem Franciszka Józefa Schüttera (czynny w 2 poł. XVIII w.) powstawały tu naczynia użytkowe i dekoracyjne, wazy, talerze, ozdobne wazony oraz całe serwisy, z których najświetniejszym był „serwis sułtański", ofiarowany w 1777 roku przez króla sułtanowi Abdul Hamidowi I. Obiekty wytwarzane w Belwederze ozdabiane były bukietami kwiatów, motywami „japońskimi" z drobnymi scenkami umieszczonymi w schematycznym pejzażu oraz różnorodnymi ornamentami i utrzymane w jasnych, stonowanych barwach. Sporadycznie wyroby były znakowane napisem „Varsovia" lub literą „B". Warsztat królewski, wymagający stałych dotacji, został zamknięty w 1783 roku.

Kilka lat wcześniej, w 1779 roku, powstała druga w Warszawie wytwórnia wyrobów fajansowych na Bielinie. Założycielem tej mieszczańskiej tym razem manufaktury byli Bernardini i Karol Wolff (czynny w 3 ćw. XVIII w.), który po tragicznej śmierci wspólnika przy eksperymencie chemicznym w pracowni sam prowadził dalej wytwórnię. Początkowo naśladowano tutaj wyroby z Belwederu, z czasem jednak zaczęto opracowywać własne wzory. Pojawiły się nowe formy i dekoracje naczyń, wysmukłe wazony o ciemnej czekoladowej barwie, ozdobione złotymi scenami i kwiatami, a około 1789 roku – oparte na antykizujących wzorach – wazy „etruskie" i naczynia ozdobione motywami zaczerpniętymi ze starożytności. Wyrabiano tu też liczne naczynia użytkowe, zaspokajające bieżące potrzeby miejscowej ludności. Obiekty powstające na Bielinie znakowane były zazwyczaj literą „B" lub „W". Poziom tej wytwórni był na ogół wyższy niż „farfurni" królewskiej. Masowa produkcja jednakże, szczególnie pod koniec wieku, obniżyła znacznie ich wartość artystyczną.

Na terenie Warszawy w XVIII wieku rozwijały się również pracownie, w których artyści wykonywali obiekty zbytku z kosztownych materiałów, jak złoto, srebro i szlachetne kamienie. Były to warsztaty złotników, jubilerów i zegarmistrzów, którzy często współpracowali z sobą tworząc przedmioty na bardzo wysokim poziomie artystycznym. Prześledzenie obecnie rozwoju warszawskiego złotnictwa w wieku XVIII jest nieco utrudnione, ponieważ, zwłaszcza w czasach saskich, nie przestrzegano obowiązku znakowania wyrobów puncą miejską czy imienną artysty. Wiadomo jednak, że już na samym początku wieku istniały w Warszawie pracownie złotnicze, z których wychodziły obiekty o barokowych jeszcze formach i dekoracji. Przed 1720 rokiem powstała srebrna szkatuła z przyborami do pisania; na jej wieku umieszczony jest herb Warszawy, a około 1726 roku złotnik Antoni Mietalski (zm. 1737) wykonał dla Rady Miejskiej konew srebrną z figurą syreny na nakrywie.

Około połowy wieku w warsztatach złotników warszawskich obok obiektów barokowych, chętnie zamawianych przez Kościół, jak kielichy, monstrancje, relikwiarze, pateny, świeczniki, oraz naczyń świeckich: talerzy, półmisków, kubków, sztućców, dzbanków, pojawiły się wyroby o fantazyjnych kształtach, przeładowane dekoracją i plastycznym ornamentem rokokowym, zgodnie z wymogami panującego stylu. Wybitnym dziełem warszawskich złotników z tego okresu był (skradziony w latach sześćdziesiątych XX w.) relikwiarz w kaplicy bł. Ładysława w kościele św. Anny, skomponowany w formie trumienki adorowanej przez dwa przyklękające anioły i wzbogacony plastycznym, precyzyjnie opracowanym ornamentem rokokowym.

W drugiej połowie XVIII wieku liczba wykonywanych w Warszawie obiektów złotniczych znacznie wzrosła. Powstawały nowe warsztaty prowadzone przez artystów, od których zaczęto w tym czasie egzekwować znakowanie wyrobów, co ułatwia obecnie prześledzenie całokształtu tej twórczości. Jednym z najwybitniejszych złotników był Jan Jerzy Bandau (czynny 1768–zm. przed 1817), który wykonywał różnorodne przedmioty codziennego użytku: dzbanki, talerze, sztućce oraz całe zestawy stołowe, ozdobione bogatym ornamentem dostosowanym do wymagań zleceniodawców. Bandau tworzył przedmioty utrzymane jeszcze w typie rokokowym oraz inne zgodne z duchem klasycyzmu, wzbogacając wszystkie wyroby precyzyjnie opracowaną dekoracją plastyczną. Jego dziełem jest wielka waza wsparta na łapach dzika, z uchwytami w formie głów satyrów i wypukłą nakrywą z pełznącym ślimakiem na wierzchu. Obiekt ten utrzymany w stylu klasycyzmu Ludwika XVI świadczy o dużej pomysłowości i talencie artysty.

W większości warszawskich wyrobów z drugiej połowy XVIII wieku daje się zauważyć wpływ złotnictwa francuskiego. Powstawały dzieła o doskonałych proporcjach, z uchwytami w formie baranich, koźlich lub lwich głów, skromnie dekorowane najczęściej nakładanym ornamentem z festonów kwiatowych, girland czy drobnych perełkowań. Obiekty takie wychodziły z licznych pracowni złotniczych, a jako przykłady warszawskich wyrobów można wymienić kociołek do chłodzenia szampana z uchwytami w formie plastycznych lwich łbów, opracowany przez Teodora Pawłowicza (czynny w latach 1783–1794), wazę do zupy z nakładaną dekoracją z girland kwiatowych – dzieło Szymona Staneckiego (czynny w latach 1783–1810), dużą owalną tacę z ażurową galeryjką wykonaną przez Marcina Holkego (czynny w latach 1783–1792) czy wysmukły dzban do wina z subtelnym pąkiem kwiatowym na nakrywie jako jedyną ozdobą plastyczną, opracowany w samym końcu XVIII wieku przez Józefa Skalskiego (czynny w latach 1792–1820). Wyrobów takich zachowało się do naszych czasów wiele, świadcząc o wysokim poziomie warszawskich warsztatów.

W pracowniach złotników powstawały również fragmenty dzieł wykonywanych razem z artystami jubilerami, których zadaniem było opracowanie kamieni szlachetnych i ich osadzenie w oprawach dostarczonych przez inne warsztaty oraz ostateczne przyozdobienie całego wyrobu. W wyniku takiej współpracy powstał (ok. 1764) królewski łańcuch Orderu Orła Białego, składający się ze złotych i emaliowanych 24 ogniw – na przemian 12 orłów, 6 emblematów z napisem „MARIA" i 6 przedstawień Panny Marii. Na tym ozdobnym łańcuchu zawieszano order w formie krzyża z wizerunkiem orła, wysadzany dodatkowo skrzącymi się diamentami. Wybitnym dziełem jest również miecz Stanisława Augusta, wykonany około 1764 roku ze stali, ozdobiony złotem w różnych kolorach oraz emaliowaną, plastyczną głową orła na rękojeści. O kunszcie i precyzji warszawskich jubilerów świadczy wykonane w 1792 roku na zlecenie króla berło, składające się z trzech bardzo rzadko spotykanych dużych kryształów akwamaryny, misternie opracowanych i oprawionych w subtelne ujęcie złote w formie wysmukłych liści wawrzynu.

Jubilerzy warszawscy, których było w drugiej połowie XVIII wieku około dwudziestu, opracowywali różnorodne przedmioty zbytku – od biżuterii, pierścionków, sygnetów, brosz, bransolet, szpilek, poprzez modne tabakierki i puzderka, aż po wysadzane szlachetnymi kamieniami pektoraliki i oprawy zegarków kieszonkowych, które w XVIII wieku były chętniej noszone dla ozdoby niż jako niezbędne przedmioty użytkowe.

W wieku XVIII zegary miały niesłychanie skomplikowane mechanizmy, precyzja ich wykonania świadczyła o poziomie i randze warsztatu zegarmistrzowskiego. Już w pierwszej połowie wieku powstawały rozmaite zegary, które w zależności od przeznaczenia miały różne mechanizmy i odpowiednio dobraną obudowę. Były zegary wieżowe, ścienne, meblowe w dekoracyjnych szafach, różnorodne zegary kominkowe oprawne w drewno, brąz czy marmur, stołowe „kafle"; poza tym okrągłe, duże, w podwójnych ochronnych kopertach zegary karetowe, małe bogato zdobione zegarki kieszonkowe i wiele innych. Przed połową wieku w Warszawie pracowało tylko kilku zegarmistrzów pochodzenia niemieckiego. Paru z nich, jak Michał Gugenmus (czynny w Warszawie ok. 1752 – zm. po 1807), Franciszek Krantz (działa od ok. 1753 – zm. 1785) czy Franciszek Heckel (w Warszawie ok. 1720 – zm. 1754), osiadłszy w stolicy stało się założycielami całych dynastii zegarmistrzów, ponieważ ten wymagający dużej praktyki zawód przechodził najczęściej z ojca na syna. Największe znaczenie wśród miejscowych artystów posiadał zegarmistrz królewski, mający pod opieką zegary zamkowe. Funkcję tę w czasach Augusta III pełnił Daniel Schepke (czynny ok. poł. XVIII w.), a pod panowaniem Stanisława Augusta – Franciszek Gugenmus (1740–1820).

282. Zegar, tzw. „kartel". Franciszek Gugenmus, 2. poł. XVIII w.

W pierwszej połowie wieku bardziej cenione były w Warszawie zegary przywożone z zagranicy niż wykonywane na miejscu, o czym świadczyć może fakt, że Jan Fryderyk Sapieha zamawiając u Heckla zegar do swojego pałacu kazał na nim „[...] wysztychtować London [...]". Sytuacja zmieniła się wyraźnie w drugiej połowie wieku. Wzrosła liczba zegarmistrzów, pracowało ich w Warszawie około trzydziestu, a wykonywane przez nich obiekty stawały się coraz bardziej poszukiwane. Aby sprostać licznym zamówieniom, rzemieślnicy nadal importowali gotowe części, montując je na miejscu i oznaczając tym razem podpisem własnej, cenionej w Warszawie firmy. Zdarzały się jeszcze dalsze „usprawnienia", prowadzące do zamawiania w zagranicznych manufakturach części zegarów z wyrytym już napisem warszawskiej firmy. Tak postępował w niektórych wypadkach mający liczne zlecenia Franciszek Gugenmus. Fakty te utrudniają obecnie prześledzenie twórczości poszczególnych warsztatów zegarmistrzowskich działających w Warszawie, tym bardziej że poziom miejscowych pracowni nie ustępował w niczym wyrobom importowanym.

VI. LATA WALKI O NARODOWE
I SPOŁECZNE WYZWOLENIE

WARSZAWA W LATACH ZABORU PRUSKIEGO
1796–1806

ZAJĘCIE WARSZAWY

Dzień 9 stycznia 1796 roku otwierał nowy okres w dziejach politycznych miasta: maszerujące ulicami Warszawy w to zimowe przedpołudnie, w takt muzyki wojskowej, pruskie pułki piesze oraz towarzyszące im pułki dragonów rozszerzały usankcjonowane traktatami trzeciego rozbioru granice Prus o nowe terytoria wraz ze stolicą pokonanej Rzeczypospolitej. Układy w sprawie podziału Polski, toczące się w ostrej rywalizacji trzech państw rozbiorczych o najbardziej strategiczne i ekonomicznie atrakcyjne dla nich obszary podbitego kraju, nie oznaczały jeszcze gotowości sygnatariuszy do realizacji uzgodnionych postanowień. Jednym z poważnych źródeł zatargu tych państw w rokowaniach i przysłowiową kością niezgody był spór o Kraków i Warszawę. Prawdziwym ciosem dla Prus, a ukoronowaniem sukcesów militarnych Katarzyny było wejście w dniu 9 listopada 1794 roku wojsk Suworowa do Warszawy, co położyło kres pruskim nadziejom na zdobycie stolicy powstańczej Polski własnymi siłami. Po kapitulacji miasta rozlokowały się tam wojska carskie; z ich ramienia komendę sprawował generał Buxhövden, zarządzający stolicą Polski za pośrednictwem magistratu z jego przedstawicielami Andrzejem Rafałowiczem i Józefem Łaszczyńskim. Zaniepokojone przesuwaniem się terminu ewakuacji garnizonu rosyjskiego rozpoczynają Prusy w grudniu 1795 roku w warszawskiej kwaterze Suworowa rozmowy w celu ustalenia daty przejęcia miasta. W okresie układów staje się Warszawa jednym z głównych punktów uwagi pruskiej polityki zagranicznej. Z nadwiślańskiej stolicy płyną raporty informujące ministra Hoyma we Wrocławiu i najwyższe władze pruskie w Berlinie o przebiegu rozmów, a w Warszawie pruscy negocjatorzy odbierają instrukcje i przynaglenia do szybkiego finalizowania układów. Ich końcowym rezultatem była wymiana not w dniu 2 stycznia 1796 roku. Przedstawiciel kwatery carskiej, generał Buxhövden, otrzymał od swego pruskiego kontrahenta pisemne zobowiązanie wycofania garnizonu pruskiego z Krakowa w dniu 5 stycznia, natomiast generał Derfelden i komendant carski Warszawy, Buxhövden, gwarantowali Favratowi przeprowadzenie ewakuacji załogi rosyjskiej z miasta oraz z terenów między Bugiem a Narwią.

Jedną z pierwszych czynności nowych władz było zawieszenie pruskich orłów na gmachach i urzędach publicznych w Warszawie. Uroczystościami kierował kwatermistrz Franzlen, który 26 stycznia 1796 roku w asyście 30 kirasjerów umieścił pierwszego orła pruskiego na ratuszu staromiejskim w Warszawie. Ogłoszono rozkaz o obowiązku składania broni w Arsenale, a jedno z pierwszych zarządzeń dotyczyło wprowadzenia kontroli nad ruchem ludności i obowiązku otrzymywania paszportów przy wyjeździe z miasta.

LUDNOŚĆ I ŻYCIE GOSPODARCZE
MIASTA

Klęska insurekcji 1794 roku i trzeci rozbiór Polski zaciążyły nad rozwojem miasta. Wraz z upadkiem państwa Warszawa, pozbawiona swych funkcji stołecznych, stała się siedzibą Kamery Wojennej i Ekonomicznej utworzonej w 1793 roku prowincji Prus Południowych. Warszawa w pierwszych latach pruskich rządów straciła na atrakcyjności i rozmachu, do czego przyczynił się w znacznej mierze wyjazd króla, licznych dworów magnackich

283. Widok placu Zamkowego i Bramy Krakowsk Akwaforta, rys. Anna Potocka-Wąsowiczowa, 1795 r., ryt. Ignacy Duviviers

oraz rozpoczęty już w ostatnich latach Rzeczypospolitej proces emigracji ludności szlacheckiej, opuszczającej miasto w obawie przed ruchami rewolucyjnymi. Na smutny obraz miasta kładły się ponurym cieniem zgliszcza spalonej Pragi, gdzie podczas szturmu Suworowa padło pastwą płomieni i działań wojennych 155 domów, to jest około 30% ogólnego stanu zabudowy. Nie mniej tragiczną scenerię przedstawiały okolice podwarszawskie ze zrujnowanymi gospodarstwami i nie uprawianymi polami, z których nikt nie usunął leżących tam od czasów insurekcji i grożących wybuchem epidemii trupów końskich. Taki wizerunek Warszawy z 1795 roku przekazywał w swych pamiętnikach naoczny świadek, późniejszy minister wojny i pruski marszałek polny Herman von Boyen. Miasto opustoszało – pierwsze pruskie statystyki z roku obliczeniowego 1797/98 rejestrujące 64 829 mieszkańców (bez wojska) sygnalizują ubytek prawie 55 000 ludności w porównaniu z liczbą około 120 000 w 1792 roku. Znaczne obniżenie stanu ludnościowego wykazują obliczenia statystyczne przeprowadzone wkrótce po upadku insurekcji i zajęciu miasta przez wojska Suworowa: w kwietniu 1795 roku Warszawa liczyła łącznie z Pragą tylko 69 664 mieszkańców, w tym lewobrzeżna część miasta 66 572, a Praga 3092 ludności. Lata następne przynoszą tylko powolny wzrost dzięki rosnącej migracji ludności żydowskiej. Warszawa utrzymuje priorytet jako ważny ośrodek miejski i koncentruje uwagę najwyższych organów państwa pruskiego. Jako siedziba władz departamentu warszawskiego zajmuje pod względem liczby mieszkańców pierwsze miejsce wśród 51 miast tego departamentu. Wyprzedza pozostałe centra administracji departamentów poznańskiego i kaliskiego, tworzące wraz z departamentem warszawskim prowincję Prus Południowych: Poznań legitymujący się w 1800 roku liczbą 17 628 mieszkańców oraz Kalisz rejestrujący ich 5120. Znaczenie Warszawy jako ważnego skupiska ludnościowego wyznacza jej drugie miejsce w rzędzie przodujących centrów miejskich w Prusach. W 1802 roku wyprzedza ją jedynie Berlin (170 000 mieszkańców). Kolejne miejsca zajmują: Królewiec (63 000), Wrocław (62 000), Gdańsk (47 000) oraz Szczecin (22 000).

W latach zaboru pruskiego nastąpiły znaczne przekształcenia struktury narodowościowej i wyznaniowej mieszkańców. Rozpoczął się gwałtowny wzrost liczby ludności żydowskiej, zwabionej dość pomyślną koniunkturą w handlu, a napływającej do Warszawy mimo zakazów i przeciwdziałań administracji pruskiej. Gdy w 1792 roku Żydzi stanowili 8,3% mieszkańców, pierwsze lata okupacji pruskiej przynoszą już wzrost do 11,8%. W roku 1797/98 zarejestrowano 7688 Żydów, w następnym mały spadek, bo 7044, ale w 1805 roku statystyki pruskie wykazują już 11 911 mieszkańców pochodzenia żydowskiego, czyli wzrost o 70% w porównaniu z rokiem 1798/99. Rząd pruski, zmuszony do pogodzenia się z masowym napływem do Warszawy ludności żydowskiej, zezwolił jej na prowadzenie handlu na wszystkich ulicach stolicy. Rejony Krakowskiego Przedmieścia oraz Pociejów, Marywil i ulica Senatorska były głównym skupiskiem sklepów i straganów żydowskich, koncentrujących około 46% wszystkich Żydów stolicy, to jest przeszło 3000 mieszkańców. Zezwolono również ludności żydowskiej na zamieszkanie przy wszystkich ulicach Warszawy, wprowadzając tylko ze względów fiskalnych w 1803 roku zarządzenie zakazujące Żydom dokonywania zmian miejsca zamieszkania nie częściej niż raz w kwartale.

Włączenie Warszawy do państwa pruskiego sprzyja wydatnie wzmocnieniu niemieckiej grupy narodowościowej, która znajduje silne oparcie w pruskim garnizonie i w kilkusetosobowej grupie urzędników przeniesionych służbowo z Prus do Warszawy na stanowiska w nowej administracji oraz w nielicznej stosunkowo grupie kupców i rzemieślników, zachęcanych przez pruską politykę kolonizacyjną do osiedlania się na anektowanych polskich obszarach. Pruskie obliczenia statystyczne przeprowadzone na krótko przed wejściem wojsk francuskich do Warszawy wykazują w 1806 roku w departamencie warszawskim 1395 urzędników pruskich. W porównaniu z 1792 rokiem, kiedy rejestrowano w Warszawie 1529 urzędników państwowych, miejskich i prywatnych, liczba oficjalistów w czasach pruskich gwałtownie spada, wynosząc w 1797/98 roku 663 osoby, w 1800/1 – 841 i w 1801/2 – 850 osób; wobec odsuwania ludności polskiej od władz i urzędów liczby te dotyczą przeważnie oficjalistów pochodzenia niemieckiego. Obok środowiska urzędników niemieckich związanych z pruskim Magistratem, który zatrudniał 206 oficjalistów, z Kamerą Wojenną i Ekonomiczną, pruskim wymiarem sprawiedliwości, dyrekcją celną i innymi organami administracji, najsilniejszy bastion niemczyzny w Warszawie reprezentował pruski garnizon. W 1797/98 roku liczył 8376 mężczyzn i 2430 kobiet należących do rodzin żołnierskich, a w przedostatnim roku okupacji pruskiej w Warszawie, w 1805 roku, 9403 wojskowych i 2563 kobiety. Garnizon otoczyły władze pruskie opieką duchowną. Otwarto także szkołę dla dzieci żołnierzy pruskich stacjonujących w Warszawie. Nieznaczną pozycję w strukturze narodowościowej Warszawy zajmowały inne grupy cudzoziemskie, między innymi francuska, licząca w 1803/4 roku 202 osoby, i czesko-austriacka, wynosząca 58 osób. Opracowany wiosną 1796 roku, na zlecenie ministra w Prusach Południowych von Hoyma, wykaz ludności stolicy według struktury wyznaniowej informuje, że na 66 572 mieszkańców Warszawy lewobrzeżnej było około 50 000 katolików, 8600 wyznania mojżeszowego, około 6000 luteranów, 1500 unitów i 300 reformowanych. W przeciwieństwie do zwiększonego obrotu ziemią dzięki koniunkturze rynkowej i zwyżce cen dóbr ziemskich Warszawa przeżywa w latach okupacji pruskiej zastój budowlany i związany z tym spadek cen nieruchomości miejskich. Rozmach i przepych Warszawy w dobie Oświecenia kontrastował z nieznacznymi inwestycjami administracji pruskiej, ograniczającej się do brukowania niektórych ulic i reperacji uszkodzonych okopów miejskich. Większość pałaców, opuszczonych przez właścicieli, świeciła pustkami i nie remontowana chyliła się ku ruinie. Przykładem złego stanu budownictwa i braku konserwacji najokazalszych obiektów architektury był Zamek Królewski, gdzie władze pruskie nie dokonały w okresie swych rządów nawet najniezbędniejszych prac remontowych. Ze sporządzonego na kilka miesięcy przed wyzwoleniem miasta przez wojska francuskie w 1806 roku opisu stanu zachowania Zamku wyłania się obraz gmachu opuszczonego, zamieszkanego jedynie przez platz-majora von Brodowskiego i pozbawionego od wielu lat na całej długości frontu utrzymanych w należytym stanie szyb i okien oraz zalewanego z braku rynien i kanałów odpływowych deszczem, który swobodnie spływał tarasami ku Wiśle. Zabudowa miasta była w większości drewniana, stosunek procentowy domów drewnianych do murowanych nie uległ prawie zmianom w okresie zaboru pruskiego. W 1797 roku domy murowane stanowiły (z Pragą) 33,9%, a w 1805 roku 34,9% ogólnego stanu zabudowy.

Upadek insurekcji i państwowości polskiej odebrał Warszawie także znaczenie głównego centrum handlowego w kraju, jakim była w latach Sejmu Czteroletniego. Zawężony głównie do rynku lokalnego, nie przypominał handel stołeczny okresu ożywienia w obrocie handlowym i pieniężnym z ostatnich lat Rzeczypospolitej, gdy dzięki swej pozycji miasto rozkwitało przyciągając magnaterię i cudzoziemców. Dopiero końcowe lata rządów pruskich przynoszą pewne ożywienie stołecznego handlu dzięki okresowemu napływowi do Warszawy szlachty, szukającej zwłaszcza w sezonie karnawałowym okazji do zabaw i zakupów. Wzmożony popyt na artykuły konsumpcyjne i dostawy dla garnizonu stwarzają źródła zarobków dla utrzymujących się z wymiany towarowej i pośrednictwa. Wzrasta nawet w stosunku do 1792 roku liczba osób trudniących się handlem, a Warszawa w opinii urzędników pruskich pozostaje miastem atrakcyjnym o dobrze zaopatrzonych sklepach, łatwych możliwościach zarobku i dostatnim poziomie życia.

W 1799 roku Warszawa miała 273 sklepy i magazyny handlowe związane głównie z dystrybucją towarów luksusowych i kolonialnych oraz inne zaspokajające konsumpcyjne potrzeby ludności, między innymi 73 sklepy korzenne, 36 winiarń, 80 sklepów bławatnych, 23 sklepy galanteryjne, 16 składów sukna i 32 płótna. Nagminny przemyt monety miedzianej, brak giełdy i nieogłaszanie kursu w prasie codziennej wzmagały aktywność wekslarzy i spekulantów. Uprawiano masowo lichwę. W Warszawie instalują się przedstawicielstwa pruskich kompanii handlowych, jak na przykład założona w 1802 roku przez przedstawiciela Pruskiej Faktorii Ałunu, kupca Assmanna, w nowo wzniesionym budynku przy ulicy Smoczej, hurtowa sprzedaż ałunu, w który zaopatrywali się miejscowi kupcy detaliczni i farbiarze. Przy ulicy Daniłowiczowskiej (nr hip. 620) mieścił się kantor i magazyny Królewskiej Pruskiej Kompanii Handlowej Morskiej, która przyjmowała asekuracje na towary spławiane Wisłą. Wśród kupiectwa warszawskiego aktywną działalność przejawiał Teodor Vivier, właściciel magazynu sukna w kamienicy Roeslerowskiej przy Krakowskim Przedmieściu (nr hip. 451), który importował wysokogatunkowe sukna francuskie i angielskie, oraz Grzegorz Laeppige, prowadzący wielki sklep meblarski przy ulicy Nowy Świat (nr hip. 1257). Znikomy import reprezentowany był głównie przez towary kolonialne i tanie pruskie wyroby jedwabne noszone chętnie w stolicy. Z ulicy Daniłowiczowskiej przeniesiono na ulicę Bielańską należący do Pruskiej Handlowej Kompanii Morskiej skład porcelany berlińskiej, która zdobywała w Warszawie coraz większą popularność. Znaczna liczba handlarzy, straganiarek, przekupniów (nie tylko żydowskich) była zatrudniona tradycyjnie w pokrewnej handlowi grupie zawodów gastronomicznych, utrzymywaniu szynków, traktierni, kawiarni i tym podobnych lokali. Niektóre cukiernie warszawskie zajmowały się nawet eksportem za granicę. Aktywne były tu firmy Lessla w pałacu Saskim, Baldiego przy ulicy Długiej lub Carluzza Palmoniego przy ulicy Podwale (nr hip. 505), którego cukiernia dysponowała apartamentami na pierwszym piętrze przeznaczonymi na bilard i jedną z pierwszych w Warszawie czytelnię gazet polskich i zagranicznych. Z doskonałych wyrobów słynęła fabryka czekolady M. Biniego przy ulicy Długiej (nr hip. 532).

Wcielenie Warszawy do obcego organizmu gospodarczego nie wpłynęło dodatnio na rozwój warszawskiego przemysłu. Polityka pruska, zainteresowana głównie korzystną koniunkturą na płody rolne, podniesieniem kultury agrarnej, pracami melioracyjnymi oraz regulacją rzek i budową kanałów dla zwiększenia uprawnego areału, nie otoczyła opieką przemysłu. Nad poprawą sytuacji w tej dziedzinie zaczęto zastanawiać się w Berlinie dość późno i zatwierdzony przez króla plan ministra Steina z 22 marca 1806 roku w sprawie powołania u boku władz prowincjonalnych Provinzial Fabrikenkommissa-riaten jako organu sprawującego opiekę nad rozwojem manufaktur nie zdołał już przynieść owoców. Mimo upadku wielu poprzednio prosperujących przedsiębiorstw w wyniku wstrząsu politycznego, jaki przeżył kraj wraz z upadkiem państwa polskiego i zawężeniem się rynków zbytu, produkcja przemysłowa, chociaż znacznie zmniejszona, nie załamała się całkowicie. Eksperci pruscy uzasadniali konieczność rozwinięcia w Warszawie silnego ośrodka przemysłowego, który na wzór Berlina zaspokoiłby tradycyjny popyt mieszkańców byłej polskiej stolicy, znanej z wystawnego trybu życia i zapotrzebowania na towary luksusowe, oraz obniżył dla mniej zamożnych warstw ludności wysokie ceny artykułów pierwszej potrzeby. W raportach dotyczących sytuacji warszawskiego przemysłu w ostatnich latach rządów pruskich wskazywano na nieprzerwany rozwój manufaktury pasów polskich w podwarszawskiej miejscowości Lipków, należącej do znanego kupca i przedsiębiorcy Paschalisa Jakubowicza, na prosperowanie browarów, gorzelni, garbarni, na rozbudowaną w tym czasie fabrykę mebli oraz na działalność słynnej w dobie stanisławowskiej wytwórni karet i powozów Tomasza von Dangla. Wyposażona w 24 warsztaty, zatrudniała wytwórnia lipkowska 300 robotników, a Paschalis importował z Berlina złoty i srebrny surowiec, którego po przerobieniu używał do produkcji pasów lub wysyłał do swych domów handlowych w Konstantynopolu i Smyrnie. Oprócz wyrobów swej manufaktury eksportował także do Turcji bursztyn z Morza Bałtyckiego. Również wytwórnia powozów i karet von Dangla przy ulicy Elektoralnej, mimo zmniejszenia produkcji w stosunku do poziomu z ostatnich lat Rzeczypospolitej, należała do nielicznych reprezentujących w Prusach tę gałąź przemysłu, a w opinii władz uchodziła za jedną z przodujących manufaktur stolicy. W przemyśle warszawskim znaczną rolę grała wytwórnia tabaki i tytoniu założona w 1798 roku. Manufaktura ta dysponowała magazynem w pałacu Teppera przy ul. Miodowej, a wyroby swe cechowała oznaczeniami dawnych właścicieli Kompanii Fabryki Tabacznej Warszawskiej oraz herbem miasta w postaci Syreny. W produkcji płótna i wyrobów bawełnianych zasłużyła się wytwórnia obrusów i barchanów założona w 1801 roku przez Reppmanna przy ulicy Nowolipie (nr hip. 2445). Wydarzenia polityczne spowodowały zrazu także osłabienie wytwórczości i zmniejszenie się liczby największej grupy zawodowej mieszkańców Warszawy, reprezentowanej przez ludność rzemieślniczą. W 1797/98 roku było w Warszawie 3096 majstrów, 1793 czeladni-ków i 1358 terminatorów. W następnych dwóch latach nastąpił spadek, nieznaczny zaś wzrost w roku 1800/1; było wówczas 2747 majstrów, 1680 czeladników i 1629 terminato-rów. Jednak zwiększony popyt na artykuły konsumpcyjne, zakupywane zwłaszcza przez dysponującą gotówką szlachtę, znacznie osłabił skutki wstrząsów politycznych lat 1794–1795 w życiu gospodarczym miasta. Ostatnie lata rządów pruskich przynoszą nawet poprawę w stanie liczbowym zatrudnionych w rzemiosłach związanych z wytwórczością odzieży i w pokrewnych zawodach. Tak więc w 1799/80 roku liczyły one już 1113 majstrów, 684 czeladników i 659 chłopców, natomiast w roku 1801/2 już 1125 majstrów, 725 czeladników i 681 terminatorów. Rzemiosła odzieżowe należały do najliczniej reprezentowanych branż wytwórczości, skupiając około 40% ogółu rzemieślników Warszawy. Spadek ogólnej liczby rzemieślników nie dotknął również dobrze prosperujących rzemiosł skórzanych; w rzemiosłach spożywczych związanych z produkcją mięsa należy odnotować nawet wzrost liczby zatrudnionych. Globalne zmniejszenie liczby rzemieślni-ków związane było przede wszystkim ze spadkiem liczby osób związanych z rzemiosłem budowlanym, które najbardziej odczuło zastój budowlany w Warszawie. Katastrofalnie spadła w roku 1797/98 liczba cieśli i murarzy, a liczba utrzymujących się z budownictwa, wynosząca w 1792 roku 26,3% ogółu zatrudnionych w rzemiośle, spadła w 1797/98 roku do 15,7%. Rzemiosło warszawskie, pomimo pewnego zahamowania życia gospodarczego miasta, przeżywało okres względnej zamożności, a wyroby siodlarzy, kapeluszników, krawców, tokarzy i drobnych rzemieślników galanteryjnych wysyłano na jarmarki do Łowicza i innych miast w kraju.

Ogólna liczba wojska, które przekroczyło 9 stycznia 1796 roku granicę Warszawy, wynosiła około 7000 ludzi. Brak uprzednio przygotowanych koszar oraz fatalna sytuacja aprowizacyjna Warszawy, stwarzające konieczność rozlokowania masy żołnierskiej na kwaterach prywatnych oraz zorganizowania uciążliwych transportów żywności i furażu z odległych terenów Wielkopolski, nie powstrzymały władz pruskich od ulokowania

DZIEJE POLITYCZNE. DZIAŁALNOŚĆ WŁADZ PRUSKICH W MIEŚCIE

w stolicy wielkiej liczby żołnierzy. U źródeł tej decyzji leżała stała nieufność Prus w trwałość uzgodnionych z sojusznikami układów rozbiorczych Polski; nieufność ta kazała Prusakom militarnie zabezpieczyć przydzieloną im z podziału warszawską zdobycz. Nie mniejszą rolę odegrała tu znana Prusom patriotyczna i rewolucyjna postawa mieszkańców Warszawy, a zwłaszcza plebsu miejskiego, manifestowana podczas rewolucji 1794 roku. Wroga postawa ludności Warszawy wobec zaborcy była groźnym niebezpieczeństwem dla pruskiego państwa i wymagała zaangażowania znacznych środków i permanentnej uwagi dla utrzymania w ryzach miejscowego społeczeństwa. W Warszawie upatrywali Prusacy głównie ognisko wykuwanej przeciw nim opozycji, zarzewie buntu oraz centrum jakobinizmu. Trwałą ostoję rządów zaborcy w dawnej stolicy Rzeczypospolitej spełniać miała silna załoga wojskowa, i jej to powierzono funkcje represyjne w stosunku do ludności i miasta.

Stosownie do założeń pruskiej polityki i w sytuacji słabego liczebnie i złożonego przeważnie z inwalidów wojennych aparatu policyjnego w Warszawie garnizon stołeczny został znacznie rozbudowany. Osiągnął on bezpośrednio po wejściu wojsk pruskich do Warszawy na wiosnę 1796 roku stan 9332 żołnierzy, a w 1805 roku liczył 9403 wojskowych na 68 411 mieszkańców. W samej Warszawie stacjonowały w pierwszych latach okupacji pruskiej cztery pułki piechoty, pułk kirasjerów oraz bateria artylerii konnej. Na Pradze rozlokował się na kwaterach pułk huzarów. Ważne wzmocnienie garnizonowi warszawskiemu zapewniały podległe jego dowództwu oddziały pruskie, którym wyznaczono miejsca postoju oraz rejony patrolowania w miejscowościach podwarszawskich, w Górze, Czersku, Nadarzynie, Błoniu, w Mszczonowie i w Nowym Mieście.

Militarny charakter aneksji ziem polskich i rolę wojska w utrzymywaniu zagrabionych terenów podkreślało utworzenie Gouvernement Warschau w przededniu wkroczenia wojsk pruskich do Warszawy. Na jego czele stanął generał-porucznik Baltazar Ludwik von Wendessen, któremu król rozkazem z 26 grudnia 1795 roku powierzył funkcję gubernatora miasta z najwyższymi w mieście kompetencjami w sprawach wojskowych i w życiu politycznym stolicy. Rezydujący w pałacu Brühla gubernator von Wendessen sprawował władzę za pośrednictwem komendanta miasta i dowódcy garnizonu, generał-majora Friedricha Leopolda von Ruits, platz-majora von Brodowskiego oraz oddanych mu do dyspozycji w kierowaniu Gubernią Warszawską generałów von Klinckowströma i von Birkhana. Von Wendessen pozostał na stanowisku gubernatora Warszawy do 1798 roku. Jego następcą został generał Jerzy Ludwik Egidiusz von Köhler, który piastował nieprzerwanie urząd gubernatora aż do wyzwolenia Warszawy przez wojska francuskie w listopadzie 1806 roku.

Po zajęciu Warszawy przez wojsko przybywali z Prus liczni urzędnicy na nowo utworzone urzędy i stanowiska. Mimo pomocy materialnej ze strony państwa w postaci dodatkowych gratyfikacji, zwrotów kosztów podróży i tym podobnych udogodnień panująca w Warszawie drożyzna, niechęć do rozłąki z rodzinami, brak znajomości języka i wreszcie obawa przed zetknięciem się z wrogim Prusom żywiołem polskim zniechęcała doświadczonych urzędników pruskich do osiedlenia się w nowej prowincji. Większość przyjeżdżających stanowili ludzie młodzi, niewykwalifikowani, znęceni łatwym zarobkiem z nieprawnie pobieranych opłat i nielegalnych transakcji.

Nowe władze przystąpiły szybko do rozciągnięcia administracji pruskiej na ziemie polskie anektowane po trzecim rozbiorze. Wprowadzono pruskie prawo krajowe i pruską ordynację sądową oraz język niemiecki jako urzędowy, ograniczając używanie języka polskiego w administracji i sądownictwie. Stopniowo realizowano politykę germanizacyjną przede wszystkim przez obowiązkową służbę w armii pruskiej, przez szkolnictwo i werbunek młodzieży do studiów na uniwersytetach pruskich. Departament warszawski o obszarze 12 262 km^2 obejmował dawne województwo mazowieckie, resztę województwa łęczyckiego i część Mazowsza położoną na lewym brzegu Wisły wraz z włączonym do Prus Południowych kilkunastukilometrowym skrawkiem na prawym brzegu Wisły, położonym naprzeciw Warszawy i graniczącym z linią zaboru austriackiego. Siedzibę władz prowincjonalnych przeniesiono w 1796 roku z Poznania do Warszawy, która stała się głównym miastem Prus Południowych, miejscem urzędowania Kamery Wojennej i Ekonomicznej departamentu warszawskiego. Władze pruskie, zmierzając do ograniczenia samorządu miejskiego i poddania go ścisłej kontroli państwa, wprowadziły nową organizację miast. Magistrat w Warszawie został podporządkowany Kamerze i podzielony na właściwy Zarząd Miasta i Magistrat Sprawiedliwości. Pierwsze reformy wprowadzono we władzy sądowniczej magistratu bezpośrednio po hołdzie złożonym przez miasto królowi pruskiemu w 1796 roku. Skasowano dotychczasowe sądy wójtowskie i ławnicze oraz wydziałowe. Powołany Magistrat Sprawiedliwości (Justitz Magistrat) obsadzony został w większości przez nowych urzędników pruskich. Jego władza rozciągała się na miasto łącznie z Pragą oraz obejmowała wszystkich mieszkańców z wyłączeniem szlachty, która podlegała w pierwszej instancji rejencji. Do kompetencji Magistratu Sprawiedliwości należały jednak wszystkie sprawy związane ze stanem posiadania nieruchomości w Warszawie. Magistrat Sprawiedliwości dzielił się na właściwy sąd miejski oraz na urząd sierocy. Do zakresu jurysdykcji Magistratu Sprawiedliwości należały między innymi sprawy cywilne i karne, licytacyjne, sprawy sukcesji i działów oraz hipoteka. Urząd sierocy zajmował się zarządem majątków przez wyznaczonych opiekunów osób nieletnich, niedołężnych i nieobecnych. Zamiast dotychczasowych sądów burmistrzowskich wprowadzono w cyrkułach miasta oddzielne deputacje sądowe, które rozsądzały drobniejsze sprawy majątkowe. Magistrat Sprawiedliwości odbywał sesje w gmachu należącym do dawnego szpitala Świętego Ducha przy Bramie Nowomiejskiej.

Na czele Magistratu stał prezydent administrujący sprawami miasta i zarządzający policją z pomocą dwóch dyrektorów policji oraz pięciu radców miejskich. Ogółem w pruskim Magistracie Warszawy było zatrudnionych 206 urzędników, w tym 28 funkcjonariuszy policji. Większość personelu rekrutowała się z Niemców, Polacy zajmowali najniższe stopnie służbowe. Pierwszym prezydentem miasta był nominowany w 1796 roku pruski konsyliarz wojenny i skarbu, Schimmelpfennig von der Oye. Jego następcą został von Werther (zm. 1799), trzecim i ostatnim pruskim prezydentem miasta był Friedrich Caspar von Tilly, major garnizonu stołecznego, który urząd swój sprawował do końca rządów pruskich w Warszawie. Wiele reprezentacyjnych budowli warszawskich zajęła rozbudowana administracja pruska. W Pałacu Kazimierzowskim znalazła pomieszczenie Komendantura miasta, w Krasińskich, zwanym Pałacem Kolegiów Krajowych, sądy pruskie oraz Kamera Wojenna i Ekonomiczna, w pałacu Brühla rezydował gubernator i sztab warszawskiego garnizonu, pruski Magistrat w ratuszu staromiejskim oraz w pałacu Saskim pruskie Prezydium Policji.

Mimo utraty stołecznej funkcji zajmuje Warszawa wyjątkową pozycję w pruskiej polityce wewnętrznej. Dla zadokumentowania hegemonii pruskiej nad podbitą Polską nieprzypadkowo wyznaczono Warszawę na miejsce głównych uroczystości związanych z proklamowaniem wierności królowi Fryderykowi Wilhelmowi II przez mieszkańców Prus Południowych. Nowe władze zagroziły karą wszystkim, którzy odmówią złożenia przysięgi na wierność królowi lub stawiać będą opór wojsku i pruskim komisarzom cywilnym zajmującym ziemie polskie. Uroczystości zapoczątkował Schimmelpfennig von der Oye, który 6 czerwca 1796 roku, w dniu objęcia władzy prezydenta miasta, udał się w asyście dyrektora policji oraz pułku piechoty i kirasjerów na ratusz staromiejski, gdzie obwieścił zebranym mieszkańcom datę składania aktu wierności. Homagium odbyło się 6 lipca 1796 roku na Zamku Królewskim w obecności reprezentującego króla ministra von Hoyma. Po przemówieniach nastąpił uroczysty akt składania przysięgi, a następnie wszystkim uczestnikom homagium wręczono okolicznościowe medale. Władze pruskie, chcąc zaimponować mieszkańcom Warszawy, nadały uroczystościom wyjątkowo jak na oszczędne pruskie zwyczaje pompatyczny i bogaty charakter. Brak jednak zaufania do ludności i obawę przed zamieszkami zdradzały wzmocnione patrole na ulicach miasta. Wydrukowano na zamówienie władz panegiryczne przemówienia okolicznościowe, wystąpiono ze starannie przygotowanym programem orkiestr wojskowych i ceremoniałem oraz zamówiono do dekoracji wielkie ilości czerwonego sukna, którego resztki sprzedawano na licytacji jeszcze w 1801 roku.

Władze pruskie publikowały na łamach prasy lokalnej w języku niemieckim i polskim liczne rozporządzenia policyjne normujące drobiazgowo codzienny tok życia miasta. Jedną z pierwszych czynności było wydanie zarządzeń skierowanych przeciw ruchowi niepodległościowemu. Na nastroje rewolucyjne i patriotyczne ludności Warszawy wpływała niemało działalność emigracji polskiej zgrupowanej wokół powstałej w 1795 roku we Francji Deputacji Polskiej, która utrzymywała kontakt z krajem, oraz Centralizacji Lwowskiej, zasilanej po klęsce 1794 roku szukającymi schronienia w Galicji uczestnikami insurekcji. Silny ruch konspiracyjny koncentrował się w Warszawie i reprezentowany był przez byłych wojskowych oraz zbiegłych z kresów działaczy powstańczych. W Warszawie powstał, prawdopodobnie na przełomie lat 1795 i 1796, tak zwany Klub Miejski, założony przez wysłanego ze Lwowa wicebrygadiera Józefa Drzewieckiego i Antoniego Krygiera. Klub, któremu przewodniczył uczestnik powstania kościuszkowskiego i radykał Józef Kalasanty Szaniawski, zbierał się w księgarni Nowarskiego, później w pałacu na Kanonii, a jego pierwszymi członkami byli księgarz Nowarski, z klubu wojskowego generał Jerzy Grabowski i major Maciej Forestier. Wielkie zasługi w warszawskiej konspiracji 1795 roku położył generał Dąbrowski, któremu należałoby przypisać współzałożycielstwo pierwszego klubu wojskowego w stolicy, utrzymującego kontakty z Klubem Miejskim, zwanym także Organizacją Warszawską, i mimo ścisłej kontroli rosyjskiej w Warszawie również z emigracją polską we Francji.

Wydarzeniem przełomowym w dziejach ruchu narodowowyzwoleńczego w latach zaboru pruskiego było utworzenie w Warszawie z inicjatywy jakobinów Zgromadzenia Centralnego. Ta pierwsza w dobie zaboru organizacja konspiracyjna o programie radykalnodemokratycznym została powołana bezpośrednio po zajęciu stolicy przez wojska pruskie, w dniu 13 marca 1796 roku, w budynku Szkoły Rycerskiej (dzisiejszym Pałacu Kazimierzowskim). W skład Zgromadzenia Centralnego weszli: Józef Kalasanty Szaniawski, Piotr Grozmani, profesor historii starożytnej Ernest Teodor Musonius, Antoni Błeszyński, kupiec Józef Rose, profesor prawa i wykładowca w szkołach średnich w Warszawie Bartłomiej Szulecki (Szolecki), generał Jerzy Grabowski, nauczyciel języka francuskiego i właściciel internatu szkolnego dla dzieci Ernest Dunquerque (Dunker). Lokalami konspiracyjnymi tej organizacji, starającej się skupić rozproszone dotychczas tajne

asocjacje powoływane przez byłych uczestników insurekcji kościuszkowskiej w jedno promieniujące z Warszawy na cały kraj ugrupowanie patriotów i republikanów, były: Pałac Kazimierzowski, posesja na placu „Reformowanym" usytuowana w pobliżu kaplicy kalwińskiej na Lesznie (nr hip. 666) oraz dom Latoura przy ulicy Długiej (nr hip. 548). Aresztowania przywódców Zgromadzenia Centralnego przeprowadzone przez władze pruskie w kwietniu 1796 roku i wywiezienie ich do twierdzy w Szpandawie paraliżują na krótko działalność warszawskich organizacji narodowowyzwoleńczych. Już w następnym roku Warszawa jako ważny ośrodek lewego jakobińskiego skrzydła ogólnopolskiego ruchu niepodległościowego uczestniczy – opierając się na masach chłopskich – w przygotowaniu zrywu wyzwoleńczego, który przeszedł do historii pod nazwą spisku Franciszka Gorzkowskiego. O kierowniczej roli radykałów warszawskich w inspiracji chłopskiego powstania na Podlasiu, w zaborze austriackim, świadczy nie tylko opracowanie przez nich programu spisku i objęcie przywództwa przez Franciszka Gorzkowskiego, od lat związanego z życiem politycznym stolicy, ale i projekt jednoczesnego wybuchu powstania na Podlasiu i w Warszawie. Warszawska organizacja Gorzkowskiego drukuje w stolicy na potrzeby spisku i agitacji rewolucyjnej wśród chłopów materiał propagandowy w postaci manifestu powstańczego i inne druki. Aresztowanie Gorzkowskiego przez Austriaków i przesłanie przez nich władzom pruskim wykazu warszawskich uczestników spisku spowodowały nowe aresztowania przez policję pruską. Wśród siedemnastu oskarżonych, których nazwiska figurowały na listach austriackich, z kręgu podejrzanych aresztowano tylko pięciu, ale i tych po przeprowadzeniu śledztwa wypuszczono na wolność. Silny wpływ na rozwój warszawskiej konspiracji wywarło również utworzone w Warszawie w 1798 roku Towarzystwo Republikanów Polskich, a nastroje patriotyczne podnosiły wiadomości o walkach Legionów Dąbrowskiego we Włoszech i wydarzeniach w rewolucyjnej Francji, które docierały do kraju dzięki tej organizacji za pośrednictwem emisariuszy. Władze pruskie, które bały się ostrych represji wobec Polaków, pamiętając insurekcję kościuszkowską, poddawały ludność Warszawy szerokiej inwigilacji, dokonując aresztowań w sytuacjach wyjątkowo groźnych dla Prusaków w stolicy Polski. Listy inwigilowanych obejmują wybitne nazwiska z ostatnich lat Rzeczypospolitej, między innymi Stanisława Małachow-skiego, Stanisława Sołtyka, Grzegorza Piramowicza, Onufrego Kopczyńskiego. Władze pruskie notują udział w spiskach szerokich warstw społeczeństwa Warszawy: zakonników, kupców, rzemieślników, a wśród nich popularnego w Warszawie zegarmistrza Antoniego Gugenmusa. Ścisłą kontrolą objęto przyjeżdżających do Warszawy cudzoziemców, zwłaszcza Francuzów, którzy odwiedzali pod pretekstem interesów handlowych stolicę jako emisariusze emigracji polskiej we Francji. Warszawa zasilała pieniędzmi skupiska emigracji polskiej, wysyłając na przykład jednorazowo 7000 dukatów przez agenta Petersena na potrzeby środowiska drezdeńskiego. Do Warszawy przyjeżdża w 1798 roku z Paryża przez Hamburg emisariusz Marudziński, aby zbierać środki materialne niezbędne dla emigracji. Jako ośrodek ruchu spiskowego inspirowanego przez jakobinów wymieniają władze pruskie Warszawę i w raportach wysyłanych przez gubernatora von Köhlera do władz centralnych w Berlinie określają miasto jako centrum niebezpiecznych dla Prus knowań i kuźnię ruchu patriotycznego. Z niepokojem sygnalizowano o rozszerzaniu się niezadowolenia nawet wśród garnizonu warszawskiego i w środowisku urzędników pruskich w stolicy. Przytaczano przykłady otwartej interwencji pospólstwa warszawskiego i zamieszek spowodowanych próbą przeciwdziałania egzekucji żołnierza armii pruskiej, rzekomego adiutanta Kościuszki, skazanego na rozstrzelanie za niesubordynację. Rapor-towano o podejrzanych kontaktach z miejscową ludnością żołnierzy pułków wchodzących w skład złożonego w części z Polaków garnizonu warszawskiego. Prowadzono także dochodzenie przeciw własnym urzędnikom; na przykład w 1797 roku oskarżono urzędnika akcyzy Schultza o obrazę państwa pruskiego. Poddawano szerokiej obserwacji policyjnej środowiska niemieckie w Warszawie i wydalano bez pardonu z granic miasta wszystkich, którzy demonstrowali nieprzyjazny stosunek do króla i podważali autorytet państwa pruskiego.

Dla położenia kresu rozszerzającemu się ruchowi spiskowemu oraz zapobieżenia uciecz-kom młodzieży do walczących u boku Napoleona Legionów Dąbrowskiego w Italii władze pruskie wprowadziły w Warszawie i na terenach okupowanych wiele zarządzeń. Zakazano, pod sankcją surowych kar, tworzenia tajnych związków, nie wypuszczano nikogo z granic państwa bez paszportu, sprawdzano starannie przeszłość polityczną osób ubiegających się o wjazd do Prus, zwłaszcza byłych uczestników insurekcji, kontrolowano bezlitośnie przychodzącą do Warszawy korespondencję, którą w przypadkach podejrzanych zatrzy-mywał dyrektor poczty i po przetłumaczeniu na język niemiecki wysyłał wraz z oryginałem do centralnych władz w Berlinie. Jesienią 1796 roku przeprowadzono w Warszawie pobór kantonalny do wojska w celu oczyszczenia miasta z niespokojnych elementów, zwłaszcza pospólstwa, którego nastroje rewolucyjne, dobrze znane władzom pruskim, nie dawały spokoju nowej administracji. Usunięto również oficerów dawnego wojska polskiego i zagrożono szlachcie konfiskatą majątków za emigrację z kraju i wstępowanie do Legionów. Wymagano zgody władz na druk wszystkich publikacji, z wyjątkiem edycji „rządu wewnętrznego policji krajowej, sztuki lekarskiej i ekonomii".

W zakresie gospodarki miejskiej nowe władze ograniczyły swą działalność do wydawania przepisów regulujących sprawy porządkowe i sanitarne. Zakazano składowania na ulicach drewna opałowego ze względu na utrudnianie ruchu, w 1799 roku wprowadzono przepisy drogowe, nakazujące właścicielom pojazdów mijanie się z prawej strony, a w okresie zimowym zaopatrywanie sań ze względów bezpieczeństwa w dzwonki. Pod groźbą wysokich kar pieniężnych zakazano wyrzucania śmieci wprost na ulicę, a właścicieli nieruchomości zobowiązano do sprzątania ulic na własny koszt dwa razy w tygodniu. Wprowadzono liczne zarządzenia w sprawach higieny miasta. Rozporządzeniem Magistra-tu z 16 września 1796 roku ustanowiono policję lekarską, która w 1800 roku wprowadziła szczepienie ospy. W obawie przed wypadkami wścieklizny wydano bezpardonową walkę tułającym się po mieście bezpańskim psom. Rozporządzeniem policji z 1799 roku zabroniono kąpania się w Wiśle w rejonach przyległych do miasta. W miarę możliwości starano się rozciągnąć kontrolę sanitarną na sklepy i targi handlowe. W 1797 roku wydano rozporządzenie nakładające kary pieniężne na sprzedawców niedojrzałych owoców, a transporty takie przeznaczone do sprzedaży ulegały konfiskacie i wrzucano je do Wisły. Dla położenia kresu spekulacji poddano ścisłej inspekcji sklepy artykułów spożywczych, kontrolowano wagi, ustalano i ogłaszano drukiem ceny mięsa i pieczywa oraz zakazywano wykupywania bydła i trzody chlewnej przez spekulantów przed rogatkami miasta. Do walki z lichwą powołano w 1797 roku lombard podległy Magistratowi Warszawy, gdzie potrzebujący gotówki kupcy i rzemieślnicy mogli oddawać w depozyt na okres do pół roku swe towary w zamian za pożyczki dochodzące do wysokości kilku tysięcy talarów. Lombard mieścił się w Pałacu Kazimierzowskim, dochód z prowizji był przeznaczony na wsparcie ubogich. Dla ułatwienia transakcji handlowych otwarty został 21 września 1801 roku przy Rynku Starego Miasta (nr hip. 119) pierwszy w Warszawie kantor zleceń, który zajmował się sprzedażą dóbr ziemskich, gruntów miejskich oraz pośredniczył w handlu towarowym. W 1803 roku spółka Jan Lingnau i Kompania otworzyła przy ul. Krakowskie Przedmieście (nr hip. 418) konkurencyjne biuro zleceń i pośrednictwa, ogłaszając przy tym swe usługi w prasie warszawskiej. Firma podejmowała się negocjacji w sprawach lokaty kapitału, poszukiwania pracy, a nawet organizowała podróże krajowe i zagraniczne. Władze pruskie zakazały uprawiania handlu domokrążnego, zezwalając jedynie na sprzedaż towarów w sklepach i magazynach handlowych. Ważnym wydarzeniem w ustroju prawnym i w życiu ekonomicznym Warszawy było wprowadzenie patentem królewskim z 12 kwietnia 1797 roku hipoteki wzorowanej na pruskiej w celu uzyskania „pewności i bezpieczeństwa własności i praw do dóbr nieruchomych, przywrócenia i zatwierdzenia kredytu obywatelskiego".

Szczególną dbałość wykazała administracja pruska w zakresie ochrony przeciwpożarowej, wydając drobiazgowe przepisy zobowiązujące właścicieli nieruchomości do utrzymywania w należytym stanie sprzętu przeciwpożarowego. 1 grudnia 1804 roku utworzono Towarzystwo Ogniowe; do głównych jego zadań należało wypłacanie odszkodowań za straty spowodowane przez ogień. Na ulicach Warszawy pokazali się w 1796 roku nie znani przedtem roznosiciele listów, a specjalne wozy pocztowe ułatwiały przewóz drobnych przesyłek z Warszawy do Berlina. Nowa administracja dołożyła wielu starań w zakresie sprawnego funkcjonowania poczty i zapewnienia regularnej komunikacji łączącej Warszawę z miastami w Prusach i za granicą. Dwa razy w tygodniu odchodziły z Warszawy wozy pocztowe i pasażerskie do Gdańska, Królewca, Berlina, Hamburga, do Saksonii, Petersburga i Moskwy oraz do Czech i Moraw.

W zakresie prac budowlanych władze ograniczyły się do przebrukowania niektórych ulic, między innymi ulicy Królewskiej; dla usprawnienia ruchu rozebrano bramy miejskie: Nowomiejską w 1798 roku, a w 1804 roku grożącą zawaleniem Bramę Poboczną, poszerzając wylot ulicy Dunaj na Podwale. W sferze projektów pozostało poszerzenie ulic na przedmieściach, wysadzenie ich drzewami oraz zbudowanie nowego mostu na Wiśle i bulwarów nad jej brzegami.

Aktywność administracji pruskiej na polu budownictwa – raczej znikoma – przejawiała się w administrowaniu majątkiem miasta i nieruchomościami opuszczonymi przez właścicieli. W 1800 roku Magistrat wypuszcza w trzyletnią dzierżawę ratusze na Pradze i na Nowym Mieście. W 1799 roku wystawiono na licytację pałac Jabłonowskich przy ulicy Senatorskiej (nr hip. 462). W 1797 roku dochodzi do sfinalizowania rozmów prowadzonych przez pruski departament spraw zagranicznych z posłem saskim w Berlinie w sprawie zakupu własności saskiej w Warszawie przez króla pruskiego. W wyniku przetargów ustalono ostateczną kwotę 130 000 talarów płatnych w czterech ratach rocznych za nabyte nieruchomości, a na zakupionych budynkach zamiast herbów saskich znalazły się pruskie orły.

Wielu trosk przysparzał władzom pruskim wzrost przestępczości, liczne kradzieże, napady rabunkowe i zabójstwa, o których donosiła prawie codziennie lokalna prasa. Nie było to zjawisko specyficznie warszawskie, ale obejmowało swym zasięgiem prowincję Prus Południowych, zmuszając policję pruską do wzmocnienia przy pomocy wojska patroli nocnych na ulicach miasta i przeprowadzania częstych paszportowych kontroli w domach zajezdnych i na wszystkich rogatkach. W 1801 roku w okolicach Pniewa dokonano z bronią w ręku napadu rabunkowego na pocztę warszawską, będącą w drodze do Poznania; w 1797 roku grasująca w rejonie Sochaczewa banda spowodowała wysłanie przez generała von Köhlera oddziału wojskowego, a specjalny urzędnik pruski z Warszawy został powołany do położenia kresu pladze napadów w rejonie stolicy.

ŻYCIE KULTURALNE   Wydarzenia polityczne zaciążyły również i na rozwoju życia kulturalnego stolicy, która traci na znaczeniu jako centrum życia intelektualnego kraju. Szkolnictwo publiczne w Warszawie, ograniczane stopniowo polityką germanizacyjną rządu, wegetowało w trudnych warunkach. Aby odebrać pierwszeństwo najlepszym dotychczas szkołom pijarskim, a równocześnie dać możność młodzieży przygotowania się do studiów na wyższych uczelniach, utworzono Liceum Warszawskie z rektorem S.B. Lindem, późniejszym autorem wielotomowego „Słownika języka polskiego". Do szkoły, mieszczącej się początkowo w Pałacu Kazimierzowskim, a następnie w pałacu Saskim, sprowadzono wykładowców Niemców. W Liceum zorganizowano podwójne klasy, polskie i niemieckie. Pomimo wielu starań władze pruskie nie zezwoliły na otwarcie uniwersytetu w Warszawie. Utworzyły natomiast biskupstwo, kolegiata świętojańska stała się zatem katedrą.

Obok hasła walki o niepodległość kraju najwybitniejsi patrioci postulowali konieczność ratowania zabytków kultury i zachowania języka polskiego. Ośrodkiem francusko-kosmopolitycznej arystokracji w Warszawie był pałac Pod Blachą zamieszkany przez księcia Józefa Poniatowskiego i wszechwładnie panującą tam przyjaciółkę księcia, panią Henriettę de Vauban. Pod Blachą oraz w pałacu w Jabłonnie wydawano liczne przyjęcia i bale, w których brały udział hulaszcza młodzież i koła arystokratyczne hołdujące modzie i manierom francuskim. Rozpowszechnieniu się tej mody sprzyjał pobyt w Warszawie w latach 1801–1804 króla Ludwika XVIII, który mieszkał tu pod nazwiskiem hrabiego de l'Isle jako przywódca emigracji francuskiej walczącej z rewolucyjną Francją, zajmując wraz z dworem kamienicę Wasilewskiego na Krakowskim Przedmieściu. Ważnym czynnikiem propagowania francuszczyzny i reakcyjnych poglądów było związanie z otoczeniem Ludwika XVIII środowiska uciekinierów francuskich, których snobistyczne koła warszawskie arystokracji i zamożnych rodzin szlacheckich zatrudniały chętnie jako guwernerów i wychowawców młodzieży. Postawę arystokracji i zabawy Pod Blachą najlepiej charakteryzuje pamflet Ludwika Osińskiego kursujący wówczas w Warszawie: „Jeszcze Polak po polsku i pisze, i czyta, bo nie cała Warszawa jest blachą pokryta".

Ośrodkiem polskości był dom Stanisława Małachowskiego, skupiający patriotycznie myślące koła społeczeństwa polskiego. Wyróżniał się także salon Stanisława Sołtyka przy ulicy Miodowej, inicjatora Towarzystwa Przyjaciół Nauk, oraz dom Wincentego Krasińskiego, który powołał później, rozwiązane zresztą przez władze pruskie, Towarzystwo Przyjaciół Polski. Miejscem stałych zebrań i dyskusji odbywanych w języku polskim były również salony Marianny Lanckorońskiej, kasztelanowej połanieckiej, w kamienicy misjonarskiej przy kościele Świętego Krzyża, Joachima Chreptowicza przy ul. Długiej i Tadeusza Czackiego w pałacu Czapskich.

Ośrodkiem życia umysłowego, sprawującym także mecenat w dziedzinie nauki i sztuki zarówno w Warszawie, jak i w kraju, było powstałe w 1800 roku Towarzystwo Warszawskie Przyjaciół Nauk. Inauguracyjne posiedzenie Towarzystwa odbyło się 16 listopada 1800 roku w domu pierwszego prezesa Towarzystwa, biskupa Jana Albertrandego na Kanoniach. Miejscem kolejnych zebrań publicznych aż do 1807 roku była biblioteka oo. pijarów przy ulicy Miodowej. Co tydzień odbywały się posiedzenia wydziałów TPN w mieszkaniach Sołtyków, w pałacu Stanisława Kostki Potockiego na Krakowskim Przedmieściu oraz w pałacu Tarnowskich w miejscu dzisiejszego hotelu „Bristol". W 1804 roku sumptem Stanisława Staszica zakupiono od kapituły warszawskiej trzy budynki (nr hip. 85, 86, 87) na Kanoniach, przeznaczone na późniejszą siedzibę Towarzystwa po ich odbudowie po niedawnym pożarze. Na posiedzeniach naukowych przedstawiali prace najwybitniejsi uczeni i pisarze polscy, między innymi S. Staszic, T. Czacki, S. Potocki, F.S. Dmochowski, ks. J.P. Woronicz i wielu innych. Z inicjatywy TPN ogłaszano rozprawy naukowe z różnych dyscyplin nauki, gromadzono spuściznę po zmarłych uczonych i zasłużonych dla kultury polskiej, inspirowano i zachęcano do badań naukowych. Pod auspicjami TPN przetłumaczono na języki obce i wydano słynne dzieło Jana Śniadeckiego „O Koperniku". Rozprawy były publikowane w wydawanych od 1802 roku „Rocznikach" Towarzystwa, które były prawdziwą kuźnią polskiej myśli naukowej, gdy stolica nie miała uniwersytetu.

Skutki wydarzeń politycznych nie oszczędziły bujnie rozwijającego się w czasach stanisławowskich życia teatralnego Warszawy. Teatr warszawski poniósł zrazu dotkliwą stratę spowodowaną opuszczeniem stolicy przez Wojciecha Bogusławskiego. W pierwszych latach okupacji pruskiej działalność przejawia teatr Truskolaskich, wystawiający przeważnie dramaty. Po bankructwie Truskolaskiej ważnym wydarzeniem był powrót do Warszawy w 1799 roku Wojciecha Bogusławskiego, który wynajął budynek Teatru Narodowego na placu Krasińskich. Kierowana przez niego scena była prawdziwą ostoją polskości w czasach germanizacji i zalewu francuszczyzny. W 1801 roku podczas przedstawienia tragedii Babo „Otto z Wittelsbach", w której Bogusławski grał rolę tytułową, rozrzucono na sali ulotki z wierszem Bogusławskiego na temat zmartwychwstania Polski. Liczono się z aresztowaniem popularnego aktora. Teatr Narodowy walczył nieustannie z konkurencją zespołów niemieckich, a przede wszystkim francuskich preferowanych przez arystokrację.

Na rozwój kultury muzycznej wywarło niewątpliwy wpływ utworzenie w stolicy Warszawskiego Towarzystwa Muzycznego. Zostało ono powołane z inicjatywy Ernesta T.A. Hoffmanna, wybitnego kompozytora, pisarza i malarza, przeniesionego w 1804 roku z Płocka do Warszawy na stanowisko urzędnika. Siedziba Towarzystwa mieściła się w zakupionym przez Towarzystwo pałacu Mniszchów, gdzie na wiosnę 1807 roku zamieszkał w mansardzie sam Hoffmann. Pobyt Hoffmanna w Warszawie związany był z intensywną działalnością artystyczną tego wybitnego muzyka, który był autorem tekstów muzycznych do „Fausta" i do opery „Die lustigen Musikanten" Clemensa Brentano

285. Teatr Narodowy na placu Krasińskich. Akwa
la, mal. Zygmunt Vogel

wystawionych 6 kwietnia 1805 roku w Teatrze Narodowym przez Bogusławskiego. W okresie warszawskim Hoffmann skomponował wiele innych utworów muzycznych, odtwarzanych między innymi w kościele Bernardynów lub na koncertach dyrygowanych przez samego muzyka w pałacu Mniszchów.

Pomimo niesprzyjających warunków opublikowano w okresie pruskim w Warszawie sporo prac naukowych i literackich. W drukarni księży pijarów ukazywał się periodyk „Nowy Pamiętnik Warszawski" redagowany przez Franciszka S. Dmochowskiego. Było to pierwsze po rozbiorach czasopismo literackie. W 1799 roku nakładem i drukiem wdowy Zawadzkiej wyszedł „Zbiór zabawek wierszem" Ludwika Osińskiego. W latach 1803–1806 ukazało się 5 tomików „Zabaw Przyjemnych i Pożytecznych" pod redakcją Cypriana Godebskiego i Ksawerego Kosseckiego. Godebski, znany poeta Legionów, od 1805 roku członek TPN, drukował tam wiele swoich utworów. W 1805 roku wydał „Grenadiera-filozofa", utwór poetycki napisany podczas pobytu autora w Legionach Polskich we Włoszech. W tym samym roku ukazał się także jego wiersz „Do legiów polskich". Spod tłoczni drukarń warszawskich wyszły w tym czasie cenne prace naukowe. W pałacu mieszczącym się przy rogu ulicy Przejazd i Nowolipie w 1802 roku ówczesny jego właściciel, Tadeusz Mostowski, założył wzorową drukarnię, sprowadził z Paryża i Lipska wykwalifikowanych drukarzy i najnowsze czcionki i rozpoczął wydawanie seryjnego „Wyboru celniejszych pisarzów polskich". W drukarni Ragoczego Tadeusz Czacki wydał w latach 1800–1801 dwutomowe dzieło „O litewskich i polskich prawach", które rozprowadzono na drodze subskrypcji do innych zaborów mimo kordonów. Za tym przykładem najaktywniejsza wówczas drukarnia oo. pijarów polepszyła poziom wydawniczy i wydała w 1801 roku trzytomową „Iliadę" w tłumaczeniu Franciszka Dmochowskiego. Zmniejszył się jednak bardzo handel książkami, wiele składów i księgarń zostało zamkniętych. Czynne były między innymi księgarnie Fryderyka Ch. Netto przy Krakowskim Przedmieściu (nr hip. 457), Jana Ludwika Kocha przy ulicy Świętojańskiej (nr hip. 19), Michała Grölla na Marywilu i Ragoczego, mieszcząca się na Starym Mieście (nr hip. 52).

Z pism periodycznych wychodziły: „Gazeta Warszawska" redagowana przez A. Lesznowskiego i „Gazeta Korrespondenta Warszawskiego i Zagranicznego" pod redakcją Hipolita Wyżewskiego. U pijarów drukowano w latach 1796–1806 niemiecką gazetę urzędową „Warschauer Intelligenzblatt". O aktualnych wydarzeniach politycznych i rozporządzeniach władz pruskich informowała czytelników warszawskich kolportowana w stolicy „Südpreussische Zeitung" i ukazująca się w języku polskim, drukowana w Poznaniu, „Gazeta Południowo-Pruska". Ukazało się również staraniem doktora Leopolda Lafontaine'a 12 zeszytów tłumaczonego z francuskiego „Dziennika Zdrowia".

WARSZAWA – STOLICA KSIĘSTWA WARSZAWSKIEGO
1807–1815

Władze pruskie od pierwszych chwil rządów napotkały opór i niezadowolenie wszystkich warstw społeczeństwa polskiego. Świadomość tymczasowości panowania Prusaków w Warszawie podtrzymywały wieści o zwycięstwach zrodzonej z rewolucji armii napoleońskiej i udziału w nich Legionów gen. Dąbrowskiego. Młodzież opuszczała kraj uciekając do Włoch przez Drezno i Lipsk. Przez okres okupacji pruskiej stolica utrzymywała nieprzerwany kontakt ze środowiskami patriotycznymi w pozostałych zaborach i emigracją polską we Francji. Obawy rządu pruskiego przed sprzysiężeniem rosły, wydano rozporządzenie grożące surowymi karami „burzycielom porządku publicznego". Społeczeństwo odcięto od źródeł informacji publikowanych na łamach prasy francuskiej i włoskiej. Dokonywano aresztowań lub trzymano pod nadzorem policyjnym polskich patriotów.

Tymczasem wojna przesuwała się ku ziemi polskiej. W grudniu 1805 roku Napoleon pokonał pod Austerlitz armię austriacko-rosyjską. Potem nadszedł decydujący dla sprawy polskiej rok 1806: 14 października armia pruska została rozbita w dwóch równoczesnych bitwach pod Jeną i Auerstaedt. Monarchia fryderycjańska leżała w gruzach. 27 października Napoleon odbył triumfalny wjazd do Berlina, gdzie przyjął gen. Dąbrowskiego i J. Wybickiego, powierzając im organizowanie polskiej siły zbrojnej. 27 listopada cesarz był entuzjastycznie witany przez mieszkańców Poznania. Cały naród widział w nim wyzwoliciela spod okupacji pruskiej, a część społeczeństwa, zwłaszcza ludność miejska, chłopi i uboższa szlachta – uosobienie haseł rewolucyjnej Francji: wolności i równości. W Poznańskiem formowały się pierwsze kadry wojska polskiego, w Kaliskiem ludność chwyciła za broń przeciw Prusakom.

Nastrój podniecenia ogarnął również i Warszawę trzymaną w ryzach przez wezwany przez Prusaków rozlokowany na Pradze rosyjski garnizon gen. Siedmiogrodzkiego. Zachowując pozory spokoju wobec mieszkańców Warszawy, władze pruskie przygotowywały się do opuszczenia miasta. Wydano zarządzenia dotyczące zabezpieczenia kas, przygotowywano się do spalenia mostu. Ze względu na bezpieczeństwo i w obawie przed zbrojnym powstaniem ludu miejskiego władze pruskie utworzyły milicję obywatelską z dotychczasowym prezydentem von Tilly na czele. Wobec sprzeciwu ludności, żądającej ustanowienia dowództwa polskiego, Fryderyk Wilhelm wyraził zgodę na nominację księcia Józefa Poniatowskiego na dowódcę tej milicji. 11 listopada gubernator von Köhler ogłosił wspólnie z prezydentem von Tilly wezwanie do mieszkańców w sprawie zachowania spokoju i porządku. Była to jakby zapowiedź przejęcia miasta przez Polaków. Do Poniatowskiego udała się delegacja złożona z wyższych urzędników pruskich, władz miejskich i bogatego mieszczaństwa stolicy, prosząc go o objęcie komendy nad milicją. Książę wyraził zgodę i przystąpił do zorganizowania ochrony miasta przed „niepokojami plebsu". W ten sposób warstwy posiadające stolicy utrzymywały spokój aż do wkroczenia 27 listopada pierwszych oddziałów francuskich. W nocy 26 listopada wojska pruskie i rosyjskie opuściły Warszawę i ruszyły na Pragę paląc za sobą most. Garnizon złożony w części z Polaków wcielonych do armii z terenów anektowanych do Prus uległ rozsypce i tylko jego kadra oficerska i nieliczni żołnierze zdołali ujść do Prus Wschodnich.

Następnego dnia w wolnej już Warszawie przybył na ratusz staromiejski książę Józef.

287. Wejście Francuzów do Warszawy w dniu 28 listopada 1806 r. Miedzioryt, rys. Thomas Charles Naudet, ryt. Pierre Adrien Lebeau

Jednocześnie wyznaczono tam dziesiętników i setników organizującej się milicji, wezwa̷ ludność do stawienia się z bronią na wyznaczonych miejscach, ustawiono warty w najważ niejszych punktach miasta. Z pałacu Krasińskich zrzucono orła pruskiego. Urząd prezydenta policji miasta Warszawy objął znany z okresu insurekcji popularny wśród mieszkańców prezydent Zakrzewski. Jan Kiliński wzywał lud do chwycenia za broń i łączenia się z wojskiem Napoleona, zaczęły się gromadzić cechy. Warszawa oczekiwała w największym napięciu wejścia Francuzów. Wyzwolenie Warszawy poprzedziła całodniowa potyczka stoczona przez Prusaków w okolicach Łowicza z setką jazdy francuskiej wzmocnionej kawalerią polską. Po odniesionym zwycięstwie około tysiąca jeźdźców zajęło Łowicz kontynuując marsz na Warszawę.

27 listopada 1806 roku przeszedł niespodziewanie rogatki wolskie w godzinach wieczornych oddział złożony z 80 strzelców konnych i dragonów. Jeźdźców francuskich przyjęli mieszkańcy Warszawy entuzjastycznie. Pomimo przejmującego zimna i spóźnionej pory otwarto wszystkie okna, dekorując je dywanami i makatami. Tłum towarzyszył Francuzom od rogatek przez Elektoralną, Senatorską na Krakowskie Przedmieście, wznosząc okrzyki na cześć Francji i Napoleona. Oddział kawaleryjski popędził do tlejącego jeszcze mostu przy ulicy Bednarskiej, powrócił na Krakowskie Przedmieście i zatrzymał się wśród gęstych tłumów przed kościołem Bernardynów. Nie zsiadając z koni, po krótkiej chwili wypoczynku i uzyskaniu informacji o nieprzyjacielu Francuzi wyjechali z miasta w kierunku wsi Wola, pozostawiając pod strażą milicji wozy amunicyjne. 28 listopada zjechał do Warszawy Joachim Murat – książę Bergu, szwagier cesarza, w otoczeniu delegacji miasta i księcia Poniatowskiego. U rogatek wolskich czekali przedstawiciele urzędu municypalnego i cechów. Prezydent wręczył klucze miasta Muratowi. Przy biciu dzwonów we wszystkich kościołach rozpoczynał się nowy rozdział historii miasta.

WARSZAWA W 1807 ROKU

Przybycie Napoleona do Warszawy dało nową okazję do spontanicznych uniesień i powszechnego wybuchu radości. Oczekiwano go już od dawna, wystawiono łuki triumfalne, przygotowano napisy, wieńce, szykowano iluminację. W nocy z 18 na 19 grudnia 1806 roku po krótkim pobycie w Kutnie i w Łowiczu Napoleon przybył niespodziewanie do Warszawy i zatrzymał się na Zamku. Przyjął deputację warszawską, której zarzucił w ostrych słowach nieprzygotowanie i nieporządek w organizacji dostaw żywności dla wojska, przeprowadził inspekcję prac fortyfikacyjnych na Pradze i odjechał 23 grudnia do swej kwatery w Okuninie pod Nowym Dworem. Przed wyjazdem mianował gubernatorem Warszawy Ludwika Gouviona. Powrócił 1 stycznia 1807 roku. Warszawa przyjęła go w zachwycie, widząc w nim wskrzesiciela Polski.

Blisko czterotygodniowy pobyt Napoleona w Warszawie był najświetniejszą kartą historii miasta w trudnych latach Księstwa Warszawskiego. Warszawa stała się faktycznie stolicą cesarstwa, ośrodkiem dyspozycyjnym życia politycznego i główną kwaterą Napoleona. Z cesarzem przybył do Warszawy kierownik francuskiej służby zagranicznej Talleyrand wraz z ogromnym sztabem przedstawicieli zagranicznych, agentów dyplomatycznych państw związanych z Francją. Pałac Teppera przy ulicy Miodowej, gdzie zatrzymał się Talleyrand, stał się kuźnią ówczesnej polityki napoleońskiej Francji. Za cesarzem przybyła główna intendentura armii, sztaby, generalicja, marszałkowie. Zjechał minister sekretarz stanu, szef gabinetu i prawa ręka cesarza, Maret – książę Bassano. Przed siedzibą Murata i biura sekretariatu stanu, pałacem administracji poczt, przy zbiegu Trębackiej i Krakowskiego Przedmieścia zatrzymywali się kurierzy przywożący dla niego raporty z ministeriów Francji. W Warszawie była ześrodkowana chwilowo cała służba tyłów wojskowych, tu zbiegały się wszystkie drogi pocztowe, sztafety, służba kurierska łącząca kwaterę cesarza na Zamku z Paryżem i teatrem wojny. Nie ustawały bale wydawane przez Napoleona, Talleyranda i polską arystokrację, która licznie zjechała do Warszawy. Ośrodkiem życia politycznego w kraju był również pałac Pod Blachą, gdzie częstym gościem Poniatowskiego był Murat, kreujący się na przyszłego króla Polski. Cesarz odbywał codziennie rewie wojskowe na dziedzińcu saskim przy tłumnie zebranej publiczności. Napoleon opuścił Warszawę w nocy 29 stycznia, udając się pośpiesznie na front rosyjski. O losach kraju zadecydowały wreszcie w końcu czerwca 1807 roku przeprowadzone w Tylży poufne rozmowy Napoleona z carem Aleksandrem I. Sprawa polska była tylko atutem politycznym w ręku cesarza, który ofiarował carowi nawet Warszawę. Zgodzono się na utworzenie Księstwa Warszawskiego, celowo nie wymieniając imienia Polski. Wprowadzono na mapę polityczną ówczesnej Europy małe, niezdolne do samodzielnego bytu, całkowicie uzależnione od Francji państewko. W nadanej przez Napoleona w lipcu 1807 roku konstytucji Księstwa tron polski oddano królowi saskiemu Fryderykowi Augustowi.

ŚWIADCZENIA WOJENNE LUDNOŚCI MIASTA

Spontaniczna radość ustąpiła szybko ogólnemu rozgoryczeniu. Pokój w Tylży wywołał w kraju konsternację, nie zaspokajał narodowych ambicji, nazywano go nowym rozbiorem Polski. Do powszechnego oburzenia przyczyniło się brutalne zachowanie się w Warszawie i w całym kraju żołnierzy francuskich. Armia napoleońska żywiła się na koszt mieszkańców, doprowadzając kraj do stanu strasznego zniszczenia i nędzy. W całej rozciągłości zastosowano system rekwizycyjny. Warszawa przekształciła się w główny magazyn wojsk francuskich. Zakładano piekarnie, magazyny żywnościowe, pastwiska, rekwirowano konie i wozy do transportu prowiantów do położonych daleko od Warszawy obozów wojsko-

...miasto spadł dotkliwy ciężar zakwaterowania ogromnej masy wojska. Klasztory, ...worki zamieniano w pośpiechu na magazyny zaopatrzeniowe, lazarety, siedziby ...sztabów. Brutalnie wyrzucano z mieszkań lokatorów, opróżniano całe domy na ...a żołnierzy i kwatery oficerów. Już nie wystarczały dawne koszary Artylerii przy ulicy Dzikiej, Gwardii Pieszej Koronnej na Żoliborzu, koszary Kadeckie na Krakowskim Przedmieściu przy Pałacu Kazimierzowskim, Mirowskie przy ulicy Chłodnej, Ujazdowskie, Saskie przy ulicy Królewskiej. Zajęto klasztor Bernardynek na Mariensztacie, Karmelitów na Lesznie, Reformatów przy ulicy Senatorskiej, pałac Karasia na Krakowskim Przedmieściu, Sapiehów przy ulicy Zakroczymskiej, Kickiego i Czartoryskich na Solcu. Wojsko dokonywało przymusowej rekrutacji rzemieślników warszawskich, których zatrudniano przy pracach fortyfikacyjnych w twierdzy modlińskiej. Roboty prowadzono w ciężkich warunkach klimatycznych od 5 rano do 8.30 wieczorem, bez wynagrodzenia, o przysłowiowym kawałku chleba dziennie „[...] niejeden właściciel udawał się na ratusz i składał klucze od swojego domu, którego się zrzekał. Kogo spotkałeś wtedy na ulicy, strapionego lub kobietę łzami zalaną, był to niezawodnie właściciel lub właścicielka domu, żaląca się na Francuzów" – pisał pamiętnikarz warszawski Antoni Magier.

Chcąc szybko położyć kres nieporządkom i nadużyciom, które związane były z nieprawidłowym rozłożeniem kwaterunku, przez Najwyższą Izbę Administracji Publicznej została powołana Komisja Kwaternicza Miasta Warszawy. Rozpoczęła ona działalność 6 stycznia 1807 roku. Z zestawień Komisji wynika, że w okresie dwóch pierwszych miesięcy 1807 roku kwaterowało w Warszawie blisko 110 000 żołnierzy. 2 marca tegoż roku została powołana przez Komisję Rządzącą Deputacja Kwaternicza z miejscem urzędowania w pałacu Krasińskich. Deputacja zorganizowała system prawidłowego rozdziału kwaterunku na poszczególne cyrkuły, zobowiązując urzędy cyrkularne do utrzymywania kontroli i wydawania pozwoleń uwzględniających liczbę żołnierzy oraz czas trwania kwaterunku. Według danych opartych na codziennych raportach biur cyrkularnych ogólna liczba zakwaterowanego wojska od stycznia do września 1807 roku była przeszło trzykrotnie większa od liczby stałych mieszkańców, odnotowano bowiem 262 217 osób. Do i tak już nadmiernych obowiązków miasta należało nawet utrzymywanie gubernatora francuskiego, płacenie mu pensji, diet, dostarczanie pojazdów i zaprzęgu. Okradano mieszkania i zabierano dzieła sztuki. Sam Napoleon podczas swej ostatniej bytności na Zamku Warszawskim wybrał wiele obrazów do muzeów francuskich.

Stoczone w okresie kampanii 1806 roku krwawe bitwy pod Pułtuskiem i pruską Iławą spowodowały masowy napływ rannych i chorych do Warszawy. Liczba ich stale wzrastała, spotęgowana zaciętością walk nad Narwią i surową zimą. Władze francuskie przystąpiły natychmiast do organizowania w całym mieście lazaretów i szpitali wojskowych. W końcu stycznia 1807 roku było w samej Warszawie 6845 rannych w 21 szpitalach, z których połowa urządzona była w domach prywatnych. Główne lazarety, czynne również w okresie wojny polsko-austriackiej 1809 roku, mieściły się w pałacu Jabłonowskich przy ul. Senatorskiej oraz w konwikcie pijarów przy ulicy Miodowej. Inne szpitale znalazły pomieszczenie w pałacu książąt Lubomirskich na Grzybowie, w Pałacu Kazimierzowskim, koszarach Ujazdowskich, Gwardii Koronnej na Żoliborzu, klasztorach wizytek, bonifratrów, kamedułów na Bielanach, w domu księży pijarów przy ul. Długiej, w dolnych pomieszczeniach Arsenału, na Dynasach, w pałacyku kolegium pijarów na Żoliborzu. Wiele domów zajęto na kwatery dla rekonwalescentów i lazarety. Niewielki budżet miasta nie wystarczał na utrzymanie szpitali, uciekano się do nałożenia na ludność podatku lazaretowego, rekwirowano łóżka, materace, sienniki, bieliznę, konie i wozy do transportu rannych, a nawet lekarstwa. Rekwizycje i nadmierne zużycie lekarstw spowodowały ich brak w aptekach, a zły na ogół stan sanitarny miasta oraz obecność chorych i rannych w domach prywatnych groziły wybuchem epidemii. I tu mimo tylu doznanych zawodów i rozgoryczenia przyszło z pomocą ofiarne społeczeństwo Warszawy. Salony i pokoje zamieniły się w szwalnie, szyto bieliznę, skubano szarpie na bandaże, kupcy dostarczali do lazaretów wino i ocet, zbierano składki, a gazety podawały nazwiska ofiarodawców. Po zawarciu pokoju z Rosją w Tylży rozpoczął się odmarsz Francuzów od brzegów Niemna poprzez ziemie polskie. Wojska w przemarszu niszczyły zboże na pniu i rabowały mienie mieszkańców. Dowództwu nie zależało teraz nawet na pozorach jednania sobie opinii społeczeństwa polskiego. W samej Warszawie raporty francuskie stwierdzały, że przechodzący przez stolicę VI korpus zachowywał się jak „żołnierze wchodzący do miasta zdobytego szturmem. Morderstwa, gwałty, rabunek domów znaczyły ich przejście". Nadużycia trwały i w następnych latach, zostały jednak znacznie ukrócone przez marszałka Davouta.

Głośnym echem rozeszła się w Warszawie wiadomość o kasacji zgromadzenia księży redemptorystów, zwanych benonitami od wezwania kościoła św. Benona, położonego przy ulicy Pieszej na Nowym Mieście. W kwietniu 1808 roku marszałek Davout w liście do Napoleona wystąpił z oskarżeniem zgromadzenia o prowadzenie propagandy antyfrancuskiej w Warszawie, rozpowszechnianie fałszywych wiadomości i podburzanie rzemieślników. Oskarżono ich również o szpiegostwo. 15 kwietnia 1808 roku jeden z oficerów francuskich potrąciwszy zakonnika doprowadził do kłótni i rękoczynów. Awantura urosła w raportach Davouta do sprzysiężenia skierowanego przeciw ustalonemu przez Napoleona porządkowi w Europie. Cesarz nakazał natychmiastowe rozwiązanie kongregacji w Europie. Również i książę warszawski, Fryderyk August, dekretem z 9 czerwca 1808 roku wydalił księży benonitów z Warszawy. 17 czerwca 1808 roku specjalnie mianowani komisarze, na czele z pułkownikiem francuskim Saunierem, dokonali rewizji klasztoru, zarekwirowano dokumenty oraz ręczną drukarnię. Po zamknięciu kościoła nad ranem 20 czerwca wywieziono zakonników do Działdowa oraz do fortecy w Kostrzyniu. Majątek zakonu został przekazany administracji rządowej.

Po wywiezieniu benonitów obrócono klasztor na koszary dla kompanii artylerii narodowej. Od stycznia 1810 roku do października 1811 roku mieściła się tam nowomiejska szkoła cyrkułowa. Kościół św. Benona stał pustką. W 1811 roku władze przystąpiły do adaptacji kościoła i klasztoru na archiwum krajowe.

WARSZAWSKA GWARDIA NARODOWA

Milicja warszawska utworzona przez Poniatowskiego w listopadzie 1806 roku stała się zaczątkiem zorganizowanej na wzór francuski Gwardii Narodowej. Do dziejów społecznych Warszawy wpisała się Gwardia Narodowa jako organizacja zamożnego mieszczaństwa stolicy, której powstanie umożliwiły dokonane zmiany ustrojowe w Księstwie Warszawskim, stwarzające mieszczaństwu nowe perspektywy udziału w życiu publicznym kraju. Napoleon oparł się w Polsce na arystokracji i bogatej szlachcie, powierzając im sprawowanie najwyższych stanowisk w rządzie i w administracji kraju, łamiąc jednak szlachecki monopol posiadania dóbr otworzył drogę burżuazji do środowisk ziemiańskich oraz zapewnił przedstawicielom mieszczaństwa wejście do służby w administracji i w korpusie oficerskim organizowanej armii polskiej. Jednym z głównych przejawów społecznego awansu mieszczaństwa był jego udział w Gwardii Narodowej. Utworzenie jej w okresie ustawicznych wojen było zagadnieniem ważnym i pilnym. Należało bowiem zabezpieczyć ład i porządek w miastach i wsiach, utrzymać bezpieczeństwo komunikacji, dać straż magazynom wojskowym. Reskryptem Komisji Rządzącej z 24 kwietnia 1807 roku ustanowiono Gwardię Narodową w Warszawie. Powołano na jej członków właścicieli nieruchomości, kupców zrzeszonych w konfraterniach, rzemieślników w cechach. Wiek powołanych określono na lat 18–50, mundurować się mieli sami. Obowiązywała karność jak w wojsku liniowym, a służba wojskowa i garnizonowa były wymagane w mieście oraz w promieniu 2 mil od niego. W tych granicach gwardziści pełnili służbę bezpłatnie pozostając na własnym utrzymaniu. Organizacja Gwardii nadawała tytularną władzę dowódców batalionów i kompanii obywatelom miasta wybieranym na te stanowiska. Istotna władza spoczywała w ręku oficerów płatnych, przydzielonych do Gwardii ze służby liniowej. Dowódcą Gwardii w Warszawie był początkowo w stopniu pułkownika Aleksander Potocki, później Piotr Łubieński, majorami Józef Krasiński i Jerzy Wiłucki. Oficerowie rekrutowali się spośród obywateli miasta, kupców, rzemieślników i właścicieli posesji. Komenda Gwardii Narodowej mieściła się w kamienicy Kochanowskiego przy ul. Napoleona (ul. Miodowa). Gwardii warszawskiej używano głównie do pełnienia służby wartowniczej i reprezentacji na uroczystościach państwowych i kościelnych. Nie przedstawiała ona jednak wartości bojowej. Gwardziści opuszczali ćwiczenia i wyłamywali się ze służby, uciekając do zajęć domowych, do sklepów i warsztatów. W przededniu wojny polsko-austriackiej 1809 roku było w Warszawie 1973 gwardzistów. Uchwałą Rady Stanu z 16.IV.1809 Gwardia Narodowa podlegała komendantowi miasta. Powołano do niej mieszkańców w wieku od 16 do 60 lat bez względu na stan i religię. W pierwszych dniach wojny 1809 roku stanęła Gwardia na szańcach warszawskich, nie wykazując jednak ochoty do walki. Brak dyscypliny spowodował zamieszanie i nieład. W czasie okupacji stolicy przez Austriaków gwardziści w myśl konwencji pozostali pod bronią i pełnili służbę policyjną. 10 kwietnia 1811 roku ogłoszono dekret króla reorganizujący Gwardię Narodową w Księstwie. Podzielono ją na trzy kategorie: gwardię nieruchomą, ruchomą i płatną. Rok 1812 zastał Gwardię Narodową nie zorganizowaną i nie przygotowaną do pełnienia powierzonych jej zadań. Również i w tej wojnie poza pełnieniem służby garnizonowej w mieście nie zapisała Gwardia warszawska na swe konto jakichkolwiek osiągnięć i sukcesów. Po wkroczeniu wojsk rosyjskich do Warszawy w lutym 1813 roku spełniała nadal swe funkcje porządkowe pod nazwą Straży Wewnętrznej Miasta, podlegając nadzorowi naczelników wojennych. Utworzenie Królestwa Polskiego położyło kres jej istnieniu.

WYBUCH WOJNY Z AUSTRIĄ. BITWA RASZYŃSKA

Krążące od jesieni 1808 roku pogłoski o bliskiej wojnie z Austrią poczęły wczesną wiosną 1809 roku odżywać na nowo. Nastrój niepokoju potęgowały napływające do Warszawy wieści o koncentracji wojsk austriackich w Galicji i zamknięciu granicy przez Austriaków. Dowództwo francuskie i polskie nie liczyło się jednak z możliwością najazdu na Księstwo Warszawskie. Tymczasem nad ranem 15 kwietnia 1809 roku VII korpus austriacki przekroczył niespodziewanie granicę Księstwa pod Nowym Miastem.

Wiadomość o rozpoczęciu wojny rozeszła się błyskawicznie. Ulicami Warszawy przeciągało wojsko, działa i tabory. Młodzież z zapałem zgłaszała się do armii. ,,We wszystkich twarzach widać ochotę, zapał i ufność, żądzę na koniec bronienia oswobodzonej ziemi do ostatka''. Rada Stanu mianowała komendantem miasta francuskiego pułkownika Sauniera, 16 kwietnia powołała na żądanie rezydenta francuskiego Serra nie znaną w ustroju Warszawy instytucję ośmiu dyrektorów, po jednym na każdy cyrkuł, odpowiedzialnych za przeprowadzenie poboru do Gwardii Narodowej oraz za spokój mieszkańców i bezpie-

288. Śmierć Cypriana Godebskiego. Mal. Januar
Suchodolski. Fragment obrazu „Bitwa pod Raszynem"

czeństwo ich mienia. Mieszkańcy stolicy spontanicznie uczestniczyli w przygotowaniach do
obrony miasta. Pomimo niedzieli, 16 kwietnia około 1500 ludzi, w tym kobiety i młodzież,
przystąpiło do prac nad umocnieniem uszkodzonych wałów. Z entuzjazmem dostarczano
koni i wozów do zaopatrywania w żywność wojska polskiego rozłożonego pod Raszynem,
gdzie oczekiwano zbliżającej się bitwy z zapałem i wiarą w zwycięstwo.

Na przedpolach Raszyna, pod Falentami, rozgorzała w środę 19 kwietnia bitwa o Warszawę, która następnie przeniosła się do samego Raszyna i trwała do późnego wieczora. Do
Warszawy dochodził huk dział i widać było stąd dym rozciągający się na linii obronnej
w Raszynie. Mieszkańcy stolicy z napięciem śledzili z wież i gmachów przebieg walki.
Z kopuły kościoła luterańskiego obserwowano z lunetami w ręku toczącą się bitwę
i informowano pozostałych o jej przebiegu. Odważniejsi docierali do rogatek, by udzielać
pomocy rannym. Przed wieczorem przywieziono do miasta jeńców austriackich, późnym
wieczorem ustał huk dział i broni ręcznej, paliły się Falenty. Przez ulice Warszawy
przeciągały wozy z rannymi, których przyjmowano natychmiast do domów i opatrywano.
Bitwa raszyńska zakończyła się sukcesem wojska polskiego. Polacy mimo kilkakrotnego
natarcia przeważających sił nieprzyjaciela utrzymali się na swych stanowiskach i tym
zaciętym oporem przełamali pierwszy impet przeciwnika. Powszechny żal i żałobę
wywołała w Warszawie wiadomość o śmierci w drodze do Warszawy ciężko rannego na
polach raszyńskich pułkownika Cypriana Godebskiego. W nocy z 19 na 20 kwietnia
powrócił wprost z pobojowiska wraz ze sztabem książę Józef. Na radzie wojennej
postanowiono obsadzić piechotą ważniejsze miejsca na wałach i rogatki miejskie. Część
okopów miała zająć uzbrojona ludność stolicy. 300 gwardzistów z VII cyrkułu obsadziło
rogatki czerniakowskie aż do Mokotowa, gdzie zaczynało się lewe skrzydło wojsk polskich
pod dowództwem gen. Sokolnickiego. Zdeterminowana wolą walki postawa wojska
i ludności skłoniła arcyksięcia Ferdynanda d'Este, głównodowodzącego wojsk austriackich, do rozpoczęcia rokowań o poddanie się miasta bez boju. W wyniku pertraktacji
zgodzono się na zawieszenie działań wojennych na 48 godzin, w ciągu których wojsko
polskie miało opuścić Warszawę. Austriacy zobowiązali się nie nakładać kontrybucji
i uszanować wolność osobistą i mienie obywateli. Dzięki uporowi Poniatowskiego
konwencja nie obejmowała Pragi. Na wniosek Ferdynanda 24 kwietnia podpisano
dodatkową umowę o wzajemnym nieostrzeliwaniu Warszawy i Pragi. Natychmiast przystąpiono do ewakuacji miasta. Z największym pośpiechem opróżniano magazyny żywnościowe i Arsenał, zabrano wszystkie konie w stolicy, by nie dostały się w ręce nieprzyjaciela.
W pełnej napięcia sytuacji, pomawiany niesłusznie o zdradę przez pragnącą walki ludność
Warszawy, opuszczał stolicę książę Józef. Wraz z wojskiem wyszła również z miasta
znaczna część młodzieży, rzemieślników i kupczyków, by służyć pod narodowymi sztandarami, a nie w wojsku austriackim. Po przejściu wojska rozebrano most pływający na Wiśle.
Łyżwy mostu załadowano bronią i żywnością i przewieziono na prawy brzeg Wisły. Zalano
wodą magazyn prochowy znajdujący się w kościele Święty Trójcy przy ulicy Długiej.
23 kwietnia udała się do kwatery arcyksięcia Ferdynanda na Rakowcu delegacja miejska
z wiceprezydentem Stanisławem Węgrzeckim i innymi przedstawicielami bogatego mieszczaństwa dla uzyskania gwarancji nienaruszenia mienia mieszkańców Warszawy. Smutno
przyjmowała Warszawa wkraczające 23 kwietnia w godzinach wieczornych od strony
rogatek jerozolimskich wojsko austriackie. Sam arcyksiążę oczekiwał około godziny
u rogatek na przybycie niechętnych mu i ociągających się władz municypalnych. Po

odbyciu defilady na dziedzińcu Saskim odjechał wraz że sztabem na Zamek przeznaczony na kwatery naczelnego dowództwa. Silne oddziały wojska obsadziły dziedziniec saski zatłoczony działami i wozami amunicyjnymi. Zaciągnięto warty przed kwaterą arcyksięcia, przy Arsenale, bramach miejskich i magazynach. Pod surowymi rygorami nakazano mieszkańcom nie należącym do Gwardii Narodowej złożyć w przeciągu 24 godzin broń, amunicję i wydać magazyny.

WARSZAWA W OKRESIE OKUPACJI AUSTRIACKIEJ

23 kwietnia 1809 roku rozpoczął się dla Warszawy przykry i uciążliwy okres okupacji austriackiej, początkowo względnie łagodny, później, w miarę niepowodzeń na froncie polskim oraz na głównym teatrze wojny w Austrii, coraz ostrzejszy i brutalniejszy. Ludność stolicy przyjęła okupacyjne wojska wrogo. Panie z towarzystwa demonstracyjnie nie bywały w miejscach spacerów publicznych, nosiły czarne suknie na znak protestu przeciw obecności Austriaków w mieście, nie utrzymywano stosunków towarzyskich z okupantem. Publiczność warszawska zbojkotowała przedstawienie teatralne nakazane przez władze na cześć zwycięstwa Austriaków. Po tej nieudanej próbie teatr był zamknięty przez czas okupacji. Bezpośrednio po wejściu Austriaków poddano surowej cenzurze prasę warszawską, miasto odcięto od wszelkich źródeł informacji, wstrzymano ruch poczty, zabraniano wyjazdów z miasta. Dla uniemożliwienia nawiązania łączności z załogą polską na Pradze obstawiono szczelnie brzegi Wisły aż do Wilanowa posterunkami i patrolami wojskowymi. Przedsiębiorcza ludność stolicy nawiązała jednak początkowo doraźną, później stałą łączność między obydwoma brzegami Wisły i przekazywała komendantowi Pragi, majorowi Józefowi Hornowskiemu, informacje o ruchach wojsk nieprzyjacielskich w stolicy. Szczególną pomoc okazali tu przewoźnicy i rybacy, zwłaszcza wsławił się rybak Karasiński. Lekarz, doktor Hefele, któremu okupant pozwolił opiekować się rannymi żołnierzami austriackimi na Pradze, był stałym łącznikiem między polską załogą a mieszkańcami Warszawy. Do podniesienia ducha okupowanej stolicy przyczyniła się znacznie dzielna postawa załogi polskiej na prawym brzegu Wisły. Ogólną radość i entuzjazm wzbudziło 24 kwietnia zwycięstwo nad brygadą austriacką, która przeprawiwszy się pod Karczewem na prawy brzeg usiłowała marszem zagarnąć Pragę. Huk dział zbudził wtedy o świcie ludność miasta, która tłumnie wyległa na brzeg Wisły przypatrując się bitwie. Oryginalnie i pomysłowo krzepił komendant załogi praskiej ducha mieszkańców Warszawy. Pierwszego maja podczas hucznie obchodzonych w stolicy przez Austriaków sukcesów w Niemczech rozległo się w mieście echo salw armatnich i wiwaty żołnierzy polskich na Pradze. Wieczorem oświetlił Hornowski swą główną kwaterę inicjałem Napoleona. Na bastionach rozciągnięto sznury lamp, rzęsiście oświetlono Pragę. Tak obchodzono ostatnią wiadomość o zwycięstwie Napoleona nad głównymi siłami austriackimi pod Landshut. W miarę pogarszania się sytuacji militarnej Austriaków następowały coraz ostrzejsze represje okupanta, łamano zasady zawartej konwencji. Na miasto narzucono obowiązek dostawy 5000 płaszczy, butów i kaszkietów, nakładano nowe podatki i kontrybucje, rekwirowano żywność, na ulicach wyprzęgano konie z wozów dla artylerii i taborów. W przeciągu tylko pierwszych dwóch tygodni okupacji Warszawa dostarczyła Austriakom pieniędzy, żywności i innych rzeczy na sumę 900 000 złotych. Wprowadzono zakaz rozmów politycznych i godzinę policyjną oraz przeprowadzano rewizje w mieszkaniach prywatnych w poszukiwaniu broni. 3 maja dla zapewnienia sobie

9. Brama triumfalna wzniesiona „obok Złotych Krzyżów" na Nowym Świecie na cześć zwycięskiego wrotu wojska polskiego z kampanii 1809 r. Miedzioryt. Zygmunt Vogel, ryt. Karol August Richter

bezpieczeństwa aresztowano jako zakładników radców stanu Aleksandra Linowskiego
i Michała Kochanowskiego, wiceprezydenta miasta Węgrzeckiego i radnego Kilińskiego,
umieszczając ich pod strażą na pl. Na Rozdrożu. Nadmierne rekwizycje, opieczętowanie
nawet składów drobnych przekupni oraz całkowite zniszczenie powiatów podwarszawskich wywołało groźbę głodu w Warszawie. W przepełnionych szpitalach zabrakło chleba,
mięsa i piwa. Ofiarne społeczeństwo polskie zorganizowało składki i stałą opiekę nad
rannymi. Zbliżał się dzień wyzwolenia stolicy. W nocy z 1 na 2 czerwca Austriacy po
nałożeniu na miasto 400 000 zł kontrybucji i po zniszczeniu części zapasów nie nadających
się do wywiezienia niespodziewanie opuścili Warszawę. Za nimi wyszli w wielkim
pośpiechu urzędnicy pruscy, skompromitowani w oczach ludności jawną i szkodliwą dla
Polaków współpracą z okupantem. 2 czerwca owacyjnie witany przeprawił się przez Wisłę
batalion 8 pułku. Na Orle widniała czarna krepa na znak żałoby po poległym pułkowniku
Godebskim. 4 czerwca na cześć zwycięstwa oręża polskiego w wojnie z Austrią i oswobodzenia Warszawy odprawiono uroczyste nabożeństwo w katedrze i śpiewano „Te Deum".
Wieczorem odegrano w teatrze „Krakowiaków i Górali", do których dodano pieśni
okolicznościowe dla uczczenia wojska i komendanta Pragi Hornowskiego. Wznoszono
wiwaty na cześć Napoleona i Ojczyzny. 8 czerwca powróciła do Warszawy Rada Stanu.
Komendantem placu mianowano Hornowskiego, gubernatorem miasta generała Amilka-
ra Kosińskiego. W nocy z 7 na 8 czerwca aresztowano trzydziestu Prusaków szczególnie
obciążonych antypolską działalnością w okresie okupacji austriackiej, pod presją opinii
publicznej powołano sądy wojskowe dla spraw kolaborantów.
Warszawa przeżyła w okresie kampanii 1809 roku jeszcze kilka niespokojnych momentów
związanych z przebiegiem działań wojennych w Polsce i niedostateczną ochroną wojskową
stolicy. Kilkudniowa panika ogarnęła miasto i okolice 25 czerwca, kiedy dotarły wiadomości o utarczkach z Austriakami pod Nowym Miastem. Nie wpłynęło to jednak
zasadniczo na zmianę nastrojów w Warszawie, której życie szybko wracało do warunków
pokojowych. Wreszcie 22 października dotarła do stolicy wiadomość o zawarciu przez
Napoleona pokoju. Nazajutrz ogłoszono ją przy odgłosie trąb po ulicach i rynkach, oddano
100 wystrzałów z dział na Pradze. Nadszedł oczekiwany dzień 18 grudnia 1809 roku.
W opinii naocznych świadków przypominał on nastrój stolicy, gdy witano rycerstwo Jana III powracające z wyprawy wiedeńskiej. Wśród dźwięków muzyki i wznoszonych wiwa-
tów na cześć przebywającego w tym czasie w Krakowie księcia Poniatowskiego przechodziły pułki kawalerii i piechoty pod bramą triumfalną wzniesioną według projektu architekta Jakuba Kubickiego na dzisiejszym placu Trzech Krzyży. Przez kilka dni trwały uroczystości, 21 grudnia w Salach Redutowych Teatru na placu Krasińskich wydano wielki bal
urządzony przez miasto, podczas którego wprowadzono uroczyście do loży honorowej 16
najdzielniejszych podoficerów i żołnierzy. Wojna polsko-austriacka zakończyła się zwycięstwem oręża polskiego i poszerzeniem granic Księstwa. Całe społeczeństwo kraju
i stolicy dało w niej dowody ofiarności i patriotyzmu.

Zaczynało się chwiać ustanowione w Tylży przymierze francusko-rosyjskie. Już w sierpniu
1810 roku rozpoczynają się przygotowania do wojny, nie spotykane w tej skali zbrojenia
we Francji i Rosji. Zbliżał się nieuchronnie konflikt militarny między największymi
potęgami w Europie. Księstwu Warszawskiemu, najbardziej na wschód wysuniętej
placówce Cesarstwa, wyznaczył Napoleon szczególne zadania w przygotowaniach wojskowych. Nakazał zgromadzić wielką ilość broni, żywności, ufortyfikować i doprowadzić do
stanu wojennego twierdze, w tym twierdzę praską – ufortyfikowany przyczółek mostowy,
zorganizować centralę wywiadowczą z zadaniem śledzenia ruchu wojsk na granicy
rosyjskiej. Walka ekonomiczna rozpoczęła się od zaostrzenia przez Francję blokady
kontynentalnej Anglii, nałożono olbrzymie cła na towary kolonialne, nakazano sekwestr
i palenie towarów angielskich. 27 grudnia 1810 roku spalono publicznie przed Pałacem
Rzeczypospolitej na placu Krasińskich ułożone na stosach farfury, rydle, motyki, narzędzia rolnicze ogólnej wartości 1 818 515 złotych. Tłum złożony z ludu i z młodzieży otoczył
palący się stos usiłując ocalić resztki towarów. „W dziejach gwałtów i tyranii nic
podobnego nie widziano jeszcze" – pisał o tym wydarzeniu J. U. Niemcewicz. Ustał wszelki
handel z Rosją, która ze względów politycznych skasowała na początku 1811 roku komory
na granicy Księstwa i zakazała importu polskich wyrobów sukiennych. Odczuwano
gwałtowny brak pieniędzy pomimo ofiarności społeczeństwa, oddającego swe ostatnie
zasoby srebra do mennicy warszawskiej. Do skarbu nie wpływały podatki, zabrakło
środków do płacenia żołdu wojsku, wstrzymano pensje urzędnikom cywilnym, a nawet
Radzie Stanu i Radzie Ministrów. Powszechna nędza spowodowała zwiększenie liczby
podrzutków w szpitalach warszawskich. Na przykład szpital Dzieciątka Jezus rejestrował
na wiosnę 1812 roku 60 podrzuconych dzieci miesięcznie. Nie uratowała rozpaczliwej
sytuacji ekonomicznej kraju redukcja zdawkowej monety pruskiej wyznaczona 1 października 1811 roku. Wywołała ona popłoch u przekupni warszawskich. Na kilka dni
zastrajkowali w stolicy piekarze, rzeźnicy, kupcy pozamykali sklepy, nie chcąc nic
sprzedawać pomimo nakazów policji, która siłą zmuszała do otwarcia lokali. Na wiosnę
1811 roku ogarnął Warszawę nastrój niepokoju spowodowany groźbą najazdu od granicy
wschodniej i wiadomością o koncentracji 40 000 żołnierzy stanowiących tylko straż
przednią głównych sił rosyjskich. W końcu kwietnia zarządzono w Warszawie ewakuację

WARSZAWA W PRZEDEDNIU
WOJNY 1812 ROKU

STANISLAW HRABIA POTOCKI
Prezes Senatu Krolestwa Polskiego
Minister Wyznań Religijnych i Oświecenia
Publicznego

wojska, zbrojowni, szpitali, sprzętu i magazynów wojskowych do Kalisza, a nawet liczono się z możliwością zorganizowania obrony na Odrze. Nawet wycofanie się wojska rosyjskiego znad granicy nie uspokoiło nastrojów. Stan trwogi i niepokoju paraliżował wszelkie poczynania w życiu gospodarczym i kulturalnym Księstwa. Rosło zniechęcenie, obawa o przyszłość kraju i niezadowolenie społeczeństwa z istniejących stosunków w tych wyjątkowo trudnych latach poprzedzających kampanię 1812 roku, kiedy całe życie kraju było podporządkowane interesom armii, kiedy ,,krajem rządzono jak i przedtem z Paryża i Drezna, a już najmniej z Warszawy''. Prowadzono intensywne prace nad umacnianiem twierdzy w Modlinie, gdzie dniem i nocą pracowało podczas największych upałów około 10 000 niedożywionych, spędzonych z podwarszawskich okolic chłopów i żołnierzy. Pracowano przy umocnieniach na Pradze, pod Stężycą usypano przedmoście, przystąpiono do tworzenia stanowisk artyleryjskich nawet w samej Warszawie. Tworzono magazyny, zaopatrywano w sprzęt i lekarstwa szpitale warszawskie dla wojsk mających przeciągać przez Księstwo. Potrzeby wojskowe pokrywano w drodze rekwizycji, pieczętowano stodoły i spichlerze, pozbawiano całe wsie niezbędnych środków do życia. Szerokie masy chłopskie nękał głód spotęgowany klęską nieurodzaju 1811 roku. Na wiosnę 1812 roku musiało wyżywić Księstwo Warszawskie około ćwierć miliona żołnierzy i około 70 000 koni.

Rozpoczął się przemarsz ogromnej masy wojsk sprzymierzonych w kierunku granicy rosyjskiej. W kwietniu 1812 roku wszedł do Księstwa korpus saski i westfalski, przeznaczony wraz z polskim do armii prawoskrzydłowej, koncentrujący się nad środkową Wisłą pod komendą króla westfalskiego Hieronima. Stolica Polski grała w tej największej napoleońskiej kampanii rolę bazy operacyjnej prawego skrzydła Wielkiej Armii. W kierunku na Płock posuwała się środkowa armia wicekróla Eugeniusza, licząca 90 000 ludzi. Całe połacie kraju zalane zostały przez obcojęzyczne wojsko. Ciężką sytuację zaostrzała niesłychanie samowola dowódców wszystkich szczebli i żołnierzy. ,,Kraj mimo rozkazów dziennych francuskich za przyjacielski ogłaszany, a przez żołdactwo i jego starszyznę uważany jakby na nieprzyjacielu zdobyty i podług takowego przekonania srodze dręczony: nie wiadomo, czyliby najście Tatarów mogło było tyle za sobą przynieść zniszczenia" – pisał w swych wspomnieniach Antoni Ostrowski. Największych nadużyć dopuszczało się wojsko westfalskie, złożone z niechętnych Napoleonowi i Polakom Niemców, pozostające pod komendą Hieronima. Z przybyciem jego oraz sztabu w nocy z 2 na 3 maja 1812 roku do Warszawy rozpoczęło się nowe pasmo cierpień i udręki dla ludności miasta. Otoczony liczną świtą, zatrzymał się w pałacu Brühla, gdzie wydawał huczne bale i przyjęcia, obciążając bezceremonialnie kosztami skromny budżet miasta. Żądał dostaw mleka i wina do kąpieli. Zaczęły się powszechne rekwizycje nie tylko żywności, lecz nawet i mebli, naczyń kuchennych i innych przedmiotów. Wyciągano brutalnie ludzi z mieszkań i zmusza-

291. Oficerowie i żołnierze Księstwa Warszawskiego
Rys. Ernst Theodor Hoffmann

no ich na ulicy do pełnienia funkcji tłumaczy i przewodników, zabierano konie i wozy do transportu bagaży ogromnej rzeszy urzędników dworu Hieronima. Szef sztabu wojska westfalskiego, nie pytając o zgodę właściciela, wprowadził się nawet do pałacu prezesa Rady Ministrów, Stanisława Kostki Potockiego, którego rezydencja, przeznaczona na reprezentację rządową, była zwolniona od kwaterunku przez Fryderyka Augusta. Rozgoryczona ludność Warszawy reagowała na nowe żądania i akty kradzieży szczególnie ostro w czasach powszechnego głodu i drożyzny, kiedy chłopi żywili się chwastami i korą sosnową. Dochodziło do krwawych rozpraw między ludnością miasta a butnym wojskiem westfalskim. Dzięki śmiałej postawie wiceprezydenta Stanisła Węgrzeckiego ochroniono niejednokrotnie stolicę od łupiestw i rabunków. Z radością i ulgą przyjęto wiadomość o wyjeździe rankiem 17 czerwca króla westfalskiego z Warszawy. Jego wojsko wychodziło z miasta wśród wybuchów nienawiści i tumultu. Były wypadki krwawych porachunków. Udaremniono próbę podpalenia Pragi przez żołnierzy korpusu westfalskiego, a niedoszłych podpalaczy przyłapanych na gorącym uczynku tłum podobno zmasakrował.

Warszawa ożywiła się w okresie sejmu, trzeciego i ostatniego w dziejach Księstwa Warszawskiego, zwołanego w przededniu decydujących dla Polski wydarzeń politycznych. Do stolicy zjechała arystokracja, posłowie z całego kraju. 26 czerwca nastąpiło otwarcie sejmu nadzwyczajnego, a 28 czerwca odczytanie na Zamku Królewskim aktu Konfederacji Generalnej, powołano na okres zalimitowania sejmu Radę Generalną Konfederacji, wyznaczając jej siedzibę na Zamku. Obrady sejmowe toczyły się w atmosferze bezgranicznej wiary w odbudowanie Polski przez Napoleona przy apatii szerokich rzesz ludności, zmęczonych ogromem cierpień i ruiną kraju. Na dwa dni przed rozpoczęciem obrad sejmowych w Warszawie, w nocy z dnia 23 na 24 czerwca 1812 roku, Wielka Armia uderzyła na Rosję.

WARSZAWA W OKRESIE WOJNY 1812 ROKU

Wiadomości z pola bitwy w Rosji o sukcesach Napoleona przyjmowała opinia publiczna w Warszawie z dużą ostrożnością. ,,Powszechnie złe przeczucia, mimo oficjalnych biuletynów o rzeczywistych odniesionych korzyściach i postępie w armii, przewagę brały: fizjonomia ogólna tak już była smutna jak sama wróżba" – charakteryzuje nastroje pamiętnikarz Antoni Ostrowski. Ogromne zamieszanie wywołała w Warszawie wiadomość o przekroczeniu w połowie lipca 1812 roku Bugu przez straż przednią armii obserwacyjnej generała Tormasowa i marszu Rosjan na Lublin. Dzięki energii generała Wielhorskiego zmobilizowano w Warszawie resztki sił wojskowych i Gwardię Narodową do obrony otwartych i nie zabezpieczonych granic Księstwa. Dla podniesienia ducha ludności ogłoszono wiadomość o szybkim przybyciu z pomocą marszałka Victora. W tym celu urządzono również w Warszawie uroczystą rewię Gwardii Narodowej. Z widoczną ulgą przyjęto wreszcie wiadomość o zmianie kierunku marszu Tormasowa, który zwrócił się na Brześć, przeciw korpusom francuskim osłaniającym linie komunikacyjne Wielkiej Armii. Od połowy października Warszawa przeżywała raz po raz niebezpieczeństwo rosyjskiej ofensywy. Prawdziwa panika, spotęgowana nerwowością ambasady francuskiej, wybuchła 14 października, gdy odebrano wiadomość o pustoszeniu przez kozaków powiatów nadbużańskich i ataku generała Aleksandra Czerniszewa na Siedlce. Ulice Warszawy zapełniły się powozami uciekinierów. Nie zdołały ożywić pogrążonego w rezygnacji społeczeństwa płomienne odezwy francuskiego komendanta miasta, gubernatora Rajmunda Dutaillisa. 16 października na jego rozkaz powrócono do zaniechanej w okresie Cesarstwa tradycji rewolucji francuskiej, wywieszając na ratuszu czerwoną chorągiew jako godło ,,porządku" mieszczańskiego i symbol stanu wyjątkowego. Strach był tak wielki, że nawet Rada Ministrów zażądała od generała Wielhorskiego wyznaczenia terminu ewakuacji rządu. Warszawę opuściła już część arystokracji, bogate mieszczaństwo wywoziło kosztowności, wielu mieszkańców przygotowywało się w pośpiechu do opuszczenia stolicy. Wreszcie w celu położenia kresu rozszerzającej się panice na dalsze tereny kraju francuski komendant miasta nakazał zamknięcie rogatek warszawskich, obsadzenie ich wojskiem oraz niewypuszczanie z miasta i niewpuszczanie nikogo do miasta.

Październikowe nastroje w Warszawie łączyły się ściśle z sytuacją na teatrze działań wojennych. Na wieść o zwycięstwie Rosjan nad Muratem pod Tarutino Napoleon opuścił pośpiesznie Moskwę 19 października 1812 roku. 26 października rozpoczął się drogą smoleńską odwrót Wielkiej Armii. Niespodziewanie 10 grudnia 1812 roku konwojowany przez szefa szwadronu, oficera polskiego Wąsowicza, dotarł Napoleon do Pragi. Przyjazd cesarza utrzymano w całkowitej tajemnicy. Dlatego po przejściu piechotą mostu nie zatrzymał się na Zamku ani w ambasadzie francuskiej, lecz w oberży u Tomasza Gąsiorowskiego, właściciela Hotelu Angielskiego przy ul. Wierzbowej. Tam polecił wielkiemu koniuszemu Caulaincourtowi zawiadomić ambasadora Pradta o swoim przyjeździe. Po odbyciu rozmów z ambasadorem francuskim Pradtem oraz Stanisławem Potockim i ministrem skarbu Matuszewiczem opuścił tego samego dnia Warszawę późnym popołudniem. Udał się pośpiesznie do Drezna, pozostawiając rządowi polskiemu obietnicę powrotu nad Wisłę oraz polecenie powołania nowych oddziałów i ogłoszenia pospolitego ruszenia.

Tymczasem przez Warszawę przechodziły niedobitki Wielkiej Armii. Żołnierze byli ,,zmarźli, obdarci, w rozmaitych strojach, podobniejsi do żebraków jak do żołnierzy" – pisał naoczny świadek wydarzeń w okresie zimy 1812 roku, Kajetan Koźmian. 28 grudnia dotarły do Warszawy w stanie całkowitego wyczerpania resztki V Korpusu Polskiego, przynosząc wszystkie prawie sztandary oraz przywożąc całą uratowaną artylerię. Egoizm Francuzów, którzy nie chcieli odstąpić koszar warszawskich, spowodował zatrzymanie się oddziałów polskich wraz z pułkiem Aleksandra Chodkiewicza na niewygodnych kwaterach na Pradze. W trudnych warunkach spowodowanych dezorganizacją i apatią rządu i władz administracyjnych, w atmosferze znużenia wojną oraz opozycji pewnych kół rządowych orientujących na cara czyniono w Warszawie przygotowania do obrony. Minister wojny, książę Poniatowski, przystąpił do organizowania nowych oddziałów i zaopatrywania twierdzy w Modlinie. 20 grudnia przebywało w Warszawie około 8000 żołnierzy i 2000 koni. Reorganizacja wojska potrzebnego do obrony stolicy wymagała jednak paru miesięcy. Osłona miasta była teraz uzależniona od dotychczas sprzymierzonego z Napoleonem Schwarzenberga, dowódcy korpusu austriackiego. Pod pozorem udania się na leże zimowe korpus Schwarzenberga cofnął się ku Warszawie, oddając przeciwnikowi wschodnie departamenty Księstwa. 30 stycznia 1813 roku Schwarzenberg cofnął się za Wisłą w środki lecznicze i opał. Rada Ministrów pod presją Poniatowskiego wyjechała 3 lutego 1813 roku z Warszawy. Wieczorem 4 lutego wyjechał w pośpiechu ambasador postanowiono ewakuować się do Krakowa i tam oczekiwać dalszego rozwoju wypadków. Wojska rosyjskie wraz z carem Aleksandrem i dowódcą armii rosyjskiej Kutuzowem przeszły 13 stycznia 1813 roku Niemen i wkroczyły do Księstwa Warszawskiego. Bronił się dzielnie Modlin, którego załoga była zaopatrywana przez ludność Warszawy tratwami Wisłą w środki lecznicze i opał. Rada Ministrów pod presją Poniatowskiego wyjechała 3 lutego 1813 roku z Warszawy. Wieczorem 4 lutego wyjechał w pośpiechu ambasador francuski. 5 lutego wyjechał już na zawsze z Warszawy na czele wojska książę Józef Poniatowski. Pozostała natomiast Rada Stanu, senatorowie, nie ewakuowano sądów i biur ministerialnych. Zarząd miasta objął prefekt Szymanowski. Dotychczasowy prezydent Warszawy Węgrzecki 6 lutego podał do wiadomości, że pozostawiona w mieście mała załoga austriacka pod dowództwem generała de Siegenthala opuszcza nazajutrz Warszawę, oraz zapowiedział wejście armii rosyjskiej na dzień 8 lutego o godz. 9 rano. Wezwał również mieszkańców Warszawy do zachowania spokoju, a członków Gwardii Narodowej – do objęcia obowiązków służbowych. 7 lutego na wezwanie generała Miłoradowicza udała się do jego kwatery w Wilanowie deputacja miasta, wręczając mu klucze „na znak spokojnego poddania", a chleb i sól „na znak gościnności i otwartego postępowania". Nazajutrz wojska carskie zajęły okolice Warszawy. U rogatek stanęły straże konne. 9 lutego generał Miłoradowicz jeździł po Warszawie otoczony orszakiem, po czym wrócił do swej kwatery w Wilanowie.

W kilkanaście dni później, 14 marca 1813 roku, car Aleksander I utworzył w Warszawie Radę Najwyższą Tymczasową Księstwa Warszawskiego, z prezesem i zarazem general-gubernatorem Łanskojem, której powierzył namiestniczą kolegialną władzę cywilną obok naczelnej władzy wojskowej, sprawowanej przez feldmarszałka Barclay de Tolly. Policmajstrem miasta Warszawa mianowany został najpierw generał Swieczyn, a od maja – znany ze swych nadużyć na Litwie – generał Hertel (Ertel). W pałacu Krasińskich odbyło się 5 kwietnia 1813 roku pierwsze posiedzenie nowego rządu. Na skutek skargi Adama Czartoryskiego przedstawionej Aleksandrowi został 30 sierpnia 1813 roku ustanowiony Komitet Nadzoru Policyjnego pod zwierzchnictwem Nowosilcowa w celu ograniczenia samowoli Hertla. Szczególnie dotkliwie dały się odczuć mieszkańcom Warszawy, siedziby głównej kwatery wojsk okupacyjnych w Księstwie, liczne i nad miarę oraz możność kwaterunki. Marszałek Barclay de Tolly zajął ze swoim sztabem i około 2000 oficerów prawie wszystkie zdatne na kwatery gmachy i domy w Warszawie. Największy jednak ciężar materialny stanowiły niezmierne rekwizycje wojenne na rzecz wojsk okupacyjnych ściągane z całą bezwzględnością pod karą sądu wojennego. Ogółem wszystkie dostawy wybrane przez wojsko w Księstwie w 1813 roku i czterech pierwszych miesiącach 1814 roku wyniosły 157 928 176 złotych. Stan niepokoju potęgowała niepewność co do dalszego bytu politycznego Polski, której los rozstrzygał się w Wiedniu. Z tym większą radością witano kilkutysięczny korpus polski, który po zwolnieniu od przysięgi przez Napoleona powrócił 8 września z Francji do Warszawy. Z tym większym żalem witała Warszawa zwłoki powszechnie lubianego księcia Poniatowskiego sprowadzone w początkach września 1814 roku do byłej stolicy Księstwa.

20 czerwca 1815 roku nastąpiło w Warszawie uroczyste ogłoszenie Królestwa Polskiego, instalacja nowego Rządu Tymczasowego Królestwa Polskiego, opublikowanie zasad przyszłej konstytucji i uroczystych proklamacji do narodu. Po nabożeństwie w katedrze św. Jana sekretarz główny nowego rządu, Józef Kalasanty Szaniawski, odczytał odezwę Aleksandra I, w której monarcha wskazywał na dobroczynne skutki uchwały Kongresu Wiedeńskiego. Odczytano również akt zrzeczenia się Księstwa Warszawskiego przez króla saskiego Fryderyka Augusta. Następnie w obecności członków Rządu Tymczasowego, władz oraz zebranej publiczności złożono przed portretem Aleksandra przysięgę na wierność carowi. Jednocześnie na Zamku, na ratuszu staromiejskim i na pałacu Krasińskich, dotychczasowej siedzibie Rady Najwyższej, zawieszono nowy herb państwa polskiego. Po złożeniu przysięgi rząd poprzedzany przez prezydenta miasta Stanisława Węgrzeckiego powrócił do Zamku, skąd udano się na Wolę, by złożyć hołd wielkiemu księciu

Konstantemu. Po południu odbył się w sali zamkowej obiad na dwieście osób wydany przez policmajstra Warszawy; ugoszczono też lud warszawski, a wieczorem wystawiono w teatrze dostosowaną do potrzeb chwili sztukę Bogusławskiego „Krakowiacy i Górale" i urządzono iluminację w mieście. Dzień ten był ostatnim dniem urzędowania Rady Najwyższej Tymczasowej Księstwa Warszawskiego. 51 wystrzałów armatnich oznajmiło 20 czerwca 1815 roku o godzinie 5 rano mieszkańcom Warszawy rozpoczęcie nowego rozdziału w historii ich miasta, obecnie stolicy Królestwa Kongresowego, związanego aż do drugiej niepodległości Polski w XX wieku dziedzicznie z berłem cara rosyjskiego.

ŻYCIE OBYCZAJOWE I KULTURALNE W WARSZAWIE W OKRESIE KSIĘSTWA WARSZAWSKIEGO

Jak wspomniano, lata wojny, przemarsze wojsk i związane z tym nadużycia i rekwizycje rujnowały życie gospodarcze kraju. Przy powszechnym zubożeniu okres wojny był okazją dla przedsiębiorczych kupców i bankierów do zebrania majątków: dostawy wojskowe, różne liwerunki, jak płótna i sukna na umundurowanie, żywności i furażu dla pułków, aprowizacja szpitali i dostawy środków leczniczych, sprzętu i wyposażenia dla koszar, a nawet produkcja środków transportowych, wozów i bryczek dla armii i organizowanie podwód dla wojska były intratnym źródłem zarobków tworzącej się nowej burżuazji. W Warszawie, siedzibie władz centralnych państwa i ministerium wojny, podejmowało zlecenia rządowe wąskie jeszcze w czasach Księstwa Warszawskiego środowisko dorabiających się właścicieli firm handlowych, wekslarskich oraz zamożnych rzemieślników. Szczególną aktywność w akumulowaniu kapitału wykazały przedsiębiorstwa liwerańckie oraz kantory bankierskie: J. Jakubowiczowej, rodziny Bergsohnów, S. L. Kronenberga, S. A. Fraenkla, B. Rosena, Salomona i Ignacego Neumarków, M. J. Bansemera, J. J. Charzewskiego, Grzegorza i Andrzeja Bielskich, L. Gąsiorowskiego, rodziny Toeplitzów. Do znacznego udziału ludności Warszawy zawodowo czynnej w sferze handlu i finansów zachęcały spekulacje, wymiana pieniądza, zaopatrzenie armii, import artykułów francuskich i saskich, zwłaszcza dostawy towarów winnych i kolonialnych, szczególnie preferowanych przez generalicję i dwór napoleoński w okresach ich pobytu w Warszawie. W porównaniu z 1792 rokiem wzrósł odsetek mieszkańców żyjących z handlu z 8,1% do 15,5% w 1810 roku, do czego przyczyniła się dodatkowo intensywna migracja ludności żydowskiej do Warszawy. W stosunku do ogółu ludności stolicy Księstwa wynoszącej 77 727 osób, liczba Żydów wzrosła z 8,6% w 1795 roku do 18,1% w 1810 roku (w liczbach bezwzględnych z 6013 do 14 601 osób). Ludności żydowskiej, z wyjątkiem zamożnych rodzin bankierskich, kupieckich lub legitymujących się znajomością języka polskiego, francuskiego i „przynajmniej niemieckiego", władze księstwa zabroniły w 1809 roku mieszkania na Starym i Nowym Mieście, przy ulicy Napoleona (Miodowej), Senatorskiej, Krakowskim Przedmieściu i Nowym Świecie i innych ważniejszych ulicach Warszawy. W Warszawie utrzymywały się z handlu 1954 osoby, w przemyśle i rzemiośle, przeważnie drobnym, znalazło zatrudnienie 7535 mieszkańców, wśród których na 4145 właścicieli warsztatów przypadło 2181 czeladzi i terminatorów. Wraz z rozbudową administracji państwowej wzrosła znacznie warstwa zawodowych urzędników, która wraz z grupą kapitalistyczno-ziemiańską i wysoko wykwalifikowaną inteligencją wynosiła prawie 5% ogółu mieszkańców Warszawy. Władze miejskie reprezentował szczególnie zasłużony w obronie ludności przed nadużyciami wojsk i administracji francuskiej wiceprezydent Stanisław Węgrzecki, mianowany w 1810 roku prezydentem miasta. Wybrany w lutym 1807 roku prezydent Łochocki zrzekł się swego stanowiska, co spowodowało mianowanie przez władze rządowe prezydentem Pawła Bielińskiego. W 1809 roku dekretem królewskim ustanowiono wyodrębnione municypalności dla Warszawy, Poznania, Torunia i Kalisza, a prezydenci tych miast kierowali administracją miejską, podlegając bezpośrednio prefektom departamentowym. W okresie Księstwa przeprowadzono kilkakrotną reorganizację administracji miejskiej

92. Posiedzenie Klubu Szaradzistów w 1807 r. Akwarela, mal. S. Kurczyński

273

przez powołanie oddzielnej władzy prezydenta policji i powierzenie nadzoru nad miastem, dotychczas w kompetencji ministra policji, Ministerium Spraw Wewnętrznych.

Lewobrzeżną Warszawę podzielono w 1809 roku na 7 cyrkułów; ósmy cyrkuł stanowiła Praga. Ogólna liczba domów w Warszawie razem z Pragą wynosiła w 1807 roku 3370, w tym Warszawa lewobrzeżna miała 1228 domów murowanych, 1697 drewnianych i 32 budowane w pruski mur, o łącznej liczbie 26 605 izb mieszkalnych. Praga była zabudowana 413 domami, w tym murowanych było 28 i drewnianych 385, a liczba izb wynosiła 1333. Okres prawie nieustannych wojen nie sprzyjał realizacji planów urbanistycznych i rozbudowie miasta. Opracowano plan regulacji miasta, znany pod nazwą planu Żaczkowskiego. Zaprojektowano parcelację części Ogrodu Saskiego wzdłuż ulicy Królewskiej na 12 działek o wymiarach 28×22,4 metra, przy ulicy Długiej na wprost Arsenału na miejscu drewnianych domów wystawiono kilka kamienic. Łącznie wybudowano w latach Księstwa Warszawskiego zaledwie kilkadziesiąt domów. Natomiast w związku ze wznoszeniem twierdz w trójkącie Praga–Serock–Modlin wykonano na rozkaz Napoleona szereg wyburzeń na prawym brzegu Wisły. Wyburzono między innymi kościół bernardynów pod wezwaniem św. Stanisława z budynkami parafialnymi, kościół i klasztor bernardynek przy ulicy Panieńskiej oraz całą zabudowę aż po ulicę Targową wraz z wielką żupą królewską, cmentarzami na Skaryszewie i Pradze, ratuszem praskim i wszystkimi pozostałymi domami w tym rejonie. Łącznie wyburzono około 200 domów. Podjęte z inspiracji rządu intensywne prace nad rozbudową i realizacją planów urbanistycznych oraz zmianą oblicza architektonicznego miasta prowadzone były w Warszawie dopiero w najbliższych pokojowych latach Królestwa Kongresowego.

Stałe świadczenia ludności na rzecz armii francuskiej i wojsk sojuszniczych, rekwizycje i kwaterunek, wzmagająca się drożyzna, opłakany stan sanitarny miasta i brak oświetlenia przy powszechnym zubożeniu ludności i stagnacji gospodarczej składały się na mało optymistyczny obraz Warszawy epoki kampanii napoleońskich. Atrakcję dla nękanej wojną ludności Warszawy stanowiły liczne przyjęcia, publiczne zabawy i defilady wojskowe organizowane z okazji przyjazdu Napoleona, króla saskiego i księcia warszawskiego Fryderyka Augusta, uroczystości dworu cesarskiego, celebrowanie zwycięstw wojsk polskich i francuskich i aktualnych wydarzeń politycznych. Szczególnie uroczyście obchodzono w stolicy urodziny Napoleona przypadające 15 sierpnia. Na budynkach rządowych umieszczono iluminowane litery N, oświetlano główne ulice i domy, w kościołach różnych wyznań odprawiano uroczyste nabożeństwa i odmawiano specjalnie układane modlitwy za pomyślność cesarza i oręża francuskiego. W rocznicę zawarcia traktatu między Francją i Saksonią obchodzono w Warszawie z wielką okazałością uroczystość zmiany nazwy ulicy Miodowej na Napoleona. Również pompatycznie uczczono pierwszego maja 1808 roku – dzień nadania Księstwu Warszawskiemu kodeksu Napoleona. Po nabożeństwie w katedrze św. Jana, gdzie na bogato zdobionej tkaninie spoczywał pięknie oprawiony kodeks, uformował się okazały pochód, który ruszył przez Senatorską, Miodową, do pałacu Krasińskich. Uroczystość zakończono balem u ministra sprawiedliwości Feliksa Łubieńskiego, gdzie w iluminowanym ogrodzie poprzebierane za westalki panie uwieńczyły popiersie Napoleona.

Na zamku warszawskim odbywały się bale wydawane przez Fryderyka Augusta. Książę Józef, minister wojny, utrzymywał tradycje świetności zabaw z czasów pruskich w pałacu Pod Blachą. Prezes Rady Stanu i Rady Ministrów, Stanisław Kostka Potocki, wydawał obiady dla literatów i uczonych we wspaniale urządzonych górnych apartamentach swego pałacu przy Krakowskim Przedmieściu. Na piątkowych obiadach u prezesa senatu, marszałka Sejmu Czteroletniego Stanisława Małachowskiego, spotykała się elita towarzyska ówczesnej Warszawy. Również znane były przyjęcia urządzane w pałacu Brühla przez prezesa senatu Tomasza Ostrowskiego, prezesa Rady Stanu Gutakowskiego w pałacu na Grzybowie, ministra sprawiedliwości Feliksa Łubieńskiego przy ulicy Królewskiej oraz Adama Brońca w oficynie Zamku Królewskiego. Niejednokrotnie ton okazałym przyjęciom nadawała ambasada francuska, która otworzyła podwoje dla polityków, uczonych i literatów. Serra, rezydent francuski w Warszawie, od 1808 roku członek Towarzystwa Przyjaciół Nauk i bywalec salonów stolicy, wydawał bale w pałacu Teppera przy ul. Napoleona, ambasador Pradt organizował festyny i wieczorne zabawy w pałacu Potockich.

„...jeżeli gdziekolwiek w Europie była stolica mogąca mieć salony przypominające nam obyczaje i maniery ulicy Chaussée d'Antin, a raczej przedmieścia Saint-Germain, to niezawodnie Warszawa, i to nawet w tak ciężkich latach, jak rok 1811 i 1812" – pisał o Warszawie z ostatnich lat Księstwa Warszawskiego rezydent francuski Ludwik Bignon.

Ogólne zubożenie kraju nie stwarzało jednak warunków do wystawnych zabaw i przyjęć organizowanych tylko przez kilka znanych rodzin arystokracji i bogatej szlachty. W skromnie umeblowanych w stylu panującego wówczas empiru kilkupokojowych pomieszczeniach prowadzono dyskusje naukowe i komentowano aktualne wydarzenia polityczne u Aleksandrostwa Chodkiewiczów, początkowo w domu na Nalewkach, a później przy ulicy Napoleona, Marianny Lanckorońskiej, kasztelanowej połanieckiej, na Nowym Świecie, generałostwa Wielhorskich przy Krakowskim Przedmieściu oraz Sołtyka, którego proszone obiady miały charakter posiedzeń akademickich. Stroje kobiet cechowała duża oszczędność, nie noszono prawie pereł, diamentów, ani lijońskich jedwabi. Zarzucono całkowicie strój narodowy, którego tradycje podtrzymywał w stolicy jedynie znany

notariusz warszawski Walenty Skorochód-Majewski. Okres wojenny, podporządkowanie całego życia kraju potrzebom armii i masowy zaciąg młodzieży do szeregów tworzącego się wojska polskiego – wszystko to sprzyjało powstaniu kultu munduru, w którym pokazywano się chętnie na zebraniach towarzyskich i oficjalnych przyjęciach. Wprowadzono uniformy obywatelskie dla szlachty: zwykłe i galowe, te ostatnie w kolorze granatowym z karmazynowym kołnierzem i wyłogami u rękawów haftowanych srebrem. Krój ich był ściśle przestrzegany i zgodny z rozsyłanymi do biur i urzędów wzorami. Wyrazem awansu społecznego mieszczaństwa było wprowadzenie w 1809 roku tych samych mundurów dla nieszlachty, deputowanych na sejm lub zatrudnionych w Radzie Stanu i w sądownictwie. Niżsi urzędnicy nie nosili mundurów, ministrowie mieli prawo noszenia munduru ze złotym haftem.

Życie obyczajowe stolicy uległo silnym wpływom francuskim. Zapatrzona w Paryż arystokracja uwielbiała wszystko co francuskie i prześcigała się w przesadnej gościnności w poszukiwaniu protekcji i stanowisk u niejednokrotnie gburowatych marszałków napoleońskich, ówczesnych wielkorządców Polski.

Z wkroczeniem wojsk francuskich nastąpiła w Warszawie ożywiona działalność lóż masońskich. W Warszawie istniało w czasach Księstwa Warszawskiego aż 7 lóż masońskich: dwie niemieckie z czasów pruskich, dwie francuskie oraz trzy polskie. W 1810 roku została otwarta loża masońska kobiet „Eden", mieszcząca się w pałacu Działyńskich przy ul. Leszno.

Do stolicy, gdzie miały swą siedzibę: rząd Księstwa Warszawskiego kierujący centralistycznie całą administracją kraju, jedyny w Księstwie Sąd Apelacyjny oraz naczelne dowództwo wojska polskiego, napływały tłumy interesantów, szlachty ubiegającej się o intratne posady, rekrutów i ochotników do wojska. Na ulicach Warszawy nie było widać jednak zamożności i dostatku „... oprócz żołnierstwa i ubogiego ludu rzadko coś świetnego spotkał"; w oknach kamienic zajętych przez wojsko „widać było w złocistych lamperiach rynsztunki, mundury, surowe mięso wiszące na ścianach" – relacjonuje pamiętnikarz. Ulice ożywiały jedynie barwne mundury wojsk polskich, francuskich, saskich i innych sprzymierzonych z Napoleonem narodowości. Defilady wojskowe odbywały się przy licznie zgromadzonej publiczności przeważnie na dziedzińcu saskim, na placach Ujazdowskim i Krasińskich, na Woli, rzadziej na Krakowskim Przedmieściu i podwórcu zamkowym. Do ulubionych miejsc spacerowych, zwłaszcza wobec ciasnoty mieszkaniowej spowodowanej kwaterunkiem, należały ogrody Saski i Krasińskich, służące do spotkań towarzyskich i dyskusji politycznych. Nie przyzwyczajone do wymogów nowoczesnej, scentralizowanej i skomplikowanej administracji prowadzonej przez zawodowych urzędników społeczeństwo wyrażało niejednokrotnie swoje niezadowolenie, wypowiadając się w złośliwych pamfletach o ostrości i bezduszności ówczesnej biurokracji:

> „Przeraża strachem urzędników lista:
> Tu konserwator, tu pan archiwista.
> Szef z podszefem stoi w parze.
> Za pisarzem podpisarze,
> Aplikanty z adiunktami,
> Kontrolery z rachmistrzami".

Ogólne wyniszczenie kraju, trudne warunki finansowe oraz czasy wojenne nie sprzyjały rozwojowi nauki w okresie Księstwa Warszawskiego. Również czynne zaangażowanie się najwybitniejszych członków Towarzystwa Warszawskiego Przyjaciół Nauk w administracji i życiu politycznym nie pozwalało na całkowite poświęcenie się literaturze i sztuce. Pomimo to rozwijało Towarzystwo ożywioną działalność i było jednym z głównych ośrodków życia naukowego w kraju. W szeregach Towarzystwa znalazła się elita umysłowa stolicy, reprezentowana między innymi przez Stanisława Kostkę Potockiego, wybitnego znawcę i teoretyka sztuki, J. U. Niemcewicza, autora pamiętników z okresu Księstwa i „Śpiewów historycznych", Stanisława Staszica, twórcę geologii polskiej, autora rozprawy „O statystyce Polski", opracowanej na zamówienie rządu Księstwa, Wawrzyńca Surowieckiego, wykładowcę w Szkole Prawa i Administracji i autora rozpraw o „Upadku przemysłu i miast w Polsce", „O rzekach i spławach krajów Księstwa Warszawskiego", S. B. Lindego, twórcę monumentalnego „Słownika języka polskiego" i rektora Liceum Warszawskiego, Piotra Aignera, architekta i budowniczego Warszawy, Zygmunta Vogla i Marcelego Bacciarellego, znanych malarzy, J. W. Bandtkiego, profesora Szkoły Prawa i notariusza, oraz Józefa Franciszka Łęskiego, profesora Liceum Warszawskiego, znakomitego astronoma i matematyka. W początkach 1812 roku w skład Towarzystwa wchodziło ogółem 145 członków, w tym czynnych 53, przybranych i korespondentów 62 i honorowych 30. Godność prezesa piastował biskup Jan Chrzciciel Albertrandy. Po jego zgonie w 1808 roku jednogłośnie wybrano na prezesa Stanisława Staszica. W grudniu 1806 roku nastąpiło przeniesienie Towarzystwa z biblioteki pijarów przy ulicy Długiej, dotychczasowej siedziby, do odbudowanych na koszt Staszica nowych pomieszczeń na Kanoniach. W dniu 13 grudnia 1806 roku odbyło się tam pierwsze posiedzenie Towarzystwa. Jednym z głównych zadań posiedzeń naukowych Towarzystwa było opracowanie monografii współczesnej Polski. W tym celu powołano komisję do opracowania „historii polskiej teraźniejszych czasów", obejmującej okres od Konstytucji 3 maja poprzez insurekcję kościuszkowską i Legiony aż do czasów budowy państwa polskiego na ziemiach wyzwolonych przez Napoleona. Zadaniem Komisji, wybranej na posiedzeniu nadzwyczajnym 17 lutego 1807 roku, było między innymi systematyczne gromadzenie pamiętników mieszkańców Księstwa. Rząd obiecał pomoc w zakresie uzyskania dokumentacji i udostępnienia materiałów. Program zaprojektowanej monografii miał być podany do wiadomości publicznej przez miejscowe gazety w celu zainicjowania dyskusji. Postulowano konieczność opracowania przez członków TPN dziejów narodu polskiego, „rozumowanego katalogu dzieł polskich" oraz słownika biograficznego sławnych Polaków. Towarzystwo Warszawskie Przyjaciół Nauk uczestniczyło w pracach naukowych na potrzeby rządu. W związku z wprowadzeniem w kraju kodeksu Napoleona udzielono poparcia wnioskowi ministra sprawiedliwości, Feliksa Łubieńskiego, o wydanie pod auspicjami TPN polskiego przekładu kodeksu. Na sesji w dniu 1 listopada 1807 roku powołano komitet redakcyjny, a tłumaczenia podjął się Szaniawski. Na sesjach Towarzystwa dzielono się wynikami prac z zakresu literatury, medycyny, prawa, fizyki, chemii i innych dyscyplin naukowych. Publikowano rozprawy w „Rocznikach", organie naukowym Towarzystwa. Meteorolog, członek TPN, Antoni Magier przeprowadzał systematyczne obserwacje dla Towarzystwa w swym obserwatorium na dachu domu przy ul. Piwnej 95. Na sesji 12 grudnia 1807 roku omawiano ogromne znaczenie dla nauki polskiej pierwszego tomu „Słownika języka polskiego" S. B. Lindego. W 1809 roku Towarzystwo zainicjowało zbieranie funduszu ze składek publicznych na budowę pomnika Mikołaja Kopernika w Toruniu, gdzie w dniu 20 września 1809 roku położono kamień węgielny. W odpowiedzi na atak prasy niemieckiej na tę akcję wystąpił z upoważnienia Towarzystwa J. W. Bandtkie na łamach „Gazety Hamburskiej". Ważnym wydarzeniem w życiu Towarzystwa było nadanie mu 30 kwietnia 1808 roku przez Fryderyka Augusta tytułu Towarzystwa Królewskiego Warszawskiego Przyjaciół Nauk.

W okresie Księstwa Towarzystwo poniosło ciężkie straty spowodowane zgonem kilku wybitnych członków. 20 czerwca 1808 roku zmarł Franciszek Ksawery Dmochowski, autor „Sztuki rymotwórczej" oraz przekładu „Iliady" Homera. 19 kwietnia 1809 zmarł z ran odniesionych w bitwie raszyńskiej Cyprian Godebski. Na uroczystym posiedzeniu 1 marca 1812 roku uczczono pamięć Hugona Kołłątaja, zmarłego w Warszawie 28 lutego tegoż roku.

Organizacją oświaty i szkolnictwa w Księstwie zajmowała się powołana w lutym 1807 roku Izba Edukacyjna w Warszawie, przemianowana w styczniu 1812 roku na Dyrekcję Edukacyjną. Izba nawiązywała do tradycji Komisji Edukacji Narodowej z lat 1773–1794. W skład Dyrekcji Edukacji weszli znani w środowisku warszawskim przedstawiciele świata naukowego, jak S. Staszic, J. U. Niemcewicz, S. B. Linde, J. Lelewel. Stanowisko prezesa objął Stanisław Kostka Potocki, sekretarzem generalnym został Wawrzyniec Surowiecki, profesor Szkoły Prawa i ekonomista. Duże zasługi w zakresie programu nauczania w szkolnictwie niższego stopnia miało założone w kwietniu 1810 roku Towarzystwo do Ksiąg Elementarnych. Miało ono opracować podręczniki szkolne uwzględniające nowoczesne wymagania szybko rozwijających się nauk. Prezesem Towarzystwa został S. B. Linde, piastujący jednocześnie godność rektora założonego w czerwcu 1804 roku Liceum Warszawskiego, ważnej w szkolnictwie warszawskim szkoły średniej. Bezpośrednio po

OŚWIATA. LICEUM WARSZAWSKIE. SZKOŁY WYŻSZE

wyzwoleniu Warszawy spod okupacji pruskiej zamiast niemieckiego wprowadzono w Liceum Warszawskim jako języki wykładowe polski i francuski. Klasy z językiem wykładowym niemieckim były stopniowo likwidowane. Pozbawiono Liceum jego roli germanizacyjnej. Pomimo średniego poziomu nauczania było Liceum Warszawskie równe krzemienieckiemu i stanowiło wzór w zakresie programu i sposobu nauczania dla innych szkół tego typu w Polsce. Rektor S. B. Linde wykładał łacinę i grekę, ojciec Fryderyka Chopina, Mikołaj, język francuski, Feliks Bentkowski, autor wydanego w czasach Księstwa pierwszego opracowania historii literatury polskiej, prowadził wykłady z języka polskiego i historii, a Zygmunt Vogel, którego widoki Warszawy stanowią dzisiaj cenne źródło ikonograficzne do dziejów miasta z przełomu XVIII i XIX wieku, dawał lekcje rysunków i perspektywy. Całość edukacji uzupełniała ponadto nauka muzyki, tańców, konnej jazdy i fechtunku. Pomimo warunków wojennych i służby w wojsku szkoła miała dużo uczniów. Liceum mieściło się w pałacu Saskim. Księgozbiór Liceum, w którego skład wchodziły częściowo zbiory biblioteki dawnej Szkoły Rycerskiej, wzbogacony kolekcją po biskupie Krasickim stał się niedługo potem fundamentem Biblioteki Uniwersyteckiej. Do najwybitniejszych wychowanków Liceum Warszawskiego w okresie Księstwa należeli między innymi Fryderyk Skarbek, wybitny ekonomista, od 1818 roku profesor na Królewskim Uniwersytecie Warszawskim, autor monografii historycznej o Księstwie Warszawskim, oraz Wilhelm Malcz, znany w latach Królestwa działacz społeczny i naczelny lekarz szpitala św. Rocha. W okresie Księstwa Warszawskiego powstały w Warszawie dwie wyższe uczelnie: Szkoła Prawa i Szkoła Lekarska, zwane również wydziałami akademickimi.

Wprowadzenie kodeksu Napoleona, potrzeba gruntownej znajomości nowego prawa, tworzenie nowych magistratur i brak zawodowych, wykwalifikowanych urzędników administracji ogólnej i sądowej dyktowały konieczność powołania akademickiej uczelni prawniczej. Staraniem ministra sprawiedliwości Feliksa Łubieńskiego ustanowiono w Warszawie dekretem z dnia 18 marca 1808 roku Szkołę Prawa, jedyną tego typu, ściśle praktyczną wyższą uczelnię w Księstwie. Program przewidywał między innymi wykłady z prawa cywilnego, rzymskiego, kodeksu Napoleona, postępowania cywilnego i kryminalnego. Ukończenie trzyletniego kursu miało otwierać drogę do urzędów w Ministerium Sprawiedliwości. Początkowo zależna od ministra sprawiedliwości, przeszła z czasem pod zarząd Dyrekcji Edukacyjnej. Uroczyste otwarcie uczelni nastąpiło 1 października 1808 roku. Siedzibą jej był pałac ministra sprawiedliwości na Końskim Targu przy ulicy Królewskiej (nr hip. 1066), później przeniesiono ją do pałacu biskupa krakowskiego przy zbiegu ulicy Napoleona i Senatorskiej. W październiku 1810 roku do Szkoły Prawa uczęszczało 111 słuchaczy. Na wyposażenie stale borykającej się z trudnościami finansowymi szkoły złożyły się dary prywatne, a przede wszystkim dotacja finansowa F. Łubieńskiego. Jan Nepomucen Małachowski, prezes powołanej 4 sierpnia 1808 roku Rady Nadzorczej, stworzył fundusz stypendialny dla niezamożnych studentów. W trzecim roku istnienia szkoły, również staraniem Łubieńskiego, dekret króla z dnia 22 maja 1811 roku rozszerzył jej zakres dodając nauki administracyjne. Program nadal utrzymanego trzyletniego studium, obecnie już Szkoły Prawa i Administracji, przewidywał wykłady ze statystyki, finansów, handlu wewnętrznego i zagranicznego oraz „nauki o fabrykach i rękodziełach". Do szkoły przyjmowani byli uczniowie po sześciu klasach szkoły departamentowej. Po tak dokonanej zmianie nastąpiło rozpoczęcie nowego roku akademickiego w dniu 1 października 1811 roku w sali audiencyjnej Sądu Apelacyjnego w pałacu Krasińskich. Szkoła Prawa i Administracji weszła następnie w skład utworzonego w 1816 roku Uniwersytetu Warszawskiego.

W 1809 roku powstała w Warszawie pierwsza akademia lekarska zorganizowana na wzór wydziałów akademickich pod oficjalną nazwą Wydział Akademicko-Lekarski Warszawski. Już na przełomie 1806 i 1807 roku przepełnienie lazaretów rannymi i chorymi stało się bodźcem do zorganizowania w najbliższym czasie Akademii Lekarskiej w celu przygotowania młodzieży do zajęć w szpitalach wojskowych, cywilnych i w urzędach na prowincji. Otwarcie pierwszego kursu nastąpiło 15 listopada 1809 roku, uroczysta inauguracja Szkoły odbyła się 17 czerwca 1810 roku. Prezesem Wydziału Akademicko-Lekarskiego został Stanisław Staszic, dziekanem Jacek Dziarkowski. Wykładowcami byli między innymi: Ferdynand August Wolff, Franciszek Brandt, Józef Celiński i Jan Bogumił Freyer. Na siedzibę Akademii przeznaczono szkolny dom pojezuicki przy ulicy Jezuickiej. Wykłady prowadzono początkowo w jednej izbie, gdzie mieściły się jednocześnie prosektorium i sala wykładowa chemii, początkowo bez instrumentów i aparatów. Pomimo słabej frekwencji uczniów, spowodowanej bojkotem warszawskiego zgromadzenia cyrulików, pod opieką Izby Edukacyjnej następował stały rozwój Akademii: pod koniec 1811 roku Akademia Lekarska uzyskała kliniki w szpitalu św. Rocha na Krakowskim Przedmieściu, staraniem Celińskiego została wyposażona w pracownię farmaceutyczną, a zasługą fizyka miasta Warszawa Brandta było zorganizowanie gabinetu anatomicznego. W grudniu 1813 roku, po czterech latach istnienia Akademii Lekarskiej, odbyła się uroczystość wręczenia dyplomów pierwszym absolwentom uczelni. Szkolnictwem zawodowym w zakresie nauk lekarskich w Księstwie zajmowała się utworzona 19 września 1809 roku w Warszawie Rada Ogólna Lekarska, podległa Ministerium Spraw Wewnętrznych, z siedzibą na Kanoniach. Akademia Lekarska, podobnie jak Szkoła Prawa i Administracji, weszła w skład utworzonego w 1816 roku Uniwersytetu Warszawskiego.

Duże zasługi w krzewieniu oświaty i nauki mają szkoły wojskowe powstałe w Warszawie w latach Księstwa. 1 sierpnia 1808 roku książę minister wojny otworzył w Warszawie w gmachu Arsenału Szkołę Zakładową Artylerii i Inżynierów. Z powodu braku miejsca w Arsenale i szczupłych kredytów Szkoła liczyła tylko 48 słuchaczy, z czego połowę stanowili cywile. Na wyposażenie Szkoły złożyły się liczne dary prywatne w postaci książek, narzędzi, modeli oraz pieniędzy. Wykładowcy uczyli bezpłatnie przez 8 miesięcy, a podczas okupacji austriackiej w Warszawie profesorowie przyjęli uczniów do swych domów. Dekretem królewskim z 11 lutego 1809 roku została utworzona nowa Szkoła Specjalna Artylerii i Inżynierii, zwana również Szkołą Aplikacyjną, i szkoła praktyczna, nosząca nazwę Szkoły Poligonu. Dotychczasowa szkoła zakładowa otrzymała nazwę Elementarnej Szkoły Artylerii i Inżynierów. Nowa szkoła została zorganizowana na wzór francuskiej Szkoły Artylerii i Inżynierów w Metz. Profesorami byli między innymi Francuz W. Livet oraz Piotr Aigner, architekt komisji wojskowej. Pierwszymi elewami tej szkoły byli między innymi podporucznicy: Józef Koriot, kartograf i rysownik, podpułkownik w armii Królestwa, pod którego kierunkiem został wydany w latach 1825–1827 wielki plan miasta Warszawy, oraz Ignacy Prądzyński, późniejszy budowniczy Kanału Augustowskiego i jeden z najwybitniejszych oficerów w okresie Królestwa i powstania listopadowego. W 1809 roku zdał egzamin do Szkoły Aplikacyjnej Artylerii i Inżynierii Klemens Kołaczkowski, późniejszy generał inżynierii i twórca licznych projektów fortyfikacyjnych, związanych głównie z obroną Warszawy w powstaniu 1831 roku. Dekretem króla z 1 czerwca 1811 roku nabyto za 243 187 złotych na Szkołę Artylerii dom konwiktu pijarów przy ulicy Miodowej, zwany *Collegium Nobilium*. W okresie Księstwa została również założona Szkoła Chirurgiczna Wojskowa w Pałacu Kazimierzowskim przy szpitalu w koszarach kadeckich. Założycielami jej byli Michał Bergonzoni, naczelny lekarz, oraz Leopold Lafontaine, profesor, protochirurg wojska polskiego.

Teatr pozostający nadal pod dyrekcją Bogusławskiego, w zmienionych warunkach polityczno-cenzuralnych, włączył się w służbę napoleońskich idei, wystawiał francuskie opery, patriotyczne tragedie, historyczne dramy i wodewile adaptowane z obcych oryginałów do warszawskich stosunków przez Dmuszewskiego i Żółkowskiego, autorów i aktorów jednocześnie. Przez cały prawie okres Księstwa teatr prześladowały trudności finansowe, zadłużonemu antreprenerowi groziło kilka razy bankructwo, aktorzy nie opłaceni buntowali się. Korzystając z niewielkiego zasiłku rządu Bogusławski otworzył w 1811 roku Szkołę Dramatyczną, w której kształcił przyszłych aktorów. Tragiczny rok 1813 załamał ostatecznie dyrekcję Bogusławskiego: na wiosnę 1814 zrezygnował on z prowadzenia narodowej sceny i teatr przejął Ludwik Osiński.

SZTUKA W LATACH 1795–1830

Wraz z upadkiem niepodległości Rzeczypospolitej rozpoczął się dla Warszawy dwudziestoletni okres stagnacji budowlanej. Do 1807 roku Warszawa była stolicą tak zwanych Prus Południowych. Liczba mieszkańców poważnie zmalała, arystokracja i zamożna szlachta pozbawiona w Warszawie magnesu, którym był dwór królewski, osiadła teraz w swoich posiadłościach wiejskich, budując od nowa lub przekształcając swe siedziby w duchu dojrzałego klasycyzmu. Do Warszawy zjeżdżała na karnawał, nie podejmowała tu jednak poważniejszych przedsięwzięć budowlanych. Architekci, nie mając zajęcia w stolicy, rozproszyli się w poszukiwaniu zamówień po prowincji.

W czasie okupacji pruskiej w Warszawie zrealizowano tylko jedną wielką inwestycję budowlaną: na parceli u zbiegu ulic Gęsiej i Smoczej wzniesiono pomiędzy rokiem 1800 a 1807 Magazyn Główny Warszawski oraz piekarnię przekształconą z nie dokończonej dawnej giserni, której budowę zaczęto jeszcze przed upadkiem Rzeczypospolitej. Projekt magazynu oraz projekt piekarni wykonał architekt Wilhelm Henryk Minter (1777–1832), Niemiec z pochodzenia, urodzony w Szczecinie, uczeń znanego architekta pruskiego Dawida Gilly. Minter przybył do Warszawy około 1800 roku i pozostał w nowej ojczyźnie do śmierci. Twórczość jego, ciągle jeszcze niedostatecznie zbadana, należy bezsprzecznie do polskiej kultury artystycznej. Najciekawszą jego pracą był właśnie Magazyn. Był to sześciokondygnacyjny budynek wzniesiony na planie prostokąta zbliżonego do kwadratu. Bryła jego była nadzwyczaj prosta: zwykły sześcian nakryty niskim czterospadowym dachem. Elewacje surowe i oszczędne, pozbawione niemal detalu, opracował Minter bez użycia porządków architektonicznych. Magazyn reprezentował nurt awangardowy architektury europejskiej przełomu XVIII i XIX wieku i stanowił doskonały przykład opracowania budowli bez uciekania się do form zaczerpniętych z antyku. Był dziełem samodzielnym i indywidualnym, zapowiadającym architekturę XX wieku. Dla dziejów architektury polskiej Magazyn Główny Warszawski ma szczególne znaczenie: nawiązywało do niego budownictwo przemysłowe okresu Królestwa Kongresowego. Zapoczątkował u nas architekturę ściśle funkcjonalną, odrzucającą historyczne formy stylowe. Budynek nie zachował się, rozebrano go jeszcze w XIX stuleciu.

Utworzenie Księstwa Warszawskiego przywróciło Warszawie stołeczność i tym samym nadało miastu rumieńce życia, jednakże bezustanne wojny nie sprzyjały większym

inwestycjom budowlanym. Plany regulacji miasta podjęte z inicjatywy rządu pozostały na papierze. W Warszawie pojawiło się jednak kilku architektów czynnych w okresie stanisławowskim, którzy poszukiwali w stolicy pracy. W 1807 roku wstąpił do Ministerium Spraw Wewnętrznych Księstwa Jakub Kubicki (1758–1833) i pracował tam w charakterze architekta rządowego. Wkrótce został mianowany architektem generalnym. Jednym z ciekawszych jego dzieł z tego okresu była wzniesiona w 1809 roku na placu Trzech Krzyży brama triumfalna na cześć powracającego do stolicy wojska polskiego po zwycięskiej kampanii austriackiej. Architekturą „okazjonalną" zajmował się również Chrystian Piotr Aigner (1756–1841) projektując w 1812 roku pomnik ku czci Napoleona w Sali Senatorskiej Zamku Królewskiego.

W okresie Księstwa Warszawskiego, mimo niesprzyjających warunków, ujawniła się indywidualność Fryderyka Alberta Lessla (1767–1822), najzdolniejszego ucznia Jana Chrystiana Kamsetzera. Lessel jeszcze w okresie okupacji pruskiej przebudował dawny pałac Branickich na Podwalu i w latach 1804–1805 wybudował przy nim dwie późnoklasycystyczne oficyny dochodowe, w latach 1806–1808 odbudował zniszczony w czasie insurekcji kościuszkowskiej tak zwany pałac Igelströma na ulicy Miodowej, a pomiędzy rokiem 1808 i 1810 dobudował do niego od strony Podwala dwie oficyny dochodowe.

298. Widok pałacu Błękitnego po przebudowie Fryderyka Alberta Lessla, Mal. Fryderyk Krzysztof Dietrich

W 1806 roku rozpoczął budowę późnoklasycystycznego pałacyku Walickich na rogu ulicy Senatorskiej i Rymarskiej, ukończył ją w 1809 roku. Sławę i rozgłos zyskała mu gruntowna przebudowa pałacu Błękitnego przy ulicy Senatorskiej dla ordynata Stanisława Zamoyskiego, dokonana w latach 1812–1815. Lessel zastąpił rokokową architekturę dawnej rezydencji Anusi Orzelskiej formami późnego klasycyzmu. Surowe kubiczne masy, purystyczne ograniczenie dekoracji, a przede wszystkim rezygnacja z porządków architektonicznych stawiają pałac Błękitny w rzędzie dzieł awangardowych. W 1813 roku Lessel został mianowany budowniczym miasta Warszawy i na stanowisku tym pozostał również po utworzeniu Królestwa Kongresowego.

Rok 1815 był dla dziejów Warszawy rokiem przełomowym. Utworzenie na Kongresie Wiedeńskim konstytucyjnego Królestwa Polskiego ze stolicą w Warszawie, związanego unią personalną z cesarstwem rosyjskim, zapoczątkowało piętnastoletni okres pokoju i równowagi politycznej. Pomyślna na ogół koniunktura gospodarcza i protekcyjna polityka rządu pobudziły do życia zaniedbane dotąd miasta. Minęła długotrwała stagnacja budowlana nie tylko w Warszawie, ale i na prowincji.

W latach 1815–1830, w okresie gwałtownego rozwoju Warszawy, powstało przede wszystkim wiele reprezentacyjnych siedzib centralnych instytucji państwowych oraz okazałych gmachów publicznych, na których dotąd miastu zbywało. Ministerstwa i siedziby dostojników państwowych lokowano w gruntownie przebudowanych pałacach magnackich, od nowa wzniesiono między innymi wielkie budowle banku i teatru, będące, gdy chodzi o skalę i rozmach, nowością w naszej architekturze. Akcja pożyczkowa rządu i władz miejskich pobudziła kapitały prywatne, inwestowane chętnie w budownictwo mieszkaniowe, nadzwyczaj teraz opłacalne. Dzięki ogólnej zamożności i stopniowemu wzrostowi czynszu mieszkaniowego budowa kamienic stała się doskonałą lokatą kapitału. Wykształcił się wówczas w dwóch odmianach typ klasycystycznej kamienicy czynszowej. Jego odmianę skromniejszą reprezentuje między innymi szereg kamienic po parzystej stronie Nowego Światu, na przykład kamienica pod numerem 40, dwupiętrowa, pięcioosiowa, z bramą przejazdową pośrodku, wybudowana w 1829 roku według projektu architekta Józefa Lessla (1802–1844). Do odmiany okazalszej zaliczają się kamienice o podobnym schemacie ogólnym, tylko z elewacjami nawet kilkunastoosiowymi. Do niej należy między innymi Aignerowski dom Petyskusa, ukończony w 1821 roku, jeden z pierwszych, a zarazem najwspanialszych domów czynszowych Warszawy Królestwa Kongresowego. Kamienice należące do tej odmiany porównywano niejednokrotnie z pałacami. I rzeczywiście nawiązywały one do tych pałaców z okresu stanisławowskiego, które zaliczały się do typu przyulicznego (bez dziedzińca honorowego z przodu), przede wszystkim do pałacu Tyszkiewiczów przy ulicy Krakowskie Przedmieście 32 i do pałacu Raczyńskich przy ulicy Długiej 7.

Miasto uzyskało wówczas dominujące klasycystyczne oblicze. Klasycyzm nie był jednakże jedynym nurtem architektury warszawskiej. Obok klasycystycznych pojawiają się, co prawda sporadycznie, budowle neogotyckie (m.in. galeria przed kościołem św. Jacka), a nawet neorenesansowe (np. dzwonnica przy kościele św. Anny i nowa wieża przy Marywilu). Nowa architektura stolicy związana była nierozłącznie z doniosłymi zmianami w jej urbanistyce. Wzniesione wówczas gmachy stały się akcentami nowo utworzonych placów. Arterie komunikacyjne zabudowano dostosowanymi do ich kierunku i szerokości gmachami użyteczności publicznej i kamienicami.

Nad poziomem architektury czuwała Rada Ogólna Budownictwa, Miernictwa, Dróg i Spławów, utworzona w 1817 roku przy Komisji Rządowej Spraw Wewnętrznych i Policji. Powołanie do życia tej najwyższej instancji urzędowej w zakresie urbanistyki i architektury należy do wielkich osiągnięć władz Królestwa Kongresowego. Zadaniem Rady było opiniowanie i zatwierdzanie wszystkich planów urbanistycznych i znacznej liczby architektonicznych powstających w Królestwie, a także wydawanie opinii o kwalifikacjach osób ubiegających się o stanowiska wojewódzkich asesorów budownictwa i inżynierów wojewódzkich. W skład Rady, której przewodniczył z urzędu dyrektor generalny Wydziału Kunsztów, Przemysłu i Handlu, wchodzili: budowniczy generalny, budowniczowie rządowi, naczelnik inżynierów dróg lądowych i spławów oraz inspektorzy generalni, nie tylko pracujący w Komisji Rządowej Spraw Wewnętrznych i Policji, lecz także w Komisji Rządowej Przychodów i Skarbu. Rada zajmowała się przede wszystkim rewizją planów wszelkich budowli i robót publicznych finansowanych przez komisję Rządową Spraw Wewnętrznych i Policji lub przez kasy miejskie. Do jej kompetencji należało również badanie planów i kosztorysów budowli prywatnych, wymagających zatwierdzenia rządowego, lub takich, których właściciele zabiegali o pożyczki z funduszu budowlanego. W Radzie Budownictwa decydujący głos mieli budowniczy Aleksander Groffe i hydrotechnik Adalbert (Wojciech) Lange-Ciężosił, obaj pochodzenia niemieckiego; uprzednio pracowali w administracji pruskiej.

Na wysoki poziom i odrębność architektury warszawskiej tego czasu złożyły się oprócz innych czynników nieprzeciętne talenty twórców. W Warszawie pracowały wówczas dwa pokolenia architektów: starsze, złożone z Polaków, stanowili Aigner, Kubicki i Szpilowski, którzy budowali już w epoce stanisławowskiej, młodsze pokolenie to przybysze z Włoch: Corazzi i Marconi.

Najwybitniejszym przedstawicielem starszego pokolenia był wspomniany już Chrystian

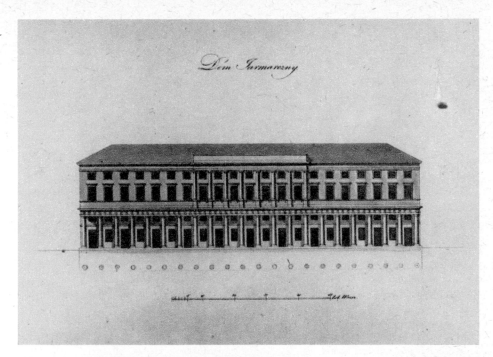

Dom Jarmarczny

299. Tzw. dom Pod Kolumnami (lub dom Jarmarczny) – nowe skrzydło Marywilu wzniesione według projektu Chrystiana Piotra Aignera

300. Pałac Namiestnikowski, fasada, po przebudowie
przez Chrystiana Piotra Aignera

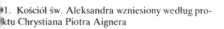

Pałac Namiestnika Królewski

301. Kościół św. Aleksandra wzniesiony według projektu Chrystiana Piotra Aignera

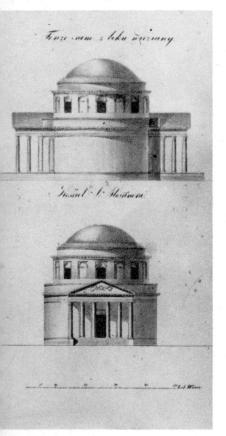

302. Kamienica Petyskusa wzniesiona według Chrystiana Piotra Aignera

Dom Petyskusa

Piotr Aigner, przebywający w momencie utworzenie Królestwa Kongresowego we Włoszech. Do Warszawy przybył w drugiej połowie 1816 roku na wezwanie swego protektora i opiekuna, Stanisława Kostki Potockiego. Wstąpił do służby rządowej i kariera jego rozwinęła się błyskawicznie. Na początku 1817 roku uzyskał katedrę architektury (a od 1 marca tegoż roku katedrę architektury wyższej) na nowo utworzonym Uniwersytecie Warszawskim. W tym samym czasie otrzymał nominację na stanowisko budowniczego generalnego, a od 19 listopada 1818 roku piastował również urząd budowniczego Komisji Rządowej Spraw Wewnętrznych i Policji z pensją roczną 8000 złotych. Przez kilka najbliższych lat utrzymała się jego dominująca pozycja wśród architektów warszawskich. Zamówienia sypały się jedno po drugim. Niemal zaraz po powrocie do kraju, jeszcze w roku 1816, Aigner wykonał projekt gmachu dla Uniwersytetu Warszawskiego (nie zrealizowany). Przedstawił również Komisji Rządowej Wyznań Religijnych i Oświecenia Publicznego projekt obserwatorium astronomicznego (również nie zrealizowany). W 1817 roku rozpoczął budowę mennicy przy ulicy Bielańskiej w Warszawie i przystąpił do przebudowy Marywilu i kościoła św. Andrzeja przy ulicy Senatorskiej. W roku 1818 kontynuował roboty już rozpoczęte, wykonał wspaniałą dekorację parku Łazienkowskiego z okazji przyjazdu do Warszawy cesarzowej matki, ponadto rozpoczął prace budowlane przy przebudowie pałacu Radziwiłłów na siedzibę Namiestnika, przy kościele św. Aleksandra na placu Trzech Krzyży i zapewne przy domu bankiera Petyskusa na rogu ulicy Wierzbowej i Senatorskiej, ukończonym w roku 1821. W roku 1819 pracował przy budowie skrzydła pałacu Krasińskich i nadzorował toczące się roboty. W 1820 roku Aigner przebudował dzwonnicę przy kościele Bernardynów na Krakowskim Przedmieściu, w tym samym roku rozpoczął też prace przy budowie odwachu mającego zasłonić nieefektowny budynek klasztoru bernardyńskiego; architekt wykonał również projekt gmachu Towarzystwa Królewskiego Warszawskiego Przyjaciół Nauk (nie zrealizowany). Z tego samego roku pochodził również projekt świątyni w formie rotundy z dorycką kolumnadą, która miała powstać na fundamentach kościoła Opatrzności w Alejach Ujazdowskich. W roku 1821 kontynuował i kończył roboty rozpoczęte w latach poprzednich, ale nowe zamówienia rządowe już się nie pojawiały, udzielane teraz szczodrze młodemu Corazziemu. W roku 1822 Aigner zaprojektował kamienicę nr 954 na placu Za Żelazną Bramą. Na rok 1823 przypada tylko przebudowa wodozbioru w Łazienkach, rozpoczęcie prac przy neogotyckiej kaplicy nagrobnej Stanisława Kostki Potockiego na cmentarzu Wilanowskim oraz budowa domków dozorców w parku w Natolinie. W roku następnym odsłonięto projektowane przez niego studnie na placu Krasińskich, poza tym wiele czasu zabierał mu nadzór nad budującym się kościołem św. Aleksandra, który ukończył w 1825 roku. W tym samym roku architekt zdecydował się na wyjazd do Krakowa, nie widząc dla siebie w Warszawie dalszych perspektyw rozwinięcia twórczości.

Co było powodem zmiany szczęśliwego dotąd losu Aignera? Odpowiedź nasuwa się od razu: na firmamencie warszawskim pojawił się młody i bardzo ambitny 28-letni Antonio Corazzi, z którym 64-letni Aigner nie mógł już konkurować. W roku 1821 zmarł wypróbowany przyjaciel i wieloletni protektor architekta, Stanisław Kostka Potocki, któremu zawdzięczał swą karierę. Ze śmiercią Potockiego stracił Aigner oparcie w nowym dlań środowisku urzędniczym Królestwa Kongresowego, będąc odtąd zdany na własne siły. Nie ostatnim pewno powodem utraty powodzenia było kłótliwe usposobienie Aignera, którym zrażał sobie otoczenie i przez które trudno z nim było dojść do porozumienia. Na warszawski okres twórczości architekta przypada w każdym razie powstanie najlepszych jego dzieł: Pałacu Namiestnikowskiego, tak zwanego domu Pod Kolumnami (nowo wzniesionego skrzydła Marywilu), kamienicy Petyskusa, nowej fasady kościoła św. Andrzeja i kościoła św. Aleksandra. Cechują je znakomite proporcje, a ich klasycystyczna szata jest nadzwyczaj wytworna.

Drugim wybitnym przedstawicielem starszego pokolenia był Jakub Kubicki, znany przede wszystkim jako twórca wielu pałaców na prowincji. W Warszawie w porównaniu z Aignerem i Corazzim wybudował stosunkowo niewiele. Od roku 1818 pełnił funkcję intendenta generalnego budowli królewskich. Do jego obowiązków należała między innymi piecza

303. Kamienica Petyskusa po rozbudowie. Sta obecny

nad budowlami Korony, pod jego kierunkiem odnowiono niektóre pomieszczenia Zamku Królewskiego i pałacu Na Wyspie w Łazienkach, ponadto Biały Domek i pałac Pod Blachą. W latach 1818–1822 wybudował dla wielkiego księcia Konstantego pałac Belweder (wyzyskując mury istniejącej już budowli), utrzymany w skromnym poprawnym klasycyzmie. Ponieważ pałac znajdował się na krańcach miasta, architekt świadomie nadał mu charakter rezydencji wiejskiej. Reprezentacyjny charakter, jaki musiała mieć siedziba brata cesarskiego, osiągnął poprzez umiejętne zestawienie piętrowego korpusu głównego i parterowych skrzydeł załamanych pod kątem prostym. Kubicki jest również autorem budynków rogatkowych, które wybudowano przy głównych wjazdach do stolicy (przed 1820). Do dziś zachowały się tylko rogatki mokotowskie (na pl. Unii Lubelskiej) i grochowskie (przy ul. Zamoyskiego), niewielkie zgrabne budyneczki z wgłębnymi portykami.

W 1817 lub 1818 roku Jakub Kubicki wykonał projekt radykalnej przebudowy i rozbudowy Zamku Królewskiego, któremu pragnął nadać charakter dojrzałego klasycyzmu. W tym samym czasie ukształtował ostatecznie plac Zamkowy przez wyburzenie Bramy Krakowskiej, zabudowań gospodarczych Zamku i kilku kamienic. Wtedy też architekt zaprojektował taras i ogród zamkowy oraz opracował plan regulacji Pragi, ściśle związany układem ulic z Zamkiem Królewskim. Pęk alei przecinających Pragę zbiegał się w ryzalicie środkowym elewacji zamkowej od strony Wisły. Projekt przebudowy Zamku pozostał na papierze z powodu ogromnych kosztów, jakie musiałby pociągnąć za sobą. Wybudowano tylko pomiędzy rokiem 1820 i 1825 zachowany do dziś taras od strony Wisły i ukształtowano ogród zamkowy. Inne prace Kubickiego w Warszawie to przede wszystkim ujeżdżalnia w Ogrodzie Saskim (1820), przebudowana później na giełdę, oraz projekt kamienicy Brodowskich na placu Żelaznej Bramy pod numerem hipotecznym 954, wykonany w 1822 roku na polecenie Komisji Rządowej Spraw Wewnętrznych i Policji (projekt ten został na papierze).

Hilary Szpilowski (1753–1827), podobnie jak Kubicki, wybudował na prowincji wiele rezydencji wiejskich. W Warszawie związał się z Uniwersytetem. W latach 1815–1824 kierował przebudową Pałacu Kazimierzowskiego (siedziba Uniwersytetu), zaprojektował między innymi jego nową klasycystyczną fasadę. Po roku 1822 czynny był przy budowie gmachu Obserwatorium Astronomicznego w Ogrodzie Botanicznym, należącego do Uniwersytetu Warszawskiego. W roku 1817 powierzono Szpilowskiemu funkcję zastępcy profesora architektury niższej na Oddziale Sztuk Pięknych. Spośród jego dzieł powstałych wówczas na terenie Warszawy wymienić należy przede wszystkim kamienicę na Nowym Świecie pod numerem 49 dla historyka literatury, profesora Feliksa Bentkowskiego. Była to jedna z piękniejszych klasycystycznych kamienic warszawskich powstałych w okresie Królestwa Kongresowego. Rozmachem swoim przypomina rezydencję magnacką. Głównym akcentem starannie opracowanej 11-osiowej fasady jest nieco wgłębiony przyścienny dorycki portyk w wielkim porządku. Fasadę wieńczy piękne kamienne belkowanie z tryglifami. Szpilowski próbował również swych sił w neogotyku: w 1823 roku zaprojektował przebudowę dzwonnicy oraz galerię zasłaniającą fasadę kościoła św. Jacka przy ulicy Freta. Z projektu tego zrealizowano tylko ostrołukową galerię. Do czasu budowy neogotyckiej fasady katedry św. Jana była to największa w Warszawie realizacja w tym stylu.

Twórczość Aignera, Kubickiego i Szpilowskiego w okresie Królestwa Kongresowego jest naturalną kontynuacją klasycyzmu doby stanisławowskiej. Pozostaje może w tyle za awangardą architektoniczną Europy Zachodniej, odznacza się jednakże znakomitymi proporcjami, umiarem i wysokim poziomem wykonawstwa. Wszystkie te cechy wynikają z wieloletniej praktyki architektów, którzy teraz mieli okazję wyzyskać swoje doświadczenia w służbie państwowej.

W końcu 1818 roku przyjechał do Warszawy Antonio Corazzi (1792–1877), wychowanek florenckiej Akademii Sztuk Pięknych. W czasie swego pobytu w Polsce rozwinął niezwykle ożywioną działalność (w samej Warszawie obejmującą czterdzieści pięć obiektów), pozostawiając niezatarty ślad w architekturze miasta. Talent Corazziego cechowała wielka umiejętność piętrzenia i wzajemnego ustosunkowywania do siebie brył wznoszonych budowli oraz zamiłowanie do monumentalnych portyków kolumnowych. Dlatego też najlepiej udawały mu się wielkie gmachy rządowe i publiczne. Twórczość swoją dostosował Corazzi do skali i tradycji architektury miejscowej.

Wkrótce po przybyciu do Warszawy Corazzi został członkiem Rady Budownictwa, a w 1820 roku otrzymał nominację na stanowisko budowniczego generalnego, co zapewniło mu oczywiście wielkie zamówienia. Pierwszym jego dziełem w Warszawie była przebudowa kościoła i klasztoru karmelitanek bosych na Krakowskim Przedmieściu na siedzibę Warszawskiego Towarzystwa Dobroczynności (1819), następne dzieło – siedziba Towarzystwa Królewskiego Warszawskiego Przyjaciół Nauk, zwana popularnie Pałacem Staszica (1820–1823), stanowiąca monumentalne zamknięcie perspektywy krakowskiego Przedmieścia – zyskało mu rozgłos i uznanie. Jednocześnie niemal Corazzi zbudował dom arcybiskupa Hołowczyca na Nowym Świecie pod numerem 35 (1820), a w roku 1823 przebudował barokowy pałac Hilzenów (Mostowskich) na siedzibę Komisji Rządowej Spraw Wewnętrznych i Policji. W latach następnych budował również wiele kamienic dochodowych.

Do rzędu najwybitniejszych dzieł Corazziego należy bezsprzecznie zespół gmachów skarbowych na placu Bankowym (obecnie Dzierżyńskiego) powstały w latach 1824–1830 i tworzący niezwykle harmonijną całość. Zespół ten składa się z pałacu Komisji Rządowej Przychodów i Skarbu (1824–1825), pałacu Ministrów Skarbu (1825) i budynku mieszczącego giełdę i Bank Dyskontowy (1828–1830). Dla tego monumentalnego zespołu gmachów Corazzi chciał stworzyć odpowiednią oprawę. Projekt ukształtowania placu Bankowego przewidywał między innymi otworzenie perspektywy na kolumnadę pałacu Komisji Rządowej Przychodów i Skarbu.

Pałac ten Corazzi skomponował najokazalej z całego zespołu. Architekt przebudował go z barokowego pałacu Leszczyńskich. Korpus główny wyposażył w wielki koryncki portyk kolumnowy, skrzydła boczne otrzymały od strony dziedzińca niewielkie portyki jońskie, od placu Bankowego natomiast zakończono je monumentalną jońską kolumnadą. Zamiłowanie architekta do portyków znalazło tu pełny wyraz.

Pałac Ministrów Skarbu (1825) o urozmaiconej bryle i wielkich otwartych tarasach, rzadkich w naszym klimacie, przypomina trochę włoską willę z okresu Odrodzenia. Pozbawiony jest portyków kolumnowych w wielkim porządku; w elewacji od placu Bankowego zastosowano podziały horyzontalne, zdecydowanie wydzielając od siebie wszystkie kondygnacje. W architekturze warszawskiej pałac jest zwiastunem neorenesansu.

Budynek dawnej giełdy i Banku Dyskontowego na rogu placu Bankowego i ulicy
Elektoralnej jest pierwszym nowoczesnym budynkiem tego typu w architekturze polskiej.
Przy jego budowie współpracował z Corazzim architekt Jan Jakub Gay (1801–1849).
Dominantą surowego klasycystycznego gmachu jest narożna kopuła na bębnie nakrywają-
ca dawną salę giełdową. Kopuła ta stanowi jednocześnie charakterystyczny akcent dla
całego placu. Gmach bankowy jest jednym z nielicznych monumentalnych dzieł Corazziego pozbawionych kolumn.

Teatr Wielki, wybudowany w latach 1825–1832, jest ukoronowaniem działalności architektonicznej Corazziego w Polsce i w pełni zasługuje na miano jednego z najpiękniejszych
klasycystycznych budynków teatralnych w Europie. Teatr Wielki powstał na miejscu
zburzonego Marywilu. Corazzi wyzyskał wzniesioną przez Aignera oficynę Marywilu, tak
zwany dom Pod Kolumnami, i dobudował do niego korpus główny mieszczący salę
teatralną, a następnie powtórzył po drugiej jego stronie Aignerowską fasadę domu Pod
Kolumnami. Dzieło Aignera stało się więc lewym skrzydłem wielkiego budynku zajmującego całą długość nowo utworzonego placu Teatralnego. W prawym skrzydle gmachu
urządzono Sale Redutowe i z czasem Teatr Rozmaitości. Dominującym motywem
imponującej fasady Teatru Wielkiego są kolumny: a więc olbrzymi koryncki portyk
korpusu głównego wsparty na masywnym cokole parteru oraz doryckie kolumnady
dźwigające tarasy w skrzydłach bocznych (portyk przejazdowy przed wejściem głównym
dodano w końcu XIX w.). W historii architektury polskiej Teatr Wielki zajmuje poczesne
miejsce, jest bowiem pierwszym u nas wielkim i nowoczesnym (na owe czasy) budynkiem
teatralnym. Jest również przykładem twórczego nawiązania do form i skali architektury
miejscowej przez przybyłego z Włoch architekta, który komponując to wielkie dzieło
włączył w nie jako istotny składnik istniejącą już wartościową architekturę Aignerowskie-
go domu Pod Kolumnami.

W 1847 roku Corazzi wrócił do Florencji. Trzydzieści lat, których mu pozostało do śmierci,
w porównaniu z jego ożywioną działalnością w Polsce wydaje się dziś okresem spokojnym
i raczej pasywnym. Niemal cała jego ogromna spuścizna artystyczna jest więc naszą
bezsporną własnością. Bez wątpienia był jednym z najwybitniejszych architektów późnego
klasycyzmu w Europie. Pozostawił w Polsce wielu uczniów, z których najwybitniejszymi
byli Adam Idźkowski (1798–1879) i Alfons Kropiwnicki (1803–1881).

Drugim wybitnym architektem przybyłym z Włoch był Henryk Marconi (1792–1863).
Przyjechał do Polski w 1822 roku i pozostał w nowej ojczyźnie do końca życia. Największe
nasilenie jego twórczości przypada dopiero na dwudziestolecie 1840–1860. Budował
wówczas najchętniej w stylu renesansowym, w początkowym okresie pobytu w Polsce był
jednak klasycystą. W latach 1824–1828 przebudował dla generała Ludwika Paca barokowy pałac Radziwiłłów przy ulicy Miodowej. Przebudowa objęła nie tylko sam pałac,
architekt ujął dziedziniec przedpałacowy w skrzydła boczne i zamknął go od ulicy
frontowym gmachem z wielką półelipsoidalną wnęką. Całość utrzymana jest w duchu
późnego klasycyzmu, z wyraźnymi jednak zwrotami ku neorenesansowi. Marconi po
mistrzowsku poradził sobie z bardzo niewygodnym ukośnym usytuowaniem korpusu
głównego w stosunku do ulicy. W półeliptycznej wnęce gmachu frontowego umieścił
pośrodku niszę i dwie bramy przejazdowe. Prawa brama skierowana na oś korpusu
głównego pałacu stanowi wjazd na dziedziniec, lewa prowadzi na maleńkie okrągłe
podwóreczko, będące jakby przeciwwagą dla dziedzińca głównego. Wielka nisza pośrodku

jest elementem utrzymującym równowagę. Ponad bramami we wnęce umieszczony jest
płaskorzeźbiony fryz dłuta Ludwika Kauffmanna, doskonale dostosowany do całości
kompozycji. We wnętrzach Henryk Marconi obok klasycyzmu posłużył się również stylem
mauretańskim i gotyckim. Pałac Paca do momentu rekwizycji przez rząd carski po
powstaniu listopadowym uchodził za największą i najzbytkowniej urządzoną rezydencję
prywatną Królestwa Kongresowego.

Omówiliśmy wielkie realizacje na terenie stolicy. Ale klasycyzm w okresie Królestwa
Kongresowego jako styl urzędowy trafił do małych miasteczek, decydując o ich nowym
obliczu artystycznym. W nowym stylu budowano ratusze – siedziby władz municypalnych,
hale targowe, rogatki i domy mieszkalne. Bardzo wiele tych budowli, projektowanych
niejednokrotnie przez wybitnych architektów, przetrwało do dziś. Dla ułatwienia pracy
budowniczych i architektów mniej zdolnych, działających zwłaszcza na prowincji, pomy-
ślano o wydaniu publikacji zawierających projekty wzorowo, według ówczesnych pojęć,
rozwiązanych budowli. Do najbardziej znanych należą dwa wzorniki dotyczące architektury kościelnej: ,,Wzory kościołów parafialnych" Hilarego Szpilowskiego, ogłoszone w 1824
roku, i ,,Budowy kościołów" Chrystiana Piotra Aignera z 1825 roku. Projekty znajdujące
się w tych wydawnictwach inspirowały twórczość wielu architektów prowincjonalnych,
dzięki czemu spotykamy nieraz kościoły bliźniaczo podobne do opublikowanych pierwowzorów.

Świetny rozwój architektury przerwał wybuch powstania listopadowego. Po jego upadku
nastąpił znowu okres stagnacji budowlanej. Klasycyzm w okresie 1815–1830 przeżył
apogeum swojej popularności, by około roku 1840 ustąpić miejsca neogotykowi i neorenesansowi.

Rozwój tej dyscypliny artystycznej przebiegał w Warszawie nieco odmiennie niż rozwój   RZEŹBA
architektury. Rzeźbiarze działający w stolicy w okresie panowania Stanisława Augusta nie
pozostawili po sobie uczniów (z wyjątkiem Kazimierza Jelskiego, ucznia Le Bruna,
czynnego w Wilnie), z zamówieniami zwracano się tedy do cudzoziemców. Dla Polski
pracował w tym okresie jeden z najwybitniejszych rzeźbiarzy klasycyzmu w Europie,
Duńczyk Bertel Thorvaldsen (1768–1844), który w 1822 roku ukończył pracę nad
modelem pomnika Kopernika ustawionego potem przed gmachem Towarzystwa Królewskiego Warszawskiego Przyjaciół Nauk, a w 1826 roku – pracę nad modelem konnego
posągu księcia Józefa Poniatowskiego, wzorowanego na kapitolińskim pomniku Marka
Aureliusza. Wspaniale rozwinęła się w Warszawie rzeźba architektoniczna, nierozerwalnie
związana z nowo wznoszonymi gmachami, przejawiająca się w płaskorzeźbionych fryzach
figuralnych, w medalionach, w dekoracji tympanonów portyków kolumnowych. O ile
w dobie stanisławowskiej rzeźba nie była wolna od silnych reminiscencji baroku, o tyle
teraz kształtowała się w postaci czystszej pod względem stylistycznym, zgodniejszym
z duchem antyku grecko-rzymskiego. Przez utworzenie katedry rzeźby na Oddziale Sztuk
Pięknych Uniwersytetu Warszawskiego położono podwaliny pod bujny rozwój tej dyscypliny w XIX stuleciu.

Głównymi przedstawicielami klasycystycznej rzeźby warszawskiej byli dwaj przybysze
z zagranicy: Paweł Maliński i Ludwik Kauffmann. Do Warszawy przybyli jako młodzi
ludzie, tutaj ukształtowały się ostatecznie ich indywidualności twórcze i tutaj pozostali do
końca życia.

Paweł Maliński (1790–1853) był z pochodzenia Czechem wykształconym w Akademii

Drezdeńskiej. Do Warszawy sprowadził go w 1816 roku ordynat Stanisław Zamoyski, dla którego wykonał w pałacu Błękitnym fryz przedstawiający triumf Bachusa. Dzieło to zapoczątkowało długi szereg rzeźb związanych z architekturą nowo wznoszonych klasycystycznych gmachów stolicy; wykonał między innymi płaskorzeźbę w tympanonie Pałacu Kazimierzowskiego przedstawiającą Apolla i Muzy jako alegorie nauki i sztuki, fryz na gmachu Teatru Wielkiego wyobrażający powrót Edypa z igrzysk olimpijskich oraz posągi na attyce Pałacu Namiestnikowskiego. Przypisuje mu się również płaskorzeźbę w tympanonie pałacu Komisji Rządowej Przychodów i Skarbu, przedstawiającą Minerwę (Mądrość), Merkurego (Przemysł) i Jazona (Handel) oraz alegorie Wisły i Bugu. Po 1830 roku wykonał również płaskorzeźby w tympanonach budynku łazienek przy ulicy Bednarskiej i w domu Andrzeja Zamoyskiego na Nowym Świecie. Wszystkie te dzieła utrzymane były w formach klasycyzmu, natomiast w innych swych rzeźbach, portretach, pomnikach i rzeźbach religijnych ujawniał reminiscencje baroku (z którym zetknął się w czasie studiów w Dreźnie) oraz początki romantyzmu. Wśród dzieł związanych z Warszawą należy wymienić uderzające realizmem popiersia Albertrandego i Staszica, dwóch pierwszych prezesów Towarzystwa Królewskiego Warszawskiego Przyjaciół Nauk, oraz pomnik Pracy przy ulicy Grochowskiej, wzniesiony w 1825 roku dla upamiętnienia ukończenia budowy szosy z Warszawy do Brześcia. Na pomniku tym przedstawił w płaskorzeźbach robotników budujących drogę oraz panoramy trzech miast: Warszawy, Siedlec i Brześcia. Temat pracy, bez precedensu w polskiej rzeźbie klasycystycznej, uderza realistycznym ujęciem i ostrością obserwacji. Artysta nie zawahał się ukazać robotników w podartej odzieży lub boso, rezygnując z tak powszechnej wówczas bezosobowej alegorii. Jedynym motywem utrzymanym w konwencji klasycystycznej jest płaskorzeźba z młodzieńcem

trzymającym w górze młot i odzianym w antykizujący strój. Jest on ucharakteryzowany na
herosa pracy. W pomniku Pracy uwidoczniły się z wyjątkową wyrazistością tendencje
romantyczne w twórczości Malińskiego. Podjęta przez artystę tematyka i chęć realistycznego jej przedstawienia zmusiła go do porzucenia konwencji klasycystycznej, całkowicie
jednak jej nie zarzucił, czego dowodem antykizujący heros pracy i architektoniczna forma
pomnika. Paweł Maliński w latach 1817–1832 był profesorem rzeźby na Oddziale Sztuk
Pięknych Uniwersytetu Warszawskiego. Był nauczycielem i wychowawcą młodego pokolenia rzeźbiarzy – Polaków, między innymi Jakuba Tatarkiewicza, Konstantego Hegla,
Karola Ceptowskiego, Tomasza Oskara Sosnowskiego i Władysława Oleszczyńskiego,
których działalność przypadnie na okres pomiędzy powstaniem listopadowym a styczniwym. Zapoczątkowane przez Malińskiego tendencje romantyczne znacznie spotęgowały
się w twórczości jego uczniów.
Ludwik Kauffmann (1801–1855) kształcił się w Rzymie, najpierw u ojca, a następnie
w Akademii św. Łukasza pod kierunkiem Antonia Canovy. Do Warszawy przybył w 1823
roku, sprowadzony przez generała Ludwika Paca. Wykonał dla jego wspaniałego pałacu
fryz przedstawiający Tytusa Flaminiusa ogłaszającego wolność miast greckich na igrzyskach w Koryncie, umieszczony w wielkiej półeliptycznej wnęce od ulicy Miodowej. „Jest
to najbardziej klasycystyczna w kompozycji i formie płaskorzeźba ze wszystkich, jakie
posiada Warszawa" – pisał profesor Władysław Tatarkiewicz. „Wyróżnia się przejrzysto
ścią budowy i znajomością antycznych form". Klasycystyczne są również późniejsze
warszawskie dzieła Kauffmanna: pomnik Natalii z Potockich Sanguszkowej w Natolinie,
rzeźby przedstawiające alegorie Wisły i Bugu (ustawione na tarasie pałacu Łazienkowskiego na miejscu usuniętych rzeźb Righiego o tej samej tematyce), sarkofag z popiersiem
Jana III w kościele Kapucynów przy ulicy Miodowej, popiersia Stanisława Staszica, Jó-

zefa Zajączka i Ignacego Potockiego, wreszcie popiersia wybitnych warszawskich lekarzy i aptekarzy: Augusta Wolffa, Franciszka Brandta, Józefa Czekierskiego, Józefá Celińskiego, te ostatnie wraz z czterema alegorycznymi posągami symbolizującymi Medycynę wykonał dla Instytutu Wód Mineralnych w Ogrodzie Saskim. Zdaniem Władysława Tatarkiewicza Ludwik Kauffmann najdłużej z czynnych w Polsce rzeźbiarzy pozostał klasycystą, lecz i on około 1840 roku zbliżył się w niektórych swych dziełach do romantyzmu, wykonując między innymi rzeźby do katedry św. Jana, posągi świętych do kościoła św. Karola Boromeusza przy ulicy Chłodnej i do kościoła w Zegrzu.

W Warszawie pracowało również kilku rzeźbiarzy Włochów, co prawda mniejszego lotu. Wśród nich wymienić należy Camilla Landiniego, autora czterech kamiennych lwów przed Pałacem Namiestnikowskim, oraz Tommasa Acciardiego, twórcę płaskorzeźby w tympanonie Teatru Wielkiego.

Okres 1815–1830 dla dziejów rzeźby warszawskiej XIX stulecia jest niezwykle ważny. Warszawa stała się w tym czasie najważniejszym ośrodkiem rzeźbiarskim całej Polski, szeroko promieniującym na prowincję. Jakkolwiek rzeźbę warszawską tego czasu tworzyli cudzoziemcy, wykształcił się jednak liczny zastęp rzeźbiarzy polskich.

MALARSTWO Okupacja pruska, a później kilkuletni okres istnienia Księstwa Warszawskiego nie sprzyjały rozwojowi malarstwa. Przemarsze wojsk sprzymierzonych i nieprzyjacielskich, trudności gospodarcze i brak stabilizacji politycznej z pewnością nie przysparzały malarzom zamówień. W Warszawie działali jeszcze niektórzy artyści stanisławowscy, między innymi Marcello Bacciarelli (1731–1818) i Zygmunt Vogel (1764–1826), dawny „rysownik gabinetowy" króla, który malował nadal widoki Warszawy, a ponadto zajmował się pracą pedagogiczną. W 1804 roku został powołany na stanowisko nauczyciela rysunków w nowo otwartym Liceum Warszawskim, w 1809 roku minister wojny, książę Józef Poniatowski, mianował go nauczycielem architektury i rysunku w Szkole Aplikacyjnej Artylerii i Inżynierii, a w 1812 roku profesorem architektury cywilnej w Szkole Elementarnej Artylerii i Inżynierów. W związku ze śmiercią księcia Józefa zaprojektował Vogel w 1813 roku katafalk ustawiony w kościele Świętego Krzyża z okazji nabożeństwa żałobnego.

11. Antoni Brodowski, Portret arcybiskupa Hołowzyca, 1828 r.

312. Antoni Brodowski, Gniew Saula na Dawida,
1812–1819

313. Antoni Blank, Portret Abrahama Sterna, 1823 r.

Dopiero utworzenie Królestwa Kongresowego stworzyło malarstwu dogodne warunki rozwoju. Szybko ukształtowało się środowisko malarskie skupione wokół Oddziału Sztuk Pięknych Uniwersytetu Warszawskiego. Na stanowisko dziekana tego oddziału w uznaniu zasług powołany został Marcello Bacciarelli, profesorami zostali: Charles Santoire de Varenne (1763–1834), wspomniany już Zygmunt Vogel, Antoni Blank (1785–1844) i Antoni Brodowski (1784–1832). Bezpośredni kontakt zamawiającego i artysty ułatwiały teraz wystawy publiczne urządzane w gmachach uniwersyteckich od 1819 roku, zrazu co dwa lata, później nieco rzadziej. W wystawach brali udział nie tylko samodzielni artyści, lecz także uczniowie Oddziału Sztuk Pięknych. Zachętą dla artystów były medale: złoty, srebrny i brązowy, którymi nagradzano wystawione dzieła. Ogłaszano również konkursy na określony temat. I tak na przykład w związku z wystawą w 1823 roku ogłoszono konkurs podzielony na trzy klasy: w klasie pierwszej obowiązywały tematy historyczne i mitologiczne (Zaślubiny Jadwigi z Jagiełłą, Edyp i Antygona oraz Perykles broniący Aspazji przed areopagiem), w klasie drugiej tematy rodzajowe, portrety i pejzaże, w trzeciej klasie przewidywano nagrody za miniatury i kwiaty. Wystawy publiczne doprowadziły do powstania krytyki artystycznej.

O ile malarstwo okresu stanisławowskiego było w przeważającej części malarstwem późnego baroku, o tyle nurtem dominującym malarstwa okresu Królestwa Kongresowego był klasycyzm propagowany przez uczelnię. Studenci rysowali odlewy gipsowe Apolla Belwederskiego i grupy Laokoona, równolegle jednak ze studiami antyku rysowano żywego modela i robiono studia z natury. Największą indywidualnością wśród pedagogów Oddziału Sztuk Pięknych był z pewnością Antoni Brodowski, studiujący w pracowni znakomitych malarzy I Cesarstwa Jacques-Louis Davida i François Gérarda. Dopiero w utworach Brodowskiego klasycyzm zdobył pełną dojrzałość formy, dzięki czemu obrazy tego malarza mogą być godnymi odpowiednikami architektury Aignera i Kubickiego oraz rzeźby Malińskiego i Kauffmanna. Twórczość Brodowskiego przejawiła się w dwóch rodzajach: kompozycji o tematyce mitologicznej i portrecie. Do pierwszego zaliczyć możemy takie utwory, jak *Gniew Saula na Dawida*, *Edyp i Antygona*, *Parys w czapce frygijskiej*, *Hektor czyniący wobec Heleny wyrzuty Parysowi, iż do boju nie idzie*; malarz okazał się w nich kontynuatorem klasycyzmu francuskiego. Do drugiego rodzaju zaliczymy znakomite realistyczne portrety, między innymi brata Karola, Juliana Ursyna Niemcewicza, Franciszka Ksawerego Bohusza, Zofii, Tadeusza i Tomasza Ostrowskich oraz biskupa Szczepana Hołowczyca. Brodowski położył wielkie zasługi na polu pedagogicznym. Do uczniów jego należeli między innymi Rafał Hadziewicz (1803–1886), Bonawentura Dąbrowski (ok. 1805–1861), Jan Klemens Minasowicz (1797–1854) i wspomniany już rzeźbiarz Jakub Tatarkiewicz. Pedagogiczną działalność Brodowskiego najtrafniej chyba scharakteryzował Fryderyk Skarbek: ,,Kto był świadkiem postępów, jakie szkoła malarska w Warszawie, od czasu objęcia jej naczelnictwa przez Brodowskiego, uczyniła; kto widział rysunki i olejne studia z natury przez uczniów jego wykonane, kto znał tych młodych artystów, w których on zamiłowanie sztuki, smak czysty i zaszczytną dążność do udoskonalenia zaszczepić potrafił, ten przyzna, iż Brodowski był istotnym twórcą tej szkoły, która po kilku latach istnienia tak piękne wydała owoce''.

Znacznie mniejsze zdolności przejawił Antoni Blank, uczeń Józefa Kosińskiego w Warszawie i Giuseppe Grassiego w Dreźnie, zasłużony współorganizator publicznych wystaw

artystycznych. Podobnie jak Brodowski malował klasycystyczne kompozycje, jak *Edyp w Kolonos*, znacznie ciekawsze wydają się jednak jego portrety, które zyskały mu popularność, między innymi portret Abrahama Sterna, wynalazcy maszyny do liczenia, portret Stanisława Kostki Potockiego w starszym wieku czy portret rodziny artysty, namalowane sumiennie i nie pozbawione wnikliwej charakterystyki. Trzecią wybitniejszą jednostką działającą w Warszawie w okresie Królestwa Kongresowego był Aleksander Kokular (1793–1846), uczeń Jana Chrzciciela Lampiego w Akademii Wiedeńskiej i stypendysta rządowy w Rzymie. I on malował *Edypa i Antygonę*, *Śmierć Priama*, *Peryklesa* i *Aspazję* w konwencji klasycystycznej, a portrety – realistycznie, jednakże te ostatnie w porównaniu z pełnymi wirtuozerii portretami Brodowskiego wydają się sztywne i chłodne.

W Warszawie działał ponadto wybitny miniaturzysta Stanisław Marszałkiewicz (1789–1872), malarz historyczny Daniel Kondratowicz (1765–1844), kustosz galerii Ossolińskich w Warszawie, dalej Franciszek Lampi (1782–1852), syn Jana Chrzciciela, twórca fantastycznych pejzaży i poszukiwany portrecista, Fryderyk Skarbek (1792–1866), ekonomista i uzdolniony amator, wreszcie Henryka z Minterów Beyerowa (1782–1855), malarka kwiatów i portrecistka. W ciągu piętnastu lat trwania konstytucyjnego Królestwa Polskiego odrodziło się na nowo warszawskie środowisko malarskie zdobywając szybko pozycję wyjątkową.

WARSZAWA KRÓLESTWA KONGRESOWEGO 1815–1830

Utworzone w 1815 roku Królestwo Polskie, podobnie jak Księstwo Warszawskie, miało stolicę w Warszawie. Centralistycznie zorganizowane państwo skupiło tu swe władze i urzędy. Warszawa nadal przerastała inne miasta polskie obszarem, liczbą mieszkańców i znaczeniem. Miasto do roku 1825 pozostawało w granicach zakreślonych zarysem wału z roku 1770. W 1823 roku wał uległ nieznacznym zmianom i przesunięciom. I tak na południu uregulowano jego zarys, obejmując niby bastionem wysuniętą część ogrodu łazienkowskiego, następnie koszary pułków kawalerii rosyjskiej i wysunięty cypel po obu stronach ulicy Czerniakowskiej. Wał sięgnął do brzegów Wisły; od Łazienek do rzeki został usypany na nowo. Inne dość znaczne przesunięcie nastąpiło w południowo-zachodniej części miasta: stary wał biegnący wzdłuż ulicy Koszyki (Koszykowej) na długości 1200 m został zlikwidowany, a nowy usypano wzdłuż Drogi Królewskiej, czyli ulicy Nowowiejskiej. W ten sposób włączono do miasta pas gruntu między ulicami Koszykową a Nowowiejską aż do obecnej ulicy Raszyńskiej z częścią dzisiejszego terenu filtrów.

Na północnym zachodzie wał został uregulowany i wyprostowany, zlikwidowano tam kilkanaście załamań i niewielkich bastionów. I wreszcie na północy przesunięto go, obejmując 14 posesji i kilka młynów usytuowanych po obu stronach drogi marymonckiej, przesunięto także rogatki o 370 m w kierunku północnym. Utworzył się tam też jakby bastion. Łącznie powierzchnia miasta wzrosła o blisko 80 hektarów. Na Pradze nie przeprowadzano korektur wału.

Przy ogólnej powierzchni lewobrzeżnego miasta wynoszącej około 1600 ha nie był to duży wzrost powierzchni. Praga w obrębie okopów miała około 280 hektarów. Długość miasta równoległa do Wisły wynosiła około 6,5 km, największa szerokość ponad 3 kilometry.

Miasto w roku 1815 zamieszkiwało 81 000 mieszkańców. Liczba ludności zaczęła powiększać się szybko od roku 1817: w ciągu tego roku przybyło 7000, a następnie przyrost wahał się od 2 do 8 tysięcy. 100 000 osiągnęło miasto w 1820 roku. W przeddzień powstania listopadowego w roku 1830 Warszawa miała prawie 140 000 mieszkańców, a wliczając również ludność niestałą, jeszcze więcej: może nawet 160–165 tysięcy. Ludność wzrastała nie na skutek przyrostu naturalnego, lecz migracji z innych miast i miasteczek Królestwa, przede wszystkim z Mazowsza. Liczba zgonów była zwykle większa niż liczba urodzeń. Katolicy stanowili 2/3 całej ludności (ok. 66–67%), żydzi od 19 do 23%, ewangelicy niespełna 7%; prawosławni, nie wliczając wyznawców tej wiary w wojsku rosyjskiem, byli nieliczni – 0,6%. Ludność żydowska wzrastała szybciej od chrześcijańskiej: w ciągu lat 1815–1830 liczba żydów w Warszawie podwoiła się z 15 do przeszło 30 tysięcy; stanowili oni znaczną część mieszkańców niestałych.

ZMIANY W ROZWOJU PRZESTRZENNYM

W obrębie omówionych wałów nastąpiła regulacja ulic, związana z ich zabudową. Wiele ulic wyprostowano i poszerzono przez wyburzenie zacieśniających je starych domów. Nowe kamienice, sytuowane w równych szeregach, ujęły ulice po obu stronach. Uregulowano między innymi ulice północnej dzielnicy miasta (Nalewki) oraz zachodniej.

W latach 1823–1824 przeprowadzono nową okazałą arterię nazwaną Nową Drogą Jerozolimską (Aleje Jerozolimskie). Aleje przecięły całe miasto, ciągnąc się od brzegu Wisły do okopów przy rogatkach jerozolimskich. Połączyły one port wiślany na Solcu

316. Obserwatorium Astronomiczne

i dzielnicę przemysłową na Powiślu ze śródmieściem, z Nowym Światem, przecięły Bracką i Marszałkowską. Połączyły też Nowy Świat i Marszałkowską z traktem Krakowskim (ul. Grójecka). Odcinek od Nowego Światu na Powiśle biegł w wykopie. Przy przebijaniu ulicy rozebrano kilka domów przy Nowym Świecie i Brackiej. Nowa ulica miała szerokość około 40 metrów, a więc bardzo dużo jak na owe lata; obsadzono ją czterema rzędami drzew. Odwadniające rowy osuszyły podmokłe grunty rozciągające się po obu stronach ulicy w zachodniej stronie miasta.

W okresie Królestwa Kongresowego uregulowano i rozszerzono dawne place i utworzono kilka nowych. Na Rynku Starego i Nowego Miasta rozebrano w latach 1817–1818 stare ratusze, powiększając w ten sposób powierzchnię targową najstarszych placów. Również rozebrano ratusz dawnej jurydyki Grzybów, późniejsze więzienie usytuowane na środku placu Grzybowskiego. Plac ten stał się targowiskiem na zboże i siano; otoczyły go kamienice. Przez wyburzenie zabudowań gospodarczych Zamku, Bramy Krakowskiej i kilku kamienic w latach 1818–1821 architekt Kubicki kreował plac Zamkowy, odsłaniając elewację Zamku z Wieżą Zygmuntowską. W latach 1818–1819 rozbudowano gmach targowy Marywil, dobudowując oficynę od ulicy Nowosenatorskiej oraz wieżę (arch. P. Aigner). W kilka lat później, w 1825 roku, rozebrano znaczną część zabudowań Marywilu, budując na ich miejscu monumentalny gmach Teatru Wielkiego. Przed Teatrem u-tworzono plac zwany najpierw Marywilskim, a następnie Teatralnym. Naprzeciw Teatru po drugiej stronie placu stały przebudowane gmachy ratusza, kościoła i klasztoru Kanoniczek. W widłach ulic Senatorskiej i Bielańskiej projektant placu, architekt Corazzi, usytuował okazałą kamienicę Mikulskiego; reprezentacyjną kamienicę przy zbiegu ulic Senatorskiej i Wierzbowej projektował Aigner.

Na miejscu dziedzińca pałacu Ogińskich i jego zabudowań gospodarczych oraz ulicy Rymarskiej Corazzi utworzył trójkątny plac Bankowy (obecnie Dzierżyńskiego, o innym kształcie), rozciągający się przed pałacami skarbowymi. Projektowana aleja łącząca plac Bankowy z ulicą Bielańską na osi pałacu Komisji Rządowej Przychodów i Skarbu nie została wówczas zrealizowana; do tego projektu nawiązuje obecna ulica Corazziego.

W latach 1825–1826 w związku z rozbudową szpitala Dzieciątka Jezus powstał przed nim wydłużony plac na miejscu ogrodu i ulicy Szpitalnej; nazwano go placem Dzieciątka Jezus, następnie Wareckim (obecnie Powstańców Warszawy). Dziedziniec pałacu Saskiego zamieniono na najobszerniejszy plac śródmieścia Warszawy. Przy dawnych koszarach wojsk saskich od strony ulicy Ossolińskich (Czystej) wybudowano odwach Orła Białego. Plac zwany Saskim był miejscem przeglądów wojska polskiego dokonywanych przez wielkiego księcia Konstantego, mieszkającego w pałacu Saskim do 1822 roku.

Około 1825 roku Urząd Municypalny wykupił 4 domy murowane i 11 drewnianych, usytuowane na trzech posesjach i zburzył je w celu uzyskania widoku na kościół Ewangelicki. W ten sposób utworzono plac pomiędzy ulicami Mazowiecką i Królewską, lecz nie nadano mu nazwy.

W związku z budową kościoła rozszerzono w dwójnasób plac Złotych Krzyży: w 1817 roku wywłaszczono 5 posesji i rozebrano stojące na nich domy usytuowane między ulicami Nowy Świat, Bracką, Żurawią i wylotem Wspólnej. Na uzyskanym w ten sposób terenie wzniesiono w latach 1818–1826 kościół św. Aleksandra. Plac uregulowano i nazwano placem Aleksandra ku czci Aleksandra I, a w 1831 roku położono bruk.

Na północy miasta między ulicami Dziką, Stawki i Pokorną, w pobliżu okopów, na rozkaz Konstantego utworzono w 1824 roku obszerny plac. Na polecenie namiestnika Zajączka miasto kosztem 200 000 złotych wykupiło przeszło 20 posesji częściowo zabudowanych, splantowało teren i obsadziło go włoskimi topolami. Kwadrat o boku 400 m i około 16 ha powierzchni stał się największym placem Warszawy, cztery razy większym od placu Saskiego. Zwano go Polem Marsowym albo placem Broni, gdyż odbywały się tu manewry i przeglądy wojska dokonywane przez Konstantego. Według opinii ówczesnych warszawian na placu Broni mogło się pomieścić 100 000 żołnierzy. W pobliżu znajdowały się liczne koszary północnej dzielnicy miasta: Gwardii na Żoliborzu, Sierakowskie przy ulicy Konwiktorskiej, Sapieżyńskie przy Zakroczymskiej, Mikołajewskie przy Pokornej i Artylerii przy zbiegu ulic Dzikiej i Gęsiej.

Na południu miasta, tuż za wałem przy ulicy Polnej, na gruntach chłopskich Nowej Wsi urządzono tak zwane Wojenne Pole Mokotowskie, przeznaczone do ćwiczeń trzech pułków kawalerii rosyjskiej: ułanów, huzarów i kirasjerów, stacjonujących w obszernych koszarach usytuowanych między ulicą Czerniakowską a Łazienkami. Pole Mokotowskie zachowało się częściowo do dziś.

Na Żoliborzu dziedziniec koszar Gwardii zamieniono w związku z ich przebudową na obszerny plac zwany Aleksandrowskim; pośrodku stanął obelisk ku czci Aleksandra I. Plac służył za miejsce zbiórki, a może i ćwiczeń pułku piechoty; w roku 1832 został objęty murami Cytadeli.

Oprócz placów reprezentacyjnych i wojskowych utworzono też nowe place targowe lub uregulowano istniejące. I tak rozszerzono i uregulowano plac Żelaznej Bramy, wkrótce największe targowisko Warszawy. Przebudowano znajdujący się tu pałac Radziwiłłów (Lubomirskich) i obudowano plac między innymi domami projektu Schmidtnera. Przy zbiegu ulic Chłodnej i Elektoralnej przez wykupienie kilku posesji i rozebranie usytuowanych na nich sześciu domów utworzono wydłużony plac nazwany Pod Lwem, od domu Pod

Lwem z płaskorzeźbą przedstawiającą króla zwierząt. Plac przeznaczono na targowisko żywnością.

Ludność Warszawy nazywała również placem rozszerzenie się Krakowskiego Przedmieścia przed kościołem Świętego Krzyża przy zbiegu z Nowym Światem i ulicą Aleksandria (Kopernika), gdzie wzniesiono w latach 1820–1822 Pałac Staszica. Po stronie wschodniej placu stał osiemnastowieczny pałac Karasia, a w 1830 roku ustawiono pomnik Kopernika. „Melioracje i ozdoby miasta" (inaczej program upiększenia stolicy) wyraziły się najdobitniej w tworzeniu placów związanych z okazałymi gmachami. Jedną z największych i najkosztowniejszych inwestycji ówczesnych była budowa bulwarów nad Wisłą. Katastrofalny wylew Wisły w roku 1813, który zniszczył południowe Powiśle, ulice Solec i Czerniakowską i spowodował obsunięcie się brzegów, ujawnił niebezpieczeństwo wylewów. Bulwar kamienny ciągnący się od Solca do wylotu ulicy Bednarskiej miał zabezpieczyć Powiśle i utrwalić brzegi. Budowano go od 1825 roku pod kierunkiem pułkownika Urbańskiego, mozolnie wbijając ścianki szpuntpalowe osłaniające przed wdzieraniem się wody. Budowa, nie ukończona do roku 1830 i zarzucona, została zniszczona przez Wisłę.

W programie „melioracji i ozdób" nie zapomniano o mostach i zieleni. W latach 1828–1829 wybudowano most przez Wisłę na północy miasta, na wprost ulicy Spadek, w pobliżu późniejszego mostu stalowego pod Cytadelą. Był to drugi most wiślany, pierwszy znajdował się na wprost ulicy Bednarskiej i stanowił główne połączenie lewego i prawego brzegu w Warszawie. Most ułożono na łyżwach; często uszkadzały go lody. Od strony praskiej poprowadzono do niego nową ulicę na Golędzinowie, na usypanym wale, a następnie na grobli przecinającej łachę wiślaną i Kępę Golędzinowską. Uszkodzony przez krę w grudniu 1830 roku most został rozebrany, a galary użyte do przewozu przez Wisłę. Trzeci most, znacznie krótszy, nad łachą wiślaną, łączył Saską Kępę z Pragą.

Przemiany w ogrodach i parkach Warszawy były znaczne. Około 1820 roku uporządkowano przylegający do Ogrodu Krasińskich ogród pałacu Dückerta przy ulicy Długiej i urządzono pijalnię wód mineralnych. Goście mogli przechadzać się po ogrodzie. Pijalnia istniała do czasu wybudowania w Ogrodzie Saskim w roku 1847 Instytutu Wód Mineralnych. Ogród Saski, zdewastowany przeglądami wojsk i brakiem opieki, został uporządkowany. W 1817 roku rozebrano saski pawilon ogrodowy zwany Wielkim Salonem. W 1818 roku usunięto targ na konie z ulicy Królewskiej i jednocześnie od strony ulicy rozebrano mur z bastionami, stawiając na jego miejsce wysoką, żeliwną klasyczną kratę, złożoną jakby z lanc ostrzami zwróconych do góry. Przy zbiegu ulicy Królewskiej i placu Saskiego wybudowano cukiernię Lessla z obszernym tarasem letnim. W drugim końcu ogrodu, tuż przy ulicy Królewskiej, w 1820 roku architekt Kubicki wzniósł ujeżdżalnię dla Szkoły Podchorążych Jazdy, skoszarowanej w pobliskim pałacu Łubieńskich, po drugiej stronie Królewskiej. Zieleń Ogrodu Saskiego przekomponowano w stylu angielskim według projektu Anglika Jamesa Savage. Pracami prowadzonymi przez kilka lat kierował ogrodnik tegoż ogrodu Jan Strobel.

Dzięki przesunięciu się centrum miasta na południe Ogród Saski stał się letnim „salonem Warszawy", miejscem spacerów, spotkań towarzyskich, flirtów. Nie wolno było doń wchodzić ubogiej ludności żydowskiej ubranej w chałaty. Położony między placem Teatralnym, administracyjnym centrum Warszawy, handlowym placem Za Żelazną Bramą i ulicami Królewską i Marszałkowską, które grały większą rolę w życiu Warszawy,

317. Plac Zamkowy. Litografia, autor nie określony

usytuowany w pobliżu Krakowskiego Przedmieścia, ruchliwej, reprezentacyjnej ulicy Warszawy, Ogród Saski miał dogodne położenie w ówczesnym śródmieściu. Ogród Krasińskich nie zaspokajał potrzeb ze względu na niewielki obszar i położenie obok niego dzielnicy żydowskiej przy Nalewkach. Do odległych Łazienek wyprawiano się jak na wycieczkę powozami lub dorożkami.

Na przestrzeni niespełna pięciohektarowej wydzielonej z parku łazienkowskiego wzdłuż ulicy Agrykola przy Al. Ujazdowskich botanik profesor Szubert założył w 1818 roku uniwersytecki Ogród Botaniczny. Rozplanowany na górnym tarasie i malowniczo spadający na stoku skarpy objął ruiny kaplicy uchodzące za fundamenty Świątyni Opatrzności z 1792 roku. Przy wejściu do Ogrodu Botanicznego wzniesiono w latach 1819–1825 prostopadle do Alej gmach Obserwatorium Astronomicznego (projekt: Hilary Szpilowski z udziałem arch. Aignera; wyposażenie: astronom Franciszek Armiński).

W latach 1815–1830 prowadzono szerokie prace brukarskie obejmujące remonty nawierzchni, zniszczonych zarówno przemarszami wojsk w latach 1806–1813 jak i normalnym zużyciem, a także brukowanie nowych ulic. Układano przeważnie kamienie polne, ale zastosowano też bruk szosowy z tłucznia, zwany wówczas makademizowanym. Pokryto nim długie ciągi komunikacyjne: ulice Marszałkowską, Bracką, Wiejską oraz Myśliwiecką, stanowiącą dojazd do koszar kawalerii rosyjskiej, a także drogi bite. Uregulowano i wyprostowano trakty: Krakowski – obecna ulica Grójecka, wychodząca z rogatek jerozolimskich, i Kaliski – ulica Wolska. Droga powązkowska stała się traktem bitym. Na prawym brzegu uregulowano trakt Brzeski, a jego budowę uczczono pomnikiem-obeliskiem ustawionym przy ul. Grochowskiej w 1823 roku. Na obelisku umieszczono płaskorzeźby przedstawiające gmachy Warszawy i prace nad budową szosy. Z rogatek ząbkowskich szedł trakt Radzymiński.

Trakt Lubelski, czyli ulica Puławska, został uregulowany zapewne później, w okresie międzypowstaniowym. Trakty umożliwiły komunikację Warszawy z głównymi miastami Królestwa. Drogi bite służyły do przewozu towarów i do komunikacji tak zwanymi „karetkami pocztowymi", obsługującymi pasażerów i przewożącymi pocztę. Trakty umożliwiały też przywóz towarów obcych do Warszawy: pruskich – traktem Kaliskim, austriackich – traktem Krakowskim, i wywóz do Rosji towarów produkowanych przez przemysł warszawski traktem Brzeskim. Przy trakcie Krakowskim w pobliżu Rakowca urządzono „koszary drogowe" i wybudowano nowe karczmy.

Brukowano ulice zabudowujące się nowymi domami w dzielnicy żydowskiej, jak Nalewki, Franciszkańska, Nowiniarska, Bonifraterska, ulice Nowego Miasta: Przyrynek i Głęboką, na Żoliborzu ulicę Spadek, stanowiącą dojazd do nowego mostu, aleję Gwardii, ulicę Fawory (bruk szosowy) oraz Bitną jako drogę do koszar. W zachodniej dzielnicy miasta znaczne prace brukarskie przeprowadzono na Elektoralnej, Chłodnej, Grzybowskiej, Krochmalnej i Twardej, ale tylko od placu Grzybowskiego do Ciepłej. Wybrukowano znaczną część ulicy Żelaznej, całe Nowolipie i część Nowolipek, Młynarską od Wolskiej do cmentarza Ewangelickiego. Wybrukowano również Dziką, leżącą na trasie pogrzebów na Powązki, stanowiącą też dojazd do placu Broni i do 4 cegielni położonych między Dziką, Gęsią i okopami. Brukiem pokryto plac przed koszarami przy rogu Dzikiej i Gęsiej. Wybrukowano Graniczną–Żabią i ulicę Przejazd za Arsenałem oraz ulice w okolicach placu Za Żelazną Bramą: Zimną, Solną i Gnojną. Na Powiślu bruk ułożono na ciągu komunikacyjnym: Tamka–Topiel–Browarna–Furmańska–Sowia aż do Mariensztatu.

Ważniejsze ulice o znacznym ruchu pieszym otrzymały chodniki z płyt kamiennych: Krakowskie Przedmieście, Senatorska, Miodowa, Długa i inne. Były to pierwsze chodniki w Warszawie. Znaczną część ulic oświetlono przez ustawienie około 700 ulepszonych lamp olejowych, tak zwanych rewerberowych. Najstaranniej oświetlono trasę Krakowskie Przedmieście–Nowy Świat–Aleje Ujazdowskie do Belwederu.

ZMIANY W ZABUDOWIE

Do ożywienia budownictwa przyczyniła się pomoc kredytowa państwa i miasta. W 1816 roku utworzono fundusz budowlany m.st. Warszawy; od 1817 roku skarb udzielał pożyczek w wysokości 300 tysięcy złotych rocznie na budowę domów, „aby w miejsce drewnianych budynków tudzież na placach pustych wystawiać mogli domy murowane ku własnej wygodzie i ozdobie miasta służące". Pożyczek udzielano na pokrycie połowy kosztów, w wysokości od 15 do 30 tysięcy na budowę domów co najmniej jednopiętrowych, usytuowanych przy ulicach I i II klasy, a więc głównych.

W następnym roku ustanowiono miejski fundusz budowlany w wysokości 180 000 złotych rocznie. Z funduszu tego udzielano pożyczek do wysokości 1/3 kosztorysu, co wynosiło do 10 000 złotych, gdyż przeznaczony był na budowę domów nie droższych niż 30 tysięcy, wznoszonych na dalszych ulicach. Pożyczki z obu funduszy były oprocentowane na 6%, co w porównaniu z procentami pożyczek prywatnych, wynoszącymi 2–2$^1/_2$% miesięcznie, a więc do 30% rocznie, stanowiło bardzo tani kredyt.

W latach 1817–1828 z funduszu skarbowego udzielono 3 600 000 zł kredytu, a w latach 1818–1830 z miejskiego 711 400 złotych. Ożywiło to kredyt prywatny i pobudziło budownictwo. W latach 1816–1828 wybudowano 233 kamienice i domy murowane i rozpoczęto budowę dalszych 411. Odnowiono, a w tym i częściowo nadbudowano 780 domów. Ponieważ dane nie są kompletne (brak liczb z sześciu lat: 1819–1820, 1822–1823 i 1829–1830), należy przyjąć, że w latach 1816–1830 wykończono prawie 400 domów,

a rozpoczęto budowę niemal 700. Największe natężenie ruchu budowlanego przypada na lata 1816, 1818, 1824, 1827 i 1828.

Nad regularną zabudową miasta czuwała utworzona w 1817 roku Rada Ogólna Budownictwa, Miernictwa, Dróg i Spławów: przepisy policji budowlanej zakazywały budowy domów drewnianych. Rząd i Rada dążyły do likwidacji kontrastów zabudowy, przynajmniej w śródmieściu i przy głównych ulicach, oraz do nadania miastu jednolitej architektury. Na miejscu XVIII-wiecznych dworków i domów drewnianych wznoszono starannie zaprojektowane kamienice, przeważnie dwupiętrowe, o wyrównanej wysokości i estetycznych fasadach.

Najwięcej kamienic wybudowano na Nowym Świecie, ponad 30 dwupiętrowych, część z okazałymi elewacjami projektowanymi przez Corazziego, Szpilowskiego, Gallego, Józefa Lessla. Domy te miały długie, murowane oficyny poprzeczne w głąb działek. W podwórzach zachowały się resztki starej drewnianej zabudowy. Nowymi kamienicami zabudowano prawie całą ulicę Świętokrzyską od Nowego Światu aż po Bagno, a także Mazowiecką.

Obudowa placu Teatralnego była dziełem Aignera i Corazziego, choć rozpoczął ją w 1817 roku Fryderyk Lessel przebudową pałacu Jabłonowskich na ratusz. Aigner wzniósł oficynę Marywilu, włączoną następnie do Teatru Wielkiego jako jego skrzydło; jednocześnie przebudował kościół i klasztor Kanoniczek, zaprojektował też kamienicę Petyskusa przy rogu ulicy Senatorskiej i Wierzbowej. Corazzi zaprojektował w 1825 roku gmach teatru na miejscu zabudowań i dziedzińca Marywilu, a w parę lat potem okazałą kamienicę w widłach ulic Bielańskiej i Senatorskiej, ozdobioną spiętrzonym portykiem kolumnowym. Zabudowano też sąsiednie ulice: Niecałą, Nowosenatorską (obecnie Moliera) i Bielańską, przy której obok kamienic wzniesiono kilka hoteli. Również i przy Długiej wybudowano trzy hotele i kilkanaście kamienic.

Intensywna zabudowa objęła zachodnią dzielnicę miasta: plac Żelaznej Bramy i jego okolice, między innymi ulice Żabia–Graniczna. Najwięcej kamienic wzniesiono przy ulicy Elektoralnej, Leszno (do Żelaznej) i Chłodnej, gdzie występowała mieszana zabudowa murowana i drewniana. Zabudowa murowana przekroczyła rogatki i objęła ulicę Wolską, Młynarską, a nawet trakt Kaliski, stanowiący przedłużenie ulicy Wolskiej, przy którym postawiono kilka domów murowanych i około 20 drewnianych. Na wydmach Woli i Koła stało nadal przeszło 40 wiatraków, tak charakterystycznych dla tych okolic.

Ożywiony ruch budowlany panował w dzielnicy żydowskiej; na miejscu XVIII-wiecznych domów i dworków drewnianych, często zapadniętych w ziemię i na wpół zrujnowanych, wybudowano nową dzielnicę kamienic dwupiętrowych. Najwięcej ich, bo przeszło 30, wystawiono przy Franciszkańskiej, najokazalsze natomiast stanęły przy Nalewkach; zaprojektowali je Corazzi i Galle. Przy ulicy Świętojerskiej wzniesiono kilkadziesiąt kamienic. Nawet na dalekiej Dzikiej wybudowano kilkanaście domów murowanych.

W dzielnicy północnej wiele kamienic wzniesiono przy ulicy Zakroczymskiej oraz na Żoliborzu, gdzie po kilkanaście domów murowanych wybudowano przy Faworach i ulicy Zielonej.

Na Powiślu najwięcej kamienic stanęło przy ulicy Bednarskiej, która stanowiła dojazd do mostu, na Tamce i przy Oboźnej. Domy murowane wybudowano też przy ulicy Browarnej i Furmańskiej, stanowiących wówczas główny ciąg komunikacyjny Powiśla, gdyż ulica

297

Dobra, zniszczona przez powódź w 1813 roku, biegła tylko między Tamką a Wiślaną. Na południowym Powiślu wybudowano kilkanaście domów przy ulicy Czerniakowskiej. Stosunkowo nieznaczny ruch budowlany obserwowało się przy ulicy Marszałkowskiej i jej przecznicach. Zabudowana nie istniała prawie w Alejach Ujazdowskich i nie zdążyła objąć Alei Jerozolimskich.

Przybliżona liczba kamienic
lub
Nazwa ulicy   domów murowanych

Nowy Świat	przeszło 30	Chłodna	około 25
Świętokrzyska	prawie 30	Waliców	9
Aleksandria (Kopernika)	około 12	Wolska	około 15
Mazowiecka	około 20	Młynarska	około 5
Królewska	około 20	Franciszkańska	32
Bielańska	około 20	Nalewki	22
Marszałkowska	9	Świętojerska	około 30
Długa	około 15	Bonifraterska	7
Trębacka	15	Nowiniarska	6
Nowosenatorska (Moliera)	8	Muranowska	8
Niecała	8	Dzika	około 12
Elektoralna	około 30	Zakroczymska	około 20
Leszno	około 25	Fawory	około 15
Tłomackie	około 12	Zielona	około 12
Żabia–Graniczna	około 14	Bednarska	około 10
Grzybowska	około 15	Tamka	8

Stosunkowo najmniej zabudowała się Praga; wzniesiono tu kilkanaście domów murowanych przy ulicach Brukowej i Wołowej (Targowej) oraz okazałą Komorę Wodną nad Wisłą, do dziś w części zachowaną. Planu regulacji Pragi (nowa sieć ulic i utworzenie okazałych placów) opracowanego przez architekta Kubickiego nie wykonano. Zniesiono na rozkaz Konstantego fortyfikacje napoleońskiego przyczółka mostowego, przeprowadzono nową, okazałą ulicę Szeroką (obecnie Jagiellońską i Stalingradzką) i urządzono dojazd do nowego mostu na Golędzinowie. Uregulowano ulicę dojazdową do starego mostu, a także trakt do Jabłonny; wybrukowano na znacznej szerokości aż do rogatek grochowskich ulicę Wołową, stanowiącą ożywione targowisko.
Warszawskie osiemnastowieczne pałace magnackie adaptowano na potrzeby biur, na siedziby komisji rządowych, czyli ministerstw. Przebudowa polegała na dodaniu klasycystycznych kolumnowych portyków i przystosowaniu wnętrz na potrzeby biurowe. W ten sposób pałac Mostowskich na Przejeździe stał się siedzibą Komisji Rządowej Spraw Wewnętrznych i Policji, pałac Prymasowski na Senatorskiej – Komisji Wojny, dawny pałac Leszczyńskich – Komisji Rządowej Przychodów i Skarbu przy placu Bankowym, pałac Raczyńskich – Komisji Sprawiedliwości.

Obok Zagłębia Staropolskiego i skupienia przemysłu włókienniczego w województwie kaliskim Warszawa stała się trzecim skupiskiem przemysłu Królestwa. Rząd dbał o rozwój przemysłu, sprowadzał fachowców z zagranicy, zakładał fabryki. Od roku 1828 opiekę nad przemysłem objął Bank Polski. Z pomocą rządu obok manufaktur zaczęły powstawać fabryki wyposażone w maszyny parowe. Rozwój przemysłu warszawskiego datuje się od mniej więcej 1817 roku.
Był to przede wszystkim przemysł włókienniczy i metalowy. W tym roku rząd założył fabrykę kobierców na Solcu, zatrudniającą przeszło 100 robotników oraz 150 prządek pracujących poza zakładem. Wkrótce potem rząd otworzył wytwórnię sukna „Poland" (odstąpioną potem Fraenklowi z rodu Szmula Zbitkawera, bankiera Stanisława Augusta), największą fabrykę w Warszawie. W ogromnym sześciopiętrowym budynku pracowało 700 robotników na przeszło 300 warsztatach. W roku 1821 zakład uruchomił maszynę parową. Zakładów produkujących sukno na potrzeby krajowe i wywóz do Rosji było w Warszawie od 8 do 11, nie tylko w samym mieście, ale i pod miastem, na Grochowie i Marymoncie (przędzalnia cienkiej wełny). W ostatnich latach przedpowstaniowych przemysł wełniany przeżywał kryzys i na przykład fabryka Fraenkla po pożarze w 1827 roku mimo szybkiej odbudowy zmniejszyła produkcję. Tworzy się też zaczątek przemysłu bawełnianego; największym zakładem jest manufaktura saksońska Maya przy ulicy Książęcej, zatrudniająca 166 ludzi przy 60 warsztatach. Istniały też fabryki perkalu, wyrobów bawełniano-jedwabnych, pończoch.
Drugim ważnym działem był przemysł metalowy. W 1818 roku wznowiono produkcję w przebudowanej mennicy, gdzie prócz monet rozpoczęto produkcję tokarek i narzędzi, również przy użyciu maszyny parowej. Drugim wielkim zakładem była fabryka Morrisa i Evansa, także wspomagana przez rząd. Były to zakłady odlewnicze żelaza i mosiądzu oraz zakłady kowalskie, produkujące maszyny, narzędzia rolnicze i kafary do wbijania pali,

NARODZINY PRZEMYSŁU

a nawet maszyny parowe. Evans zatrudniał według jednych danych 150, według innych 400 osób. Zakłady mieściły się w dawnym kościele i klasztorze św. Jerzego przy ulicy Świętojerskiej. Od 1826 roku Rządowa Fabryka Machin na Solcu produkowała maszyny parowe i narzędzia rolnicze, zatrudniając około 100 robotników. Największy zakład zbrojeniowy Królestwa, Arsenał, również posiadał maszynę parową i produkował koła do armat oraz części broni. Z manufaktur brązowniczych wyróżniał się Norblin, z wytwórni platerów Fraget, a z wytwórni galanterii metalowej Minter przy ulicy Świętokrzyskiej. Pośród kilku fabryk powozów i karet największe były wytwórnie Jana Liera i Rentla na Lesznie.

Trzecią ważną pozycją był przemysł spożywczy. Towarzystwo Wyrobów Zbożowych uruchomiło młyn parowy wraz z piekarnią w 1828 roku, w obszernym budynku na Solcu. Intensywnie rozrastał się przemysł browarniczy: obok licznych niewielkich browarów w latach 1827–1829 wybudowano kilka większych w zachodniej dzielnicy miasta i na Powiślu; produkowały one porter i piwo angielskie. Warszawa stała się ośrodkiem produkcji piwa na całe Królestwo; czynnych w niej było 53–56 browarów.

Przemysł garbarski i skórzany to garbarnie rządowe, garbarnia Temlera i inne oraz wytwórnia rękawiczek Grossego, która zatrudniała 500–600 szwaczek, a także Niveta. Wytwórnie sztucznych kwiatów, kapeluszy, piór do kapeluszy pracowały i na wywóz do cesarstwa.

Przemysł papierniczy produkował tapety i papiery kolorowe; przemysł chemiczny reprezentowała fabryka Hirschmanna i Kijewskiego na Solcu. Najwięcej cegielni, produkujących znaczne ilości cegieł i dachówek dla rozbudowującego się miasta, znajdowało się na Mokotowie i Czystem.

W okresie Królestwa powstał na Powiślu zawiązek dzielnicy przemysłowej przy ulicach Solec, Ludnej i Książęcej w pobliżu Wisły, stanowiącej drogę wodną. Druga dzielnica przemysłowa zarysowała się w zachodniej części miasta i na Woli: liczne browary, młyny, a na Woli wspomniane już wiatraki. W północnej dzielnicy miasta i na Marymoncie znajdowały się zakłady włókiennicze, wytwórnie sukna, przędzalnie. W śródmieściu było kilka metalurgicznych zakładów rządowych (mennica, Arsenał), a z prywatnych Evansa i Mintera.

W latach 1829–1830 przemysł warszawski przeżywał kryzys, zmniejszyła się produkcja zakładów wełnianych, wzrosło bezrobocie, dochodziło do wrzenia wśród rzemieślników i robotników. W okresie powstania listopadowego metalowy przemysł warszawski przestawił się na produkcję wojenną. Przemysł warszawski zatrudniał ogółem w latach 1826–1827 przeszło 3500 robotników. Znacznie więcej było rzemieślników: w 1815 roku około 11 000, w 1827 liczba ich doszła do około 18 000. Warsztaty rzemieślnicze skupiały się na Starym Mieście, poza tym rozproszone były po całym śródmieściu, zwłaszcza warsztaty rzemiosł zbytkownych. Rzemiosła metalowe i skórzane coraz liczniej zajmowały partery domów zachodniej dzielnicy miasta. Rzemiosło było silnie rozwarstwione: obok zamożnych majstrów zatrudniających po kilku, a nawet kilkunastu czeladników i uczniów istniały tysiące ubogich warsztatów jednoosobowych. Miały one charakter zarówno usługowy, jak i produkcyjny; wiele wyrobów, jak obuwie, pióra do kapeluszy, tekstylia, szło na eksport. Robotnicy i wyrobnicy pochodzili w znacznej mierze ze wsi i z małych miast. Majstrowie i wykwalifikowani rzemieślnicy przybywali z zagranicy, przeważnie z Prus. Warszawa stanowiła też punkt tranzytowy w migracjach sezonowych, zwłaszcza w okresie żniw; stała się „targowiskiem" siły roboczej. Żniwiarze czekali na Krakowskim Przedmieściu i placu Zamkowym na rządców majątków. Niektórzy z tych chłopów szukali pracy w Warszawie, a znajdując ją zostawali w stolicy.

Na specjalną uwagę zasługuje przemysł wydawniczy. W pierwszych latach istnienia Królestwa Kongresowego w Warszawie działało 17 drukarni. Były to przeważnie zakłady średnie lub niewielkie, wyposażone w jedną do pięciu pras. W latach 1817–1829 utworzono 5 drukarni, ale już większych, o liczbie pras sięgającej 9–10. Do największych zakładów warszawskich należała Drukarnia Rządowa, wydzierżawiona od 1827 roku przez znanego przedsiębiorcę drukarskiego Karola Ragoczego. Nowoczesna i znakomicie wyposażona była drukarnia Banku Polskiego, założona dopiero w 1829 roku, natomiast za jedną z najlepszych pod względem technicznym i wykonawczym uchodziła założona w 1818 roku drukarnia Natana Glücksberga, znanego wydawcy, specjalizująca się w wydawaniu książek i nut. Z założonej w 1825 roku dużej drukarni Antoniego Brzeziny, a później Antoniego Gałęzowskiego wychodziły gazety i czasopisma naukowe. Jedną z największych była drukarnia Ragoczego wywodząca się z XVIII-wiecznej drukarni Grölla. Natomiast drukarnia ,,Kuriera Warszawskiego", założona przez Brunona Kicińskiego, a kupiona przez L.A. Dmuszewskiego, odznaczała się dużą wydajnością, drukując 150–180 arkuszy na godzinę na jednej prasie. Do średnich drukarni zaliczano zakład popularnych wydawców Zawadzkiego i Węckiego przy ulicy Długiej, drukarnię Komisji Rządowej Wyznań Religijnych i Oświecenia Publicznego, wreszcie dwie należące do zgromadzeń zakonnych: pijarów przy Długiej i misjonarzy przy kościele Świętego Krzyża na Krakowskim Przedmieściu. Wspomnieć też trzeba o dwu drukarniach żydowskich. W odróżnieniu od przemysłu uciążliwego dla miasta rozmieszczone były przeważnie w śródmieściu przy ulicach: Miodowej, Senatorskiej, Daniłowiczowskiej, Długiej, Świętojerskiej; trzy były na Starym Mieście. Łącznie drukarnie warszawskie posiadały około 80 pras drewnianych zatrudniały w 1827 roku około 200 drukarzy; najwyżej wykwalifikowani zarabiali 135 złotych polskich miesięcznie. Zakłady były bardzo rentowne, dochód roczny przewyższał niekiedy wartość całej drukarni; dzierżawcy płacili właścicielom znaczne sumy. Drukarnie zużywały niespełna 50 tysięcy ryz papieru, przeważnie importowanego z Prus. Z krajowych papierni najlepsze wyroby produkowała papiernia w Jeziornie pod Warszawą. Zdolność produkcyjna drukarni warszawskich sięgała około 24 milionów arkuszy. Warszawa skupiała większość przemysłu drukarskiego Królestwa. W innych miastach były drukarnie niewielkie, a ich łączna zdolność produkcyjna stanowiła zaledwie 1/4 produkcji zakładów warszawskich.

W szesnastoleciu 1815–1830 nastąpił znaczny wzrost czasopiśmiennictwa: powiększyła się wydatnie liczba gazet codziennych i czasopism, wzrosły też ich nakłady dzięki zwiększonemu zainteresowaniu życiem politycznym w kraju, wzrostowi zamożności w rozwijającym się mieście oraz liczbie ludzi umiejących czytać. W latach 1815–1818 wychodziły w Warszawie dwie gazety: ,,Warszawska" i ,,Korespondenta Warszawskiego i Zagranicznego", ukazywały się najpierw dwa razy w tygodniu, a od roku 1817 cztery razy. Obie były konserwatywne, prowadzone tradycyjnie, przeładowane rozporządzeniami rządowymi i obwieszczeniami o licytacjach. Wiadomości zagraniczne pochodziły oczywiście z pism zagranicznych. W latach 1815–1819 obie gazety zamieszczały doskonałe recenzje teatralne Towarzystwa Iksów, pisane przez wybitnych literatów i znawców z wysoko postawionych sfer. Nakład miały niewielki: ,,Gazeta Warszawska" około 800, a ,,Gazeta Korespondenta" tylko 600 egzemplarzy. ,,Gazetę Warszawską" redagował Antoni Lesznowski senior, ,,Gazetę Korespondenta" Wojciech Pękalski, pisarz i tłumacz utworów teatralnych.

Rok 1818 przynosi gwałtowny wzrost zainteresowania prasą, co wiąże się z sesją sejmu i działalnością opozycji. Rośnie liczba sprzedawanych pism. W 1818 roku Bruno Kiciński, tak czynny w warszawskim czasopiśmiennictwie, zakłada ,,Gazetę Codzienną Narodową i Obcą", która zdobywa popularność dzięki opozycyjnemu nastawieniu i już po roku ma 1600 egzemplarzy nakładu, w tym 700 w prenumeracie. Wprowadzenie cenzury w 1819 roku i zaostrzenie kursu doprowadza mimo protestów Kicińskiego do zawieszenia ,,Gazety Codziennej".

W 1821 roku Kiciński zakłada nowe pismo: ,,Kurier Warszawski", które przejmuje Ludwik Adam Dmuszewski. ,,Kurierek" staje się najpopularniejszym, a jednocześnie najtańszym dziennikiem. Redagowany chaotycznie, podawał wiadomości skrótowo, nikomu się nie narażając. Był jakby zapowiedzią późniejszych dzienników bulwarowych, ,,brukowców", ale docierał do szerokich warstw rzemieślniczych, woźniców, przekupek, a nawet wyrobników. ,,Niejednego nauczył czytać". Ponieważ redaktor Dmuszewski był dyrektorem teatru, ,,Kurier" zamieszczał skwapliwie repertuar teatralny i liczne wzmianki o premierach i wznowieniach. Nakład ,,Kuriera" szybko rósł i w 1830 roku przekroczył 2000 egzemplarzy.

W końcu 1826 roku zaczęto wydawać dziennik na wysokim poziomie, ,,Gazetę Polską" w nakładzie 600–800 egzemplarzy, dość drogi, przeznaczony dla postępowych, opozycyjnych czytelników. ,,Najlepsza może z całej prasy warszawskiej" (z doskonałym serwisem zagranicznym) – pisał o niej Maurycy Mochnacki.

Ostatnie lata przedpowstaniowe przynoszą niebywałe zainteresowanie prasą: w 1829 roku zaczęto wydawać ,,Kurier Polski", doskonale redagowany, tani, opozycyjny; w 1830 roku Bank Polski założył ,,Wiadomości Handlowe", zawierające obok sprawozdań giełdowych bogaty dział informacji zagranicznych oparty na korespondencji Banku. ,,Wiadomości" subwencjonowane przez Bank były bardzo tanie; prenumerata wynosiła tylko 12 złp. rocznie, podczas gdy cena innych dzienników 40, 80 lub 96 złotych. Urzędowy „Monitor Warszawski" przemianowany na „Powszechny Dziennik Krajowy" był przeładowany obwieszczeniami, ale miał dział doskonałych informacji zagranicznych; nie cieszył się popularnością, wychodził zaledwie w 300 egzemplarzach. Od 1827 roku dzierżawił go A. T. Chłędowski. Od 1827 roku wszystkie prawie gazety wychodzą codziennie, nawet w niedziele, co powiększało liczbę egzemplarzy do dwóch milionów rocznie w 1830 roku, a w ciągu 15 lat nakład dzienników stołecznych wzrósł 15-krotnie. Niewielki natomiast było zainteresowanie czasopiśmiennictwem literackim, politycznym i rozrywkowym. Założony w 1815 roku „Pamiętnik Warszawski" przestał wychodzić po ośmiu latach w 1823 roku z powodu braku prenumeratorów. „Tygodnik Polski i Zagraniczny" Kicińskiego, przemieniony na „Wandę", ukazywał się tylko 4 lata: opozycyjny „Orzeł Biały" miał tylko 500 prenumeratorów. Jeden z najlepszych miesięczników literackich, „Dziennik Warszawski", wychodzący w latach 1825–1829, miał zaledwie 160 prenumeratorów, a jego redaktor i współpracownicy pracowali bez wynagrodzenia. Najdłużej utrzymywały się „Rozmaitości", dodatek do „Gazety Korespondenta". W omawianym 10-leciu wydawano aż 36 czasopism, większość z nich to efemerydy wychodzące rok lub dwa. Tak znaczna liczba czasopism powodowała rozdrobnienie zainteresowań. Wśród czasopism było kilka pism dla kobiet, na przykład „Pamiętnik dla Płci Pięknej". Dość duży nakład miało pismo rozrywkowe „Momus", wydawane przez ulubieńca publiczności teatralnej, aktora Alojzego Żółkowskiego-ojca. Największe jednak nakłady miały czasopisma fachowe: rolnicze, leśne i techniczne, jak „Izys Polska", „Sylwan", „Piast", które rozchodziły się na prowincji wśród ziemian i dzierżawców majątków.

Do Warszawy poczta dostarczała prasę zagraniczną, przeważnie francuską i niemiecką. Na skutek zarządzeń cenzury liczba dozwolonych pism bardzo zmalała, były one zresztą bardzo kosztowne: prenumerata roczna od 300 do 900 złp. Część prasy przemycano nielegalnie. Do popularyzacji dzienników przyczyniły się liczne kawiarnie, traktiernie i gospody rzemieślnicze, udostępniające prasę swym gościom.

Warszawa była najważniejszym ośrodkiem wydawniczym książek. Liczba drukowanych tu książek i broszur wzrastała w latach 1815–1830, lecz wzrost ten nie był równomierny. W 1815 roku wydano niewiele – 133 pozycje, w 1818 już 217, ale w 1819 następuje spadek do 173 spowodowany wprowadzeniem cenzury. W kryzysowych latach 1823–1824 wydawano po 150–160 tytułów. Od 1825 roku liczba wydawnictw natomiast stale rosła, osiągając w 1829 roku – 468, aby w następnym roku zmniejszyć się o prawie 100. Przeciętny nakład wynosił 500 egzemplarzy, najwyższy sięgał od 1000 do 1500, najniższy – 100. Największe nakłady należały do powieści. Tylko „Pismo Święte" wydawano w 3000 egzemplarzy. Do najpoczytniejszych pisarzy należał Niemcewicz, autor „Śpiewów historycznych" i powieści „Jan z Tenczyna" wydanej w 1825 roku. Ukazywało się też wiele utworów scenicznych autorów polskich i obcych, zwłaszcza jeśli miały powodzenie na scenie. Osiem zakładów litograficznych odbijało nuty, sprzedawane przez trzy firmy wydawnicze muzyczne, skupione przy ulicy Miodowej. Najdłużej istniała firma Klukowskiego. Nuty sprowadzano też z zagranicy; celował w tym Brzezina, u którego Chopin zaopatrywał się w nowości kompozytorskie. Podczas powstania listopadowego ukazały się dziesiątki wydań pieśni patriotycznych, marszów, polonezów.

OŚWIATA I SZKOLNICTWO — „Pod rządem konstytucyjnym Królestwa Polskiego w latach początkowych 1815–1820 nauki zaczęły szybkim postępować krokiem" (Słowaczyński). Na czele Komisji Rządowj Wyznań Religijnych i Oświecenia Publicznego stał w tych latach minister Stanisław Kostka Potocki, dbały o rozwój kultury i oświaty. Zmiana na gorsze nastąpiła od 1821 róku za Stanisława Grabowskiego, nazwanego ministrem ociemnienia publicznego, reakcjonisty uzależnionego od Nowosilcowa. „Rząd bowiem unikał zaszczepienia nauk między klasą ubogą, ścieśniał i przygnębiał postęp nauk moralnych i politycznych we wszystkich szkołach". Szkół elementarnych było 74 (według innych danych 61), w tym 50 prywatnych, 10 miejskich i 14 niedzielnych dla rzemieślników; uczono w nich czytać, pisać oraz początków arytmetyki. Szkolnictwo średnie to 4 szkoły wydziałowe i 3 wojewódzkie z 6-letnim nauczaniem. Do najlepszych szkół wojewódzkich należał konwikt pijarów na Żoliborzu. Szkoły wojewódzkie umieszczono w śródmieściu i w zachodniej dzielnicy miasta, między innymi w dawnych klasztorach Dominikanów Obserwantów na Nowym Świecie. Liceum, zaliczane do szkół wyższych, znajdowało się na terenie uniwersytetu. Uniwersytet, ustanowiony w 1816 roku, został otwarty w 1818 roku. Oparty na Szkole Prawa i Administracji składał się z pięciu wydziałów: Prawa i Administracji, Nauk Lekarskich, Teologii, Umiejętności Fizycznych i Matematycznych oraz Nauk i Sztuk Pięknych, obejmującego architekturę, malarstwo, rzeźbę i sztycharstwo. Wydział Umiejętności Fizycznych i Matematycznych przeorganizowano później na Filozoficzny. Uniwersytet posiadał liczne gabinety, jak mineralogii, historii naturalnej (przyrodniczy), numizmatyki, zbiorów graficznych i inne. Jego biblioteka była największą biblioteką publiczną w Warszawie, posiadającą 150 000 tomów. Rozwój uczelni był pomyślny, liczba katedr rosła, dochodząc w 1830 roku do 46.

Studenci rekrutowali się z Warszawy (synowie szlacheccy i mieszczańscy) i z prowincji, a także z kresów wschodnich, wśród przyjezdnych dominowała drobna szlachta. Liczba studiujących stale rosła: z 566 w roku akademickim 1821/22 doszła do 800 w roku 1830; najliczniejsi byli słuchacze Wydziału Prawa i Administracji.

Z inicjatywy Staszica na początku 1826 roku założono Szkołę Przygotowawczą do Instytutu Politechnicznego o 3-letnim kursie. Szkoła Inżynierii Cywilnej kształciła inżynierów budowy dróg i mostów, kanałów, melioracji i budownictwa. W 1830 roku podniesiono ją do rangi Politechniki.

W 1820 roku na Marymoncie założono w rozbudowanym przez Corazziego gmachu Instytut Agronomiczny wraz ze Szkołą Leśną. Szkoła Pedagogiczna kształciła nauczycieli szkół wydziałowych i wojewódzkich. Warszawska Szkoła Guwernantek przygotowywała nauczycielki domowe. Wydział Medyczny Uniwersytetu prowadził szkołę akuszerek i kliniki. Instytut Muzyki i Deklamacji (tzw. Konserwatorium) kształcił muzyków, śpiewaków i aktorów. Popularność zdobył Instytut Głuchoniemych. Księży kształciły dwa główne warszawskie seminaria duchowne Królestwa. Wreszcie skupiło się w stolicy aż 8 szkół wojskowych ze słynną Szkołą Podchorążych. W 1830 roku w tak zwanych szkołach wyższych (bez Uniwersytetu) kształciło się około 2200 studentów, a w szkołach średnich i niższych 7390 uczniów i uczennic, w tym 5265 chłopców i 2125 dziewcząt. Była więc Warszawa największym polskim ośrodkiem oświaty i nauki. Młodzież akademicka, zwłaszcza z Uniwersytetu i Instytutu Marymonckiego, grała znaczną rolę w życiu politycznym, uczestnicząc w obchodach i manifestacjach. Podczas powstania listopadowego wielu studentów wstąpiło do wojska. Towarzystwo Przyjaciół Nauk, dla którego wybudowano specjalny gmach w latach 1820–1822 zwany Pałacem Staszica, popierało rozwój nauki i literatury. Na jego czele stał od 1808 do 1826 roku Stanisław Staszic, a po jego zgonie J.U. Niemcewicz. Towarzystwo posiadało bogatą bibliotekę druków i rękopisów oraz gabinety zbiorów. Członkiem Towarzystwa był między innymi Samuel Bogumił Linde, znakomity językoznawca i autor słynnego „Słownika języka polskiego", ekonomista Fryderyk Skarbek, poeta i historyk literatury Brodziński, a także profesor Uniwersytetu Joachim Lelewel.

Nowością były stałe wystawy dzieł sztuki ustanowione w roku 1818 i urządzane w latach 1819, 1821, 1823, 1825 i 1828 w salach Uniwersytetu. Wzięło w nich udział przeszło 300 artystów. Tłumnie odwiedzane, przyczyniły się do rozwinięcia zainteresowań sztuką i zainicjowania krytyki artystycznej. Artystom przyznawano nagrody i wyróżnienia, kupowano oraz zamawiano głównie portrety. W 1814 roku otwarto pierwszą galerię publiczną przy ulicy Tłomackie: około 500 obrazów pochodziło z prywatnych zbiorów J.K. Ossolińskiego; galeria stanowiła zalążek przyszłego Muzeum Narodowego. Oprócz uczelni uniwersyteckiej działało w Warszawie kilka prywatnych szkół malarskich, w tym i dla kobiet.

W 1814 roku teatr przejął od Bogusławskiego Ludwik Osiński, pisarz i tłumacz, tworząc spółkę akcyjną, do której weszło kilku zamożnych aktorów, kilku kupców i adwokatów. Reżyserami zostali L.A. Dmuszewski i B. Kudlicz. Podstawą repertuaru miały być według założeń Osińskiego tragedie klasycystyczne polskie i francuskie, między innymi „Barbara Radziwiłłówna" Felińskiego, ale słabe ich powodzenie zmusiło Osińskiego do wystawiania dram preromantycznych, komedii, oper i baletów. W 1819 roku Teatr Narodowy wystawił pierwszą komedię Fredry „Pan Geldhab" z Kudliczem w roli tytułowej. Z innych komedii Fredrowskich powodzenie zdobyła sztuka „Mąż i żona". Operą kierowali najpierw Elsner i Kurpiński, a od 1824 roku sam Kurpiński, preferując opery własne oraz Rossiniego. W 1818 roku scena została rozszerzona i zaopatrzona w maszynerię umożliwiającą wystawianie dram i baletów z ulubionymi wówczas apoteozami, unoszeniem aktorów w powietrze i tym podobnymi efektami. Rok 1821 przynosi doniosłą, acz niekorzystną zmianę: prezesem dyrekcji teatru został gen. Rożniecki, przyjaciel Nowosilcowa. Rożniecki dbał tylko o operę włoską; w teatrze wprowadził system szpiegowski. Zaostrzyła się cenzura. Jednocześnie przyszło załamanie się frekwencji, Osiński przestał płacić czynsz za budynek teatru. Sytuację uratowało subsydium rządowe, częściowo przeznaczone na teatr francuski prowadzony też przez Osińskiego. Rząd coraz bardziej uzależniał od siebie teatr, tworząc w 1823 roku komitet czuwający nad jego gospodarką finansową; przewodniczył komitetowi Staszic. W 1825 roku Osiński na skutek trudności finansowych zrezygnował z prowadzenia teatru, który przejęło zrzeszenie aktorów. Zrzeszenie prowadziło teatr przez dwa lata, wystawiając między innymi pięć komedii Fredry, opery Rossiniego i operę romantyczną „Wolny strzelec" Webera. Wśród aktorów zabrakło świetnego komika, ulubieńca publiczności Alojzego Żółkowskiego-ojca (zmarł w 1822).

W listopadzie 1825 roku położono kamień węgielny pod budowę nowego teatru, który otwarto w 1833 roku i nazwano Wielkim. Po upadku zrzeszenia w 1827 roku rząd powołał dwóch dyrektorów, Osińskiego i Dmuszewskiego. Ogromny sukces dramy z muzyką „Chłop milionowy" (50 przedstawień) zapewnił teatrowi spokojny byt finansowy.

W 1829 roku zorganizowano drugą scenę – Teatr Rozmaitości. W gmachu Towarzystwa Dobroczynności na Krakowskim Przedmieściu wystawiano komedie i wodewile jednoaktowe młodych autorów polskich oraz obcych. Zespół składał się z młodych aktorów, wśród których wyróżniał się Ludwik Panczykowski. Szkołę Dramatyczną prowadził od 1815 roku Kudlicz, wychowując wybitnych aktorów, z wszechstronną Żuczkowską i Wojciechem Piaseckim, pierwszym polskim aktorem romantycznym.

Wybuch powstania 29 listopada 1830 roku zastaje gen. Chłopickiego na przedstawieniu w Teatrze Rozmaitości. Rożniecki uciekł z Teatru Narodowego w przebraniu dorożkarza, a obowiązki prezesa przejął Wojciech Grzymała. Teatr nie miał przygotowanego repertuaru patriotycznego i dopiero po paru miesiącach wystawił operę Aubera „Niema z Portici", wystawienie jej już w paru krajach było związane z wybuchem rewolucji. Wystawił też dramat „Wilhelm Tell" Schillera i kilka okolicznościowych sztuk patriotycznych. Podczas recytacji poezji patriotycznych, głównie przez Piaseckiego, przy granych przez orkiestrę marszach wojskowych Kurpińskiego Teatr stawał się miejscem manifestacji uczuć patriotycznych.

Warszawa była wówczas „rozmuzykowana". Muzyków i śpiewaków kształciło Konserwatorium Muzyczne pod dyrekcją Józefa Elsnera, znajdujące się w dawnych zabudowaniach klasztoru i kościoła bernardynek–klarysek przy placu Zamkowym. Wychowankiem Konserwatorium Elsnera był Chopin; gry fortepianowej uczył go prof. Żywny, a kompozycji Elsner. Od 1818 roku Chopin jako „cudowne dziecko" występował w salonach warszawskich, a także w Belwederze; w tym samym roku miał pierwszy koncert publiczny

320. Plac przed Marywilem i Ratusz

w Towarzystwie Dobroczynności na Krakowskim Przedmieściu. W 1825 roku wystąpił na koncercie w Konserwatorium. W latach 1829–1830 grał na kilku koncertach w sali Resursy, przy ulicy Senatorskiej, i w Teatrze Narodowym na pl. Krasińskich, a w tym ostatnim roku – często na organach w kościele Wizytek. Opuścił Warszawę na zawsze na początku listopada 1830 roku, na 27 dni przed wybuchem powstania.

Wśród gościnnie występujących w Warszawie artystów znalazła się słynna śpiewaczka Catalani, której słuchał młodziutki Chopin, oraz skrzypek Paganini. Z Paganinim rywalizował polski skrzypek Karol Lipiński, dwukrotnie koncertując w Warszawie w latach 1827 i 1829. W 1829 roku Lipiński spotkał się w stolicy z Paganinim podczas koronacji Mikołaja I. Koncerty dwóch znakomitych skrzypków wywołały polemikę prasową, w której uczestniczył Mochnacki. Oprócz wybitnych artystów występowało wielu muzyków średniej miary, a nawet zwykłe mierności, wydrwigrosze i oszuści. Przyjeżdżało też do Warszawy na występy wielu tancerzy i akrobatów.

Znaczną rolę w życiu kulturalnym Warszawy grały salony, zwłaszcza arystokratyczne: Zamoyskich (Zofia z Czartoryskich Zamoyska współpracowała z krytykami teatralnymi zwanymi Iksami), Czartoryskich (książę Adam, opiekun Iksów, i jego siostra Maria Wirtemberska, autorka arcymodnej powieści sentymentalnej „Malwina, czyli domyślność serca"), Sobolewskich (Ignacy Sobolewski był związany z dworem), Rzewuskich, Mokronowskiej, Mostowskiego, ministra spraw wewnętrznych. W salonie Mostowskiego zbierali się Iksowie w celu omawiania swych recenzji teatralnych. Znany był też salon Nakwaskich na Nowym Świecie.

Jeszcze większe znaczenie w mieście miały kawiarnie. Zbierająca się w nich młodzież przy ponczu, kawie lub piwie dyskutowała o polityce, literaturze, recytowała wiersze, śpiewała często pieśni patriotyczne. Kawiarni było mnóstwo, głównie na Krakowskim Przedmieściu, Miodowej, Długiej. Do najsłynniejszych należały: Brzezińskiej przy zbiegu Przedmieścia Krakowskiego i Koziej (u Brzezińskiej bywał Chopin i jego przyjaciel Stefan Witwicki, poeta romantyk i muzyk pianista), „Dziurka Marysi" przy Miodowej, gdzie bywali młodzi romantycy, a rej wodzili Goszczyński i Bohdan Zaleski; autorzy dramatyczni i aktorzy bywali chętnie „Pod Kopciuszkiem" na Długiej w pobliżu Teatru Narodowego, słuchając facecji komika Żółkowskiego; na poncz jeżdżono i chodzono do modnej kawiarni „Wiejska Kawa" przy ulicy Wiejskiej w pobliżu Pięknej.

W 1822 roku pojawiły się w Warszawie pierwsze egzemplarze „Ballad i romansów" Adama Mickiewicza, poprzedzonych wstępem poety o poezji romantycznej. Rok ten, uznany za narodziny polskiego romantyzmu, rozpoczął w stolicy Królestwa walkę między romantykami, przeważnie młodego pokolenia, a klasykami warszawskimi. Obóz klasyków reprezentowali między innymi Kajetan Koźmian, dyrektor teatru Ludwik Osiński, Franciszek Wężyk. Zbierali się oni w pałacu przy Krakowskim Przedmieściu w salonach gen. Wincentego Krasińskiego, znanego ze swego służalstwa.

Młodzież warszawska zafascynowana była wówczas „Odą do młodości", która stała się jakby hymnem i zawołaniem. W 1823 roku ukazuje się „Grażyna", części II i IV „Dziadów" wileńskich, stanowiących wyraz namiętnej romantycznej miłości, jeszcze jeden przedmiot sporów klasyków z romantykami. Aresztowania i proces filomatów, wśród których znalazł się Mickiewicz, wznieciły nową falę nienawiści do Nowosilcowa.

W 1828 roku dotarły do Warszawy egzemplarze „Konrada Wallenroda"; poemat wywołał dyskusję i spory nie tylko w salonach literackich, ale i w kawiarniach, i na zebraniach młodzieży: wallenrodyzm, patriotyzm uciekający się do zdrady, pasjonował młodzież. W 1828 roku Mickiewicz pisze rozprawę „O krytykach i recenzentach warszawskich" potępiającą klasyków. Żarliwym romantykiem był Maurycy Mochnacki, krytyk i propagator romantyzmu, domagający się wystawienia dramatów Szekspira w wiernym tłumaczeniu, a nie w klasycznych przeróbkach, autor znakomitej rozprawy „O literaturze polskiej w wieku XIX".

Romantycy pochodzili ze zdeklasowanej szlachty i z inteligencji, byli nastawieni opozycyjnie, antymagnacko, jak na przykład Mochnacki. Obok poezji Mickiewicza wielkie wrażenie wywierał romantyczny, rewolucyjny i katastroficzny poemat Goszczyńskiego „Zamek Kaniowski", czytany z zapałem przez młodzież akademicką i urzędniczą. W Warszawie mieszkał i tworzył w ostatnich latach życia Antoni Malczewski, który w roku 1825 wydał poemat romantyczny „Maria, powieść ukraińska", zrazu niedoceniony. Malczewski zmarł w niedostatku wkrótce po wydaniu „Marii" (1826) i pochowany został w bezimiennym grobie na Powązkach. Przy tej samej co Malczewski ulicy Elektoralnej mieszkał i tworzył inny młody romantyk, urzędnik skarbowy Juliusz Słowacki. Czytał on swe utwory w Ursynowie staremu Niemcewiczowi, który poznał się na talencie młodego poety. Słowacki zdobył popularność w powstańczej Warszawie swymi hymnami, a przeżycia spiskowców warszawskich przetworzył poetycko w „Kordianie".

Modzi romantycy znajdowali poparcie u profesorów Uniwersytetu Brodzińskiego i Lelewela. Organem prasowym romantyków był wspomniany już „Kurier Polski", wydawany od 1829 roku przez Ksawerego Bronikowskiego. Jednym z ważniejszych publicystów „Kuriera" był Mochnacki, pisujący krytyki teatralne i literackie. Romantykiem był Bohdan Zaleski, blisko związany węzłami koleżeńskimi z Sewerynem Goszczyńskim i wraz z nim należący do tajnego Związku Wolnych Polaków. Zaleski wydawał od 1825 roku swoje dumy i dumki ukraińskie oraz poematy opiewające Ukrainę i kozaczyznę. W czasie powstania listopadowego Zaleski walczył jako oficer w 5 Pułku Strzelców Pieszych. Romantykiem był młody muzyk, pianista i kompozytor Chopin. Można więc powiedzieć, że Warszawa była, obok Wilna, miastem skupiającym młodych poetów romantycznych.

Jako siedziba władz i urzędów państwowych i miejskich, przy systemie centralistycznym i rosnącej roli biurokracji, miała Warszawa dość liczną (około tysiąca) i stałą liczbę urzędników. Pochodzili oni przeważnie ze szlachty, choć zdarzali się wśród nich mieszczanie. Zarobki urzędników odznaczały się znaczną rozpiętością. Młodzi kandydaci na urzędników, kanceliści, nie pobierali wcale płacy, czekając na zwolnienie etatów, wspierani z domów rodzinnych, nierzadko z dalekich dworów szlacheckich. Niektórzy z urzędników i funkcjonariuszy policyjnych pomnażali swoje dochody biorąc łapówki. Głośne były nadużycia w miejskim dziale kwaterunkowym, zakończone samobójczą śmiercią urzędnika Czarneckiego. Urzędnicy byli na ogół niepopularni w społeczeństwie Warszawy, do czego przyczyniły się wspomniane nadużycia w dziale kwaterunkowym i łapownictwo policji. Niepopularny był również prezydent Urzędu Municypalnego Karol Woyda, energiczny administrator, ale służalczy i płaszczący się przed wielkim księciem Konstantym i Nowosilcowem. Do najbardziej znienawidzonych w Warszawie ludzi należał wiceprezydent Mateusz Lubowidzki, stojący na czele policji municypalnej i ściśle związany z Nowosilcowem i Rożnieckim. Z innych przyczyn znienawidzony był Leon Newachowicz, który zjechał do Warszawy w 1814 roku jako protegowany Nowosilcowa i dorobił się olbrzymiego majątku na dzierżawie monopolu tabacznego (tytoniowego) w Królestwie oraz na dzierżawie podatku od trunków i rzezi bydła.

Patrioci nie mogli pozostać bierni wobec warunków politycznych stwarzanych w Królestwie przez aparat władzy. Szczególnie ostro odczuwała stolica Królestwa coraz brutalniejsze łamanie konstytucji, swobód i godności narodowej, rządy pełnomocnika cesarskiego senatora Nowosilcowa, który przed utworzeniem Królestwa był członkiem Rządu Tymczasowego, rozbudowę tajnej policji. System szpiegostwa wydoskonalili tu gen. Rożniecki i Lubowidzki. Ich szpiedzy, wśród których najczarniej zapisali się Macrotti i Schley, usiłowali wkręcić się wszędzie, działali między innymi przez biuro służących.

W Warszawie narastało niezadowolenie i bunt wyrażające się w organizowaniu tajnych związków młodzieży i wojskowych. Walerian Łukasiński, major 4 Pułku Piechoty, zawiązał sprzysiężenie w obrębie legalnego Wolnomularstwa Narodowego, zawiązanego w 1819 roku. Celem sprzysiężenia było odzyskanie niepodległści i przyłączenie wschodnich ziem wcielonych do Rosji. Sprzysiężeni planowali powstanie zbrojne. Po roku działalności Łukasiński zmuszony był rozwiązać Wolnomularstwo i 1 maja 1821 roku w Potoku pod Bielanami założył tajne Towarzystwo Patriotyczne. Wśród organizatorów byli wyżsi oficerowie Umiński, Prądzyński, a także adwokat Szreder, domagający się nawiązania kontaktów z rzemieślnikami warszawskimi. Już przedtem niezależnie i samorzutnie zaczęły powstawać wśród młodzieży, głównie akademickiej, tajne związki: w Warszawie było ich około 20 na blisko 50 w całym kraju. Pierwsza dość nieliczna (20 osób) organizacja studencka nazwała się w 1817 roku Związkiem Przyjaciół pod greckim godłem „Panta Koina" (wszystko wspólne). Założył ją Ludwik Mauersberger. Spotkania miały charakter samokształceniowy z przewagą dyskusji literackich; organizacja podupadła po wyjeździe założyciela, a w 1822 roku rozbiły ją aresztowania.

Jawny związek akademicki próbowano zorganizować w 1819 roku, lecz rektor Uniwersytetu odmówił jego zatwierdzenia. Tadeusz Krępowiecki, Wiktor Heltman i Józef Kozłowski założyli więc tajne stowarzyszenie polityczne Związek Wolnych Polaków. Związek działał głównie wśród studentów, należeli do niego między innymi Maurycy Mochnacki, Seweryn Goszczyński, Ksawery Bronikowski, młodzi literaci. Związek wydawał własny dziennik „Dekada Polska", redagowany przez Heltmana. Aresztowanie redaktora i przywódcy przytłumiło działalność Związku, który przestał istnieć w 1823 roku. Wcześniej, w 1822 roku aresztowano przywódców Towarzystwa Patriotycznego z Łukasińskim, Dobrzyckim, Dobrogoyskim, Mochnackim oraz Szrederem i osadzono w więzieniu w klasztorze Karmelitów na Lesznie. W 1824 roku sąd wojskowy złożony z generałów skazał Łukasińskiego na 9 lat więzienia, a Dobrzyckiego i Dobrogoyskiego na 6 lat oraz publiczną degradację. Ta ponura ceremonia odbyła się w obozie wojskowym na Powązkach w obecności oddziałów polskich i rosyjskich. Zakutych więźniów osadzono w twierdzy w Zamościu.

Na czele Towarzystwa Patriotycznego stanął podpułkownik Seweryn Krzyżanowski. Przywódcy Towarzystwa porozumiewali się z rewolucjonistami rosyjskimi ze Stowarzyszenia Południowego. Po powstaniu dekabrystów podczas śledztwa w Petersburgu wyszły na jaw związki dekabrystów z polskim Towarzystwem Patriotycznym i w zimie 1826 roku aresztowano Krzyżanowskiego i towarzyszy. Towarzystwo przestało istnieć, a spiskowcy stanęli przed Sądem Sejmowym oskarżeni o zdradę stanu. Lud Warszawy demonstrował na placu Krasińskich przed pałacem, gdzie odbywał się sąd. Sąd Sejmowy, nie bez nacisku opinii, uwolnił podpułkownika Krzyżanowskiego i kapitana Majewskiego od zarzutu zdrady stanu. Wyrok sądu wywarł ogromne wrażenie i odbił się szerokim echem. Car zawiesił wyrok, a obu oficerów wydalono z wojska. W Warszawie wrzało, na ścianach domów nalepiano kartki o treści patriotycznej, karykatury, krążyły pisemka o treści rewolucyjnej. Część z nich rozlepiała policja w celach prowokacyjnych.

W styczniu 1826 roku odbył się manifestacyjny pogrzeb Stanisława Staszica: trumnę ze zwłokami niesiono na ramionach przez całe miasto na dalekie Bielany, przy udziale tłumów. Gdy zmarł jednak biskup Wojciech Skarszewski, senator, osławiony reakcjonista, znienawidzony w Warszawie, doszło do manifestacji innego rodzaju: trumnę opatrzono konopnym sznurem, co oznaczało, że Skarszewski był w 1794 roku skazany na szubienicę (ocalił go wtedy Kościuszko).

W grudniu 1828 roku w Szkole Podchorążych Piechoty w Łazienkach Piotr Wysocki zainicjował spisek patriotyczny. Jego przywódcy nawiązali kantakty z sejmową opozycją i dawnymi działaczami Towarzystwa Patriotycznego. Sprzysiężenie rozwinęło się w 1830 roku, obejmując i młodzież; do związku należały trzy koła akademickie.

W 1829 roku rozeszły się pogłoski o koronacji syna Napoleona, księcia Reichstadtu, na króla Galicji. Szeptano o austriackich żądaniach tronu dla Orlątka. W Warszawie noszono wizerunki księcia i ozdoby napoleońskie przy ubraniach, mówiono o jego odwiedzinach w Warszawie, co zresztą się nie sprawdziło. Legenda napoleońska trwała ciągle żywa.

W zimie 1829/30 ucichły nadzieje na wojnę koalicji państw z Rosją. W lecie 1830 Warszawa była miastem prawie pustym: „wszyscy na wsi lub u wód", „panuje tu całkowity spokój" – raportował Konstanty cesarskiemu bratu. I nagle 7 sierpnia spokojne miasto dowiedziało się o wybuchu rewolucji w Paryżu. Gazety zapełniły się wieściami o rewolucji lipcowej przedrukowanymi z prasy zagranicznej. Zasięg ich i rola były dość duże; wieści docierały przez kawiarnie, oberże i gospody rzemieślnicze do szerokich kręgów. Informacje zagraniczne ułatwiał fakt zezwolenia przez Konstantego na przedruk relacji tłumaczonych z prasy zagranicznej, jednak bez własnych komentarzy. Na wieść o rewolucji wielki książę wpadł we wściekłość i bacznie obserwował reakcje Warszawy na wieści dochodzące z Paryża. Podwoił nadzór i wzmógł działalność szpiegów, nadal jednak uznawał nastrój panujący w mieście za zupełnie spokojny. Mochnacki prdstawił inaczej reakcję Warszawy: „stolica Polski wzmagała się i huczała jako rzeka wezbrana, chcąc się rozlać ze swego łożyska" („Powstanie narodu polskiego..."). Wiadomości z Francji ożywiły też ludność polską w Poznaniu, na Śląsku, w Galicji; wywołały zaniepokojenie wśród warstw wyższych, a ogromne wrażenie wśród uczestników spisku Wysockiego: ich szeregi się powiększyły; do spisku przyłączył się ambitny podporucznik Józef Zaliwski z towarzyszami. Coraz częściej mówiono o powstaniu.

Na przełomie sierpnia i września zaczęto w Warszawie mówić o możliwości interwencji wojsk rosyjskich we Francji. Konstanty obawiał się tej interwencji i udziału w niej wojska polskiego. Mimo tajnych zarządzeń mobilizacji środków finansowych na kampanię francuską na giełdzie warszawskiej notowano ożywienie i wzmożone obroty papierami wartościowymi.

5 września prasa warszawska doniosła o wybuchu rewolucji sierpniowej w Belgii – o zajściach w Brukseli, które rozpoczęły się podczas przedstawienia słynnej opery Aubera „Niema z Portici". I rewolucja, i okoliczności jej wybuchu zelektryzowały społeczeństwo Warszawy. Gazety od dawna zapowiadały „Niemą z Portici" w Teatrze Narodowym, władze jednak zakazały wystawienia opery, która wywołała również wybuch rewolucji i we Włoszech, w Mediolanie. Dzienniki warszawskie przez całą jesień donosiły o niepokojach i rozruchach w Niemczech, w Hamburgu i Lipsku, Dreźnie, w Nadrenii, oraz w Szwecji, Hiszpanii, Portugalii, Danii, we Włoszech, nawet w Anglii i Irlandii. Również z zaborów austriackiego i pruskiego dochodziły wiadomości o niepokojach. Cała Europa wydawała się podminowana, ale najwięcej uwagi zajmowała Belgia, żądająca od króla Wilhelma holenderskiego całkowitej niepodległości. Sukcesy powstańców belgijskich i ludu belgijskiego przyjmowano entuzjastycznie. Wiadomości napływające z Francji i Belgii wznieciły w Warszawie wrzenie. Znienawidzony prezydent Warszawy Woyda został 3 września pobity, i to w śródmieściu, na ulicy Długiej. Na domach przylepiano karteluszki wzywające do bicia ministrów, między innymi Lubeckiego, oraz powieszenia dzierżawcy monopolu Newachowicza; inne ulotki zapowiadały rewolucję. Wrzenie ogarniało zwłaszcza rzemieślników, czeladników i młodzież akademicką. Warstwy uboższe miały szczególniejsze powody do niezadowolenia: wzrosły ceny wobec złego stanu zbiorów i dawało się we znaki bezrobocie spowodowane między innymi spadkiem eksportu sukna. W połowie października wybuchł strajk w fabryce Fraenkla. Ożywienie panowało w gospodach rzemieślniczych, wśród czeladzi wybuchały bunty, dochodziło do zajść z policją na targach, grożono jej pracownikom wieszaniem. O powstaniu mówiła służba. W październiku 1830 roku komisja śledcza wykryła nadużycie w wydziale kwaterunkowym, co wzmogło wzburzenie. Komisja zażądała dymisji prezydenta Woydy. Gdy ulewa rozmyła w początkach listopada cmentarz na Pradze, odsłaniając kości ofiar rzezi Pragi z 1794 roku, zebrane tłumy modliły się za poległych. W 36 rocznicę rzezi Pragi, 5 listopada, młodzież udała się za Wisłę i uczestniczyła w manifestacyjnym nabożeństwie w kościółku Loretańskim przy ulicy Ratuszowej. W pochodzie wzięły udział tłumy pospólstwa. Policja obawiała się rozruchów, ale skończyło się na pobiciu przez akademików kapitana żandarmerii.

W październiku car Mikołaj zadecydował o mobilizacji i wymarszu wojsk rosyjskich w celu stłumienia rewolucji belgijskiej. Groziło to wojną ogólnoeuropejską. Również i w Królestwie ogłoszono mobilizację, a wymarsz wojska polskiego mimo oporu Konstantego wyznaczono na 22 grudnia. W Warszawie działała już komisja przygotowująca kwatery dla wojska; jednocześnie aktywność tajnej policji i aresztowania wśród studentów zagroziły całkowitą dekonspiracją sprzysiężenia. W tej sytuacji spiskowcy zdecydowali się na przyśpieszenie terminu powstania, które miało ogarnąć całość ziem polskich pod panowaniem rosyjskim.

29 listopada 1830 roku około godziny siódmej wieczór podchorążowie i związkowi cywilni rozpoczęli powstanie napadem na Beweder, planując zamach na wielkiego księcia. Konstanty zdołał uciec. Nieudany był również atak Szkoły Podchorążych pod wodzą Wysockiego na koszary Pułku Ułanów Rosyjskich za Łazienkami. Nie udały się pertraktacje z napotkanym gen. Stanisławem Potockim, by stanął na czele powstania. Podchorążowie wśród głuchej ciszy zamkniętych bram i sklepów pomaszerowali Nowym Światem w kierunku Arsenału. Inny był przebieg wydarzeń na północy miasta. Zaliwski kazał podpalić domy na Dzikiej, co było hasłem do koncentracji sił powstańczych pod Arsenałem przy ulicy Długiej, aby nie dopuścić do zajęcia go przez wojsko rosyjskie. Zaczęli się też tam gromadzić wyrobnicy i rzemieślnicy ze Starego Miasta oraz z sąsiednich ulic. Arsenał uratował batalion 4 Pułku Piechoty, obroniwszy go przed Pułkiem Wołyńskim Piechoty Rosyjskiej; piechota rosyjska wycofała się na plac Broni. Tymczasem pod Arsenał nadeszła Szkoła Podchorążych i wszystkie siły związkowe. Ciężkie położenie zmusiło Zaliwskiego i Wysockiego do dopuszczenia do uzbrojenia ludności w broń z Arsenału. Uzbrojony lud rozpłynął się we wszystkie strony prowadzony przez akademików i podchorążych, niektóre grupy zostały rozbrojone przez oddziały polskie wierne Konstantemu. Udział ludu przesądził o powodzeniu powstania. Przed Konstantym stanęło widmo rewolucyjnego Paryża i Brukseli, lecz wielki książę pozostał bezczynny, mimo nacisku, jaki wywierali na niego polscy przeciwnicy powstania. Powstańcy opanowali mosty i prochownie zaopatrując się w amunicję, zdobyli też więzienie Karmelitów na Lesznie i uwolnili więźniów politycznych. Następnie zdobyli odwach Orła Białego na placu Saskim, gdzie zginął z ich rąk gen. Siemiątkowski, i opanowali plac Bankowy, gdzie padł gen. Stanisław Potocki. Oficerowie na próżno starali się skłonić gen. Chłopickiego,

321. Widok Belwederu. Rys. Fryderyk Krzysztof Dietrich

322. Wielki książę Konstanty w Belwederze. Rys. Fryderyk Krzysztof Dietrich według obrazu Lecha I. Kiela

323. Most Sobieskiego (w Łazienkach) 29.XI.1830 r. Rys. Jan Feliks Piwarski

324. Łukasiński przykuwany do działa. Rys. Anton Oleszczyński

325. Lud i wojsko 29.XI.1830. Rys. Jan Felik Piwarski

obecnego w Teatrze Rozmaitości na przedstawieniu, do objęcia stanowiska wodza.
Powstanie nie miało dowódcy. Próby stworzenia cywilnego ośrodka powstańczej władzy
też się nie powiodły, nie zdołano nakłonić do działania Lelewela. W pierwszą powstańczą
noc oddziały powstańcze zgrupowane były koło Arsenału, przy mostach i na Pradze. Obok
rosyjskiej kawalerii w Alejach Ujazdowskich i w okolicach placu Broni grupowały się
polskie oddziały legalistyczne. W różnych punktach miasta rozłożyły się liczne niezdecydo-
wane oddziały polskie czekające na rozwój wypadków. Grupy i grupki uzbrojonego ludu
(można je obliczać nawet na blisko 30 tysięcy) próbowały atakować wroga. Rankiem
30 listopada śródmieście Warszawy znalazło się w ręku powstańców, ale powstańców bez
dowódcy.

TRUDNE DNIE WOLNOŚCI   Wielki książę Konstanty nadal oczekiwał bezczynnie w Wierzbnie na samorzutne wygaś-
nięcie powstania, nie mieszając się do walki, którą uważał za bratobójczą wojnę domową.
W stronnictwie zachowawczym, przeciwnym powstaniu, działał Lubecki. Zwołał on w nocy
zebranie Rady Administracyjnej, w którym uczestniczyli między innymi książę Adam
Czartoryski i Niemcewicz. Lubecki i członkowie Rady nie wierzyli w powodzenie
powstania. Czartoryski i Lubecki jako delegaci Rady Administracyjnej udali się do
Konstantego, aby go namówić do użycia wojska przeciw „zbuntowanym". Konstanty
jednak na to się nie zgodził. Rada Administracyjna mianowała Chłopickiego wodzem
naczelnym, mianowała też nowego prezydenta Warszawy, 70-letniego Stanisława Węgrzeckiego, pełniącego tę funkcję w czasach Księstwa Warszawskiego. Ale na czele miasta
stanął w rzeczywistości nowo mianowany wiceprezydent miasta gen. Tomasz Łubieński.
Naczelnikiem Straży Bezpieczeństwa został jego brat Piotr Łubieński; Straż dążyła do
rozbrojenia pospólstwa.
Tomasz Łubieński powołał Radę Municypalną złożoną ze „znakomitych obywateli"
(między innymi hrabia Andrzej Zamoyski i znany adwokat Dominik Krzywoszewski);
bardzo czynnym sekretarzem Rady został Andrzej Plichta, członek Towarzystwa Patriotycznego i współtowarzysz Łukasińskiego. Pod nadzór Rady Municypalnej poddano policję.
Władze zajęły się najpierw pochowaniem na cmentarzu Powązkowskim poległych, wśród
których przeważali rzemieślnicy i wyrobnicy, w tym dość licznie mieszkańcy Powiśla. Nie
cierpiące zwłoki było zaopatrzenie ludu; Warszawie groził głód. Głodni powstańcy zaczęli
rabować sklepy z żywnością i rozbijać sklepy z wódką. Obrabowano też rosyjską kasę
prowiantową na Nowym Świecie. Władze przejęły i uruchomiły młyn parowy: w Warszawie nie było chleba, co wiązało się z nieurodzajnym rokiem 1830, zwłaszcza na Mazowszu.
Rada Administracyjna przeniosła obrady z Pałacu Namiestnikowskiego do gmachu Banku
Rolnego, postanawiając energicznie przywrócić porządek. Było to głównym celem nowo
utworzonej Straży Bezpieczeństwa, której patrole 1 grudnia zaczęły rozbrajać powstańców. Zaniepokojeni spiskowcy postanowili utworzyć organizację rewolucyjną. Pierwsi
wystąpili przeciw Radzie Administracyjnej liberalni posłowie sejmowi, żądając zwołania
sejmu i zmuszenia Konstantego do opuszczenia Królestwa. Stwierdzili też, że część
członków Rady nie cieszy się zaufaniem społeczeństwa. Pod tym naciskiem ustąpili
skompromitowani członkowie, zamiast nich weszli Lelewel, Dembowski, Gustaw Małachowski i Ostrowski. Jednak nie zrewolucjonizowało to Rady, która znów podjęła
rokowania z Konstantym.

W nocy 1 grudnia byli spiskowcy zawiązali na ratuszu na placu Teatralnym rewolucyjne Towarzystwo Patriotyczne. Prezesem został Lelewel, wiceprezesem Bronikowski, jego zastępcą Mochnacki, a sekretarzem Grzymała. Na drugi dzień Towarzystwo urządziło burzliwe i tłumne zebranie w Salach Redutowych i na widowni Teatru Narodowego na pl. Krasińskich. Budynek Teatru otoczyły uzbrojone tłumy. Towarzyszyły one wysłannikom Towarzystwa, którzy udali się do siedziby Rady Administracyjnej w Banku Polskim z ostrą rezolucją domagającą się zerwania rozmów z Konstantym i „zniszczenia lub rozbrojenia nieprzyjaciela". 3 grudnia Warszawa manifestowała radośnie z racji przystąpienia do powstania polskich oddziałów, kwaterujących niedaleko stolicy. Wieczorem pod naciskiem Towarzystwa Patriotycznego rozwiązała się Rada Administracyjna i utworzył się Rząd Tymczasowy, ale z przewagą konserwatystów. Czynniki zachowawcze z Lubeckim na czele rozpoczęły walkę z Towarzystwem Patriotycznym i Mochnackim. 5 grudnia generał Chłopicki ogłosił dyktaturę. Zamiast jednak przygotowywać walkę, dyktator usiłował paktować z carem, wysyłając na rokowania między innymi Lubeckiego.

W Warszawie życie wróciło do normalnego trybu przy częściowym zastoju w przemyśle, trudnościach zaopatrzenia i ożywieniu życia politycznego. Temu ostatniemu sprzyjała wolność słowa i druku: w teatrach zbierano się tłumnie na patriotycznych przedstawieniach, opozycja zabierała ostro głos w prasie i na dysputach politycznych, głównie w popularnych kawiarniach („Dziurka Marysi", u Brzezińskiej, „Honoratka"), 18 grudnia zebrał się sejm i wśród entuzjazmu obecnych ogłosił powstanie za narodowe.

Falę oburzenia wywołała ucieczka z Warszawy w dzień noworoczny byłego wiceprezydenta Warszawy, szefa tajnej policji, Lubowidzkiego. Do ucieczki za granicę dopomogli mu Łubieńscy. Tłumy ludzi, a wśród nich akademicy daremnie przeszukiwali miasto, aby odnaleźć zdrajcę. Żądano postawienia Henryka Łubieńskiego przed sądem wojennym. Chłopicki, choć związany z Łubieńskimi, musiał ich pozbawić stanowisk, a Henryka nawet aresztowano. Nastąpiły korzystne zmiany we władzach: na czele Gwardii Narodowej stanął gen. Antoni Ostrowski, wiceprezydentem Warszawy został Kajetan Garbiński.

Sprawa Łubieńskich osłabiła autorytet Chłopickiego. Dyktator rozpoczął walkę z Towarzystwem Patriotycznym, kazał aresztować jego przywódców z ministrem oświaty Lelewelem. Pod naciskiem rządu jednak musiał aresztowanych zwolnić, stracił oparcie wśród akademików. Wystąpił też o wprowadzenie cenzury. Ostateczny cios zadało dyktatorowi załamanie się rokowań z carem, który zażądał poddania się Królestwa na łaskę i niełaskę. Po zajściu z deputacją sejmową żądającą prowadzenia wojny Chłopicki podał się do dymisji po 6 tygodniach sprawowania władzy – tygodniach zmarnowanych dla powstania. Sejm powołał 29 stycznia Rząd Narodowy z Czartoryskim jako prezesem i z dwoma przedstawicielami (znanymi wówczas kaliszanami) liberałów ziemiańskich, z braćmi Niemojewskimi, i z Lelewelem, przedstawicielem lewicy sejmowej. Sejm mianował też naczelnym wodzem księcia Michała Radziwiłła, ale faktycznym wodzem pozostał nadal Chłopicki.

25 stycznia 1831 roku odbyła się ogromna manifestacja na ulicach miasta dla uczczenia straconych dekabrystów rosyjskich, będąca zarazem manifestacją przeciw caratowi. Demonstracja pod Zamkiem i postawa publiczności na sali sejmowej poparły posłów przemawiających za detronizacją Mikołaja. Wśród entuzjazmu obecnych sejm uchwalił złożenie cara z tronu polskiego. Idea walki z zaborcą, idea niepodległości chwilowo zwyciężyła.

W początkach lutego potężna armia Dybicza weszła do Królestwa, aby zdobyć Warszawę i stłumić powstanie. Pierwszą zwycięską bitwę pod Stoczkiem 14 lutego Warszawa przyjęła z entuzjazmem, do czego przyczyniła się prasa wyolbrzymiająca znaczenie bitwy. W drodze na Warszawę armia rosyjska natrafiła na opór sił polskich pod Kałuszynem i pod Dobrem o dwie mile polskie od Warszawy. 19 lutego ogłoszono w Warszawie stan oblężenia, jednocześnie doszło do bitwy pod Wawrem, w której dywizja Żymirskiego i Szembeka zaatakowały przednie oddziały rosyjskie. Walczono na bagnety. Pod naporem sił rosyjskich wojsko polskie wycofało się w kierunku Grochowa. 20 lutego Rosjanie uderzyli na kluczową pozycję – lasek olchowy – słynną Olszynkę Grochowską. Wojsko polskie utrzymało jednak lasek. Nastąpiła czterodniowa przerwa i 24 lutego doszło do bitwy pod Białołęką na północny wschód od Pragi. Korpus gen. Szachowskiego napotkał opór brygady dowodzonej przez gen. Kazimierza Małachowskiego. Szachowski jednak zdobył Białołękę, a wojsko polskie cofnęło się między tę miejscowość a Bródno. Następnego dnia Szachowski postanowił dołączyć się do armii Dybicza marszem przez Marki i Ząbki. Dybicz zaniepokojony losem Szachowskiego rozpoczął uderzenie na Olszynkę. Doszło do największej bitwy o Warszawę w wojnie polsko-rosyjskiej 1831 roku. Siły obu stron walczących wynosiły około 100 000 z przewagą liczbową strony rosyjskiej. Lasek olchowy szerokości kilometra i długości przeszło kilometr, przerżnięty głębokimi rowami, rozciągał się między szosą brzeską a traktem z Pragi do Kawęczyna. Stanowił dogodną pozycję obronną. Obsadzono go częścią dywizji Skrzyneckiego, ustawiając po obu stronach potężne baterie dział. Korpus jazdy Łubieńskiego stał w odwodzie na Grochowie koło pomnika budowy szosy brzeskiej.

Po potężnym przygotowaniu artyleryjskim wojsko rosyjskie zaatakowało o godzinie 10 rano Olszynkę. Podczas obrony lasku został śmiertelnie ranny gen. Żymirski. Skrzynecki

WOJNA POLSKO-ROSYJSKA

odbił Olszynkę, ale czwarty atak rosyjski znów zawładnął laskiem. Kontratak Pułku Grenadierów pod wodzą Chłopickiego wyrzucił masę rosyjskiej piechoty, ale brak rezerw uniemożliwił utrzymanie pozycji w Olszynce. Ciężko ranny Chłopicki złożył dowództwo. Szef sztabu Dybicza gen. Toll zarządził atak kawalerii rosyjskiej między Kawęczynem i Grochowem. Niektóre oddziały tej jazdy dotarły do przedpola okopów Pragi. Znakomita postawa piechoty polskiej uratowała wojsko polskie od pogromu i pozwoliła wycofać się na Pragę i częściowo przez most do Warszawy. Wojsko Dybicza poniosło tak ciężkie straty, że nie odważyło się zaatakować Pragi także i podczas następnych dni. Zaniepokojona odgłosami bitwy część ludności Pragi zaczęła uciekać w kierunku mostu, powodując zamieszanie, gdyż przez most jechały na Pragę wozy ambulansowe po rannych.

W Warszawie zamożne mieszczaństwo też uległo panice, zamknięto sklepy, zaryglowano bramy. Inni mieszkańcy, a nawet niektórzy posłowie uciekli z Warszawy; część żołnierzy powracających po bitwie zaczęła rabunek. Kilku generałów żądało kapitulacji, rząd jednak i pozostali generałowie zachowali spokój i wydawali zarządzenia obronne: wzmocniono artylerią okopy praskie. Ustawiono działa na warszawskim brzegu Wisły. Część przedmieścia Pragi spalono 26 lutego, aby oczyścić przedpole szańców. Nowym wodzem naczelnym obrano gen. Skrzyneckiego, który odznaczył się w bitwie grochowskiej; warszawskie szpitale wypełniły się kilku tysiącami rannych.

Na początku marca jeszcze spodziewano się ataku wojsk rosyjskich, w mieście budowano barykady. 3 marca gubernatorem Warszawy został gen. Krukowiecki, który energicznie przygotowywał miasto do obrony. W przepełnionej wojskiem Warszawie wystąpiły trudności aprowizacyjne i brak opału. Żołnierze rozbierali drewniane ogrodzenia, a nawet zabudowania gospodarcze na Powiślu i w okolicach placu Broni na opał. Sformowano 6 Pułk Ułanów zwany „Dziećmi Warszawy" i 5 Pułk Piechoty, który wyruszył w pole. 9 marca armia Dybicza cofnęła się spod Pragi. W końcu marca Dybicz pomaszerował z armią w górę Wisły w kierunku ujścia Wieprza. Naprzeciw Pragi został Korpus Wojsk Rosyjskich gen. Rosena broniący drogi do Siedlec, gdzie urządzono magazyny dla armii carskiej. W tej sytuacji kwatermistrz generalny pułkownik Prądzyński opracował plan ofensywny na korpus Rosena.

Rankiem 31 marca wojsko polskie zaatakowało pod Wawrem oddziały rosyjskiej straży przedniej zadając im klęskę, zdobyto działa i sztandary. Wojsko rosyjskie wycofało się i połączyło z głównymi siłami Rosena i tegoż dnia po południu doszło do drugiej bitwy pod Dębem Wielkim, o 4 mile polskie od Warszawy. Szarża polskiej kawalerii rozbiła wojska Rosena i zmusiła je do bezładnej ucieczki. Wzięto 7000 jeńców, pościg za pokonanymi wojskami prowadzono jednak niedołężnie. Skrzynecki wstrzymał marsz na Siedlce i zmarnował zwycięstwo. Umieścił główną kwaterę w Siennicy na południe od Mińska Mazowieckiego i obchodził tu święta wielkanocne tracąc drogi czas, nie wierzył zresztą w możliwość ofensywy. Na wieść o zwycięstwach pod Wawrem i Dębem mieszkańcy Warszawy radośnie obchodzili Wielkanoc, witając z entuzjazmem zdobyte sztandary, które obnoszono po ulicach, a następnie złożono na Zamku Królewskim – siedzibie sejmu. Do Warszawy przybywali jeńcy. Pod naciskiem Prądzyńskiego Skrzynecki zarządził marsz na Siedlce w celu ostatecznego pobicia Rosena. Tylko oddziały dowodzone przez Prądzyńskiego 10 kwietnia odniosły zwycięstwo pod Iganiami, położonymi prawie o milę od Siedlec. Skrzynecki Siedlec nie zdobył: na wiadomość o nadciąganiu głównych sił Dybicza wycofał się do Kałuszyna. Nastąpił okres bezczynności aż do połowy maja.

WARSZAWA W POWSTANIU LISTOPADOWYM 1830–1831

Warszawa, od której odsunęły się działania wojenne, mogła poświęcić się produkcji zbrojeniowej; potrzeby w tej dziedzinie były ogromne. Stolica w ciągu pół roku stała się ważnym ośrodkiem produkcji broni, amunicji i zaopatrzenia dla armii. Największą trudność sprawiał brak fachowców, rzemieślników metalowych, gdyż wielu wstąpiło do wojska. Zmobilizowano specjalistów z Warszawy, a także sprowadzono z prowincji ślusarzy, kowali, mosiężników, a nawet stolarzy i innych rękodzielników. Najpierw zorganizowano pracę w Arsenale; początkowo zatrudniano 150 ludzi, a później zwiększono ich liczbę do 350. Naprawiano broń zepsutą lub zużytą, zaczęto wytwarzać granaty i karabiny. Produkcja nabrała rozmachu dopiero w czerwcu 1831 roku. W pobliskich warsztatach urządzonych w koszarach Artylerii na Nalewkach też naprawiano karabiny, osadzano lufy w drewnianych częściach i wyrabiano lawety do armat. W lipcu 1831 roku produkcja karabinów osiągnęła liczbę 48 dziennie, w sierpniu doszła do 89 na dobę. Warsztaty zatrudniały ogromną liczbę 972 rzemieślników i robotników, w tym 1/3 fachowców przydzielonych z wojska oraz przeszło 100 jeńców rosyjskich.

Warsztaty wytwarzające broń sieczną: szable, bagnety i groty do lanc, założono w oficynach pałacu Saskiego i na Marymoncie. Fabryka machin na Solcu przestawiła się na produkcję karabinów i broni siecznej. Brakowało rusznikarzy, dopiero w miesiącach letnich opanowano produkcję zamków do karabinów i doprowadzono ją do 2500–3000 sztuk miesięcznie, a więc stu dziennie. Fabryka na Solcu zatrudniała rekordowo wielką liczbę ludzi – 1500, pracowali dla niej również mosiężnicy na mieście.

Najtrudniej szło opanowanie produkcji dział; brakowało i fachowców, i urządzeń do toczenia i wiercenia luf. Lufy dział toczono w mennicy przy ulicy Bielańskiej, używając maszyny parowej. Do współpracy wciągnięto gisernię brązu Gregoire'a, znaną z odlewów pomników Kopernika i księcia Józefa Poniatowskiego. Wytwórnia Gregoire'a wykonała 16 dział, używając jako surowca brązu z przetopionych dzwonów kościelnych. Działa produkowała też fabryka Evansów, używając maszyny parowej; rzemieślnicy ręcznie obrabiali dłutami odlane lufy, a odlewy były często tak złe, że działa musiano wyrzucać na złom i powtórnie przetapiać.

Produkcję saletry i prochu rozpoczęto jeszcze wcześniej niż dział i karabinów. Saletrę wyrabiała uprzednio fabryka chemiczna Hirschmanna i Kijewskiego na Solcu. Cały zapas wyprodukowany jeszcze przed powstaniem w ilości kilkudziesięciu cetnarów zabrano zaraz dla wojska. Oprócz tej fabryki uruchomiono trzy nowe wytwórnie: największą na Solcu o produkcji dziennej przeszło 1400 kg i dwie mniejsze – przy placu Broni i w podziemiach Zamku, wytwarzające 600–700 kilogramów. Zorganizowana na Marymoncie wytwórnia prochu, kierowana energicznie przez podpułkownika artylerii Józefa Paszkowskiego, wyrabiała dziennie przeszło 600 kg prochu, a ogółem wyprodukowała pokaźną ilość prawie 50 ton.

Oprócz broni i amunicji w Warszawie wytwarzano jeszcze dla wojska: kociołki, manierki, siodła, a zwłaszcza umundurowanie i buty. W warsztatach rządowych zatrudniano 300 szewców, zamawiano też buty w warsztatach prywatnych. Mimo to nie zdołano pokryć zapotrzebowania: z zamówionych jeszcze w grudniu 37 tysięcy par butów przez trzy miesiące wykonano tylko 10 tysięcy. Krawcy nie mogli podołać szyciu mundurów mimo egzekwowania tego obowiązku przez policję. I w tej branży brakowało rzemieślników, gdyż wielu powołano do wojska. Mimo tych wielkich trudności w krótkim terminie, nieznacznie przekraczającym pół roku, zdołano zorganizować pokaźny ośrodek zbrojeniowy i zaopatrzeniowy armii. Do zorganizowania przemysłu zbrojeniowego zdolna była tylko Warszawa ze swoimi fabrykami i manufakturami metalurgicznymi, z licznymi warsztatami rzemieślniczymi i z wielkim skupiskiem fachowców w różnych gałęziach produkcji.

Praca rzemieślników i robotników w wytwórniach zbrojeniowych była ciężka, trwała 12 i więcej godzin na dobę. Fachowców opłacano dobrze: od 3,5 do 7 zł dziennie, wyrobników niewykwalifikowanych nędznie – 2 złote. Koszty utrzymania jednej osoby wynosiły wówczas około 2 zł dziennie, nie licząc wzrastającego komornego i innych wydatków. W warsztatach rzemieślniczych wprowadzono akord, dzięki czemu zarobki wzrosły. Część rzemieślników skoszarowano. Robotnicy pracowali w ciasnocie, w salach obliczonych na mniejszą liczbę zatrudnionych, w dusznych pomieszczeniach, często w barakach. Niewykwalifikowani wyrobnicy zatrudniani byli również przy budowie fortyfikacji; z początku za 8–9 godzin pracy dziennej władze płaciły tylko złotówkę, na wiosnę podnoszono stawkę do 2 złotych. Przy wznoszeniu fortyfikacji zatrudniano też jeńców, ale ich praca nie była wydajna.

Po bitwie pod Grochowem szpitale wojskowe musiały pomieścić 5000 rannych, zajęto więc pałace, klasztory, budynki rządowe, koszary. Największy szpital dla około 7000 rannych i chorych założono w koszarach Gwardii na Żoliborzu. Sprawna akcja organizacyjna dała dobre wyniki: w marcu liczba miejsc w lazaretach osiągnęła około 10 000. Dużą zasługę w sprawnym zorganizowaniu szpitalnictwa miał komendant Warszawy, gen. Jan Krukowiecki. Do opieki nad rannymi włączyło się wiele kobiet, do najczynniejszych należały pisarka Klementyna z Tańskich Hoffmanowa i Klaudyna Potocka.

Gdy w kwietniu 1831 roku wybuchła epidemia cholery, najpierw w wojsku, a następnie wśród mieszkańców Warszawy, założono specjalny szpital dla wojskowych w Mieni i dla 3000 chorych w obozie wojskowym na Powązkach. Dla ludności założono szpital w Bagateli. W czerwcu liczba rannych i chorych wzrosła do 24 000, z czego wyzdrowiało prawie 11 000, a zmarło tysiąc. Spodziewając się oblężenia Warszawy, Dozór Szpitali Wojskowych powiększył liczbę miejsc do 16 500. Na organizowanie, utrzymanie i wyposażenie szpitali, na lekarstwa, wyżywienie rannych, na opatrunki Komisja Wojny wydawała olbrzymie sumy. Tylko w czterech miesiącach letnich zażądano na wyżywienie 2 300 000 złotych. Chorzy na ogół byli dobrze karmieni. Odezwy do ludności o składanie szarpi i bielizny dawały dobre wyniki: dobrowolne ofiary były znaczne. Wobec niewystarczającej liczby lekarzy wojskowych, sprowadzono około 200 medyków z zagranicy.

Mimo niełatwego położenia gospodarczego ludność Warszawy nie szczędziła składek i ofiar na potrzeby wojenne, ochotniczo wstępowała do wojska i nie traciła wiary w zwycięstwo. Zainteresowanie życiem publicznym było żywe, stosunek do wojska – serdeczny. Tłumnie uczestniczono w uroczystościach wojskowych, jak wymarsze czy przemarsze jednostek, dekoracje żołnierzy. Zainteresowanie to podtrzymywała prasa, która obok wiadomości z placu boju, z kraju i zagranicy zamieszczała liczne artykuły omawiające spory ideologiczne. Konserwatystom i krytykowanemu wodzowi naczelnemu Skrzyneckiemu nie udało się przeprowadzić uchwały sejmowej uszczuplającej wolność prasy. Nadal poruszano kwestie społeczne, zagadnienia ustrojowe, polityczne, cele rewolucji, między innymi rozwiązanie sprawy chłopskiej. Sprawy te dyskutowali przede wszystkim klubiści, członkowie Towarzystwa Patriotycznego. Program klubu wysuwał konieczność połączenia walki o niepodległość z reformami społecznymi, występował za

wolnością stowarzyszeń i druku, równością wobe prawa. Kwestie społeczne poruszano na debatach sejmu. Liberałowie i członkowie lewicy usiłowali przeforsować ustawę o reformie włościańskiej: oczynszowanie włościan w dobrach narodowych. Jednakże sprawa została odłożona.

Przy ożywionym życiu politycznym skromnie przedstawiało się życie kulturalne i naukowe: teatr późno włączył się w nurt patriotyczny, bo dyrektorzy Osiński i Dmuszewski nie wierzyli w powstanie. Dopiero gdy teatr przejęło zrzeszenie aktorskie i kierownictwo objął Kudlicz, pojawiły się na scenie sztuki patriotyczne. W poezji wyróżniały się tylko „Hymn" Słowackiego i płomienne słowa „Warszawianki" Delavigne'a, pieśni powszechnie śpiewanej. Uniwersytet i Instytut Politechniczny zamknięto; młodzież wstąpiła do wojska. Prace naukowe prowadzili nadal Lelewel, obok żywej działalności politycznej, i prawnik Bandtkie, który właśnie w 1831 roku wydał swe dzieło „Jus polonicum". K. W. Wójcicki, korzystając ze zniesienia cenzury, wydał pamiętniki Kilińskiego.

Po wielotygodniowej bezczynności armii Skrzynecki zdecydował się na wyprawę na Korpus Gwardii Rosyjskiej, ale niedołężnie przeprowadzona operacja zakończyła się klęską wojska polskiego pod Ostrołęką 26 maja. Ostrołęka zachwiała wiarę w zwycięstwo. Niepowodzenie wyprawy na korpus Rüdigera pod Łysobykami wywołało nową falę oburzenia w stolicy. Towarzystwo Patriotyczne, prasa i ludność zarzucały dowodzącemu wyprawą generałowi Jankowskiemu zdradę. Naczelny wódz Skrzynecki zrzucił z siebie odpowiedzialność rozkazem aresztowania Jankowskiego i dwóch innych generałów. Aresztowani generałowie zostali osadzeni na Zamku. W dniu 29 czerwca, w 7 miesięcy od nocy listopadowej, na placu Zamkowym zebrało się prawie 10 tysięcy demonstrantów domagających się ukarania winnych. Zamku strzegły dwa bataliony Gwardii Narodowej. Do demonstrujących przemawiali prezes Rządu Narodowego książę Czartoryski, dowódca Gwardii Narodowej gen. Ostrowski i radykalny działacz Kozłowski. Rozplakatowane wieczorem przez Rząd Narodowy, wodza naczelnego i Radę Municypalną odezwy zapowiadały szybki wymiar sprawiedliwości i zwracały się do ludności o zachowanie porządku i zaufania do władz.

Przez cały lipiec i połowę sierpnia 1831 roku wśród ludu Warszawy wrzało. Wzrastała wrogość do Skrzyneckiego za jego bezczynność i niedołęstwo. Położenie wojskowe pogarszało się: armia rosyjska, dowodzona przez nowego wodza, Paskiewicza, przeprawiła się bez przeszkód przez Wisłę poniżej Włocławka i posuwała się na Warszawę. Wojsko polskie skoncentrowano pod Sochaczewem z zamiarem obrony Warszawy od zachodu. Armia rosyjska zajęła 31 lipca Łowicz, zdobywając magazyny wojskowe. Skrzynecki nie podjął jednak bitwy nad Bzurą; kazał cofnąć się nad Rawkę i prowadził w Bolimowie przewlekłe rady wojenne. Wreszcie sejm, działając pod wpływem lewicy i nastrojów miasta, pozbawił go naczelnego dowództwa, mianując tymczasowym dowódcą gen. Dembińskiego.

Towarzystwo Patriotyczne częściowo jawnie, częściowo tajnie prowadziło przygotowania do zamachu stanu w formie możliwie najbardziej legalnej. Nowe wzburzenie ludności wywołała nagła śmierć na cholerę dwóch wybitnych działaczy Towarzystwa: Kozłowskiego i Żukowskiego, gdyż rozpuszczono pogłoski o ich otruciu. 15 sierpnia na zebraniu Towarzystwa Patriotycznego wśród ogromnego podniecenia radykalny działacz ksiądz Pułaski żądał usunięcia Skrzyneckiego z armii i zaatakował rząd, zarzucając tolerowanie szpiegostwa i zdrady. Wyłoniono delegację do przekazania władzom żądań ludu. Wraz z delegatami ruszył tysięczny tłum pod siedzibę rządu — Pałac Namiestnikowski. Czartoryski obiecał rozważenie dostarczonych wniosków; posłuchanie przebiegło spokojnie, lecz

tłum ruszył pod Zamek; Czartoryski uciekł do obozu wojskowego za rogatkami jerozolimskimi. Nocna manifestacja pod Zamkiem była coraz burzliwsza; wznoszono okrzyki przeciw zdrajcom i domagano się ukarania Skrzyneckiego i Czartoryskiego. Tłum wdarł się na dziedziniec zamkowy; wywleczono aresztowanych generałów Jankowskiego, Bukowskiego i innych i powieszono na latarniach na placu Zamkowym. Mniejsze grupy ludności dokonały samosądu na szpiegach więzionych w Prochowni na Mostowej, u Franciszkanów i Dominikanów. Działacze klubu zdołali wykorzystać sytuację do uchwycenia władzy.
W dniach 16–18 sierpnia do Warszawy weszły silne oddziały wojska, aby zaprowadzić ład. Generał Krukowiecki został faktycznym dyktatorem, aresztowano działaczy Towarzystwa Patriotycznego i zakazano zebrań. Krukowiecki zmierzał do ukarania winnych zajść 15 sierpnia. Chciał zapobiec również wystąpieniom ludności i uniemożliwić ludowi Warszawy walkę z wojskiem rosyjskim w obronie stolicy. Krukowiecki, choć prowadził przygotowania do obrony Warszawy, liczył przede wszystkim na rokowania z Paskiewiczem i przewidywał kapitulację. Nadzwyczajny sąd wojenny uniewinnił aresztowanych działaczy klubu, manifestując solidarność z nimi. Mimo to czterech uczestników zaburzeń rozstrzelano. Generał Chrzanowski, mianowany gubernatorem Warszawy i współpracujący z Krukowieckim, kazał rozbroić Straż Bezpieczeństwa, jej komendanta Zaliwskiego usunięto z Warszawy. Wydano zarządzenie o wydaleniu ze stolicy ludzi bez stałej pracy. Na dowódcę Gwardii Narodowej wrócił skompromitowany Piotr Łubieński.
Na przełomie sierpnia i września wzniesiono barykady na głównych ulicach Warszawy: na Nowym Świecie, w Alejach Jerozolimskich, Brackiej, Krakowskim Przedmieściu, Królewskiej, Miodowej i w okolicach placu Bankowego (obecnie Dzierżyńskiego), ale w czasie szturmu barykad tych nie obsadzono ani wojskiem, ani Gwardią Narodową czy Strażą Bezpieczeństwa; dowództwo polskie zrezygnowało z walki w mieście, której tak się obawiało wojsko carskie, a domagało się uprzednio Towarzystwo Patriotyczne. W przeddzień szturmu na Warszawę barykady zaczęto rozbierać. Jednakże większość warszawiaków, wierząc w zwycięstwo, oczekiwała walki z nieprzyjacielem.
W końcu sierpnia, a więc na tydzień przed uderzeniem sił Paskiewicza na Warszawę, Rada Wojenna z Krukowieckim wysłała z Warszawy 20-tysięczny korpus pod dowództwem gen. Ramorina na Podlasie przeciw siłom rosyjskim. Po zwycięskich dwóch bitwach pod Międzyrzecem i Rogoźnicą gen. Prądzyński naglił gen. Ramorina do powrotu z wojskiem do Warszawy w celu wzmocnienia obrony stolicy. Ramorino nie usłuchał i pomaszerował na Brześć; operacja ta nic nie dała, pozbawiła zaś stolicę 20 tysięcy obrońców. Inny oddział wojska polskiego, wysłany z Warszawy w Płockie, też nie wziął udziału w obronie stolicy, ale zapewnił dowóz żywności do Warszawy. Zmniejszona w ten sposób załoga nie mogła obsadzić w pełni obwarowań miasta ani piechotą, ani artylerią. Fortyfikacje te składały się z dwóch linii fortów ziemnych i ziemno-palisadowych wysuniętych przed wały miejskie; wały stanowiły trzecią linię obronną, ale nie przedstawiały wartości jako umocnienia. Regularne oddziały wojska polskiego liczyły 35 tysięcy żołnierzy i 192 działa.
Armia rosyjska w sile 71 tysięcy żołnierzy i 360 dział stała pod Warszawą przez kilkanaście dni: Paskiewicz spodziewał się zaciętego oporu; imponowały mu umocnienia polskie i sam wysunął propozycje kapitulacji. Sejm odrzucił je; zą poddaniem się był Krukowiecki. 6 września rano siły rosyjskie przystąpiły do szturmu: główne siły skierowano na Wolę, a demonstracyjne uderzenia wiążące siły polskie – na Mokotów i rogatki jerozolimskie. Po silnym przygotowaniu artyleryjskim prawie stu dział, skierowanym na umocnienia Woli, ruszyła piechota. Zaczęto od szturmu na działo nr 54, zwane później Redutą Ordona, a bronione przez 300 żołnierzy pod dowództwem podporucznika Ordona. Gdy wojsko carskie zdobyło redutę, nastąpił wybuch magazynu prochu. Wysadzenie reduty upamiętnił wspaniały wiersz Mickiewicza. Następnie Rosjanie zaatakowali działo nr 57, dzielnie bronione, i najsilniejsze umocnienie – redutę wolską nr 56, bronioną przez 12 dział i dwa bataliony pod wodzą inwalidy, gen. Sowińskiego. Pierwszy atak odparto. Gdy dowództwo polskie zrozumiało, że główny atak skierowała armia carska na Wolę, gen. Bem rozpoczął ostrzeliwanie artylerii rosyjskiej, niestety, tylko 12 działami, gdyż resztę zatrzymał gen. Umiński. Moment zaskoczenia przeciwnika wyzyskał podpułkownik Piotr Wysocki, wzmacniając obronę reduty wolskiej nowym batalionem. Reduta pomimo okrążenia broniła się mężnie, dochodziło do walki wręcz. Ranny Wysocki dostał się do niewoli; obok kościoła wolskiego bronił się Sowiński z garstką żołnierzy i zginął na wale. Przewaga przeciwników była bardzo znaczna. O godzinie 10.30 cała Wola została opanowana przez Rosjan. Inne oddziały rosyjskie zajęły Rakowiec i Szopy Niemieckie.
Warszawiacy z przejęciem przypatrywali się zmaganiom armii, obserwując je z wyższych domów. Wielu mieszkańców chciało wziąć udział w walce, ale gubernator Warszawy, gen. Chrzanowski zakazał uzbrajania ochotników, a nawet nie pozwolił Straży Bezpieczeństwa gasić pożarów na przedmieściach. Ksiądz Pułaski wzywał ludność do walki na wałach. Gdy wydano wreszcie ochotnikom kosy i piki, oddziały strzelców konnych rozbroiły ludność. Apatyczne dotąd dowództwo powstańcze zadecydowało przejść do przeciwuderzenia, które wyparło oddziały rosyjskie z Szop Niemieckich, ale był to drugorzędny „teatr" operacyjny. Uderzenie polskie na Wolę pod dowództwe gen. Małachowskiego, w którym brał udział zdziesiątkowany Pułk Czwartaków, zostało odparte. Po pierwszym dniu szturmu rząd upoważnił Krukowieckiego do rokowań z Paskiewiczem; prowadził je gen. Prądzyński. Bogate mieszczaństwo i Rada Municypalna chciały poddania miasta, obawia-

8. Wprowadzenie do Warszawy jeńców i sztanda-
w zdobytych w bitwach pod Wawrem, Iganiami i Dę-
m Wielkim 2 kwietnia 1931 r. Mal. Marcin Zaleski

jąc się zniszczeń, lud pragnął walczyć, domagał się broni i wysłania Straży Bezpieczeństwa
na wały; wreszcie część Straży skierowano do walki na szańcach. Szturmem rosyjskim
w drugim dniu walk kierował gen. Toll, zastępując kontuzjowanego Paskiewicza. Rosjanie
atakowali forty przy szosie krakowskiej i grójeckiej, gdzie szarżowała z powodzeniem
jazda polska. Na Woli, po zdobyciu drugiej linii umocnień, walki toczyły się przy rogatkach
wolskich, w ogrodzie Unruha na Czystem i na cmentarzu Ewangelickim przy ulicy
Młynarskiej. Mur cmentarza służył za osłonę obrońcom. Paliły się domy przedmieścia
wolskiego. Walczyli Czwartacy, rzemieślnicy, nawet kobiety, nie dopuszczając Rosjan do
rogatek wolskich; wał jeszcze w nocy pozostawał w rękach polskich. Rosjanom nie udało
się zdobyć też rogatek czerniakowskich, gdzie obok wojska spisywała się dzielnie Straż
Bezpieczeństwa. Zażarte walki toczyły się o rogatki jerozolimskie na końcu Alei Jerozolimskich. Niewielkie oddziały rosyjskie przedostały się na ulicę Twardą, Pańską i Sienną,
ale je wyparto. W Warszawie, zwłaszcza przy ulicach blisko wału, zapanował popłoch.
Generał Małachowski radził bić się dalej w mieście, a potem ewakuować lewobrzeżną
Warszawę na Pragę, spalić most i bronić się w silnych umocnieniach praskich. Większość
generałów dążyła jednak do kapitulacji. Do Małachowskiego przybyła delegacja obywateli
Warszawy, przeważnie kupców, z wiceprzewodniczącym Rady Municypalnej i z byłym
dyrektorem Teatru Narodowego Osińskim, żądająca poddania Warszawy. Sejm udzielił
Krukowieckiemu, jako prezesowi rządu, upoważnienia do rokowań; ze strony rosyjskiej
prowadził je Berg. Krukowiecki zrezygnował z prezesury i przeniósł się na Pragę, a na jego
miejsce sejm wybrał kaliszanina Bonawenturę Niemojowskiego.
Krukowiecki zaproponował Rosjanom bezwarunkową kapitulację, co odrzuciła lewica
sejmowa. Wódz naczelny gen. Małachowski zawiadomił Paskiewicza listem o ewakuacji
wojska z Warszawy i Pragi i pozostawieniu mostu na Wiśle; stanowiło to poddanie stolicy,
ale nie kapitulację. Wieczorem i w nocy 7 września wojsko polskie opuściło pozycje,
przechodząc na Pragę, a wraz z wojskiem udali się tam posłowie, członkowie Towarzystwa
Patriotycznego z Lelewelem i liczni urzędnicy. W Warszawie pozostało 11 000 rannych.
Generałowie Krukowiecki, Chrzanowski, Prądzyński, Turno poddali się do niewoli,
Gwardia Narodowa zrzucała mundury. Armia Paskiewicza wkraczała do podbitej stolicy,
witana chlebem i solą przez usłużną Radę Municypalną. Wojsko polskie pomaszerowało
do Modlina, topniejąc po drodze na skutek dezercji. Lewica powstańcza agitowała, by jak
najwięcej żołnierzy przeszło przez granicę pruską. Kapitulacja ostatnich punktów oporu:
twierdzy modlińskiej i zamojskiej, zakończyła ostatecznie powstanie. Warszawa podczas
nocy listopadowej dała hasło do walki i była wolna przez przeszło 9 miesięcy. Tej wolności
broniła będąc ośrodkiem powstania.

OD LAT ZASTOJU DO REWOLUCJI PRZEMYSŁOWEJ I POWSTANIA STYCZNIOWEGO 1832–1864

Po stłumieniu powstania listopadowego spadły na kraj i stolicę represje. Car Mikołaj I
zniósł konstytucję z 1815 roku i sejm, armia polska uległa likwidacji: żołnierzy polskich,
w tym wielu warszawiaków, wcielono do armii rosyjskiej. Przywódców powstania, którzy
nie wyemigrowali z kraju, skazano na więzienie. Zamknięto Uniwersytet Warszawski
i Instytut Politechniczny oraz rozwiązano Towarzystwo Przyjaciół Nauk. Już w początku
1832 roku car polecił wywieźć do Petersburga zbiory tego Towarzystwa oraz częściowo

Uniwersytetu wraz z cenniejszymi książkami uniwersyteckiej Biblioteki Publicznej. Wywieziono zasoby gabinetu rycin, medale i numizmaty, prawie 400 skrzyń książek. W Petersburgu znalazły się cenne rękopisy i mapy, zbiory minerałów i roślin. W 1840 roku Biblioteka Rządowa, zwana Biblioteką Instytutów Naukowych, spadkobierczyni Biblioteki Uniwersytetu, liczyła niespełna 36 000 tomów, co stanowiło 1/4 część stanu z roku 1830, a księgozbiór wzrastał tak powoli, że u schyłku rządów Paskiewicza liczył zaledwie połowę książek sprzed powstania.

Z Zamku Królewskiego wywieziono dwa trony królewskie, kolekcję obrazów Canaletta oraz portrety królów i obrazy historyczne Bacciarellego. Z pałacu Brühlowskiego zabrano obrazy, rzeźby, meble, zegary oraz pamiątki po wielkim księciu Konstantym i księżnie łowickiej. Z Arsenału i katedry św. Jana wywieziono do Moskwy chorągwie i sztandary wojska polskiego oraz zdobyte, w liczbie 65. Wreszcie w 1836 roku konny posąg księcia Józefa Poniatowskiego, dzieło Thorwaldsena, którego nie ustawiono jeszcze na Krakowskim Przedmieściu, zabrano najpierw do Modlina, a w kilka lat później do posiadłości Paskiewicza w Homlu. W Petersburgu wiele cennych rękopisów ze zbiorów warszawskich ukradziono i sprzedano, na przykład jeden z bibliotekarzy sprzedał książki polskie i inne przedmioty za 60 000 rubli.

Nadany Królestwu w 1832 roku tak zwany Statut Organiczny, gwarantujący odrębność administracyjną, nie został właściwie wprowadzony w życie. W 1833 roku ogłoszono w kraju stan wojenny utrzymywany przez 25 lat i podporządkowujący administrację cywilną naczelnikom wojennym. Przestępstwa polityczne sądził trybunał wojskowy. Służba wojskowa trwała 25 lat i odbywała się na Kaukazie. Namiestnikiem Królestwa został zwycięski wódz i zdobywca Warszawy hrabia Paskiewicz; otrzymał on tytuł księcia warszawskiego i zasiadł na Zamku Królewskim. Rządy Paskiewicza trwały przez ćwierć wieku aż do jego zgonu. Organem wykonawczym postanowień namiestnika została Rada Administracyjna, w której przewagę uzyskali Rosjanie. Liczbę Komisji Rządowych zmniejszono do trzech: Sprawiedliwości, Spraw Wewnętrznych, Duchownych i Oświecenia Publicznego oraz Przychodów i Skarbu. Na czele Komisji stanęli główni dyrektorzy.

Najdotkliwszym obciążeniem Warszawy stała się budowa Cytadeli. Gdy upadł projekt wzniesienia olbrzymiej baszty najeżonej działami na placu Saskim, postanowiono wznieść twierdzę, która miała utrzymać Warszawę w ryzach. Wzniesiono ją na północy miasta, nad Wisłą, wokół istniejącego zespołu koszar. W czasie pierwszego etapu budowy Cytadeli zasięg skutecznych działań ówczesnej artylerii pokrywał Stare Miasto i znaczną część ówczesnej Warszawy. Pod budowę twierdzy zniszczono większość dzielnicy Żoliborz, jednej z najpiękniejszych w mieście, burząc 136 domów, pałacyków i willi, niszcząc ogrody. Zabrano też pijarom szkołę na Żoliborzu, częściowo rozbierając, częściowo przebudowując zabudowania konwiktu. Kościół na terenie koszar Gwardii zamieniono na cerkiew. Pierwsza faza budowy Cytadeli, rozpoczęta w 1832 roku, została ukończona w 1836. Obok koszar żoliborskich wytyczono cztery bastiony i wolną przestrzeń, zwaną esplanadą, przeznaczoną do obstrzału. Wielkie koszty budowy, 5 miliardów rubli, obciążyły miasto; musiało ono zaciągnąć pożyczkę, której spłata uniemożliwiła na wiele lat inwestycje miejskie. Na mieszkańców Warszawy nałożono podatek osobisty, pobierany na budowę Cytadeli w wysokości 15% zarobków. Na zachód od Cytadeli, między ulicą Marymoncką a przedłużeniem ulicy Pokornej, wzniesiono prawie 30 budynków i baraków dla wojska rosyjskiego. Twierdza rosyjska zamknęła na wiele dziesiątków lat możliwości rozbudowy miasta na północy wzdłuż rzeki. Cytadela otrzymała nazwę Aleksandrowskiej, na placu przed koszarami ustawiono wysoki obelisk ku czci Aleksandra I. Cytadela miała nie tylko „utrzymać w posłuchu" buntownicze miasto, ale stała się budzącym grozę wielkim więzieniem politycznym i miejscem kaźni w X Pawilonie. Urzędowała tam stała Komisja Śledcza, rozpatrująca sprawy polityczne, i działał sąd wojenny, skazujący działaczy na śmierć lub zesłanie.

Rozszerzenie esplanady twierdzy w połowie wieku, połączone z budową nowych fortów, spowodowało wyburzenie resztek Żoliborza i północnej połaci Nowego Miasta. Na terenach wyburzonych wokół Cytadeli wybudowano sześć fortów, w tym trzy na planie koła: Włodzimierza nad Wisłą, Aleksieja w pobliżu ul. Bonifraterskiej i Siergieja na północny zachód od Cytadeli w odległości mniej więcej 300 metrów. Na północ od Marymontu rozciągało się obszerne Wojenne Pole Bielańskie, teren ćwiczeń wojska z Cytadeli, z usypanym długim wałem – strzelnicą dla setek żołnierzy. Wał ten zachował się częściowo do dziś w tak zwanym małym Lasku Bielańskim w pobliżu szpitala bielańskiego. Na prawym praskim brzegu Wisły, na terenie nie zabudowanego Golędzinowa, naprzeciw Cytadeli jednocześnie z nią wybudowano fort, który nazwano Fortem Śliwickiego ku czci Polaka, oficera rosyjskiego wiernego carowi. Przed Fortem ustawiono pomnik Śliwickiego. Esplanada Fortu zajęła północną część Pragi, w 1837 roku jej promień na Pradze rozszerzono do przeszło tysiąca metrów. W pobliżu Fortu wał miejski został zniesiony i zastąpiony sztachetami, przesunięto też rogatki petersburskie (golędzinowskie). W obrębie esplanady nie wolno było budować nowych domów. Ogólną liczbę posesji, zajętych pod dwuetapową budowę Cytadeli i jej fortów, a także poszerzaną parokrotnie esplanadę forteczną, oszacowano na 250.

Zburzenie Pragi w 1831 roku i zabranie tylu domów na Cytadelę powodowało wielki natłok ludności w niektórych dzielnicach. Wpłynęło to na wysoką cenę komornego

329. Artur Zawisza. Rys. Antoni Oleszczyński

330. Pomnik żołnierzy rosyjskich poległych na Wo w 1831 r.

i ciasnotę, 12–15 tysięcy mieszkańców musiało się przesiedlić do innych dzielnic miasta, „Szczupłe i zdrowiu szkodzące stancje, w których czasem kilka familii razem dla drogości lokalu zamieszkiwać są przymuszeni" – pisali współcześni.

W obrębie reduty wolskiej, gdzie bohatersko zginął gen. Sowiński, założono cmentarz Prawosławny, a wolski kościół św. Wawrzyńca usytuowany w obrębie wałów zamieniono w 1841 roku na cerkiew. W 1835 roku zmieniono na więzienie Arsenał przy Długiej. Wycięto Olszynkę Grochowską, miejsce zwycięstwa oręża polskiego. W 1841 roku, w dziesiątą rocznicę stłumienia powstania, przy tłumnym udziale ściągniętych przymusowo urzędników, uczniów warszawskich i wojska, odsłonięto pomnik ku czci oficerów polskich, poległych w noc listopadową rzekomo za wierność caratowi. Potężny, 20-metrowy obelisk projektował architekt Corazzi; przy cokole pomnika ustawiono na rogach cztery lwy i cztery orły ze złoconego brązu. Pomnik na placu Saskim, jako symbol ucisku carskiego, otoczyła powszechna nienawiść.

Tenże Corazzi w latach 1835–1837, przy współpracy architekta Gołońskiego, przebudował na zlecenie władz rosyjskich zabrany pijarom kościół przy ulicy Długiej na sobór, dodając złocone kopuły cerkiewne na wieżach i przerabiając wnętrze. Pijarom w zamian za zabrany kościół i klasztor oraz budynki konwiktowe na Żoliborzu dano dawny kościół Jezuitów przy Świętojańskiej, użytkowany od lat jako skład wełny.

1. Wnętrze biura. Litografia, rys. Franciszek Kostrzewski

W wyniku emigracji popowstaniowej, upadku życia gospodarczego oraz epidemii cholery miasto wyludniło się: liczba mieszkańców spadła o prawie 20 tysięcy, do 126 000 w 1832 roku. Epidemia utrzymywała się aż do 1837 roku, tak samo jak martwota w życiu gospodarczym; ludność powiększyła się przez kilka lat zaledwie o 10 tysięcy. W latach 1835–1838 nastąpiło znów załamanie wzrostu ludności. Dopiero w roku 1842, po 11 latach od powstania, liczba mieszkańców prawie osiągnęła stan przedpowstaniowy i odtąd widzimy jej wzrost z wyjątkiem roku 1848, roku wybuchu nowej epidemii cholery, co zaznaczyło się ubytkiem 3 tysięcy (z ok. 167 do ok. 164 tysięcy). W latach 1850–1858 liczba ludności wynosi w Warszawie 156–158 tysięcy. W tym czasie wybuchła wojna krymska i jeszcze raz nawiedziły miasto epidemie w latach 1852 i 1855–1856. Od roku 1859 następuje wyraźny wzrost liczby mieszkańców, a dzięki wykazanej w statystyce liczbie ludności niestałej można stwierdzić, że Warszawa w 1862 roku miała 208 tysięcy mieszkańców. Powstanie styczniowe ponownie hamuje przyrost: w 1864 roku Warszawa liczy niecałe 223 tysiące mieszkańców.

Statystyka narodowościowa pokrywała się mniej więcej z wyznaniową: katolików było 60–66%, żydów 26%, ewangelików około 7%, prawosławnych (oczywiście bez wojska) niewielu, około 1%. Stosunek największych grup wyznaniowych, katolików i żydów, utrzymywał się na jednakowym poziomie do 1863 roku: ludność żydowska stanowiła 25–26%, a więc czwartą część ludności miasta, i wzrastała liczebnie w całym omawianym okresie. Znaczna część Żydów znajdowała się wśród mieszkańców niestałych, zanotowanych po raz pierwszy w statystyce w roku 1861. Wzrastała również rola ludności żydowskiej w handlu i niektórych rodzajach rzemiosła. Pośród bogatej burżuazji żydowskiej znajdowało się wielu bankierów, dostawców armii, przedsiębiorców wykonujących prace budowlane dla wojska, na przykład budowa twierdzy w Modlinie, bogatych kupców. Ludność żydowska była mocno rozwarstwiona: obok bogaczy istnieli liczni właściciele sklepów średniej wielkości oraz wielka liczba drobnych handlarzy, przekupni i drobnych rzemieślników.

Do roku 1832 Warszawa w obrębie okopów podzielona była na 8 cyrkułów uwzględniających tradycyjne dzielnice. I tak cyrkuł I obejmował Stare Miasto z przylegającym do niego Powiślem; cyrkuł II – Nowe Miasto i Żoliborz; III – północno-zachodnią część miasta; IV – część ówczesnego śródmieścia i część zachodniej strony do Woli (ten cyrkuł zwano leszneńskim od ul. Leszno); V – rozległy, obejmował południowo-zachodnią dzielnicę miasta z ul. Marszałkowską; VI – największy, południową stronę miasta z Nowym Światem, dzielnicą Ujazdowską i południowym Powiślem; VII – to południowa część śródmieścia z Krakowskim Przedmieściem, Ogrodem Saskim i środkowym Powiślem; cyrkuł VIII – to Praga, która w roku 1832 została ściślej związana z Warszawą. Podział posesji między cyrkuły był dość równomierny: na poszczególne cyrkuły przypadało od 12,7 do 16,2% (przeważnie 13,5%) ogólnej liczby posesji.

Po upadku powstania listopadowego rząd, dążąc do zreorganizowania administracji i powiększenia nadzoru policyjnego, ogłosił już w końcu 1831 roku nowy podział na cyrkuły, których liczbę podniósł do 12. Cyrkuł I pozostał prawie bez zmian, obejmując nadal Stare Miasto; II, znacznie uszczuplony, pokrywał się z Nowym Miastem; III tworzyła niewielka część śródmieścia wokół placu Teatralnego; IV – dzielnica żydowska z Nalewkami; V – Żoliborz, a więc Cytadela i jej esplanada; VI – północno-zachodnia część miasta; VII pozostał nadal zachodnim cyrkułem leszneńskim; VIII obejmował południowo-zachodnią część miasta z Al. Jerozolimskimi; IX – okolice Al. Ujazdowskich i południowe Powiśle (był to najobszerniejszy cyrkuł); X – południowe śródmieście z Nowym Światem i środkowym Powiślem; XI – okolice Ogrodu Saskiego i część Krakowskiego Przedmieścia; Praga w granicach zbliżonych do przedpowstaniowych stanowiła cyrkuł XII.

W reformie wprowadzonej w 1832 roku tylko cyrkuły I i II uwzględniły podział na dawne dzielnice; dziewięć pozostałych, lewobrzeżnych, miało dość chaotyczny i niekonsekwentny podział, wprowadzony mechanicznie i nie uwzględniający przesłanek historycznych. Ten podział na 12 cyrkułów utrzymywał się do końca XIX wieku, a nawet do początków XX stulecia, czyli przez trzy czwarte wieku. W 1846 roku namiestnik polecił magistratowi za pośrednictwem policmajstra umieszczenie tabliczek z nazwami ulic w języku rosyjskim i polskim. Wykonano 519 tablic na 195 ulicach.

INWESTYCJE MIEJSKIE

Kosz y budowy Cytadeli zostały w znacznej mierze pokryte przez magistrat Warszawy, zapewne fundusze miejskie poszły na wzniesienie głównego obwodu fortecznego Cytadeli i Fortu Śliwickiego. Pierwotna decyzja władz carskich, by całością kosztów obciążyć Warszawę, była niemożliwa do zrealizowania, gdyż miasto nie byłoby w stanie im sprostać. Większą ich część musiał więc wziąć na siebie skarb Królestwa Polskiego. Magistrat był zmuszony zaciągnąć pożyczkę w 1834 roku i spłacał ją przez 20 lat. Jeszcze w 1843 roku Kasa Ekonomiczna (miejska) znajdowała się w ciężkim położeniu i nie miała funduszów na przeprowadzenie nowych ulic, nawet najmniejszych, gdyż „dług Kasy Miasta na wystawienie Aleksandryjskiej Cytadeli powiększył się jeszcze do 4 milionów złp. za wykonane z funduszów skarbowych na rachunek kasy miasta roboty około tej Cytadeli i gdy na spłatę procentów od tego długu Rada Administracyjna [...] zastrzegła zachowywać oszczędności na wszelkich pozycjach dochodów Kasy Miasta" – czytamy w aktach Komisji Rządowej Spraw Wewnętrznych. Kasa miasta była więc bardzo uboga w latach trzydziestych i czterdziestych i dopiero w latach następnych mogła przeprowadzać konieczne inwestycje. Doniosłe znaczenie miał dla miasta przewrót w komunikacji: w latach 1844–1848

332. Stacja kolei warszawsko-wiedeńskiej. Litog fia, rys. Wojciech Gerson, Adam Lerue

33. Wodociąg Marconiego u wylotu ul. Karowej na Krakowskie Przedmieście. Drzeworyt, rys. Aleksander Gierymski

34. Na trakcie Radomskim. Drzeworyt, rys. Aleksander Gierymski

. Widoki Mokotowa pod Warszawą. Rys. Aleksander Gierymski

336. Woźnica na ulicach Warszawy. Rys. Aleksand[er] Gierymski

337. Ulica Solec (lub Czerniakowska). Drzewo[ryt,] autor nie określony

338. Odjazd kurierki z bramy pocztowej w Wars[za]wie. Drzeworyt, rys. Henryk Pillati

39. Parokonka warszawska. Rys. Ksawery Pillati

). Ulica Kamienne Schodki, prowadząca z ul.
:ozowej na ul. Bugaj. Rys. Aleksander Gierymski

przeprowadzona została kolej warszawsko-wiedeńska, w lecie 1845 roku otwarto ruch podmiejski do Grodziska, następnie kolej połączyła Warszawę z zagłębiem węglowym, ze Śląskiem i z Galicją. Kolej przejęła import do Rosji, a Warszawa stała się miejscem przeładunku towarów z kolei żelaznej na trakcję konną i na statki rzeczne. Kolej wiedeńska przeprowadziła bocznicę łączącą Skierniewice z Łowiczem. Drugie ważne odgałęzienie przeprowadzono w latach 1857–1862 przez Kutno, Włocławek, Aleksandrów do Bydgoszczy, łącząc Warszawę z Prusami. Wzniesienie dworca kolei warszawsko-wiedeńskiej w latach 1844–1845 przy zbiegu ulicy Marszałkowskiej i Alei Jerozolimskich (arch. H. Marconi) spowodowało znaczną rozbudowę tej części miasta. Stawiano hotele, składy, między innymi w Al. Jerozolimskich i przy Nowogrodzkiej domy mieszkalne, a przed dworcem wzdłuż Alei utworzono długi plac postojowy.

Innym ważnym etapem rozbudowy komunikacji było przeprowadzenie linii kolejowych łączących Warszawę z Cesarstwem, a przede wszystkim z największymi miastami rosyjskimi – Petersburgiem (1862) i Moskwą (1866) przez Brześć. Były to koleje szerokotorowe o rozstawieniu szyn szerszym od przyjętego w Europie i przez kolej warszawsko-wiedeńską; Warszawa stała się miejscem przeładunku z kolei normalnotorowej na szerokotorową. Na Pradze wybudowano dwa okazałe dworce kolejowe: Petersburski przy ulicy Wileńskiej i Terespolski przy obecnej ulicy Kijowskiej.

W 1832 roku specjalny komitet zadecydował o wybudowaniu nowego mostu na 40 łyżwach na wprost ulicy Spadek. Most miał 442 metry długości. Przed oddaniem do użytku zniszczyły go lody w lutym 1833 roku. Odtąd Warszawa miała tylko jeden most łyżwowy na wprost ulicy Bednarskiej. Z mostem tym wiązała się inicjatywa najważniejszej inwestycji drogowej, budowa tak zwanego Nowego Zjazdu, wiodącego z Krakowskiego Przedmieścia i placu Zamkowego na Powiśle i do mostu przy ulicy Bednarskiej. Roboty prowadzone w latach 1844–1846 polegały na pracach ziemnych i budowie wiaduktu na siedmiu wielkich, sklepionych arkadach, według projektu inżyniera F. Pancera. Trasa Nowego Zjazdu pokrywała się mniej więcej z obecną Trasą W–Z, prowadzącą od tunelu do mostu Śląsko-Dąbrowskiego.

Budowa Nowego Zjazdu i wiaduktu Pancera umożliwiła wzniesienie pierwszego stalowego mostu stałego. Zaczęto go budować w roku 1859 według projektu znakomitego konstruktora mostów (między innymi na Newie w Petersburgu), inżyniera Stanisława Kierbedzia. Sześcioprzęsłowy most długości prawie pół kilometra, o konstrukcji wielokrotnej kratownicy, oparty na murowanych filarach, ukończony został po pięciu latach budowy w 1864 roku. Koszty budowy wyniosły 2,5 miliona rubli. Most o urzędowej nazwie Aleksandrowski, ku czci cara Aleksandra II, nazywany był przez warszawiaków mostem Stałym lub Kierbedzia; okazał się bardzo wytrzymały na duże obciążenia i trwały; służył Warszawie do 1944 roku. Na jego filarach oparto konstrukcję obecnego mostu Śląsko-Dąbrowskiego.

Ważnym zagadnieniem było dostarczenie mieszkańcom czystej wody. Istniejące stare wodociągi, czerpiące ze źródeł i studni, nie wystarczały dla miasta o rosnącej ludności; brak wody odczuwało zwłaszcza Stare Miasto. Studni publicznych było w Warszawie zaledwie 65. W 1851 roku przystąpiono do prac, którymi kierował architekt Henryk Marconi, wysłany specjalnie za granicę dla zapoznania się z urządzeniami wodociągowymi. W ciągu czterech lat kosztem 285 tysięcy rubli wybudowano wodociągi. Nad Wisłą, przy ulicach Karowej, Dobrej aż prawie do Browarnej wykopano cztery osadniki, gdzie woda „ustawała się"; wybudowano przy ulicy Karowej filtry i stację pomp parowych. Pompy te tłoczyły wodę na górny taras warszawski rurami ułożonymi wzdłuż Karowej, pod placem

341. Zaułek na ul. Furmańskiej. Drzeworyt, rys. Aleksander Gierymski

342. Ulica Czerniakowska. Drzeworyt, rys. Aleksander Gierymski według obrazu Maksymiliana Gierymskiego

343. Staromiejskie podwórze. Mal. Henryk Pillati

i Ogrodem Saskim do zbiornika wybudowanego na pagórku usypanym w tymże Ogrodzie w pobliżu ulicy Niecałej. Zbiornik usytuowany w środku ówczesnego miasta, zaprojektowany przez Marconiego, miał kształt starorzymskiej świątyni Westy i zachował się do dziś. Z niego rozprowadzano wodę rurami do zdrojów publicznych na placach i kilku ulicach oraz do gmachów publicznych i domów prywatnych. Na placach urządzono zdroje lub ustawiano fontanny: na Rynku Staromiejskim fontannę z rzeźbą syreny i dwie studnie, na placu Zamkowym przy kolumnie Zygmunta fontannę z trytonami, skromniejsze natomiast na placach Teatralnym i Bankowym. Okazały wodotrysk wybudowano też w Ogrodzie Saskim. Na Krakowskim Przedmieściu u wylotu ulicy Karowej Marconi wybudował ozdobną bramę zwieńczoną rzeźbą syreny z dwoma zdrojami. Doprowadzono wodę do dawnych studni na Rynku Nowego Miasta i na placu Krasińskich. Do 1855 roku było 16 zdrojów publicznych, ale domów do sieci wodociągowej przyłączono niewiele. W 1859 roku doprowadzono wodociąg do Teatru Wielkiego, w 1860 – do placu św. Aleksandra (Trzech Krzyży). Jednak wodociąg Marconiego miał zbyt małą wydajność: woda pobierana z Wisły była zanieczyszczona ściekami z zakładów przemysłowych i rzeźni na Solcu, zbiornik w Ogrodzie Saskim okazał się za mały i za nisko umieszczony. Chociaż niewiele domów, nawet w śródmieściu, było podłączonych do sieci wodociągowej, woda z trudem dochodziła do drugiego piętra. Rosnącemu zapotrzebowaniu miasta na wodę wodociąg Marconiego nie sprostał.

Kanały w Warszawie były częściowo odkryte, częściowo kryte; większość była drewniana, z dnem wykładanym cegłą. Obudowa drewniana szybko gniła i kanały ulegały zniszczeniu. Nieco większe sumy przeznaczono na ich budowę i remonty w 1838 roku. Poszczególne kanały przeprowadzono w związku z budową większych obiektów, na przykład na ścieki z fabryki tytoniowej Kronenberga wybudowano kryty kanał wzdłuż ulicy Hożej. Po wzniesieniu szpitala Świętego Ducha przy ulicy Elektoralnej miasto wybudowało drewniany kryty kanał do ulicy Rymarskiej (obecnie pl. Dzierżyńskiego). Ogółem Warszawa miała w 1862 roku 11 kanałów o łącznej długości 10 600 metrów: wszystkie one uchodziły do Wisły. Z zachodniej dzielnicy miasta ścieki spływały torami otwartymi lub drewnianymi kanałami krytymi do rowu biegnącego wzdłuż okopów.

W zakresie brukowania ulic znaczne prace przeprowadzono w latach 1843–1846 i około 1860 roku. Wyremontowano dawne bruki z kamienia polnego i tłucznia (makademizowane) i kładziono nowe na ulicach zabudowujących się nowymi domami. Dopiero w 1858

344. Baranki, szynki, czyli targ wielkosobotni za Żelazną Bramą w Warszawie. Rys. Jan Feliks Piwarsk

345. Przedsionek w Pociejowie. Rys. Jan Felik Piwarski

346. Poranek przy ul. Rybaki w Warszawie 1844 Cynkografia, rys. Jan Feliks Piwarski

47. Handel! Handel! (wszystko kupię – dobrze zapłacę!). Rys. Jan Feliks Piwarski

roku po raz pierwszy ułożono bruk „cichy" i gładki z kostki dębowej kładzionej na
podkładzie betonowym; było to na ruchliwej ulicy Wierzbowej. W następnym (1859) roku
rozpoczęto układanie bruku z obrobionego kamienia, czyli z kostki sześciennej. Bruk
kostkowy ułożono na Krakowskim Przedmieściu i na Nowym Świecie. Chodniki układano
z płyt marmurowych, a od 1859 roku z asfaltu (np. na ul. Marszałkowskiej). W 1862 roku
na 220 ulic Warszawy 141 miało bruki, co stanowiło 64% wszystkich ulic.
Od około 1856 roku do oświetlenia ulic zaczęto stosować latarnie gazowe zamiast
olejowych. Pierwsze latarnie gazowe ustawiono na placu Teatralnym. W 1862 roku ulice
i place Warszawy oświetlało przeszło tysiąc latarni gazowych.
Oczyszczanie ulic miasta powierzono w 1836 roku straży ogniowej. Do tej pracy było
zaangażowanych przed 1860 rokiem 111 pracowników i 100 koni zaprzęganych do wozów
służących do wywozu śmieci (tzw. kary). W zimie ten personel i liczba wozów nie
wystarczały do uprzątania i wywożenia śniegu do Wisły i trzeba było korzystać z pomocy
prywatnych przedsiębiorców.
Od 1836 roku zorganizowano zawodową Straż Ogniową na zasadach policyjno-wojsko-
wych na wzór Petersburga. Straż utrzymywało miasto z dotacji ubezpieczeniowego
Towarzystwa Ogniowego. Strażaków było 224, podzielonych najpierw na cztery, a od
1862 roku na pięć oddziałów: Ratuszowy na placu Teatralnym, Mirowski na ulicy
Chłodnej, Nalewkowski na ulicy Nalewki w pobliżu Arsenału, Nowoświecki na początku
ulicy Nowy Świat w pobliżu ulicy Książęcej oraz Praski.
Regulację ulic projektował powołany w 1856 roku Komitet do sporządzenia planu
regulacyjnego. Poszerzono i częściowo przeprowadzono na nowo ulice na zachód od
Marszałkowskiej, między innymi Wielką (obecnie Poznańską), Nowogrodzką, Żurawią,
Hożą, Wilczą oraz Kruczą i Mokotowską, a w zachodniej dzielnicy miasta – Żelazną. Po

348. Garkuchnia pod studnią. Rys. Jan Feliks
Piwarski

wschodniej stronie Alei Ujazdowskich uregulowano ulice: Piękną, Wiejską i Górną (Górnośląską) oraz przeprowadzono Instytutową (Matejki), przy której bankier Lesser wybudował 12 kamienic. W północno-zachodniej dzielnicy miasta uregulowano ulice: Gęsią, Dziką, Miłą, Pawią, Niską oraz ciąg komunikacyjny Muranowska–Bonifraterska–Kłopot. Wreszcie zajęto się regulacją ulic Powiśla: Dobrą i jej przecznicami oraz Tamką i Topiel; poszerzono i uregulowano Rybaki, a na południowym Powiślu: Rozbrat, Czerniakowską i Solec oraz ich przecznice. W pobliżu przeprowadzono przez tereny Zamoyskiego dwie nowe ulice: Szarą i Fabryczną. Poza okopami uregulowano część przedmieścia Wola, od okopów do ulicy Młynarskiej.

W 1836 roku przystąpiono do uporządkowania targowisk w lewobrzeżnej Warszawie: placów targowych było 15, w tym 4 na Starym Mieście: Rynek, plac na Szerokim Dunaju, przy zbiegu ulic Nowomiejskiej i Podwale oraz ulica Piwna, dalej Rynek Nowego Miasta; targ zwany Wolnicą przy ulicach Franciszkańskiej i Wołowej; plac Muranowski, gdzie obok targu na konie handlowano zbożem; Rynek Grzybowski na siano, słomę i zboże; plac Za Żelazną Bramą z jatkami, targiem rybnym, produktami żywnościowymi i wyrobami gospodarskimi; targ Pod Lwem na Chłodnej na zboże; na placu Zielonym (obecnie Dąbrowskiego) z jatkami koszernymi, z targiem na drób i jarzyny. Trzy targowiska zgrupowano w pobliżu Nowego Światu: targ na Ordynackiem, na placu Dynasowskim i Sułkowskie na Nowym Świecie. Wszystkie one miały jatki rzeźnicze oraz prowadziły handel żywnością. Na Krakowskim Przedmieściu od placu Zamkowego do domu Malcza obok figury Matki Boskiej i na Sułkowskiem mogły stawać fury z drzewem, węglem, obręczami, klepkami. Najdalej na południe wysunięty targ na Solcu miał też jatki.

W trzy lata później, w roku 1839, uporządkowano dziewięć targowisk praskich, przy ulicach Targowej, Wołowej, Kępnej, Sprzecznej, Brukowej oraz na placu przy bóżnicy, przy obecnej ulicy Jagiellońskiej. Odbywały się na nich targi na konie, woły, krowy, cielęta, świnie, drób, sól, śledzie, nabiał, warzywa, owoce, chleb, odzież oraz sukmany, kożuchy i tandetę (odzież używaną).

Po upadku powstania zapanował zastój w przemyśle warszawskim w wyniku chaosu gospodarczego, zniszczeń wojennych, zahamowania obrotów handlowych wewnątrz Królestwa, a także represji ekonomicznych. Zmiana taryfy celnej między Cesarstwem a Królestwem wpłynęła również na zmniejszenie eksportu do Rosji. Wywóz towarów produkowanych przez przemysł i rzemiosło warszawskie na wschód spadł do połowy. Odbiło się to niekorzystnie przede wszystkim na przemyśle wełniano-sukienniczym, którego schyłek zaczął się przed powstaniem. Zamknięto wszystkie małe i średnie manufaktury sukną, lecz na jakiś jeszcze czas pozostały największe: wytwórnia kobierców oraz manufaktura Fraenkla. W latach czterdziestych sytuacja przemysłu wełnianego uległa krótkiej poprawie, po czym sukiennictwo w ogóle zanikło. Przemysł bawełniany lepiej przetrwał pierwsze dziesięciolecie popowstaniowe i zaczął się rozwijać na początku lat czterdziestych, lecz w latach pięćdziesiątych notujemy jego upadek, co nie pokrywa się z sytuacją tej gałęzi przemysłu w Królestwie Kongresowym. Natomiast pewien postęp wykazał w porównaniu z latami przedlistopadowymi przemysł jedwabniczy.

Najważniejszą gałęzią wytwórczości stał się przemysł metalowy, który zaczął się odradzać już od roku 1835; produkowano przede wszystkim na rynek krajowy. Coraz większym odbiorcą jego wyrobów stawało się rolnictwo (maszyny i narzędzia). Rozwój gorzelnictwa i cukrownictwa stwarzał również korzystne warunki zbytu maszyn i wyposażenia tych zakładów; liczba cukrowni w ciągu 7 lat (1846–1853) podwoiła się. Maszyny cukrownicze, rolnicze i narzędzia produkowała fabryka braci Evansów przy Świętojerskiej; maszyny parowe, prasy hydrauliczne, aparaty gorzelniane – rządowa przy Solcu, należąca do Banku Polskiego; machiny rolnicze i gospodarskie – fabryka Zakrzewskiego, umieszczona w budynkach „pracowni ogniów wojennych" i prochowni za okopami na wprost wylotu ulic Pawiej i Gęsiej, między cmentarzami Żydowskim i Ewangelickim. Kotły gorzelnicze wyrabiały Zakłady Żeglugi Parowej na Powiślu. Fabryka Evansów już w 1835 roku wprowadziła oświetlenie gazowe jako pierwsza w Warszawie, na przeszło 20 lat przed wybudowaniem gazowni na Powiślu.

W 1844 roku między Alejami Jerozolimskimi i ulicą Widok wybudowano warsztaty kolei warszawsko-wiedeńskiej, rozbudowywane w latach 1862 i 1864. Oprócz remontów parowozów i napraw wagonów warsztaty zatrudniające około 400 robotników wykonały prawie 30 nowych wagonów.

W 1848 roku arystokraci i przedstawiciele bogatej burżuazji zawiązali w Warszawie Spółkę Żeglugi Parowej. Na czele przedsiębiorstwa stanął hr. Andrzej Zamoyski. Spółka uzyskała przywilej rządowy na żeglugę pasażerską i przewóz towarów oraz ich spław na Wiśle i jej dopływach; w 1851 roku przy zbiegu ulic Czerniakowskiej i Solec wybudowała stocznię. W pierwszych paru latach wypuszczono 6 statków parowych, przeważnie holowników, o nazwach miast nadwiślańskich. Budowano też barki, od 1856 roku maszyny parowe, a od 1860 roku podjęto produkcję kotłów gorzelnianych. Zakłady zatrudniały 200 robotników; miały udział w giserni żelaza i mosiądzu „K. Rudzki i Spółka" założonej w pobliżu zakładów żeglugi Zamoyskiego, po drugiej stronie ulicy Czerniakowskiej. Fabryka Rudzkiego wykonywała między innymi wyposażenia fabryk dla Rosji. Z czasem zakłady Rudzkiego wyspecjalizowały się w budowie mostów.

349. Przystań statków parowych na Powiślu. Mal. Franciszek Kostrzewski, ok. 1853 r.

Ożywioną działalność przemysłową rozwijał Piotr Steinkeller: w 1835 roku zakupił młyn parowy na Solcu, rozwinął jego podstawową produkcję (mąki i kasz) i wybudował obok młyna wielki tartak i wytwórnię powozów, a właściwie karetek pocztowych, zwanych „steinkellerkami", do komunikacji międzymiastowej. Dla kolei zakłady Steinkellera zaczęły produkować wagony. Zakłady połączono z portem wiślanym pierwszą w Warszawie bocznicą kolejową długości około 600 metrów.

Rozwijał się też przemysł galanterii metalowej, produkujący między innymi lampy z brązu i żelaza, świeczniki, lichtarze, maszynki do kawy, zabawki oraz wszelkiego rodzaju odlewy z żelaza. Najbardziej znana w tej branży była fabryka, a właściwie manufaktura Mintera, mieszcząca się przy zbiegu ulicy Świętokrzyskiej i placu Wareckiego, w zabudowaniach projektowanych przez architekta Józefa Lessla. Minter zatrudniał przeszło 60 ludzi.

Coraz szybciej rozwijały się wytwórnie platerów: fabryka Norblina przeniosła się w 1834 roku z ulicy Pieszej na Chłodną, a w 1853 roku zainstalowała machinę parową sprowadzoną z Belgii. Fabryka Frageta przeniosła się w 1844 roku z ulicy Królewskiej do nowo wybudowanej siedziby przy ulicy Elektoralnej (arch. Gołoński). W 1847 roku u Frageta pracowało 150 robotników, a w 1856 przeszło 200, co wówczas stanowiło pokaźną liczbę i stawiało Frageta w rzędzie największych zakładów. W fabryce platerów Hennigera, nastawionej na masową produkcję, używano jednej z największych w Warszawie maszyn parowych i zatrudniano 150 ludzi. Po zniesieniu granicy celnej między Królestwem i Cesarstwem w 1851 roku ułatwienia wywozu na rynki rosyjskie najsprawniej wyzyskały warszawskie fabryki platerów: Fraget otwiera składy swoich wyrobów w kilku miastach wschodnich dawnej Rzeczypospolitej, Henneberg zakłada kantory w Moskwie i Petersburgu. Ta sama fabryka Henneberga na Woli zatrudnia w 1863 roku 225 robotników i uczniów. Przykładem dostosowania się do pomyślnej koniunktury jest dziesięciokrotny

350. Fabryka papieru w Jeziornej. Rys. Jan Feliks Piwarski

wzrost produkcji narzędzi chirurgicznych w roku 1854 w związku z wojną krymską. Wszystkie gałęzie przemysłu metalowego rozwijały się stale; do najlepszych lat należały: 1835–1842 i 1847–1866. Właśnie wyroby platerowane stanowiły największą pozycję eksportu, który zaczął się ponownie rozwijać w 1839 roku; wartość towarów wywiezionych z Warszawy do Rosji wyniosła przeszło milion złotych. Po platerach ważną pozycję stanowiły: powozy, tapety i papiery kolorowe, dywany, fortepiany, wyroby metalowe, lakierowane, halsztuki męskie i wyroby z gumy; pozostałe towary przedstawiały w wywozie niewielką wartość.

Rozwój przemysłu metalowego szczególnie silnie wiązał się z przewrotem technicznym, który zaczął się w latach 1830–1840 i rozwijał w kierunku pełnej mechanizacji podstawowych procesów produkcyjnych. W Warszawie przewrót zaznaczył się mocniej niż w innych regionach kraju, ponieważ było w niej więcej specjalistów, częściowo sprowadzanych z zagranicy. Duże znaczenie miało wprowadzenie komunikacji kolejowej. Obok mechanizacji pojawiły się i natężały zmiany w organizacji produkcji: rosły warsztaty rzemieślnicze, obok nich pracowały manufaktury i wczesnokapitalistyczne fabryki, gdzie rodziła się powoli klasa robotnicza.

Postęp zaznaczył się też w przemyśle chemicznym: zwiększyła się produkcja mydła, perfum, a zwłaszcza świec stearynowych, które zastąpiły dawne świece łojowe. W 1856 roku wybudowano przy ulicy Ludnej duży zakład chemiczny – Gazownię Niemieckiego Towarzystwa Kontynentalnego w Dessau.

Produkcja przemysłu ceramicznego uzależniona była od natężenia ruchu budowlanego: cegielnie warszawskie dopiero w 1839 roku osiągnęły produkcję z roku 1828, to jest 8 milionów cegieł. Były rozmieszczone na peryferiach lub pod miastem, najwięcej skupiło się na Mokotowie i Sielcach, a liczba ich gwałtownie rosła: z 7 w roku 1830 do 16 około 1860 roku, z tego 6 na Mokotowie Górnym i 10 w Sielcach i na dolnym tarasie mokotowskim. Natomiast w północno-zachodniej dzielnicy miasta, w okolicach ulic Dzikiej, Gęsiej i Niskiej, liczba cegielni zmniejszyła się: w 1853 roku wynosiła 4, a w 1862 tylko 2, zapewne w związku z wyczerpywaniem się pokładów gliny. Pojedyncze cegielnie były rozmieszczone między innymi w Słodowcu, Burakowie przy drodze (obecnie ulicy) Włościańskiej, na Czystem przy ulicy Przyokopowej.

Przemysł spożywczy rozwijał się dobrze: młyn parowy na Solcu był nowoczesną fabryką z największą w Warszawie maszyną parową; obok młynów działały nadal liczne wiatraki; w połowie wieku było ich prawie 80 na Woli i Kole, około 15 na Burakowie i kilkanaście na Powązkach. W browarnictwie warszawskim wystąpiła koncentracja; powstają coraz większe zakłady: około 1850 roku założono znany browar Haberbuscha i Schielego, a oprócz niego istniał browar Jounga i dziesięć innych, przeważnie w zachodniej dzielnicy miasta.

W przemyśle garbarskim dominowała garbarnia „Temler i Szwede", jedna z największych w kraju, znane były też zakłady Szlenkiera, Pfeiffera i kilka innych mniejszych. Znacznie powiększyły produkcję zakłady rękawicznicze, jak Niveta, Grosse'a. Wśród wytwórni tapet najbardziej znana w latach sześćdziesiątych była firma Franaszka.

Duże znaczenie miał przemysł tytoniowy, zwany tabacznym. Największa była fabryka Kronenberga, mieszcząca się w nowoczesnym obszernym kompleksie budynków wzniesionych w latach 1860–1862 między ulicami Marszałkowską, Hożą i Wielką (obecnie Poznańską) przez architekta A. Kropiwnickiego. Fabryka zatrudniała 700 robotników i miała wielką naówczas maszynę parową. Poprzednio fabryka tabaczna Kronenberga znajdowała się w Sielcach przy obecnej ulicy Chełmskiej. Pięć największych zakładów tabaczno-tytoniowych zatrudniało 1300 robotników, w większości robotnic.

Przemysł odzieżowy, typowy dla dużych miast, wytwarzał seryjnie mundury, ubrania, palta, bieliznę. Zakłady odzieżowe skupiały się w śródmieściu; do najbardziej znanych należał Starkman. Drobne zakłady przemysłowe i rzemieślnicze wytwarzały sztuczne kwiaty, kapelusze, koronki, instrumenty muzyczne, głównie fortepiany, lustra.

W latach 1838–1864 w rozmieszczeniu przemysłu warszawskiego zaszły wyraźne zmiany: powiększyła się znacznie liczba zakładów w zachodniej dzielnicy miasta, zwłaszcza przy ulicach: Ceglanej, Grzybowskiej, Krochmalnej, Chłodnej, Leszno oraz Żelaznej, Smoczej i Wroniej. Wiele zakładów przenosi się ze Starego Miasta i śródmieścia do dzielnicy zachodniej. W dzielnicy południowej powstają fabryki przy ulicy Marszałkowskiej. Południowe Powiśle nadal pozostaje dzielnicą przemysłową. Pokłady iłów na Mokotowie w Sielcach, jak już wspomniano, stwarzały warunki do rozwoju przemysłu ceramicznego. Grochów stał się skupiskiem 12–14 zakładów, przeważnie niewielkich, produkujących świece, wódki, ocet, pracowały tam również browary. W Tarchominie znana warszawska fabryka chemiczna Hirschmana i Kijewskiego zakłada oddział produkujący nawozy sztuczne i inne produkty chemiczne. Przędzalnia lnu zorganizowana przez F. Girarda w Marymoncie została przeniesiona w 1833 roku do dóbr Łubieńskich Ruda Guzowska, do osady fabrycznej nazwanej Żyrardowem. Do spółki własnościowej przędzalni oprócz braci Łubieńskich należał Steinkeller. Oprócz Żyrardowa pod Warszawą rozlokowały się też inne osady fabryczne, jak między innymi Mszczonów, Błędów, Lipków, gdzie wyrabiano tkaniny wełniane i bawełniane, korzystając z taniej siły roboczej. Łącznie było w okolicach Warszawy 14 takich zakładów.

Warszawa stawała się dużym skupiskiem robotniczym. W roku 1862 w jej przemyśle

pracowało już prawie 7000 robotników, najwięcej w fabrykach tytoniowych i metalowych. Kronenberg i inne fabryki tytoniowe po raz pierwszy zatrudniły w Warszawie kobiety (w głównej sali pracowało ich prawie 400). Robotnicy metalowi stanowią najbardziej świadomą i patriotyczną warstwę i biorą udział w sprzysiężeniu przygotowującym powstanie styczniowe, grają znaczną rolę wśród „czerwonych", z nich rekrutują się oddziały sztyletników. Oprócz robotników przemysłowych w Warszawie zatrudnieni byli robotnicy budowlani, miejscy oraz wyrobnicy i liczny proletariat rzemieślniczy. Warszawę i tworzący się dokoła niej region przemysłowy można nazwać w latach sześćdziesiątych wielkim skupiskiem robotniczym.

Szybko rosła liczba napływających do Warszawy wyrobników oraz służby domowej. Położenie proletariatu było nader ciężkie, gdyż żadne przepisy nie ustalały płac, obowiązków pracodawców ani czasu i warunków pracy, ani nawet jej bezpieczeństwa. Wyjątkowo władze określiły w 1846 roku czas pracy przy budowie kolei na 11 godzin dziennie: 6 godzin przed południem i 5 godzin po południu. Robotnicy, robotnice i młodociani byli zobowiązani do kilkunastogodzinnej pracy na dobę, przy tym oszukiwani przy wypłatach, nierzadko bici, często przymierali głodem. Władze zajmowały się tylko najjaskrawszymi nadużyciami pracodawców, a policja najczęściej ścigała robotników porzucających pracę. Najgorszy los spotykał wyrobników niewykwalifikowanych, pracujących nie stale, lecz dorywczo, na przykład przy budowie kolei, dróg lub fortyfikacji. Nadużycia i wyzysk pracodawców i majstrów były tu największe, a zorganizowanego oporu robotników nie było. Większość zakładów pracy nie troszczyła się o stworzenie dobrych warunków pracy i zabezpieczenie przed wypadkami. Głośne stały się nadużycia przy budowie kolei między Łowiczem i Skierniewicami w 1846 roku, morzenie głodem, bicie 200 chłopów z guberni augustowskiej.

BUDOWNICTWO I REGULACJA MIASTA

Ożywienie handlu, rozwój przemysłu, rzemiosła i komunikacji powodują wzrost liczby mieszkańców Warszawy do 236 tysięcy w roku 1865 i ożywienie ruchu budowlanego. Przez pierwsze lata po powstaniu panował w tej dziedzinie zastój; tylko rząd wznosił budowle związane z systemem rządów policyjnych. W 1835 roku ukończono wielki gmach więzienny między ulicami Dzielną i Pawią – osławiony Pawiak (arch. H. Marconi). Jak wspomniano, więzienie umieszczono też w przebudowanym Arsenale przy Długiej. Drugą gałęzią rozwijającego się budownictwa w pierwszych latach po powstaniu było budownictwo sakralne. Wspomniano już o restauracji kościoła pojezuickiego dla pijarów przy Świętojańskiej w latach 1835–1836 (arch. A. Kropiwnicki). W latach 1836–1840 przebudowano zasadniczo sąsiednią katedrę św. Jana, nadając fasadzie i wnętrzu kształt angielskiego gotyku (arch. A. Idźkowski). W 1836 roku A. Corazzi wybudował okazały dom parafii św. Aleksandra. W latach 1841–1849 stanął na placu Pod Lwem przy ulicy Chłodnej kościół św. Karola Boromeusza o architekturze nawiązującej do rzymskich kościołów renesansowych (arch. H. Marconi). Również Marconi zaprojektował okazały kościół Wszystkich Świętych przy pl. Grzybowskim; budowa rozpoczęta w 1861 roku ciągnęła się wiele lat.

Nowe siedziby zaczyna budować najpierw arystokracja: w latach 1837–1838 architekt A. Gołoński wznosi późnoklasycystyczny pałac przy pl. Krasińskich w pobliżu pałacu Krasińskich dla Badeniego, zdobiąc go kolumnowym portykiem. Ten sam architekt buduje dla Seweyna Uruskiego pałac przy Krakowskim Przedmieściu w 1844 roku, ale już o kształcie renesansowym (obecny Instytut Geograficzny UW). Niedaleko stanął przebudowany przez Henryka Marconiego wielki pałac Andrzeja Zamoyskiego wraz z „domem zarządu interesów", Nowy Świat 67–69 (1844, Marconi). Ten sam architekt wzniósł na Nowym Świecie pałace Branickich i Pusłowskich (1849). Dawny pałac Saski przebudowuje dla kupca Skwarcowa w latach 1839–1842 architekt Idźkowski, burząc główny korpus pałacu i łącząc skrzydła klasycystyczną kolumnadą ustawioną na arkadach, dzięki czemu uzyskano widok z placu na zieleń Ogrodu Saskiego.

W latach 1850–1852 przeprowadzono przebudowę Zamku Królewskiego ogromnym kosztem 884 tysięcy rubli: przerobiono dwie elewacje od strony placu Zamkowego i od strony Nowego Zjazdu, dodając pilastry i attykę i obniżając dachy. We wnętrzu Salę Sejmową zamieniono na pomieszczenia biurowe.

Zespół pałacowo-ogrodowy w Wilanowie pod Warszawą rozbudowuje dla Potockich w latach 1845–1855 architekt Franciszek Maria Lanci, dobudowując między innymi drugi trakt północnego skrzydła pałacu, pergolę, przerabiając wnętrza i zabudowania gospodarcze, a także altany i mostki w ogrodzie. Od 1857 roku wznoszony był okazały kościół w Wilanowie (proj. H. Marconi). Ten sam architekt zaprojektował tam przed 21 laty neogotycki grobowiec Stanisława Kostki Potockiego.

Przez 8 lat po powstaniu listopadowym niewiele budowano domów mieszkalnych mimo akcji pożyczkowej miasta i państwa, kontynuowanej i po powstaniu. Dopiero lata 1840–1847 przynoszą ożywienie. W latach 1835–1837 i 1841–1849 zatwierdzono do budowy projekty 290 domów i kamienic, najwięcej w ówczesnym śródmieściu – 105 projektów: 10 przy ulicy Marszałkowskiej, 9 w Alejach Jerozolimskich i 7 przy Chmielnej. W dzielnicy zachodniej 76 domów, najwięcej przy ulicy Ogrodowej – 15, następnie 10 przy Wolskiej za rogatkami i 7 przy Krochmalnej. Trzecią z kolei dzielnicą, ale już o znacznie mniejszym ruchu budowlanym, było Powiśle, gdzie zaprojektowano 38 domów, w tym 9 na Solcu i 6 przy Czerniakowskiej. W pozostałych dzielnicach, jak dzielnica żydowska i północna, południowa i Praga, były bardzo nieliczne nowe domy; tylko przy ulicy Franciszkańskiej zaprojektowano 6 kamienic, przy Mokotowskiej 4, przy ulicy Brukowej na Pradze też 4, a na całej Pradze 13. Wobec ogromnych zniszczeń Pragi nie obowiązywał tam zakaz wznoszenia domów drewnianych. W latach 1830 i 1840 budowano w Warszawie domy parterowe i jednopiętrowe oraz kamienice dwupiętrowe. Do ciekawszych obiektów należał jednopiętrowy dom z 1843 roku na Solcu „dla 300 familii robotników, bądź w zakładzie fabrycznym Steinkellera, bądź też w okolicy znajdujących się". Steinkeller „przez ogrody, chodniki, łazienki chciał wpłynąć na moralne ukształtowanie się tej klasy ludzi najużyteczniejszej".

Następna faza żywego ruchu budowlanego trwa krótko – parę lat, od 1851 do 1853. Trzecia, najdłuższa, jest związana z okresem wielkiej koniunktury, od 1857 do 1868. W tym 12-letnim ostatnim okresie w Warszawie wybudowano 753 kamienice murowane frontowe i 1033 oficyny, nadbudowano 131 domów. Istniejące jeszcze na peryferiach i na Pradze budownictwo drewniane powiększone zostało o 141 nowych domów drewnianych frontowych i 133 budynki w oficynach. Północny kierunek rozbudowy miasta był zamknięty Cytadelą, a więc w północnej dzielnicy zabudowywano tylko puste posesje i ogrody, wznoszono kamienice na miejscu starych drewnianych dworków. Znacznie intensywniejsza była rozbudowa miasta w kierunku zachodnim, a najżywsza w południo-

352. Fasada katedry św. Jana. Projekt przebudowy Zygmunta Vogla, 1823 r.

353. Widok kościoła św. Aleksandra (ku ulicy Nowy Świat w Warszawie). Akwatinta i akwaforta, rys. i ryt. Fryderyk Krzysztof Dietrich

wym. Na Pradze budowano niewiele. Obszar zakreślony okopami był bardzo obszerny, miasto miało pod dostatkiem miejsca pod zabudowę. W kierunku zachodnim zabudowa objęła ulice Żelazną, całą Chłodną, Chmielną. W kierunku południowym zabudowano ulice w okolicach Dworca Wiedeńskiego, Al. Jerozolimskich, od Nowego Światu do późniejszej ulicy Pankiewicza, Marszałkowską i jej przecznice, od Królewskiej do Hożej. Nadal budowano przeważnie kamienice dwupiętrowe: w latach 1849–1858 stanowiły one około 70% wszystkich nowych domów, a domy parterowe kilkanaście procent, podobnie jak jednopiętrowe. Pierwszą kamienicę trzypiętrową wzniesiono w 1856 roku. Około 1/3 domów budowano z funduszu pożyczek miejskich, większość z kapitałów prywatnych.

W 1862 roku rozpoczęto budowę domów robotniczych w typie koszarowym na terenach Andrzeja Zamoyskiego na Powiślu, przy ulicach Czerniakowskiej, Rozbrat i Szarej. Domów miało być 16, projektował je Henryk Marconi, a budował jego uczeń Marceli Berent. Były one racjonalnie rozplanowane, o starannie opracowanych elewacjach; Zamoyski uzyskał pożyczkę z miejskiego funduszu pożyczkowego. W pierwszych dwóch latach wybudowano trzypiętrowy dom przy Czerniakowskiej i dwa parterowe na Rozbrat. Jednocześnie budował Zamoyski, również według projektu Marconiego, trzypiętrowy dom robotniczy przy zbiegu ulic Pańskiej i Prostej, a więc w zachodniej robotniczej dzielnicy miasta.

55. Rynek Nowego Miasta. Mal. Aleksander Lesser

331

Do monumentalnych kamienic typu pałacowego należała kamienica Grodzickiego na Krakowskim Przedmieściu 7 (1851–1852), też dzieło Henryka Marconiego, zwieńczona posągami wykonanymi przez uczniów Szkoły Sztuk Pięknych. Obok tych okazałych budowli wyrastały setki kamienic dwu- lub trzypiętrowych. Na rozparcelowanych terenach pałaców Łubieńskich i Dembowskich przy narożach ulic Marszałkowskiej, Królewskiej i Próżnej kamienice projektował Henryk Marconi, a budowali jego uczniowie Ankiewicz, Rospendowski, a przede wszystkim Woliński, który na narożu ulic Marszałkowskiej i Królewskiej wybudował kamienicę nr 153. W latach 1862–1863 budowane były kamienice nr 145 przez Heuricha-ojca i przy rogu Złotej przez Ankiewicza.

Na przeciwległym rogu ulicy Królewskiej w 1859 roku wzniesiono dom przeznaczony na biura Fryderyka Skarbka. Przy narożu Marszałkowskiej i placu Zielonego architekt Kropiwnicki wystawił dla siebie obszerny dom dochodowy. Przebudowywano również dawne budowle, na przykład XVIII-wieczną karczmę „Otwock" przy zbiegu ulic Marszałkowskiej i Królewskiej na pałacyk dla J. Blocha. Architekt Orłowski buduje kamienice przy Marszałkowskiej dla siebie lub innych zleceniodawców. Parter kamienicy przy zbiegu ulic Marszałkowskiej i Zgoda „stanowiły wielkie otwory sklepowe przykryte prostymi belkami żelaznymi" – jak pisze St. Herbst. Zabudowywały się przecznice Marszałkowskiej (zwłaszcza Żurawia i Hoża), Krucza i Mokotowska, przy których wzniesiono kilkanaście domów i kamienic. Z innych pierwszorzędnych ulic zabudowywano Aleje Jerozolimskie, wznosząc około 20 kamienic i 3 budynki kolejowe. W Alejach Ujazdowskich budowano pierwsze kamienice i domy między placem św. Aleksandra i ulicą Piękną oraz duży budynek wojskowy przy Bagateli.

Zabudowywała się w dalszym ciągu dzielnica zachodnia, ulice: Twarda (18 kamienic i domów murowanych), Żelazna (około 35 kamienic i domów murowanych), Grzybowska (29 budowli murowanych, przeważnie kamienic), Ogrodowa (aż 33 domy i kamienice). Przeprowadzona przed 1859 rokiem między Pańską i Twardą ulica Mariańska została zabudowana 8 kamienicami. Przy Karmelickiej wzniesiono 17 kamienic.

Zabudowywała się intensywnie Wola: za rogatkami przy Wolskiej wzniesiono 38 domów murowanych, 10 przy Karolkowej i 11 przy Wroniej. W dzielnicy żydowskiej przy ulicy Pokornej wybudowano 15 domów murowanych i kamienic. Praga, dzielnica zaniedbana, gdzie ruch budowlany był do połowy wieku nikły, uległa znacznym przeobrażeniom. Oprócz wspomnianych już budynków wojskowych i dworców kolejowych wybudowano parowozownię i obszerne warsztaty Kolei Petersburskiej; rozplanowano dzielnicę Nowa Praga rozciągającą się na północ od ulicy Wileńskiej. Na Nowej Pradze było przeszło 100 domów drewnianych. Przy dawniej istniejących ulicach budowano domy murowane i pierwsze kamienice, najwięcej przy Targowej (19), przy Brukowej (9), Olszowej (5). Przy Brukowej wystawiono 4 budynki dla straży ogniowej: koszary, stajnie i wozownię. Ogółem na Pradze było 80 domów murowanych.

W dziedzinie szpitalnictwa rozbudowano największy w Warszawie szpital Dzieciątka Jezus przy pl. Wareckim i dobudowano dom położniczy przy ulicy Zgoda (arch. A. Gołoński). W roku 1841 wzniesiono obszerne pawilony szpitala św. Łazarza przy ulicy Książęcej (H. Marconi). W latach 1857-1861 przy ulicy Elektoralnej, na terenie dawnej manufaktury Dangla, wybudowano szpital Świętego Ducha, składający się z pięciu budynków (arch. J. Orłowski). Główny budynek frontowy z okazałym podjazdem łączył się z bocznymi galeriami. Przy tej samej Elektoralnej, która należała do pierwszorzędnych ulic, budowni-

356. Odpust w Czerniakowie. Drzeworyt, rys. Juliu Cegliński i Henryk Pillati

357. Pałacyk Szustra w Mokotowie. Drzeworyt, rys.
ygmunt Vogel

czy Banku Polskiego Ankiewicz rozbudował gmach Banku, wznosząc monumentalny gmach pod numerem 2.

Przybywały też Warszawie obiekty związane z opieką społeczną: przy placu Trzech Krzyży siedziby dwóch instytutów – Głuchoniemych w nowej budowli o pałacowym założeniu i obok Ociemniałych w przebudowanym osiemnastowiecznym pałacyku. W pobliżu, przy Nowym Świecie nr 6, Józef Lessel (architekt bóżnicy na Pradze, przy rogu ul. Szerokiej i obecnej Jagiellońskiej) zaprojektował Dom Sierot i Ochron Warszawskiego Towarzystwa Dobroczynności, późniejszą siedzibę Nowoświeckiego Oddziału Straży Ogniowej. W latach 1851-1853 przy ulicy Wiejskiej rząd wybudował obszerne budynki Instytutu Szlacheckiego, szkoły mającej na celu wychowywanie synów arystokracji i szlachty w duchu prorosyjskim, a nawet ich wynaradawianie. Kompleks Instytutu składał się z gmachu głównego i pięciu budynków pomocniczych, usytuowanych w obszernym ogrodzie. W Instytucie wybudowano dwie kaplice – katolicką i prawosławną. Instytut projektowało i budowało kilku architektów, między innymi Orłowski i Podczaszyński. Po powstaniu styczniowym umieszczono tu Instytut Aleksandryjsko-Maryjski Wychowania Panien, a w okresie niepodległości – Sejm i Senat Rzeczypospolitej.

Rosnące potrzeby handlu zostały zaspokojone budową gmachów handlowych: w 1841 roku wzniesiono na placu Za Żelazną Bramą obszerną budowlę mieszczącą 168 sklepów i straganów, zwaną „Gościnnym Dworem", wykonaną całkowicie z lanego żelaza. Już wcześniej współtwórca „Gościnnego Dworu", architekt J. Gay, w roku 1938 zastosował jako pierwszy dekoracje żeliwne przy budowie własnego domu przy ulicy Grzybowskiej.

358. Rogatka grochowska z ok. 1822 r.

333

Drugą, obszerną budowlę handlową „Dom Gościnny" na Sewerynowie (obecnie ul. Koperņika) wybudował w latach 1846–1849 hr. Seweryn Uruski (arch. F. M. Lanci). Budowla wzorowana na paryskich domach handlowych miała podcienia przeznaczone na pomieszczenia straganów. W 1848 roku architekt Gay wybudował jatki Zrazowskiego na Nowym Świecie; w 1845 powstała rzeźnia na Solcu (arch. Frydrych).

Wzrost liczby przyjezdnych powoduje budowę nowych hoteli. Obok dawnych, tradycyjnych przy ulicach Bielańskiej (Lipski, Krakowski) i Długiej (Polski, Drezdeński) wznosi się lub rozbudowuje nowe: Angielski, przebudowany w latach 1839–1841, Rzymski przebudowany przez architekta Kropiwnickiego z pałacu i zajazdu Sułkowskich przy rogu ulic Trębackiej i Nowosenatorskiej, Bawarski przy zbiegu ulic Bednarskiej i Dobrej, wsławiony spotkaniami cyganerii warszawskiej. Otwarto też popularny zajazd w Dziekance na Krakowskim Przedmieściu. Ogółem Warszawa posiadała w 1844 roku 18 hoteli i 28 domów zajezdnych. Największe skupiły się w pobliżu placu Teatralnego i Krakowskiego Przedmieścia, w centrum ówczesnej Warszawy.

Dla przybywających koleją warszawsko-wiedeńską buduje się hotele w pobliżu dworca przy Marszałkowskiej lub w jej okolicach. W latach 1851–1853 architekt Frydrych projektuje Hotel Wiedeński przy rogu Marszałkowskiej i Widok, a w 1860 roku hotel Victoria przy ulicy Jasnej i pobliski hotel Maringe'a przy placu Zielonym (Dąbrowskiego), przemianowany na Hotel Francuski. Największy i najwykwitniejszy, Europejski, wzniesiony w latach 1855–1859 między Krakowskim Przedmieściem i placem Saskim, na miejscu dawnego hotelu Gerlacha, uchodził za jedno z najwybitniejszych dzieł Henryka

50. Gościnny Dwór za Żelazną Bramą. Litografia,
s. i lit. Juliusz Cegliński i Alfons Matuszkiewicz

Marconiego. W pobliżu, przy ulicy Koziej, architekt Woliński wznosi Hotel Saski, należący do rodziny Reszków, z której wyszli znakomici śpiewacy. Ulica Bielańska, tradycyjna ulica hoteli, otrzymuje jeszcze jeden – Paryski. Hotele bardziej odległe od dworca utrzymywały omnibusy, wysyłane na Dworzec Wiedeński w godzinach przybycia pociągów.

Ruch budowlany objął również tereny znajdujące się poza ówczesnym miastem. W 1847 roku mamy wiadomości o nowym letnisku w Wierzbnie, również w sąsiednim Mokotowie i pobliskim Wilanowie w tym czasie budowano zespoły domów letniskowych murowanych lub drewnianych.

Gwałtownie rosnąca liczba wojska rosyjskiego w czasach paskiewiczowskich wymagała coraz więcej koszar. Rozbudowywano je i wznoszono nowe. Rozbudowano przede wszystkim koszary ujazdowskie, stawiając 15 nowych pawilonów rozmieszczonych na znacznej przestrzeni od ulicy Pięknej do placu Na Rozdrożu. W pobliżu, między ulicami Szucha, Nowowiejską, Marszałkowską i tworzącą się wtedy Litewską, wybudowano około 1852 roku koszary zwane „Ujazdowskie baraki", składające się z 10 długich budynków drewnianych ustawionych obrzeżnie i 5 mniejszych usytuowanych pośrodku. Przeznaczone były dla Litewskiego Pułku Piechoty.Podobny zespół, zwany „Jerozolimskie baraki", stanął w tym samym czasie między ulicami Koszykową i Nowowiejską za ówczesnym cmentarzem Ujazdowskim (na terenie zajętym w 20-leciu międzywojennym przez Politechnikę) – było to również 15 baraków, w tym 12 obszernych. Razem z dawniejszymi

61. Dawniej Cuchthaus, później koszary saperskie.
itografia, Wilhelm Stanisław Beyer według obrazu
leksandra Majerskiego

335

koszarami Kawalerii pomiędzy Czerniakowską i Myśliwiecką stanowiły 4 ośrodki zgrupowania wojska w południowej dzielnicy miasta. Około 1850 roku na Powązkach wybudowano „Powązkowskie zimowe baraki" składające się z 8 obszernych budynków i przeszło 30 niewielkich, z dwóch piekarni, składów i laboratoriów. Przy barakach urządzono obszerny teren, zwany na planie miasta „Gimnastyka", z trzema budynkami. Miasteczko Powązki stało się osadą koszar i baraków wojskowych. Po wschodniej stronie szosy modlińskiej, w pobliżu Lasku Bielańskiego, wybudowano „Wojskowy obóz bielański", składający się z 36 baraków i domów. Piekarnia obsługująca obóz mieściła się w 4 budynkach ustawionych przy drodze prowadzącej do kościoła bielańskiego, przy obecnej ulicy Gwiaździstej, w pobliżu szosy. Między Powązkami a Wolą, na północ od drogi górczewskiej, założono rozległe ogrody wojskowe.

Również i na Pradze w połowie XIX wieku stanął zespół budynków wojskowych w trójkącie między Zygmuntowską, Szeroką (obecnie Stalingradzką) i ulicą bez nazwy, przeprowadzoną od obecnego placu Weteranów do przecięcia z ulicą Ratuszową. Postawiono tu 11 budynków, przeważnie drewnianych, parterowych, w tym 5 bardzo długich. W pobliżu, przy ulicy Zygmuntowskiej i Panieńskiej, stanęły „Koszary zbornego punktu". Wszystkie te zespoły wznoszono według pewnego schematu, stawiając wydłużone budowle koszarowe i pozostawiając między nimi wąskie przejścia, co ułatwić mogło obronę w razie zaatakowania.

Najczynniejszym ówczesnym architektem i budowniczym był tylokrotnie wspomniany Henryk Marconi, zmarły w 1863 roku. Marconi, zdolny eklektyk, architekt bardzo wszechstronny, stosował w swoich budowlach elewacje wzorowane na włoskich pałacach renesansowych. Do najwybitniejszych dzieł Marconiego należą: Hotel Europejski, Dworzec Wiedeński, własna willa usytuowana naprzeciw dworca przy rogu Marszałkowskiej i Al. Jerozolimskich, gmach Towarzystwa Kredytowego Ziemskiego przy rogu Mazowieckiej i Kredytowej (odbudowany na Muzeum Etnograficzne), kamienica na Krakowskim Przedmieściu 7, ozdobiona posągami, zbiornik wodny w Ogrodzie Saskim.

Jakub Gay, wspólnik Corazziego, miał wyczucie monumentalności; w swojej twórczości znajdował się pod wpływem niemieckiego architekta Schinkla. Gay był prekursorem użycia w budownictwie warszawskim żelaza lanego; przedwcześnie zmarły, w 1849 roku, wybudował stosunkowo niewiele budowli; do najwybitniejszych należały: dom własny przy ulicy Grzybowskiej 19, „Gościnny Dwór" – bazar Za Żelazną Bramą (budowany wspólnie z Kropiwnickim), monumentalny spichlerz w Modlinie przy ujściu Bugu do Wisły, dom Towarzystwa Dobroczynności przy ulicy Bednarskiej.

Andrzej Gołoński był uczniem klasycysty Jakuba Kubickiego, współpracownikiem Corazziego, budowniczym kilku cerkwi; najwybitniejsze jego budowle to pałace: klasycystyczny Badeniego na placu Krasińskich i Uruskich na Krakowskim Przedmieściu. Adam Idźkowski (zmarł w 1875, działalność zakończył o wiele wcześniej) to przede wszystkim architekt mistrzowsko rozwiązanej przebudowy pałacu Saskiego w stylu klasycystycznym oraz przebudowy katedry św. Jana w stylu angielskiego gotyku, autor wielu projektów, między innymi tunelu pod Wisłą łączącego Pragę z Warszawą. Franciszek Maria Lanci, architekt, autor projektu przebudowy pałacu Wilanowskiego i budynków w Wilanowie, był również autorem zajazdu w Służewcu w kształcie willi włoskiej, bazaru na Sewerynowie i domu Kraszewskiego przy ulicy Mokotowskiej 48. Lanci zakończył działalność około 1860 roku.

Jednym z najzdolniejszych uczniów Marconiego był Alfons Kropiwnicki; kamienice przy Marszałkowskiej, budynki fabryki tytoniowej Kronenberga przy Hożej, Dworzec Terespolski (Wschodni) to jego dzieła. Do uczniów Marconiego należeli też: Jan Heurich-ojciec, Leon Karasiński, uczeń francuskiego architekta i teoretyka Viollet-le-Duca, współpracownik Gaya, specjalizował się w budownictwie przemysłowym. Odbudowa młyna na Solcu po pożarze i składy Banku Polskiego przy ulicy Nowogrodzkiej to jego największe prace. Oprócz tego projektował Resursę Obywatelską na Krakowskim Przedmieściu z okazałą salą balową. Julian Ankiewicz, uczeń Idźkowskiego, mimo studiów w Londynie reprezentował w architekturze warszawskiej „formy paryskie": projektował kamienice przy ulicach Marszałkowskiej, Jasnej, w Alejach Ujazdowskich oraz przebudował dawny odwach przy kościele Bernardynów na Krakowskim Przedmieściu na pomieszczenie Towarzystwa „Zachęty" (1856).

Budownictwo nadzorowała i projekty zatwierdzała Rada Ogólna Budownictwa wprowadzając ład w tej dziedzinie. Do jej zadań wchodziło między innymi przestrzeganie, aby budujący nie zacieśniali oficyn i pozostawiali dostateczną przestrzeń na podwórza i dziedzińce, krytyczna ocena i korygowanie nieudolnie opracowanych elewacji lub złego rozplanowania, ocena konkursów architektonicznych. Autorytet Rady Budownictwa był uwarunkowany jej składem: wchodziło do niej 8 doświadczonych architektów i budowniczych, między innymi Andrzej Gołoński, Adam Idźkowski, Józef Orłowski i Adam Ritschel.

Rada Ogólna Budownictwa w swojej działalności opierała się na planie Warszawy wydanym przez wojsko w 1846 roku; był to właściwie uzupełniony plan Koriota z 1829 roku. W 1853 roku namiestnik wydał polecenie opracowania planu regulacyjnego miasta. Komitet Regulacyjny, jak go nazywano w skrócie, zaczął działalność w roku 1856 i pracował do wybuchu powstania styczniowego; przygotowane przezeń projekty realizowano do końca wieku. Skromne środki finansowe i liberalna polityka w stosunku do prywatnych właścicieli gruntów nie pozwoliły na opracowanie całościowego planu regula-

53. Puszczanie balonu z Pałacu Kazimierzowskiego dniu 12.VIII.[1872]. Drzeworyt, rys. Ksawery Pillati

337

364. Saska Kępa, Prado. Drzeworyt, rys. Aleksande Gierymski

cji miasta. Jednakże Komitet miał pewne osiągnięcia w dziedzinie urbanistyki. Nie było ich dużo w lewobrzeżnej Warszawie: przez nie zabudowany teren między Marszałkowską, Al. Jerozolimskimi i Przyokopową (dzisiejsza Nowowiejska) przeprowadzono nowe ulice i uregulowano dawne. Przedłużono ulicę Żurawią od Marszałkowskiej do Wielkiej, przebito Instytutową (obecna Matejki) od Wiejskiej do Alej Ujazdowskich, przeprowadzono ulice Komitetową i Mariańską zamiast jednej, potrzebnej w tym rejonie miasta w kierunku południkowym; wynikało to z ówczesnego liberalizmu w stosunku do właścicieli placów, nie pozwalającego na wywłaszczanie. Regulację istniejących ulic przeprowadzono w wielu dzielnicach miasta: w dzielnicy na północ od Leszna i przy Marszałkowskiej od Zielnej do Królewskiej. W tym rejonie przebito już wcześniej, bo w 1852 roku, ulicę łączącą Mazowiecką i plac przed kościołem Ewangelickim z Marszałkowską i placem Zielonym (obecnie Dąbrowskiego), nazywając ją Kredytową od gmachu Towarzystwa Kredytowego Ziemskiego. Po powstaniu styczniowym zresztą zmieniono tę nazwę na Erywańską ku czci Paskiewicza, księcia Erywańskiego. Ważna była regulacja części Powiśla (Czerniakowska, Rozbrat, Solec i Górna) przeprowadzona w związku ze wspomnianą budową domów robotniczych na terenach należących do Andrzeja Zamoyskiego. Zamoyski zaofiarował bezpłatnie grunty na ulice. Uregulowano też przedmieście Wola od Okopowej do Młynarskiej. Najkosztowniejszym i największym przedsięwzięciem było poszerzenie Krakowskiego Przedmieścia. Wiązało się to z koniecznością zapewnienia dogodnego dojazdu do budującego się mostu żelaznego. Projekt przebicia Miodowej od

365. Cyrk na Saskiej Kępie. Mal. Franciszek Kostrze wski

Krakowskiego do Senatorskiej był zatwierdzony już w roku 1862, ale zrealizowany w 25 lat później.

W 1865 roku rozebrano 19 domów usytuowanych między tak zwanym Wąskim Krakowskim Przedmieściem i ulicą Dziekanka oraz między figurą Matki Boskiej Passawskiej a kościołem Karmelitów. Wyburzenie to pozwoliło na znaczne poszerzenie jezdni i chodników Krakowskiego Przedmieścia i urządzenie skweru. Na decyzję wyburzenia domów wpłynęły zarówno względy komunikacyjne, jak i polityczne. Szeroka ulica ułatwiała wojsku tłumienie rozruchów i zwalczanie demonstracji, których widownią było Krakowskie Przedmieście przed powstaniem styczniowym. Przechodnie domy między Wąskim Krakowskim Przedmieściem a Dziekanką oraz ulicą Bednarską ułatwiały ukrywanie się i ucieczkę demonstrantów.

Prace regulacyjne prowadzono też na Pradze, tak bardzo zniszczonej w 1831 roku, zaniedbanej i aż do połowy XIX wieku pozostającej na uboczu ruchu budowlanego. Chcąc ożywić budownictwo, zatwierdzono w 1835 roku plan regulacyjny Pragi, zwany planem Łaszczyńskiego, od nazwiska prezydenta Warszawy. Plan Łaszczyńskiego obowiązywał przez prawie 30 lat. Zmiany wprowadzono w latach 1860–1862 w związku z budową mostu Kierbedzia i dworców kolejowych. Należało przeprowadzić ulice stanowiące dojazd do mostu (obecnie odcinek ul. Świerczewskiego od mostu do ul. Targowej) oraz ulice: Wileńską, dojazd do Dworca Petersburskiego, i Kijowską, dojazd do Dworca Terespolskiego (obecnie Wschodniego). Jednocześnie uregulowano i częściowo poszerzono Targową, łączącą dwa dworce, poszerzono też ulice Strzelecką i Brukową. Realizacja nowego założenia praskiego, gwiaździstego placu, obecnego placu Weteranów 1863 roku, wraz z wychodzącymi zeń ulicami, należy już do następnego okresu.

Zabudowa śródmieścia i dzielnicy zachodniej zlikwidowała wiele ogrodów przy dawnych drewnianych dworkach. Władze nie myślały o zakładaniu nowych parków i skwerów publicznych, ograniczając się do zadrzewiania miasta i sadząc w latach 1846–1850 ponad tysiąc nowych drzew na ważniejszych ulicach. Łazienki znajdowały się pod zarządem namiestnika, pałac (częściowo przebudowany wewnątrz) gościł „wysoko postawione osoby". W Wielkiej Oficynie, Myślewicach, Ermitażu i Białym Domku mieszkali urzędnicy cesarscy i służba; park był dostępny dla publiczności, dla której też urządzano czasami iluminacje i spektakle teatralne. Granice parku rozszerzono: na północy sięgał do Agrykoli, na południu park został przekomponowany, otrzymał swobodniejszy układ z naturalnym krajobrazem.

Ogrody Saski i Krasińskich stanowiły własność rządową, a dopiero w 1856 roku przeszły pod administrację miasta. Rola Ogrodu Saskiego jako salonu Warszawy utrwaliła się po wybudowaniu w 1847 roku Instytutu Wód Mineralnych. Ta okazała budowla, dzieło architekta Henryka Marconiego, wzorowana rzekomo na rzymskich łaźniach Dioklecjana, miała długą, krytą galerię opartą na kolumnach. Służyła ona do spacerów przy piciu wód mineralnych podczas niepogody. Pijalnia wód usytuowana była przy końcu ogrodu, u wylotu ulicy Królewskiej, niedaleko ulicy Marszałkowskiej. Później Instytut przebudowano na cieplarnię. Drugą użytkową budowlą, jednocześnie zdobiącą ogród, był wspominany już zbiornik wody ustawiony na pagórku w pobliżu Niecałej i przypominający kształtem niewielką świątynię rzymską. Pagórek usypano z ziemi, którą wybrano tworząc sadzawkę. Trzecią ozdobą ogrodu stała się wspomniana już duża fontanna ustawiona na osi głównej alei, w pobliżu pałacu Saskiego, wybudowana w 1852 roku. W pobliżu fontanny z zapisu Antoniego Magiera, zasłużonego meteorologa i dziejopisarza Warszawy, ustawiono w 1863 roku zegar słoneczny. W 1842 roku odrestaurowano posągi alegoryczne ogrodu, naprawił je i uzupełnił rzeźbiarz Ludwik Kauffmann.

SZKOLNICTWO I POLITYKA OŚWIATOWA

Zmiany w szkolnictwie warszawskim nie ograniczyły się do zamknięcia Uniwersytetu i innych uczelni wyższych, ale objęły również szkolnictwo średnie i niższe. W 1833 roku wprowadzono w Królestwie wzorowaną na rosyjskiej ustawę szkolną i obowiązkowe nauczanie języka rosyjskiego. Zlikwidowano dwie najlepsze szkoły warszawskie prowadzone przez pijarów: konwikt na Żoliborzu i szkołę przy zbiegu ulic Długiej i Miodowej, i odsunięto to światłe zgromadzenie od działalności oświatowej. Zamknięto również szkołę wydziałową dominikanów; zamiast czterech otwarto dwa gimnazja.

W 1834 roku władze opracowały tajną instrukcję zaostrzającą kary aż do stosowania w szkołach chłosty rózgami. W końcu 1839 roku Mikołaj I utworzył okręg naukowy warszawski podległy ministerium petersburskiemu, co uczyniło wyłom w systemie odrębnej administracji Królestwa. Zarząd okręgu objął kurator generał Okuniew, niewiele mający wspólnego z oświatą. W 1850 roku kuratorem został Paweł Muchanow, rusyfikator nienawidzący Polaków. Nowa ustawa z roku 1840 dążyła do zrównania ustroju i programu nauczania szkół Królestwa z Cesarstwem. W Warszawie utworzono gimnazjum przygotowujące młodzież do zawodów przemysłowych. Rusyfikacja przejawiała się między innymi w zwiększonej liczbie lekcji języka rosyjskiego, dwukrotnie przewyższającej lekcje języka polskiego. W 1843 roku jedną ze szkół warszawskich przekształcono na szkołę niemiecko-rosyjską, ale z powodu braku kandydatów po kilku latach przeniesiono ją do Łodzi. W 1846 roku spotkały szkolnictwo warszawskie nowe ciosy: zamknięto wyższe klasy od piątej we wszystkich trzech gimnazjach, dwóch filologicznych i w trzecim realnym, oraz zlikwidowano kursy prawne istniejące zaledwie od 6 lat w celu kształcenia pracowników do

366. Antoni Magier, fizyk, meteorolog i historyk Warszawy. Malarz nie określony

sądownictwa. Stypendia przyznawane studentom na studia prawne w uniwersytetach petersburskim i moskiewskim były bardzo nieliczne. Brak prawników odbił się fatalnie na sądownictwie i pracy wydziału sprawiedliwości, co stwierdził dyrektor główny Komisji Sprawiedliwości Fryderyk Skarbek w memoriale złożonym władzom. Wystąpienia swoje Skarbek przypłacił usunięciem z Rady Administracyjnej i pozbawieniem stanowiska dyrektora Komisji.

W 1851 roku Paskiewicz polecił podnieść znacznie opłatę w gimnazjach filologicznych, aby utrudnić młodzieży naukę łaciny. W wyższych klasach opłata roczna sięgała 45 rubli, co odpowiadało dwumiesięcznej pensji przeciętnego urzędnika. Ograniczono też liczbę uczniów w gimnazjum realnym z przeszło tysiąca w roku 1850 do połowy w roku następnym. W zamian za to otwarto w Warszawie dwie szkoły powiatowe realne o niższym poziomie nauczania. W gimnazjach, w Instytucie Rolniczym w Marymoncie i w Szkole Sztuk Pięknych zwiększono znacznie liczbę dozorców sprawujących nadzór nad uczniami; byli nimi zdymisjonowani podoficerowie.

Mimo braku nauczycieli w szkołach Paskiewicz utrącił projekty utworzenia w Warszawie instytutu pedagogicznego; w 1836 roku otwarto jedynie dwuletnie kursy pedagogiczne. Rozwijały się one do roku 1841, licząc 110 słuchaczy stałych i 177 wolnych. Kilku najzdolniejszych słuchaczy wysyłano corocznie do uniwersytetów rosyjskich.

Projekty utworzenia akademii medyczno-chirurgicznej w Warszawie przekreślił Paskiewicz zwalczając wyższe szkolnictwo. Ograniczono się do prowadzenia szkoły felczerów z około 50 uczniami, szkoły farmaceutów z tyluż słuchaczami i szkoły akuszerek przy Instytucie Położniczym (62–64 uczennice). Czynna też była w Warszawie szkoła weterynarzy z nielicznymi słuchaczami.

Instytut Rządowy Wychowania Panien, przeznaczony dla setki uprzywilejowanych wychowanek, został w 1838 roku przemianowany na Instytut Aleksandryjski i oddany pod opiekę cesarzowej, a w 1843 roku przeniesiono go do Puław w celu odizolowania od zgubnych wpływów Warszawy. Wreszcie w 1837 roku otwarto uroczyście Akademię Duchowną w Warszawie, mieszczącą się w dawnym klasztorze Franciszkanów przy ulicy Zakroczymskiej; Akademia miała początkowo tylko niespełna 40 alumnów.

Poziom oświaty w okresie 25-letnich rządów Paskiewicza bardzo się obniżył nie tylko w całym Królestwie, ale i w Warszawie. Zamknięcie wyższych uczelni, zmniejszenie liczby szkół średnich, utrudnianie korzystania ze szkół przez stosowanie polityki wysokich opłat za naukę, nadzór policyjny nad uczniami, system szpiegowski, brak wykwalifikowanych nauczycieli i obarczanie ich surową odpowiedzialnością za polityczne poglądy młodzieży – wszystko to nie sprzyjało rozwojowi oświaty. Akcja rusyfikacyjna, zwłaszcza w szkołach warszawskich, dała jednak nikłe wyniki. W 1864 roku Mikołaj Milutin, powołany do wprowadzenia nowego ustroju, stwierdził, że nowe pokolenie jest bardziej tępe od poprzedniego sprzed roku 1830 i bardziej Rosji nieprzyjazne. Rusyfikacja nie zmieniła charakteru i sposobu myślenia Polaków. Sam Paskiewicz po dłuższym pobycie w Warszawie sceptycznie odnosił się do możliwości wchłonięcia Królestwa przez Rosję. Ostrożny, przebiegły i wyrachowany, wybierał drogę perswazji, a nawet zjednania przeciwnika. Dopuszczał do składania memoriałów przez dygnitarzy polskich krytykujących administrację rosyjską, daleko idącą rusyfikację, powierzanie wysokich stanowisk w oświacie oficerom rosyjskim, system wychowawczy, stosowanie chłosty. W memoriale złożonym Paskiewiczowi w 1839 roku dyrektor Banku Rolnego Benedykt Niepokojczycki wystąpił przeciw stosowaniu ,,gwałtownie języka rosyjskiego w Polsce" oraz wprowadzaniu urzędników Rosjan do urzędów, gdyż ,,powstaje zdzierstwo, sprzedajność i ta demoralizacja biurokratyczna, która stanowi jedną z największych klęsk kraju". Paskiewicz nie ukarał Niepokojczyckiego za ten memoriał. Zależało mu na odrębności Królestwa, którego był władcą; chciał być zależny tylko od Mikołaja, a nie podlegać jego ministrom.

ŻYCIE ARTYSTYCZNE

Po powstaniu listopadowym warszawskie środowisko malarzy, którzy stanowili ustabilizowaną, szanowaną i stosunkowo zamożną grupę zawodową, uległo rozbiciu. Zapanował zastój w życiu artystycznym: władze rosyjskie zawiesiły wystawy, regularnie organizowane przed powstaniem, zamknęły Wydział Sztuk Pięknych Uniwersytetu. Zabrakło zamówień rządowych, zabrakło na razie i prywatnych. Wielu młodych malarzy wyjechało za granicę, zmarł w 1832 roku Antoni Brodowski, największa indywidualność całego środowiska, artysta, który wycisnął piętno i na malarstwie warszawskim, i na życiu artystycznym Warszawy lat 1815–1830. Jednakże według niepełnego zestawienia z 1838 roku było 11 rzeźbiarzy, 3 sztycharzy i 16 malarzy portrecistów. W rzeczywistości artystów było znacznie więcej. Nie było wśród nich cudzoziemców. Malarze zdołali ponownie uruchomić wystawy w Warszawie. Oprócz tych wystaw w 1840 roku zorganizowano pokaz prac dla następcy tronu, który zwiedziła tłumnie publiczność. W 1836 roku pozwolono na wystawę zorganizowaną na rzecz Instytutu Moralnie Zaniedbanych Dzieci; duża wystawa objęła 278 prac artystów amatorów. W dwa lata później w ratuszu na placu Teatralnym wystawiono 200 obrazów 50 artystów, część dzieł sztuki przeznaczono na sprzedaż. Nowe przepisy wydane w 1840 roku pozwalały na urządzanie wystaw co cztery lata (w latach przedpowstaniowych co dwa lata). Na ich podstawie zorganizowano jednak tylko dwie wystawy: w latach 1841 i 1845. W 1848 roku rząd całkowicie zakazał urządzania wystaw. Młode pokolenie, przejęte duchem romantyzmu, miało przekonanie, że jest pierwszą nowoczesną generacją polskich artystów. Dotkliwy brak fachowej uczelni artystycznej usiłowano zastąpić choć w części szkolnictwem prywatnym. Zaraz po powstaniu Blank i Piwarski uczyli w dawnej uczelni uniwersyteckiej, prowadziła jeszcze kursy malowania kwiatów (dla pań) Henryka Beyer. Wśród prywatnych szkół rysunku i malarstwa największe znaczenie miała szkoła Kokulara w jego prywatnej pracowni. Kokular uczył też na dodatkowych kursach malarstwa w gimnazjum wojewódzkim, w Aleksandryjskim Instytucie Wychowania Panien i w Oddziale Malarstwa Gimnazjum Realnego. Oddział ten przekształcono w 1844 roku na średnią zawodową (pięcioletnią) szkołę z oddziałami malarstwa, rzeźby i budownictwa. Szkoła korzystała z lokalu uniwersyteckiego uczelni artystycznej (dzisiejszy gmach Instytutu Historycznego UW), rozbudowała jej zbiory. Nowa ustawa z 1852 roku usamodzielniła Szkołę Sztuk Pięknych, związaną z petersburską Akademią Sztuk Pięknych. Po dalszych 10 latach nadano jej prawa wyższej uczelni. Pierwszym dyrektorem Szkoły był Mikołaj Wołkow, bardzo dla niej zasłużony, przyjaciel młodzieży, nie dążący do jej rusyfikacji. Szkolnictwo artystyczne powstało pod naciskiem potrzeb życia gospodarczego, przede wszystkim potrzeb budownictwa. Spośród profesorów Szkoły największy wpływ wywarł Piwarski, autor popularnych tek litograficznych: *Album cynkograficzno-rysunkowe warszawskie* i *Kram malowniczy warszawski* z postaciami z warszawskiej ulicy. Piwarski budził sentyment do Warszawy. Uczniami jego byli między innymi Wojciech Gerson, Franciszek Kostrzewski, Henryk Pillati, Józef Szermentowski. Portrecistą pięknych pań bogatej burżuazji był Józef Simmler. W 1862 roku utworzono muzeum, do którego przekazano zbiory Szkoły Sztuk Pięknych oraz cenną kolekcję Fiorentiniego. Od roku 1841 zaczęto podawać w katalogach wystaw adresy artystów, co ułatwiało sprzedaż dzieł sztuki i uzyskiwanie zamówień. Przyznawane nagrody i wyróżnienia popularyzowały nazwiska malarzy, a recenzje wystaw w prasie reklamowały w społeczeństwie sprawy sztuki. We wczesnych latach czterdziestych rozwijała się dyskusja w „Bibliotece Warszawskiej" o roli artysty i racji bytu sztuki polskiej i „Przeglądzie Naukowym". Najwybitniejszym krytykiem lat pięćdziesiątych był Józef Kenig, malarzem budzącym największe zainteresowanie January Suchodolski; popularni byli też Józef Brodowski i Kokular. Pracownia Kokulara przyciągała zwiedzających małym muzeum, a Brodowskiego i Suchodolskiego – obrazami o patriotycznej treści. Konsolidujące się już w latach czterdziestych środowisko artystyczne było w ciężkiej sytuacji materialnej. Jeszcze w 1844 roku pisał Kraszewski, że „w Warszawie sztuka żyje prawie z łaski". Słabe zamówienia na obrazy, przeważnie na portrety, skłoniły artystów do szukania innych źródeł dochodów. Juliusz Kossak, mieszkający od 1852 roku w Warszawie, zainteresował się fotografią. Pionierami fotografii w Warszawie byli Karol Beyer i Marcin Olszyński, malarz. Ówczesne fotografie musiano wykańczać ręcznie: portreciści dorabiali półtony i detale. Kolorowanie fotografii wykonywali też malarze akwareliści. Kossak założył biuro kolorowania fotografii, współpracując z kilkoma malarzami, między innymi z Józefem Szermentowskim. Artyści pozbawieni możliwości wystawiania swych dzieł na publicznych wystawach udostępniali je publiczności w pracowniach i umieszczali je w sklepach papierniczych, w zakładach fotograficznych i kawiarniach. W wystawiennictwie i w handlu obrazami wyspecjalizował się sklep litografa Henryka Hirszla. Wystawiali tu i zbywali obrazy tak wybitni malarze warszawscy, jak Gerson, Kostrzewski, Pillati, Szermentowski czy Simmler. Urządzano też loterie obrazów.

367. Wnętrze Szkoły Sztuk Pięknych w Warszawi
Mal. Marcin Zaleski, 1858 r.

368. Antoni Brodowski, malarz, profesor Wydziału Sztuk Pięknych na Uniwersytecie Warszawskim. Rys. Rafał Hadziewicz według autoportretu z 1813 r.

Konkurencja przedsiębiorców włoskich, oferujących obrazy drugorzędnych artystów obcych, zmusiła artystów warszawskich do zorganizowania stowarzyszenia polskich malarzy i miłośników i urządzenia stałej wystawy w 1858 roku. W pierwszym roku istnienia wystawiono 271 dzieł, z których sprzedano 29, zwiedzających było 9000. W 1860 roku rząd zezwolił na zorganizowanie Towarzystwa Zachęty Sztuk Pięknych, złożonego z 234 członków, w tym 70 artystów. Pierwszą wystawę Zachęta urządziła w pałacu Mokronowskich przy zbiegu Krakowskiego Przedmieścia i Królewskiej. W 1869 roku przeniosła ekspozycję do hotelu Gerlacha (Europejskiego). W ostatnich latach przed powstaniem uformowało się ostatecznie nowoczesne środowisko artystyczne Warszawy.

Młodzież artystyczna należała do najbardziej zapalnej i radykalnej, uczniowie Szkoły Sztuk Pięknych od 1860 roku uczestniczyli w demonstracjach patriotycznych, należeli do partii „czerwonych", niemal wszyscy uczniowie wzięli udział w powstaniu styczniowym; w 1864 roku zaniechano zajęć, a w 1866 szkoła formalnie przestała istnieć.

Muzyka Chopina tworzącego w dalekim Paryżu przenikała do Polski i budziła zachwyt w Warszawie w domach mieszczańskich przynajmniej niektórymi utworami bardziej melodyjnymi, w których dominowały motywy ludowe (mazurki) lub tradycje muzyki dawnej (polonezy). Chopin jednak nie znalazł kontynuatorów w kraju ani w Warszawie: twórczość muzyków poszła inną drogą, wskazywaną przez Mickiewicza, drogą tworzenia opery narodowej. I tu wysuwa się twórczość Moniuszki, który od pieśni (popularne zeszyty „Śpiewnika domowego" wydawane przez szereg lat) przechodzi do komponowania oper. Do Warszawy przyjeżdża w latach 1846, 1847 i 1851 i zbliża się do poetów i pisarzy warszawskich: Wolskiego, Korzeniowskiego, Lenartowicza i Deotymy. Przyjaźni się z krytykiem muzycznym Józefem Sikorskim, korzysta z pomocy Marii Kalergis. Na stałe osiadł Moniuszko w Warszawie na jesieni 1858 roku, obejmując dyrekcję opery polskiej; w Warszawie pozostaje przez lat 14, do końca życia komponując opery, kantaty oraz

ilustracje muzyczne do dramatów wystawianych na warszawskiej scenie. „Halka" ukazuje krzywdę chłopskiej dziewczyny, „Straszny dwór" jest pogodnym obrazem staropolskiego i rycerskiego obyczaju, „Hrabina" – satyrą na arystokratyczny salon warszawski. Opery Moniuszki melodią mazurków, polonezów i krakowiaków, kontuszem szlacheckim, mundurem ułańskim (Kazimierza w „Hrabinie") budziły patriotyczny entuzjazm w przededniu powstania styczniowego i dodawały otuchy po powstaniu.

Twórczość operowa Ignacego Dobrzyńskiego nie znalazła uznania w Warszawie; również jego kierownictwo operą warszawską nie trwało długo, ograniczył się więc do dyrygowania koncertami symfonicznymi. Apolinary Kątski, znakomity skrzypek, założył w Warszawie w roku 1860 Instytut Muzyczny i prowadził go wychowując wybitnych muzyków. Krytyk muzyczny Józef Sikorski pisał recenzje od 1843 roku w „Bibliotece Warszawskiej", a od 1854 w „Gazecie Codziennej". W 1857 roku Sikorski założył tygodnik „Ruch Muzyczny", przemianowany w pięć lat później na „Pamiętnik Muzyczny i Teatralny". Inny krytyk, Maurycy Karasowski, jednocześnie muzyk, wiolonczelista, był koncertmistrzem w orkiestrze opery warszawskiej, pisał też recenzje w latach pięćdziesiątych do „Dziennika Warszawskiego", „Biblioteki Warszawskiej", „Tygodnika Illustrowanego" (1860) i „Ruchu Muzycznego"; w 1859 roku wydał w oficynie Glücksberga w Warszawie historię opery warszawskiej: „Rys historyczny opery polskiej".

Teatr grał nadal znaczną rolę w życiu kulturalnym Warszawy. Na czele dyrekcji teatrów po powstaniu listopadowym stanął gen. Józef Rautenstrauch i pełnił funkcję prezesa przez dziesięć lat. Jednocześnie był członkiem Rady Administracyjnej i kierował zarządem komunikacji lądowej i wodnej. Znakomity organizator, niezwykłej pracowitości, wiele dokonał dla teatru: dokończył budowy Teatru Wielkiego i wybudował w jego skrzydle nową siedzibę dla Teatru Rozmaitości (od strony ul. Wierzbowej, gdzie teraz mieści się Teatr Narodowy). Teatr Wielki otwarto 24 lutego 1833 roku, Rozmaitości w nowej sali – w trzy lata później. Wielki mieścił 1200 widzów, Rozmaitości – 800. Te dwa tysiące miejsc wystarczyło miastu aż do 1880 roku. W roku 1835 Rautenstrauch powołał nową Szkołę Dramatyczną na miejsce zamkniętej, w 1838 roku wystarał się o emerytury dla aktorów, a w 1840 uzyskał w Petersburgu pokaźną subwencję coroczną dla teatrów warszawskich. Jednocześnie wprowadził oszczędności budżetowe.

Repertuar pod presją cenzury i dość podłych gustów publiczności pozostawał na niskim poziomie: grano sztuki pisarzy obcych, przeważnie francuskich, często autorstwa zręcznego pisarza scenicznego Scribe'a i jego szkoły. Z pisarzy polskich wystawiano Fredrę:

premiery „Ślubów panieńskich" i „Pana Jowialskiego" grane były z miernym powodzeniem, a Józefa Korzeniowskiego i Fryderyka Skarbka z ogromnymi sukcesami. Dekoratorami byli: Włoch Antonio Sacchetti, wybitny malarz perspektywista, i Polak Józef Głowacki; malowali oni przeważnie nowe dekoracje do oper i baletów, natomiast do dramatów i komedii używano starych. Wśród aktorów zabłysnął talent komika Alojzego Żółkowskiego-syna, inteligentnego amanta Józefa Komorowskiego, partnera znakomitej Żuczkowskiej-Halpertowej, której talent rozwijał się niezwykle. Na scenie warszawskiej grał przez jeden sezon Bogumił Dawison, ale zrażony i nie doceniony, opuścił Warszawę, stając się jednym z największych aktorów niemieckich.

Następca Rautenstraucha, Ignacy Abramowicz, był jednocześnie znienawidzonym w Warszawie policmajstrem. „Doskonały szpieg" i typowy okaz renegata epoki paskiewiczowskiej miał jednak ambicje postawienia teatru na wysokim poziomie. Umiał ocenić artystów i ściągnąć do Warszawy najlepsze siły. Za jego rządów wzbogaciły się niebywale zasoby kostiumów i rekwizytów. Podniósł się zwłaszcza od 1845 roku poziom repertuaru (Abramowicz pierwszy wprowadził honoraria autorskie); grano z powodzeniem wiele komedii Fredry i dawnych, i nowych; wystawiono „Zemstę" i „Dożywocie". Grano utwory Syrokomli, Jana Chęcińskiego, Antoniego Małeckiego, Anczyca i nadal Korzeniowskiego. Reżyser teatru Jasiński przywoził z Paryża corocznie ostatnie nowości francuskie: sztuki Dumasa-ojca, Augiera i wspomnianego Scribe'a.

W zespole aktorskim Józef Rychter ma wielkie zasługi jako wykonawca ról kontuszowych w komediach Fredry i jako reżyser „Zemsty". Królikowski to wielki talent tragika i aktora dramatu psychologicznego. Zespół kobiecy wzmocniły aktorki tej miary co Salomea Palińska, Wiktoryna Bakałowiczowa i Aleksandra Rakiewiczowa. Bakałowiczową zestawiano z Modrzejewską, a niektórzy z krytyków oceniali ją nawet wyżej od pani Heleny.

W Teatrze Wielkim dominowała opera włoska: włoskie zespoły operowe występowały w Warszawie w sezonach 1843–1845 i 1851–1858, wystawiając opery Rossiniego, Belliniego, Donizettiego i Verdiego. Również i śpiewacy polscy śpiewali w operach obcych kompozytorów. Zasłużonym i długoletnim dyrektorem Opery został w 1845 roku Jan Quattrini, który wystawił 1 stycznia 1858 roku „Halkę" Moniuszki. Data stała się przełomową w dziejach opery polskiej. Ogromny sukces „Halki" sprawił, że Moniuszko został dyrektorem opery polskiej, wystawiając kolejno „Flisa", „Hrabinę", „Verbum nobile" i „Straszny dwór"; ten ostatni dla pokrzepienia serc. Dzieła Moniuszki przywróciły równowagę między dominującą do 1857 roku operą włoską a rodzimą. W 1852 roku reżyserem opery został Leopold Matuszyński, bardzo zasłużony dla rozwoju tej instytucji; wystawił on na warszawskiej scenie aż 262 opery i uchodzi za najwybitniejszego reżysera operowego w Polsce w XIX wieku. Do sukcesów sceny operowej przyczynili się śpiewacy: Julian Dobrski, tenor, Ludwika Rywacka i Paulina Rivoli oraz świetny basista Wilhelm Troschel. Rivoli śpiewała partię Halki w pierwszych przedstawieniach, następnie przejęła tę rolę Rywacka. Dobrski śpiewał partię Jontka. Ten artysta naraził się na szykany władz carskich śpiewając podczas obchodów narodowych i manifestacji w okresie powstania styczniowego. Obok Dobrskiego na manifestacyjnych obchodach kościelnych śpiewali i inni artyści, jak Matuszyński, Troschel, Stolpe.

Balet warszawski wyćwiczony przez obcych i polskich baletmistrzów był zaliczany do najlepszych w Europie. Cieszący się specjalną opieką prezesa Abramowicza, pod kierunkiem baletmistrza Turczynowicza osiągnął najwyższy poziom w latach 1846–1859. Romantyczny balet „Gisella czyli Willidy" oraz „Esmeralda" i „Faust" z efektownymi

). Teatr Wielki. Akwatinta, rys. i ryt. Fryderyk
zysztof Dietrich

dekoracjami Sacchettiego osiągnęły 80, a może 100 przedstawień. Nadal olbrzymim powodzeniem cieszył się polski balet „Wesele w Ojcowie", wystawiony również w amfiteatrze Na Wyspie w Łazienkach. Bardzo popularny w Warszawie balet „Robert i Bertrand, czyli dwaj złodzieje" podczas zjazdu dwóch cesarzy, rosyjskiego i austriackiego, w Warszawie stracił swój drugi tytuł „dwaj złodzieje". Warszawska szkoła baletowa wychowała wielu znakomitych tancerzy i tancerek dla teatrów obcych, między innymi dla baletu cesarskiego w Petersburgu. Około 1860 roku pojawiły się na warszawskiej scenie pierwsze operetki Offenbacha ze słynnym „Orfeuszem w piekle", w którym domyślano się w Paryżu pewnych aluzji do Napoleona III.

Okres manifestacji i powstania styczniowego, żałoby narodowej, bojkotu teatru i zamykanie sal teatralnych przez władze podcięły byt teatrów. Zamknięto je na kilka miesięcy już w 1861 roku. Dnia 3 lipca 1862 roku czeladnik Jaroszyński dokonał zamachu na wychodzącego z gmachu po przedstawieniu wielkiego księcia Konstantego, raniąc go. Spowodowało to zamknięcie Teatru Wielkiego na kilka miesięcy. W 1862 roku w Salach Redutowych i na dziedzińcu Teatru stacjonowało wojsko rosyjskie. Nieliczni bywalcy teatrów – to wojskowi i urzędnicy Rosjanie. Wielopolski i jego „Dziennik Powszechny" występował przeciw bojkotowi scen; margrabia dążył do podniesienia poziomu repertuaru, wystawiania polskich tragedii i dramatów o tematyce patriotycznej, planował utworzenie trzeciego teatru, pochwalał inicjatywę tworzenia zespołów prywatnych.

Spadek frekwencji spowodował gwałtowny wzrost deficytu; pokrywano go z dotacji rządu.

Dotacja ustalona w 1840 roku na 30 tysięcy rocznie i w 1860 wynosząca 45 tysięcy, w następnym roku podniosła się aż do 138,5 tysiąca rubli, a w następnych dwóch latach była niewiele mniejsza, przekraczając 100 tysięcy rubli rocznie. Jeszcze w 1864 roku wyniosła przeszło 80 tysięcy.

Demonstracja połączona z wybiciem szyb i „kocią muzyką" urządzona przed oknami mieszkania Abramowicza tak go przeraziła, że prezes schronił się w Zamku i podał do dymisji. Nowym prezesem został były komendant straży ogniowej, pułkownik Aleksander Hauke, pochodzący ze znanej rodziny spokrewnionej z europejskimi domami panującymi. Hauke, wykwintny salonowiec, „bon vivant w stylu epoki drugiego cesarstwa", był jednak pozbawiony energii. „Powtórzyła się [...] odwieczna historia niewspółmierności człowieka z zadaniem narzuconym mu przez czasowe okoliczności i warunki" — pisał badacz teatru M. Rulikowski. Wyręczał się podwładnymi, a sam tańczył mazura z baletnicami. Teatr wegetował i dopiero na jesieni 1864 roku publiczność wypełniła jego sale.

PRASA I WYDAWNICTWA Cenzura paskiewiczowska i wyjazd z kraju najzdolniejszych pisarzy i działaczy politycznych wpłynęły zdecydowanie ujemnie na polistopadową prasę warszawską. Skromne gazety stały się puste i nudne, podobne do siebie, zawierały głównie tłumaczenia z obcych reakcyjnych pism, podupadły również literacko. Zainteresowanie budziły właściwie tylko wiadomości lokalne, które najlepiej podawał „Kurier Warszawski". Również zewnętrznie nie różniły się wiele: nie segregowały tytułów i materiału, dając zbity, jednolity tekst. Julian Klaczko na emigracji tak je charakteryzował: „Wszystkie gazety są do siebie podobne jak dawne bułki marymonckie, wszystkie dają te same wiadomości urzędowe, krajowe i polityczne, co w jednej – to znajduje się w drugiej...". Periodyki z lat trzydziestych nie były wiele ciekawsze; było ich w latach 1840–1848 około dwudziestu. Ożywienie życia umysłowego i kulturalnego w Warszawie nastąpiło po roku 1840 i wiązało się między innymi z założeniem w 1841 roku czasopisma „Biblioteka Warszawska". „Biblioteka" skupiła niemal wszystkich wybitnych uczonych: w redakcji jej czytano i dyskutowano utwory literackie, rozprawy filozoficzne i historyczne. Redakcja stanowiła jakby towarzystwo naukowe. Z „Biblioteką Warszawską" współpracowali historycy warszawscy: Julian Bartoszewicz, J.T. Lubomirski, Aleksander Przeździecki, Aleksander Wejnert. „Biblioteka" zamieszczała recenzje z zakresu krytyki naukowej, co podnosiło poziom wydawanych prac. Wydawnictwo uzupełniała urozmaicona kronika. Założona została z inicjatywy sfer arystokratyczno-zachowawczych. „Biblioteka" utrzymała się przez wiele dziesiątków lat. Redaktorem naczelnym od roku 1850 był K. W. Wójcicki. Drugim zasłużonym czasopismem, choć o krótszym żywocie, był założony w rok po „Bibliotece Warszawskiej" „Przegląd Naukowy" redagowany przez Hipolita Skimborowicza i Edwarda Dembowskiego. „Przegląd" był czasopismem społeczno-filozoficznym; Dembowski był autorem rozpraw filozoficznych i krytycznoliterackich, atakował pańszczyznę, wyzysk chłopów, przesądy stanowe i wszelkie wstecznictwo. Skimborowicz skupiał w swoim „salonie" współpracowników „Przeglądu", do których należeli: „entuzjastka", poetka Narcyza Żmichowska, ekonomista Henryk Kamieński, poeta i działacz spiskowy Karol Baliński; historycy: Bartoszewicz, Gołębiowski i Dominik Szulc, oraz poeci, uczeni, publicyści, a także inni spiskowcy. „Przegląd Naukowy" przetrwał do roku 1848. Oprócz tych najważniejszych czasopism ukazywały się jeszcze inne, również popularne noworoczniki.

W końcu lat pięćdziesiątych grono uczonych skupiło się przy opracowywaniu „Polskiej encyklopedii powszechnej" S. Orgelbranda. Pierwszy tom ukazał się w 1859 roku. Do roku 1868 wyszło 28 tomów. Była to pierwsza nowoczesna encyklopedia polska. W czteroosobowym komitecie redakcyjnym działali K. W. Wójcicki i Franciszek Maksymilian Sobieszczański, autor przeszło trzech tysięcy haseł z różnych dziedzin wiedzy. Współpracownikami „Encyklopedii" Orgelbranda byli: Lelewel, Bartoszewicz, Baliński i inni. Wiele miejsca zajmowały w „Encyklopedii" biografie osób, historia instytucji, dzieje narodów, miast. Wiązało się to z ożywieniem badań historycznych, które pozostawały w latach czterdziestych w ścisłej korelacji ze wspomnianymi czasopismami naukowymi. Dość liczne w Warszawie środowisko historyczne – około 20 osób – uzyskało wówczas pewne możliwości pracy naukowej, zahamowanej zupełnie w dziesięcioleciu popowstaniowym. Biblioteka uniwersytecka, choć znacznie uszczuplona i słabo uzupełniana, stała się znowu warsztatem pracy. Poprawiło się więc nieco ciężkie położenie finansowe historyków. Wzrosła liczba wydawanych prac i chociaż w niektórych było sporo dyletantyzmu, to jednak powiększyła się także liczba dzieł wartościowych. Wzrastało zainteresowanie historią literatury, sztuki, kultury. Zainteresowanie dziejami ojczystymi, pewne idealizowanie przeszłości służyło podtrzymywaniu ducha narodowego, niepodległościowego. Upowszechniło się też zbieractwo pamiątek narodowych, co przyczyniało się do uodpornienia na rusyfikację i germanizację, lecz także prowadziło do zasklepiania się w kręgu własnych spraw. Znacznie ożywił się ruch edytorski; historycy poszerzyli bazę źródłową. Ówczesne ograniczone możliwości pracy naukowej były przyczyną, że tylko kilku historyków warszawskich miało wartościowe osiągnięcia: historyk prawa i słowiańszczyzny W. A. Maciejowski, historyk Julian Bartoszewicz, historyk Warszawy i archeolog F. M. Sobieszczański, zasłużony inwentaryzator zabytków Kazimierz Stronczyński, archiwista i wydawca źródeł do historii Warszawy Aleksander Wejnert, historyk Dominik

Szulc, ekonomista i historyk Księstwa Warszawskiego Fryderyk Skarbek. Założenie Szkoły Głównej przyczyniło się także do pogłębienia badań historycznych.

Duże, choć innego rodzaju niż „Biblioteka Warszawska" i „Przegląd Naukowy" znaczenie dla rozwoju życia kulturalnego miało założenie w 1859 roku „Tygodnika Illustrowanego", jednego z pierwszych polskich czasopism ilustrowanych. Wydawcą „Tygodnika" był Józef Unger, a długoletnim redaktorem Ludwik Jenike, publicysta i tłumacz Goethego. Kierownikami artystycznymi byli kolejno: Piwarski, grafik Lewicki i Juliusz Kossak. „Tygodnik Illustrowany" zdobył w Królestwie znaczną popularność i związał się na wiele dziesiątków lat z Warszawą, drukując między innymi powieści wybitnych pisarzy, rozprawy historyczne i artykuły krajoznawcze. „Tygodnik" zamieszczał reprodukcje obrazów malarzy polskich i obcych oraz widoki Warszawy; przyczynił się do rozkwitu w stolicy drzeworytnictwa. W parę lat później geograf i przyrodnik, Filip Sulimierski, zaczął wydawać „Wędrowca", który stał się pismem artystyczno-literackim, lecz nie istniał długo.

Przełomu w prasie codziennej dokonał w 1851 roku „Dziennik Warszawski" – pismo społeczno-literackie. Założył go hrabia Henryk Rzewuski, znany pisarz, autor popularnych „Pamiątek Soplicy" i powieści „Listopad", publicysta o ugodowych poglądach, urzędnik „do specjalnych poruczeń" przy Paskiewiczu, obeznany z prasą zagraniczną. Rzewuskiemu pomagał August Wilkoński, związany z „cyganerią warszawską", autor „Ramot i ramotek". Do redakcji weszli między innymi krytyk literacki F. H. Lewestam, historyk Julian Bartoszewicz, publicysta i literat Wacław Szymanowski. Wilkoński został jednak wkrótce wydalony przez władze z Warszawy. Pod redakcją Rzewuskiego „Dziennik Warszawski" stał się nowoczesnym pismem o okazałej szacie zewnętrznej i żywej treści, podającym obok wiadomości zagranicznych sprawy krajowe, warszawskie wiadomości miejscowe, interesujące listy z prowincji. Wiele miejsca poświęcał literaturze polskiej, historii i rodzącej się wówczas archeologii. Popularne były „Listy z Warszawy" Rzewuskiego oraz felietony Szymanowskiego.

Zagrożona konkurencją „Dziennika" zachowawcza „Gazeta Warszawska", redagowana przez Antoniego Lesznowskiego juniora, została przez niego unowocześniona. Rozszerzyła i uporządkowała swe działy, rozpoczęła druk powieści w odcinkach. W „Gazecie" umieszczał swe listy z Żytomierza Kraszewski, pisywali Korzeniowski, Syrokomla-Kondratowicz, Adam Pług. Konkurencja dwóch dzienników zakończyła się zwycięstwem „Gazety Warszawskiej", która w latach 1855–1856 osiągnęła 7000 prenumeratorów.

W 1859 roku Kronenberg nabył bezbarwną dotąd „Gazetę Codzienną" i powierzył jej redakcję Kraszewskiemu, łożąc ogromne sumy na unowocześnienie pisma. W „Gazecie Codziennej" umieszczali artykuły pisarze i poeci: Julian Klaczko, Józef Bliziński, Jan Chęciński, Józef Korzeniowski, Władysław Syrokomla, Karol Szajnocha, recenzje teatralne pisał Wacław Szymanowski, dział muzyczny prowadził Maurycy Karasowski. Kraszewski stale zamieszczał felieton „Silva rerum", często artykuły wstępne i studia. „Gazeta Codzienna" zyskiwała coraz większą popularność i w roku 1862 osiągnęła przeszło 8000 prenumeratorów. W 1861 roku zmieniła nagłówek na „Gazeta Polska". Wielopolski obrażony na Kraszewskiego za artykuł o potrzebie pokory i potępieniu dumy, co wziął do siebie, spowodował, że namiestnik, wielki książę Konstanty, wydał nakaz wysiedlenia pisarza. W końcu 1862 roku Kraszewski opuścił Warszawę na zawsze i osiedlił się w Dreźnie.

Czwarty dziennik, „Kurier Warszawski", redagowany przez Karola Kucza, był najpopularniejszym pismem w Warszawie. Zmiany zaszły w nim stosunkowo niewielkie poza zwiększeniem formatu i polepszeniem działu reportaży. Oprócz wymienionych na uwagę zasłużył „Dziennik Powszechny", przekształcony przez margrabiego Wielopolskiego z urzędowej „Gazety Rządowej". Redaktorem „Dziennika Powszechnego" był znany historyk Warszawy F. M. Sobieszczański, długoletni cenzor, a głównym publicystą J. A. Miniszewski, zasztyletowany w 1863 roku pod zarzutem zdrady. „Dziennik" był redagowany żywo i inteligentnie, ale nie miał większego znaczenia.

Najczynniejsi dziennikarze i publicyści mieli nadzieję, że złagodzenie systemu rządów przyczyni się do rozluźnienia cenzury. Niestety, Wielopolski był temu kategorycznie przeciwny i wprowadził zakaz omawiania spraw wewnętrznych, a później nawet umieszczania artykułów wstępnych. Okres manifestacji nie mógł więc znaleźć odbicia w prasie jawnej. Naturalnym następstwem było pojawienie się od 1861 roku prasy tajnej. Liczba nielegalnych tytułów doszła do 80, a wydawanych jednocześnie przekraczała 30; najdłużej ukazywała się „Strażnica", założona przez koło sybiraków w 1861 roku i redagowana przez Aleksandra Krajewskiego i innych; wyszło 45 numerów; w 1862 roku ukazał się „Kosynier" pod redakcją Agatona Gillera przeznaczony dla ludu wiejskiego i rzemieślników. „Ruch", organ Komitetu Centralnego redagowany przez Bronisława Szwarcego, wychodził w latach 1862–1863. Organem Rządu Narodowego był „Dziennik Narodowy". Władysław Sabowski (pod pseudonimem Wołody Skiba) wydawał „Prawdę". Największy nakład (od 1500 do 10 000) osiągnęła „Niepodległość". Podziemna prasa warszawska była najliczniejsza i najlepiej redagowana w kraju.

Pisma te drukowano w drukarniach tajnych lub w drukarniach dzienników oficjalnych, jak „Gazeta Polska", „Gazeta Warszawska", ale też tajnie, nocami. Policja tropiła tajne drukarnie, często trafiając na ich ślady, likwidując je i aresztując drukarzy. Kolportażem tajnych pism zajmowali się przeważnie studenci Szkoły Głównej. Na prześladowania

PISMO TYGODNIOWE ILLUSTROWANE DLA KOBIET.

narażeni byli też redaktorzy dzienników wydawanych jawnie; i tak redaktora „Kuriera Warszawskiego" Kuczá zesłano za zdradzanie sympatii dla manifestacji narodowych. Podczas powstania gazety podawały opisy bitew i potyczek za urzędowym „Dziennikiem Powszechnym" lub prasą zagraniczną bez zmian i komentarzy. Całe kolumny „Dziennika" zapełniały wykazy aresztowanych lub skazanych. W 1864 roku „Dziennik Powszechny" przemianowano na „Dziennik Warszawski", a w niedalekiej przyszłości pismo zastąpiono rosyjskim „Warszawskij Dniewnik".

W ciężkim dziesięcioleciu popowstaniowym Warszawa przestała być głównym ośrodkiem życia literackiego. Wielcy i mniejsi romantycy tworzyli na emigracji, skupiali się zwłaszcza w Paryżu. Zabory austriacki i pruski miały dość intensywne życie intelektualne. Ożywienie Królestwa w latach czterdziestych przyczyniło się w znacznej mierze do ożywienia literatury. Głównym rodzajem literackim stała się proza powieściowa, która wówczas właśnie rozwija się i trafia do wszystkich. Tak szerokiego kręgu czytelników jak ówczesna powieść nie miała w kraju ani na emigracji literatura romantyczna, choć pragnęła przemawiać do całego narodu. Jak wiadomo, wartości literackie tej powieści były nieporównywalnie niższe. Z pisarzy działających choć częściowo w Warszawie najwybitniejszym był J. I. Kraszewski, autor powieści obyczajowych i historycznych, których poczytność dotychczas nie przemija. Przez dwa lata tworzył tu Cyprian Kamil Norwid. „Był [on] pierwszym poetą warszawskim z epoki «nocy paskiewiczowskiej», który z całą świadomością wprowadził do poezji stołecznej na początku 1840 r. «zakazane» treści patriotyczne, zaszyfrowując je za pomocą przemyślnie opracowanego systemu językowo- -stylistycznego...".

Twórczość wielu literatów warszawskich wiązała się integralnie z ich działalnością patriotyczną, z udziałem w spiskach; wiele utworów nie było drukowanych, krążyło w rękopisach, czytanych w zaufanych kółkach. Pisali je: Karol Baliński, Gustaw Ehrenberg, Hipolit Krzywicki, Roman Zmorski, Teofil Lenartowicz i inni. Te „zakazane" utwory, głównie poetyckie, zaczęły się ukazywać już w pierwszych miesiącach i latach po kapitulacji Warszawy. Większość ich nie dochowała się. Utwory drukowane zawierały alegorie zrozumiałe dla wtajemniczonego czytelnika.

W 1838 roku utworzono kółko literackie zwane Cyganerią Warszawską. Należeli do niego poeci: Seweryn Filleborn, Włodzimierz Wolski i Roman Zmorski, pisarze: Józef Bogdan Dziekoński (od 1841), Aleksander Niewiarowski i Seweryn Zenon Sierpiński oraz filozof i krytyk literacki Jan Majorkiewicz. Byli to ludzie młodzi, urodzeni przeważnie w latach 1818–1820, część z nich była uczniami gimnazjum na Lesznie, gdzie już należała do tajnych kółek. Przywódcą grupy był najpierw Filleborn, a później Dziekoński. Filleborn wraz ze Zmorskim założyli czasopismo „Nadwiślanin", które było organem Cyganerii. W „Nadwiślaninie" drukowali „cyganie" swoje poezje i utwory. Najwybitniejszym poetą Cyganerii był Zmorski; Wolski w swoich opowiadaniach brał w obronę chłopa (m. in. w utworze „Ojciec Hilary"), później zasłynął jako autor tekstów oper Moniuszki, zwłaszcza „Halki" (1857). Dziekoński był oryginalnym nowelistą fantastycznym, krytykiem, malarzem, spiskowcem, a nawet alchemikiem. Majorkiewicz, umysł głęboki, autor historii literatury i filozofii, był współpracownikiem „Przeglądu Naukowego". Niewiarowski zdobył popularność jako pisarz i publicysta. „Cyganie" zabierali głos w sprawie chłopskiej, szukali „prawdy i zdrowia moralnego na łonie natury, wśród ludu", odrzucali konwencje salonów, obłudę bogatego mieszczaństwa i „sztuczności życia miejskiego". Cyganeria rozpadła się w roku 1844. Część jej członków weszła do pokrewnej grupy literackiej zwanej „Cechem Głupców". Z Cyganerii weszli do „Cechu" Dziekoński, Niewiarowski i Wolski, a oprócz nich należeli: Józef Kenig, znany później dziennikarz i krytyk, poeta „lirnik mazowiecki" Teofil Lenartowicz, Ludwik Norwid, brat Cypriana, redaktor Hipolit Skimborowicz, Karol Witte, redaktor i wydawca, i luźno związany ż „Cechem Głupców" Fryderyk Henryk Lewestam. Członkowie „Cechu" zbierali się w mieszkaniu Augusta Wilkońskiego. Organem grupy było czasopismo „Dzwon Literacki", redagowane przez Wilkońskiego.

Z obozem demokratycznym związana była też poetka, pisarka i działaczka Narcyza Żmichowska; wokół niej grupowały się na „Miodogórzu" (na IV piętrze pałacu Teppera na Miodowej) „entuzjastki". Żmichowska walczyła o emancypację kobiet, ich niezależność materialną, możność wyboru zawodu, wypowiadała się przeciwko skrępowaniu mieszczańskim konwenansem (powieść „Poganka"). Jej poglądy budziły wówczas wśród czytelników zgorszenie, lecz najbliższe lata – manifestacje i powstania – wykazały rosnącą rolę kobiet w społeczeństwie.

Jednym ze znamiennych utworów literatury przed 1863 rokiem jest poemat „Tyrteusz" Władysława Ludwika Anczyca, któremu autor nadał bojowy rytm i patos; młodzież przygotowująca powstanie powtarzała płomienne słowa pieśni ateńskiego wieszcza.

WARSZAWA SPISKÓW I RZĄDU NARODOWEGO

Ucisk polityczny rządów cara Mikołaja i Paskiewicza nie budził początkowo w Warszawie szerszego sprzeciwu. Policyjny system rządów, sądy wojenne, patrole policyjne i kozackie na ulicach, rewizje, aresztowania, szpiegostwo sterroryzowały społeczeństwo. Upamiętniły się publiczne egzekucje; pierwszą było stracenie Artura Zawiszy i jego towarzyszy w 1833 roku na placu przy rogatkach jerozolimskich. Mimo to w latach trzydziestych powstawały tajne kółka wśród młodych urzędników, literatów kolportujących nielegalną literaturę, dyskutujących. Pomimo częstych aresztowań i zsyłek na Syberię odradzały się stale. W 1836 roku Gustaw Ehrenberg założył w Warszawie filię Stowarzyszenia Ludu Polskiego; jego członków zwano świętokrzyżcami, gdyż zbierali się w domu parafii Świętego Krzyża przy Krakowskim Przedmieściu. Świętokrzyżcy agitowali wśród rzemieślników, ale działalność ich trwała krótko: w 1839 roku wywieziono ich kibitkami na Sybir. W 1841 roku wstrząsnęła Warszawą tragiczna śmierć kierującego kółkiem uczniowskim Karola Levittoux, który podpalił swe posłanie w X Pawilonie Cytadeli.

Od 1842 roku czynny był w pracy konspiracyjnej 20-letni Edward Dembowski. Zdołał porwać młodzież literacką i kobiety skupione w gronie „entuzjastek" warszawskich, wciągając je do propagandy rewolucyjnej. Trafił do organizacji rewolucyjnej rzemieślników warszawskich, nakłaniał Związek Narodu Polskiego do podjęcia walki zbrojnej. W 1843 roku Dembowski chciał dać hasło do powstania, ale zagrożony aresztowaniem musiał uciekać z Warszawy. W 1846 roku „Nad Zdrojami" na stokach Cytadeli powieszono Kociszewskiego i Żarskiego, poddano krwawej chłoście trzech innych uczestników spisków, a czterech pozostałych car Mikołaj ułaskawił spod szubienicy i skazał na zesłanie. Lecz już w następnym roku działał w Warszawie nowy spisek wśród młodej inteligencji urzędniczej z Henrykiem Krajewskim, aplikantem sądowym, na czele. Ze spiskiem współpracowały „entuzjastki" i kilku księży; popierali go też czeladnicy, rzemieślnicy i robotnicy. Wezwani przez Mierosławskiego do zbrojnego wystąpienia, spiskowcy nie stanęli do walki. Na wiosnę 1848 roku policja wykryła sprzysiężenie, nastąpiły aresztowania, wiele młodzieży zdołało zbiec do Poznańskiego i Galicji.

Cyprian Norwid tak opowiadał Zygmuntowi Krasińskiemu w początkach roku 1848 o życiu Warszawy: „Uwięzienia, sądy, kajdany, wywozy na Sybir, niesłychane odwagi i męczeństwa – a wszystko w ciemnocie odbywane [...] co za piekło na ziemi [...] od kiedy [Norwid] wyszedł ze szkół, od lat sześciu, nie więcej, narachował imię po imieniu dwustu spółuczniów, prawie wszystkich, z którymi znał się i uczył, wywiezionych na Sybir, pomarłych w Cytadeli lub na drodze, albo dojechałych i jęczących tam [...] i to prawie dzieci". Fryderyk Skarbek w pamiętnikach zanotował: „W murach Warszawy odgrywały się nieprzerwanie nieomal sceny ciężkiego prześladowania i tajemniczo głoszono o ofiarach śledztw i sądów cytadelowych, już to na rusztowanie skazanych, już to na Syberię wywożonych, a pomimo tego uczęszczano skwapliwie na uroczyste zebrania, obiady i bale w Zamku odprawiane, skutkiem czego z powierzchownej postaci miasta nie można było domyślić się, że ten blask okazały krył poza sobą istny cmentarz i zimne groby".

Wybuch wojny krymskiej w 1853 roku i klęski ponoszone przez Rosję Mikołajowską w tej wojnie ukazały słabość systemu i rozbudziły nadzieję Polaków. Nowy car Aleksander II stanął przed koniecznością reform, między innymi zniesienia poddaństwa chłopów i złagodzenia ucisku. „Odwilż posewastopolska" (klęska wojsk carskich pod Sewastopolem na Krymie) objęła też Warszawę i Królestwo. Na skutek ogłoszonej amnestii wróciło do kraju parę tysięcy zesłańców zwanych sybirakami. Pozwolono wrócić niektórym emigrantom. Opustoszał osławiony X Pawilon w Cytadeli, skąd wypuszczono więźniów politycznych. Nowy namiestnik Gorczakow, mianowany na miejsce zmarłego Paskiewicza, dążył do

3. Plac Zamkowy, z cyklu Warszawa II. Rys. Artur
Grottger
4. Zamykanie kościołów, z cyklu Warszawa I. Rys.
Artur Grottger

zbliżenia z polską arystokracją. Złagodniała trochę cenzura, rząd pozwolił na otwarcie
Akademii Medyko-Chirurgicznej, która odpowiadała zapotrzebowaniu społecznemu na
lekarzy. Zezwolił również na utworzenie Towarzystwa Rolniczego, co spełniało dezydera-
ty szlacheckich właścicieli majątków. Towarzystwo pod prezesurą Andrzeja Zamoyskiego
skupiło najpierw 1500, a potem 4000 członków.

Społeczeństwo wiele nadziei wiązało z przybyciem Aleksandra II do Warszawy w 1856
roku. Cara witano prawie z entuzjazmem, liczono na wprowadzenie autonomii, powrotu
do konstytucji z 1815 roku. Aleksander zniszczył nadzieje wygłaszając do przedstawicieli
arystokracji i szlachty osławione: „Point de rêveries, messieurs" („Żadnych marzeń,
panowie") i chwaląc rządy w Królestwie swego ojca Mikołaja. Jednak car zgodził się na
pewne swobody w życiu publicznym. Warstwy oświecone żądały zniesienia pańszczyzny na
wsi, wprowadzenia samorządu w miastach, wyboru rady miejskiej, równouprawnienia
ludności żydowskiej, rozszerzenia oświaty. Postulaty te wysuwała „Gazeta Codzienna",
organ warszawskiego liberalizmu, utrzymywana przez Kronenberga, który wyrósł na
przywódcę warszawskiej burżuazji.

Inteligencja warszawska grupowała się przy Edwardzie Jurgensie, urzędniku, układając
projekty rozwoju oświaty i pracy organicznej. Koła Jurgensa nawiązały kontakty z przedstawicielami zamożnych rzemieślników i z młodzieżą studencką. Z drugiej strony Jurgens
zabiegał o poparcie kół ziemiańskich. Na sugestie zorganizowania tajnego komitetu
przygotowującego zbrojne powstanie Jurgens się nie zgodził. Jego koła dążyły przede
wszystkim do wzmocnienia kraju gospodarczo, a potem do odzyskania niepodległości.
Przeciwnicy Jurgensa nazwali jego zwolenników „millenerami", zarzucając im, że chcieli
tysiąc lat czekać na niepodległość Polski.

Po wojnie krymskiej wśród młodzieży warszawskiej zawiązały się koła spiskowe pod
wpływem spisków polskiej młodzieży kresowej studiującej na uniwersytetach rosyjskich,
między innymi w Kijowie. W warszawskiej Szkole Sztuk Pięknych powstało kółko
samokształceniowe, w Akademii Medyko-Chirurgicznej – Bratnia Pomoc. Pracę konspi-
racyjną wśród młodzieży studenckiej i młodych urzędników i rzemieślników rozpoczął
w 1858 roku Narcyz Jankowski, były oficer przybyły z Kijowa. W czerwcu 1859 roku
przywódcy Bratniej Pomocy Akademii zorganizowali demonstrację studencką jako
protest przeciw dodatkowym egzaminom. Potem na czele ruchu studenckiego stanął Karol
Majewski, zręczny polityk nawiązujący kontakty ze wszystkimi stronnictwami, przeciwnik
działań zbrojnych. W końcu 1859 roku zawiązał się w Warszawie, pod naciskiem
przebywającego w Paryżu generała Mierosławskiego, komitet przygotowujący powstanie;
w skład jego weszli między innymi: Jankowski, Majewski, Krzemiński. Po kilku miesiącach

komitet się rozpadł. W 1860 roku Jankowski został uwięziony, ale „koła Jankowskiego" nadal działały, a najczynniejsze z nich były koła w Szkole Sztuk Pięknych i w Gimnazjum Realnym, oba pod kierunkiem Jana Frankowskiego.

Okres manifestacji rozpoczęły kółka w czerwcu 1860 roku manifestacyjnym pogrzebem generałowej Sowińskiej, wdowy po obrońcy Woli, zasłużonej opiekunki więźniów politycznych. Kilka tysięcy młodzieży, uczniów i rzemieślników udało się po pogrzebie na redutę wolską.

Zjazd w Warszawie dwóch cesarzy: rosyjskiego i austriackiego, oraz pruskiego księcia regenta Wilhelma witały opustoszałe ulice: apele i ulotki młodzieży odniosły skutek. Przed galowym przedstawieniem w Teatrze Wielkim rozlano na widowni cuchnący płyn i zniszczono fotele w cesarskiej loży. W trzydziestą rocznicę nocy listopadowej tłum na ulicy Leszno przed kościołem i klasztorem karmelitów, gdzie było do 1830 roku więzienie polityczne, odśpiewał hymny „Boże coś Polskę" i „Jeszcze Polska nie zginęła".

Na wiosnę 1861 roku spodziewano się wkroczenia Włochów i Węgrów do Austrii i oswobodzenia Galicji. Rząd zajęty ruchami chłopskimi w Rosji i w Królestwie utrzymywał w Warszawie tylko 10 tysięcy wojska, a w Cytadeli nieliczną załogę. Zarysowały się szanse zdobycia Cytadeli, ale do tego potrzebny był szeroki udział mas rzemieślniczych i robotniczych oraz posiadanie broni. Sytuacja międzynarodowa jednak uległa pogorszeniu: Garibaldiego odsunięto od rządu we Włoszech, cesarz Napoleon III powstrzymał Włochów od wojny z Austrią, monarchia austriacka rozpoczęła reformy polityczne, aby rozładować wystąpienia separatystyczne. Mimo to warszawskie manifestacje patriotyczne nie ustawały. 21 lutego 1861 roku miała się odbyć w Warszawie sesja Towarzystwa Rolniczego, na której spodziewano się uchwały o zniesieniu pańszczyzny. Na 30-lecie bitwy pod Grochowem (25 lutego) zapowiedziano manifestację, która miała zmusić Towarzystwo do przekazania carowi adresu z żądaniem swobód. Wieczorem z kościoła Paulinów przy zbiegu ulic Nowomiejskiej i Długiej ruszyła procesja ze sztandarami i godłami na Rynek Starego Miasta. Na Rynku żandarmi rozpędzili pochód bijąc uczestników i aresztując część demonstrantów, przeważnie studentów. Wzburzenie rosło: w dwa dni później, 27 lutego, gdy bardzo liczny pochód dotarł z Leszna na Krakowskie Przedmieście, wojsko dało salwę w tłum, padło pięciu uczestników manifestacji: robotnik, rzemieślnik, uczeń i dwaj właściciele ziemscy. Namiestnik Gorczakow, obawiając się walk ulicznych i ostrzeliwania Warszawy z dział, rozkazał wojsko wycofać do koszar i zwrócił się do burżuazji warszawskiej o uspokojenie miasta. Zaczął działać bankier Kronenberg; z jego inicjatywy wybrano 14-osobową delegację miejską i zorganizowano straż ochotniczą, złożoną ze studentów, tak zwanych konstablów, która miała utrzymywać porządek. Na czele konstablów Kronenberg postawił urzędnika – sybiraka Karola Ruprechta. Tymczasem delegacja wymogła na Gorczakowie wycofanie z miasta wojska i policji, pozwolenie na uroczysty pogrzeb poległych i podanie adresu carowi. Warszawa po raz pierwszy od 30 lat poczuła się wolna. Pogrzeb stał się olbrzymią manifestacją całej ludności miasta łącznie z ludnością żydowską. Mogiła pięciu poległych na cmentarzu Powązkowskim stała się odtąd na 50 lat celem pielgrzymek, choć została zniszczona po powstaniu styczniowym.

Rząd carski niechętnie przyjął ustępstwa namiestnika, dosyłał mu posiłki wojskowe i nakazał opanowanie miasta siłą. Jednocześnie mianował margrabiego Wielopolskiego dyrektorem nowo powołanej Komisji Wyznań i Oświecenia Publicznego oraz zapowiedział wybór Rady Miejskiej. Te ustępstwa rządu nie zadowoliły jednak przywódców ruchu. Gorczakow czując się znów silny rozwiązał Delegację Miejską i Towarzystwo Rolnicze. Gdy tłumna manifestacja protestowała przed Zamkiem przeciw tym decyzjom, Gorczakow rozkazał wojsku salwami rozpędzić bezbronnych manifestantów. Nastąpiła masakra: padło ponad stu zabitych, Warszawa została sterroryzowana, zerwane zostały wszelkie możliwości rokowań społeczeństwa z rządem, Wielopolski pozostał osamotniony.

Warszawa stała się wzorem dla innych miast i miasteczek w urządzaniu demonstracji patriotycznych, nabożeństw, w powoływaniu delegacji obywatelskich i pozostawała ich głównym ośrodkiem. Stąd wyszli na wieś agitatorzy „czerwonych" występujący przeciw właścicielom szlacheckim i „białych" agitujących za zgodą między ludem i szlachtą. Część spiskowców warszawskich zagrożonych aresztowaniem uciekła w kwietniu 1861 roku z Warszawy i ukrywała się w lasach.

Tymczasem manifestacje, rozgromione na ulicach, odbywały się w kościołach. Cechy, robotnicy z zakładów fabrycznych, ugrupowania inteligenckie przy poparciu kleru zamawiały za pomyślność ojczyzny nabożeństwa, podczas których śpiewano pieśni patriotyczne. W ciągu dwóch miesięcy – września i października 1861 roku – takich obchodów kościelnych odbyło się około 200 w kilkunastu kościołach. Oczywiście uczestniczyli w nich i szpiedzy. Wielką manifestacją stał się także pogrzeb arcybiskupa warszawskiego Fijałkowskiego.

Rząd obawiając się zaburzeń bezrobotnych i głodnych robotników przeznaczył znaczne sumy na roboty publiczne, między innymi na budowę portu rzecznego na Solcu, na urządzenie parku Praskiego, na prace brukarskie. Intensywnie budowano stały most stalowy (Kierbedzia). Rzemiosło warszawskie otrzymało zamówienia dla wojska, ale część krawców i szewców nie przyjęła ich z pobudek patriotycznych. Z uzbieranych w związku z pogrzebem przez Delegację Miejską 40 000 rubli udzielano zapomóg rodzinom poległych i rannym oraz bezrobotnym. Niektóre kategorie pracujących, na przykład drukarze i obsługa sklepów, uzyskały wolne od pracy niedziele. Organizowano szkoły niedzielne dla rzemieślników, czytelnie, kasy oszczędnościowe.

Nowy namiestnik Lambert, mianowany po śmierci Gorczakowa, liczył, że nadchodzące we wrześniu 1861 roku wybory do Rady Miejskiej zbliżą klasy posiadające do rządu. Cenzus majątkowy dopuszczał w Warszawie do głosu niespełna 7000 wyborców na około 140 000 dorosłych mieszkańców i zaledwie 700 przyznawał bierne prawo wyborcze. W tych warunkach „czerwoni" agitowali za bojkotem wyborów, a jeden z radykalnych działaczy, Ignacy Chmieleński, zarzucał klasom posiadającym zdradę i zaprzedanie ludu. Wybory jednak przeszły spokojnie, przy średniej frekwencji; do Rady Miejskiej wybrano działaczy byłej Delegacji Miejskiej. Wyborcy podpisywali adres skierowany do namiestnika z żądaniem „reprezentacji narodowej". Rząd nie zamierzał jednak ustępować i namiestnik ogłosił stan wojenny, zaostrzając kary za wystąpienia polityczne. 15 października w rocznicę zgonu Kościuszki urządzono nabożeństwa manifestacyjne w kościołach. Wojsko otoczyło katedrę na Świętojańskiej i kościół Bernardynów na Krakowskim Przedmieściu i rozpoczęło oblężenie świątyń napełnionych wiernymi. Następnie siłą wdarło się do kościołów i aresztowało około 1500 mężczyzn osadzając ich w Cytadeli. Kuria biskupia protestując przeciw profanacji zamknęła wszystkie kościoły warszawskie. Również pastorzy i rabini, solidaryzując się z duchowieństwem katolickim, zamknęli świątynie ewangelickie i synagogi. Wydarzenia te stały się głośne w Europie. Lambert się rozchorował, a nowy namiestnik Lüders nakazał aresztowanie licznych księży i przywódców. Liczba aresztowanych w ciągu półrocza 1862 roku sięgała 15 tysięcy. Wojsko rosyjskie obozowało na placach; teatry i ogrody zamknięto. Margrabia Wielopolski podał się do dymisji. 17 października działacze „czerwonych" wybrali Komitet zwany Miejskim, który miał przygotowywać powstanie. Do Komitetu weszli: Chmieleński, Leon Głowacki oraz inż. Witold Marczewski. Z „czerwonymi" nawiązała kontakt tajna rewolucyjna organizacja oficerów armii rosyjskiej dążąca do obalenia caratu. Przywódcą jej w Warszawie był kapitan Jarosław Dąbrowski. Dąbrowski został członkiem Komitetu Miejskiego i naczelnikiem miasta Warszawy. Nowa organizacja podzieliła miasto na pięć wydziałów, ich naczelnicy podlegali Dąbrowskiemu. W organizacji znaczną rolę zaczęli grać robotnicy-metalowcy z fabryk Evansa, Frageta i warsztatów żeglugi Zamoyskiego. W końcu półrocza Komitet Miejski przemianował się na Komitet Centralny Narodowy.

Na czele stronnictwa „białych" w grudniu 1861 roku stanęła Dyrekcja Krajowa złożona z Kronenberga, Jurgensa i Majewskiego. Do Dyrekcji przyłączyli się millenerzy. Nowo mianowany arcybiskup warszawski Feliński, uległy rządowi, polecił w lutym 1862 roku otworzyć kościoły i nie dopuścił do nabożeństw patriotycznych. Opinia publiczna potępiła arcybiskupa.

Nowy, bardziej liberalny kierunek rządu carskiego przejawił się między innymi w mianowaniu Wielopolskiego naczelnikiem rządu cywilnego. Wielopolski dążył do zjednania klas posiadających dla walki z obozem „czerwonych". Jeden ukaz carski zniósł ograniczenia w prawach ludności żydowskiej, równając ją z wyznawcami innych religii. Inny ukaz wprowadził polskie wychowanie publiczne, polskie szkolnictwo, powiększał liczbę szkół średnich i przywracał Warszawie uniwersytet pod nazwą Szkoły Głównej. Rząd liczył, że Szkoła Główna odciągnie młodzież od manifestacji, Wielopolski zaś uważał Szkołę za ważny czynnik w podniesieniu poziomu nauki, życia umysłowego i przygotowaniu kadr do szkolnictwa, sądownictwa i administracji polskiej. Wyrazem tych tendencji była organizacja Szkoły składającej się z czterech wydziałów: Lekarskiego, przetworzonego z Akademii Medyko-Chirurgicznej, Prawa i Administracji, Matematyczno-Fizycznego, Filologiczno-Historycznego. Największy był Wydział Prawa i Administracji, najmniejszy zarówno pod względem obsady profesorskiej, jak i liczby studiujących – Filologiczno-Historyczny. W końcu 1863 roku wydział ten podzielono na trzy sekcje: filologii klasycznej, filologii słowiańskiej, historii. Szkołę Główną otwarto bardzo uroczyście w gmachu na terenie dawnego Uniwersytetu. Na studia zapisało się aż 800 studentów. Na wykłady z historii i literatury przychodziło też wiele osób spoza szkoły, w tym wiele kobiet.

Reformy Wielopolskiego przyniosły też spolszczenie administracji, nie zapewniały jednak swobód konstytucyjnych, nie były zwiastunami niepodległości; mimo uprzywilejowania klas zamożnych nie zadowoliły nawet obozu „białych".

W maju 1862 roku władze wpadły na ślad tajnej organizacji oficerów w warszawskim garnizonie. Jednocześnie zaczęły się aresztowania w fabryce Evansa. Dąbrowski planował otwarcie przez spiskowych oficerów bram Cytadeli i uzbrojenie powstańców znajdującą się tam bronią. Zamach ten udaremnili „biali", hamując przygotowania powstańcze. Do Komitetu Centralnego na miejsce radykalnego Chmieleńskiego wszedł umiarkowany Agaton Giller. Powstanie odroczono w celu lepszego przygotowania.

W odwet za rozstrzelanie trzech członków organizacji oficerskiej jeden z najbliższych współpracowników Dąbrowskiego, oficer Ukrainiec Andrzej Potiebnia dokonał w Ogrodzie Saskim zamachu na Lüdersa, ciężko go raniąc. Namiestnikiem został brat cesarza Aleksandra II, wielki książę Konstanty, co stwarzało pozory samodzielności Królestwa. Zaraz po przyjeździe Konstantego do Warszawy czeladnik Jaroszyński dokonał na niego zamachu, strzelając do wychodzącego z teatru. Próby zamachu na Wielopolskiego rzemieślników Rylla i Rzońcy nie udały się. Trzech zamachowców stracono na stokach Cytadeli w sierpniu 1862 roku. W tym miesiącu aresztowano Dąbrowskiego i osadzono w Cytadeli. Naczelnikiem miasta Warszawy został Zygmunt Padlewski. Propagandę i redakcję tajnego pisma „Ruch" objął Bronisław Szwarce. Komitet powołał obywateli do świadczeń na cele powstańcze: podatek narodowy w wysokości 5% rocznego dochodu płacili właściciele domów, kupcy, fabrykanci, nawet dygnitarze rządowi i wyżsi oficerowie, niektórzy z naddatkiem; wpływy w wysokości paruset tysięcy rubli obrócono na zakup broni. W końcu 1862 roku organizacja narodowa objęła Warszawę; siła jej polegała na masowym udziale inteligencji i ubogich warstw; spiskowców otaczała na ulicy opieka i pomoc przechodniów. Organizacja miała swych członków we wszystkich instytucjach rządowych, nawet w biurze policji; spiskowcy tam pracujący uprzedzali o zamierzonych rewizjach. Spiskowcy byli na kolei i poczcie, przesyłali prasę, a nawet broń. Od jesieni 1862 roku coraz więcej agentów policji ginęło pod ciosami sztyletników. Zjazd właścicieli ziemskich, zwołany we wrześniu do Warszawy pod przewodnictwem Zamoyskiego, uchwalił żądanie przyłączenia do Królestwa wszystkich prowincji, czyli Litwy i Rusi. Car odrzucił to żądanie i nakazał Andrzejowi Zamoyskiemu wyjazd za granicę.

Rząd usiłował wprowadzić w Warszawie normalny tok życia, mimo ogromnej ilości wojska, przeważnie pułków gwardyjskich. Otwarto teatry, ale publiczność do nich nie uczęszczała; obowiązywała żałoba narodowa. Kobiety chodziły w czerni. Nie ustawały aresztowania, w grudniu odbył się publiczny proces 65 spiskowców, przeważnie robotników i rzemieślników skazanych surowymi wyrokami.

Wybuch powstania planowany na maj 1863 roku przyśpieszyło ogłoszenie w październiku

375. Zesłaniec. Rys. Artur Grottger

1862 roku poboru do wojska rosyjskiego. Pobór miał objąć około 10 tysięcy młodzieży tylko z miast, przeważnie z Warszawy, a służba w wojsku carskim trwała 25 lat w niezwykle ciężkich warunkach. Wielopolski zamierzał branką rozbić szeregi spiskowców. W trudnych warunkach zimowych trzeba było wysłać młodzież zagrożoną branką do Puszczy Kampinoskiej i lasów serockich. Tam formowały się powstańcze oddziały zbrojne. Przywódcy „białych", jak Kronenberg i Giller, chcieli rezygnować z czynu zbrojnego, Padlewski był zwolennikiem powstania jako protestu przeciwko brance.

W końcu grudnia wpadła w ręce policji tajna drukarnia „Ruchu" i po dramatycznej ucieczce ujęty został Bronisław Szwarce. W nocy z 14 na 15 stycznia 1863 roku przeprowadzono w Warszawie przy udziale wojska brankę; tam gdzie nie zastano poborowych, brano kogoś z domowników. Najwięcej „popisowych" zabrano z Powiśla i Starego Miasta i umieszczono w Cytadeli. Z wyznaczonych 2000 porwano 1650, z tego 2/3 zwolniono jako nie nadających się do służby wojskowej. Brakujący kontyngent uzupełniono do końca stycznia za pomocą łapanek ulicznych i obław; z każdego warsztatu rzemieślniczego na przykład brano po jednym czeladniku. Pobór wywołał w mieście ogólne przygnębienie. Komitet Centralny, pod grozą branki w innych miastach Królestwa, ogłosił wybuch powstania na 22 stycznia. Padlewski zrezygnował z planowanego zdobycia Modlina i postanowił opanować Płock. Zrezygnowano z walk powstańczych w Warszawie silnie obstawionej przez wojsko. Rząd Narodowy w Warszawie powołał na dyktatora przebywającego w Paryżu Mierosławskiego. Członkowie Komitetu wyjechali do Kutna, aby się dostać do zdobytego Płocka i tam utworzyć jawny Tymczasowy Rząd Narodowy. W Warszawie została Komisja Wykonawcza, w której działał naczelnik miasta Bobrowski, wspierany przez organizację miejską. W nocy z 22 na 23 stycznia powstańcy przerwali połączenie kolejowe i telegraficzne z Warszawą oraz przecięli szosę brzeską. W pierwszych dniach powstania jedną z głównych sił powstańczych stanowili robotnicy warszawscy. W pierwszych, krytycznych tygodniach powstaniem kierował z Warszawy Bobrowski, przywracając ład w organizacji miejskiej i organizując powstańczą służbę łączności pocztową i kolejową, intendenturę, przygotowując broń, amunicję i odzież, służbę zdrowia i policję narodową. Na czele policji powstańczej stał Jan Karłowicz. Giller objął dział propagandy. Do powstania zaczęli się zgłaszać „biali" i „millenerzy". Faktycznym przywódcą „białych" był Kronenberg, jego agentem Giller. Zjazd „białych" ogłosił dyktaturę Langiewicza. Warszawa, nie będąc miejscem bezpośredniej walki, stała się z jednej strony ośrodkiem dyspozycyjnym – siedzibą Tymczasowego Rządu Narodowego do kwietnia 1864 roku, a z drugiej ośrodkiem dowództwa wojsk carskich, bazą operacyjną i punktem zaopatrzenia armii. Tu skoncentrowano znaczny naówczas 30-tysięczny korpus. W Warszawie odpoczywały oddziały wojska zmęczone walkami z powstańcami, a inne kierowano do walk toczących się w całym kraju. Pod bokiem tej wielkiej armii, przy znacznej liczbie żandarmerii i policji, w cieniu Cytadeli przez 15 miesięcy istniał i działał rząd powstańczy, wspomagany przez ogromną większość ludności Warszawy, tysiące konspiratorów, w tym liczne kobiety. W okolicach Warszawy odbyło się kilka potyczek. Powstańcy znajdowali schronienie bezpośrednio pod miastem, na przykład w klasztorze bielańskim, i byli zaopatrywani przez intendenturę powstańczą w broń, amunicję, mundury i buty. Hotele warszawskie przepełnione były właścicielami posiadłości ziemskich, którzy w mieście schronili się wraz z rodzinami przed rozruchami chłopskimi. Rodziny dygnitarzy carskich natomiast schroniły się w Cytadeli.

Na czele intendentury stanął Włodzimierz Lempke, mechanik fabryki metalowej. Z jego inicjatywy powstała Straż Bezpieczeństwa. Gdy organizacja „białych" przystąpiła do powstania, podała się do dymisji Rada Miejska Warszawska, ostatnio prawie nie działająca. 12 kwietnia zginął w pojedynku Bobrowski, 10 maja Komitet Centralny przyjął nazwę Rządu Narodowego. Rząd składał się z pięciu wydziałów: Spraw Wewnętrznych, Spraw Zagranicznych, Wojska, Skarbu i Prasy; obsadzała je inteligencja warszawska ze stronnictwa „białych". Setnik organizacji warszawskiej Aleksander Waszkowski wykradł z Kasy Głównej Królestwa przy pomocy personelu tej kasy ogromną sumę 3,6 miliona rubli.

W lipcu 1863 roku Wielopolski opuścił Warszawę i wyjechał za granicę, w sierpniu car zmusił swego brata do opuszczenia stanowiska namiestnika, które objął generał Berg z rozkazem stłumienia powstania do wiosny 1864 roku. Berg energicznie przystąpił do ujarzmienia Warszawy: administrację podporządkował wojsku, powiększył policję, nałożył na miasto kontrybucję, terroryzował publicznymi egzekucjami. Warszawiacy prawie co tydzień widzieli szubienice.

Tymczasem rząd „białych" został obalony przez opozycję „czerwonych". Lempke i Landowski stojący na czele żandarmerii narodowej dokonali na Nowym Świecie nieudanego zamachu bombowego na Berga, a następnie również nieudanego zamachu na generał-policmajstra warszawskiego Trepowa. W październiku dyktatorem został Romuald Traugutt, który zreorganizował oddziały powstańcze. Siedzibą Traugutta i Rządu Narodowego była nadal Warszawa. Naczelnikiem miasta Traugutt mianował Waszkowskiego. Nowy naczelnik opierał się na majstrach, rzemieślnikach, inteligencji, księżach i młodzieży akademickiej, nie dowierzając robotnikom. W październiku 1863 roku Policja Narodowa spaliła ratusz warszawski na placu Teatralnym niszcząc księgi podatników, co nie przeszkodziło jednak Rosjanom w ściągnięciu kontrybucji. Straż ogniowa uprzedzona o konieczności spalenia ratusza ratowała gmach opieszale.

Powstanie dogorywało, nie udało się mimo wysiłków Traugutta i Rządu Narodowego dotrwać do wiosny 1864 roku, aby kontynuować walkę opartą na pospolitym ruszeniu. Masowe aresztowania w Warszawie, sięgające tysięcy ludzi miesięcznie, dziesiątkowały organizację miejską. Warszawę opuściło wielu działaczy powstańczych przekradając się do Galicji i Poznańskiego. Policja carska natrafiła na ślady warszawskiego Rządu Narodowego i 11 kwietnia 1864 roku aresztowała Traugutta, mieszkającego u byłej aktorki Heleny Kirkorowej na Powiślu przy ulicy Smolnej, pod nazwiskiem Michała Czarneckiego.

Dyktatora Traugutta i jego czterech towarzyszy, trzech dyrektorów wydziałów Rządu Narodowego: architekta Rafała Krajewskiego, Józefa Toczyskiego i Romana Żulińskiego oraz kierownika ekspedytury Jana Jeziorańskiego zamknięto w Cytadeli, tam też odbył się proces. 5 sierpnia 1864 roku wszyscy zawiśli na szubienicy na południowych stokach fortu Cytadeli od strony Nowego Miasta. Na ogromnym placu zebrało się około 30 000 mieszkańców Warszawy modlących się podczas egzekucji.

Organizacja miejska rozprzęgła się. Działał jeszcze tylko Waszkowski, ostatni naczelnik Warszawy, ukrywając się w szopie z deskami na Solcu. Wydrukował on i rozplakatował w mieście ostatnią odezwę powstania. Aresztowany w grudniu 1864 roku, został powieszony 17 lutego 1865 w tym samym miejscu co Traugutt i jego towarzysze; była to ostatnia powstańcza egzekucja w Warszawie. Rząd carski zesłał na Syberię znaczną część inteligencji i robotników. Warszawa została pokonana, wróciły rządy terroru, wojska i policji.

Historyk powstania styczniowego, Stefan Kieniewicz, podsumowując dzieje tego ruchu zbrojnego w Warszawie podkreśla jego powszechność, nie spotykaną w poprzednich zrywach wolnościowych. ,,Liczba 8000 związkowych w 200-tysięcznym mieście może się wydawać nieznaczna. Zwróćmy jednak uwagę, że przewyższa ona kilkunastokrotnie liczebność wszystkich wcześniejszych sprzysiężeń. Przypomnijmy też, że sam Komitet ograniczał werbunek spiskowych, że gdyby zechciał, mógł był ich zwerbować dużo więcej. Wśród pracującej ludności Warszawy bez wątpienia ogromna większość słuchała ślepo dyrektyw Komitetu''. Podkreśla również przodującą rolę kobiet, znaczny udział Żydów i rosnący odsetek mieszczańskiej inteligencji wśród przywódców ruchu spiskowego. Walka zakończyła się przegraną, nie udało się jednak zaborcy powstrzymać postępu gospodarczego Królestwa i Warszawy, rosła liczba ludności, wzrastała produkcja przemysłu warszawskiego. Nowe kierunki pracy organicznej warszawskiego pozytywizmu wskazywały nowe ideały i dążenia.

WARSZAWA KAPITALISTYCZNA W LATACH 1864–1915

Popowstaniowe pięćdziesięciolecie przyniosło długotrwały pokój przerwany wstrząsem rewolucyjnym lat 1905–1907 i zakończony wybuchem wielkiej wojny w 1914 roku. Podobnie jak całe Królestwo Polskie również Warszawa weszła w epokę uformowanego kapitalizmu z wieloma właściwościami okresu przejściowego. Miasto stanowiło już poważny ośrodek przemysłowo-handlowy, choć jeszcze ciążyło na nim wiele elementów półfeudalnych. Szczególnie silne były one w bardzo licznym rzemiośle, wśród wielotysięcznych rzesz służby domowej oraz, nie mówiąc już o tym szerzej, w ogromnie rozproszonym miejscowym przemyśle. Ten bowiem znajdował się dopiero w obliczu gwałtownego przeobrażenia w wielkofabryczną, wysoko technicznie postawioną gałąź gospodarki.

Na dziejach Warszawy miały silnie zaciążyć represje polityczne zastosowane wobec Królestwa Polskiego po upadku powstania. Ostry kurs władz carskich wyraził się w przyspieszeniu likwidacji ostatnich autonomicznych instytucji mających siedzibę w Warszawie. W ciągu lat 1866–1868 zniesiono wszystkie Komisje Rządowe, przekazując ich kompetencje odpowiednim ministerstwom w Petersburgu. W 1867 roku zlikwidowano Radę Stanu i Radę Administracyjną. W 1885 roku uległ likwidacji Bank Polski, którego agendy przejął oddział rosyjskiego Banku Państwa. W 1874 roku razem ze śmiercią tłumiciela powstania styczniowego F. hr. Berga wygasł urząd namiestnika. Jego następcami byli odtąd kolejni generał-gubernatorzy warszawscy.

Sprawami oświaty na obszarze całego kraju miał zajmować się Warszawski Okręg Szkolny, kierowany przez kuratora podlegającego bezpośrednio Ministerstwu Oświaty w Petersburgu. Pierwszym kuratorem został Fiodor Witte (1867–1879), a następnie Aleksandr Apuchtin (1879–1897), gorliwy rusyfikator i wróg polskości. Jeszcze w 1866 roku, po wprowadzeniu nowego podziału administracyjnego, nastąpiło dalsze ograniczenie kompetencji lokalnych władz gubernialnych na rzecz instytucji centralnych w stolicy cesarstwa. W miastach Królestwa Polskiego pozbawionych samorządu nie przeprowadzano nawet rosyjskich reform miejskich: na całe półwiecze zostały one poddane ścisłej kontroli władzy policyjnej.

Represje i działania unifikacyjne miały na celu całkowite przekreślenie odrębności Królestwa Polskiego przemianowanego nawet w języku urzędowym na Kraj Przywiślański. Poczynania te zmierzały do pozbawienia Warszawy charakteru miasta stołecznego i zdegradowania jej do drugorzędnej siedziby władz peryferyjnej prowincji państwa rosyjskiego.

376. Resursa obywatelska

TERYTORIUM I ROZBUDOWA MIASTA

Obszar, na którym rozwijało się miasto, uległ pewnemu rozszerzeniu, nie na tyle jednak, aby mogło ono swobodnie się rozwijać. W 1830 roku Warszawa zajmowała 1900 ha, w 1900 – 3452 ha i w 1914 roku – 4142 ha. Wzrosła jednak ogromnie liczba mieszkańców przypadających na 1 ha tego obszaru i odpowiednio wynosiła: 72 – 198 – 253 osoby. W latach 1850–1889 przybyła miastu niewielka liczba posesji za rogatkami wolskimi i jerozolimskimi. W 1887 roku włączono doń Nową Pragę ze Szmulowizną i Kamionkiem oraz kilka posesji za rogatką belwederską o łącznej powierzchni 360 ha. W 1900 roku znowu przesunięto granicę miasta w kierunku zachodnim do ulicy Płockiej. Wcześniej jeszcze, w latach międzypowstaniowych, zahamowana została rozbudowa Warszawy w kierunku północnym – Żoliborza i Bielan – wskutek wybudowania Cytadeli na terenie wyburzonej dzielnicy Fawory. Po 1875 roku, uwzględniając doświadczenia niedawnej wojny francusko-pruskiej, zaprzestano jednak dalszej rozbudowy Cytadeli. Sztab rosyjski przystąpił wówczas do fortyfikowania przedpola Warszawy, otaczając całe miasto pierścieniem fortów. W latach 1881–1885 zbudowano pierwszą linię fortyfikacji na obu brzegach Wisły, a w 1886 – drugą.

Jednocześnie został wydany kategoryczny zakaz wszelkiej zabudowy w obrębie pierwszego pasa, zwanego białym. Zezwolono natomiast na drewnianą zabudowę na obszarze drugiego pasa, zwanego żółtym. W ten sposób w obrębie linii fortów znalazły się: Marymont, Żoliborz, Powązki, Wola, Koło, Ochota, Szczęśliwice, całe Pole Mokotowskie, Sielce, Czerniaków, Siekierki, a na Pradze: Saska Kępa, Grochów, Targówek i Bródno. Dopiero w 1911 roku częściowo zniesiono te zakazy.

377. Widok ogólny na Nowy Zjazd i most Kierbedzia

378. Ogród Saski

379. Rynek Starego Miasta

380. Zamek Królewski

381. Plac Trzech Krzyży

382. Kościół Bernardynów

383. Pałac Staszica

384. Pałac Staszica przebudowany na cerkiew w latach 1894–1895

Granice miasta wytyczały: od wschodu linia Wisły oddzielająca Warszawę od Pragi, od południa wsie Mokotów i Sielce, częściowo włączone do miasta, od zachodu Rakowiec, Czyste, Wola i Powązki, od północy Powązki i Marymont, których część przed 1914 rokiem również należała do miasta. W warunkach sztucznego hamowania zabudowy miasta dążono do maksymalnego wykorzystania przestrzeni, do zagarniania terenów wolnych, jak ogrody i parki, oraz pięto się wzwyż.

Po 1864 roku zabudowywano głównie tereny leżące na południe od Alej Jerozolimskich, na przedłużeniu osi ulic Nowego Światu i Marszałkowskiej. Zabudowywały się też gęsto całe dzielnice, jak żydowska (Nowolipie, Nowolipki, Gęsia i Dzika) i południowa (Nowogrodzka, Żurawia, Wspólna, Hoża). W 1877 roku poszerzono ul. Marszałkowską. Wtedy też wytyczono najwięcej nowych ulic w trójkącie: Koszykowa, Aleje Jerozolimskie i Wielka (Poznańska). Wyznaczono ulice: Chałubińskiego, Leopoldyny, Składową (Pankiewicza), a w 1893 roku – Oczki i Starynkiewicza. Parcelowano tereny nie zabudowane, ogrody i zieleńce. Przed 1890 rokiem wytyczono między innymi: al. Róż, ul. Litewską, Przemysłową, Rysią, Srebrną, Suchą, Polną, Szarą, a na Pradze między innymi: Brzeską, Esplanadową, Skaryszewską, Wileńską. Szpital Dzieciątka Jezus, położony między ulicami Świętokrzyską, Zgoda, Marszałkowską i placem Wareckim, przeniesiono na większy teren między ulicami: Nowogrodzką, Koszykową i Chałubińskiego, zwalniając poprzednie

miejsce pod intensywną zabudowę. W końcu XIX wieku wytyczono tam nowe ulice: Jasną, Moniuszki, Sienkiewicza i Boduena. W tym czasie powstały również ulice: Sadowa, Barbary, Natolińska, Służewska. Poszerzono ul. Karową, a dzięki wybudowaniu wału wzdłuż Wisły, od Solca do mostu Kierbedzia, zabezpieczono ludność Powiśla od corocznych powodzi. To z kolei umożliwiło urządzenie w początkach XX wieku bulwarów nad Wisłą: niższego, tak zwanego powodziowego, i wyższego, nazwanego w 1919 roku Wybrzeżem Kościuszkowskim. Przy okazji uregulowano niektóre ulice Powiśla, między innymi Czerwonego Krzyża, Solec. W początkach XX wieku nastąpiło ożywienie w zabudowie przedmieść. Najwięcej nowych ulic wytyczono na Mokotowie, Sielcach i Woli. W związku z rozluźnieniem zakazów władz wojskowych, dotyczących murowanej zabudowy na terenach podmiejskich, już około 1910 roku utworzono kilkanaście nowych ulic na rozparcelowanych gruntach Narbutta. Zabudowywały się ulice Rakowiecka i Puławska, a parcelacja umożliwiła wznoszenie budowli na dolnym Mokotowie i Sielcach. Rozwijała się sieć nowych ulic na Kole i Woli, przedzielonej linią kolei obwodowej na lepiej zabudowaną część zachodnią oraz gorzej – część wschodnią. Tempo rozwoju przedmieść uległo dalszemu nasileniu w latach 1911–1914.

Na rozwoju miasta w całym okresie popowstaniowym ciążyły jednak: brak jednolitej koncepcji urbanistycznej, nieliczenie się z jego interesami przy wytyczaniu nowych linii kolejowych, biegnących w obrębie Warszawy, oraz brak dbałości ze strony władz miejskich o zaspokojenie potrzeb ogólniejszych, społecznych. Znalazło to jaskrawe odbicie w zupełnej nieudolności magistratu podczas przeprowadzonych parcelacji, przy której to okazji kwitła spekulacja placami budowlanymi. Miasto dusiło się z braku zieleni, której na schyłku stulecia przypadało zaledwie 66 m² na 1 mieszkańca, gdy w tym czasie w Berlinie było 119, a w Londynie 273. Choć więc Warszawa zyskała w tamtym półwieczu kilka parków, jak: Praski (1865), Ujazdowski (1893–1896), Skaryszewski (Paderewskiego, 1906), daleko było jednak do względnego zaspokojenia potrzeb. Dużą popularnością cieszyły się ogrody z Doliną Szwajcarską, urządzoną jako miejsce rozrywek i zabaw, Ogród Saski, stanowiący zarazem miejsce spotkań, między innymi młodzieży i literatów, ogród Krasińskich, przebudowany wcześniej przez F. Szaniora.

W 1868 roku miasto posiadało 3260 domów i 4677 oficyn, w 1882 roku już 4599 domów i 7516 oficyn, prócz tego nadbudowano piętra w wielu dawnych domach. Warszawa pięła się w górę, wykorzystywano każdy skrawek wolnej przestrzeni, wznoszono typowe, wielopiętrowe kamienice z podwórkami-studniami. „Murów coraz więcej, ludzi coraz gęściej, ale powietrza coraz mniej, coraz duszniej [...]. Miasto rozrasta się w kierunku pionowym, w górę i na dół, ale nic prawie w kierunku poziomym, wzdłuż i wszerz, jakby sobie tego życzyć należało..." – ubolewał w 1889 roku Adolf Suligowski, znany w owym czasie ekonomista i publicysta warszawski. W latach 1891–1914 wybudowano około 4800 domów mieszkalnych, początkowo przeważnie pięciopiętrowych, ale później już ośmio-, a nawet dziewięciopiętrowych. Kwitła spekulacja budowlana zwłaszcza około 1878 roku, a następnie w latach dużego ożywienia budowlanego: 1887–1889, 1894–1899 oraz 1909–1913. Pogoń za zyskiem wiodła do nadużyć i częstych katastrof budowlanych. Wznoszono ogromne, czynszowe kamienice obliczone na maksymalne dochody z wynajmu mieszkań. Jednocześnie zabudowywały się willowe dzielnice burżuazji. Wzdłuż Alej

Ujazdowskich powstał rząd pałacyków arystokracji i plutokracji. Piętrzyły się wysokie czynszówki śródmieścia obok prymitywnego budownictwa na terenach robotniczych przedmieść fabrycznych z najgęściej zabudowanymi okolicami ulicy Czerniakowskiej i Okopowej.

Lata popowstaniowe przyniosły również wyraźne przesunięcie centrum Warszawy z północnej części miasta na ul. Marszałkowską i jej przecznice. Tam ukształtowało się nowe wielkomiejskie city z licznymi przedsiębiorstwami kapitalistycznymi, jak banki, magazyny, składy, sklepy. Zabudowana kilkupiętrowymi domami ul. Marszałkowska przekształciła się w wielkomiejską arterię, ale tylko w bezpośrednim sąsiedztwie Dworca Kolei Warszawsko-Wiedeńskiej i Alej Jerozolimskich. Dalszy rozwój miasta w kierunku Sielc i Mokotowa przyspieszyło wybudowanie tramwaju konnego skierowanego ul. Marszałkowską i Bagatela do placu Unii Litewskiej, czyli do ówczesnego Ronda Keksholmskiego. Sam plac został zabudowany w początku XX wieku sześcio- i ośmiopiętrowymi kamienicami. Od lat osiemdziesiątych ulokowało się w Alejach Ujazdowskich kilkanaście lekkich, gustownych willi należących do ówczesnej elity burżuazyjno-ziemiańskiej, między innymi Raua, Sobańskich, Wernickich, Lilpopów. Wyróżniał się zwłaszcza monumentalny pałac znanego bankiera L. Kronenberga przy ul. Królewskiej, wzniesiony w latach 1867–1871 przez J. Hitziga. W panoramie miasta odcinały się ogromem oraz egzotyką wynikającą z odmiennego stylu liczne cerkwie, wznoszone w liczbie o wiele przewyższającej rzeczywiste potrzeby skupiska Rosjan w Warszawie. W 1903 roku liczono ich około dwudziestu razem z kaplicami, z wielkim soborem na Pradze i cerkwią Aleksandra Newskiego w Alejach Ujazdowskich. W końcu XIX wieku wystawiono na samym środku placu Saskiego ogromny sobór z wieżą, nazwaną ironicznie przez współczesnych „wieżą ciśnień prawosławia". Przejawem tych samych tendencji była rusyfikatorska przebudowa wystroju gmachu Towarzystwa Przyjaciół Nauk, dziś Pałacu Staszica.

LICZEBNOŚĆ I STRUKTURA LUDNOŚCI

Likwidacja pańszczyzny w 1864 roku uwolniła wiele rąk od zajęć w rolnictwie, powodując wzrost wychodźstwa chłopów do miast. Likwidacja feudalizmu wpłynęła również na wzrost ruchów migracyjnych ludności całego kraju, w tym także mieszkańców innych ośrodków miejskich. Ogólnemu pędowi migracyjnemu do Warszawy towarzyszył wzmożony napływ do miasta deklasującej się silnie po 1864 roku szlachty – od dawna licznie się w nim osiedlającej. Dzięki temu głównie, również nie bez znaczenia był rosnący przyrost naturalny, liczba mieszkańców miasta w półwieczu 1864–1914 powiększyła się około 4,5 razy: wzrosła z 223 tysięcy osób w 1864 roku do 884 tysięcy; uwzględniając natomiast liczbę mieszkańców dzielnic podwarszawskich, które dopiero w 1916 roku zostały włączone w obręb administracji miejskiej, łączną liczbę ludności miasta w 1914 roku daje się określić na 1 milion. Należała więc Warszawa do stosunkowo bardzo szybko rozwijających się ośrodków miejskich, wyprzedzając pod tym względem Wilno, Lwów, Kraków i Poznań. Pozostawała tylko w tyle za miastami aglomeracji górnośląskiej, a także za Sosnowcem oraz Łodzią. Pamiętać jednak należy, że te ostatnie ośrodki miejskie zaczynały od zupełnie innego poziomu wyjścia. Tymczasem Warszawa już w 1861 roku liczyła prawie 230 tysięcy mieszkańców. O proporcjach oraz o tendencjach zmian w strukturze wyznaniowej ludności miasta w okresie lat 1864–1914 informuje tablica:

Ludność Warszawy w latach 1864–1914 według podziału na wyznania

Rok	Wyznanie										Razem	Wzrost w stos. do 1864 r.
	kato-licy	%	żydzi	%	prote-stanci	%	prawo-sławni	%	inni	%		
1864	131 808	59,13	72 772	32,65	15 909	6,74	3 026	1,36	287	0,12	222 906	100
1877	180 396	58,47	102 246	33,14	15 578	5,05	10 026	3,25	302	0,09	308 548	134
1882	227 593	59,22	127 194	33,09	18 163	4,73	11 179	2,94	401	0,01	384 530	172,5
1892	293 372	59,84	163 232	33,28	16 461	3,37	16 898	3,46	454	0,01	490 417	220
1902	417 583	56,69	263 824	35,71	19 612	2,70	36 219	4,90	397	–	736 625	330,5
1911	443 176	55,60	301 268	37,79	17 641	2,21	32 049	4,02	2959	0,38	797 093	357,6
1914				38,1							884 000	397

Z analizy liczb wynika, że najwolniej rosła ludność Warszawy w latach 1864–1877. Najszybszy przyrost wystąpił w dziesięcioleciu 1892–1902, kiedy to ogólna liczba mieszkańców miasta zwiększyła się o 246 tysięcy, czyli wzrosła około 50%. Tempo to osłabło w początkach bieżącego stulecia; przyczynił się do tego wybuch kryzysu gospodarczego, a następnie wojna rosyjsko-japońska oraz rewolucja 1905 roku. Według urzędowego podziału w 1865 roku tak zwana ludność niestała liczyła w Warszawie jedną czwartą, w 1897 roku już połowę i w 1914 roku powyżej dwóch trzecich ogółu mieszkańców miasta. Szybkie zwiększenie się liczby ludności Warszawy powodował przede wszystkim napływ ludności ze wsi oraz z innych miast i miasteczek. Rozmiary tej migracji tylko w latach

8. Święto „Trąbek" III. Mal. Aleksander Gierym-
i

1890–1900 oszacowano na 133 tysiące osób, a w całym półwieczu 1864–1914 wyniosły one ponad 400 tysięcy osób. Wśród osiedlających się w Warszawie przybyszów dominowali ludzie młodzi wiekiem, o pełnej zdolności produkcyjnej, szukający zatrudnienia w miejscowym przemyśle i rzemiośle, wśród służby domowej, w sezonowych pracach budowlanych oraz w dorywczym wyrobnictwie. Wśród przyczyn szybkiego wzrostu liczby mieszkańców Warszawy dopiero na drugim miejscu, ze względu na rozmiary, należy wymienić przyrost naturalny. W 1897 roku powyżej 52% mieszkańców miasta urodziło się w Warszawie, dalsze 38% przybyło z Królestwa Polskiego, a niespełna 10% spoza jego granic. Większość przybyszów do Warszawy wywodziła się ze wsi.

Warszawa należała wówczas do miast przodujących w skali europejskiej pod względem liczby urodzeń. Przeciętna liczba urodzeń aż do schyłku stulecia nie spadała poniżej 35 na 1 tysiąc mieszkańców i dopiero przed 1914 rokiem wykazała tendencję spadkową. W popowstaniowym pięćdziesięcioleciu poważnie zmniejszyła się śmiertelność. W latach 1882–1866 było 29 zgonów na 1 tysiąc osób, w latach 1897–1901 – 21,83 oraz w 1919 roku 19,27. Był to między innymi widoczny efekt poprawy warunków zdrowotnych w mieście, którą osiągnięto dzięki ogólnemu postępowi w dziedzinie higieny i medycyny. Szczególne znaczenie miało przy tym oddanie nowoczesnej sieci wodociągowo-kanalizacyjnej po 1886 roku: nastąpiło widoczne zmniejszenie odsetka zgonów z powodu chorób zakaźnych (ospa, tyfus brzuszny, gruźlica płuc, dyfteryt, krup itd.). W latach 1900–1909 spadła też, choć w mniejszym stopniu, śmiertelność niemowląt (do 1 roku życia) z 18,5 na 18,3 na 1 tysiąc żywych urodzin. W tym samym czasie odpowiednie liczby wynosiły dla Paryża – 12,0 i 9,4, Rzymu – 12,0 i 13,4, Berlina – 23,9 i 14,6, Wiednia – 19,4 i 16,4, Brukseli – 19,7 i 19,7. Zmniejszenie się liczby zgonów niemowląt rekompensowało w pewnym stopniu ubytki wynikające z występującego od 1890 roku spadku liczby urodzin; w ostatecznym rachunku utrzymywał się w Warszawie stosunkowo wysoki przyrost naturalny. Wynosił on 15,15 na 1 tysiąc mieszkańców w 1901 roku, ale już w latach następnych wyraźnie spadł: do 9,95 w 1910 roku oraz do 8,16 w 1911 roku. Dla porównania warto podać, że w 1909 roku przyrost naturalny kształtował się następująco: w Berlinie – 6,5, w Wiedniu – 5,3, w Paryżu – 6,2, w Rzymie – 6,9, w Londynie – 10,2. W ogólnym bilansie przemian demograficznych umacniało się przodujące miejsce Warszawy jako największego miasta polskiego. Jej ludność stanowiła w 1872 roku 4,2%, w 1897 – 7,8% i w 1912 około 8% ogółu mieszkańców Królestwa Polskiego.

W strukturze wyznaniowej zmiany nie były wielkie. Zaznaczył się spadek odsetka ludności katolickiej z 59,13% w 1864 roku na 55,6% w 1911 roku oraz protestanckiej z 6,74% na 2,21%. Jednocześnie zwiększył się odsetek ludności żydowskiej (z 32,65% w 1864 do 38,1% w 1914) oraz prawosławnej (z 1,36% do 4,02% w 1911). Powiększenie liczby Żydów, obok ich dużego przyrostu naturalnego, spowodowała po 1864 roku migracja ze wsi i z miast prowincjonalnych, a także napływ tak zwanych Litwaków, czyli Żydów rosyjskich z zachodnich guberni cesarstwa. Ludność żydowska zamieszkiwała głównie terytorium dawnego getta w cyrkułach: bielańskim (92,4%), powązkowskim (71,9%), mostowskim (53,6%) oraz w jerozolimskim (52%) i sobornym (44,2%).

Brak wiarygodnych danych uniemożliwia ściślejszą analizę struktury mieszkańców Warszawy według podziału narodowościowego. Pozostaje zawodna i myląca droga pośredniego wnioskowania na podstawie spisów grup wyznaniowych. Ogólnie daje się zauważyć fakt wyraźnego wzmocnienia żywiołu rosyjskiego, co było wynikiem bezpośrednim wzmożonej rusyfikacji. W porównaniu z pierwszą połową stulecia nastąpił znaczny spadek, a następnie prawie zupełny zanik znanej poprzednio imigracji Niemców. Jednocześnie wzrosła asymilacja wcześniej osiadłych w Warszawie przybyszów tej narodowości. Dlatego też wyznawanie religii ewangelickiej i mojżeszowej nie może być w pełni adekwatnym wykładnikiem przynależności narodowej. Większość ewangelików była już na dobre zasymilowana. Podobnie też część ludności żydowskiej, zwłaszcza w kręgach inteligencji oraz zamożnej burżuazji, można uważać za faktycznych Polaków. Chociaż jednak wśród tej kategorii wyznania od czasu spisu jednodniowego z 1882 roku, kiedy to większość warszawskich Żydów podała narodowość polską jako własną, już na schyłku stulecia ujawniło się znamienne przesunięcie na rzecz budzącego się poczucia własnej odrębności narodowej. W początkach XX wieku występowały tu wyraźne różnice pomiędzy trzema grupami wyznaniowo-narodowościowymi: katolicką – polską, mojżeszową – żydowską oraz prawosławną – rosyjską. Natomiast, poza samym wyznaniem, miejscowi ewangelicy nie wyróżniali się niczym specjalnym, tworząc wspólnotę z grupą katolicką – polską.

O wiele poważniejszym przemianom ulegała wówczas struktura społeczno-zawodowa ludności Warszawy. Ogólny kierunek tych przeobrażeń zarysował się jeszcze w czasach międzypowstaniowych, ale dopiero po 1864 roku wskutek ogromnego rozwoju rzemiosła i przemysłu, handlu i usług dokonały się dalsze, gruntowne przekształcenia. Polegały one przede wszystkim na ostatecznym uformowaniu się proletariatu wielkomiejskiego z jego trzonem złożonym z robotników wielkich zmechanizowanych fabryk. Równocześnie okrzepła i umocniła swoją pozycję gospodarczo-społeczną oraz polityczną zamożna burżuazja – wielcy kupcy, bankierzy i coraz liczniejsi przemysłowcy. Sfery plutokratyczne oraz majętna burżuazja handlowa i przemysłowa, właściciele kamienic czynszowych stanowili w istocie niezbyt liczną kategorię mieszkańców miasta. Kilkakrotnie liczniejsze było drobnomieszczaństwo, którego status społeczny, zwłaszcza na początku epoki popowstaniowej, nie był jeszcze wyraźnie określony. Dalszy rozwój przemysłu i rzemiosła, handlu i innych działów usług rozszerzył pole dla działalności rzesz właścicieli drobnych zakładów produkcyjnych i usługowych będących domeną drobnej burżuazji. Obok tych kategorii społeczeństwa żyły w mieście liczne rzesze inteligencji bardzo zróżnicowanej społecznie i mającej swoją „burżuazję" i swój „proletariat". W całości warstwa ta, najbardziej wówczas aktywna i ruchliwa na polu życia umysłowego, trudna była do jednolitej klasyfikacji. W swoich górnych sferach wiązała się silnie ze środowiskami burżuazyjno-ziemiańskimi. Z kolei również spośród niej rekrutowali się najwybitniejsi społecznicy doby pozytywizmu oraz czołowi działacze rewolucyjnego ruchu socjalistycznego. Proletariat, drobnomieszczaństwo, burżuazja i inteligencja stanowiły twór społeczny kapitalizmu i wraz z jego rozwojem umacniały swoje pozycje. W Warszawie żyła również bardzo wielka liczba ludzi, których zwłaszcza na początku epoki po 1864 roku nie daje się wprost zakwalifikować do wymienionych wyżej warstw i klas społecznych.

W pierwszych dziesięcioleciach zamieszkiwały miasto tysiące wyrobników, przeważnie niedawnych wychodźców ze wsi, zatrudnianych dorywczo do najrozmaitszych posług. Ta chwiejna pod względem przynależności zawodowej warstwa plebejsko-wyrobnicza, dopiero pod wpływem dalszych przekształceń w strukturze społeczno-gospodarczej kraju po 1880 roku, zwłaszcza zaś na przełomie obu stuleci stabilizowała się społecznie i zawodowo. Swoistym wytworem okresu przejściowego z jego zacofaniem w przemianach struktury społecznej była niezwykle liczna w Warszawie rzesza służby domowej. W 1869 roku liczyła ona prawie 25 tysięcy osób, w 1882 – blisko 39 tysięcy, w 1897 – już około 50 tysięcy osób. jednakże na tle ogólnie szybkiej produktywizacji ludności miejskiej, jaką niósł kapitalizm, odsetek służby wśród ogółu zawodowo czynnej ludności Warszawy wykazywał tendencję spadkową z 28% w 1869 roku na 22% w 1882 oraz 19% w 1897. Tendencja ta silniej jeszcze zaznaczyła się w ostatnim okresie przed wybuchem wojny. Te właśnie przemiany struktury społecznej ludności Warszawy, między innymi spadek odsetka tak zwanej ludności wyrobniczej z 13% w 1869 roku na 9% w 1882 i na 6,5% w 1897, dowodnie wskazywały na kierunki zmian. Społeczeństwo Warszawy przekształciło się ostatecznie w kategorię kapitalizmu z jego głównymi klasami i warstwami społecznymi: proletariatem i burżuazją.

Postęp kapitalistycznej gospodarki znajdował swój dobitny wyraz we wzroście produktywizacji ludności Warszawy. W 1869 roku odsetek zawodowo czynnych mieszkańców miasta wynosił 33,3%, w 1882 – 46,5%, w 1897 już blisko 44,5% ogółu żyjącej tutaj ludności, nie wliczając wojska. Uwagi powyższe potwierdzają liczby zamieszczone w tablicy na str. 365.

Podczas gdy w Królestwie Polskim w latach 1871–1913 nastąpiło ponad $5^1/_2$-krotne powiększenie się liczby robotników przemysłowych, liczebność robotników w warszawskim okręgu przemysłowym wzrosła więcej niż $4^1/_2$ razy. Szczególnie szybki przyrost miał miejsce na przełomie obu stuleci.

Statystyka zatrudnienia za lata 1869–1897 wskazuje na wzrost tych kategorii zawodu, które najściślej wiązały się z rozwojem kapitalistycznego przemysłu, rzemiosła, komunikacji i transportu oraz handlu, natomiast wzmiankowany już spadek w grupie wyrobników i służby domowej świadczył o unowocześnieniu struktury społeczno-zawodowej ludności Warszawy. Później, już w pierwszych piętnastu latach nowego stulecia, tendencja ta zapanuje zdecydowanie na warszawskim rynku pracy.

Ludność zawodowo czynna w Warszawie w latach 1869–1897

	1869		1882		1897	
	liczba	%	liczba	%	liczba	%
rolnictwo	357	0,41	593	0,34	936	0,04
przemysł i rzemiosło	19 427	22,07	58 242	33,17	89 510	33,95
komunikacja i transport	1 157	1,31	6 024	3,43	12 029	4,82
handel i banki	9 502	10,80	20 095	11,44	41 597	15,84
służba publiczna i wolne zawody	11 417	12,97	17 146	9,77	19 086	7,25
służba domowa i usługi osobiste	24 784	28,16	38 738	22,06	49 733	18,88
wyrobnicy	11 599	13,17	15 411	8,78	17 161	6,52
inni (w tym rentierzy, emeryci i bez bliższego określenia zawodu)	9 784	11,11	19 343	11,01	33 435	12,70
Razem	88 027	100	175 592	100	263 487	100
Ogółem ludność	261 249		384 530		593 778	
% czynnych zawodowo	33,32		46,44		44,38	

PRZEMYSŁ I RZEMIOSŁO

Przekształcenia w strukturze zawodowo-społecznej Warszawy były pochodną szeroko zakrojonych zmian w przemyśle, komunikacji, rzemiośle i handlu. Rozwój sił produkcyjnych w przemyśle warszawskim zaznaczył się wyraźniej w kilka lat po upadku powstania styczniowego, na samym schyłku siódmego dziesięciolecia. Trwająca od połowy stulecia rewolucja przemysłowa wkroczyła wówczas w swe wyższe, decydujące stadium, zakończone w latach osiemdziesiątych całkowitym zwycięstwem zmechanizowanego przemysłu. Stan warszawskiego przemysłu w toku tych przekształceń ilustrują liczby: 340 zakładów z produkcją wartości blisko 7 milionów rubli w 1864 roku, 237 zakładów i prawie 18 milionów rubli w 1876 oraz 469 zakładów i 50 milionów rubli w 1896 roku. W 1904 roku liczba zakładów spadła do 452, ale wartość produkcji wzrosła do 62,5 miliona rubli, a w 1913 roku w 595 zakładach wyprodukowano towarów już za 116,6 miliona rubli. Przeciętne zatrudnienie na 1 zakład warszawski wzrosło z 16 robotników w 1864 roku do 74 w 1903 roku. Tak więc od schyłku XIX wieku do 1913 roku, przy stosunkowo niedużym powiększeniu liczby fabryk, nastąpił poważny skok w wielkości wytwórczości oraz liczby robotników przypadających na 1 zakład przemysłowy. Był to przejaw postępującej koncentracji przemysłu i klasy robotniczej, mimo że w stopniu natężenia tych procesów Warszawa ustępowała wyraźnie Łodzi oraz głównym miastom Zagłębia Dąbrowskiego i Górnego Śląska.

Szczególne znaczenie dla rozwoju warszawskiego przemysłu miały zmiany w rosyjskiej polityce celnej od 1877 roku oraz rozbudowywana sieć połączeń kolejowych. Pod tym jednak względem w ciągu całego okresu Warszawa, podobnie jak i całe Królestwo, dotkliwie odczuła ograniczenia wypływające z sytuacji politycznej, charakteryzującej się od lat siedemdziesiątych rosnącym naprężeniem na linii Petersburg–Berlin. To z kolei rzutowało na stanowisko władz carskich wobec budowy nowych linii kolejowych w Królestwie oraz połączenia Warszawy z systemem europejskich dróg żelaznych. W wyniku oddania do eksploatacji linii kolejowych warszawsko-petersburskiej (1862) i warszawsko-bydgoskiej (1862), których gospodarcze znaczenie ujawniło się w pełni dopiero po powstaniu 1863 roku, uzyskała Warszawa połączenia kolejowe ze stolicą cesarstwa oraz z pobrzeżem Bałtyku i ziemiami zaboru pruskiego. Wybudowany w 1865 roku odcinek kolei fabryczno-łódzkiej ustanowił bezpośrednią komunikację między dwoma największymi miastami Królestwa, przekształcającymi się jednocześnie w główne ośrodki obu okręgów przemysłowych. Wybudowanie w 1867 roku kolei warszawsko-terespolskiej, przedłużonej następnie przez Brześć do Moskwy, dało Warszawie możność taniego i łatwego dostępu na rynek rosyjski. Gdy zaś w 1877 roku oddano do eksploatacji kolej nadwiślańską, z odnogą Dęblin–Łuków, zyskała Warszawa system połączeń kolejowych z Wołyniem i Ukrainą oraz z Gdańskiem. Miasto stało się ważnym ośrodkiem handlu tranzytowego na linii wschód–zachód. Wybudowana zaś w 1877 roku tak zwana kolej obwodowa wraz z mostem kolejowym na Wiśle umożliwiła połączenie dworców kolejowych lewo- i prawobrzeżnych części miasta. Stało się to decydującym elementem w uformowaniu warszawskiego węzła kolejowego.

Z chwilą podniesienia rosyjskich barier celnych, po 1877 roku, większa część przemysłu i rzemiosła Warszawy zmuszona była dostosować swój profil i rozmiary produkcji do potrzeb łatwo dostępnego rynku rosyjskiego. To właśnie określiło kierunki i charakter rozwoju warszawskich fabryk i warsztatów rzemieślniczych, co staje się szczególnie widoczne podczas próby sklasyfikowania struktury gałęziowej miejscowego przemysłu. Rozwój głównych działów tego przemysłu w całym pięćdziesięcioleciu przedstawia tablica:

Przemysł m. Warszawy w latach 1862/63–1913

Gałęzie przemysłu	a) Liczba zakładów b) liczba zatrudnionych c) % ogółu zatrudnionych	1862/63	1873	1879	1893	1903	1913
spożywczy	a)	139	108	90	72	66	180
	b)	2171	3493	4517	2 918	4 452	5 640
	c)	37,2	39,1	31,7	15,3	10,2	8,5
włókienniczy	a)	54	12	11	70	34	62
	b)	121	145	172	2 300	5 400	5 121
	c)	2,1	1,6	1,2	12,1	12,4	7,7
metalowy	a)	79	53	80	107	213	486
	b)	2193	3443	6 121	8 539	18 682	27 123
	c)	37,6	38,6	42,9	44,8	42,9	41,0
chemiczny	a)	7	19	19	21	30	58
	b)	99	294	347	425	1 099	2 790
	c)	1,7	3,3	2,4	2,2	2,6	4,2
poligraficzny	a)	13	8	7	9	57	158
	b)	59	104	156	184	2 277	4 294
	c)	1,0	,1,2	1,1	1,0	5,2	6,5
mineralny	a)	15	11	18	20	26	58
	b)	218	152	300	269	564	1 679
	c)	3,7	1,7	2,1	1,4	1,3	2,5
papierniczy	a)	3	6	6	13	21	53
	b)	56	96	174	446	896	1 472
	c)	1,0	1,1	1,2	2,3	2,1	2,2
drzewny	a)	15	9	9	16	48	181
	b)	114	131	756	1 536	3 430	4 620
	c)	2,0	1,5	5,3	8,1	7,9	7,0
skórzany	a)	36	30	50	40	42	147
	b)	365	819	1 881	1 573	2 613	5 005
	c)	9,7	9,2	9,0	8,3	6,0	7,6
odzieżowy	a)	–	–	–	–	–	39
	b)	–	–	–	–	–	2 907
	c)	–	–	–	–	–	6,7
energetyczny	a)	1	1	1	1	1	3
	b)	60	145	255	441	400	1 060
	c)	1,0	1,6	1,8	2,3	0,9	1,6
inne	a)	18	2	6	11	12	14
	b)	175	101	177	419	781	455
	c)	3,0	1,1	1,3	2,2	1,8	0,7
Razem	a)	380	259	307	380	589	1 718
	b)	5831	8923	14 256	19 050	43 501	66 191
	c)	100,0	100,0	100,0	100,0	100,0	100,0

Epoka ukształtowanego kapitalizmu przyniosła wyraźne przegrupowania w strukturze gałęziowej warszawskiego przemysłu. Pod względem liczby zatrudnionych przemysł metalowy, który już przed powstaniem 1863 roku zrównał się z przemysłem spożywczym, uzyskał nad nim decydującą przewagę od połowy lat siedemdziesiątych. Odżyły dawne, datujące się jeszcze z epoki konstytucyjnego Królestwa Polskiego tradycje Warszawy jako ważnego ośrodka włókienniczego. W 1893 roku ta gałąź przemysłu zatrudniała 12,1% ogółu pracujących w warszawskim przemyśle. Uwzględniając zakłady podwarszawskie, stanowiące integralną część uformowanego podówczas warszawskiego okręgu przemysłowego, we włókiennictwie całego okręgu pracowało w 1913 roku już 16,3% ogółu zatrudnionych w przemyśle. W samej zaś Warszawie wśród innych działów wyróżnił się w latach 1873–1913 przemysł poligraficzny (1,2 i 6,5% ogółu zatrudnionych), drzewny (1,5 i 7%), skórzany (9,2 i 7,6%) oraz chemiczny (3,3 i 4,2%).

Zasługuje na uwagę spadek poprzedniego znaczenia przemysłu spożywczego, widoczny zwłaszcza na tle intensywnego rozwoju innych branż. Przyczyniły się do tego zahamowania w produkcji cukru oraz tytoniu i wyrobów tytoniowych występujące już od lat siedemdziesiątych i zwiększone w latach kryzysów 1881–1882 i w 1892 roku. Spadło także znaczenie miejscowej produkcji piwa, z którego słynęła jeszcze międzypowstaniowa Warszawa. Nastąpił natomiast bujny rozkwit fabryk cukierków, czekolady, chałwy i innych wyrobów cukierniczych. Spośród kilkudziesięciu drobnych przeważnie zakładów tej branży wyróżnia się kilka największych i najbardziej zrośniętych z tradycją warszawską. Po 1870 roku przeniesiona została z ul. Miodowej na ul. Szpitalną fabryczka Wedla, która dopiero tutaj przekształciła się w wielkie przedsiębiorstwo kapitalistyczne. 1 stycznia 1908 roku firma stała się spółką i zmieniła dotychczasową nazwę „Fabryka Czekolady, Biskwitów i Pierników Emila Wedla" na „Emil Wędel i Syn". Jeszcze przed 1914 rokiem zakłady znalazły się w czołówce przemysłu cukierniczego Królestwa oraz zdobyły uznanie dla swych wyrobów za granicą. Fabryka rozbudowywała sieć sklepów fabrycznych: w Warszawie przy ul. Bielańskiej – róg Tłomackiego, przy ul. Wierzbowej, vis à vis Hotelu Angielskiego, przy ul. Granicznej 12 oraz w Łodzi przy ul. Piotrkowskiej. Do popularnych wówczas wyrobów wedlowskich należały biszkopty, torty, pierniki, ciasta świętalne, ciasteczka, owoce smażone w cukrze, cykata, skórki pomarańczowe, cukry, traganty, ale najbardziej znana była czekolada i kakao. Przed wybuchem wojny w 1914 roku wyróżniały się w Warszawie także inne zakłady przemysłu cukierniczego, jak: Riese i Piotrowski, Lardelli, Fruziński, Blikle, „Jakor", Semadeni, Minkow i Wróblewski.

Największe tempo rozwoju charakteryzowało przemysł metalowy, reprezentowany w 1913 roku przez 486 zakładów (53 w 1873) z 27 123 pracownikami stanowiącymi 41% ogółu zatrudnionych w przemyśle na terenie miasta (3443 pracowników, tj. 38,6% zatrudnionych w 1873). W 1865 roku wyróżniały się największe i najstarsze zakłady warszawskie: Fabryka Machin i Narzędzi Rolniczych spółki Evans-Lilpop przy ul. Świętojerskiej i rządowy Zakład Machin na Solcu, połączone w 1868 roku w spółkę prywatną „Lilpop, Rau i Loewenstein", Zakład Narzędzi Rolniczych i Machin Zygmunta Ostrowskiego i Spółki, Gisernia Konstantego Rudzkiego i Spółki oraz Spółka Żeglugi Parowej hr. A. Zamoyskiego – wszystkie położone na Powiślu w rejonie ul. Czerniakow-skiej. W 1867 roku powstała przy ul. Waliców znana fabryka wyrobów metalowych i maszyn „Bracia Scholtze i B. Hantke" oraz Warsztaty Warszawsko-Terespolskiej Drogi Żelaznej. Rozkwit warszawskiego przemysłu metalowego w następnym okresie wiązał się bezpośrednio z polityką gospodarczą Rosji od połowy lat siedemdziesiątych oraz z inten-sywną rozbudową sieci dróg żelaznych. Zapotrzebowanie na wyroby metalowe, w szcze-gólności na tabor kolejowy i szyny stalowe, oraz ustanowienie ceł protekcyjnych na te wyroby stworzyły wręcz cieplarniane warunki dla rozwoju stalownictwa w obrębie całego państwa Romanowów, w tym również w Warszawie. Miejscowy przemysł metalowy rozwijał się dotąd stosunkowo równomiernie i harmonijnie. Dzięki obfitemu portfelowi zamówień rządowych oraz protekcjonizmowi celnemu przeżył w latach 1880–1884 krótkotrwałe prosperity. Zakłady przemysłu metalowego i maszynowego w 1874 roku zatrudniały ponad 1/3 wszystkich warszawskich robotników fabrycznych, dostarczając wyroby, których wartość równała się 1/5 ogólnej wartości wyrobów całego przemysłu miejscowego. W 1866 roku na rogu ul. Wielkiej i Wspólnej (dziś zabudowania gmachu Operetki przy ul. Nowogrodzkiej) zaczęto budowę pierwszej w Warszawie huty żelaza „Koszyki", uruchomionej w 1867 roku. Dalszą rozbudowę i unowocześnienie przeprowa-dziła w latach 1876–1881 dzierżawiąca zakład spółka „Lilpop, Rau, Loewenstein"; dzięki temu w 1880 roku walcownia „Koszyki" wysunęła się na czoło tej gałęzi przemysłu w całym Królestwie. W latach 1878–1879 wybudowano wielką stalownię u zbiegu linii kolejowych warszawsko-petersburskiej, nadwiślańskiej i obwodowej na terenie Nowej Pragi, w czworokącie obecnych ulic: Stalowej, Szwedzkiej, al. Świerczewskiego i Planto-wej. Wyposażona w najnowsze urządzenia techniczne Warszawska Fabryka Stali dostar-czyła w 1882 roku 87% wszystkich szyn kolejowych wyprodukowanych w Królestwie i 22,1% w skali całego państwa rosyjskiego. W produkcji stali surowej w latach 1880–1884 przewyższyła trzykrotnie produkcję znanej Huty Bankowej. W 1879 roku powstał w Warszawie trzeci zakład hutniczy, tak zwana Warszawska Fabryka Stali Tyglowej i Wyrobów Stalowych, zlokalizowana na Nowym Bródnie w pobliżu magazynów kolei nadwiślańskiej i stacji Praga. Czwarty zakład hutniczy – dużą walcownię żelaza – zbudowano w 1884 roku na Nowej Pradze. W latach 1884–1888 wszystkie cztery warszawskie zakłady hutnicze dostarczyły około 1/4 ogólnej produkcji żelaza oraz 2/3 produkcji stali całego Królestwa Polskiego. Wchodziły one w skład ogólnorosyjskich zrzeszeń monopolistycznych. Utworzone dzięki wykorzystaniu chwilowej koniunktury, zależne od fluktuacji w polityce protekcjonistycznej caratu oraz pozbawione naturalnego zaplecza surowcowgo, niektóre z nich podupadły już po 1884 roku. Tak więc warszawski ośrodek hutniczy przetrwał zaledwie 22 lata od 1867 do 1889 roku. Na ten sam czas przypadło również zaniechanie produkcji statków rzecznych w Warszawie.

W strukturze gałęziowej przemysłu miast trwałą pozycję zajmowały fabryki budowy maszyn i narzędzi. Wyróżniały się największe w Królestwie Polskim i pretendujące nawet do rzędu najpoważniejszych w skali cesarstwa zakłady „Lilpop, Rau, Loewenstein". W latach 1881–1882 przeniesiono je ze starej siedziby przy ul. Świętojerskiej na Solec. W 1884 roku na ul. Książęcej wybudowano dużą odlewnię. Po 1908 roku, w związku z przebudową wylotu Alej Jerozolimskich oraz budową tak zwanego trzeciego mostu na Wiśle, główną część urządzeń fabrycznych przeniesiono na Wolę. Kryzys przemysłowy lat 1881–1882 przysporzył sporo szkód zakładom Lilpopa. Swój dalszy rozwój zawdzięczały one, podobnie jak i poprzednio, głównie zamówieniom państwowym. W 1882 roku dostarczały rur dla warszawskich urządzeń kanalizacyjnych. W 1883 roku produkowały wagony dla miejskich tramwajów konnych. Główny asortyment produkcji stanowił tabor

Na poszczególne grupy przypadało:

Zakłady przemysłowe zatrudniające:	Rok	zakładów		robotników		wartości prod.		mocy silników	
		liczba	%	liczba	%	tys. rb.	%	KM	%
do 15 robotników	1879	15	23,4	72	1,2	116	1,6	–	–
	1913	225	41,5	1 491	4,7	2 134	3,7	–	–
16–50	1879	22	34,4	584	10,0	564	7,8	58	10,8
	1913	217	40,0	5 092	16,2	7 894	13,6	1 706	13,8
51–100	1879	12	18,8	767	13,2	840	11,5	79	14,6
	1913	42	7,8	2 875	9,1	4 417	7,8	1 155	9,3
101–200	1879	7	10,9	893	15,3	981	13,5	86	15,9
	1913	30	5,5	4 451	14,1	8 080	13,9	2 005	16,2
201–350	1879	4	6,2	1 018	17,5	1043	14,3	98	18,2
	1913	9	1,7	2 434	7,7	3 110	5,3	651	5,3
351–500	1879	1	1,6	471	8,1	480	6,6	45	8,3
	1913	6	1,1	2 850	9,1	5 800	9,9	1 145	9,3
powyżej 500	1879	3	4,7	2 017	34,6	3 250	44,7	174	32,2
	1913	13	2,4	12 300	39,1	26 600	45,8	5 713	46,1
Ogółem	1879	64	100,0	5 822	100,0	7 274	100,0	540	100,0
	1913	542	100,0	31 493	100,0	58 035	100,0	12 375	100,0

i szyny oraz inne urządzenia kolei w obrębie całego państwa rosyjskiego. Na początku XX wieku zakłady rozwijały ponadto produkcję zbrojeniową na potrzeby armii carskiej. Dzięki kolosalnym zyskom zaliczane były wówczas do grupy najbardziej dochodowych przedsiębiorstw przemysłu metalowego w Rosji. Będącą w toku akcję przenosin przedsiębiorstwa na Wolę przerwał wybuch wojny 1914 roku. Po zdemontowaniu fabryki w roku 1915 została ona przewieziona do Kremieńczuga na Ukrainie, gdzie niebawem podjęto produkcję. Rozebrano też główny budynek fabryczny na Solcu. Oprócz „Lilpopa” wyróżniały się w branży metalowej zakłady firmy „Scholtze, Rephan i Ska”, przedsiębiorstwo K. Rudzkiego, przekształcone 1882 roku w spółkę akcyjną, „Zakłady Mechaniczne Borman, Szwede i Temler”, a także firma „Orthwein, Markowski i Karasiński”. Były to największe po „Lilpopie” fabryki produkujące maszyny, narzędzia i urządzenia do gorzelni, cukrowni i browarów. Wyróżniało się zwłaszcza Towarzystwo Akcyjne K. Rudzki i Spółka, specjalizujące się głównie w produkcji mostów kolejowych dla cesarstwa.
O strukturze wielkościowej przemysłu metalowego w warszawskim okręgu przemysłowym, obejmującym obszar miasta i powiatu, informuje powyższa tablica, opracowana na podstawie danych Z. Pustuły.

389. „Konrad Jarnuszkiewicz i Ska". Widok budynk fabrycznego przy ul. Elektoralnej sprzed 1914 r.

). Rachunek na blankiecie firmowym przedstawia-
ym zabudowania fabryki obić papierowych J. Fra-
szka przy ul. Wolskiej

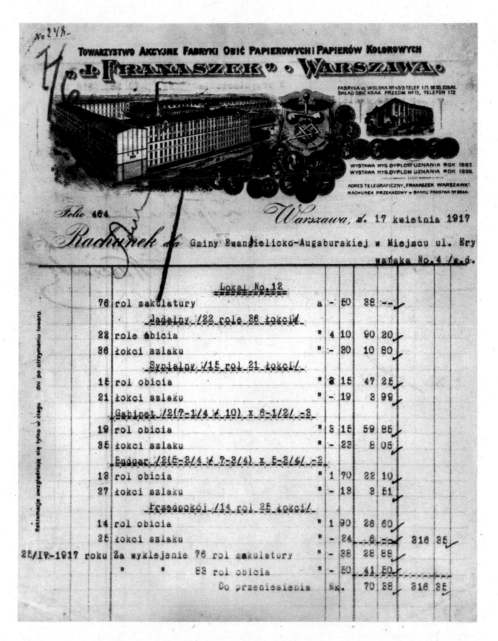

. Browar W. Kijok et Comp. przy ul. Żelaznej,
5 r.

W świetle przytoczonych liczb rysuje się podstawowa tendencja kapitalistycznej koncentracji produkcji i klasy robotniczej. W grupie zakładów największych o załodze powyżej 500 robotników pracowało w 1879 roku 34,6% ogółu, w 1913 roku natomiast 39,1%, w zakładach zatrudniających od 101 do 200 robotników odpowiednio 15,3 i 14,1%, od 51 do 100 odpowiednio 13,2 i 9,1%, od 16 do 50: 10 i 16,2%, w najmniejszych zaś zakładach do 15 robotników: 1,2 i 4,7%. Widać więc, że sformułowana przedtem opinia o żywotności warszawskiego rzemiosła i drobnego przemysłu znalazła potwierdzenie w dziejach przemysłu metalowego. Ujmując rzecz szerzej, zasługuje także na uwagę problem zmian w lokalizacji oraz przemieszczania w strukturze przestrzennej przemysłu metalowego w całym okręgu warszawskim.

Przypadało na poszczególne dzielnice

Dzielnice	Rok	zakładów		robotników		wartości prod.		mocy silników	
		liczba	%	liczba	%	tys. rubli	%	KM	%
Powiśle	1879	6	9,4	1 874	32,2	3 098	42,6	164	30,4
	1913	15	2,8	2 099	6,7	5 298	9,1	1 060	8,6
Dzielnica Zachodnia	1879	26	40,6	1 914	32,9	2 122	29,2	205	37,9
	1913	159	29,3	9 366	29,7	16 669	28,7	4 063	32,8
Wola	1879	2	3,1	101	1,7	82	1,1	16	3,0
	1913	39	9,0	5 359	17,0	12 228	21,1	3 339	27,0
Praga	1879	2	3,1	118	2,0	75	1,0	–	–
	1913	30	5,5	5 537	17,6	7 223	12,4	1 717	13,9
Stare Miasto	1879	16	25,0	1 185	20,4	1 070	14,7	46	8,5
	1913	27	5,0	569	1,8	818	1,4	104	0,8
Pruszków	1879	–	–	–	–	–	–	–	–
	1913	4	0,7	530	1,7	1 250	2,2	265	2,1
Inne tereny	1879	12	18,8	630	10,8	827	11,4	109	20,2
	1913	258	47,7	8 033	25,5	14 549	25,1	1 827	14,
Ogółem:	1879	64	100,0	5 822	100,0	7 244	100,0	540	100,0
	1913	542	100,0	31 493	100,0	58035	100,0	12 375	100,0

Okres 1879–1913 przyniósł także poważne zmiany w lokalizacji przemysłu w obrębie miasta. Już od lat osiemdziesiątych, w związku z szybkim wzrostem ludności i budową domów mieszkalnych, podniosły się ceny placów miejskich oraz rozwinęła spekulacja nie zabudowanymi terenami. Część zakładów fabrycznych lokowano tuż za rogatkami, rozwijano w ten sposób przemysł na przedmieściach Warszawy: Sielcach, Mokotowie, Ochocie, Woli, Kole, Powązkach, Pelcowiźnie, Nowym Bródnie, Nowej Pradze, Targówku, Szmulowiźnie, Kamionku i Grochowie. Już od schyłku lat sześćdziesiątych XIX wieku na pierwsze miejsce wysunęła się Dzielnica Zachodnia, obejmująca teren zamknięty ulicami: Towarową, Okopową, obecną Trasą N–S, i Al. Jerozolimskimi, położona w bezpośrednim sąsiedztwie dworców kolejowych: Głównego, Towarowego i Kowelskiego (dziś: Gdańskiego). Drugą dzielnicą przemysłową stawała się Wola zarówno w części objętej granicami administracyjnymi miasta, jak i na obszarze terenów wiejskich gminy Czyste. Tu przenosiła się, w miarę rozwoju przemysłu, część zakładów ze starych dzielnic fabrycznych. Trzeba nadmienić, że ów exodus warszawskich fabryk nie został zakończony przed 1914 rokiem. W tym samym czasie duży ośrodek przemysłowy powstawał w prawobrzeżnej części miasta najwcześniej na terenach tak zwanej Nowej Pragi, pomiędzy wałami obronnymi z 1831 roku a torami kolei petersbursko-warszawskiej, nadwiślańskiej i obwodowej, a następnie – już na przełomie obu stuleci – na bezpośrednim zapleczu dworców kolejowych Wschodniego i Wileńskiego oraz ulic Brzeskiej, Ząbkowskiej i Mińskiej. Traciła stopniowo swoje pierwotne znaczenie najstarsza dzielnica przemysłowa Powiśle, co wiązało się ze stopniową, nasilającą się zwłaszcza po 1880 roku, przeprowadzką tutejszych fabryk do nowych dzielnic warszawskich, głównie na Wolę. Wpłynęły na to, między innymi, upadek żeglugi parowej na Wiśle, brak bocznic kolejowych oraz postępująca od początku XX wieku regulacja nadbrzeża, w związku z przebudową wylotu Alej Jerozolimskich i budową nowego mostu. Jeszcze bardziej uwidoczniło się to na Starym Mieście, które pozostało dzielnicą wyłącznie drobnego, rozproszonego przemysłu oraz rzemiosła. W miarę dalszego rozwoju przemysłu ujawniała się tendencja do lokalizacji fabryk w ośrodkach podmiejskich, przy trasach dojazdowych do Warszawy: we Włochach, w Pruszkowie, Ożarowie, Winnicy, Henrykowie, Tarchominie, Markach, Wołominie, w Kaczym Dole, i dalej od miasta: w Żyrardowie i Mińsku. Zjawisko to ilustruje właściwą dla kapitalistycznej urbanizacji tendencję do tworzenia wieńca miast i osiedli przemysłowych – satelitów.

Spośród innych gałęzi przemysłu warszawskiego wyróżniały się między innymi cegielnie, kaflarnie, fabryki papy, huty szkła, które zaopatrywały w wyroby intensywnie rozwijające się budownictwo miejskie. Liczne cegielnie zlokalizowane były najpierw głównie w lewobrzeżnej części miasta i jego okolicach. Jeszcze przed końcem stulecia zostały one usunięte z granic Warszawy i rozmieszczone po obu brzegach Wisły wzdłuż linii kolei dojazdowych. Wyróżniał się także przemysł poligraficzny, obsługujący wzrastające potrzeby dużego ośrodka życia umysłowego, jakim – wbrew intencjom zaborcy – pozostała Warszawa dla trzech zaborów. Najmłodszą gałąź – przemysł energetyczny reprezentowała Elektrownia Miejska w Warszawie, oddana do eksploatacji w 1903 roku. Wsparła ją w roku 1908 druga elektrownia, dostarczająca energii miejskim tramwajom. Ten dział przemysłu znajdował się przed 1914 rokiem dopiero u progu burzliwej kariery, która przypadnie na lata międzywojenne. Jednakże już wówczas zdołał on wywrzeć silny wpływ na przebieg industralizacji w Warszawie.

W ciągu epoki popowstaniowej przemysł warszawski przeszedł długą drogę rozwoju. Główną jego właściwość stanowił nie tylko absolutny wzrost liczby zakładów, ale w pierwszej kolejności nieodwracalny proces silnej koncentracji. Przodowały przedsiębiorstwa giganty, należące głównie do branży metalowej, jak zakłady Lilpopa, Rudzkiego, Bormana, Szwede i Temlera oraz praska emaliernia ,,Labor". Za nimi znalazły się liczne fabryki produkujące galanterię metalową, jak Fraget, Norblin, Gerlach i ,,Wulkan". Wyróżniały się również zakłady należące do branży spożywczej, na przykład usytuowana u zbiegu ul. Marszałkowskiej i ul. Hożej fabryka tytoniu L. Kronenberga, następnie garbarnie Towarzystwa Akcyjnego Temler i Szwede przy ul. Okopowej 78 i I.C.H. Bluncka przy ul. Nowolipie 44/46, zakłady stolarki budowlanej Tow. Akcyjnego F. Martens i A. Daab przy ul. Czerniakowskiej 51, przędzalnia jedwabiu Rosyjsko-Wło-

392. Telefony w Warszawie

393. Warsztaty Mechaniczne Drogi Żelaznej Warszasko-Wiedeńskiej. Drzeworyt Ludomira Dymitrowicza, 1869 r.

395. Przewóz wagonu z fabryki Lilpopa do stacji ko
warszawsko-wiedeńskiej. Widok z Alej Jerozolin
kich

skiego Towarzystwa Akcyjnego Wyrobów Włóknistych przy ul. Czerniakowskiej 71, fabryka mebli metalowych Towarzystwa Akcyjnego K. Jarnuszkiewicz przy ul. Grzybowskiej 25, fabryka chemiczna Towarzystwa Akcyjnego Kijewski, Scholtze i Spółka, przeniesiona w 1884 roku z Solca na Targówek. Jednocześnie prosperowało liczne warszawskie rzemiosło, wciskające się wespół z drobnym przemysłem w szczeliny pozostawione przez wielki przemysł.

Dla Warszawy, pozbawionej po 1864 roku funkcji miasta stołecznego, żywiołowy rozwój przemysłu znaczył bardzo wiele. Przemysł bowiem stał się głównym i decydującym czynnikiem sprawczym swoistego fenomenu, jakim było miasto w okresie największego ucisku politycznego w latach niewoli, po upadku powstania styczniowego. Pozwolił zatem utrzymać i umocnić gospodarcze i kulturalne przodownictwo miasta w skali ogólnopolskiej

396. Gazownia na Solcu

oraz stworzyć niezbędne warunki do odzyskania charakteru stołeczności. Na uwagę zasługiwał również rozwój rzemiosła. W latach 1871, 1876, 1885 zatrudniało ono odpowiednio: 10 tysięcy, 14 tysięcy i 34 tysiące osób i dostarczało wyrobów wartości: 4 650 122, 9 882 398 i 31 258 500 rubli. O prężności rzemiosła mówią też liczby pracowników w zestawieniu ze stanem zatrudnienia w przemyśle warszawskim. W latach 1870–1894 liczba pracowników rzemiosła uległa podwyższeniu z 5735 do 46 209 osób, czyli wzrosła więcej niż ośmiokrotnie. Uwzględniając nawet poważne nieścisłości w ówczesnej statystyce rosyjskiej, zaliczającej do rzemiosła duże przemysłowe wytwórnie odzieżowe, obuwnicze, drukarnie, introligatornie i inne, można przyjąć, że na schyłku XIX stulecia, a więc już po zakończeniu przewrotu przemysłowego, w Warszawie znajdowała się pokaźna liczba rzemieślników. W samym tylko szewstwie, znanym ze świetnych tradycji, posiadającym od dawna ugruntowaną pozycję na europejskich rynkach zbytu, nastąpił dalszy, ogromny wzrost zatrudnienia. Uwydatnił się on zwłaszcza po 1878 roku, gdy dodatkowego impulsu dostarczyły zamówienia rządowe na potrzeby rosyjskiej armii walczącej wówczas z Turcją. Liczba członków Zgromadzenia Szewców miasta Warszawy rosła z 2103 w 1849 roku do 6163 w 1876 i 10 110 w 1882 roku. Tylko w 1889 roku przyjęto do Zgromadzenia 952 nowych członków, w tym 33 majstrów, 248 czeladników i 671 uczniów. Rozwój trwał nieprzerwanie do początku XX wieku i osiągnął swego rodzaju apogeum w latach 1900–1905, kiedy to warszawskie zakłady szewskie dostarczyły wyrobów o wartości 28 milionów rubli; wartość wyrobów przeznaczonych na rynek miejscowy wynosiła 7–8 milionów, na eksport – około 20 milionów. W 1894 roku blisko 1/4 część warszawskiego środowiska rzemieślniczego stanowili szewcy w liczbie 11 300. Pozwala to zauważyć, że mimo zmiany epok i zwycięstwa kapitalizmu tradycyjny ten zawód warszawski był najliczniej reprezentowany w całej strukturze branżowej miejscowego rzemiosła. Na drugim miejscu znajdowały się wówczas szwaczki w liczbie 6600, to jest 14,3%, a następnie modystki w liczbie 6100, to jest 13,2% ogólnego stanu liczbowego rzemiosła. Obie grupy zawodowe tworzyły 27,5% wszystkich zatrudnionych w rzemiośle, a łącznie z szewcami aż 51,8%, co w sposób jednoznaczny określało strukturę oraz oblicze tego działu usług. Jeśli zaś dodać do tych wielkości blisko 2,5-tysięczną rzeszę miejscowych krawców i 6,5-tysięczną grupę rękawiczników, to łączną liczbę osób związanych z tym działem wytwórczości podnieść należy do 27 tysięcy osób, co stanowiło 58,4% ogólnego stanu liczbowego rzemiosła warszawskiego w 1894 roku. Tak duża liczba szewców, modystek, szwaczek, krawców i rękawiczników podkreślała stołeczny charakter wielkomiejskiego ośrodka, jakim, mimo wszystko, była ówczesna Warszawa. Miasto słynęło z tradycyjnie silnego przemysłu konfekcyjnego, znane też było jako eksporter wykwintnej konfekcji oraz eleganckiego obuwia na rynki europejskie.

Z chwilą rozszerzenia mechanicznej produkcji obuwia po 1905 roku prosperity warszawskiego szewstwa uległo osłabieniu. Natomiast inne gałęzie drobnej wytwórczości wraz z upowszechnieniem silników elektrycznych zyskały możliwość skutecznej konkurencji z wyrobami wielkich, zmechanizowanych fabryk. W okresie 1903–1913 tempo rozwoju drobnych zakładów było szybsze niż średnich i wielkich. Ogólna ich liczba wzrosła z 492 w 1903 roku do 1564 w 1913 przy stanie zatrudnienia 32,7% oraz 41% w stosunku do ogółu pracowników przemysłu warszawskiego. Miało w tym swój udział również warszawskie rzemiosło, broniące skutecznie swoich pozycji przed zmechanizowaną produkcją fabryczną. Sytuacja ta, nie spotykana w innych polskich ośrodkach przemysłowych: łódzkim, sosnowiecko-dąbrowskim oraz na Górnym Śląsku, była charakterystyczną właściwością Warszawy. Wywierała także swój wpływ na charakter przekształceń społecznych w środowisku rozwijającego się warszawskiego proletariatu, wśród którego czeladź rzemieślnicza stanowiła bardzo liczny odsetek.

KLASA ROBOTNICZA

Jednocześnie rosła szybko liczba robotników przemysłowych. Według bardzo fragmentarycznych i niepełnych danych zwiększyła się ona z około 14,5 tysiąca osób w 1879 roku do 19 tysięcy w 1893, 40 tysięcy w 1900 i 80 tysięcy dwustu w 1914. W świetle bardziej wiarygodnych obliczeń Z. Pustuły ogólna liczba robotników przemysłowych w całym warszawskim okręgu przemysłowym wzrosła w latach 1879–1913 blisko pięciokrotnie: z 21 tysięcy do 99 tysięcy. W 1913 roku prawie 1/4 część tej liczby stanowili robotnicy przemysłu metalowego, dalsze 16,3% – robotnicy przemysłu włókienniczego i odzieżowego, 12,3% – robotnicy przemysłu maszynowego, blisko 8% – robotnicy przemysłu skórzanego, tyleż samo – przemysłu spożywczego, liczba robotników przemysłu chemicznego, mineralnego, drzewnego i papierniczego stanowiła przeszło 5% ogółu zatrudnionych dla każdej z tych grup, liczba robotników przemysłu poligraficznego – 2,9%.

W drugiej połowie ubiegłego stulecia nastąpiła też wyraźna zmiana źródeł rekrutacji warszawskiej klasy robotniczej. W świetle ustaleń T. Łepkowskiego do tego czasu w przemyśle drobnym i w budownictwie przeważali robotnicy pochodzenia chłopsko-plebejskiego, w wielkim przemyśle – rzemieślniczo-plebejskiego. Już jednak po powstaniu styczniowym daje się zaobserwować zmiana w tym procesie. Zwłaszcza u schyłku stulecia rekrutacja do szeregów klasy robotniczej dokonywała się wprost i bezpośrednio spośród przybyszów ze wsi, przynajmniej do takich działów jak: usługi, rzemiosło, częściowo także kolejnictwo oraz handel. Również budownictwo miejskie czerpało siłę roboczą wprost ze wsi. Natomiast sam przemysł, zwłaszcza zaś wielkie warszawskie fabryki, werbował

397. Garbarnia „Temler i Szwede"

398. Masówka robotnicza w fabryce Norblina 1905 r.

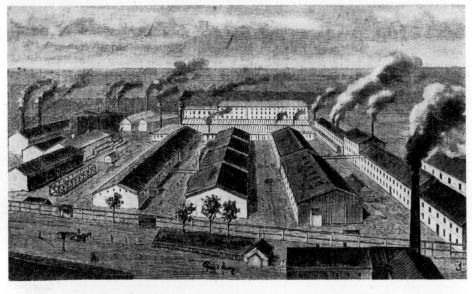

399. Ogólny widok zakładów „Lilpop, Rau, Loewenstein"

robotników spośród licznej w mieście czeladzi rzemieślniczej. Ta droga rekrutacji była najczęstsza, ale nie była jedyna, gdyż w okresie największego wzrostu liczebnego miejscowej klasy robotniczej, to jest w ostatnim dziesięcioleciu XIX wieku, zyskał na znaczeniu bezpośredni dopływ do fabryk siły roboczej z podwarszawskich wsi.

Charakteryzując warszawską klasę robotniczą, wyróżniającą się wśród innych ośrodków przemysłowych, możemy stwierdzić pewne odmienności. Tak więc w porównaniu z Łodzią w składzie robotników Warszawy więcej było młodzieży, wyższa też była średnia wieku zatrudnionych mężczyzn i kobiet. Także byt warszawskiej rodziny robotniczej w większym stopniu opierał się na pracy jednej osoby, w odróżnieniu od sytuacji w Łodzi, gdzie zjawiskiem nagminnym było zatrudnienie kilku członków tej samej rodziny. Odmienności te, bez wątpienia, wiązały się też z sytuacją na rynku pracy, która przedstawiała się inaczej w Warszawie niż w Łodzi. Wielobranżowy warszawski przemysł oraz nader liczne i silnie rozwinięte miejscowe rzemiosło wywierały swój wpływ na drogi rozwoju miejscowej klasy robotniczej.

W półwieczu 1864–1914 warszawski przemysł przeszedł znamienną ewolucję. Zmieniła się także pozycja miejscowej klasy robotniczej w ogólnym układzie struktury społecznej. W latach siedemdziesiątych i osiemdziesiątych XIX wieku pojawiło się w składzie miejscowych robotników liczne przejściowo skupisko hutników, by niebawem zaniknąć całkowicie, razem z upadkiem warszawskiego hutnictwa. Mimo dominacji metalowców w składzie warszawskiego proletariatu przemysłowego, ich udział w grupie robotników przemysłu metalowego w skali całego Królestwa Polskiego spadł z 84,2% w 1879 roku do 55,4% w 1913 roku. Podobnie rzecz się miała z przemysłem metalowym, gdzie spadek ten wyraził się zmniejszeniem udziału zatrudnionych z 74,9 do 45,5%, chemicznym z 69,5 do 54,8%, mineralnym z 48,2 do 20,1%, drzewnym z 48,6 do 20,1% oraz w przemyśle spożywczym z 26 do 20% w tym samym czasie. Wszystko to wiązało się z awansem przemysłowym innych ośrodków, z których wyróżniał się zwłaszcza okręg sosnowiecko-częstochowski. U progu I wojny wyróżniały się liczebnością oraz wysokim stopniem koncentracji środowiska warszawskich metalowców i robotników miejscowego przemysłu maszynowego. Liczyły one wówczas razem 36 tysięcy osób, to jest 36,4% ogółu robotników w całym tym okręgu przemysłowym. Także tam było zatrudnionych blisko 3 tysiące robotników najmłodszej gałęzi przemysłu – poligrafii, co stanowiło 68% ogółu robotników tej branży. Spośród innych grup branżowych wyróżniali się miejscowi robotnicy kolejowi. W Warszawie zbiegały się główne linie kolejowe. Były tam między innymi stacje przeładunkowe, warsztaty, szkoły techniczne. Tylko spośród personelu Towarzystwa Drogi Żelaznej Warszawsko-Wiedeńskiej, stanowiącego w 1904 roku aż 44,2% ogólnej ilości robotników zatrudnionych na wszystkich liniach Królestwa Polskiego, połowa pracowała w samej Warszawie. Było ich więcej niż 10 tysięcy osób, co wymownie ilustruje wspomniane zjawisko.

HANDEL I KREDYT Kapitalistyczna Warszawa stanowiła nie tylko duży ośrodek przemysłowo-rzemieślniczy, ale również ważne centrum handlowo-bankowe. Miasto zyskiwało na znaczeniu w wymianie krajowej i w handlu zagranicznym, dostosowując do ich potrzeb sieć domów bankowych, kantorów weksli i wymiany, giełdę oraz inne placówki tego typu. Pierwsze lata popowstaniowe przyniosły dalszy rozwój licznej w Warszawie i przedtem sieci banków prywatnych, zwanych potocznie domami handlowymi. Wyróżniały się przedsiębiorstwa

0. Fabryka Czekolady i Cukrów Jana Fruzińskiego
zy ul. Polnej, 1902 r.

należące do: L. Kronenberga, S. Fraenkla, M. Rosena, J. Blocha, Epsteinów, Natansonów, Wertheimów, Wawelbergów. W większości były to instytucje młode, bez tradycji, wyrosłe, już po utworzeniu Królestwa Kongresowego, na fali kształtowania się kapitalistycznego handlu, wekslarstwa i bankierstwa. Tylko niektóre domy (Kronenbergowie, Epsteinowie, Fraenkel) posiadały dłuższy rodowód, sięgający jednak co najwyżej czasów pruskich lub epoki Księstwa Warszawskiego. Wszystko to potwierdza znaną opinię o braku silnych, na trwałe z dziejami miasta zrośniętych, firm bankierskich. Uwzględniając zaś wegetację Banku Polskiego – niegdyś głównego inspiratora i inwestora w dziedzinie przemysłu – jako instytucji polskiej, stojącego obecnie u progu ostatecznej likwidacji (1885), obraz tej sfery ekonomiki przedstawiał się w nader ciemnych barwach. To zaś ciążyło na ogólnym stanie finansów i kredytu w Warszawie, pretendującej do miana kapitalistycznej metropolii.

Potrzeby gospodarcze stawiały na porządku dziennym konieczność reorganizacji instytucji kredytu oraz form finansowania. W szczególności rozwój przemysłu fabrycznego i budowa kolei żelaznych domagały się natarczywie współdziałania kapitałów handlowych i bankierskich. Ważna pozycja Warszawy w handlu krajowym, a zwłaszcza jej dogodne położenie na szlaku wymiany międzynarodowej zmuszały miejscowe sfery finansowe do inicjatywy gospodarczej i nawiązania bliższej współpracy z zagranicznymi firmami bankowymi. Na tym podłożu doszło do utworzenia dwóch nowoczesnych akcyjnych banków: Handlowego, założonego przez L. Kronenberga w 1870 roku, i Dyskontowego, utworzonego w rok później przez M. Epsteina. Rozwój obu firm polegał głównie na krótkoterminowych operacjach kredytowych i nie miał bliższych związków z rozbudową przemysłu; dotyczyło to w szczególności Banku Dyskontowego, stroniącego od bezpośredniego angażowania środków w przemysł. Bank Kronenberga w większej mierze inspirował różne akcje przemysłowe, zwłaszcza w cukrownictwie i metalurgii. Z jego inicjatywy doszło w 1873 roku do założenia Warszawskiego Towarzystwa Kopalń Węgla i Zakładów Hutniczych. Obie firmy bankowe oparte na zrzeszeniach typu spółek akcyjnych stały się od początku terenem współdziałania kapitałów kupieckich, przemysłowych i obszarniczych. Ich powstanie zbiegło się z początkiem penetracji kapitału obcego na rynku warszawskim: francuskiego, współdziałającego z Kronenbergami, oraz niemieckiego, popierającego od dawna Epsteinów. Jednakże w porównaniu z pozostałymi dwoma ośrodkami przemysłowymi Królestwa – łódzkim i dąbrowskim – kapitały obce na terenie Warszawy miały mniejsze wpływy. Jeszcze w 1882 roku zreorganizowana została giełda warszawska. W 1910 roku założono Bank dla Handlu i Przemysłu, a w 1913 – Bank Zachodni.

O zwiększającej się roli handlu w Warszawie można też sądzić na podstawie rosnącego odsetka ludności czerpiącej środki do życia z zatrudnienia w tym dziale gospodarki. Liczby przytoczone w tablicy na s. 365 ukazują, że w latach 1869–1897 w grupie ,,handel i banki'' nastąpiło wydatne zwiększenie odsetka ludności zawodowo czynnej: z 10,80 do 15,84%. W latach 1882–1897 procent ludności żyjącej z handlu rósł szybciej od odsetka utrzymujących się z pracy w przemyśle (17 i 22,5% wobec 33,2 i 36%). Wskazuje to na wzrost znaczenia tego działu usług w życiu dużej zbiorowości miejskiej.

Rozwój miasta wpływał także na zmianę form w dziedzinie handlu. Zanikał handel domokrążny, tracił swoje niedawne znaczenie handel uliczny, szukając stałego locum pod dachem. Sprzyjała tym tendencjom działalność magistratu, który w 1887 roku podjął starania o pobudowanie wielkich hal handlowych. Największe z nich – Hale Mirowskie wzniesiono w 1902 roku według projektu Stefana Szyllera, kosztem blisko 1,5 miliona rubli. Usytuowano je na miejscu częściowo rozebranych, dawnych koszar kawaleryjskich przy placu Mirowskim. Nowocześnie, chociaż pretensjonalnie zaprojektowana budowla oparta została na szkielecie stalowym. Istotnym novum było też wyposażenie wnętrza w oświetlenie elektryczne. Drugą halę zyskało miasto w 1907 roku przy pl. Witkowskiego (od 1922 Kazimierza Wielkiego), na osi ul. Siennej; mieściły się tam 182 lokale sklepowe. Gmach usytuowano obok targowiska miejskiego istniejącego od 1879 roku. W 1909 roku otwarto halę na ul. Koszykowej, wybudowaną według projektu inż. Juliusza Dzierżanowskiego. Na własność miasta przeszedł w 1911 roku ,,Gościnny Dwór'', położony w pobliżu Hal Mirowskich, dawniej własność kupców warszawskich. W 1913 roku zbudowany został duży prywatny dom towarowy braci Jabłkowskich przy ul. Brackiej. Istniała ponadto w mieście znaczna liczba stałych targowisk, w 1867 roku przybyły jeszcze trzy nowe. Już w 1865 roku postanowieniem Rady Administracyjnej wprowadzono zasadę stałego dzierżawienia stanowisk handlowych; najwięcej było ich za Żelazną Bramą (ponad 500) i na Rynku Starego Miasta (350). Mniejsze targowiska mieściły się na Rynku Nowego Miasta, przy ul. Gołębiej, ul. Dunaj, na pl. Trzech Krzyży. W ich lokalizacji następowały z czasem różnorodne zmiany. Niektóre likwidowano całkowicie, inne pod naporem intensywnej zabudowy miasta i rozwoju sieci komunikacyjnej przenoszono na bardziej dogodne miejsca. W 1913 roku najstarsze targowisko zostało przeniesione z Rynku Starego Miasta na Mariensztat. Utraciło dawne znaczenie duże, prymitywnie urządzone targowisko na Muranowie, ograniczone przez linię tramwajową wybudowaną w 1909 roku. Spadły obroty targowiska na placu Parysowskim. Utrzymały natomiast pierwotne znaczenie wyspecjalizowane targi na placach: Broni za ul. Stawki, przy ul. Dzikiej (przeniesione w 1891 z ul. Wałowej), Kercelego w pobliżu rogatek wolskich (1867), Witkowskiego (1879) oraz przy ulicach: Starynkiewicza (1906), Karolkowej (1905), na Powązkach i na Pradze. Zlikwidowany targ uliczny za Żelazną Bramą od schyłku stulecia zadomowił się na placu Mirowskim, przekształconym w największe w Warszawie centrum handlowe. W tej dziedzinie działalność władz miasta nie zaspokajała potrzeb czasu i nie wprowadzała nowoczesnej organizacji targowisk uwzględniającej wymogi handlowe, sanitarne oraz fiskalne. Wśród wielu instytucji finansowych na wzmiankę zasługuje lombard miejski, mieszczący się w pałacu Jabłonowskich przy ul. Senatorskiej, zreorganizowany częściowo w 1904 roku. Po chwilowym spadku swych obrotów na schyłku XIX wieku, rozszerzył usługi świadczone ludności miasta na początku następnego stulecia. W lombardzie udzielano pożyczek nie tylko pod zastaw kosztowności i drogich materiałów, ale również przedmiotów codziennego użytku. Ta swoista demokratyzacja instytucji lombardu przysporzyła mu popularności w uboższych sferach społeczeństwa, o czym świadczył wzrost liczby operacji w kategoriach najniższych, od 1 rubla. Znalazło to również potwierdzenie w otwarciu nowych oddziałów na ulicach Targowej, Górnej i Zielnej. Po 1907 roku nastąpił spadek obrotów warszawskiego lombardu.

GOSPODARKA KOMUNALNA

Z powstaniem nowoczesnej metropolii kapitalistycznej należało pilnie rozwiązać wiele problemów związanych z codziennym życiem mieszkańców. Wynikały one z postępów uprzemysłowienia, rozwoju terytorialnego, wzrostu liczby ludności i konieczności zaspokojenia jej różnorodnych potrzeb. Dyktowały je również rosnące wymogi w dziedzinie higieny i zdrowotności. Przede wszystkim chodziło o komunikację, wodociągi i kanalizację, oświetlenie, zaopatrzenie w żywność.

Początki uruchomienia komunikacji miejskiej wiązały się nie tyle z potrzebą ułatwienia życia mieszkańcom Warszawy, ile z koniecznością ustalenia łączności pomiędzy dworcami kolejowymi lewobrzeżnej i prawobrzeżnej części miasta i, chociaż dotyczyło to najbardziej żywotnych jego interesów, decyzje w tej sprawie zapadły całkowicie poza nim. W grudniu

301. Na przystanku tramwajowym. Rys. Franciszek Kostrzewski, ok. 1892 r.

1865 roku Główne Towarzystwo Dróg Żelaznych Rosyjskich zarządzające Drogą Żelazną Warszawsko-Petersburską otrzymało od rządu koncesję na wybudowanie trakcji tramwajowej pomiędzy Dworcem Wiedeńskim i tak zwanym Petersburskim. Zbudowany wówczas tor tramwajowy miał 6 km długości i był obsługiwany końmi. Przebiegał trasą od Dworca Kolei Warszawsko-Wiedeńskiej ulicami: Marszałkowską (z odnogą do pl. Grzybowskiego), Królewską, Krakowskim Przedmieściem, Nowym Zjazdem do mostu Kierbedzia i dalej ul. Aleksandrowską, Targową (z odnogą do Dworca Petersburskiego i ul. Wileńskiej), Wołową do Dworca Brzeskiego (dziś Dworzec Wschodni). Zaspokajał też w pierwszej kolejności potrzeby kierującego się przez Warszawę kolejowego ruchu pasażerskiego oraz towarowego. Natomiast tramwaj konny w niewielkiej tylko mierze rozładował problem komunikacji miejskiej. Po oddaniu zaś do eksploatacji linii obwodowej oraz mostu kolejowego pod Cytadelą (1877) jego znaczenie jeszcze bardziej zmalało. Dopiero wybudowanie przez Towarzystwo Brukselskie po 1880 roku siedmiu nowych linii tramwajowych przyniosło zasadniczą poprawę sytuacji w tej dziedzinie. W 1898 roku magistrat wykupił tramwaje z rąk belgijskiej spółki i oddał je w dzierżawę miejscowym kapitalistom. W 1899 roku użytkowano 29 km toru podwójnego, 136 wagonów zimowych, 146 letnich oraz 600 koni. Było to o wiele za mało jak na potrzeby miasta. Po długotrwałych staraniach w latach 1905–1909 przeprowadzona została elektryfikacja sieci tramwajowej przez niemiecką firmę „Siemens i Halske" z Berlina. Pierwsze tramwaje elektryczne ruszyły w 1908 roku, a przechodzenie na trakcję elektryczną trwało do 1914 roku. Tuż przed wybuchem wojny oddano do użytku, budowany od 1904 roku, piękny, tak zwany trzeci most na Wiśle, u wylotu Alej Jerozolimskich, na który również skierowano tramwaje. Liczba pasażerów wzrastała szybko z 13 milionów w 1892 roku do 22 w 1899, 25 w 1903, blisko 43 w 1908 oraz prawie 77 w 1911 roku. Ogromny skok w 1908 roku oraz w latach następnych wiązał się z postępami w elektryfikacji trakcji tramwajowej. Łączna długość sieci o podwójnym torze nie przekroczyła wówczas 35 kilometrów. Miasto posiadało 23 linie tramwajowe; były one skoncentrowane przeważnie w dzielnicach śródmiejskich i omijały niektóre fabryczne skupiska robotnicze, jak na przykład ul. Czerniakowską. Oceniając jednak rzecz bardziej całościowo należy stwierdzić, że inwestycje te nie zaspokajały potrzeb prawie milionowej aglomeracji miejskiej, ponieważ w 1899 roku 1 km toru przypadał w Warszawie na ponad 12 tysięcy mieszkańców, podczas gdy w Budapeszcie na 4,5 tysiąca, w Lipsku – 4 tysiące, w Dreźnie – 3,5 tysiąca i w Hamburgu – 3 tysiące mieszkańców. Biorąc zaś pod uwagę, że Warszawa zajmowała już wówczas jedno z pierwszych miejsc w Europie pod względem ruchliwości mieszkańców, braki w dziedzinie komunikacji miejskiej rysują się z całą wyrazistością.

Polityka władz państwowych oraz nieudolność magistratu powodowały, że tramwaje warszawskie przynoszące duże zyski, zwłaszcza od lat dziewięćdziesiątych XIX wieku, zasilały kapitały obce, reprezentowane przez kapitalistów belgijskich oraz niemieckich. Tylko w 1910 roku spółka prywatna eksploatująca tramwaje otrzymała blisko 800 tysięcy rubli czystego dochodu, wobec 360 tysięcy rubli uzyskiwanych rocznie w latach 1894–1898 a zarobki jej robotników dniówkowych, już po uwzględnieniu podwyżki w 1910 roku, kształtowały się w granicach 54–66 rubli miesięcznie. Łączna liczba pracowników tramwajów wynosiła wówczas 1754 osoby, z tego 92% stanowili robotnicy.

Wielotysięczne skupisko ludności domagało się pilnie rozwiązania wielu problemów higienicznych, zdrowotnych oraz zaspokojenia potrzeb konsumpcyjnych. Jednocześnie

404. Pałac Kronenberga

z burzliwym uprzemysłowieniem miasta rosło zużycie wody, nabrzmiewał problem odprowadzania nieczystości. Nie zaspokajała tych potrzeb pochodząca jeszcze z XVIII i 1. połowy XIX wieku sieć kanalizacyjna licząca w 1879 roku 10,6 kilometra. Nie odpowiadała wymogom czasu sieć wodociągowa zbudowana według projektów wybitnego budowniczego H. Marconiego (1855). Dopiero za prezydentury zasłużonego w dziejach Warszawy popowstaniowej generała Sokratesa Starynkiewicza (1875–1892) sprawy te ruszyły z miejsca. W 1876 roku miasto zwróciło się do twórcy wodociągów w wielu miastach europejskich (Londyn, Hamburg, Budapeszt, Frankfurt, Düsseldorf), inżyniera angielskiego W. Lindleya, z propozycją opracowania projektu wodociągów i kanalizacji. W 1877 roku zawarta została odpowiednia umowa. W jej wyniku syn wymienionego budowniczego, również inżynier, Wiliam Heerlein Lindley, objął kierownictwo robót w Warszawie, pozostając na tym stanowisku aż do śmierci w 1917 roku. Od 1882 roku współpracował z Lindleyem inż. Alfons Grotowski. Projekt budowy sieci wodociągowej uwzględniał najnowocześniejsze rozwiązania i był realizowany stopniowo w ciągu lat 1883–1914. Kosztem dużych nakładów wybudowano wówczas ujęcie wody na Wiśle koło Siekierek oraz stację pomp na Czerniakowie. Stąd tłoczono wodę do stacji filtrów zlokalizowanej na Koszykach. Począwszy od 1886 roku, kiedy oddano do użytku pierwszy odcinek nowo zbudowanej sieci wodociągowej liczącej 17 km, jej długość systematycznie zwiększała się i osiągnęła w 1900 roku 234 km, w 1910 – 274 km, w 1918 już 323 kilometry. Po wielkim pożarze Pragi w 1868 roku zbudowano przy ulicy Szerokiej zakład

wodociągowy, który zaspokajał potrzeby tej dzielnicy przez blisko 30 lat. Na przełomie stuleci Praga została podłączona do warszawskiej sieci wodociągowej.

Jednocześnie otrzymała Warszawa nową kanalizację, zaprojektowaną także przez inż. W. Lindleya. Budowana oddzielnie dla lewo- i prawobrzeżnej części miasta zaczęła funkcjonować w 1886 roku (17,6 km), sukcesywnie uruchamiana w latach następnych. W 1900 roku eksploatowano już 128,2 km kanałów, w 1903 – 144,5, w 1910 – 179,2 km. W 1911 roku było w lewobrzeżnej części miasta 168,5 km sieci kanalizacyjnej, a w prawobrzeżnej – 11,7 km. Do 1903 roku wydatkowano z funduszów miejskich na wodociągi i kanalizację około 30 milionów rubli. Kanały odprowadzające nieczystości z lewobrzeżnej części miasta zbiegały się niedaleko dworca Kowelskiego (dziś Gdańskiego) w tak zwanym kolektorze głównym, skąd były kierowane do Wisły w pobliżu Bielan. Z Pragi zaś, gdzie projektowano wybudowanie czterech kanałów, jeden z nich, czynny w 1911 roku, odprowadzał ścieki do Wisły w Golędzinowie. Przed 1914 rokiem prace były jeszcze nie zakończone. Mimo dużych oporów właścicieli domów przeprowadzono skanalizowanie pokaźnej części posesji warszawskich. Na dzień 1 stycznia 1911 roku z ogólnej liczby 6411 nieruchomości w Warszawie 5598, to jest 87%, posiadało wodociągi, a 3896, czyli 61% posesji, było skanalizowanych. Wymowną konsekwencją przeprowadzonych inwestycji była poprawa stanu higieny i zdrowotności w Warszawie. Spadła śmiertelność z powodu chorób zakaźnych, jak: tyfus brzuszny, ospa i dyfteryt, oraz uległa zmniejszeniu liczba zgonów dzieci. W rezultacie w latach 1882–1901 obniżyła się śmiertelność z około 32 do z górą 21 na 1000 osób (1882 – 32,34, 1885 – 29,01, 1890 – 24,9, 1895 – 22,91, 1900 – 21,83, 1901 – 21,65).

Sprawą oświetlenia Warszawy zajęto się jeszcze w epoce poprzedniej. Na podstawie kontraktu z 1856 roku, zawartego z Niemieckim Towarzystwem Kontynentalnym z Dessau na przeciąg 25 lat, całokształt tych zagadnień przejęli kapitaliści niemieccy. Wybudowana wówczas sieć latarń ulicznych oraz urządzenia gazowe zainstalowane w domach czerpały gaz z zakładu wzniesionego nad Wisłą przy ul. Ludnej. Bezpośrednio po 1864 roku zaprowadzono oświetlenie gazowe na moście Kierbedzia i na Pradze. Dalsza rozbudowa miasta wydatnie zwiększyła zapotrzebowanie na gaz, w wyniku czego podniosło się jego zużycie z 4,8 miliona stóp sześciennych w 1864 roku do 262 w 1879 i 1317 milionów w 1909 roku. Liczba latarni miejskich wzrosła z 973 w 1864 roku do 2180 w 1882, 5000 w 1887, 6823 w 1900 i 6594 w 1910 roku. Spadek w latach ostatnich tłumaczy się konkurencją elektrycznego oświetlenia. Jednocześnie wzrosła długość ulic zaopatrzonych w latarnie gazowe do 170 km w 1913 roku. Od 1882 roku funkcjonowała na Czystem druga, duża gazownia wspierająca zakład z Powiśla. W 1892 roku wzniesiono destylarnię smoły do przetwarzania produktów ubocznych. Nie miało jednak miasto szczęścia do inwestycji komunalnych. Podobnie jak w sprawie tramwajów, również Towarzystwo z Dessau zajmowało od początku monopolistyczną pozycję, zupełnie nie podporządkowaną interesom gospodarki miejskiej. Szczególnie niekorzystne były kontrakty z lat 1866, 1867 i 1882, w których przyznano Towarzystwu nadzwyczajne zyski z wyraźną szkodą dla ludności. W następnym kontrakcie z 1904 roku zawarowało ono sobie nienaruszalność praw w mieście na dalsze 35 i pół roku, to jest do roku 1941. W samym 1910 roku otrzymało ono blisko 2,5 miliona rubli czystego dochodu. W tym samym czasie zyski miasta wynosiły zaledwie około 100 tysięcy rubli. „Żadne miasto europejskie" – ubolewał współczesny pisarz – „nie jest tak wyzyskiwane w zakresie

oświetlenia gazowego jak Warszawa. Wiele miast przede wszystkim posiada gazownie własne, które znaczne przynoszą dochody. Wiele miast otrzymuje gaz dla ulic i placów za darmo [...] Jeśli kiedyś w przyszłości Dessauczycy opuszczą nasze miasto, po wywiezieniu zeń olbrzymich milionów, nie pozostawią po sobie żadnego pomnika – prócz rozgoryczenia".

Od 1903 roku datuje się rozwój elektryfikacji Warszawy. Podobnie jak oświetlenie gazowe, również i ten dział gospodarki miejskiej oddano w 1902 roku w 35-letnią dzierżawę niemieckiemu Towarzystwu Schuckert i Spółka. W 1904 roku odstąpiło ono swoje uprawnienia Towarzystwu Akcyjnemu „Compagne Électricité de Varsovie". W 1903 roku zbudowano elektrownię miejską, usytuowaną nad Wisłą, w miejscu wybitnie niedogodnym z punktu widzenia racjonalnej lokalizacji. Wzmiankowano już o wpływie elektrowni na proces mechanizacji warszawskiego rzemiosła i drobnego przemysłu. Instalacja niedrogich i ekonomicznych silników elektrycznych pozwoliła na skuteczną konkurencję z dużymi zakładami przemysłowymi. Tylko w ciągu 1912 roku podłączono do sieci elektrycznej 470 drobnych zakładów warszawskich. Ogólna liczba motorów elektrycznych zwiększyła się z 20 w 1903 roku do 900 w 1907 i 3103 w 1911 roku. W tych samych latach liczba domów podłączonych do sieci wynosiła: 39, 841 i 2243. W 1912 roku ulice i place miasta oświetlały 754 lampy łukowe. Sprawy związane z oświetleniem miasta za pomocą elektryczności dowodziły również jaskrawej nieudolności władz miejskich w zarządzaniu problemami komunalnymi. Zarówno gaz, jak i energia elektryczna były drogie w porównaniu z kosztami w innych miastach europejskich, a tym samym dostępne jedynie zamożniejszej warstwie mieszkańców. Na domiar lwia część dochodów płynęła do kas spółek, reprezentujących kapitał obcy.

Również sieć telekomunikacyjną w Warszawie budował od początku XX wieku zagraniczny kapitał reprezentowany przez szwedzki koncern Cedergrena.

Późno, bo dopiero od 1889 roku zaczęto wprowadzać ulepszoną nawierzchnię ulic, wykładając je brukiem drewnianym lub kostką granitową. Potem rozpoczęto stosowanie nawierzchni z klinkieru oraz asfaltu. Stan oraz tempo prac były powolne. W tej sytuacji większa część ulic warszawskich przedstawiała godny pożałowania obraz; wyboje, a w czasach niepogody roztopy utrudniały dotkliwie normalne funkcjonowanie miasta. W 1909 roku na ogólną liczbę 2789 km ulic 76,2% posiadało najbardziej prymitywną nawierzchnię z okrąglaków, tylko niektóre ulice pryncypalne były wybrukowane kostką z granitu lub z drewna. Powołana wówczas Komisja Brukowa, poza ułożeniem szczegółowego planu poprawy stanu ulic warszawskich, nie zdołała uczynić nic więcej.

Dotkliwą bolączką była sprawa rzeźni miejskich. „Ani jedno z miast cywilizowanych nie ma rzeźni znajdującej się w tak haniebnym stanie, jak Warszawa" – utyskiwali w 1913 roku autorzy monografii miasta S. Dziewulski i H. Radziszewski. W 1902 roku według informacji „Kuriera Warszawskiego" miasto skonsumowało 150 tysięcy wołów, 180 tysięcy wieprzy, 240 tysięcy cieląt i 160 tysięcy owiec, czyli razem 750 tysięcy sztuk. Przytaczający tę informację A. Suligowski, autor publikacji „Warszawa i jej przedsiębiorstwa miejskie", stwierdzał z żalem, że nawet: „Zamorusana i zaniedbana Łódź wyprzedziła pod tym względem Warszawę i pozyskała już w roku zeszłym rzeźnie urządzone wedle wymagań higieny". Mimo wielu projektów wysuwanych systematycznie od 1867 roku żarząd miejski nie potrafił do 1914 roku wykonać żadnych inwestycji. W tej sytuacji obywano się starymi, jeszcze przed powstaniem 1863 roku prymitywnie urządzonymi rzeźniami (szlachtuzami) na Solcu, na Rybakach oraz na Pradze. Cytowani już autorzy S. Dziewulski i H. Radziszewski kwitowali ów stan rzeczy bolesnym stwierdzeniem, „... iż z haniebnych warunków życia miejskiego w Warszawie sprawa rzezi bydła jest jedną ze stron najciemniejszych".

Warszawa pozbawiona została samorządu miejskiego zaprowadzonego przez A. Wielopolskiego w 1861 roku. Uchwała Komitetu do Spraw Królestwa Polskiego z 1870 roku wyłączyła z kompetencji władz miejskich między innymi: służbę zdrowia, policję budowlaną, prowadzenie ksiąg metrykalnych ludności niechrześcijańskiej, kontrolę ruchu ludności, poświadczanie dowodów, ogłaszanie praw i rozporządzeń rządowych, wyroków sądowych. Do korespondencji wprowadzono język rosyjski. Szczególnie dotkliwe były ograniczenia dotyczące budżetu i gospodarki miejskiej. Każdy wydatek powyżej 300 rubli musiał mieć aprobatę generał-gubernatora, a wydatki wyższe od tysiąca rubli wymagały sankcji Petersburga. O wszystkim decydował bądź to rosyjski oberpolicmajster, bądź generał-gubernator lub wreszcie centralne urzędy w stolicy państwa. Nic tedy dziwnego, że żywotne sprawy gospodarki i inwestycji miejskich zależały od przypadkowych decyzji warszawskich dygnitarzy.

Nad finansami miejskimi ciążył nadmierny fiskalizm, polegający na tradycyjnie już rozwiniętym w Warszawie silnym drenażu podatkowym ludności. Równocześnie obciążono budżet miasta poważnymi wydatkami na wojsko i policję z dotkliwym uszczerbkiem dla zagadnień komunalnych. W 1911 roku, w przeliczeniu na 1 mieszkańca, wszystkie wydatki miejskie wynosiły łącznie 13,30 rubli. Natomiast w Wiedniu, według danych na 1905 rok, analogiczna suma wynosiła 32,36 rb, w Berlinie 36,04, w Kolonii 45,77, w Poznaniu 33,24, w Toruniu 32,48 oraz we Lwowie 17, 08 rubli.

WARUNKI ŻYCIA LUDNOŚCI   Przedstawione poprzednio osiągnięcia urbanizacji kapitalistycznej – budownictwo mieszkaniowe, zdobycze w dziedzinie komunikacji, wodociągi i kanalizacja, gaz, elektryczność, oświata, kultura, teatr – stanowiły niewątpliwy dorobek Warszawy lat popowstaniowych. Nie były one rzecz jasna dostępne w równym stopniu wszystkim warstwom ludności miasta. Podstawowa jej część, zepchnięta niejako na margines ówczesnego bytowania, w zestawieniu z warunkami życia warstw zamożnych jeszcze bardziej dotkliwie odczuwała ogromne różnice społeczne epoki dojrzałego kapitalizmu. Jedną z najboleśniejszych spraw była kwestia mieszkaniowa – owo tradycyjne już zwierciadło, w którym jaskrawo odbijały się dysproporcje socjalne tamtego okresu. Według danych jednodniowego spisu ludności z 9 lutego 1882 roku, na 1 izbę w Warszawie przypadało średnio 1,88 osoby. Największe zagęszczenie posiadały sutereny i poddasza (3 1/3 oraz 3 1/4 osoby na 1 izbę). Z ogólnej liczby 207 102 izb w Warszawie mieszkania 1-izbowe stanowiły 46,01%, 2-izbowe (zazwyczaj pokój z kuchnią) – 23,05%. Mieszkań pozbawionych zupełnie okien było 1515, to jest 2% ogółu, bez pieców – 2985, czyli 4% ogólnej liczby. Warszawa należała do rzędu najbardziej przeludnionych miast europejskich. Z biegiem lat kontrasty występowały coraz silniej. W najstarszej dzielnicy fabrycznej – na Powiślu wegetowało pozbawione wodociągów, kanalizacji i tramwajów wielotysięczne skupisko proletariackie. Jego nędza rzucała się szczególnie w oczy w porównaniu z warunkami życia mieszkańców pobliskiego Nowego Światu, okolic ul. Wiejskiej i placu Trzech Krzyży. „Przybywając tutaj z górnej części miasta" – relacjonował w 1891 roku naoczny świadek – „wnet odczuwasz zmianę. Zaledwie zejdziesz ul. Książęcą w dół, już na rogu dolnej Smolnej, przy otwartych wylotach kanałowych i dalej idąc chodnikiem drewnianym, stanowiącym zapewne pokrycie kanału, uderzą cię wyziewy zgnilizny, której pełno zawsze w atmosferze. A ruch tutaj wielki, po obu stronach ulicy rozciągają się przyległości wielkiej fabryki żelaznej, tuż obok siedlisko warszawskiej gazowni..." Opis ulic: Czerniakowskiej, Okrąg, Ludnej, Przemysłowej, Fabrycznej zamykał ów świadek rozważaniami na temat kwestii mieszkaniowej. Na 15 ulicach Powiśla zdecydowaną przewagę miała zabudowa 1-piętrowa. Gros mieszkań to klitki 1-izbowe, przeludnione nadmiernie, pozbawione wszelkich wygód, pełne wilgoci. Gnieździło się w nich po kilka rodzin; regułą było przynajmniej posiadanie sublokatora – zmiennika do spania. W 1883 roku zagęszczenie na izbę w dzielnicach robotniczych wynosiło 9–10, a nawet 13–14 osób. Tylko zamożniejsze rodziny majstrów, podmajstrzych i w ogóle lepiej sytuowanych pracowników mogły sobie pozwolić na zupełnie samodzielne 1-izbowe mieszkanie. Teren Powiśla cierpiał bez mała rokrocznie wskutek powodzi, które zabierały resztki dobytku wegetującym mieszkańcom. Zarobki większości miejscowej ludności nie przekraczały 50 kopiejek dziennie, ale na ogół kształtowały się niżej. Robotnicy browarów zarabiali do 8 rubli tygodniowo, pracując od godziny 3 rano do

Targ koński na Pradze. Rysunek oryginalny Ryszarda Oknińskiego.

wieczora. U „Lilpopa" lub „Ostrowskiego" zarabiano około 18–25 rubli miesięcznie, co stanowiło już wiele. Spustoszenie siało bezrobocie, które spychało całe rodziny na dno nędzy. Żywiono się głównie kawą, herbatą, chlebem, kapustą, rzadko tylko w święta mięsem. Trudności potęgowała potworna drożyzna mieszkaniowa. Izba bez podłogi kosztowała miesięcznie 3 ruble, z podłogą – 4 ruble. W pomieszczeniu przy ul. Leszczyńskiej 5 znajdował się rząd tapczanów, gdzie spano w poprzek płacąc tygodniowo 1 złoty polski od osoby. Duża zwyżka czynszów mieszkalnych nastąpiła w latach 1870–1880 i była spowodowana wzmożonym napływem ludności do Warszawy. Koszty wynajmu mieszkania dorównywały prawie kosztom w Paryżu, przewyższały koszty w Londynie i w innych miastach europejskich, stanowiąc jaskrawy wyraz wybujałej drożyzny i spekulacji mieszkaniowej w Warszawie. Również koszty utrzymania kształtowały się na najwyższym poziomie. Norma ustawowa określała, że dzień roboczy tylko w przemyśle metalowym wynosi $11^1/_2$ godziny, w innych działach, w przemyśle drobnym oraz w rzemiośle – 16–17 godzin.

Początki ideologii pracy organicznej przypadły na koniec 1 połowy XIX wieku. Po klęsce 1864 roku ideologia ta otrzymała teoretyczną nadbudowę w postaci pozytywizmu, który zrodził się z wewnętrznych potrzeb społeczeństwa polskiego, a także pod silnym wpływem umysłowych prądów z Zachodu. Pozytywizm i włączona do jego programu praca organiczna miały w rozumieniu polskich teoretyków i myślicieli mieszczańskointeligenckich stanowić jedyną alternatywę na nie spełnione oraz ich zdaniem nierealne marzenia o zdobyciu niepodległości na drodze powstań narodowych. Najbardziej skrajne ugrupowanie warszawskich pozytywistów, nazywające siebie „młodymi", skupiło się wokół „Przeglądu Tygodniowego" (1866). Oni to „młodzi gniewni" nieśli hasło „pracy u podstaw", które miało być zrealizowane przez upowszechnienie oświaty. Głosili hasła

POZYTYWIZM I PRACA ORGANICZNA

oszczędności i pracowitości, rezygnacji z wszelkich gwałtownych porywów, emancypacji kobiet oraz asymilacji Żydów. Szczególnie silnie i ostro sformułował te zadania pozytywistów Aleksander Świętochowski. W programowym artykule „My i Wy" (1871) odcinał się od szlacheckiej i feudalnej przeszłości, atakował obskurantyzm i zacofanie, klerykalizm i uleganie romantyzmowi. Wśród warszawskich działaczy pozytywistycznych szczególne miejsce przypadło Konradowi Prószyńskiemu (Kazimierzowi Promykowi), autorowi pierwszego elementarza, wydawcy „Gazety Świątecznej", zasłużonemu księgarzowi i publicyście, krzewicielowi oświaty ludowej. Wyjątkowa rola w głoszeniu nowych teorii przypadła wykładowcom warszawskim skupionym wokół Szkoły Głównej, a także wybitnym publicystom miejscowej prasy pozytywistycznej tego okresu. Z tych inspiracji w 1865 roku powstało pismo miesięczne „Ekonomista", o tendencji liberalno-burżuazyjnej. Po 1878 roku przyjęło ono jednak kurs protekcjonistyczny i związało się bliżej ze środowiskami przemysłowo-bankierskimi. Z tych dążeń i aspiracji burżuazji powstawały kolejno inne instytucje i organy prasowe orientacji organicznikowskiej, jak „Przegląd Techniczny" (1865), „Gazeta Przemysłowo-Rzemieślnicza" (1872), Muzeum Przemysłu i Rolnictwa (1875). Muzeum to zostało założone dzięki zjednoczonym wysiłkom jego inspiratorów i mecenasów finansowych: J. T. Lubomirskiego, J. i T. Zamoyskich, L. Kronenberga, J. Natansona, K. Szlenkiera, K. Scheiblera, J. Wertheima oraz innych.

W utworzonym w 1884 roku oddziale warszawskiego Towarzystwa Popierania Przemysłu i Handlu wśród 420 członków znalazło się 140 przemysłowców, 120 inżynierów i techników, 60 ziemian, 35 prawników i publicystów, 25 kupców, 20 bankierów i 20 rzemieślników. Była to faktyczna elita ówczesnego życia gospodarczego; przeważały sfery przemysłowe. O jej składzie społecznym, zwłaszcza zaś ścisłych zarządów poszczególnych sekcji świadczą nazwiska: K. Szlenkier, F. hr. Czacki, inż. H. Marconi, L. Górski, A. Goltz, K. Rudzki, S. Przystański, B. Hantke, A. Makowiecki, inż. W. Kiślański, S. Kronenberg, K. Deike i inni.

OŚWIATA, SZKOLNICTWO, PRASA Opisywaną epokę znamionowało usilne dążenie władz carskich do rusyfikacji oświaty i kultury polskiej. Do roli symbolu urosło uroczyste odsłonięcie w 1870 roku pomnika księcia Iwana Paskiewicza na skwerze przed Pałacem Namiestnikowskim, na Krakowskim Przedmieściu (dziś Urząd Rady Ministrów). W roku 1869 zlikwidowano Szkołę Główną i utworzono na jej miejsce uniwersytet rosyjski. Po 1885 roku ogólny stan szkolnictwa uległ dalszemu pogorszeniu; było ono spowodowane nasileniem tendencji rusyfikatorskich, zwłaszcza za kuratorstwa słynnego Apuchtina (1879–1897) oraz pod rządami generał-gubernatora Hurki. W 1871 roku w szkołach warszawskich wszystkich typów, tak rządowych jak i prywatnych, pobierała naukę niewielka część warszawskich dzieci i młodzieży. Według spisu z 1882 roku około $^2/_3$ ludności chrześcijańskiej Warszawy stanowili analfabeci, a do szkół uczęszczała zaledwie $^1/_5$ część ogółu warszawskich dzieci. W 1887 roku wydatki na oświatę publiczną wyniosły zaledwie 105 250 rubli przy stanie ludności 439 175, co dawało 24 kopiejki na głowę; tyle samo wydatkowano w 1897 roku w przeliczeniu na 1 mieszkańca, gdy tymczasem w Petersburgu 78, Moskwie 74, Manchesterze 1,50 rb, Kopenhadze 3 rb i w Lipsku 4,50 rb. Lata następne przyniosły nieznaczną tylko poprawę. W 1901 roku odpowiednia kwota wynosiła w Warszawie 47 kopiejek, a w Petersburgu 1 rubel. W raporcie inspektora szkół Sawienkowa zanotowano w 1896 roku, że: „potrzeba szkół w Warszawie przekracza o kilkakroć ich liczbę jako też liczbę znajdujących się w nich miejsc, tak że w roku 1896 na każde wakujące miejsce znajdowało się 5 do 6 kandydatów, przy czym w tymże roku z liczby zgłaszających się dzieci chrześcijańskich nie przyjęto 73,1%, a z liczby dzieci żydowskich 62,5%". W 1898 roku spośród 73 tysięcy dzieci w wieku szkolnym z braku miejsc pozostawało zupełnie poza szkołą około 50 tysięcy. Dotkliwy deficyt budynków szkolnych sprawiał, że mimo pewnej poprawy w 1902 roku również około 50 tysięcy dzieci nie zostało objętych nauczaniem. W 1905 roku Warszawa przeznaczyła na oświatę 5,1% budżetu, co czyniło 70 kopiejek w przeliczeniu na mieszkańca. W tym samym czasie w Pradze wydatkowano na oświatę 20,9% budżetu (7,16 rb na 1 mieszkańca), Berlinie 18,8% (6,74 rb), Kolonii 16,6% (7,57 rb), Wiedniu 14,6% (5,24 rb). Gwoli ścisłości trzeba odnotować, że w latach 1875–1911 wydatki na oświatę w Warszawie wzrosły z 33 953 rubli do 539 989 rubli, czyli z 11 na 67 kopiejek w przeliczeniu na 1 osobę. Natomiast pod względem świadczeń na policję i bezpieczeństwo publiczne zajmowała Warszawa 1 miejsce wydatkując na te cele w 1905 roku 12,2% budżetu, czyli 1,06 rubla, w przeliczeniu na głowę, Wiedeń 10,6% (3,62 rb), Praga 10,3% (3,62 rb), Berlin 4,3% (1,76 rb), Kolonia 2,3% (1,11 rb).

Na początku XX wieku istniało w Warszawie zaledwie 6 gimnazjów męskich i 4 żeńskie (ponadto 1 gimnazjum na Pradze) oraz 4 tak zwane progimnazja. Pod wpływem zapotrzebowania na średni personel techniczny, w związku z rozbudową kolei, rozwinęła się w latach 1875–1908 Szkoła Techniczna Drogi Żelaznej Warszawsko-Wiedeńskiej, a w latach 1878–1896 Szkoła Techniczna Drogi Żelaznej Warszawsko-Terespolskiej. Wieloletnie starania uwieńczyło otwarcie w 1895 roku średniej Szkoły Mechaniczno-Technicznej z fundacji H. Wawelberga i S. Rotwanda, a w 1898 roku ufundowanego przez społeczeństwo Instytutu Politechnicznego z rosyjskim językiem wykładowym. Dzięki inicjatywie społecznej rosła sieć szkół prywatnych, od schyłku XIX wieku szkół handlowych różnych typów oraz tajnych kompletów obejmujących wszystkie szczeble nauczania, od początkowego do najwyższego ("Latający Uniwersytet"). W ciągu 40 lat popowstanio-wych liczba szkół rządowych żeńskich nie uległa zmianie. W tym samym czasie zwiększyła się wydatnie liczba szkół prywatnych. W 1903 roku było ich już 77, nie licząc 5 szkół freblowskich, 2 szkół dla bon oraz kilku zakładów specjalnych o charakterze wychowaw-czym. Wyróżniały się na schyłku stulecia pensje żeńskie: Sikorskiej, Czarnockiej, Smoli-kowskiej, Karwowskiej, Rudzkiej, Paprockiej, Porazińskiej i Jasińskiej. Postępująca aktywizacja zawodowa kobiet znajdowała wyraz w zawiązywaniu rozmaitych prywatnych szkół zawodowych. Samych tylko szkół kroju i szycia w 1903 roku było 27. Warszawskie szkolnictwo wspomagały najróżnorodniejsze legalne, półlegalne lub wręcz nielegalne instytucje o charakterze samokształceniowym. Należała do nich, zapoczątkowana jeszcze w 1858 roku przy Wydziale Czytelni Warszawskiego Towarzystwa Dobroczynności, sieć bibliotek powszechnych. Od lat 1880 wspierały je zrzeszenia o charakterze kółek samokształceniowych, które oddziaływały coraz silniej na całe Królestwo Polskie. Znajdo-wała w nich ujście społecznikowska aktywność wielu wybitnych działaczy na polu oświaty, nauki i kultury, pozbawionych w warunkach niewoli otwartego, instytucjonalnego pola działania. Dzięki temu, mimo natężonej rusyfikacji, po 1864 roku stała się Warszawa głównym w skali krajowej ośrodkiem, z którego promieniowały i w którym ścierały się poglądy najwybitniejszych myślicieli i propagatorów pozytywizmu.

Pozbawiona zupełnie polskich uczelni wyższych nauka polska zyskała w 1881 roku zasłużonego mecenasa w postaci Kasy im. J. Mianowskiego, nazwanej tak od nazwiska zmarłego w 1879 roku b. rektora b. Szkoły Głównej. Z jej poręki wyszło w 1897 roku wydawnictwo "Poradnik dla samouków", wskazujące sposoby studiowania różnych dziedzin wiedzy. Warszawa była miejscem druku wielu innych wydawnictw o charakterze encyklopedycznym, a wśród nich pomnikowego "Słownika geograficznego Królestwa Polskiego i krajów przyległych". W 1869 roku miasto otrzymało Muzeum Sztuk Pięknych, późniejsze Muzeum Narodowe. W 1875 roku powstało Muzeum Przemysłu i Rolnictwa wyposażone w pracownie i laboratoria naukowe. W tym samym roku zawiązało się Towarzystwo Oświaty Naukowej (TON), później, w 1884 roku – Towarzystwo Ogrodni-cze; w 1892 roku zorganizowano Muzeum Rzemiosł i Sztuki Stosowanej oraz Szkołę Handlową fundacji L. Kronenberga. Wspierały humanistykę polską udostępniane nielicz-nemu gronu wybranych zbiory Biblioteki Ordynacji Krasińskich wzbogacone księgozbio-rem Konstantego Świdzińskiego oraz Biblioteka Ordynacji Zamoyskiej. Jednakże aż do 1906 roku miasto nie posiadało ani jednej biblioteki publicznej.

Warszawa była największym w skali Królestwa Polskiego ośrodkiem prasy w odróżnieniu od zaboru pruskiego, gdzie przeważała prasa wychodząca na prowincji. Mimo ostrego ucisku politycznego, w szczególności za osławionego cenzora Iwana Jankulio, warszaw-skie czasopisma rozwijały się żywo, zyskując rzesze czytelników. Wyróżniał się "Kurier Warszawski", który zwiększył nakład z 8 tysięcy egzemplarzy w 1872 roku do 12 tysięcy w 1877 roku. W 1882 roku liczył już około 30 tysięcy stałych abonentów i od 1883 roku zaczął wychodzić dwa razy dziennie. Wybijało się czasopiśmiennictwo pozytywistyczne z "Przeglądem Tygodniowym", "Wiekiem" razem z dodatkiem "Nowiny" od 1876 roku. W 1881 roku zaczęła wychodzić "Prawda" A. Świętochowskiego. Zyskiwała popularność konserwatywna "Niwa" oraz "Słowo" (1882), to ostatnie słynne z publikowania w odcin-kach sienkiewiczowskiej trylogii. W Warszawie również od 1881 roku zaczęła wychodzić przeznaczona dla chłopów "Gazeta Świąteczna" Konrada Prószyńskiego. Lata 1880 zapoczątkowały druk nielegalnej prasy socjalistycznej, której największy rozwój przypad-nie na początek nowego stulecia. Żywą działalność naukowo-popularyzatorską przejawia-ły między innymi czasopisma literackie: "Biblioteka Warszawska", "Tygodnik Illustrowa-ny", "Bluszcz", "Przegląd Pedagogiczny", "Wędrowiec", "Głos". Skupiały one w gronie redakcyjnym oraz wśród współpracujących autorów najwybitniejszych przedstawicieli polskiej nauki i kultury o wszystkich odcieniach politycznych. A. Świętochowski, B. Prus, A. Dygasiński, J. Ochorowicz, L. Krzywicki, H. Sienkiewicz, P. Chmielowski, J. Jeleński zapełniali łamy czasopism swoimi artykułami i korespondencjami.

Po odejściu Apuchtina w 1897 r., za rządów generała-gubernatora A. K. Imeretyńskiego (1897–1901) złagodniał nieco kurs rusyfikacji, ale dopiero lata wojny rosyjsko-japoń-skiej przyniosły wyraźną ulgę. 28 stycznia 1905 roku Warszawa stała się ośrodkiem wiel-kiego strajku szkolnego, który ogarnął całe szkolnictwo miejscowe pod hasłem powrotu do polskiej szkoły. Lekcje podjęto dopiero po kilku miesiącach, ale nadal bojkotowano rządowe szkoły. W ich miejsce rodziła się sieć polskich gimnazjów prywatnych; pierwszym było gimnazjum im. generała Chrzanowskiego. Ożywienie umysłowe lat rewolucyjnych 1905–1907 sprzyjało rozwijaniu nowych form działalności oświatowej.

Warszawa tamtych lat stała się ośrodkiem rozkwitu Towarzystwa Kursów Naukowych, Uniwersytetu dla Wszystkich oraz oddziałów Uniwersytetu Ludowego Polskiej Macierzy Szkolnej. Z Towarzystwa Kursów Naukowych wyrosnąć miały z czasem, już po odejściu Rosjan z Warszawy: Wolna Wszechnica Polska, Szkoła Główna Gospodarstwa Wiejskiego i Szkoła Główna Handlowa. W 1906 roku utworzono Towarzystwo Biblioteki Publicznej, które niebawem, dzięki ofiarności społecznej, przeobraziło się w dużą placówkę bibliote-czną, dysponującą od 1914 roku własnym gmachem przy ul. Koszykowej. W 1907 roku powstało Towarzystwo Naukowe Warszawskie; skupiało ono wielu wybitnych uczonych i rozwijało żywą działalność naukową i wydawniczą.

410. Nowy Zjazd od kościoła Bernardynów

SZTUKA I TEATR

W malarstwie Warszawy zapisało się trwałymi osiągnięciami Towarzystwo Zachęty Sztuk Pięknych utworzone jeszcze w 1860 roku przez Wojciecha Gersona. Jednakże z powodu braku Akademii wybitniejsze talenty szukały wiedzy i uznania poza granicami kraju. W rzeźbie wyróżniło się dzieło dłuta A. Pruszyńskiego – posąg Chrystusa przed kościołem Świętego Krzyża (1868), C. Godebskiego pomnik A. Mickiewicza na Krakowskim Przedmieściu (1898). W muzyce trwałe miejsce zdobyło Warszawskie Towarzystwo Muzyczne, założone w 1870 roku; organizowało ono koncerty i konkursy, pielęgnowało zainteresowania twórczością Moniuszki i Chopina. Wśród artystów kompozytorów największą popularnością po śmierci Moniuszki (1872) cieszyli się Henryk Wieniawski, Władysław Żeleński, a później Ignacy Paderewski. W 1886 roku powstał chór „Lutnia", a następnie w 1906 roku chór „Harfa". W 1901 roku miasto otrzymało Filharmonię.

Teatr warszawski nie miał tej swobody rozwoju co krakowski, któremu też ustępował poziomem i repertuarem, zwłaszcza w pierwszym trzydziestoleciu. Represje nie ominęły i tej dziedziny życia kulturalnego, administrowanej przez carskich generałów, faworyzujących z reguły mniej wyszukany program o charakterze rozrywkowym. Mimo to był teatr warszawski w latach 1870–1900 instytucją polską o najdonioślejszym znaczeniu. Tu oficjalnie rozmawiało się w języku polskim, tu wystawiano utwory polskich twórców. W teatrach rządowych – w Wielkim wystawiano często operę Moniuszki; w „Rozmaitościach" obok obcych i swoich klasyków (Fredro) trafiały z czasem na scenę, choć półlegalnie, sztuki J. Słowackiego. Na najwyższym poziomie utrzymywała się operetka i balet, które wiązały swoje triumfy po 1870 roku z rozwojem teatrzyków ogródkowych, sezonowych. Wśród artystów wyróżniali się Helena Modrzejewska (1868–1876), bawiąca tu przejściowo, a następnie zasiedziali artyści tej miary co: Jan Królikowski, Józef Rychter, Alojzy Żółkowski (syn), Wincenty Rapacki, Bolesław Leszczyński, Józef Kotarbiński, Roman Żelazowski, Mieczysław Frenkiel. Z czasem, już w początkach XX wieku, teatr

411. Nowa Sala Wystawy Obrazów Towarzystwa Zachęty Sztuk Pięknych w Królestwie Polskim. Drzeworyt, rys. Maksymilian Gierymski

412. Wieczór literacki w salonie Stanisława hr. Kossakowskiego. Drzeworyt, rys. Ksawery Pillati

413. Klub na Czackiego. Akwarela, mal. Franciszek Kostrzewski, 1897 r.

414. Aleje Ujazdowskie, powrót z wyścigów. Ma Juliusz Kossak

415. Wyścigi cyklistów warszawskich 15 sierpn 1891 r. Przed startem do Garwolina

warszawski wyzwolił się z zależności od Krakowa przyciągając stamtąd co lepsze siły oraz nadając ton całemu życiu teatralnemu w skali trójzaborowej. U progu wojny 1914 roku zwiększyła się liczba teatrów prywatnych. W 1907 roku powstał Teatr Mały, w 1910 – Teatr Zjednoczony przy ul. Bielańskiej, a w 1912 roku wielki na owe czasy, nowocześnie urządzony Teatr Polski.

W dziedzinie rozrywek majętniejszych warstw ludności miasta, zwłaszcza sfer plutokraty-czno-arystokratycznych, ugruntowały swoją pozycję wyścigi konne. Zlokalizowane od 1841 roku na Polu Mokotowskim, w 1887 roku zostały przeniesione w pobliże ul. Polnej. Dostarczały one „Cesarskiemu Towarzystwu Wyścigów Konnych" obfitych zysków oraz służyły jako rendez-vous towarzyskiej elity Warszawy: polskiej burżuazji i arystokracji oraz rosyjskiej biurokracji i korpusu oficerskiego.

AKTYWNOŚĆ POLITYCZNA I WALKA KLASY ROBOTNICZEJ

Stosunkowo wcześnie, bo już na początku lat 1870, warszawski proletariat wystąpił do walki strajkowej o poprawę warunków pracy i płacy. Pierwszy silny strajk wybuchł w 1871 roku na Solcu, w stalowni Lilpopa, ogarniając 1200 robotników, następnie również u Frageta i Cukierwara. W ten sposób, w kilka zaledwie lat po stłumieniu powstania styczniowego Warszawa podjęła walkę rewolucyjną. W styczniu 1877 roku zaczął pracować jako robotnik u Lilpopa twórca Wielkiego Proletariatu – pierwszej, marksistow-skiej partii w polskim ruchu robotniczym – Ludwik Waryński. On też założył wówczas w Warszawie pierwsze kółka socjalistyczne. Z jego inicjatywy już w 1878 roku opracowa-ny został pierwszy robotniczy polski program socjalistyczny, tak zwany „program bruksel-ski". W Warszawie również uformowane zostały zalążki partii – Kasy Oporu, szerzące propagandę socjalistyczną. W tym samym czasie, w Cytadeli warszawskiej powstało pierwsze w Królestwie pismo socjalistyczne „Głos Więźnia", redagowane i układane w celach słynnego X Pawilonu. Zawiązana w 1882 roku partia Proletariat liczyła w swoich szeregach kilkuset członków z Warszawy. Największą liczbę kół partyjnych miały robotni-cze dzielnice fabryczne: Nowa Praga, Powiśle i Wola. Jesienią 1883 roku oraz wiosną i latem 1884 roku miasto przeżyło falę masowych aresztowań, a na schyłku 1885 roku słynny proces 29 „Proletariatczyków". 28 stycznia 1886 roku na stokach Cytadeli, na

416. Ulica Brzozowa. Rys. Józef Pankiewicz, 1891 r.

pierwszych od śmierci Traugutta i towarzyszy szubienicach zginęli czterej członkowie Proletariatu. Miasto stało się głównym ośrodkiem ruchu robotniczego. Tu formowały się kolejne organizacje rewolucyjne klasy robotniczej: II Proletariat oraz Związek Robotników Polskich. Natężenie wystąpień strajkowych zaznaczyło się od 1889 roku. Rok później warszawskie środowisko robotnicze święciło po raz pierwszy dzień 1 Maja, podobnie w 1892 roku. Pod Warszawą obradował w 1894 roku I Zjazd SDKPiL, a następnie odbywały się także inne tego rodzaju konferencje partyjne obu partii: PPS i SDKPiL. Jednocześnie rodził się w Warszawie ruch polityczny o orientacji nacjonalistycznej związany z tak zwanym Zetem i Ligą Narodową. Z ich inspiracji 17 kwietnia 1894 roku, w stulecie powstania Kościuszkowskiego, zorganizowano wielką manifestację na ulicach miasta. Społeczeństwo występowało aktywnie na forum walki politycznej.

Dużym wydarzeniem w życiu miasta była wizyta cesarskiej pary, a następnie uroczystość odsłonięcia pomnika A. Mickiewicza w 1898 roku. Wzrosły nadzieje na odmianę bytu politycznego, podsycane przez koła ugody z Rosją carską. Ożywiła się jednocześnie działalność strajkowa robotników Warszawy w zakładach Rudzkiego, Rephana, Lilpopa, Ortweina. W 1899 roku wielki pochód robotniczy w Alejach Ujazdowskich demonstrował swe stanowisko walki z caratem i burżuazją. Początki XX wieku zaznaczyły się dalszym nasileniem wystąpień. Warszawa stała u progu rewolucji 1905 roku, poprzedzonej stagnacją i kryzysem przemysłowym. W 1904 roku spadło zatrudnienie w zakładach metalowych: u Rudzkiego o 40%, Bormana, Szwede i Spółki o 15%, w fabryce „Wulkan" o 27%. Nie miały na to większego wpływu podjęte przez miasto roboty komunalne, finansowane z dużej pożyczki w wysokości 30 milionów rubli, zaciągniętej przez magistrat. W dniu 1 lipca 1904 roku bezrobocie ogarnęło ponad 60% stanu liczbowego robotników Warszawy. Niedziela 13 listopada tegoż roku przyniosła krwawą manifestację robotniczą na placu Grzybowskim.

W latach rewolucji 1905–1907 poszczególne ulice i place przeszły do historii Warszawy jako miejsca uświęcone krwią burzących się robotników. Po krwawym stłumieniu manifestacji 1-majowej w Alejach Jerozolimskich wybuchł 4 maja strajk powszechny warszawskich robotników. Do największego natężenia walk rewolucyjnych doszło na jesieni 1905 roku. 26 października wybuchł strajk powszechny w Warszawie trwający do 20 listopada, a w ślad za nim wystąpiły do walki prowincjonalne ośrodki robotnicze Królestwa. Rok 1905 zapisał się potężnym wiecem w Filharmonii Warszawskiej, zorganizowanym 22 grudnia, i nowym strajkiem powszechnym w dniu 27 grudnia. Z dalszych walk odnotować warto przeprowadzoną wiosną 1906 roku przez Organizację Bojową PPS akcję wykradzenia 10 więźniów z Pawiaka.

W pierwszym okresie rewolucja przyniosła ulgi polityczne i przejściową poprawę warunków życia. Dzień pracy uległ skróceniu przeciętnie do 8 godzin, wywalczono też niewielką podwyżkę płac. Ale już w 1906 roku natężenie walk osłabło. Carat i burżuazja przechodzili do kontrofensywy wycofując się z poprzednich ustępstw. Lata 1908–1909 przyniosły nowy kryzys przemysłowy i nasilenie tak zwanych lokautów w warszawskich fabrykach. Wywołało to opór robotników w postaci strajków, nasilających się szczególnie w latach 1910–1911. Obchody święta 1 Maja w 1911 roku, po raz pierwszy od wygaśnięcia rewolucji, przybrały charakter masowych wystąpień, najsilniejszych na Woli, Powązkach i na Pradze. W następnym roku objęły one fabryki metalowe „Wulkan", „Labor", „Borman, Szwede i Ska", „Rudzki". 13 i 15 maja 1912 roku warszawscy robotnicy demonstrowali swoją solidarność z proletariatem rosyjskim zmasakrowanym w słynnych wydarzeniach nad Leną. Manifestacje robotnicze na placu Grzybowskim i na Stawkach wykazały rosnące wpływy SDKPiL wśród warszawskiego proletariatu. Rok wybuchu I wojny światowej – 1914 – rozpoczął się dalszym natężeniem walk strajkowych. Najtrwalej zapisał się strajk 1-majowy, w którym uczestniczyło blisko 35 tysięcy osób, najliczniej na Pradze, Woli i Powiślu. W tym czasie (1912–1914) Warszawa zajmowała czołowe miejsce w skali państwa rosyjskiego pod względem natężenia strajków politycznych. Leżąc na szlaku komunikacyjnym ze wschodu na zachód odgrywała też ważną rolę w międzynarodowych kontaktach rewolucyjnych.

W przeciągu lat pięćdziesięciu miasto zasadniczo przeobraziło swój charakter. Zmieniło się bez mała wszystko w jego wyglądzie, zabudowie, gospodarce i kulturze. Dzięki prężnemu rozwojowi życia gospodarczego Warszawa obroniła i umocniła swoją stołeczność. Była ośrodkiem żywych działań politycznych, mimo represji ani na chwilę nie rezygnując z roli duchowego i politycznego przywódcy narodu.

W wojnę 1914 roku miasto wchodziło bez większych wstrząsów i emocji. Pierwszy rok działań frontowych nie zdołał zahamować ani osłabić tętna produkcji przemysłowej. Nie wprowadził też większych perturbacji w funkcjonowaniu organizmu miejskiego. Ożywiło się życie umysłowe i kulturalne, odbywały się liczne zabawy warstw zamożniejszych. Dopiero zbliżające się odgłosy walk frontowych latem 1915 roku spowodowały gorączkowe przygotowania do ewakuacji urzędów państwowych oraz zakładów fabrycznych z częścią załóg robotniczych. Nie wytrąciły one jednak z równowagi całej społeczności warszawskiej, oczekującej niefrasobliwie nadchodzącej okupacji armii niemieckiej. W nocy z 4 na 5 sierpnia 1915 roku, po ponad stu latach nieprzerwanego panowania, Rosjanie ustąpili z Warszawy. Przed miastem otwierał się okres gorzkich doświadczeń i dewastacji wojennych pod okupacją niemiecką.

417. Warszawa za kratą. Rys. Witold Wojtkiewicz

SZTUKA W LATACH 1864–1914

ARCHITEKTURA

Okres po powstaniu styczniowym znamionuje intensywny rozwój życia gospodarczego, zwłaszcza w dziedzinie przemysłu. Miasto rozbudowuje się głównie w kierunku południowym i zachodnim, lecz rozwój jego będzie wkrótce ograniczony pierścieniem fortyfikacji, stąd zagęszczenie zabudowy. Wznoszone są gmachy użyteczności publicznej oraz rozwija się w dużym tempie budownictwo mieszkaniowe.

W architekturze do końca stulecia panował historyzm i eklektyzm, które przetrwały do 1914 roku, ale na przełomie wieków pojawiły się również secesja i elementy „stylu zakopiańskiego". Po 1908 roku widoczne też były różne odmiany wczesnego modernizmu.

U progu omawianego okresu najgłośniejszą inwestycją była odbudowa ratusza po pożarze 1863 roku. Do konkursu stanęło wielu czołowych architektów, między innymi: Jan Heurich, Edward Cichocki, Józef Orłowski, Julian Ankiewicz. Budowę realizował Orłowski, wykorzystując projekt Rafała Krajewskiego, straconego na stokach Cytadeli w 1864 roku. Nad starym, klasycystycznym gmachem wzniesiono nowy, mansardowy dach, z boku zaś dobudowano wieżę i skrzydło w duchu neobaroku (1864–1866). Trzon środkowy wypełniła wielka sala z galeriami wspartymi na żeliwnych kolumnach (wypalone mury budowli rozebrano w 1953).

W latach 1861–1893 na pl. Grzybowskim wznoszono mury największego w Warszawie, neorenesansowego kościoła Wszystkich Świętych (Henryk Marconi). W roku 1865 zakończono budowę kościoła na Wierzbnie, nawiązującego swą fasadą do kościoła Kapucynów przy ul. Miodowej (Ignacy Essmanowski; zburzony 1944). W 1866 roku wzniesiono w Królikarni kościół w stylu neoromańskim (Wojciech Bobiński; zburzony 1944). Powstały też świątynie innych wyznań: na Lesznie – kościół Kalwiński w stylu neogotyckim, z wysmukłym, ażurowym hełmem wieży (Adam Adolf Loeve, 1866), na Pradze, na miejscu zniszczonego w 1794 roku kościoła św. Andrzeja, wystawiono cerkiew; przyjęła ona rolę głównego akcentu architektonicznego dzielnicy (1869). Na Tłomackiem wzniesiono synagogę, nawiązującą swym stylem do klasycyzmu (Leandro Marconi, 1872–1877). Centralno-podłużną budowlę wieńczył belwederek z kopułą w kształcie korony (budowla zburzona 1943).

Alfons Kropiwnicki, od 1843 roku budowniczy m. Warszawy, tworzy nadal; jego projekt dworca Drogi Żelaznej Warszawsko–Terespolskiej na Pradze jest kontynuacją kierunku późnego klasycyzmu (1865). Upodobanie do neorenesansu wyraziło się w architekturze Biblioteki Ordynacji Zamojskiej przy ul. Żabiej (Ankiewicz, 1868). Ten sam kierunek reprezentował gmach III Gimnazjum Męskiego przy Krakowskim Przedmieściu (Bolesław Podczaszyński, 1867–1875; obecnie odbudowany niewłaściwie). Budowlą wyróżniającą się w tym czasie był też Instytut Oftalmiczny przy ul. Smolnej (Adolf Woliński, 1870). Prostą bryłę budowli akcentował środkowy ryzalit z rozetowym, neogotyckim oknem (wypalone mury rozebrano 1953). Drugim budynkiem o podobnej funkcji był szpital dla dzieci przy ul. Aleksandria, obecnie Kopernika (Ankiewicz, Franciszek Tournelle, 1874–1875). Budowlę, w stylu neorenesansu, charakteryzuje wywyższenie członów bocznych. Do najbardziej jednak okazałych budowli tego czasu należy gmach Towarzystwa Kredytowego m. Warszawy przy ul. Włodzimierskiej, później Czackiego (Ankiewicz, 1870). Budowla ta, o monumentalnych portykach i rzeźbach zdobiących dwuryzalitową fasadę, odwołuje się do nurtu akademickiego klasycyzmu XVII i XVIII wieku. Do

418. Teatr Letni w Ogrodzie Saskim

obiektów o charakterze użyteczności publicznej należał również Teatr Letni w Ogrodzie Saskim (Aleksander Zabierzowski, 1871). Oryginalny kształt zdobiły formy zaczerpnięte z drewnianej architektury Szwajcarii (spalony 1939).

Budowlą odzwierciedlającą epokę pozytywizmu był też gmach Muzeum Przemysłu i Rolnictwa z wielką salą odczytową, usytuowany na tyłach kolumnady bernardyńskiej na Krakowskim Przedmieściu, wzniesiony w stylu będącym kompilacją klasycyzmu i renesansu (Wincenty Rakiewicz, 1875).

Bujnie rozwijała się architektura mieszkaniowa. Wyróżniał się pałac Leopolda Kronenberga w stylu neorenesansowo-empirowym, rodowodu niemieckiego (Jerzy Hitzig, 1867–1871; wypalone mury rozebrano w 1964). Budowla swym przepychem ukazywała potęgę finansową plutokracji. Pod względem bogactwa rywalizował z tą budowlą pałac Aleksandra Branickiego przy ul. Frascati, nawiązujący z kolei do wzoru architektury francuskiej XVII wieku (Leandro Marconi, 1870; zburzony 1944). Konstanty Zamoyski wystawił przy ul. Foksal pałac odznaczający się odmiennym, kameralnym charakterem, ale odwołujący się również do siedemnastowiecznej architektury francuskiej (L. Marconi, 1875–1877). Do tych samych wzorów nawiązywał pałac Brzostowskich przy ul. Brackiej (Bronisław Żochowicz-Brodzic, 1882). Józef Huss wzniósł w tym czasie (1877) dla Karnickiego pałac w Al. Ujazdowskich o kolumnowych loggiach w stylu neorenesansu.

Głównym jednak typem prywatnej rezydencji bogatych sfer stała się wówczas willa. W budownictwie tego rodzaju wyróżniła się twórczość Leandra Marconiego (syna Henryka). Był on autorem willi Marconich Pod Karczochem przy Al. Ujazdowskich (1868, później przebudowana). Architekt nawiązał tu do willi Bacciarellego z klasycystyczną rotundą w narożu, wybudowaną w końcu XVIII wieku przez Kamsetzera. Korpus budowli Marconiego zdobiły jednak motywy neogotyckie. Wzniesiona w tym samym czasie, przy tej samej ulicy i przez tego samego autora willa Wilhelma Raua nawiązywała do renesansowych willi włoskich. Budowlę zdobią dwa półkoliste portyki kolumnowe, attyka oraz liczne rzeźby. Leandro Marconi zbudował także neorenesansową willę – pałacyk Sobańskich w Al. Ujazdowskich (1876). Elewacje budowli ozdobione są popiersiami królów polskich. Upodobanie do renesansu w tym właśnie typie architektury przejawiło się jeszcze w willi Wernickiego w Al. Ujazdowskich, wzniesionej również przez Marconiego. Wnętrza budowli, niezwykle bogato ozdobione, dowodziły doskonałego znawstwa form architektury dawnej. W podobnym duchu eklektycznego renesansu utrzymana jest też willa Nagórnego u zbiegu al. Róż i Al. Ujazdowskich (Huss, 1875). Najliczniejsze są jednak wówczas czynszowe kamienice z oficynami otaczającymi szczelnie niewielkie podwórza. Architekci najbardziej płodni na tym polu to: Ankiewicz, Kropiwnicki, Woliński, Aleksander Wojde, Huss, Antoni Kluczewicz, Witold Lanci, Zygmunt Rospendowski.

W wystroju kamienic trwał jeszcze klasycyzm, czego przykładem może być dom u zbiegu ul. Brackiej i Żurawiej, projektowany przez Wolińskiego (1870); zdecydowanie jednak przeważał neorenesans. W tym duchu wzniesiona została kamienica na rogu ul. Marszałkowskiej i Żurawiej (Leon Rakowski, 1864), odznaczająca się dość skromnym wyglądem. Po 1870 roku zaczęły pojawiać się wielkie czynszówki o bogatej dekoracji, zwłaszcza wzdłuż ul. Marszałkowskiej. Ich autorami byli głównie Huss i Lanci.

Do renesansu włoskiego nawiązał też, i to w sposób niemal dosłowny, W. Lanci w pałacu Schlenkerów przy ul. Jasnej (1881–1883). Pełnej umiaru architekturze zewnętrznej zostało przeciwstawione bogactwo wnętrz, dekorowanych marmurami i malowidłami Wojciecha Gersona. Najpiękniejszym domem ówczesnej Warszawy wydaje się dom Pod Gryfami u zbiegu pl. Trzech Krzyży i ul. Brackiej, rozczłonkowany pilastrami wielkiego porządku i zwieńczony attyką z gryfami i dwoma belwederkami; te ostatnie już nie istnieją (Huss, 1884–1886). Tej pełnej klasycznego umiaru architekturze przeciwstawiono kamienicę Scheiblera przy ul. Trębackiej (Józef Pius Dziekoński i Edward Lilpop, 1886). Jej powierzchnię elewacyjną pokryły wydatne gzymsy i oprawy dekoracyjne otworów, wzorowane na renesansie i baroku; były one tak liczne, że układ kompozycyjny fasady stał się nieczytelny. Kamienica ta jest dzisiaj przebudowana.

Tendencje wzbogacania bryły wykuszami czy narożnymi wieżyczkami były z czasem coraz silniejsze, wzrosło też zainteresowanie stylami historycznymi, traktowanymi dosłownie lub bardziej swobodnie z dążnością do malowniczego rozbicia bryły i elewacji. Narożne usytuowanie kamienicy, jak na przykład u zbiegu Marszałkowskiej i Koszykowej, skłaniało do wprowadzenia akcentu wertykalnego w postaci wieżyczki, ozdobionej wydatnym hełmem. Wśród architektów pojawił się Franciszek Brauman, który taką wieżyczką ozdobił kamienicę u zbiegu ul. Senatorskiej z Daniłowiczowską; została ona zburzona

423. Dom Pod Gryfami przy pl. Trzech Krzyży

24. Dom E. Wedla u zbiegu ul. Szpitalnej i ul.
órskiego

w 1944 roku. Ów Brauman jest twórcą między innymi stojącego do dziś domu firmy „E. Wedel" na rogu ul. Hortensji, obecnie Górskiego, i Szpitalnej (1893). Budowla uzyskała wystrój bogaty w rzeźbę i ornamentacje wzorowane na renesansie francuskim. Dom zakładu fotograficznego J. Mieczkowskiego, stojący w narożu ul. Miodowej i Koziej, był jakby swobodną redakcją wzoru architektury Ludwika XVI (Huss, 1898; budynek rozebrano ok. 1910). Najbardziej „ozdobną" budowlą Warszawy był jednak dom firmy „Bogusław Herse", stojący między pl. Zielonym, obecnie Dąbrowskiego, a Marszałkowską (Huss, 1897). Wyróżniał się przede wszystkim dużą liczbą wieżyczek zwieńczonych cebulastymi hełmami. Ta budowla oraz kamienica Scheiblera przy ul. Trębackiej są wymownymi przykładami tendencji do oszałamiania przepychem, co było charakterystyczne dla środowisk nowo wzbogaconego mieszczaństwa.

W ostatnich dwóch dziesiątkach lat XIX wieku mnożyły się też w Warszawie budowle o charakterze sakralnym i użyteczności publicznej. Krajobraz miasta wzbogaciły przede wszystkim bryły kościołów. W latach 1883–1885 wzniesiony został wielki, z wysmukłą kopułą, neoromański kościół św. Piotra i Pawła na Koszykach (Cichocki), obecnie odbudowany w innych formach. W latach 1886–1894 trwała rozbudowa kościoła św. Aleksandra na pl. Trzech Krzyży, poprzedzona konkursem architektonicznym, wygranym przez Dziekońskiego. Budowlę zdobiła wysoka kopuła, a od frontu – dwie wieże. Podobną koncepcję przedstawia kościół Karola Boromeusza na Powązkach (Dziekoński, 1891–1898). Swą kopułą, tak jak i kościół św. Aleksandra, budowla nawiązywała do wzoru kościoła św. Piotra w Rzymie. Dziekoński wystawił także strzelisty neogotycki kościół św. Floriana na Pradze (1896–1901), który stał się głównym akcentem dzielnicy; obecnie świątynia ta jest zrekonstruowana. Po przeciwnej stronie Warszawy, przy ul. Wol-

425. Kościół św. Floriana przy pl. Weteranów

skiej ten sam architekt wzniósł również neogotycki kościół św. Stanisława (1896–1905). Obydwie te budowle miały nawiązywać do tak wówczas pojmowanego gotyku nad-wiślańskiego. Styl neoromański, przy użyciu nietynkowanej cegły, zaprezentował kościół św. Augustyna na Nowolipkach (Huss, 1896). Wszystkie te świątynie przyćmił jednak swą wielkością sobór na pl. Saskim, oblicowany jasną cegłą i mający złocone kopuły oraz oddzielnie stojącą 70-metrową dzwonnicę, będącą najznaczniejszym akcentem wysokościowym Warszawy – symbolem władztwa carskiego (Leontij Benois, 1894–1912). Sylwetę ówczesnej Warszawy wzbogaciły też centralne bryły gmachów dla panoram malarskich, przy ul. Karowej i przy ul. Oboźnej (Karol Kozłowski, 1896). Potrzeby kulturalne zaspokajał pawilon wystawowy Gracjana Ungra, wzniesiony na dziedzińcu pałacu Potockich na Krakowskim Przedmieściu (L. Marconi, 1881). Budowla, ozdobiona skromnie motywami architektury historyzującej, odznaczała się oryginalnym kształtem, co wynikało poniekąd z jej funkcji. We wnętrzu bowiem znajdowała się obszerna sala zamknięta od góry spłaszczoną kolebką. Wystawiono tu między innymi *Grunwald* Jana Matejki. Budowlą godną nazwy obiektu muzealno-wystawowego stał się gmach Towarzys-twa Zachęty Sztuk Pięknych przy pl. Ewangelickim, dziś Małachowskiego, o klasycyzują-cych formach, alegorycznych rzeźbach i napisach odnoszących się do największych malarzy polskich: Chełmońskiego, Matejki i Grottgera (Stefan Szyller, 1900).

Warszawa przez długie lata nie miała sali koncertowej. Muzykowano w wynajmowanych salach balowych pałaców i resurs oraz w Salach Redutowych Teatru Wielkiego. Dopiero w latach 1899–1901 przy ul. Jasnej stanął gmach Filharmonii zbudowany przez Karola Kozłowskiego. Była to najokazalsza budowla Warszawy tych lat (obecnie przebudowana) – echo gmachu Opery Paryskiej.

Nowe gmachy bankowe, wznoszone przy ul. Kotzebue (późniejsza Fredry), niewiele w swym wyglądzie różniły się od neorenesansowych kamienic. Bank Dyskontowy (nr 9) wzniósł Kazimierz Loeve (1896–1897), Bank Zachodni zaś – Dziekoński (ok. 1900). Dekoracja fasady tego banku została zbita w 1956 roku. W stylu neorenesansu zbudowano też gmach Kasy Pożyczkowej Przemysłowców przy ul. Zgoda, obecnie Hibnera (Szyller, 1895–1901).

Rozwijający się przemysł i ożywione życie gospodarcze epoki kapitalizmu spowodowały powstanie różnego rodzaju instytucji, które wznosiły na własne potrzeby nowe budowle. Na Krakowskim Przedmieściu wzniesiono budynek Towarzystwa Akcyjnego Zakładów Żyrardowskich; rozbił on swą wysokością linię dawnej zabudowy o niższym gabarycie (K. Loeve, 1884). Elewacja, bogata w detal architektoniczny, nawiązywała do renesansu niderlandzkiego.

Powstawały też budowle o charakterze sportowym. Jedną z nich jest gmach Towarzystwa Cyklisów na Dynasach (Szyller, 1891). Budowla mieszcząca w swym wnętrzu salę sportową przypominała architekturę kurortów szwajcarskich, gdzie elementy murowane łączono z drewnianymi. Wpływ stylu szwajcarskiego dał się zauważyć niebawem i w archi-tekturze drewnianych przystani nadrzecznych, teatrzyków ogrodowych, podwarszawskich stacji kolejowych czy willi; trochę takich przykładów ocalało jeszcze w okolicach Otwocka. Własną siedzibę przy ul. Foksal otrzymało w 1897 roku Warszawskie Towarzystwo Wioś-larskie (Bronisław Rogoyski-Brochwicz). Fasada, oblicowana żółtą cegłą, urozmaico-

427. Filharmonia Narodowa przy ul. Jasnej

428. Gmach Warszawskiego Towarzystwa Wiośl
skiego przy ul. Foksal

na została wydatnymi wykuszami i wieżyczkami w stylu neogotyckim oraz rzeźbą *Wioślarka* (Hipolit Marczewski). Sala sportowa Towarzystwa nawiązywała do klasycyzmu.

W ostatnim dziesięcioleciu XIX wieku powstaje w Warszawie również kilka budowli związanych ze szkolnictwem. Wśród nich wyróżnia się Szkoła Żeńska Cecylii Zyber-Platerowej przy ul. Pięknej (Władysław Hirszel, 1880). Naczelnym motywem zdobniczym trzyryzalitowej fasady są wydatne, rustykowane oprawy otworów okiennych – naśladownictwo rozwiązań renesansowych. Szkoła Wojciecha Górskiego przy ul. Hortensji również miała płaską, trzyryzalitową fasadę zróżnicowaną jedynie pionami boniowanych lizen (Artur Goebel, 1883). Wspaniałym gmachem uczelnianym była wystawiona na dziedzińcu Pałacu Kazimierzowskiego Biblioteka Warszawskiego Uniwersytetu Carskiego, utrzymana w stylu klasycyzmu akademickiego XVIII wieku (Szyller, 1894). Najokazalszym obiektem tego typu był gmach Politechniki przy ul. Nowowiejskiej, w formach zewnętrznych nawiązujący do klasycyzmu akademickiego, w swej zaś wielkiej auli, otoczonej krużgankami – do wzorów renesansu włoskiego (Szyller, 1899–1901, rzeźby – Pius Weloński).

Wśród kilku wzniesionych w tym czasie szpitali największym i najnowocześniejszym był nowy szpital Dzieciątka Jezus przy ul. Nowogrodzkiej, wybudowany według projektu Dziekońskiego, który nawiązał, w swym mniemaniu, do form mazowieckiej architektury gotyckiej, łącząc biały tynk ścian z dekoracją ceglaną. W tym samym czasie, obok tego szpitala, u zbiegu ulic Oczki i Chałubińskiego wybudowany został gmach prosektorium według projektu Antoniego Jabłońskiego-Jasieńczyka. Swą frontową ćwierćrotundą budowla nawiązywała do tradycji klasycyzmu.

Z hoteli wyróżniał się Hotel Brühlowski przy ul. Fredry, utrzymany w stylu klasycyzmu XVIII wieku (W. Lanci, 1882; zburzony 1944), oraz Grand Hotel Garni przy ul. Chmielnej (obecna Rutkowskiego), z pawilonem zdobionym kolumnami i rzeźbami (Szyller, 1894–1895). Najwspanialszą jednak budowlą hotelową tego czasu stał się Hotel „Bristol" na Krakowskim Przedmieściu (W. Marconi, 1902). Architekt sięgnął do form renesansu i klasycyzmu. Zaokrąglony narożnik budowli zwieńczono otwartym, okrągłym belwederkiem z kolumnami, nawiązującymi do stojącej nie opodal kamienicy u zbiegu Krakowskiego Przedmieścia i Królewskiej.

Inną, równie okazałą budowlą, tym razem nadającą ton ulicy Marszałkowskiej, był gmach towarzystwa Ubezpieczeń „Rosja" (W. Marconi, 1898–1901; budynek przebudowany przez Bohdana Lacherta w 1946). Budowla z przerwanym półokrągłym frontonem i narożnymi kopułami nawiązywała do monumentalnego baroku. Na szczycie gmachu ustawiono rzeźbę Leopolda Wasilkowskiego, symbol Elektryczności w postaci kobiety trzymającej latarnię. W stylu neobarokowo-secesyjnym wzniesiono też Dom Stowarzyszenia Techników przy ul. Czackiego (Jan Fijałkowski, 1903). Fasadę, rozczłonkowaną kolumnami i pilastrami, wypełniają wielkie arkadowe okna oraz zdobi bogata dekoracja rzeźbiarska (Zygmunt Otto, Józef Gardecki). Z monumentalnych gmachów wymienić ponadto należy dom księgarni Gebethnera i Wolffa, zajmujący narożnik ulicy Sienkiewicza i Zgoda (dzisiejsza Hibnera), o bryle zróżnicowanej wieżą i gotyckimi szczytami (Rogoyski-Brochwicz, 1902; zburzony 1944).

Neogotyk pozostał nadal stylem popularnym. Dość wspomnieć kamienicę w Al. Ujazdow-

29. Hotel „Bristol" przy ul. Krakowskie Przedmieście

430. Gmach Towarzystwa Ubezpieczeń „Rosja" przy ul. Marszałkowskiej

skich nr 22, wzniesioną w początkach XX wieku przez Dziekońskiego, a oblicowaną ceramiczną cegłą żółtą i czerwoną, czy wcześniejszy nieco, z lat 1897–1900, dom sierot Warszawskiego Towarzystwa Dobroczynności przy ul. Rakowieckiej, wystawiony według projektu Władysława Kozłowskiego. W tym samym stylu ukończono w 1904 roku przy tej samej ulicy gmach więzienia projektu Wiktora Junoszy-Piotrowskiego przy współpracy Henryka Gaya (w 1975 neogotycki wystrój został zbity, a elewacje otynkowane).

Klinkierowa cegła była nadal niemal wyłącznym tworzywem w budownictwie przemysłowym i koszarowym. Formy architektoniczne oscylowały zazwyczaj między gotykiem a renesansem. W tym też charakterze był utrzymany zespół budynków pomp przy ul. Czerniakowskiej i Koszykowej ż wieżą ciśnień, która stała się charakterystycznym dla miasta akcentem wysokościowym. Z czerwonej cegły wznoszono budynki gazowni przy ul. Ludnej, elektrownię na Powiślu, zajezdnie tramwajowe, liczne fabryki i browary, jak na przykład browar Haberbuscha i Schielego przy ul. Grzybowskiej (Szyller, 1902). Z cegły żółtej, w stylu gotycko-renesansowym wybudowane były między innymi Hale Mirowskie (Apoloniusz Nieniewski, 1899–1902). Obok wspomnianych hal Warszawa otrzymała w tym czasie olbrzymi handlowy pasaż Simonsa, usytuowany u zbiegu ul. Długiej i Nalewek, będący zespołem sklepów i magazynów. Była to budowla bezstylowa, lecz funkcjonalna, w czym można upatrywać zapowiedzi rozwiązań nowoczesnych.

Wielkimi inwestycjami miejskimi były wzniesione według projektów Szyllera wiadukty im. Stanisława Markiewicza na ul. Karowej (1903, autor rzeźb: Jan Woydyga) i ks. Józefa Poniatowskiego na przedłużeniu Al. Jerozolimskich (1903–1913). W zrealizowanym projekcie wiaduktu Poniatowskiego Szyller propaguje formy zaczerpnięte z renesansu polskiego (attyka). Wprowadzenie form typowych dla starej architektury polskiej uzewnętrzniło się również w kościele Zbawiciela (Dziekoński, Ludwik Panczakiewicz, Władysław Żychniewicz, 1901) oraz w budynku Zakładu Położniczego im. ks. Anny Mazowieckiej przy ul. Karowej (Kazimierz Skórewicz, 1910).

81. Kamienica w stylu zakopiańskim przy ul.
.hmielnej

82. Wiadukt im. dra Stanisława Markiewicza na ul.
.arowej

Zamiłowanie do stylów historycznych nie wygasało. Nadal powstawały monumentalne gmachy jak: kamienica hr. Krasińskiego, przy ul. Mazowieckiej róg Traugutta, z dekoracją empirową (Jan Heurich, syn, 1907) czy Konserwatorium przy ul. Ordynackiej, w duchu monumentalnego klasycyzmu (Szyller, 1913–1914; zburzony 1944). Ten ostatni styl reprezentowały też wielkie gmachy: Banku Państwa przy ul. Bielańskiej (Benois, 1909–1911; po zniszczeniach 1944 ocalał fragment przy ul. Daniłowiczowskiej) oraz Poczty na pl. Wareckim, obecnie Powstańców Warszawy (Jabłoński-Jasieńczyk, 1912; gmach zburzony 1944). Przejawem „czystego" historyzmu jest też bazylika Serca Jezusowego przy ul. Kawęczyńskiej, nawiązująca do sztuki starochrześcijańskiej (Łukasz Wolski, 1907).

Obok budowli w różnorodnych konwencjach historyzmu i eklektyzmu pojawia się w Warszawie kamienica w „stylu zakopiańskim" przy ul. Chmielnej, obecnie Rutkowskiego (Jarosław Wojciechowski, 1905). Jest to sporadyczny refleks stworzonego przez Stanisława Witkiewicza „stylu zakopiańskiego", będącego przejawem dążeń do odrodzenia architektury polskiej.

Z początkiem XX wieku pojawia się w Warszawie secesja, będąca w architekturze formą dekoracyjną, linearno-roślinną, przeciwstawiającą się stylom historycznym. Pierwszym przejawem secesji w Warszawie były fragmenty dekoracji wnętrz hotelu „Bristol", projektowane przez Otto Wagnera juniora. Najznakomitszym przykładem tego stylu w Warszawie była kamienica przy ul. Służewskiej (Mikołaj Tołwiński, 1903; zburzona 1944). Olbrzymia kamienica o pofalowanym dachu stanęła też wkrótce w Al. Ujazdowskich, u zbiegu z ul. Chopina; została spalona w 1939 roku, a rozebrana w 1953. Należała do Maurycego Spokornego, a zaprojektowana była przez Dawida Landego. Ocalały natomiast między innymi: Hale Targowe przy ul. Koszykowej (Juliusz Dzierżanowski, 1908), dom Zakładów Gazowych przy ul. Kredytowej (Karol Jankowski, Franciszek Lilpop; płaskorzeźby Józefa Gardeckiego, 1910) oraz Bank Landaua na ul. Senatorskiej (Stanisław Grochowicz, Gustaw Landau, 1904–1906). W tym ostatnim zachowały się nawet wnętrza i elementy detalu architektonicznego. Do dobrych, istniejących przykładów architektury secesyjnej należy również kamienica na rogu Al. Jerozolimskich i ul. Poznańskiej (Panczakiewicz, rzeźby z firmy F. Rotha, 1904), a także kamienica przy ul.

433. Dom firmy „Bracia Jabłkowscy"

Bagatela (Józef Czerwiński, 1901). Interpretując kierunek secesji przez łączenie go z elementami dekoracyjnymi dawniejszego rodowodu działała w Warszawie w latach przed I wojną światową spółka architektów: Henryk Stifelman i Stanisław Weiss. Wznieśli oni znaczną liczbę wielopiętrowych domów mieszkalnych, charakteryzujących się pofałdowaniem elewacji wykuszami, jak kamienica przy zbiegu ulicy Hożej i Mokotowskiej.

Około 1910 roku ugruntował się w Warszawie styl zwany modernizmem. Jego cechą było dążenie do funkcjonalności i nowego kształtowania bryły z wykorzystaniem jednak elementów tradycyjnych. Pewne jego przejawy można już było dostrzec w budowlach wcześniejszych, jak na przykład w domu Pod Gigantami Antoniego Strzałeckiego w Al. Ujazdowskich (W. Marconi, 1905). Typowymi przykładami tego stylu są: Czesława Przybylskiego Teatr Polski przy ul. Karasia (1912), Teatr Nowoczesny przy ul. Jasnej (1913, zburzony 1944) czy najznakomitszy przykład – Bank Związku Towarzystw Spółdzielczych przy ul. Zgoda, zwany domem Pod Orłami (1912–1917), odznaczający się oryginalnie potraktowaną konstrukcją i dekoracją. Budowlami charakterystycznymi dla

435. Hale Targowe przy ul. Koszykowej

modernizmu są ponadto: dom handlowy „Bracia Jabłkowscy", przy ul. Brackiej, łączący w sobie elementy klasycyzmu i secesji (Karol Jankowski, Franciszek Lilpop; witraże wg projektu Edmunda Bartomiejczyka) oraz gmach Towarzystwa Wzajemnego Kredytu·na pl. Napoleona, obecnie Powstańców Warszawy (1913, nadbudowany ok. 1960). Te dwie budowle wzniosła spółka Jankowski i Lilpop. Z innych ważniejszych budowli wymienić trzeba kościół św. Jakuba przy ul. Grójeckiej, wyzyskujący motywy zaczerpnięte z romanizmu (Oskar Sosnowski, 1909), Wydział Hipotecznego Sądu Okręgowego przy ul. Hipotecznej (Gay, Mikołaj Możdżeński; rzeźby Z. Otto; 1912) oraz Bibliotekę Publiczną przy ul. Koszykowej z klasycystyczną kolumnadą w elewacji (Heurich-syn z W. Marconim, 1912).

Ożywione w latach pięćdziesiątych XIX wieku życie artystyczne Warszawy zostało zahamowane na kilka lat przez powstanie styczniowe. Wkrótce po przerwaniu wykładów w Szkole Sztuk Pięknych (1863) nastąpiło jej zamknięcie. Została natomiast w 1865 roku otwarta tak zwana Klasa Rysunkowa, która w zamierzeniu pierwotnym pełnić miała funkcję zastępczą i tymczasową, a w rzeczywistości przez długie dziesiątki lat była jedyną artystyczną szkołą nie tylko Warszawy, lecz i całego Królestwa. Nauka w tej uczelni stała na dobrym poziomie. Kadrę profesorską stanowiło grono pedagogiczne dawnej Szkoły – malarze: Hadziewicz, Breslauer, Kaniewski, Kamiński, rzeźbiarz Konstanty Hegel (później Leon Mołatyński), architekci: Podczaszyński i Woliński. Świeży prąd w nieco już tradycyjną atmosferę nauczania wnosił od 1872 roku profesor Gerson. Jako pedagog odegrał on w dziejach warszawskiego malarstwa doniosłą rolę. Jego uczniami byli między innymi: Józef Chełmoński, Maksymilian i Aleksander Gierymscy, Apoloniusz Kędzierski, Stanisław Lentz, Stanisław Masłowski, Józef Pankiewicz, Władysław Podkowiński, Leon Wyczółkowski.
W drugiej połowie lat sześćdziesiątych XIX wieku nastąpiło więc znowu ożywienie życia artystycznego. Pojawiły się większe możliwości wystawiennicze. Oprócz Towarzystwa Zachęty (organizującego wystawy i konkursy, od 1860) otworzono kilka prywatnych salonów sztuki (Ungra, Krywulta). Zakładano także nowe czasopisma (oprócz „Tygodnika Illustrowanego" – „Kłosy", „Ateneum", „Prawda", „Nowiny", „Opiekun Domowy", „Wędrowiec" i in.), które dostarczały zamówień artystom. Rysowali dla nich zarówno artyści starszego pokolenia, jak na przykład Franciszek Kostrzewski, Henryk Pillati, Stanisław Brzozowski, Elviro Andriolli, Gerson, Juliusz Kossak, jak i młodsi – Stanisław Witkiewicz, Al. Gierymski, Podkowiński, Pankiewicz.
Po upadku powstania styczniowego stały się popularne hasła francuskiego filozofa Augusta Comte'a, który ochrzcił swą filozofię mianem pozytywnej. Filozofia ta skłaniała ku praktycznemu myśleniu i realistycznej ocenie rzeczywistości. Powiązano z nią u nas hasła pracy organicznej, pracy od podstaw, dążącej do uporządkowania kraju, do rozwoju przemysłu i handlu oraz podniesienia ogólnej oświaty. Hasła te znalazły żywy oddźwięk nie tylko w literaturze, lecz także w sztukach pięknych. Głównym apologetą sztuki uspołecznionej i krytycznego realizmu (choć tego terminu jeszcze nie znano) w Warszawie był Stanisław Witkiewicz, malarz i teoretyk sztuki. W swej teorii odrzucał idealizm estetyczny i konwencjonalną hierarchię tematów, a wartości malarskie utożsamiał z elementami formy ściśle zależnej od natury.

MALARSTWO

436. Aleksander Gierymski, Piaskarze, olej, płótno

Poglądy Witkiewicza na sztukę publikowane na łamach „Wędrowca" były inspirowane twórczością braci Gierymskich.

Maksymilian Gierymski (1846–1874), wychowanek warszawskiej Klasy Rysunkowej, a potem Akademii Monachijskiej, zmarł młodo; pozostawił po sobie jednak bogatą spuściznę malarską, świadczącą o wybitnej indywidualności artysty–myśliciela. Tematem jego prac jest krajobraz oraz sceny rodzajowe i batalistyczne, w których człowiek i otaczająca go natura są czynnikami współrzędnymi. Do bardziej znanych jego prac należą: *Pikieta powstańcza* i *Alarm w obozie powstańczym* (1872–1873) – inspirowane własnymi przeżyciami z lat młodzieńczych. Tematem często podejmowanym były również sceny polowań z osiemnastowiecznymi realiami. Obrazy Maksymiliana odznaczają się bogactwem barw i ich odcieni, zestrojonych w wytworną i dyskretną harmonię. Pozytywistyczny, realistyczny stosunek artysty do świata materialnego sprawił, że świat ten przedstawiał z niemal fotograficzną dokładnością. Kompozycja obrazu wywołująca wrażenie naturalności i przypadkowości była jednak wynikiem żmudnej i świadomej pracy.

Młodszy brat Maksymiliana, Aleksander Gierymski (1850–1901) był osobowością bardziej złożoną, ulegającą wielu przemianom i prądom artystycznym. Już wczesne jego obrazy, namalowane podczas pierwszego pobytu we Włoszech (1873–1879): *Gra w mora*, *Austeria rzymska*, *Sjesta włoska*, zaskakują dojrzałością artystyczną. Dwie pierwsze prace są manifestem programowego realizmu, w trzeciej artysta zainteresował się głównie problemem koloru. We Włoszech namalował także pierwsze studia do znanego obrazu *W altanie*, ukończonego już w Warszawie. W obrazie tym, którego tematem jest zebranie towarzyskie w kostiumach z XVIII wieku, interesowało artystę przede wszystkim zagadnienie wzajemnego oddziaływania na siebie koloru i światła. Gierymski doszedł samodzielnie do osiągnięć i odkryć, będących w tym czasie także udziałem francuskich impresjonistów.

Lata pobytu artysty w Warszawie (1879–1888) przynoszą szereg nowych ujęć rodzajowych, dających obraz współczesnej mu rzeczywistości, zaliczanych do klasyki polskiego realizmu: *Żydówka z cytrynami*, *Brama na Starym Mieście*, *Przystań na Solcu*, *Powiśle*, *Święto trąbek*, *Piaskarze*. Po wyjeździe z Warszawy przebywał głównie w Monachium i w Paryżu. Z tego okresu pochodzi szereg pejzaży, a także nastrojowych nokturnów (m.in. *Plac Wittelsbachów* i *Opera paryska*). Krótkotrwały pobyt w kraju (1893–1895) staje się inspiracją powrotu do tematyki społecznej. Powstaje wówczas wstrząsająca potęgą wyrazu – tragiczna *Trumna chłopska*. Ostatnie lata Gierymskiego upłynęły za granicą, głównie we Włoszech.

Mimo licznych wyjazdów obydwaj Gierymscy są malarzami na wskroś warszawskimi. Tu się urodzili i tu się kształcili, i właśnie środowisko warszawskie w sposób decydujący wpłynęło na ich światopogląd i osobowość twórczą.

Na lata dojrzałego realizmu ostatniego trzydziestolecia XIX wieku przypada także końcowy okres twórczości Gersona. Obok kompozycji historycznych, malowanych po powstaniu ku „pokrzepieniu serc", powstają w tym czasie jego najlepsze krajobrazy tatrzańskie, na przykład *Krajobraz z Podhala* (1879), *Cmentarz w górach* (1894), odznaczające się zwartością i surowością formy. Dzięki odkrywczemu i uczuciowemu stosunkowi do natury Gerson stał się jednym z twórców realistycznie ujętego plenerowego pejzażu polskiego.

Jednym z najwybitniejszych naszych malarzy realistów jest Józef Chełmoński (1846–1914), uczeń Gersona, od którego przejął głębokie umiłowanie rodzimego pejzażu. Artystę urodzonego na wsi interesuje bardziej tematyka chłopska. Poczucie organicznego związku z ziemią rodzinną i ludem polskim określa jego artystyczny *genre* – sceny z życia wsi, zimowe pejzaże, rozhukane konie – to wszystko odtwarza z żywiołowym rozumieniem rodzimej odrębności. Surowa prawda w oddaniu życia wsi, przez którą opowiada się Chełmoński po stronie uciśnionych (*Sprawa u wójta*, *Babie lato* i in.), spotkała się początkowo w Warszawie z niechęcią i krytyką. Uznanie zdobył na dalszych studiach w Monachium, a sławę i rozgłos uzyskał dopiero w Paryżu (1875–1887). Nie uległ jednak obcym wpływom, pozostał wierny sobie i rodzimej tematyce, kontynuując malarstwo ukształtowane już w kraju. Malował tam wiele cieszących się znacznym powodzeniem scen z polowań, napadów wilków oraz żywiołowych *Trójek* i *Czwórek*. W tęsknocie za krajem, w pełni powodzenia rzucił Paryż i osiadł w mazowieckiej wiosce – Kuklówce pod Grodziskiem. Tu powstała większość jego pejzaży, opiewających uroki płaskiego, piaszczystego i smutnego Mazowsza.

Pod wpływem twórczości Chełmońskiego malował swe pierwsze obrazy jego młodszy kolega z Klasy Rysunkowej – Masłowski (1853–1926). Były to kompozycje rodzajowe, potem artysta poświęcił się głównie malarstwu pejzażowemu. Tworzył obrazy olejne oraz akwarele. W późniejszych jego pracach coraz bardziej liczą się wartości dekoracyjne i zdobycze techniki impresjonistycznej – wzbogacenie koloru i rozjaśnienie palety.

W nurt realizmu fazy pozytywizmu włączają się w pierwszym etapie swej twórczości również inni wychowankowie warszawskiej Klasy: Wyczółkowski oraz jego młodsi koledzy Podkowiński i Pankiewicz.

438. Władysław Podkowiński, Nowy Świat, ole
płótno

W początkach swej twórczości Wyczółkowski malował kompozycje historyczne (wzorem Gersona), a także dojrzałe już studia portretowe. Charakterystyczne dla tego okresu są również jego sceny ,,salonowo-buduarowe'' o anegdotycznym pierwiastku. Rezultatem pobytu Wyczółkowskiego w Paryżu w 1889 roku było zainteresowanie się problematyką świetlno-kolorystyczną.

Podobną drogę artystyczną przeszli również dwaj przyjaciele: Podkowiński i Pankiewicz. W 1889 roku, to jest przed wyjazdem do Paryża, powstała *Ulica w Siennicy* Podkowińskiego oraz *Targ za Żelazną Bramą* Pankiewicza – malowane z fotograficzną niemal dokładnością, według zasad obiektywnego realizmu. Podkowiński w tym czasie dostarczał także warszawskiej prasie rysunków, ilustrujących bieżące wystawy, pożary, wylewy rzeki i inne sensacyjne wydarzenia oraz charakterystyczne typy ówczesnej Warszawy.

Kierunek realistyczny w sztuce warszawskiej stanowił żywotną siłę do końca XIX wieku, sięgając swymi wpływami jeszcze daleko w głąb XX wieku. Ten późny nurt realizmu przejmuje zdobycze techniki impresjonizmu, nie zatracając przy tym przedmiotowej konkretności formy.

W Polsce impresjonizm był jedynie krótkotrwałym epizodem, którego zapowiedzią była *Altana* Gierymskiego; na terenie Warszawy pojawił się około 1890 roku, kiedy Pankiewicz i Podkowiński wrócili z Paryża. Przywieźli oni ze sobą obrazy namalowane pod wpływem oglądanej tam wystawy prac Moneta; były to: *Targ na kwiaty* (Pankiewicz), *Kobiety grające w bilard* i kilka paryskich pejzaży (Podkowiński). Obaj artyści świadomie propagowali nowy dla nas kierunek, który właściwie w swej czystej francuskiej postaci nigdy się nie przyjął. Natomiast zdobycze i wartości z niego wypływające wykazywały długi żywot i przetrwały do naszych czasów. W Warszawie Podkowiński namalował jeszcze kilka impresjonistycznych pejzaży: *Łubin w słońcu, Dzieci w ogrodzie, Mokra wieś, Sad w Chrzęsnem, Widok Nowego Światu.*

Zetknięcie się Wyczółkowskiego z impresjonizmem francuskim spowodowało przyjęcie przez malarza bardziej szkicowej, swobodnej faktury. Piętno impresjonizmu pojawiło się w jego pejzażach i scenach rodzajowych z Polesia i Ukrainy.

Lata przełomu XIX i XX wieku w sztuce polskiej – w zakresie literatury i sztuki – określane są mianem Młodej Polski. Splatają się w niej wszystkie tendencje obserwowane we współczesnej sztuce europejskiej, a więc impresjonizm, symbolizm, pierwiastki ekspresyjne, styl secesyjny, powiązane ze zdobnictwem ludowym, zwłaszcza z terenu Podhala i Tatr. Środowiskiem, w którym ferment ideowy i artystyczny tego czasu ujawnił się najpełniej, był Kraków, mający bezpośrednie kontakty z centrum secesji – Wiedniem. W Warszawie nowe prądy także dają znać o sobie, splatając się z silnie zakorzenionym tu realizmem.

Fali symbolizmu ulegli więc niedawni propagatorzy impresjonizmu. Podkowiński w ostatnich latach swego życia, równolegle niemal do impresjonistycznych pejzaży, maluje także *Taniec szkieletów, Szał uniesień, Marsz żałobny*, które były swoistą spowiedzią artysty z intymnych przeżyć duchowych.

Symbolizm kształtował również twórczość innego absolwenta Klasy Rysunkowej – malarza Mariana Wawrzeckiego (1863–1945) oraz malarza i grafika Franciszka Siedleckiego, ulegającego silnym wpływom swego przyjaciela Stanisława Przybyszewskiego, a także między innymi Kazimierza Stabrowskiego i Antoniego Gawińskiego.

Symboliczno-secesyjne prądy nurtujące środowisko warszawskie odzwierciedlała sztuka Edwarda Okunia, związanego z awangardowym pismem literacko-artystycznym „Chimera", wychodzącym w latach 1901–1907 pod redakcją Zenona Przesmyckiego (Miriama). Okuń wykonywał dla niej okładki, inicjały, ozdobniki. Z miesięcznikiem tym, który charakteryzowała wyjątkowa dbałość o szatę graficzno-ilustratorską, współpracowali między innymi artyści: Jan Stanisławski, Wawrzecki, Józef Mehoffer, Stanisław Dębiński.

Elementy linearne, tak charakterystyczne dla sztuki secesji, cechują także malarstwo innego wychowanka Gersona – Kędzierskiego (1861–1939). Podobnie jak jego starszy kolega Masłowski, zrazu realista, zainteresowany impresjonizmem (studia wiejskich dziewczyn, sceny z rybakami), w swych późniejszych, głównie akwarelowych pejzażach i scenach rodzajowych (np. *Zwózka drzewa*) kładzie nacisk na czysto dekoracyjne elementy – płasko kładzioną plamę barwną z wyodrębnionym konturem, często wzmocnionym kredką.

Wierny zasadom realizmu pozostał natomiast Lentz (1861–1920). Wychowanek Gersona uprawiał malarstwo rodzajowe, a przede wszystkim portretowe (portrety: Mieczysława Frenkla, 1902; Aleksandra Jabłonowskiego, 1900), także w powiązaniu z tradycją sztuki holenderskiej, z którą zetknął się osobiście (zbiorowe portrety członków Towarzystwa Naukowego Warszawskiego, 1912, czy profesorów Szkoły Głównej, 1913). Specyficznym rodzajem twórczości malarza stały się wreszcie studia i kompozycje na temat życia robotników (*Vierzehntag*, 1885, *Strajk I*, ok. 1894, *W kuźni*, 1899, *Wypłata*, 1910). Najbardziej znanym przykładem jest *Strajk* (1910), będący echem wypadków rewolucyjnych 1905 roku – jedno z pierwszych w naszym malarstwie przedstawień walki proletariatu miejskiego o wolność i sprawiedliwość społeczną.

Malarstwo portretowe uprawiał także Konrad Krzyżanowski (1872–1922), wychowanek Akademii petersburskiej, związany od 1900 roku z Warszawą, gdzie prowadził prywatną szkołę malarstwa. Jego szybkie, z temperamentem malowane portrety, o dosadnej charakterystyce, żywej grze światłocieni, utrzymane w kontrastach brązów, bieli i czerni ujawniają pewne tendencje ekspresjonistyczne. Stylizowany portret Dagny Przybyszewskiej (1901) nasuwa porównania z postaciami obrazów Muncha.

Żywe tętno, jakim życie artystyczne Warszawy pulsowało pod koniec XIX wieku, stwarzało konieczność zwiększenia możliwości zdobywania wiedzy w dziedzinie sztuk pięknych oraz w tak naówczas cenionym rzemiośle artystycznym. Powstawały więc szkoły prywatne, między innymi kursy malarstwa i rysunku Miłosza Kotarbińskiego (1892). W 1904 roku z inicjatywy Stabrowskiego otwarto wreszcie Szkołę Sztuk Pięknych, w której obok tradycyjnych katedr istniały dwie pracownie „sztuki stosowanej" (pierwszą od 1905 prowadził arch. Tomasz Pajzderski, drugą od 1906 – Edward Trojanowski), co wyprzedzało w czasie poczynania krakowskiego towarzystwa „Polska Sztuka Stosowana". Profesorami Szkoły zostali: Krzyżanowski, Ferdynand Ruszczyc, Karol Tichy, Xawery Dunikowski. Przez kilka lat pełnił w niej czynności pedagogiczne także przybyły w 1905 roku z Paryża Władysław Ślendziński. W 1909 roku dyrektorem Szkoły został Lentz. Przez wiele lat borykano się z trudnościami lokalowymi (szkoła mieściła się w kilku wynajętych lokalach różnych kamienic), dopiero w 1914 roku nastąpiła przeprowadzka do własnego gmachu, wybudowanego na Powiślu dzięki dotacji Kierbedziów.

Na fali zainteresowania rzemiosłem artystycznym powstają w początkach XX wieku w Warszawie nowe prywatne uczelnie: Szkoła Artystyczno-Przemysłowa wraz z kursem niedzielnym (także dla kobiet) Wincentego Trojanowskiego (1904) oraz Szkoła Malarstwa i Sztuki Stosowanej Marii Białeckiej (1905).

W związku z otwarciem Szkoły Sztuk Pięknych Pius Weloński, ówczesny dyrektor Klasy Rysunkowej, zwanej coraz częściej Warszawską Szkołą Rysunkową, postanowił uczynić z niej Szkołę Sztuk i Rzemiosła, co jednak nie znalazło uznania u władz. Udało mu się jedynie w 1912 roku uruchomić kursy wieczorowe, na których wykładali ówcześni profesorowie szkoły: Jan Kauzik, Miłosz Kotarbiński, Felicjan Rakiewicz.

RZEŹBA

Warunki polityczne po upadku powstania styczniowego pogorszyły znacznie i tak trudną sytuację warszawskiej rzeźby. W Warszawie bowiem zabrakło uczelni, która kształciłaby artystów tej specjalności. W otwartej w 1865 roku Klasie Rysunkowej co prawda wykładowcą był były profesor Szkoły Sztuk Pięknych, rzeźbiarz Konstanty Hegel, lecz już schorowany; ustąpił po trzech latach. Po kilkuletniej przerwie miejsce jego zajął rzeźbiarz Leon Molatyński. Prowadził on jedynie tak zwany oddział techniczny, którego zadaniem było wykształcić młodzież „w lepieniu ornamentów". Nauka ta w zakresie rzeźby była więc tylko pierwszym, niewielkim zresztą, krokiem. Przez Klasę Rysunkową przeszła jednak większość warszawskich rzeźbiarzy, którzy zdobywali tam umiejętności głównie w zakresie rysunku. W tej sytuacji jedynymi ośrodkami, gdzie można było zdobyć podstawowe wiadomości i umiejętności rzeźbiarskie, były, tak jak przed wiekami, prywatne pracownie rzeźbiarzy cieszących się liczniejszymi zamówieniami. Wielu uczniów Klasy Rysunkowej przechodziło więc równocześnie lub w następnym etapie przez pracownie Ludwika Kucharzewskiego, Faustyna Cenglera, Teofila Godeckiego, Leonarda Marconiego, Jana Kryńskiego, Andrzeja Pruszyńskiego. Najbardziej zasłużona pod względem pedagogicznym i najstarsza była pracownia Bolesława Syrewicza, mieszcząca się na Zamku Królewskim (w 1867 objął ją po zmarłym Władysławie Oleszczyńskim).

Praktyka w warsztacie mistrza dawała podstawy, czasami gruntowne, lecz nie mogła zastąpić studiów akademickich, toteż młodzież pragnąc poświęcić się rzeźbiarstwu musiała studiować za granicą. Pomocą dla niektórych były stypendia Towarzystwa Zachęty Sztuk Pięknych oraz osób prywatnych.

Studiowano zazwyczaj w Rzymie, w sławnej Akademii św. Łukasza, a także w Berlinie, Dreźnie, Wiedniu oraz w Paryżu, który od końca XIX wieku staje się centrum europejskiej sztuki. Wielu artystów zostawało za granicą na stałe lub na dłuższy pobyt. W Rzymie mieszkał Wiktor Brodzki, Tomasz Oskar Sosnowski, Adam Madeyski, Teodor Rygier, przez pewien czas Pius Weloński. Warszawski rzeźbiarz Wojciech Święcki szukał z kolei szczęścia w Paryżu, a nawet w Rio de Janeiro. Artyści ci pracowali również dla polskiego odbiorcy w Warszawie, Krakowie czy Lwowie, powstawała więc nieco paradoksalna sytuacja importu dzieł polskich rzeźbiarzy do kraju.

Z Warszawy do Krakowa „wyemigrował" uczeń Hegla ze Szkoły Sztuk Pięknych, a potem Akademii św. Łukasza, Marceli Guyski, który został profesorem tamtejszej Szkoły Sztuk Pięknych. Warszawskie środowisko rzeźbiarskie zasilili z kolei krakowianie Henryk Stattler i Faustyn Cengler.

Głównym odbiorcą rzeźby było wzbogacone mieszczaństwo i kościół. Mecenat rządowy właściwie nie istniał. Nie było też szansy na uzyskanie poważniejszego zamówienia, na przykład pomnika zdobiącego plac miejski, ponieważ w zaborze rosyjskim nie wolno było wznosić pomników poświęconych wybitnym Polakom. Jedyny w omawianym czasie pomnik Mickiewicza, dzieło polskiego rzeźbiarza z Rzymu – Cypriana Godebskiego, stanął w Warszawie dzięki usilnym staraniom u władz. Miejscem, gdzie można było uczcić pamięć zasłużonego Polaka bez narażania się władzom, były cmentarze i kościoły (pomnik Tadeusza Czackiego dłuta Sosnowskiego, Kazimierza Brodzińskiego – Władysława Oleszczyńskiego, oba w kościele Wizytek, pomnik Stanisława Moniuszki – Cypriana Godebskiego w kościele Wszystkich Świętych czy epitafium Jędrzeja Śniadeckiego w kościele Karmelitów – dzieło Welońskiego). Wzbogacone mieszczaństwo i inteligencja warszawska wznoszą też pomniki nagrobne swoim najbliższym, przysparzając zamówień rzeźbiarzom, a nawet i architektom budującym rodzinne mauzolea grobowe.

Innym objawem zamożności warszawskiej plutokracji są wspaniałe kamienice bogato zdobione rzeźbą, co również dawało artystom możliwość pokazania swych dzieł szerszemu odbiorcy.

Mecenat kościelny, o wiele skromniejszy, nie był jednak bez znaczenia dla rzeźbiarzy. W owym czasie ustawiono wiele posągów świętych przez kościołami, jak na przykład: figura Chrystusa przed kościołem Świętego Krzyża – dzieło Pruszyńskiego czy statua NM Panny przed kościołem Świętego Ducha – Tadeusza Czajkowskiego.

Rzeźba warszawska, podobnie jak w innych ośrodkach w Polsce i Europie, reprezentowała orientację akademizmu klasycyzującego, utrwalanego przez studia w rzymskiej Akademii. Związek ze starożytnością w drugiej połowie XIX wieku przejawiał się raczej w tematach niż formie, ta zaś opierała się głównie na koncepcji renesansu, którą „korygowała" natura, dochodząca do głosu najsilniej w rzeźbie portretowej.

Najwybitniejszym rzeźbiarzem tego czasu na terenie Warszawy był Syrewicz (1835–1899), który po nauce w warszawskiej Szkole Sztuk Pięknych (u Hegla i Jana F. Piwarskiego) kontynuował studia w Berlinie, Monachium i Rzymie. Od 1871 roku był członkiem honorowym Akademii petersburskiej, a w 1883 roku został mianowany konserwatorem rzeźb w pałacach rządowych w Warszawie. Wykonywał popiersia i medaliony portretowe osobistości historycznych i współczesnych (m.in. Gersona, Chopina, Moniuszki), rzeźby religijne, kompozycje alegoryczne; był autorem wielu epitafiów i pomników nagrobnych (m.in. aktorki Marii Wisnowskiej na Powązkach).

Równie zdolnym i cieszącym się zamówieniami, głównie pomników nagrobnych, był Pruszyński (1830–1895), który studiował rzeźbę jeszcze w pracowni Jakuba Tatarkiewicza, a później w Szkole Sztuk Pięknych pod kierunkiem Hegla. W latach sześćdziesiątych współpracował z Oleszczyńskim. Dalsze studia kontynuował w Rzymie w Akademii św.

440. Antoni Kurzawa, Projekt pomnika Adama Mickiewicza, brąz

Łukasza, którą ukończył ze złotym medalem. W 1868 roku powrócił do Warszawy. Jest autorem znanej, dobrze zharmonizowanej z otoczeniem, figury Chrystusa dźwigającego krzyż przed kościołem Świętego Krzyża. Wykonywał popiersia i medaliony portretowe (m.in. W. Oleszczyńkiego, J. I. Kraszewskiego), kompozycje i figury religijne (m.in. posąg św. Sebastiana), dekoracje architektoniczne, epitafia i nagrobki.

Na wybitnego portrecistę zapowiadał się Henryk Stattler (1834–1877), syn malarza: mając 15 lat wyrzeźbił popiersie gen. Chłopickiego. Od końca lat pięćdziesiątych związany był z Warszawą, gdzie „zadebiutował" pomnikiem Jana Dekerta na Powązkach, robił także kamienną oprawę jego epitafium w katedrze św. Jana. Poza nagrobkami i pomnikami wykonywał popiersia i medaliony portretowe osobistości historycznych i współczesnych (m.in. K. Brodzińskiego, 1863), kompozycje religijne (Chrystus w kościele w Wilanowie) i alegoryczne oraz dekoracje architektoniczne.

Znanym portrecistą, odznaczającym się wirtuozerskim opanowaniem materiału, zwłaszcza marmuru, był również Teodor Rygier (1841–1913), wychowanek Hegla w warszawskiej Szkole Sztuk Pięknych, kontynuujący naukę w Dreźnie, Monachium i Wiedniu; był także w Paryżu. Wykonywał popiersia osób historycznych (np. popiersie Stanisława Augusta) i współczesnych (m.in. artystki operowej W. Bakałowiczowej, malarza Juliusza Kossaka) i medaliony portretowe (J. Matejki, T. A. Lenartowicza). Jest autorem pomnika Mickiewicza w Krakowie (odsłonięty w 1898 r.). W 1873 r. wyjechał do Florencji, a potem osiadł na stałe w Rzymie.

Licznymi zamówieniami, jeśli chodzi o dekoracje architektoniczne, cieszył się rzeźbiarz Leonard Marconi (1835–1899), syn sztukatora Ferrantego (brata architekta Henryka). Po studiach w warszawskiej Szkole Sztuk Pięknych kontynuował naukę w Rzymie. Do Warszawy powrócił w 1862 roku, a od 1874 mieszkał we Lwowie, gdzie był profesorem rysunku i modelowania na Politechnice. W Warszawie ozdobił swoimi rzeźbami fronton

441. Bolesław Syrewicz, Popiersie Wojciecha Gersona, marmur

2. Apolinary Głowiński, „Władza", terakota

domu Sarneckich przy ul. Wierzbowej, kamienicę dr. Natansona (cztery kamienne figury alegoryczne, wyobrażające Fizjografię, Medycynę, Jurysprudencję i Literaturę) i Grancowa (dwie figury chłopców z owocami i kwiatami) – obie na ówczesnym pl. Zielonym (obecnie J. Dąbrowskiego), kamienicę Beyera na rogu ul. Królewskiej i Krakowskiego Przedmieścia (wspólnie z Pruszyńskim i Cenglerem), pałac Kronenberga (kariatydy); jest również autorem fontanny z postaciami „trzech chłopaczków", ustawionej pierwotnie na skwerze przy Krakowskim Przedmieściu, a obecnie przed kinem Muranów. Wykonywał także popiersia portretowe (m.in. dra Andrzeja Janikowskiego dla Warszawskiego Towarzystwa Lekarskiego), kompozycje religijne i alegoryczne.

Sporo dekoracji architektonicznych wykonał Ludwik Kucharzewski (1838–1889), wychowanek Hegla z warszawskiej Szkoły Sztuk Pięknych. Pracował równocześnie w atelier Oleszczyńskiego. Studia kontynuował w Paryżu i Rzymie. Był autorem medalionów na fasadzie domu Sarneckich przy ul. Wierzbowej, alegorii czterech pór roku oraz posągów Kochanowskiego i Staszica w niszach kamienicy Zawadzkiego przy ówczesnej ul. Berga 9 (obecnie Traugutta), figur alegorycznych nad apteką Steinerta na Krakowskim Przedmieściu, alegorii Handlu na froncie Towarzystwa Kredytowego Miejskiego oraz grupy alegorycznej w tympanonie Giełdy przy ul. Królewskiej. Wykonywał również rzeźby i kompozycje religijne (statua NM Panny na frontonie kościoła św. Piotra i Pawła, figura Chrystusa przed tymże kościołem oraz płaskorzeźba *Chrystusa w otchłani* dla tej samej świątyni, a także modele stacji Męki Pańskiej), pomniki nagrobne (m.in. Alfonsa Kropiwnickiego na Powązkach), epitafia (m.in. Ludwika Panczykowskiego w kościele Reformatów), modele pomników (Mickiewicza – brał udział w konkursie na pomnik poety w Krakowie, oraz Kopernika – wielokrotnie) i kompozycje figuralne (m.in. ks. J. Falkowskiego, ks. G. P. Baudouina, *Dziewczę z gołębiami*).

Z innych rzeźbiarzy działających w Warszawie i wykonujących zamówienia tego samego rodzaju: nagrobki, popiersia portretowe, dekoracje architektoniczne, rzeźby religijne, wymienić należy Leona Molatyńskiego (1825–1898), Jana Kryńskiego (1849–1890), Kazimierza Ostrowskiego (1848–1880), Teofila Godeckiego (1849–1918), Leona Myszkowskiego, Faustyna Cenglera, Antoniego Olesińskiego (1857–1904), Czesława Makowskiego (1871–1921).

Po roku 1870 w polskiej rzeźbie zaczyna przejawiać się coraz wyraźniej realizm, czasami wręcz naturalizm, odrzucający kostium antykizujący i historyczny. Wybitnym przedstawicielem tego kierunku jest, związany przez ponad 20 lat z Warszawą, rzeźbiarz Antoni Kurzawa (1842–1898), autor terakotowych grup, pełnych charakteru i temperamentu: *Polonez* i *Oberek*. On także projektował pomnik Mickiewicza: *Mickiewicz budzący geniusza poezji* (model w gipsie 1890 i w brązie 1895).

Realistą z dużym wyczuciem charakteru modela był Jan Woydyga, uczeń krakowskiej Szkoły Sztuk Pięknych i warszawskiej Klasy Rysunkowej, studiujący następnie w Paryżu, autor posągu Alojzego Żółkowskiego do foyer Teatru Wielkiego (1891), a także medalionu Chopina na pomniku w Żelazowej Woli. Wykonywał wiele popiersi i medalionów portretowych, rzeźby religijne, architektoniczne (m.in. zdobiące wiadukt na ul. Karowej), epitafia i nagrobki.

W orientacji naturalistycznej mieszczą się prace warszawskiego rzeźbiarza Sławomira Celińskiego (1852–1918), ucznia krakowskiej Szkoły Sztuk Pięknych i Akademii w Wiedniu, autora terakotowych kompozycji (m.in. *Matka, Głowa Bachusa*). W późniejszych swych pracach pod wpływem secesji kładł on nacisk również na walory czysto dekoracyjne, jak na przykład w znanej, pełnej zwiewnego ruchu grupie: *Świst i Poświst*, 1910.

Kierunek naturalistyczny reprezentują także prace Józefa Gabowicza (1862–1939), autora kompozycji alegorycznych i rodzajowych (*Ostatnia kropla*, 1902; *Zadumana*, 1904), a także rzeźb portretowych.

Wpływy dekoracyjnej secesji dają się łatwo odnaleźć również w twórczości Władysława Gruberskiego (1873–1933), ucznia Celińskiego i Kryńskiego w Warszawie, a potem krakowskiej Szkoły Sztuk Pięknych. Gruberski kontynuował następnie naukę w Wiedniu i Paryżu. Był autorem wielu popiersi portretowych, plakietek i medalionów, wykonywał także medale, rzeźby religijne i nagrobki.

Wpływy secesji i symbolizmu oraz stosowanie realistycznych środków wyrazu kształtują twórczość Józefa Gardeckiego (1880–1952), autora dekoracji secesyjnego domu Zakładów Gazowych na Kredytowej, a także twórcy kompozycji symbolicznych (*Oracz*, 1903; *Rozpacz*, 1909), rzeźb religijnych i popiersi portretowych.

Wiernym klasycyzującemu akademizmowi pozostał Pius Weloński (1849–1931), doskonały znawca tworzywa, pracujący wyłącznie w brązie, wychowanek warszawskiej Klasy Rysunkowej. Kształcił się on równocześnie w pracowni Cenglera, a potem Pruszyńskiego. Studia swe kontynuował w Akademii petersburskiej, którą ukończył w 1877 roku z nagrodą „rzymską". Przebywał potem we Włoszech, Francji i Niemczech. Od 1897 roku mieszkał w Warszawie i objął pracownię po Syrewiczu w zamku warszawskim. W latach 1904–1915 był dyrektorem Warszawskiej Szkoły Rysunkowej i profesorem modelowania. Wykonał wiele monumentalnych posągów alegorycznych (m.in. marmurowy posąg *Gladiatora* w hallu gmachu Tow. Zachęty, brązowa replika w parku Ujazdowskim), pomników i nagrobków (m.in. w katedrze warszawskiej, płockiej, krakowskiej), dekoracji architektonicznych (m.in. na gmachu Tow. Kredytowego Miejskiego), kompozycji religijnych (cykl 14 stacji Męki Pańskiej na Jasnej Górze w Częstochowie), a także rzeźb portretowych w popiersiach i medalionach.

W latach dziewięćdziesiątych XIX wieku zauważamy w rzeźbie polskiej dążenie do malarskości poprzez spotęgowanie światłocienia, zróżnicowanie powierzchni, nadanie jej nierówności i chropowatości uwidaczniających ślady modelowania, a także poprzez nieokreśloność konturów i sylwetowe ujęcie. Tendencje te były odbiciem impresjonistycznej i symbolicznej twórczości francuskiego rzeźbiarza Augusta Rodina, który swoimi pracami dokonał przełomu w obowiązującej przez tyle lat konwencji klasycyzującej.

Jego wpływ odnajdziemy więc w kompozycjach Wacława Szymanowskiego (1859–1930), twórcy projektu pomnika Chopina z 1909 roku, zrealizowanego w 17 lat później, a także w pracach Anastazego Lepli (1874–1949) oraz w młodzieńczej twórczości Xawerego Dunikowskiego (1875–1964). Z okresu, kiedy Dunikowski był profesorem warszawskiej Szkoły Sztuk Pięknych (1904–1909), pochodzi znany cykl kobiet brzemiennych, w którym obok impresjonistycznej faktury widoczne są tendencje do syntetyzowania bryły.

Do ciekawych zjawisk tego czasu należą również impresjonistyczne prace Jana Antoniego Biernackiego (1879–1930), na przykład *Karawana* z 1909 roku, później szukającego innych możliwości wyrazu poprzez upraszczanie formy.

Około 1910 roku w polskiej rzeźbie odżywa znowu nurt klasyczny, zainspirowany we Francji działalnością Aristida Maillola. W Polsce wyrazicielem jego jest głównie Edward Wittig (1879–1941), autor alegorycznych aktów wykuwanych w marmurze (m.in. *Przebudzenie*, 1908; *Ewa*, 1911), o formie zwartej, miękkim obrysie i starannie wycyzelowanej powierzchni, a także Henryk Kuna (1879–1945).

VII. WOJNA 1914–1918. WARSZAWA STOLICĄ II RZECZYPOSPOLITEJ

WARSZAWA W LATACH 1915–1939. DZIEJE SPOŁECZNO-POLITYCZNE

ODRADZANIE SIĘ STOŁECZNYCH
FUNKCJI MIASTA
W LATACH 1915–1918

Społeczno-polityczne oblicze Warszawy dwudziestolecia międzywojennego wynikało z jej funkcji stołecznych, rozmiaru organizmu miejskiego, miejsca w strukturze gospodarczej kraju oraz ze struktury społecznej ludności. Warszawa, zdegradowana przez zaborcę do roli miasta gubernialnego, zaczęła stopniowo pełnić swe stołeczne funkcje jeszcze przed listopadem 1918 roku. Tu, od 1916 roku, istniała Tymczasowa Rada Stanu, a następnie Rada Regencyjna i powoływane przez nią rządy. Były to wprawdzie surogaty polskiej władzy państwowej, funkcjonujące z łaski okupantów niemiecko-austriackich przy wzrastającej niechęci społeczeństwa, ale działalność ich stwarzała zalążek centralnej władzy państwowej. Drobne koncesje polityczne okupantów sprzyjały, przy wszystkich ograniczeniach, reanimacji legalnego życia społeczno-politycznego w Warszawie.
Intensywność rozwoju tego życia w latach 1916–1918 świadczy o ogromnym zapasie energii i gotowości warszawian do wszelkiego rodzaju działalności społecznej i politycznej mającej na celu odrodzenie kraju. Powstała wówczas Rada Miejska m.st. Warszawy, zorganizowano szeroką sieć szkolnictwa wszystkich stopni (utworzono wówczas lub wskrzeszono główne uczelnie wyższe Warszawy – Uniwersytet, Politechnikę, Wyższą Szkołę Handlową, Wolną Wszechnicę Polską – oprócz powstałej w 1919 roku Szkoły Głównej Gospodarstwa Wiejskiego), wiele towarzystw i instytucji społecznych, kulturalnych oraz zawodowych rozpoczęło swą działalność. Mimo ograniczeń i represji okupanta mogły legalnie działać partie polityczne, w tym także robotnicze. Powstały liczne związki zawodowe oraz inne, samopomocowe, kulturalno-oświatowe i spółdzielcze instytucje ruchu robotniczego, ukazywały się pisma partii robotniczych. Odbywały się wówczas w stolicy nie tylko obchody i uroczystości patriotyczne, ale także strajki i demonstracje klasowo-robotnicze. Toczyła się walka nie tylko z okupantem i nie tylko między różnymi polskimi obozami politycznymi, ale także walka klasowa osłabionego warszawskiego proletariatu z burżuazją; walka ta wybuchła ze znaczną siłą na przełomie 1918 i 1919 roku.

MIEJSCE WARSZAWY
W SPOŁECZNO-EKONOMICZNYM
ŻYCIU KRAJU

Władze państwa i rozmaite instytucje publiczne, ukonstytuowane w Warszawie w pierwszych czterech miesiącach odrodzonej Polski, sankcjonując funkcje stołeczne miasta mogły korzystać z dorobku, do którego doszła stolica jeszcze przed jesienią 1918 roku. Od tej pory życie miasta kształtowało się jak życie stolicy niepodległego państwa.
Byt społeczny, charakter i oblicze polityczne mieszkańców Warszawy były zatem związane z zespołem cech największej aglomeracji miejskiej Polski. Owo sprzężenie zwrotne rozwoju struktur ekonomiczno-społecznych i struktur dyspozycyjnych, rodzące się z chwilą odzyskania przez miasto swej stołeczności, było procesem ciągłym i narastającym w całym dwudziestoleciu. Jego rezultatem była koncentracja ośrodków zarządzania i dyspozycji oraz produkcji materialnej i duchowej w wielu dziedzinach; sprawiła ona, że miasto w latach trzydziestych stało się faktycznym centrum wielu dziedzin życia.

Warszawę zamieszkiwało 3,5% ludności całego kraju. Zakłady przemysłowe w stolicy stanowiły 10% ogółu zakładów w Polsce i zatrudniały 10,6% ogółu robotników przemysłowych. Przemysł ten dawał 20–40% ogólnopolskiej produkcji w branżach: metalowej, maszynowej, elektrotechnicznej, chemicznej, budowlanej, konfekcyjnej, poligraficznej i garbarskiej. Była to w znacznej części produkcja wyspecjalizowana, dlatego też w stołecznym regionie przemysłowym notuje się większy niż w reszcie kraju odsetek robotników przemysłowych wysoko wykwalifikowanych. W całej Polsce odsetek takich robotników wynosił 40%, w Warszawie zaś 60. Warszawa skupiała również przemysł zbrojeniowy. Kilkanaście zakładów, należących głównie do państwa, z około 20 tysiącami robotników dawało 90–100% całości produkcji w tej dziedzinie.

W stolicy znajdowała się także większość zarządów ogólnokrajowych organizacji przemysłowych zarówno międzybranżowych, jak i branżowych. Oprócz Centralnego Związku Przemysłu Polskiego, tak zwanego Lewiatana, grupującego blisko 40 organizacji wielkoprzemysłowych z całego kraju, oraz Centralnego Związku Średniego i Drobnego Przemysłu (14 organizacji) miały swoją siedzibę w Warszawie 63 branżowe związki przemysłowe z 95 działających w Polsce.

Warszawa skupiała także podstawowe instytucje finansowe. Tu przeprowadzano zdecydowaną większość operacji bankowych, kredytowych i rozrachunkowych. Warszawska giełda pieniężna reprezentowała ponad 90% rocznych obrotów wszystkich sześciu giełd polskich, stołeczna izba obrachunkowa ponad 80% obrotów krajowych, a 70% kredytów uruchamianych rocznie w Polsce pochodziło z Warszawy.

Stolica grała również wiodącą rolę w kierowaniu ruchem spółdzielczym. Tu działały nie tylko Państwowa Rada Spółdzielcza i Spółdzielczy Instytut Naukowy, ale także 6 z 11 związków rewizyjnych zrzeszających 85% spółdzielni krajowych. W dziedzinie handlu przypadało wprawdzie na stolicę zaledwie 7% wykupywanych świadectw dla zakładów handlowych, ale występowało tu największe zagęszczenie zakładów na 1000 mieszkańców – 26,6 (dla kraju 13,6) – oraz skupienie firm o największym znaczeniu. W Warszawie bowiem funkcjonowało 25% handlowych spółek akcyjnych, 28% spółek komandytowych i 31% spółek z ograniczoną odpowiedzialnością.

Warszawa stanowiła centrum naukowo-kulturalne. Skupiała ponad 37% profesorów i innych pracowników naukowych Polski i 44% ogółu studentów. Tu miało siedzibę 45% wszystkich towarzystw naukowych. 29% warszawskich nauczycieli szkół podstawowych posiadało wykształcenie wyższe, gdy analogiczny odsetek dla całego kraju wynosił 4%. W stolicy działało 23% osób związanych z teatrem, muzyką i sztuką oraz 42% wszystkich teatrów stałych w Polsce. Liczba miejsc w kinach warszawskich stanowiła 15% miejsc wszystkich kin w kraju; również na stolicę przypadło 26% biletów do kin, teatrów i na koncerty, sprzedawanych w Polsce w miastach powyżej 20 tysięcy mieszkańców. Tu także było najwięcej radioabonentów na 1000 mieszkańców: 104, przy średniej krajowej 29. W Warszawie wydawano 60% nakładu dzieł naukowych, 58% nakładu literatury pięknej oraz od 54 do 90% nakładu nut, map i rycin. Dziedzina wydawnictw periodycznych również stanowiła mocną pozycję stołeczną. 23% dzienników, 26% tygodników, 38% miesięczników i 52% kwartalników określały miejsce Warszawy w tym zakresie. Towarzystwo kolportażowe „Ruch" sprzedawało, poza prenumeratą, ćwierć miliona gazet dziennie. Stolica wreszcie prawie całkowicie zmonopolizowała produkcję filmową.

Była także Warszawa znacznym ośrodkiem medycznym, praktykowało w niej 25% ogółu polskich lekarzy i dentystów. Szpitale posiadały 11% ogółu łóżek w kraju.

Warszawa od pierwszych miesięcy niepodległości stanowiła wyodrębnioną jednostkę administracji państwowej, będąc miastem wydzielonym na prawach województwa. Nie posiadała jednak formalnie wojewody i urzędu wojewódzkiego, lecz komisarza rządu na m.st. Warszawę, który stał na czele Komisariatu Rządu. Administracyjnie obszar miasta dzielił się na cztery starostwa grodzkie: śródmiejsko-warszawskie, liczące w 1937 roku 262 000 mieszkańców, północnowarszawskie z 759 tysiącami mieszkańców, południowo-warszawskie z 400 tysiącami mieszkańców i prasko-warszawskie o najniższej liczbie mieszkańców, wynoszącej 220 000 osób.

Niezależnie od podziału administracyjnego Warszawa dwudziestolecia dzieliła się także na dzielnice tradycyjne, o granicach ukształtowanych zwyczajowo. W końcu lat trzydziestych było takich większych dzielnic dwadzieścia: Bielany, Powązki, Koło, Wola, Rakowiec, Sielce, Czerniaków, Marymont, Żoliborz, Ochota, Mokotów, Śródmieście, Siekierki, Pelcowizna, Praga, Saska Kępa, Gocław, Bródno, Targówek, Grochów. Oczywiście istniały także i inne, mniejsze terytorialnie dzielnice, a właściwie regiony większych dzielnic, o trwale wpisanych do tradycji miasta nazwach, jak na przykład Starówka, Grzybów, Muranów czy Szmulowizna.

Miasto w roku 1938 rozpościerało się na 14 116 ha, a liczba mieszkańców, która w roku 1918 wynosiła 758 400, a w 1926 przekroczyła milion, osiągnęła przed wybuchem wojny liczbę 1 289 500 obywateli.

Między rokiem 1918 a 1939 ludność stolicy wzrosła o 70%. Było to blisko dwa razy tyle, ile wyniósł w tym czasie przyrost ludności całej Polski. Ów dynamiczny wzrost liczby mieszkańców wiązał się z ruchem migracyjnym. O takim tempie wzrostu decydował napływ ludności: spośród 289 000 mieszkańców, którzy powiększyli społeczność warszawską w latach 1921–1936, 30% pochodziło z przyrostu naturalnego, a 70% z migracji.

Rozwój ludnościowy miasta i specyficzność tego rozwoju wiązały się ze stołeczną pozycją Warszawy: tu istniały różnorodne możliwości uzyskania pracy i zarobku. Atrakcyjność stolicy, będącej centralnym ośrodkiem dyspozycji państwowej, politycznej i ekonomicznej, ważkim ośrodkiem przemysłowym i szerokim rynkiem popytu na wszelkiego rodzaju usługi, przyciągała rocznie do miasta blisko 16 tysięcy nowych mieszkańców. Znamienne, że nawet w najtrudniejszym gospodarczo trzyleciu kryzysowym z samych tylko wsi przybyło do miasta w poszukiwaniu środków do życia 38 000 osób. Z Warszawą wiązało swoje podstawowe interesy życiowe 140 000 mieszkańców osiedli podmiejskich; stały się one w dwudziestoleciu wielką „sypialnią" dla tych, którzy pracując w mieście, kwaterowali na jego obrzeżach. Tam bowiem niższa renta gruntowa sprawiała, że przystępniejsze było komorne czy ceny działek budowlanych.

Proces wiązania osiedli miejskich i ich mieszkańców z metropolią narastał dzięki rozwojowi sieci komunikacyjnej. Zapoczątkowana kolejkami dojazdowymi – słynnymi ciuchciami – była stopniowo wzbogacana linią Elektrycznej Kolei Dojazdowej, a następnie częściowo zelektryfikowaną siecią podmiejskich Polskich Kolei Państwowych.

Jeszcze dynamiczniej niż ludność powiększył się w okresie między wojnami obszar miasta. Zmiany przestrzenne stolicy wpłynęły korzystnie, mimo wielu trudności związanych ze stanem przyłączanych terenów, na powstanie warunków do wszechstronnego rozwoju miasta, jego gospodarki i społeczności. W latach 1916–1939 obszar Warszawy zwiększył się blisko czterokrotnie, z 3670 do 14 116 ha powierzchni. Miasto wykroczyło daleko poza dawny pas fortyfikacyjny, którym zaborca hamował naturalny rozwój municypalny Warszawy. Decydujące znaczenie w przestrzennym rozwoju stolicy miała wielka inkorporacja przedmieść z 1916 roku. Wówczas to bowiem polski już magistrat warszawski

44. Demonstracja Komunistycznej Partii Robotniczej Polski w Warszawie wiosną 1919 r.

415

wystąpił z odpowiednią inicjatywą, w której wyniku obszar miejski powiększył się o 8210 ha, a ludność o blisko 110 000 osób. Włączono do Warszawy dziesięć przedmieść, które dzisiaj znajdują się w większości w centrum aglomeracji miejskiej. Były to: Grochów (6500 mieszkańców), Koło-Budy (11 000), Nowe Bródno (9000), Młociny (13 000), Mokotów (22 000), Ochota-Czyste (24 000), Pelcowizna (6000), Sielce (12 000), Targówek (10 500), Wola (18 0000). Dwukrotnie jeszcze włączane były w dwudziestoleciu do terenu miasta nowe obszary o łącznej powierzchni 1566 hektarów. W roku 1930 był to Las Bielański z przyległymi polami, w roku 1939 – część gminy Wilanów ze Służewcem i część gminy Bródno.

Warszawa podlegała dwom rodzajom władzy: jako część terytorium państwa – właściwemu organowi państwowej władzy administracyjnej; jako organizm miejski posiadała własny samorząd – władzę municypalną. Władzę samorządową tworzyły pochodząca z wyborów Rada Miejska oraz Zarząd Miejski, będący, najogólniej mówiąc, organem wykonawczym Rady. Stołeczność miasta sprawiała, że jego samorząd zajmował szczególne miejsce zarówno w systemie samorządu miejskiego dwudziestolecia, jak też w ogólnokrajowych instytucjach skupiających miasta i ich przedstawicieli.

Początki samorządu lat II Rzeczypospolitej sięgały okresu I wojny światowej. Jego zalążkową formą był utworzony w sierpniu 1914 roku Komitet Obywatelski, złożony z przedstawicieli górnych warstw kapitalistycznego układu społecznego. W miarę rozwoju skali i masowości potrzeb społeczności warszawskiej rozwijały się z biegiem wojny płaszczyzny i formy działania Komitetu, pomyślanego początkowo jako instytucja pomocowo-filantropijna. Zorganizowana została między innymi Straż Obywatelska, sądownictwo obywatelskie, ochrona mienia publicznego, dystrybucja produktów żywnościowych. Nazajutrz po zajęciu Warszawy przez wojska niemieckie, 5.VIII.1915 roku Komitet Obywatelski powołał Tymczasowy Zarząd Miejski jako swój organ wykonawczy. W niespełna rok później przeprowadzone zostały w mieście pierwsze wybory do Rady Miejskiej. Ordynacja wyborcza, oparta na zasadzie kurialnej, preferowała warstwy zamożniejszych mieszkańców Warszawy. Na 90 radnych miejskich środowiska proletariackie mogły wybrać jedynie 15 mandatariuszy.

Samorząd miejski, który miał ważkie zadanie stworzenia warunków do właściwego funkcjonowania milionowego miasta i zabezpieczenia materialno-technicznej podstawy życia jego mieszkańców, musiał od roku 1916 począwszy rozwiązywać kompleks problemów szczególnie trudnych zarówno ze względu na stan miasta, jak i jego stołeczny awans. Określenie zasad racjonalnej gospodarki miejskiej, ustalenie dróg i form rozwoju urządzeń komunalnych, zorganizowanie sieci szkolno-oświatowej, kulturalnej, opiekuńczej i zdrowotnej – oto niektóre z problemów, jakie w różnym stopniu rozwiązywały kolejne rady i zarządy miasta.

Polski samorząd odziedziczył miasto fatalnie zaniedbane wskutek niewłaściwej wieloletniej działalności władz carskich, celowo degradujących stołeczność i wielkomiejskość Warszawy. Inkorporowanie w 1916 roku terenów przedmieść o nikłym stanie urządzeń komunalnych znacznie powiększyło skalę trudności w rozwiązywaniu problemu uzbrojenia miasta w sieć drogowo-komunikacyjną, wodnokanalizacyjną i tym podobnych koniecznych inwestycji. W ciągu pierwszych pięciu lat polskiego samorządu w stolicy dawały się odczuć: upadek gospodarczo-produkcyjny miasta lat I wojny światowej, powszechna pauperyzacja i bezrobocie pracowników najemnych, gwałtowne pogorszenie stanu sanitarnego i zdrowotności mieszkańców oraz skutki wojny 1919/20 roku. Możliwości rozwiązywania olbrzymich i niezmiernie trudnych problemów miejskich zawężane były przez ograniczenia wynikające z panującego wówczas ustroju społeczno-ekonomicznego, a także z klasowego oblicza kierujących samorządem ugrupowań politycznych, reprezentujących przede wszystkim interesy warstw posiadających. Dominacja własności prywatno-kapitalistycznej, nie tylko w sferze przemysłu, handlu czy usług, ale także jeśli chodzi o budynki mieszkalne i grunty w granicach miasta, sprowadzała do minimum możliwości manewru przy podejmowaniu ogólnomiejskiej działalności inwestycyjnej.

Już pierwsze trzylecie samorządu w Polsce niepodległej napotykało trudności nie sprzyjające rozwiązywaniu podstawowych bolączek miasta. Wspomnijmy jedynie sytuację gospodarczą, wielkie ruchy migracyjne ludności Warszawy, wojnę 1920 roku. Po zakończeniu wojny gospodarka miejska dotkliwie odczuwała narastającą dewaluację marki polskiej. Władze miejskie, czerpiące środki z podatków i różnych opłat, wnoszonych pieniądzem z dnia na dzień tracącym wartość, znajdowały się w sytuacji ograniczającej jakąkolwiek możliwość racjonalnego i perspektywicznego działania inwestycyjnego, nie mówiąc o zaspokajaniu bieżących potrzeb miasta. Stabilizacja waluty w 1924 roku oraz stopniowa poprawa ogólnej sytuacji gospodarczej stworzyły miastu korzystniejsze warunki rozwoju. Podjęto budowę szeregu szkół powszechnych, co umożliwiało realizację nauczania powszechnego oraz dokształcania osób dorosłych. Rozbudowano sieć oświetleniową, wodnokanalizacyjną, bruków ulicznych, tramwajowych i autobusowych linii komunikacyjnych. Inwestycje te prowadzone w dużej mierze na zaniedbanych przedmieściach wpływały nieco na zacieranie różnic między nimi a obszarem śródmiejskim. Podjęto także prace porządkowe w trosce o wygląd ulic, zabudowy miejskiej i obszarów rekreacyjnych.

DZIAŁALNOŚĆ SAMORZĄDU MIEJSKIEGO

416

Owa żywa stosunkowo działalność władz miejskich, a także państwowych, odbudowujących i budujących potrzebne w stolicy gmachy dla władz i instytucji, została gwałtownie zahamowana na początku lat trzydziestych. Blisko pięć lat trwający kryzys gospodarczy wstrzymał dalszą rozbudowę i porządkowanie spraw miejskich. Zmniejszonym dochodom samorządu stołecznego towarzyszyło zwiększanie się wydatków, związanych między innymi z łagodzeniem najtrudniejszych sytuacji bytowych spauperyzowanej ludności. Wzrastało zadłużenie miasta i zarazem ograniczanie możliwości wydatków.

Nowy, korzystniejszy dla miasta okres rozpoczął się w połowie lat trzydziestych. Ogólna poprawa gospodarcza kraju i połączony z nią wzrost dochodów miejskich, kredyty państwowe, jakimi rząd wspierał mianowany przez siebie komisaryczny Zarząd Miejski, inicjatywa i energia prezydenta Starzyńskiego oraz współpraca z władzami miejskimi grona wybitnych fachowców komunalnych rozszerzyły zarówno bieżący wysiłek inwestycyjny, jak też pozwoliły wytyczyć plany racjonalnego rozwoju Warszawy. Wybudowano, głównie na przedmieściach, szereg budynków szkolnych, wykonano nowe nawierzchnie i sieć wodnokanalizacyjną na ulicach wylotowych – Grochowskiej, Puławskiej, Wolskiej, uruchomiono nowe linie tramwajowe i autobusowe docierające do Wilanowa, Okęcia i Babic, a więc poza ówczesne granice miasta. Zapoczątkowano prace nad stworzeniem nowych arterii komunikacyjnych, głównie w kierunku północ–południe, łączących Żoliborz z Mokotowem; odcinek Śródmieście–Żoliborz zrealizowano przed 1939 rokiem. W szerokim stosunkowo zakresie podjęto odnowę i rekonstrukcję zabytków dawnej Warszawy. Energicznie kontynuowano działania mające zbliżyć miasto do Wisły.

Działalność samorządu miejskiego w latach 1916–1939, ze szczególną dynamiką okresu 1934–1939, doprowadziła do znacznych przekształceń struktury terytorialnej miasta, poważnego rozwoju instytucji i urządzeń komunalnych służących coraz szerszemu gronu mieszkańców. Została ukształtowana, dzięki rozwijającym się przedsiębiorstwom i instytucjom miejskim, ponad dwudziestotysięczna, oddana sprawom Warszawy kadra wysoko wykwalifikowanych robotników i pracowników umysłowych. Wypracowane także zostały

445. Prace przy rozbudowie elektrowni warszawskiej w 1925 r.

zasady i metody funkcjonowania administracji samorządowej dużego miasta: niejednokrotnie korzystały z nich i inne miasta polskie.

Do osiągnięć władz miejskich Warszawy należało przejęcie z rąk obcego kapitału kluczowych przedsiębiorstw użyteczności publicznej: gazowni w 1925 roku i elektrowni w 1936 roku, oraz przejęcie przez miasto około 1300 ha wolnych placów i innych gruntów w granicach Warszawy. To ostatnie stwarzało perspektywę większej swobody planowania inwestycyjnego, ograniczanej w tamtych latach wysoką rentą gruntową i „świętym" prawem kapitalistycznej własności. Znaczny, choć na pewno niewystarczający wysiłek inwestycyjny doprowadził do powiązania przedmieść z centrum miasta, do częściowego uzbrojenia ich w instalacje komunalne i pewnego poprawienia ich stanu sanitarnego.

Osiągnięciem godnym szczególnego podkreślenia było rozwinięcie szkolnictwa podstawowego, zwanego wówczas powszechnym. Zbudowanie blisko 100 budynków szkolnych, w znacznej mierze na terenach najbardziej zaniedbanych, umożliwiło realizację powszechnego obowiązku szkolnego, a także akcję dokształcania młodzieży pracującej i dorosłych. Wprawdzie w niejednej szkole powszechnej odbywała się nauka wielozmianowa, ale w końcu lat trzydziestych wszystkie dzieci warszawskie w zasadzie objęte były nauczaniem. W 1924 roku 32,2% ogółu dzieci podlegających nauczaniu podstawowemu nie uczęszczało do szkoły, natomiast w roku szkolnym 1938/39 odsetek ten wynosił zaledwie 0,9%. Realizacja obowiązku szkolnego oraz dokształcanie dorosłych systematycznie zmniejszały odsetek analfabetów wśród ludności Warszawy. Spis powszechny 1921 roku notował 15,6% analfabetów wśród mieszkańców Warszawy w wieku powyżej 10 lat, a w dziesięć lat później odsetek ten spadł do 10%.

Podnoszeniu stanu oświaty sprzyjała rozbudowywana sieć miejskich bibliotek publicznych, które nie ograniczały działalności do wypożyczania książek, lecz były ośrodkami żywej pracy oświatowej. W tej działalności wybijała się stolica na czoło innych dużych miast polskich. Znamienny był fakt, że z 850 000 złotych, które w roku 1935/36 wydatkowały samorządy miejskie na biblioteki oświatowe, na wydatki Warszawy przypadało 480 000.

Mimo znacznego wysiłku władz miejskich istniały w stolicy znaczne braki w wyposażeniu komunalnym miasta oraz rażące dysproporcje między dzielnicami, a nawet kwartałami tych samych dzielnic. Generalnie biorąc, były to różnice właściwe dla kapitalistycznych aglomeracji wielkomiejskich, które w Warszawie pogłębiał tragiczny spadek po gospodarce miejskiej zaborcy. W drugiej połowie lat trzydziestych jedynie 44,1% budynków mieszkalnych Warszawy wyposażonych było w instalację wodnokanalizacyjną oraz elektryczną bądź gazową. Na 24 800 istniejących budynków zaledwie 6900 miało pełne wyposażenie, to jest wodę, kanalizację, gaz i elektryczność. Wszelkiej instalacji pozbawionych było 24,6% budynków mieszkalnych. W domach tych żyło blisko 100 000 osób, czyli tyle, ile w przybliżeniu liczyła cała ludność takich miast, jak Bydgoszcz, Częstochowa czy Lublin. Szczególnie upośledzone były dzielnice przyłączone w 1916 roku, głównie zamieszkane przez ludność robotniczą. Na tym terenie jedynie 30% domów miało instalację wodociągową, a 25% kanalizacyjną. Braki w wyposażeniu dotyczyły także uboższych, starych dzielnic. Śródmieście Pragi na przykład, zamieszkane przez 150 000 osób, nie miało w zasadzie kanalizacji.

Największą bolączką ludności stolicy był głód mieszkaniowy, znaczne przeludnienie mieszkań, wysokie czynsze, zwłaszcza w domach wybudowanych po 1918 roku. Jeszcze w 1924 roku utworzony przez władze miejskie Komitet Rozbudowy Miasta opracował plan zaspokojenia elementarnych potrzeb mieszkaniowych ludności, określając je na 478 000 nowych mieszkań. W latach 1924–1938 wybudowano w Warszawie 140 000

WYPOSAŻENIE KOMUNALNE MIASTA I WARUNKI MIESZKANIOWE LUDNOŚCI

446. Wiec pierwszomajowy Polskiej Partii Socjalistycznej na placu Teatralnym w Warszawie, 1925 r.

447. Fragment II kolonii Warszawskiej Spółdzielni
Mieszkaniowej na Żoliborzu

mieszkań, z czego znaczną część stanowiły mieszkania niedostępne dla osób gorzej
sytuowanych. Dominująca bowiem część nowo wzniesionych budynków mieszkalnych
znajdowała się w posiadaniu prywatnych kapitalistów i powstała z myślą o zyskach
materialnych z wynajmu lokali. Z rzadka trafiały się mieszkania w budynkach, które nie
powstały ze względów komercjalnych. Były to domy spółdzielni mieszkaniowych z Warszawską Spółdzielnią Mieszkaniową na czele, budynki wznoszone przez państwo i samorząd dla swych pracowników oraz domy budowane po 1934 roku przez Towarzystwo
Osiedli Robotniczych.

Sytuacja mieszkaniowa ludności Warszawy, a zwłaszcza jej niezamożnej większości, nie
uległa w dwudziestoleciu międzywojennym widocznej poprawie. Oba spisy powszechne
wykazywały, że większość substancji mieszkaniowej stolicy (67%) stanowiły lokale jedno-
lub dwuizbowe, a 42% mieszkania o jednej izbie. Jednoizbowych na przedmieściach było
aż 75%. W 1931 roku 62% mieszkańców Warszawy zajmowało mieszkania jedno-
i dwuizbowe. Ponad jedna trzecia ogółu ludności (234 000 osób) żyła w mieszkaniach
jednoizbowych, 61,5% w mieszkaniach przeludnionych, a 40% w mieszkaniach zajmowanych przez więcej niż jedną rodzinę. 120 000 warszawian mieszkało w lokalach, w których
na jedną izbę przypadało 6 osób, a 38 000 w mieszkaniach o zagęszczeniu dwukrotnie od
tego większym.

Znaczne pogorszenie warunków mieszkaniowych przyniósł kryzys. Wysokie czynsze,
niskie zarobki, a przede wszystkim bezrobocie zwiększyły stopień zagęszczenia mieszkań
ludności niezamożnej i stworzyły poważny problem bezdomności. Gdy w 1924 roku
notowano w Warszawie 550 osób bezdomnych, a w 1927 roku 5000, to w 1935 liczba ta
wzrosła do 22 000. 17 000 bezdomnych, głównie rodzin wielodzietnych, znajdowało kąt

448. Kolonia Staszica przy ul. Topolowej w Warszawie, 1932 r.

w schroniskach, takich jak „Polus", baraki na Annopolu czy Żoliborzu, ale ponad 4000 bezdomnych koczowało pod mostami, na podwórkach lub na ulicy.

Problem mieszkaniowy stolicy najmocniej zaważył na losie ludności robotniczej, chałupniczej i sproletaryzowanego drobnomieszczaństwa. Znamienny dla oceny sytuacji mieszkaniowej warszawskich robotników był artykuł z 1935 roku na łamach „Kuriera Porannego", dziennika związanego z obozem rządzącym:

„Wydaje się, że już w gorszych warunkach jak w hali Polusa człowiek żyć nie może. Jednak jest to wrażenie złudne. Żyć można w pomieszczeniach jeszcze gorszych, o których przeciętny inteligent ze śródmieścia w ogóle nie ma pojęcia. Co gorsze, żyją w takich warunkach dziesiątki tysięcy mieszkańców Warszawy, przeważnie ludności robotniczej, skupionej na peryferiach miasta. Te rzędy chałup obdrapanych, brudnych, zapadniętych w ziemię na robotniczych przedmieściach Warszawy – Woli, Grochowie czy Ochocie – to są [...] jednocześnie warszawskie domy robotnicze. Według statystyki przeciętna liczba lokatorów w mieszkaniu jednoizbowym wynosi 3, 6 osób [...], przy czym proces zgęszczania się ludności w mieszkaniach jednoizbowych stale rośnie. To są liczby przeciętne i teoretyczne. Faktycznie w tych tak szumnie zwanych mieszkaniach jednoizbowych, w istocie maleńkich klitkach bez dostępu powietrza i światła, mieszkają rodziny złożone z czterech, pięciu, nawet dziesięciu osób, które ponadto przyjmują jeszcze sublokatorów. W tych klitkach rosną i wychowują się dzieci robotników, tu nabawiają się różnego rodzaju chorób. I cóż dziwnego, że właśnie w tych mieszkaniach jednoizbowych [...] zgony na gruźlicę stanowią 18% ogólnej śmiertelności. To jest zupełnie zrozumiałe. Robotnik przeciętnie sytuowany, nie mówiąc już o gorzej płatnym, nie może znaleźć sobie pomieszczenia. Przede wszystkim nie znajduje lokalu jednoizbowego, a jeśli nawet to mu się powiedzie, w żadnym razie nie stać go na płacenie 50 do 80 zł za jeden pokój, często nawet bez kuchni. Przeciętny koszt komornego w budżecie robotnika w Polsce stanowi 17% zarobków, podczas gdy we Francji 10%, a w Austrii nawet 5%. Przeciętna wysokość komornego płacona przez robotnika w Warszawie wynosi za jedną izbę 21,2 zł. Za jedną izbę? Oczywiście, za maleńką klitkę bez powietrza i światła. Mieszkanie jednoizbowe w nowych domach, w których komorne znacznie przekracza tę normę, jest niedostępne nawet dla średnio sytuowanego robotnika".

Struktura społeczna ludności Warszawy, ogólnie rzecz biorąc, nie odbiegała zbytnio od struktur największych miast II Rzeczypospolitej. Wiodącą liczebnie była klasa robotnicza, a w dalszej kolejności drobnomieszczaństwo oraz inteligencja, wśród której dominowali najemni pracownicy umysłowi.

Uwzględniając podstawowe kryterium podziału społecznego, jakim jest sprawa stosunków własnościowych wobec środków i narzędzi produkcji – należy stwierdzić, że Warszawa międzywojenna była miastem, w którym 70% mieszkańców utrzymywało się z pracy najemnej.

Według danych spisu powszechnego z 1931 roku ludność stolicy można podzielić na trzy główne grupy, w zależności od sposobu uzyskiwania środków do życia. Pierwsza grupa to 782 000 osób utrzymujących się z pracy najemnej, druga – 256 000 osób uzyskujących środki do życia z prowadzonej działalności handlowej, rzemieślniczej i usługowej, trzecia – 55 000 osób mających zakłady pracy i zatrudniających siłę najemną.

Wspomniany spis powszechny pozwala określić strukturę ludności zawodowo czynnej według podziału na podstawowe działy zawodowe (gałęzie pracy). Z przemysłem i rzemiosłem związanych było 40,6% osób zawodowo czynnych, z handlem i ubezpieczeniami – 18,8%, służbą publiczną – 18,1%, służbą domową – 10,1%, komunikacją i transportem – 6,4%. Podobne proporcje utrzymały się do 1939 roku.

Poziom zatrudnienia zawodowego ludności warszawskiej był wprawdzie niższy niż w innych większych stolicach europejskich, lecz zwiększał się w latach 1918–1939. W miarę rozszerzania się funkcji stołecznych miasta, jego rynku pracy i szeroko rozumianego rynku konsumpcyjnego zwiększał się odsetek osób czynnych zawodowo, osiągając w 1938 roku około 50%. Większość zawodowo czynnych stanowili mężczyźni. Wśród kobiet odsetek

STRUKTURA SPOŁECZNO-
-ZAWODOWA LUDNOŚCI

Mieszkańcy Warszawy zawodowo czynni według stanowiska społecznego
w latach 1921–1938

Stanowisko społeczne	1921		1931		1938	
	tys.	%	tys.	%	tys.	%
Samodzielni zatrudniający obce siły najemne	16,2	3,9	17,4	3,1	17,5	2,7
Samodzielni nie zatrudniający obcych sił najemnych	74,2	17,9	104,4	18,5	125,6	19,1
Pracownicy umysłowi	68,1	16,5	102,3	18,1	122,8	19,0
Robotnicy	192,9	46,7	296,0	52,4	338,7	53,0
Pomagający członkowie rodzin	9,5	2,3	15,9	2,8	40,2	6,2
Osoby o nieokreślonym stanowisku	59,4	12,7	28,7	5,1		
R a z e m	413,3	100,0	564,7	100,0	644,8	100,0

Źródło: M. Drozdowski, Klasa robotnicza Warszawy 1919–1939, Warszawa 1968, s. 115.

zarobkujących wynosił w 1931 roku 31,8% i był niższy niż w innych stolicach europejskich. Wiązało się to nie tylko z trudnościami na rynku pracy, ale i z obowiązującym modelem rodziny tradycyjnej, w której kobieta nie pracowała poza domem.

Równolegle ze wzrostem liczby pracujących zarobkowo wzrastał stopień ich proletaryzacji. Uwidoczniają to zmiany odsetków zawodowo czynnych przedstawicieli drobnomieszczaństwa, inteligencji i klasy robotniczej w latach 1921–1938. Gdy mianowicie w przypadku grupy pierwszej wzrost liczby czynnych zawodowo wyniósł 1,2%, a w grupie drugiej 2,5%, grupa robotników wykazała przyrost 6,3%. Był to rezultat rozwoju stołecznego przemysłu, różnych form gospodarki municypalnej, warszawskiego węzła komunikacyjnego, a częściowo także kryzysowej proletaryzacji, dotykającej zubożałe drobnomieszczaństwo oraz niektóre kręgi pracowników umysłowych, i migracji mieszkańców wsi i innych miast poszukujących w Warszawie zatrudnienia.

UKŁAD NARODOWOŚCIOWY

Warszawa międzywojennego dwudziestolecia była miastem, podobnie jak cała Polska, wielonarodowościowym. Dominującymi grupami narodowościowymi stolicy byli Polacy i Żydzi. Mieszkali tu też Rosjanie, Niemcy, Ukraińcy i Białorusini, ale łącznie stanowili tylko 1% mieszkańców. Statystyki międzywojenne nie operowały pojęciem „narodowość", trudno więc precyzyjnie określić skład narodowościowy Warszawy opierając się jedynie na danych dotyczących wyznania i języka ojczystego.

450. Hala produkcyjna fabryki „Ursus" w Warszawie, 1929 r.

Wedle spisu powszechnego z 1931 roku 67,2% ludności stolicy wyznawało religię rzymskokatolicką, a 29,9% mozaizm. Język ojczysty polski zadeklarowało 70,7% (ok. 900 tys.) mieszkańców, natomiast żydowski lub hebrajski 28,3% (ok. 360 000). Dla całokształtu struktury narodowościowej i wyznaniowej Warszawy decydujące znaczenie miały więc stosunki obu podstawowych grup – polskiej i żydowskiej. Była więc Warszawa największym skupiskiem ludności polskiej i żydowskiej. W przypadku tej ostatniej była również największym takim skupiskiem w Europie przede wszystkim w wyniku przymusowej migracji w latach osiemdziesiątych i dziewięćdziesiątych XIX wieku. Wiązała się ona z przeprowadzanymi przez władze carskie rugami ludności żydowskiej z rosyjskich guberni, a także z kapitalizacją gospodarki rolnej w Królestwie, eliminującą tę ludność z pełnionych tradycyjnie na wsi zawodów.

Znamiennym zjawiskiem układu narodowościowego Warszawy była wyraźnie zaznaczająca się w latach 1918–1939 tendencja do wzrostu procentu ludności polskiej i spadku procentu ludności żydowskiej. W porównaniu z rokiem 1918 odsetek ludności polskiej w 1939 roku wzrósł o 12,5%, natomiast spadek odsetka ludności żydowskiej wyniósł 13,1%. Główną przyczyną były ruchy migracyjne. Migrowała do miasta ludność polska, emigrowała żydowska. Historyczne warunki formowania struktur społecznych ludności żydowskiej, system więzi religijnej, obyczajowej i tradycji sprawiły, że społeczność ta żyła w znacznym odosobnieniu od reszty ludności. Uwidoczniało się to najwyraźniej w istnieniu części miasta zamieszkanej w większości przez ludność żydowską. W Warszawie była nią tak zwana dzielnica północna, obejmująca głównie regiony Muranowa, Mirowa, Powązek, Grzybowa, Starego Miasta, Leszna. W Warszawie prawobrzeżnej skupiskiem takim był

451. Roboty miejskie prowadzone w Warszawie w 1936 r.

fragment Pragi, obejmujący okolice dworców Wileńskiego i Wschodniego, ul. Targowej i pl. św. Floriana.

Ludność żydowska zajmowała się głównie przemysłem i rzemiosłem (46% czynnych zawodowo) oraz handlem i ubezpieczeniami (33,6%). W służbie publicznej znajdowało zatrudnienie 7,4%, a w komunikacji i transporcie 4,9% osób tej narodowości. Zatrudnienie ludności żydowskiej przede wszystkim w handlu, rzemiośle, przemyśle, a w grupie inteligenckiej w wolnych zawodach wynikało nie tylko z historycznych uwarunkowań i tradycji, ale także z ograniczeń, jakie istniały w okresie zaborów, a także, choć w złagodzonej formie, w okresie II Rzeczypospolitej.

Skład zawodowy ludności wyznań chrześcijańskich w 1931 roku przedstawiał się następująco: w przemyśle i rzemiośle pracowało 41,2%, w handlu i ubezpieczeniach 14,0%, w służbie publicznej 15,6%, w komunikacji i transporcie 10,7%, a zatem występowała tu większa równowaga.

WARSZAWSKA BURŻUAZJA

Omawiając strukturę społeczną Warszawy dwudziestolecia należy scharakteryzować poszczególne klasy i warstwy ludności stołecznej. Tworzyły one piramidę statusu społecznego kapitalistycznego miasta, wynikającą z określonych stanów posiadania i dochodów, a niosącą z sobą określone możliwości życia i uczestnictwa w korzystaniu z dóbr materialnych i duchowych. Na szczycie tej piramidy tkwiła warszawska burżuazja, złożona z właścicieli przedsiębiorstw przemysłowych, handlowych, finansowych i usługowych, posiadaczy domów czynszowych, popularnie zwanych kamienicznikami, oraz rentierów. Liczyła ona w 1931 roku 17 400 osób czynnych zawodowo. Grupa ta była również wewnętrznie zróżnicowana, głównie wysokością dochodów. 400 rodzin wielkiej burżuazji dysponowało bowiem rocznym dochodem wynoszącym średnio w 1925 roku 105 000 złotych na osobę, gdy w pozostałych grupach burżuazyjnych dochód taki wynosił około 21 tys. złotych. Ze względu na wysokość uzyskiwanych dochodów do grupy burżuazyjnej zaliczyć trzeba także osoby stojące na szczycie hierarchii pracowników umysłowych, wielostronnie powiązane z kapitalistycznymi ośrodkami dyspozycji przemysłowej i finansowej. Można więc przyjąć, że grupę burżuazyjną tworzyło około 25 000 osób czynnych zawodowo. Najwyższe dochody oraz system powiązań i koneksji sprawiały, że grupa ta dysponowała szerokim dostępem także do szkolnictwa wszelkich stopni i typów, dóbr kultury oraz miała najlepsze warunki życia.

WARSZAWSKIE DROBNOMIESZCZAŃSTWO

Drugą co do wysokości średnich dochodów na jedną osobę grupą społeczną było drobnomieszczaństwo z rocznym dochodem 5100 zł (dane z 1925). Kategoria samodzielnych, nie zatrudniających obcych sił najemnych, a więc głównie rzemieślników, właścicieli niewielkich zakładów handlowych i drobnych zakładów przemysłowych, stanowiła w Warszawie blisko 20% ogółu jej mieszkańców. Liczebność tej grupy społecznej wynosiła w 1938 roku około 126 000 zawodowo czynnych, co czyniło ze stolicy największe skupisko drobnomieszczaństwa w Polsce. W 1931 roku 54,2% składu tej grupy społecznej stanowili przedstawiciele narodowości żydowskiej. Wśród drobnomieszczaństwa żydowskiego silniej jednak niż wśród polskiego występowało zjawisko pauperyzacji i proletaryzacji, tu też silniejsze były różnice w sytuacji materialnej. Silny ekonomicznie drobnomieszczanin uzyskiwał dochód kilkakrotnie wyższy od dochodu robotnika, spauperyzowany utrzymywał się na poziomie robotniczym, sproletaryzowany zaś niejednokrotnie nie osiągał niższych pułapów dochodu robotnika przemysłowego. Ogólnie biorąc, drobnomieszczaństwo warszawskie dysponowało, mimo pewnego ograniczenia wywołanego kryzysem, znacznie wyższymi dochodami niż podstawowa masa pracowników umysłowych i robotników. Było to środowisko tradycjonalistyczne, skłonne do konserwatyzmu społecznego i tkwiące w orbicie klerykalizmu katolickiego lub mozaistycznego. Ta grupa społeczna stanowiła w latach 1918–1939 podstawową klientelę polityczną wszystkich ugrupowań prawicowych i nacjonalistycznych. Cechą charakterystyczną podstawowej, zwartej części drobnomieszczaństwa była ostra ekonomiczna walka konkurencyjna między obu grupami narodowościowymi.

WARSZAWSKA INTELIGENCJA

Warstwą społeczną, która dynamicznie rozwijała się w międzywojennej Warszawie, była inteligencja. Tworzyli ją przedstawiciele wolnych zawodów, osoby pełniące funkcje kierownicze w administracji państwowej i samorządowej, w instytucjach politycznych i społecznych, w aparacie zarządzania przemysłem, handlem i finansami, a wreszcie stanowiąca większość tej warstwy grupa pracowników umysłowych tworzących tak zwany personel wykonawczy. Poważny wzrost liczbowy inteligencji, która w roku 1939 liczyła blisko 130 000 osób zawodowo czynnych (68 000 w 1921), był pochodną rozwoju stołeczności miasta i rozwoju jego organizmu ekonomicznego. Większość grupy inteligenckiej stanowili pracownicy umysłowi zatrudnieni w służbie publicznej. Wraz z zatrudnionymi w wolnych zawodach stanowili oni w 1931 roku 52,5% ogółu zawodowo czynnych pracowników umysłowych. Resztę pracowników umysłowych zatrudniały: komunikacja i transport – 22,9%, handel i ubezpieczenia – 20,1%, przemysł i rzemiosło – 8%. Pod względem dochodów inteligencja warszawska mieściła się swej podstawowej grupie – personelu wykonawczego – między ustabilizowaną ekonomicznie częścią drobnomieszczaństwa a klasą robotniczą. Dochód przeciętnego przedstawiciela tej grupy przekraczał

452. Przedstawiciele środowisk twórczych w jednol
tofrontowej demonstracji pierwszomajowej. Warszaw
1936 r.

przeszło dwukrotnie dochód robotnika, ale był blisko sześć razy mniejszy od dochodu kierowniczego personelu umysłowego. W grupie inteligenckiej występowały duże różnice między wysokością wynagrodzenia elity kierowniczej i części znakomicie uposażonych przedstawicieli wolnych zawodów a zarobkami tak zwanego proletariatu umysłowego, dzielił również tę grupę dystans intelektualny istniejący między twórcami nauki, literatury i innych dóbr kulturalnych a rzeszą kancelistów. Mimo tych różnic środowisko pracowników umysłowych łączyły pewne cechy wspólne. Był to specyficzny styl życia, konsumpcji, tradycji i więzi społecznej, odgradzający środowiska inteligenckie od środowisk robotniczych, a często i drobnomieszczańskich, i stwarzający swoisty egalitaryzm inteligencki.

Pozycję społeczną inteligenta (pracownika umysłowego), której utrzymanie było przedmiotem jego troski i zabiegów, określały nie tylko dochody, ale i sposób ich wydatkowania. Wydatki na mieszkanie i jego wyposażenie, na kulturę i oświatę pochłaniały znaczną część dochodów. Ale też 70% pracowników umysłowych posiadało w 1931 roku mieszkania trzyizbowe, a nawet większe, a młodzież z rodzin inteligenckich stanowiła jedną czwartą uczniów warszawskich szkół średnich i połowę słuchaczy szkół wyższych w stolicy. Inteligencja była głównym odbiorcą książek, czasopism, widowisk teatralnych, muzyki i sztuk plastycznych. Wśród inteligencji stołecznej stosunkowo liczne były grupy społeczników i oświatowców związanych z różnymi kierunkami politycznymi. W niezbyt szerokim wprawdzie zakresie, ale intensywną i ofiarną pracą społeczną zaznaczyły swe istnienie demokratyczne, liberalne i postępowe kręgi inteligenckie Warszawy, oddające się służbie społecznej.

Pozycja inteligencji w układzie politycznym stolicy wykazuje w latach 1918–1939 znaczną stabilność. Z dużym uproszczeniem można powiedzieć, że do 1926 roku „rząd dusz" wśród znacznej części inteligencji pełniła prawica nacjonalistyczna, której politycznym synonimem była endecja (Narodowa Demokracja). Część inteligencji liberalnej i demokratycznej, w tym i grupa związana z ruchem socjalistycznym, popierała tak zwany obóz belwederski skupiony wokół Piłsudskiego. Podstawowa część pracowników umysłowych zatrudnionych w służbie publicznej opowiadała się za tym kierunkiem politycznym, który reprezentowała władza państwowa. Znamienne dla tej postawy były wyniki wyborów sejmowych w 1928 roku. W dwa lata po zamachu majowym listy prorządowe uzyskały 35% głosów wyborców z kręgu pracowników umysłowych zatrudnionych w różnych placówkach aparatu państwowego, głosujących przed rokiem 1926 na tradycyjne ugrupowania prawicowe i centrowe. Podobnie zresztą wyglądała sprawa w kolejnych wyborach organizowanych przez obóz sanacyjny.

W drugiej połowie lat trzydziestych ujawniły się już jednak tendencje opozycyjne wobec reżimu. W latach tych Warszawa jest miejscem pierwszych strajków (w tym także okupacyjnych) inteligencji pracującej, która sięgnęła po broń używaną do tej pory przez robotników. Tu w 1937 roku odbyła się akcja strajkowo-protestacyjna pracowników i członków Związku Nauczycielstwa Polskiego; solidaryzowały się z nią także grupy inteligenckie innych zawodów. Deklarujący dotąd odrębność i separatyzm wobec ruchu robotniczego pracowniczy ruch zawodowy opowiedział się w tym czasie za ścisłą jednością ludzi pracy fizycznej i umysłowej oraz za współpracą z klasowym ruchem zawodowym robotników.

Zawsze żywe w środowisku inteligencji ideały patriotyczne odegrały niemałą rolę przy organizowaniu demokratycznego, postępowego i antyfaszystowskiego ruchu politycznego – Klubów Demokratycznych, a następnie Stronnictwa Demokratycznego. Stolica była ważkim ogniwem tego ruchu, który w warunkach zagrożenia faszystowskiego z zewnątrz i narastania prądów faszystowskich i totalitarnych wewnątrz kraju wstąpił na arenę życia politycznego z hasłami zmiany systemu rządzenia Polską, jej polityki zagranicznej oraz przemian wewnętrznych na rzecz demokratyzacji stosunków społeczno-politycznych i poprawy położenia mas pracujących miast i wsi.

KLASA ROBOTNICZA WARSZAWY

Najliczniejszą i wykazującą najsilniejszą dynamikę wzrostu liczebnego grupą społeczną ludności Warszawy byli robotnicy. Stanowili oni od 46,7% w 1921 roku do 53% w 1938 roku ogółu zawodowo czynnych mieszkańców. Ogółem ludność robotnicza (zawodowo czynni z rodzinami), licząca w 1921 roku 424 000 mieszkańców (45,8%) Warszawy, wzrosła do 598 000 w 1931 roku i zbliżyła się do 700 000 w roku 1939, stanowiąc w latach trzydziestych ponad połowę ludności miasta. Było ono największym skupiskiem proletariatu w Polsce dwudziestolecia międzywojennego, to zaś że istniało w stolicy, nadawało warszawskiemu środowisku robotniczemu specjalną rangę, a miastu specyficzne oblicze społeczne.

Sytuacja ekonomiczna robotników Warszawy, ich dochody i warunki życia sprawiały, że jako grupa znajdowali się na dole piramidy społecznej. Dochód roczny robotnika wynosił średnio w 1925 roku 1300 złotych, pracownika umysłowego 2800, drobnomieszczanina 5100, urzędników z wyżyn hierarchii 15 200, przedstawiciela średniej burżuazji 20 500, a wielkiej burżuazji 105 000 złotych. Nie były to tylko kolosalne różnice materialnej podstawy egzystencji, ale również stanowiska społecznego, tak indywidualnego jak grupowego, dotyczące wszystkich dziedzin życia w społeczeństwie kapitalistycznym.

Układ społeczny i ekonomiczny Warszawy, jej rola w sferze rządzenia i zarządzania, a wreszcie rozmiary rynku konsumpcyjnego otwierały przed robotnikami rozległe pole pracy zarówno w zakresie produkcji, jak i w szeroko pojmowanej sferze obsługi organizmu miejskiego i ludności. Stąd brała się specyfika warszawskiego proletariatu, różniąca go od innych skupisk robotniczych Polski międzywojennej. Oto kilka przykładów: blisko 50% czynnych zawodowo zatrudnionych było poza produkcją. Według danych spisu powszechnego z 1931 roku na ogólną liczbę 294 000 zawodowo czynnych robotników i chałupników do grupy produkcyjnej przemysłowo-rzemieślniczej należało 148 000, do grupy obsługi natomiast 146 000. Największe liczebnie grupy robotnicze pozaprodukcyjne były związane z różnymi formami usług. Łącznie liczyły one 118 000 osób, czyli 81% liczby wszystkich robotników zatrudnionych w dziale usługowym. Z owych 118 000 przypadało na służbę domową 57 800, handel towarowy i gastronomię 23 800, dozorców budynków 8100, służbę kolejową 7900, służbę sanitarną (miasto, lokale) 6700, transport 5700, obsługę tramwajów i autobusów 4500, administrację 4000.

Grupa zatrudniona w sferze produkcyjnej pracowała głównie w przemyśle drobnym, rzemiośle i chałupnictwie. I tak w roku 1931 w przemyśle wielkim i średnim pracowało 32,5%, w przemyśle drobnym 7%, w warsztatach rzemieślniczych 60,5%. Taka struktura zatrudnienia wynikała z charakteru samych przedsiębiorstw produkcyjnych. W roku 1934 na przykład z ogólnej liczby 2900 zakładów przemysłowych 79%, to jest 2306 zakładów, zatrudniało mniej niż 20 robotników. W tym samym roku przeciętna zatrudnienia na jeden zakład przemysłowy wynosiła 25 robotników.

Znakomita większość robotników przemysłowych związana była z ośmiu gałęziami produkcji: z przemysłem metalowym, (grupa najliczniejsza), budowlanym, spożywczym, chemicznym, poligraficznym, włókienniczym, odzieżowym i maszynowo-elektrotechnicznym. Przemysł specjalistyczny (maszynowy, poligraficzny, elektrotechniczny, metalowy), zatrudniający 40% robotników przemysłowych, sprawiał, że warszawskie środowisko robotnicze miało znaczny jak na polskie stosunki, bo sięgający 25%, odsetek robotników o wysokich kwalifikacjach zawodowych. Inną jego właściwością był duży odsetek pracujących w nim kobiet. Według spisu z 1931 roku wśród 284 871 zawodowo czynnych robotników znajdowało się 115 114 kobiet, czyli 41%. W 1935 roku odsetek pracujących kobiet w zakładach przemysłowych zatrudniających powyżej 4 robotników I–VII kategorii (bez przedsiębiorstw miejskich i przemysłu usług osobistych) wynosił 31%.

Warszawa wyróżniała się znacznym udziałem państwa i samorządu miejskiego w zatrudnianiu robotników. W przemyśle, przedsiębiorstwach i w administracji sektora publicznego w 1938 roku pracowało około 70 000 robotników.

Jako ośrodek wielkomiejski była Warszawa poważnym wewnętrznym rynkiem zbytu. W grupie robotników i chałupników działu produkcyjnego poważną część stanowiły zawody związane z rzemiosłem i produkcją rzemieślniczą, przeznaczoną głównie na zaspokajanie potrzeb warszawskiego konsumenta. Piekarnictwo, malarstwo pokojowe, ślusarstwo, blacharstwo, stolarstwo, szewstwo, dziewiarstwo, krawiectwo, bieliźniarstwo i kapelusznictwo zatrudniało ponad 73 000 osób. Najliczniej reprezentowane było krawiectwo (ponad 18 000 osób) i szewstwo (ponad 11 000).

Innym charakterystycznym rysem proletariatu Warszawy był duży procent Żydów (22% ogółu robotników stolicy). Była to grupa o najwyższym odsetku bezrobocia, o najniższych płacach i niskim standardzie życiowym, a zarazem niższym niż wśród robotników polskich odsetku analfabetów. W praktyce robotnik żydowski nie był zatrudniany w przedsiębiorstwach państwowych i samorządowych, instytucjach i administracji publicznej, przemyśle państwowym oraz przemyśle zrzeszonym w tak zwanym Lewiatanie, a także w fabrykach należących do właścicieli żydowskich. Robotnicy Żydzi pracowali głównie w produkcji drobnoprzemysłowej, rzemieślniczej i chałupniczej oraz w niektórych działach usługowych (transport, tragarze) i wymiany towarowej. Wpływało to na znaczną radykalizację społeczno-polityczną tej grupy, pozostającej jednak w pewnej izolacji od reszty proletariatu Warszawy i żyjącej w głównej mierze – z przyczyn nie tylko od siebie zależnych – przede wszystkim w kręgu problemów własnego środowiska.

Robotnicy i chałupnicy stanowiący najliczniejszą grupę ludności Warszawy żyli przez cały okres dwudziestolecia międzywojennego w najtrudniejszych warunkach. Oprócz dysproporcji dzielących wysokość dochodów robotnika od dochodów innych grup społecznych zarobki robotnicze w dwudziestoleciu wykazywały znaczne wahania w zależności od ożywienia gospodarczego, prosperity, recesji czy kryzysu, a także w zależności od branży i rodzaju zakładu oraz osobistych kwalifikacji robotnika. Znaczna część proletariatu stołecznego zarabiała poniżej ustalonych oficjalnie minimów kosztu utrzymania rodziny robotniczej. W 1934 roku na przykład obliczane skromne koszty utrzymania czteroosobowej rodziny wynosiły 150 zł miesięcznie. W tym samym roku na 56 800 robotników zatrudnionych w zakładach przemysłowych I–VII kategorii tylko 19 900 otrzymywało przeciętnie rzeczywiste wypłaty w wysokości 150 zł i więcej miesięcznie. Najwyższy przeciętny zarobek uzyskali pracownicy zakładów poligraficznych (210,60 zł) i metalowcy (156,40 zł).

56 800 robotników, o których była mowa, stanowiło w 1934 roku około 19% ogółu zatrudnionych w Warszawie. Dalsze 10–12% stanowili ci, których zarobki kształtowały się na poziomie najwyższych przeciętnych zarobków w przemyśle lub jeszcze wyżej. Byli oni zatrudnieni głównie w zakładach użyteczności publicznej, wytwórniach wojskowych, instytucjach samorządowych, na kolei, w zakładach państwowych. 70% pozostałych robotników i chałupników stolicy zarabiało w 1934 roku poniżej 150 zł miesięcznie. Powyższe dane dotyczą wprawdzie okresu bezpośrednio po kryzysie ekonomicznym, ale ogólną prawidłowość poziomu zarobków obserwuje się także w latach koniunktury gospodarczej. Na przykład w 1927 roku na ogólną liczbę 217 000 robotników ubezpieczonych w Kasie Chorych uzyskiwało zarobki miesięczne w wysokości do 75 złotych 32,5%, do 150 złotych – 26,6%, do 200 złotych – 12,6%. Łącznie blisko 72% robotników zarabiało do 200 złotych miesięcznie, a trzecia część ubezpieczonych otrzymywała do 75 złotych. Poziom zarobków robotników warszawskich był znacznie niższy od poziomu zarobków robotników innych większych stolic europejskich. Przyczyną tego był nie tylko niższy poziom rozwoju gospodarczego kraju, ale także specyfika struktury zatrudnienia robotników Warszawy.

Stopa życiowa ludności robotniczej stolicy była istotnym czynnikiem wywołującym masowe wystąpienia proletariatu o charakterze ekonomicznym. Ruch strajkowy w Warszawie był bowiem związany przede wszystkim z zatargami o płace, które stanowiły podłoże blisko 70% strajków ekonomicznych organizowanych w latach 1918–1939. Strajki odbywały się i w innych ośrodkach robotniczych, ale warszawskie były najczęstsze (w całym kraju przeciętny roczny odsetek zakładów objętych strajkami wynosił 10%, a w stolicy sięgał 40%) i najostrzejsze. W stolicy kończył się strajkiem większy odsetek zatargów z pracodawcami (11%) niż w skali całego kraju (8%). Równocześnie ruch strajkowy był w Warszawie najbardziej rozproszony, o niższej przeciętnie liczbie strajkujących niż w innych ośrodkach przemysłowych kraju. W przemyśle stołecznym bowiem dominowały zakłady drobne, o najniższych płacach i najgorszych warunkach pracy, gdzie zatargi z przedsiębiorcami były częstsze niż w ośrodkach o przewadze zakładów wielkich i średnich.

Do grup zawodowych, które najczęściej strajkowały, należeli metalowcy, odzieżowcy, budowlani, spożywcy i włókniarze. Na 17 większych powszechnych strajków ekonomicznych w latach 1923–1939 pięć zorganizowali metalowcy, tyleż robotnicy samorządowi oraz użyteczności publicznej, trzy budowlani, a dwa szewcy. Wiele strajków warszawskich wywarło znaczny wpływ na życie miasta i odbiło się głośnym echem w całym kraju, jak na przykład strajk kolejarzy, metalowców i budowlanych w latach dwudziestych czy tramwajarzy, szewców i robotników samorządowych z lat trzydziestych. W tych ostatnich latach robotnicy zaczęli stosować inną formę protestów, mianowicie strajki okupacyjne. Zaostrzył się przebieg strajków, mnożyły się ofiary wśród strajkujących na skutek brutalnych ingerencji władz, które siłą usuwały robotników z okupowanych zakładów. Jednym z najgłośniejszych pod tym względem był strajk w 1933 roku tysiąca robotników Państwowych Zakładów Tele-Radiotechnicznych, tak zwanej popularnie „Dzwonkowej". Ogółem w latach 1919–1938 robotnicy stolicy przeprowadzili około 1800 strajków, w których wzięło udział blisko 700 000 osób.

Warszawska klasa robotnicza stosowała strajki nie tylko we własnym interesie ekonomicznym. Ponad sto razy w dwudziestoleciu międzywojennym manifestowała ona strajkiem politycznym, protestacyjnym czy solidarnościowym swoje stanowisko w kwestiach ważkich dla kraju, dla polskiej czy międzynarodowej klasy robotniczej. Wspomnieć tu można strajki: przeciwko Radzie Regencyjnej w listopadzie 1918 roku, przeciwko wewnętrznej i zagranicznej polityce rządu Paderewskiego w lutym 1919, przeciwko wojnie z Rosją

Radziecką z lat 1919–1920, przeciwko ekscesom nacjonalistów w związku z wyborem Gabriela Narutowicza na prezydenta Rzeczypospolitej w grudniu 1922 roku, a także antysanacyjne strajki polityczne z lat 1930, 1932, 1935, strajk solidarności z robotnikami Austrii w 1934 roku czy wreszcie strajk protestujący przeciwko krwawej rozprawie policji z robotnikami Krakowa w 1936 roku.

OBLICZE POLITYCZNE SPOŁECZNOŚCI WARSZAWSKIEJ

Polityczne oblicze Warszawy ulegało w latach 1918–1939 różnorodnym i znacznym przeobrażeniom. Ludność stolicy charakteryzowała daleko posunięta dezintegracja polityczna, wynikająca zarówno z właściwej Warszawie struktury społecznej, będącej podstawą działania wszystkich partii politycznych dwudziestolecia, jak też z tradycji, stopnia samowiedzy politycznej oraz rozwoju ogólnej sytuacji społeczno-ekonomicznej kraju. Przemiany w poglądach politycznych znajdowały odbicie w wyborach parlamentarnych (od 1930 r. trudno traktować wyniki wyborów jako dostatecznie precyzyjną wykładnię politycznego stanu miasta), w masowych wystąpieniach publicznych czy wydarzeniach o znaczeniu ogólnokrajowym, wreszcie w wyborach do władz samorządowych miasta. W wyborach parlamentarnych 1919 i 1922 roku większość głosów uzyskała prawica narodowa tak polska, jak żydowska. W 1919 roku na polską przypadło 55,7%, na żydowską 24,4% głosów, co łącznie stanowiło 80,1% wyborców. W 1922 roku stosunek głosów uległ zmianie: Polacy zyskali 42%, Żydzi 18,4%, czyli łącznie 60,4% głosów. W 1928 roku ugrupowania te uzyskały już tylko 35,6%, a w 1930 roku 33,5%. Znaczną część wyborców odebrał prawicy rządzący obóz pomajowy, który uzyskał w 1928 roku 35,9%, a w 1930 roku 40% głosów. Na ten sukces sanacji wpłynął niewątpliwie fakt, że w stolicy władze państwowe posiadały do swej dyspozycji ekonomicznej znaczną grupę pracowników najemnych, zatrudnionych w różnych działach służby publicznej, komunikacji, a także w przemyśle.

Warszawska lewica – socjaliści polscy i żydowscy oraz komuniści – uzyskiwała w wyborach łącznie od 15,3 do 32,4% głosów. W zasadzie wybory parlamentarne lat 1919 i 1922 dawały lewicy piątą część głosów stołecznego elektoratu. Były to przede wszystkim głosy ludności robotniczej. Rozłam i antagonizmy między partiami lewicy osłabiały jednak poważnie możliwości uzyskania większej liczby głosów oraz politycznego wykorzystania głosów zdobytych. Wierniejszym niż wybory do sejmu odbiciem ewolucji politycznej Warszawy były wybory do władz samorządowych miasta. Jako organ formowany (z wyjątkiem lat 1934–1938) przez wybory powszechne była Rada Miejska także ciałem politycznym, gdyż listy kandydatów na radnych miejskich zgłaszały poszczególne partie i ugrupowania polityczne. Zwycięskie ugrupowanie obejmowało ster rządu miastem, obsadzało najważniejsze stanowiska z prezydentem Warszawy na czele oraz realizowało program działania zgodny z interesami ekonomicznymi, społecznymi i politycznymi dominujących kręgów swojego elektoratu. Zarządzanie Warszawą miało także znaczny wpływ na ogólnokrajową pozycję polityczną sprawującego je ugrupowania. Dlatego walka polityczna o samorząd warszawski była w dwudziestoleciu międzywojennym nie mniej ostra niż o pozycję w parlamencie. Znamienny jest tu fakt, że rządzący krajem po 1926 roku obóz sanacyjny, który po tak zwanych wyborach brzeskich dysponował większością sejmową, uciekł się w latach trzydziestych do administracyjnego opanowywania samorządów miejskich. Również w stolicy, gdzie od roku 1916 rządziła prawica narodowa, władze państwowe rozwiązały w 1934 roku Radę Miejską, mianując komisarycznego prezydenta i Tymczasową Radę Miejską jako jego ciało doradcze.

Pierwsze w dwudziestoleciu wybory samorządowe w Warszawie odbyły się w lutym 1919 roku. Oparte na ordynacji zbliżonej do sejmowej, stały się jedną z głównych płaszczyzn samookreślenia politycznego ludności stolicy. Do walki wyborczej stanęły wtedy wszystkie ugrupowania polityczne działające w środowisku warszawskim oprócz komunistów i Bundu bojkotujących wybory. Głosowanie, w którym uczestniczyło zaledwie 48% uprawnionych wyborców, dało zdecydowane zwycięstwo prawicy nacjonalistycznej, tak polskiej (61 mandatów) jak i żydowskiej (20 mandatów). Drugim co do liczby mandatów ugrupowaniem była PPS z 23 radnymi.

Kolejne wybory odbyły się w rok po zamachu majowym przy zwiększonej frekwencji wyborczej, sięgającej 63% uprawnionych. Nadal największą liczbę mandatów (47) otrzymała polska prawica narodowa, która utrzymała się przy sterze rządów w Warszawie. PPS z 27 mandatami utrzymała drugie miejsce w Radzie. Rządzący obóz pomajowy zyskał 16 mandatów. Znamienne dla walki o polityczne oblicze samorządu stołecznego było unieważnienie komunistycznej listy wyborczej, na którą padło blisko 65 000 głosów, co równało się 23 mandatom; dzięki nim radni komuniści mieliby trzecie miejsce co do wielkości ugrupowania w Radzie Miejskiej. Wybory 1927 roku świadczyły o znacznej ewolucji politycznej mieszkańców stolicy. Listy klasowo-robotnicze, uwzględniając unieważnioną przez władze administracyjne listę komunistyczną i 10 mandatów zdobytych przez żydowskich socjalistów, uzyskały 60 mandatów wobec 83 mandatów polskiej i żydowskiej prawicy nacjonalistycznej i sanacji. Widoczny w 1927 roku proces ewoluowania na lewo ulegał dalszemu pogłębieniu w latach trzydziestych, w miarę narastania demokratycznej opozycji przeciw rosnącym w obozie sanacyjnym tendencjom do faszyzacji systemu ustrojowego.

Trzecie bowiem wybory samorządowe w Warszawie w końcu 1938 roku zakończyły się najpoważniejszym dotąd sukcesem list klasowo-robotniczych. Na 100 mandatów radnych lista PPS i klasowych związków zawodowych popierana przez komunistów i warszawski Klub Demokratyczny zdobyła 27, a lista Bundu 17 mandatów. Uzyskanie przez listy socjalistyczne 44 mandatów stawiało lewicę polityczną na pierwszym miejscu. Lista rządzącego Obozu Zjednoczenia Narodowego (OZN) zdobyła 40 mandatów, Stronnictwa Narodowego 8, Obozu Narodowo-Radykalnego 5, ugrupowania prawicy żydowskiej zdobyły 3 mandaty. Sukces list klasowo-robotniczych świadczył o dalszym postępie klasowego i politycznego samookreślenia proletariatu warszawskiego. O ile bowiem w roku 1919 na listy te głosowało 15,4% osób, o tyle w 1938 roku 39,8%.

Bezapelacyjną porażką zakończyły się wybory 1938 roku dla ugrupowań tradycyjnej polskiej i żydowskiej prawicy narodowej. Uzyskały one zaledwie 36% (21% – polska, 15% – żydowska) liczby mandatów zdobytych w 1919 roku. Znaczną część ich klienteli wyborczej przejął OZN. Wobec bojkotu przez opozycję antysanacyjną wyborów sejmowych 1935 i 1938 roku wybory samorządowe 1938 roku stały się swoistą wykładnią układu sił politycznych Warszawy w przededniu wybuchu II wojny światowej.

Podobnie jak u progu niepodległości w 1919 roku, społeczeństwo stolicy dzieliło się na dwa podstawowe obozy polityczne, które z uproszczeniem można określić jako obóz lewicowo--demokratyczny i prawicowo-totalistyczny. Istotne różnice między rokiem 1919 a 1938 tkwiły w tym, że miejsce tradycyjnej prawicy nacjonalistycznej z pierwszych wyborów zajął sprawujący rządy w państwie OZN i że obóz lewicowo-demokratyczny, tworzony przez robotników i postępowych inteligentów, był w Warszawie silniejszy pod koniec II Rzeczypospolitej niż na jej początku. Trzonem i siłą motoryczną tego obozu był klasowy ruch robotniczy, byli warszawscy komuniści i socjaliści.

WARSZAWSKI RUCH ROBOTNICZY W LATACH 1918–1939

Warszawa w okresie dwudziestolecia i organizacje warszawskiego ruchu robotniczego odgrywały szczególną rolę w całokształcie walki polskiej klasy robotniczej zarówno o byt, jak i o nowe zasady społeczno-ustrojowe państwa.

Warszawa była siedzibą większości central różnych nurtów i kierunków ruchu robotniczego w Polsce. Funkcja ośrodka skupiającego kierownicze instancje ruchu występowała szczególnie silnie wobec nurtu socjalistycznego i syndykalistycznego. W stolicy mieściły się wszystkie centralne władze polityczne, zawodowe, oświatowe i młodzieżowe tych nurtów. Stolica była też siedzibą frakcji poselskich oraz większości redakcji centralnych organów prasowych poszczególnych kierunków ruchu robotniczego. Zjawisko koncentracji tych instytucji w Warszawie wiązało się z jej stołecznością, a także wynikało stąd, że Warszawa zarówno tradycyjnie (w okresie do 1918), jak i podczas drugiej niepodległości była naturalnym centrum nurtu socjalistycznego, którego wpływy były szczególnie rozbudowane w Polsce centralnej i południowej. Od pierwszych lat powstania na ziemiach polskich masowego ruchu robotniczego aż do ostatnich dni drugiej Rzeczypospolitej nurt socjalistyczny dominował w środowisku zorganizowanego proletariatu Warszawy, był najbardziej dynamiczną, żywotną i rzutką formacją ideowopolityczną w tym środowisku. Proletariatem stolicy zawsze kierowały siły polityczne związane z tym nurtem. Tradycje te podtrzymywali nawet prosanacyjni dysydenci kierunku reformistycznego tego nurtu, tacy jak Jaworowski i Moraczewski, przeprowadzając rozłam w PPS i tworząc prorządowe organizacje robotnicze.

Nurt socjalistyczny był główną siłą kierowniczą i organizacyjną masowych akcji ekonomicznych i politycznych, walk strajkowych, obchodów pierwszomajowych, demonstracji związanych z takimi wydarzeniami, jak na przykład zabójstwo prezydenta Gabriela Narutowicza, zamach majowy czy akcja przeciwko sanacyjnej konstytucji i ordynacji wyborczej, a szczególną aktywność przejawiał w nim kierunek komunistyczny.

Ta dominacja wpływów nurtu socjalistycznego uwidoczniła się również w najbardziej masowej formie ruchu robotniczego, w ruchu związkowym oraz podczas wyborów parlamentarnych i samorządowych. W 1919 roku związki pozostające pod tymi wpływami skupiały 80% ogółu robotników Warszawy zorganizowanych w ruchu zawodowym. W najtrudniejszym dla tego nurtu okresie, na początku lat trzydziestych, gdy chwilowe triumfy święciły w stolicy organizacje prorządowe, nurt socjalistyczny skupiał blisko 50% związkowców, by w roku 1938 znowu ogarnąć swymi wpływami 80% zorganizowanych robotników Warszawy.

Do czasu likwidacji samorządu w Kasie Chorych m. Warszawy partie KPP, PPS i Bund uzyskiwały w wyborach zazwyczaj ponad dwie trzecie głosów, a w wyborach sejmowych zdobywały przeciętnie jedną piątą ogółu głosów warszawskich i ponad 80% ogółu głosów, które przypadały na wszystkie listy ugrupowań robotniczych. Mimo trudnej sytuacji w czasie ostatnich wyborów samorządowych, w roku 1938, nurt socjalistyczny zdobył 44% wszystkich mandatów i był najsilniejszą frakcją Rady.

W okresie dwudziestolecia organizacje stołeczne KPP, PPS i Bundu grały rolę wiodących organizacji terenowych w kraju; to one podejmowały inicjatywy polityczne i organizacyjne, a często ze względu na swoją aktywność, siłę i metody działania były przykładem dla innych organizacji terenowych kraju. Same zresztą naczelne instancje wspomnianych partii robotniczych wyznaczały organizacjom warszawskim szczególne miejsce. Klasycznym przykładem stosunku organizacji terenowych do stołecznej było miejsce wyznaczone w latach 1918-1919 Warszawskiej Radzie Delegatów Robotniczych przez pozostałe

RDR, które spontanicznie uznały Warszawską Radę Delegatów za centralny ośrodek całego ruchu Rad.

Środowisko to odznaczało się dużym odsetkiem robotników wysoko wykwalifikowanych, o wyższym niż w reszcie kraju zarobkach, a obok tego ogromnym odsetkiem proletariatu drobnoprzemysłowego, rzemieślniczego i chałupników. Właściwością tego środowiska była duża ruchliwość ideologiczna, polityczna i organizacyjna, która przejawiała się w stosunkowo intensywnych procesach polaryzacji politycznych, w silnych ruchach integracyjnych i dezintegracyjnych, występujących przez cały okres dwudziestolecia.

Organizacje stołeczne działały zazwyczaj pod bezpośrednim kierownictwem naczelnych instancji partyjnych, skupiając najwyższy w skali krajowej odsetek czołowych działaczy ruchu politycznego i zawodowego oraz najpoważniejszą również w skali krajowej grupę inteligencji i intelektualistów. Specyfika warszawskiego środowiska socjalistycznego nurtu ruchu robotniczego sprawiała, że przez cały okres dwudziestolecia stolica była główną areną zjawisk i wydarzeń związanych z ideologią i polityką tego ruchu. O ile inne węzłowe ośrodki robotnicze Polski – Śląsk, Łódź czy Zagłębie Dąbrowskie – grały wiodącą rolę w zakresie walk masowych, zajmując dominujące miejsce w sferze codziennej praktyki walki klasowej – w strajkach i demonstracjach – o tyle w sferze politycznej i ideologicznej nadbudowy tej walki dominował ośrodek warszawski. Stanowił on centrum dyskusji i kontrowersji dotyczących zasad programowych, strategii i taktyki ruchu robotniczego, toczących się nie tylko pomiędzy partiami robotniczymi i wewnątrz partii, lecz również w ich warszawskich organizacjach. Warszawskie środowisko robotnicze i stołeczna organizacja partyjna odgrywały ważką rolę przez cały czas istnienia KPP. Tu nastąpiło połączenie SDKPiL i PPS-Lewica i utworzenie Komunistycznej Partii Robotniczej Polski, tu odbył się jej I Zjazd, wszystkie Rady Partyjne oraz I i II Konferencja. Represje wobec komunistów sprawiły, że Warszawa mogła być siedzibą KC tylko do 1921 roku. Wprawdzie później naczelne instytucje Partii przebywały za granicą, lecz w Warszawie funkcjonował Sekretariat Krajowy KC KPP, kierujący bezpośrednio działalnością organizacji w całym kraju. W Warszawie do roku 1925 mieściła się Centralna Redakcja KC KPP, jeden z najbardziej newralgicznych odcinków działalności Partii.

Stołeczna organizacja partyjna była najliczniejszą organizacją okręgową, podobnie zresztą jak organizacje stołeczne Komunistycznego Związku Młodzieży Polski, Czerwonej Pomocy i związkowe. W Warszawie liczba członków lewicowych związków przekraczała w 1933 roku 1/3 ogółu związkowców znajdujących się w Polsce w orbicie wpływów KPP. Działalność warszawskich komunistów stanowiła przedmiot szczególnej troski kierownictwa Partii. Począwszy od roku 1919 na zjazdach i konferencjach partyjnych, w uchwałach i listach KC kierowanych do organizacji stołecznej akcentowano doniosłość walki warszawskich komunistów dla rozwoju ruchu rewolucyjnego w Polsce.

Szczególna rola, jaką grały w ruchu komunistycznym i socjalistycznym organizacje warszawskie, znajdowała odbicie również w stosowanej wobec nich polityce kadrowej kierownictw tych ruchów. Przez cały okres dwudziestolecia organizacjami warszawskimi kierowali czołowi działacze partyjni, członkowie władz naczelnych KPP, PPS i Bundu, w skład zaś kierownictw stołecznych organizacji tych partii wchodzili w większej niż gdzie indziej liczbie przedstawiciele centralnego aktywu. Na obszernej liście nazwisk działaczy, którzy byli sekretarzami KW KPP lub grali w nim poważną rolę, znajdują się między innymi: Jan Paszyn, Józef Ciszewski, Tadeusz Żarski, Gustaw Rwal, Jerzy Ryng, Władysław Hibner, Witold Tomorowicz, Wincenty Aniołkowski, Antoni Lipski, Paweł Finder.

Również Warszawskim Okręgowym Komitetem Robotniczym PPS kierowali czołowi jej działacze, tacy jak Rajmund Jaworowski, Norbert Barlicki, Zygmunt Zaremba, Tomasz Arciszewski. O roli stołecznej organizacji PPS świadczyć może fakt pełnienia funkcji przewodniczących WOKR przez przewodniczących Centralnego Komitetu Wykonawczego PPS, Barlickiego i Arciszewskiego, oraz duży udział we władzach warszawskich działaczy z najwyższych szczebli organizacyjnych pionu politycznego i zawodowego; w latach trzydziestych stanowili oni dwie trzecie ogółu członków WOKR.

Warszawa jako polityczne centrum dyspozycyjne dla większości zorganizowanego proletariatu Polski była zarazem ważkim ośrodkiem ruchu kulturalno-oświatowego, tworzonego bezpośrednio przez ruch robotniczy bądź powstającego i działającego w orbicie jego oddziaływań polityczno-ideowych. Nurt socjalistyczny poświęcił wiele uwagi sprawie rozszerzenia obiektywnie niewielkich możliwości proletariatu w zakresie korzystania z oświaty, nauki i kultury. Dążył zarazem do przepojenia ich treści antyburżuazyjnymi, postępowymi, rewolucyjnymi wartościami ideowymi. Oświatowa i kulturalna działalność ruchu robotniczego szczególnie silnie rozwinęła się w Warszawie, gdzie wokół KPP, PPS i Bundu skupiała się pokaźna grupa inteligencji partyjnej oraz intelektualistów związanych z tymi partiami. Działalność kulturalno-oświatowa ruchu robotniczego skupiała się w związkach zawodowych, Towarzystwie Uniwersytetów Robotniczych, szczególnie w tym względzie zasłużonym, oraz w innych specjalnie powoływanych instytucjach. Dużą aktywność na tym polu przejawiała KPP, która mimo wyjątkowo trudnych warunków działania starała się wyzyskać każdą możliwość do tworzenia instytucji kulturalnych, oświatowych, pism i wydawnictw. Dążyła przy tym do skupienia wokół swego rewolucyjnego programu pisarzy, poetów, ludzi teatru i plastyków, naukowców i oświatowców.

Spośród wszystkich partii i ugrupowań robotniczych w Polsce międzywojennej jedynie KPP inicjowała wydawanie czasopism literacko-społecznych od „Kultury Robotniczej" Jana Hempla począwszy, poprzez „Dźwignię" Szczuki, „Miesięcznik Literacki", „Lewar" aż po ludowofrontowe „Oblicze Dnia". Pisma te były wydawane w Warszawie i obsługiwane przez warszawskie środowisko intelektualne związane z ruchem rewolucyjnym. Komuniści traktowali działalność kulturalno-oświatową jako ważki odcinek walki klasowej, powołując do jej prowadzenia na terenie Warszawy wiele różnorodnych instytucji i organizacji, jak Klub im. T. Rechniewskiego, słynny Uniwersytet Ludowy z ul. Oboźnej, Stowarzyszenie „Scena i Lutnia Robotnicza", Związek Stowarzyszeń Kulturalno-Robotniczych „Kultura Robotnicza", Polskie Studio Teatru Robotniczego, Warszawski Teatr Robotniczy, liczne czytelnie i biblioteki.

Rola Warszawy w procesie podnoszenia wiedzy, świadomości politycznej i kultury proletariatu polskiego wynikała nie tylko z tego, że warszawskie środowisko robotnicze wytworzyło wiele form pracy kulturalno-oświatowej i odpowiednich instytucji, lecz i z tego, że stolica była żywotnym ośrodkiem lewicy intelektualnej, bezpośrednio związanej z partiami nurtu socjalistycznego lub blisko z nimi sympatyzującej. Rangę ośrodka proletariackiej kultury, ogniska postępowej społecznej myśli naukowej nadawały Warszawie: działalność naukowa i społeczna profesorów – Krzywickiego, Ettingera, Herynga, Rudniańskiego, Gumplowicza, Rajchmana, Szymanowskiego, Gąsiorowskiej, Czarnowskiego i innych; inicjatywy teatralne Sokolicz, Wandurskiego, Schillera; twórczość plastyków grupy „Czapka Frygijska"; proza Struga i Wasilewskiej, poezja Broniewskiego, Standego, Szymańskiego, Dobrowolskiego, Szenwalda.

W lewicowym środowisku intelektualnym Warszawy narodziła się, zrealizowana w 1921 roku, inicjatywa powołania do życia Muzeum Społecznego. Muzeum, którym przez szereg lat kierował komunista Stefan Wolf, istniało w Warszawie do 1939 roku i było jedyną w kraju placówką gromadzącą naukową dokumentację ruchów społecznych, w szczególności ruchu robotniczego; podejmowało również wiele inicjatyw badawczych. Muzeum Społeczne zdołało zgromadzić pokaźną liczbę druków zwartych, ulotnych pism oraz rękopisów dotyczących partii robotniczych, związków zawodowych i innych instytucji powoływanych do życia przez ruch robotniczy; udostępniało je studentom, działaczom robotniczym, pracownikom naukowym.

Warszawa stanowiła też główny ośrodek wydawniczy socjalistycznego ruchu robotniczego. W stolicy wydawano nie tylko centralne organy prasowe ruchu, lecz również podstawową część publikowanej legalnie literatury marksistowskiej, która ujrzała światło dzienne w latach 1918–1939. Ponad 66% ogółu druków zwartych związanych z polskim ruchem robotniczym dwudziestolecia ukazało się w Warszawie, gdzie miały swoje siedziby instytucje wydawnicze zarówno reformistyczne, jak rewolucyjne. Mamy tu na myśli bliskie KPP spółdzielnie księgarskie „Książka", a później „Tom", Księgarnię Robotniczą, stanowiącą własność PPS, oraz instytucje wydawnicze żydowskich partii socjalistycznych. Wszystkie te wydawnictwa borykały się z poważnymi trudnościami finansowymi i politycznymi, miały bowiem przeciwko sobie nie tylko polityczne instytucje systemu kapitalistycznego, lecz także wielkie firmy wydawnicze. W szczególnie trudnych warunkach działały oficyny wydawnicze związane z rewolucyjnym ruchem robotniczym, poddawane, podobnie jak ów ruch, różnorodnym formom represji. Mimo to „Książka", a po jej likwidacji „Tom" zdołały opublikować szereg dzieł Marksa i Engelsa, pierwsze przyswoiły polskiemu czytelnikowi niektóre prace Lenina, wydawały publikacje czołowych teoretyków i działaczy międzynarodowego ruchu robotniczego: Kautskiego, Mehringa, Luksemburg, Marchlewskiego, Plechanowa. W latach dwudziestych nakładem „Książki" ukazały się publikacje, których autorami byli znani działacze KPP: Ryng, Brun, Hempel, Stefański, Sochacki, Kolski i Budzyński.

Oprócz książek z zakresu teorii i praktyki socjalizmu „Książka" i „Tom" wydawały prace z zakresu religioznawstwa, historii, ekonomii, estetyki, teorii kultury oraz dzieła Gorkiego, Kolcowa, Sinclaira, Erenburga, poezje Broniewskiego, Jasieńskiego, Wandurskiego, Standego. Instytucje wydawnicze kierunku reformistycznego, posiadające ze względu na swą legalność daleko większe możliwości wydawnicze, publikowały prace Marksa, Engelsa, teoretyków i działaczy Międzynarodówki Socjalistycznej, zwłaszcza z kręgu tak zwanego austromarksizmu. Prace te, obok masowych publikacji pióra działaczy PPS i Bundu, poświęconych przeważnie aktualiom życia polityczno-ideologicznego, stanowiły główną część dorobku wydawniczego tych instytucji. Odrębną pozycję w tym dorobku zajmują książki wydawane z inicjatywy i pod auspicjami Towarzystwa Uniwersytetów Robotniczych, omawiające zagadnienia z zakresu nauk społecznych, oświaty, kultury, niezbędne dla prowadzenia przez TUR kształcenia i samokształcenia robotników.

Mimo poważnych różnic, jakie istniały między ideologicznym kształtem legalnych wydawnictw kierunku rewolucyjnego a wydawnictwami kierunku reformistycznego, łączyła je najogólniej pojęta służba idei socjalizmu. Pełniły one pozytywną funkcję w procesie propagowania marksizmu, służyły kształtowaniu świadomości klasowej proletariatu przez dostarczanie niezbędnych do rozwoju tej świadomości elementów nauk społeczno-politycznych, naukowego przyrodoznawstwa, kultury laickiej, obiektywnie rozszerzając zasięg i możliwości oddziaływania ideologii socjalistycznej.

W warszawskim środowisku socjalistycznego nurtu ruchu robotniczego zrodziły się również inicjatywy i przedsięwzięcia dotyczące problemów oświaty i wychowania dzieci. Już w pierwszych latach drugiej niepodległości zmierzano do wypracowania nowych form oświaty i wychowania, przeciwstawiających burżuazyjnym ideałom wychowawczym ideały socjalistyczne. W 1919 roku partie i związki zawodowe, głównie kierunku rewolucyjnego, założyły znany zakład wychowawczy dla dzieci – Nasz Dom, kierowany przez Korczaka i Falską. Obok Domu Sierot, utworzonego przez żydowskie partie robotnicze, był to jedyny wówczas w Polsce ośrodek nowego systemu wychowania społecznego. Robotniczy Wydział Wychowania Dziecka i Opieki powstał z inicjatywy Polskiej Partii Socjalistycznej, wyrosło z niego późniejsze Robotnicze Towarzystwo Przyjaciół Dzieci, zorganizował i prowadził wzorowy zakład wychowawczy w Helenowie pod Warszawą. Żydowski ruch robotniczy, głównie zaś Bund, zorganizował w Warszawie stowarzyszenie żydowskiej szkoły świeckiej CISZO, obejmujące szeroką stosunkowo siecią laickiej oświaty szkolnej i pozaszkolnej obszar całego kraju. Wreszcie od roku 1932 krąg postępowych warszawskich działaczy oświatowych związanych z ruchem robotniczym utworzył w Warszawie Towarzystwo Oświaty Demokratycznej „Nowe Tory"; celem Towarzystwa była walka o demokratyzację szkolnictwa, o powiązanie nauczycieli z proletariatem i chłopstwem poprzez walkę o oświatę dla mas pracujących.

Jedną z ważnych form działalności ruchu robotniczego w Warszawie był ruch spółdzielczy. W latach dwudziestych działały tu robotnicze spółdzielnie spożywców związane z nurtem socjalistycznym. Z ich środowiska wyszła inicjatywa zespolenia robotniczego ruchu spółdzielczego w kraju. Utworzony w ten sposób Związek Robotniczych Spółdzielni Spożywców, którego siedzibą była stolica, przez wiele lat nadawał kierunek działania blisko 200-tysięcznej rzeszy robotników spółdzielców.

Sukcesem spółdzielczości robotniczej w skali krajowej była Warszawska Spółdzielnia Mieszkaniowa, założona w 1921 roku przez działaczy ruchu robotniczego – socjalistów i komunistów. WSM, działając przez cały czas w ścisłym powiązaniu z ruchem robotniczym, zwłaszcza zawodowym, i pokonując duże trudności ekonomiczne i polityczne, zdołała stworzyć dla kilku tysięcy ludzi pracy i ich rodzin takie warunki mieszkaniowe, o jakich rzesze warszawskich robotników mogły zaledwie marzyć. Oparta na zasadzie samorządności, prowadząca bogatą działalność społeczno-wychowawczą, gospodarczą, polityczną i oświatową, WSM zdołała wytworzyć specyficzny układ stosunków międzyludzkich, wybiegający daleko poza stosunki typowe dla systemu kapitalistycznego. WSM, gdzie mieszkali i działali razem komuniści i socjaliści, była środowiskiem wysokiej aktywności społecznej, żywym ośrodkiem politycznym, kulturalnym i oświatowym, przepojonym ideałami socjalizmu, humanizmu i postępu społecznego. Te idee rozwijała WSM stosując różnorodne formy działania za pośrednictwem Stowarzyszenia Wzajemnej Pomocy Lokatorów WSM „Szklane Domy" przez jedną z niewielu w kraju szkołę świecką, czytelnie, świetlice, biblioteki, odczyty i wykłady naukowców i działaczy robotniczych, przez własne pismo, teatr dziecięcy, ośrodek zdrowia oraz gospody spółdzielcze. W latach trzydziestych środowisko wuesemowskie stanowiło w Warszawie jeden z głównych ośrodków działania nurtu jednolitofrontowego w PPS. Antykapitalistyczna i antysanacyjna więź łącząca wuesemowskich socjalistów i komunistów we wspólnych akcjach politycznych lat trzydziestych miała swoje źródła w ich dotychczasowym współdziałaniu środowiskowym, którego wartości ujawniły się najpełniej w tragicznych latach okupacji.

W latach trzydziestych, w warunkach postępującej faszyzacji kraju, w obliczu zagrożenia hitlerowskiego, ukształtował się w Polsce szeroki ruch społeczny walki o pokój, prawa obywatelskie, o likwidację reżimu sanacyjnego. Ruch ten, powstając pod przemożnym wpływem lewicowych partii robotniczych, zwłaszcza KPP, ogarnął cały kraj. Warszawa stała się jego ideowym i organizacyjnym centrum. Antyfaszystowski i antysanacyjny ruch mas pracujących lat 1934–1938 wiąże się bezpośrednio z dziejami jednolitego frontu klasy robotniczej i frontu ludowego.

Realizacja jedności działania komunistów i socjalistów w środowisku warszawskim miała bowiem nie tylko znaczenie lokalne, lecz także ogólnokrajowe. Nurt socjalistyczny był główną siłą polityczno-organizacyjną wśród proletariatu warszawskiego, dlatego też nawet częściowe złagodzenie ostrych walk międzypartyjnych i nawiązanie współpracy i współdziałania zwiększało szanse walki klasowej robotników Warszawy. Już w początkach kampanii o jednolity front Warszawa wysunęła się na czołową pozycję, zwłaszcza jeśli chodzi o młodzieżowy odcinek ruchu robotniczego. Poważną rolę w zbliżeniu młodych komunistów i socjalistów odegrało praktyczne współdziałanie w skutecznym zwalczaniu faszystowskich bojówek Obozu Narodowo-Radykalnego latem 1934 roku. W tymże roku warszawska organizacja KPP, jako pierwsza w kraju, podjęła nowe formy realizowania idei jednolitego frontu i rzeczywistego zbliżenia do mas socjalistycznych. Akcja KPP i działalność jednolitofrontowych grup w PPS, których wyrazicielami byli między innymi Próchnik, Barlicki, Dubois, Szymanowski i Gumplowicz, doprowadziły do takiej sytuacji, że sprawa jedności działania komunistów i socjalistów stała się w Warszawie centralnym problemem życia organizacji partyjnych i związkowych, KPP, PPS i Bundu.

W stolicy doszło wówczas do wydarzeń o znaczeniu ogólnokrajowym: nawiązała się współpraca Komunistycznego Związku Młodzieży Polski (KZMP) i Organizacji Młodzieży Towarzystwa Uniwersytetu Robotniczego (OMTUR), odbyła się narada delegatów robotniczych Warszawy, w której czynny udział wzięli komuniści. W 1935 roku doszło do bliskiego współdziałania socjalistów i komunistów w wystąpieniach przeciwko konstytucji i ordynacji wyborczej i w masowej kampanii bojkotu wyborów. Pochód 1 maja 1936 roku w Warszawie, najpotężniejszy w historii okresu międzywojennego, przebiegał pod hasłem jednolitego i ludowego frontu. W Warszawie. opracowana została Deklaracja Praw Młodego Pokolenia. Tu prowadzone były rozmowy i pertraktacje między władzami naczelnymi KPP i PPS, które doprowadziły latem 1935 roku do zawarcia w skali krajowej tak zwanego paktu o nieagresji, do połączenia lewicowych i klasowych związków i werbunku do związków jednolitych, do wspólnych akcji o amnestię dla więźniów politycznych i do innych wystąpień politycznych.

Nie mniej interesującym przejawem warszawskiej współpracy środowiska lewicy socjalistycznej z komunistami, o doniosłym ogólnokrajowym znaczeniu, było wydawanie „Dziennika Popularnego". Było to w latach 1918–1939 jedyne tego typu pismo, które narodziło się i wychodziło w stolicy, a warszawskie środowisko lewicy robotniczej było jego politycznym i kadrowym oparciem. Redagowany wspólnie przez socjalistów i komunistów „Dziennik Popularny", nieoficjalny organ frontu ludowego, zdobył w krótkim czasie szerokie, jak na polskie stosunki, rzesze czytelników. Mimo trudności materialnych, represji i szykan, i to nie tylko ze strony władz sanacyjnych, „Dziennik Popularny" odegrał istotną rolę w skupianiu sił politycznych walczących o zasadniczą zmianę stosunków wewnętrznych w Polsce i kierunku jej polityki zagranicznej.

W drugiej połowie lat trzydziestych dają się zaobserwować w Polsce interesujące procesy integracyjne postępowych, demokratycznych środowisk intelektualistów i inteligencji zawodowej. Głównym motywem tych procesów był niepokój o losy Polski, wywołany sukcesami faszyzmu w Europie oraz nasileniem tendencji faszystowskich i faszyzujących w kraju. Integracja inteligencji i lewicy socjalistycznego nurtu robotniczego znalazła między innymi swój wyraz w żądaniu amnestii dla więźniów politycznych, w akcji na rzecz kongresu pokoju, kongresu w obronie kultury i w obronie republiki hiszpańskiej. Ośrodkiem inicjującym i organizującym większość tych akcji była Warszawa. Działalność postępowej inteligencji stolicy wiązała się przede wszystkim z organizacjami przeżywającymi wówczas swój szczytowy okres rozwoju, jak Liga Obrony Praw Człowieka i Obywatela, Czerwona Pomoc i Polski Związek Myśli Wolnej. Znajdujące się w Warszawie centrale tych organizacji, w których pracowali wówczas tacy ludzie, jak Andrzej Strug, Wacław Barcikowski, Stefania Sempołowska, Zygmunt Szymanowski, Wanda Wasilewska, Julian Maliniak, Karol Winawer, Stanisław Benkiel, Halina Krahelska, Edward Szymański, Irena Kosmowska, rozszerzyły swą działalność na cały kraj.

Wyraźny w tych latach proces politycznej aktywizacji inteligencji i intelektualistów wystąpił również w postaci pierwszych masowych akcji strajkowych pracowników umysłowych w Warszawie. Głośne były strajki urzędnicze lat 1935–1936, a przede wszystkim słynny strajk pracowników Związku Nauczycielstwa Polskiego i towarzysząca mu ogólnokrajowa akcja nauczycieli w 1937 roku.

Rosnący w środowisku postępowej inteligencji warszawskiej niepokój o losy kraju i towarzyszące mu procesy radykalizacji, odbywające się w atmosferze ożywionych inicjatyw antyfaszystowskich i antysanacyjnych, podejmowanych przez lewicę robotniczą, doprowadziły do ukształtowania się w Warszawie ruchu demokratycznej inteligencji. Zarówno w Klubie Demokratycznym, jak i w Stronnictwie Demokratycznym wiodącą rolę grało warszawskie środowisko inteligenckie. Siły lewicowe i demokratyczne Warszawy, których podstawą był klasowy ruch robotniczy, oraz kręgi postępowej antyfaszystowskiej inteligencji i intelektualistów były głównymi nosicielami idei przekształcenia społecznego oblicza stolicy, możliwego w przekształconym państwie. W tym środowisku formowały się, nawet w najtrudniejszych latach okupacji hitlerowskiej, wizje i programy takiej Warszawy, która podstawowej rzeszy jej mieszkańców – ludziom pracy – zapewniałaby pracę, odpowiednie warunki miejskiego bytowania, powszechny dostęp do oświaty i kultury.

NAUKA I KULTURA W LATACH 1915–1939

W chwili wybuchu I wojny światowej szczególnie niezadowalający był stan oświaty. W szkołach elementarnych rządowych i prywatnych pobierało naukę niespełna 30% dzieci w wieku szkolnym, a system nauki w tych zakładach nie odbiegał od systemu szkółki początkowej, opisanej w „Syzyfowych pracach" Żeromskiego. Wyjątkowo trudne były warunki lokalowe szkół elementarnych. Zaledwie dwie szkoły, przy ul. Drewnianej 8 i Szerokiej 17, mieściły się w budynkach murowanych, wzniesionych zgodnie ze swym przeznaczeniem. Pozostałe ulokowane były w barakach, wynajętych lokalach lub domach. W szkołach rządowych na jeden oddział przypadało około 60 dzieci, w szkołach prywatnych – pięćdziesiąt. Od 1916 roku, po przyłączeniu rozległych terenów wsi i osiedli podmiejskich, które zwiększyły trzykrotnie obszar miasta, brak pomieszczeń dla szkół stał się jeszcze dotkliwszy i na długie lata zaciążył na stanie szkolnictwa Warszawy.

Znacznie lepiej przedstawiał się stan szkolnictwa średniego, ponieważ Warszawa skupiała 30% placówek średniego szkolnictwa ogólnokształcącego całego Królestwa i 39% personelu nauczającego. Ukończenie pensji nie upoważniało do studiowania na wyższych

OKRES I WOJNY ŚWIATOWEJ
SZKOLNICTWO

3. Artyści teatrów warszawskich w czasie uroczys-
~h obchodów 125 rocznicy uchwalenia Konstytucji
~naja

uczelniach rosyjskich i trzeba było zdawać egzamin maturalny przed rosyjską komisją egzaminacyjną. Mimo to, od czasu strajku szkolnego w 1905 roku, młodzież bojkotowała gimnazja rosyjskie. Na pensjach (prywatne szkoły średnie) aż do listopada 1914 roku nauka historii i geografii Polski była zakazana.

Dużo skromniej przedstawiało się szkolnictwo zawodowe. W większości szkoły zawodowe były utrzymywane sumptem społecznym, jak na przykład Szkoła Rzemiosł, nazwana już za okupacji niemieckiej imieniem Stanisława Konarskiego, czy Szkoła Rzemieślnicza im. K. Szlenkiera, prowadzona przez Polską Macierz Szkolną, a po zlikwidowaniu jej w 1907 roku przez władze carskie utrzymywana przez spadkobierców Szlenkiera. Liczne szkółki rękodzielnicze czy kursy dla rzemieślników były prowadzone przez organizacje społeczne i charytatywne w rozmiarach nie wystarczających dla kształcenia zawodowego, które stale jeszcze sprowadzało się to terminowania u majstra.

Rezultatem określonej polityki władz carskich i niskiego stanu szkolnictwa był wyższy odsetek analfabetów w Warszawie niż w innych wielkich miastach polskich. W 1916 roku na 801 500 mieszkańców 150 000 nie umiało czytać i pisać. Nic też dziwnego, że najaktywniejsza część społeczeństwa Warszawy w latach I wojny światowej uznała podniesienie poziomu oświaty i nauki za sprawę pierwszoplanową. Rektor Józef Brudziński, w przemówieniu inauguracyjnym z 15.XI.1915 roku, na otwarcie Uniwersytetu Warszawskiego jako polskiej uczelni, tak to sformułował: „Oświatą nie tylko jaśnieją i zasługują się narody, ale też się nią i z upadku dźwigają".

Sprawami szkolnictwa zajmował się ukonstytuowany 3.VIII.1914 roku Komitet Obywatelski. Jedną z jego pierwszych uchwał był obowiązek powszechnego nauczania, zatwierdzony 23.VIII.1915 roku podczas dyskusji nad budżetem. Uchwała o przymusie szkolnym ogłoszona na terenie Warszawy 1.V.1916 roku nie miała podstaw prawnych, ale stanowiła doniosły krok w polityce oświatowej. Prawne wprowadzenie w życie przymusu powszechnego nauczania nastąpiło na podstawie dekretu Naczelnika Państwa z 7.II.1919 roku, zatwierdzonego uchwałą Sejmu Ustawodawczego z 22.VII.1919 roku; dekret został włączony do Ustawy Konstytucyjnej z 17.III.1921 roku. Przeszkodą w realizacji powszechnego nauczania był brak lokali szkolnych, kadr, jednolitego programu nauczania i podręczników.

We wrześniu 1916 roku było w Warszawie 140 tysięcy dzieci w wieku szkolnym, z czego 65 tysięcy uczyło się w szkołach miejskich, społecznych, subwencjonowanych przez miasto, w szkołach Towarzystwa Dobroczynności, w niższych klasach szkół średnich, na kompletach i prywatnie. Około 75 tysięcy dzieci nie uczyło się wcale. Różne były po temu powody. Ogólnie biorąc, sprowadzały się one do ciężkiego położenia materialnego ludności Warszawy w tym okresie, zmniejszonych możliwości zarobkowania, a nawet głodu. Znaczną liczbę dzieci Rada Główna Opiekuńcza wysłała na wieś, pewien odsetek stanowiły dzieci pomagające rodzicom w zarobkowaniu. Niski stan kultury powodował, że wielu rodziców nie doceniało znaczenia nauki i nie posyłało dzieci do szkoły, korzystając z ich pomocy w zdobywaniu żywności, toteż wystawały one godzinami w kolejkach przed sklepami.

Z podobnych przyczyn walka z analfabetyzmem nie dawała spodziewanych rezultatów. W połowie 1916 roku na Kursach dla Dorosłych, na Kursach Uzupełniających i na Uniwersytecie Powszechnym pobierało naukę 11 tysięcy osób, ale już na jesieni tegoż roku liczba zapisanych spadła do 6 tysięcy. Po ukończeniu szkoły powszechnej lub Kursów Początkowych można było kontynuować naukę na Uniwersytecie Powszechnym. Akcję zwalczania analfabetyzmu prowadziła Polska Macierz Szkolna, reaktywowana w 1916 roku, reprezentująca endecką orientację polityczną. Poza rozległą działalnością oświatową prowadziła ona Kursy Wieczorowe i Uniwersytet Ludowy, działający do 1924 roku; Kursy dla Analfabetów zorganizowało Towarzystwo „Przyszłość" oraz Towarzystwo Oświatowe „Wiedza Robotnicza", założone przez działaczy PPS-Lewica i SDKPiL. Zrzeszało ono około tysiąca członków w paru dzielnicach. Istniało wiele placówek tego typu, jak na przykład Towarzystwo Zwalczania Analfabetyzmu założone przez działaczy Bundu i przeznaczone głównie dla ludności żydowskiej.

Władze miejskie wspierały działalność w zakresie szkolnictwa i oświaty, udzielając subwencji placówkom społecznym i prywatnym. W ten sposób przejęły prawie całkowicie opiekę nad szkolnictwem zawodowym i znacznie je rozszerzyły.

Wybuch I wojny światowej i ustąpienie władz carskich umożliwiły wprowadzenie zmian w szkolnictwie warszawskim. Jedną z donioślejszych było wprowadzenie we wszystkich szkołach nauki historii, geografii i literatury polskiej, które były dotychczas zakazane. Dzięki temu szkoły stały się ogniskami wychowania patriotycznego młodzieży.

Największe zaległości przyszło jednak odrabiać w dziedzinie nauki. W porównaniu z Krakowem czy Lwowem, który posiadał dwie szkoły wyższe, sytuacja Warszawy przedstawiała się dużo gorzej. Po zlikwidowaniu Szkoły Głównej w Warszawie nie było wyższej uczelni od 1869 roku, a istniejące Cesarsko-Królewski Uniwersytet i Politechnika, o nastawieniu rusyfikatorskim i niskim poziomie naukowym, były bojkotowane przez młodzież. Nie zatrudniały one wykładowców narodowości polskiej i z tego powodu nie stanowiły również naturalnego zaplecza rozwoju nauki, jakim jest szkolnictwo wyższe. Przyczyniło się to do znacznego rozproszenia warszawskiej kadry naukowej, która pracowała na wyższych uczelniach rosyjskich: w ówczesnym Petersburgu, Kijowie, Odessie, Rydze, Dorpacie, Moskwie, Charkowie; na zachodzie Europy: we Francji, Szwajcarii, Niemczech i Austrii, a także na wyższych uczelniach krajowych, głównie w Galicji.

NAUKA

Jeśli życie naukowe Warszawy nie zamarło całkowicie, a po 1905 roku znacznie się nawet ożywiło, było to zasługą grupy uczonych, do której należeli: geograf Wacław Nałkowski, zmarły przed I wojną światową, Józef Brudziński, doktor medycyny i rektor Uniwersytetu Warszawskiego, oraz Bronisław Chlebowski, krytyk i historyk literatury, prezes Towarzystwa Naukowego Warszawskiego, obaj zmarli w 1917 roku, Ludwik Krzywicki, socjolog i ekonomista, Samuel Dickstein, matematyk i pierwszy prezes Towarzystwa Kursów Naukowych, Adam Antoni Kryński, językoznawca, Kazimierz Stołyhwo, antropolog, Stanisław Thugutt, mineralog, Ignacy Baranowski, lekarz i działacz społeczny; historycy: Tadeusz Korzon i Władysław Smoleński; Ignacy Radliński, filozof i religioznawca, oraz wielu innych. Uczeni ci nadawali wysoki poziom intelektualny i społecznikowski środowisku naukowemu Warszawy, a w porównaniu z uczonymi Krakowa czy innych ośrodków w Polsce reprezentowali na ogół bardziej postępowy światopogląd. Stanowiło to niewątpliwie siłę atrakcyjną środowiska warszawskiego, do którego już przed wybuchem I wojny światowej i w czasie jej trwania ściągali ambitni, młodzi twórcy i naukowcy. Proces ten, przynajmniej w dziedzinie nauki, przyspieszyły po wybuchu wojny perspektywy pracy naukowej, związane z otwarciem wyższych uczelni w Warszawie.

W ciągu paru miesięcy, po ustąpieniu wojsk carskich, środowisko naukowe i społeczeństwo Warszawy zorganizowały i uruchomiły parę placówek szkolnictwa wyższego. W dniu 15.XI.1915 roku nastąpiło uroczyste otwarcie Uniwersytetu Warszawskiego i Politechniki Warszawskiej jako polskich uczelni. Mimo ciężkich warunków wojennych, braku kadry naukowej, wyposażenia i podręczników, uczelnie te szybko rozwijały się, a liczba studentów w ciągu trzech lat I wojny światowej wzrosła na Uniwersytecie o 60%, a na Politechnice blisko dwukrotnie. Na obu tych uczelniach w roku 1917/1918 studiowało blisko 3000 osób. Wielką innowacją było zezwolenie na przyjęcie kobiet, którym wstęp na uczelnie był dotąd zakazany.

Rangę potrzeb i aspiracji kulturalnych Warszawy określało powołanie do życia również wyższych uczelni artystycznych. W parę dni po uroczystym otwarciu Uniwersytetu i Politechniki, 21.XI.1915 roku, uruchomiono Szkołę Sztuk Pięknych (późniejsza Akademia Sztuk Pięknych) w nowym, wspaniałym gmachu na Wybrzeżu Kościuszkowskim, ufundowanym przez Eugenię Kierbedziową. W dniu 12.XII. 1915 roku nastąpiła inauguracja roku akademickiego w Konserwatorium Muzycznym, również w nowym gmachu przy ul. Okólnik. 1.X.1916 roku rozpoczęła działalność Szkoła Dramatyczna.

Specyfikę życia naukowego Warszawy tego okresu stanowiły placówki kształcenia na poziomie wyższym od średniego, choć nie miały one dotąd statusu wyższych uczelni. Niektóre z nich uzyskały ten status w latach I wojny światowej lub po jej zakończeniu. Należało do nich Towarzystwo Kursów Naukowych, przekształcone w 1916 roku w Wolną Wszechnicę Polską. Posiadała ona Wydział Matematyczno-Przyrodniczy, Humanistyczny, Nauk Politycznych i Społecznych oraz Pedagogiczny. W Wolnej Wszechnicy Polskiej studiowało więcej słuchaczy niż na Uniwersytecie, przy czym przeważały kobiety, co było zjawiskiem nie spotykanym na innych uczelniach. Podobnie prawa uczelni akademickiej zdobyła Wyższa Szkoła Rolnicza, istniejąca od 1911 roku jako kontynuacja Kursów Przemysłowo-Rolniczych, zorganizowanych przez Muzeum Przemysłu i Rolnictwa, a od 12.X.1918 roku znana jako Szkoła Główna Gospodarstwa Wiejskiego. Wyższe Kursy Handlowe im. A. Zielińskiego zostały przekształcone w 1915 roku w Szkołę Główną Handlową, która w 1924 roku uzyskała prawa wyższej szkoły państwowej.

Szkolnictwo wyższe uzupełniały liczne szkoły i kursy prowadzone społecznie lub prywatnie dla uzupełnienia wykształcenia średniego. Były to Wyższe Handlowe Kursy Żeńskie (szkoła Zielińskiego przyjmowała wyłącznie mężczyzn), Szkoła Nauk Społecznych i Handlowych, przy której powstał następnie Wydział Nauk Dyplomatycznych i Handlowych, Wyższe Kursy Pedagogiczne dla Kobiet i Wyższe Kursy Pedagogiczne Żeńskie Katolickiego Związku Kobiet. Obok Konserwatorium działała Szkoła Muzyczna Warszawskiego Towarzystwa Muzycznego, a szkoły dziennikarskie o wyższym poziomie prowadziły równolegle dwie instytucje: Towarzystwo Literatów i Dziennikarzy oraz Towarzystwo Kursów Naukowych.

Uruchomienie w takich rozmiarach i w ciągu tak krótkiego czasu szkolnictwa wyższego było możliwe dzięki istnieniu w Warszawie Towarzystwa Naukowego Warszawskiego, Towarzystwa Kursów Naukowych, Kasy Pomocy dla Osób Pracujących na Polu Naukowym im. dr. Józefa Mianowskiego, zwanej w skrócie Kasą Mianowskiego, Muzeum Przemysłu i Rolnictwa. Towarzystwa te i instytucje, stanowiąc oparcie dla ludzi nauki, dostarczyły kadry naukowców do obsadzenia katedr i pracowni uczelnianych, a dysponując pracowniami i wyposażeniem umożliwiły prowadzenie ćwiczeń i prac laboratoryjnych przez studentów.

Wszystkie te instytucje utrzymywane były sumptem społecznym, z darowizn i zapisów. Toteż wojna znacznie zachwiała podstawami ich bytu.

W 1917 roku zarząd Kasy zwrócił się do kilkudziesięciu najwybitniejszych przedstawicieli nauki z prośbą o opracowanie charakterystyki stanu prezentowanej przez nich dyscypliny, jej potrzeb i pożądanego kierunku rozwoju na przyszłość. Ta kapitalna inicjatywa dała nadzwyczaj cenne rezultaty i do dziś stanowi wnikliwe studium rozwoju nauki polskiej w tym przełomowym okresie. Odpowiedzi na rozpisaną ankietę pozwoliły zestawić stan faktyczny, sporządzić listę braków i opracować program badań naukowych na najbliższe lata. Przy szczupłości środków finansowych, którymi dysponowano, opracowanie to pozwoliło najracjonalniej je wykorzystać. Zamówione przez Kasę Mianowskiego opracowania złożyły się na publikację ,,Nauka polska, jej potrzeby, organizacja i rozwój". Ukazała się ona w 1918 roku i od tego czasu stała się jako rocznik organem Kasy.

Wśród nadesłanych prac znalazło się opracowanie profesorów matematyki: Zygmunta Janiszewskiego i Stefana Mazurkiewicza, którzy wespół z Wacławem Sierpińskim, jako późniejsi realizatorzy przedstawionego przez nich programu, stali się twórcami warszawskiej szkoły matematycznej.

Mimo ciężkich warunków materialnych w latach I wojny światowej żadne z istniejących w Warszawie towarzystw i żadna z placówek naukowo-oświatowych nie zawiesiły swej działalności. Ich siłą napędową była wzmożona ofiarność i patriotyzm społeczeństwa, ożywione perspektywą odzyskania niepodległości. Powstawały nawet nowe placówki, jak Warszawski Instytut Filozoficzny w 1915 roku czy Polskie Towarzystwo Geograficzne w 1917 roku. Starano się odrobić braki, powstałe w ciągu dziesiątków lat rządów zaborczych. Zabezpieczano pamiątki historyczne, dokumenty dawnej świetności. Ożywioną działalność prowadziło Towarzystwo Miłośników Historii i Towarzystwo Opieki nad Zabytkami Przeszłości. Wzmógł się znacznie ruch kolekcjonerski i wzrosła ofiarność społeczeństwa na rzecz zbiorów publicznych.

KULTURA Życie kulturalne stolicy upływało w tym czasie pod znakiem obchodów rocznic historycznych. Z tej okazji przemianowywano ulice i wmurowywano tablice pamiątkowe ku czci polskich patriotów. Wielkim powodzeniem cieszyły się tomiki poezji wojennej Edwarda Słońskiego: ,,Idzie żołnierz borem, lasem..." (1914–1915) oraz wydany wspólnie ze Zdzisławem Dębickim ,,Ta, co nie zginęła".

Nawiązywanie do dziejów Polski – wyraz patriotyzmu i nadziei na samodzielny byt państwowy – widoczne we wszystkich dziedzinach życia kulturalnego i artystycznego kształtowało także repertuar teatrów w stolicy. Wojna rozproszyła po świecie aktorów warszawskich. Występowali oni w polskich teatrach w Wiedniu, Moskwie i Kijowie. W 1916 roku Stanisława Wysocka, inspirowana osiągnięciami Moskiewskiego Teatru Artystycznego, zorganizowała w Kijowie eksperymentalny teatr ,,Studya"; wywarł on znaczny wpływ nie tylko na poziom artystyczny polskiego środowiska teatralnego, któremu wypadło pracować później w stolicy odrodzonego państwa, ale również na środowisko ukraińskie i rosyjskie. Na późniejszą działalność odnowicielską teatru polskiego, prowadzoną przez Juliusza Osterwę, od 1919 roku w Warszawie i w Polsce, miały również wpływ idee artystyczne Konstantego Stanisławskiego.

Teatr warszawski, mimo znacznych trudności materialnych w czasie I wojny światowej, posiadał siłę przyciągania: do Warszawy zjeżdżali wybitni aktorzy z innych ośrodków życia teatralnego, na przykład z Krakowa i Lwowa. Szczególnie wyraźnie widać to na przykładzie Teatru Polskiego. Otwarty 29.II.1913 roku był wówczas najnowocześniejszym teatrem w Polsce, wyposażonym w scenę obrotową. Prawdziwą jednak siłę tego teatru stanowił zespół aktorski, do którego wchodzili: Jerzy Leszczyński, Józef Węgrzyn, Maria Dulęba, Maria Przybyłko-Potocka, Kazimierz Junosza-Stępowski, Aleksander Węgierko, Aleksander Zelwerowicz. W 1917 roku w Teatrze Polskim debiutował jako reżyser jeden z najwybitniejszych ludzi teatru polskiego, Leon Schiller, wychowanek krakowskiego środowiska teatralnego, obeznany z osiągnięciami teatru europejskiego. W okresie wojny, podczas pobytu Arnolda Szyfmana w Krakowie, Teatrem Polskim kierowało zrzeszenie aktorów, w sezonie zaś 1917/1918 – Ludwik Solski. Dekoracje projektowali Karol Frycz i Wincenty Drabik.

Znacznym powodzeniem cieszyły się w okresie wojny teatrzyki ogródkowe: „Artystyczny", „Dynasy", „Chochoł" w ogródku Bagatela i najpopularniejszy teatrzyk w Dolinie Szwajcarskiej, a także liczne kabarety, jak: „Momus", „Miraż", „Sfinks", „Argus" i „Czarny kot"; tylko pierwszy z nich powstał w 1909 roku, pozostałe były zorganizowane w latach 1916–1917.

Warszawa już przed wybuchem I wojny światowej była centrum produkcji filmowej. Na 67 filmów pełno- i średniometrażowych, wyprodukowanych na ziemiach polskich w latach 1911–1914, 63 powstały w Warszawie, 2 w Krakowie (nie weszły na ekran) i 2 we Lwowie. W sumie jednak produkcja filmowa dwóch warszawskich atelier filmowych „Kosmofilm" i „Sfinks", połączonych z chwilą wybuchu wojny w jedną wytwórnię „Sfinks", nie była imponująca. Wojna spowodowała dezorganizację rynku gospodarczego i pewne rozproszenie ludzi filmu, ale dała wytwórni monopol, gdyż odcięła dopływ filmów francuskich i angielskich, a od 1915 roku również rosyjskich. Okres wojny pogłębił zainteresowanie reportażem filmowym, zwłaszcza z frontu walk. Filmy fabularne kręcone w Warszawie w tym okresie chętnie eksploatowały tematykę do niedawna zakazaną. W 1915 roku Warszawa posiadała 25 kinematografów, z których większość mieściła się w Śródmieściu.

Dużo trudniejsze warunki rozwoju miała muzyka. Miasto finansowało działalność Filharmonii, Teatru Wielkiego i Konserwatorium Muzycznego. Po pierwszym roku wojny wróciła do Warszawy część zespołu Filharmonii i od sezonu 1915/1916 rozpoczęto urządzanie koncertów. Działalność koncertową prowadziło również Konserwatorium Muzyczne, które w 1918 roku kształciło około 300 studentów, oraz Warszawskie Towarzystwo Muzyczne. Organizowało ono także dyskusje publiczne i wydawało czasopisma fachowe. Większość jednak muzyków zarobkowała grą towarzyszącą projekcjom filmu niemego, a także występami w restauracjach i lokalach.

Trudności materialne i brak stabilizacji finansowej placówek twórczych nie były jedyną przyczyną ich zmniejszonego zasięgu oddziaływania. Ze znacznymi trudnościami borykała się dofinansowywana przez miasto Opera, podczas gdy równocześnie powstało kilka nowych placówek rozrywkowych, utrzymujących się bez dotacji i znajdujących chętną publiczność. Wśród nich wiele prezentowało dobry program literacki, satyryczny i muzyczny w wykonaniu utalentowanych artystów. Można w tym widzieć symptomatyczny zmierzch opery jako formy twórczej, która przeżywała wielką karierę w XIX i na początku XX wieku, realizując marzenie o syntezie sztuk: muzyki, plastyki, literatury.

W okresie bezpośrednio poprzedzającym wybuch I wojny światowej powstał w Europie ferment twórczy, na który złożył się futuryzm (Włochy, 1908, i Rosja, 1911), imażyzm (Anglia), ekspresjonizm (Niemcy, 1910) i kubizm (Francja). Prądy te dotarły do Polski z pewnym opóźnieniem, choć zapowiedź ich można widzieć w „Słówkach" Boya, wydanych w Krakowie w 1913 roku. Nie chodziło w nich przecież tylko o przeciwstawienie „brzydkich" słówek napuszonemu językowi literackiemu, ale o konfrontacje mitów i wyobrażeń literackich z prawdą życia, a zdemonizowanej erotyki artystycznej z fizjologią. W 1914 roku ukazały się w Krakowie pierwsze utwory zwiastujące polski futuryzm: „Spłon lotnika" i „Maggi" Jerzego Jankowskiego. Od 1917 roku zaczął wychodzić w Poznaniu „Zdrój", miesięcznik ekspresjonistów. W Warszawie tego okresu prądy awangardowe nie znalazły żywszego odbicia. Pod koniec 1918 roku zaczęli działać na terenie Warszawy Anatol Stern i Aleksander Wat. W tymże roku ukazała się ulotka futurystów „Tak", anonsująca program grupy.

Kiedy w marcu 1916 roku na reaktywowanym Uniwersytecie Warszawskim, który ogniskował dość bujne życie kulturalne i społeczno-samopomocowe młodzieży akademickiej, powstało pod opieką prof. Juliusza Kleinera pismo „Pro arte et studio", nikt nie przeczuwał, że stanie się ono zalążkiem nowych tendencji w literaturze polskiej i zaczątkiem jednej z najciekawszych grup poetyckich, Skamandra.

Znamienny jest dla życia kulturalnego tego okresu znaczny wzrost czytelnictwa: według danych Towarzystwa Bibliotek Powszechnych występował on ze szczególnym natężeniem w latach 1915–1919. Wprawdzie wiele bibliotek publicznych i prywatnych było zamkniętych w miesiącach zimowych z powodu braku opału (Biblioteka Publiczna, Biblioteka Uniwersytecka), ale jednocześnie otwarto wiele czytelni i wypożyczalni, zorganizowanych przez różne instytucje oświatowe oraz prywatne. Ważne dla gromadzenia księgozbiorów było rozporządzenie z dnia 29.XI.1916 roku o dostarczaniu bibliotekom publicznym egzemplarza obowiązkowego.

Wzrastający popyt na książki nie zawsze szedł w parze ze zwiększeniem liczby wydawnictw. Po rewolucji 1905 roku Warszawa stopniowo zwiększała swój udział w krajowej produkcji książek, osiągając w przededniu wybuchu I wojny 40% ogólnej produkcji krajowej książek, podczas gdy produkcja wydawnicza Krakowa wynosiła 35%, Lwowa – 14%, Poznania – 3%. Wojna spowodowała gwałtowny spadek produkcji książek w całym kraju; największy przypadł na rok 1915, rok 1916 przyniósł pewną poprawę, a od 1917 roku zaczął się wzrost produkcji książek, jeden z największych w dziejach polskiego ruchu wydawniczego; z niewielkimi zahamowaniami trwał on aż do 1929 roku. W Warszawie przyrost ten był znacznie szybszy niż w innych miastach polskich i ugruntowywał trwającą do dziś jej przewagę na rynku wydawniczym.

Po 123 latach niewoli Warszawa wkroczyła w nowy okres dziejów jako stolica odrodzonego państwa; istniało w niej ożywione życie kulturalne i widoczna była aktywność społeczeństwa. Miasto zdobyło priorytet w wielu dziedzinach. Jednocześnie Warszawa posiadała największy odsetek analfabetów w porównaniu z innymi wielkimi miastami Polski. Pierwszy powojenny spis powszechny z 6.XII.1921 roku ujawnił wśród ludności powyżej 10 lat 18,7% analfabetów w Warszawie, 11% we Lwowie, 8,6% w Krakowie, 7,1% w Poznaniu. Łącznie z dziećmi w wieku 8–9 lat odsetek osób o nie ustalonej umiejętności czytania i pisania wynosił dla Warszawy 25,6%. Niski poziom oświaty stanowił poważną przeszkodę w rozwoju kultury, opartej na słowie drukowanym. W tej sytuacji wiele wysiłku włożono w realizację obowiązku powszechnego nauczania, w budowę szkół i oświatę pozaszkolną, głównie dla dorosłych.

W roku szkolnym 1921/1922 połowa dzieci obowiązanych do nauki nie znalazła miejsca w szkołach. Od 1923 roku, dzięki stabilizacji waluty i wypuszczeniu 10-procentowej pożyczki szkolnej, zaczęto systematycznie budować gmachy szkolne, lokalizując je głównie w dzielnicach peryferyjnych, najbardziej pod tym względem zaniedbanych. Budynki szkół wznoszone w tym okresie były dość obszerne i posiadały, oprócz 7 lub 13 sal lekcyjnych, gabinetów personelu nauczycielskiego, salę gimnastyczną tak urządzoną, aby mogła służyć jednocześnie jako sala odczytowa i widowiskowa dla miejscowej ludności, 2–3 gabinety pomocy szkolnych, 2 sale rekreacyjne, boiska, place do gier i salę biblioteczną, w której z reguły organizowano ogólnie dostępną bibliotekę i czytelnię. Szkoły te odegrały ważną rolę w rozwijaniu czytelnictwa w dzielnicach robotniczych, w organizowaniu amatorskiego ruchu artystycznego, w rozwoju kultury fizycznej przez uprawianie sportu oraz w szerzeniu kultury sanitarnej. Oprócz normalnych urządzeń sanitarnych szkoły te wyposażono w sale kąpielowe z natryskami. W latach 1918–1927 wybudowano w Warszawie 29 murowanych budynków szkolnych; wraz z dwoma już istniejącymi były one wzniesione zgodnie ze swym przeznaczeniem. Poza tym budynki odnajmowano i dzięki temu, że można było prowadzić w nich naukę na dwie–trzy zmiany, odsetek dzieci w wieku szkolnym nie objętych nauczaniem zmniejszył się w roku szkolnym 1929/1930 do 4,5%. Brak szkół zlikwidowano najszybciej w dzielnicach peryferyjnych, takich jak Pelcowizna, Bródno, Targówek, Kamionek, Grochów i Marymont, gdzie była mniejsza gęstość zaludnienia. Trudności z posyłaniem dzieci do szkoły były tam natury materialnej, szczególnie w pierwszych latach po wojnie. Dzieci robotniczych przedmieść Warszawy często bywały głodne, nie miały obuwia i ubrania, rodziców nie stać było na zakup książek i zeszytów, niektóre dzieci zajmowały się zarobkowaniem. W Śródmieściu natomiast zdobycie lokali na szkoły przychodziło znacznie trudniej. Ustawa o budowie szkół publicznych z dnia 17.II.1922 roku przewidywała wprawdzie pokrycie z budżetu państwa 50% wydatków na szkoły, ale w praktyce miasto nie otrzymało niczego na ten cel. W 1933 roku powstało Towarzystwo Popierania Budowy Szkół Powszechnych, które nie budowało jednak szkół powszechnych w Warszawie. Do sierpnia 1938 roku na 185 publicznych szkół powszechnych w Warszawie 122 mieściły się w gmachach własnych (z nich zaś 62 w budynkach murowanych, w 1918 było ich tylko dwie), 63 zaś w odnajmowanych.

Bardzo wiele uczyniono dla edukacji i przysposobienia do zawodu dzieci trudnych, upośledzonych fizycznie i umysłowo. Szkolnictwo specjalne stworzono w Warszawie właściwie od podstaw, a kadra nauczycielska rekrutowała się przeważnie spośród absolwentów Państwowego Instytutu Pedagogiki Specjalnej. W roku 1937/1938 istniało

4. Budynek szkoły powszechnej nr 59 na Okęciu [w d]niu nadania szkole imienia Franciszka Żwirki

455. Nowy gmach szkoły powszechnej przy ul. Barc
kowej 5, oddany do użytku 13.XII.1938 r.

456. Gmach Państwowego Liceum i Gimnazjum
Królowej Jadwigi przy pl. Trzech Krzyży

457. Miejska szkoła rzemieślnicza

58. Inauguracja roku szkolnego 1937/1938. Orkies-
a uczniów Gimnazjum W. Górskiego na Krakowskim
rzedmieściu

12 szkół specjalnych oraz 7 szkół dla ociemniałych i głuchoniemych.
Obok szkół publicznych istniały szkoły powszechne prywatne, których liczba wzrosła z 93
w roku szkolnym 1918/1919 do 174 w roku szkolnym 1938/1939. Gminy żydowskie
prowadziły chedery, szkoły o niskim z reguły poziomie nauczania, z których część (około
110) była zarejestrowana.
Mimo tych niewątpliwych osiągnięć szkolnictwa nie został uregulowany problem nauczycieli. Zwiększony napływ dzieci do szkół powszechnych w latach trzydziestych nie
spowodował wystarczającego zwiększenia kadry nauczycielskiej. Istniał poważny niedo-
bór nauczycieli wywołany oszczędnościową polityką władz państwowych. Jednocześnie
wśród nauczycieli było znaczne bezrobocie. Dla ubiegających się o posadę nauczyciela
wprowadzono bezpłatną roczną praktykę, nie gwarantującą otrzymania posady. Zwiększenie obowiązków nie szło w parze ze zwiększeniem pensji, które wykazywały tendencje
zniżkowe, a przecież główny ciężar wykonania ambitnego programu podniesienia oświaty
w Warszawie spoczywał na barkach nauczycieli. Dzięki ich oddaniu szkolnictwo było tą
dziedziną, w której w okresie międzywojennym stolica mogła się poszczycić istotnymi
osiągnięciami. Dużą rolę odegrał tu prężny Związek Nauczycielstwa Polskiego, powstały
w 1930 roku z połączenia Związku Polskiego Nauczycielstwa Szkół Powszechnych
i Związku Zawodowego Nauczycieli Polskich Szkół Średnich. Walczył on o demokratyzację szkolnictwa, wprowadzenie jednolitego programu, reprezentował interesy pracowników oświaty i nauki. Utrzymywał własne wydawnictwo – Naszą Księgarnię i czasopisma.
Ważną rolę w likwidacji analfabetyzmu w Warszawie odegrały kursy zorganizowane dla
dorosłych. W 1918/1919 roku na Kursy dla Dorosłych i Młodocianych uczęszczało 5500
osób, z czego 66% stanowiły kobiety. W 1921/1922 roku po reorganizacji przerabiano
normalny kurs szkoły powszechnej w ciągu 6–8 semestrów, to jest 3–4 lat. W roku
szkolnym 1923/1924 uczęszczało na nie 7500 słuchaczy. Po ukończeniu szkoły powszechnej uczniowie mogli kontynuować naukę na Uniwersytecie Powszechnym, gdzie
w 1938/39 roku prowadzono 52 cykle wykładowe, na które uczęszczało 1192 słuchaczy.
Obok władz miejskich różne formy nauki i dokształcania prowadziły instytucje i stowarzyszenia kulturalno-oświatowe. Polska Macierz Szkolna prowadziła Kursy Wieczorowe,
Muzeum Przemysłu i Rolnictwa szczególne zasługi poniosło w szerzeniu oświaty rolniczej,
prowadząc Korespondencyjne Kursy Rolnicze im. Stanisława Staszica, Biuro Organizacji
Dokształcania Instruktorów Rolniczych oraz Kursy Rzemieślniczo-Przemysłowe. Aktywną działalność wśród klasy robotniczej rozwinęło Towarzystwo Uniwersytetu Robotniczego, powstałe w 1923 roku w Warszawie, z inicjatywy wybitnych działaczy
socjalistycznych: Ignacego Daszyńskiego, Bolesława Limanowskiego, Stanisława Posnera,
Ludwika Krzywickiego. Obok akcji odczytowych i propagandowych oraz wydawania
pism: ,,Oświata i Kultura'' w latach 1927–1930 i ,,Na froncie oświaty i kultury'' w latach
1932–1935 (dodatek do ,,Robotnika''), prowadziło ono kółka samokształceniowe i poradnię dla samouków. Dzięki tym zbiorowym wysiłkom Zarządu Miejskiego i organizacji
społecznych odsetek analfabetów w Warszawie w 1938 roku niewiele przekraczał 10%.
Ważne miejsce miało w Warszawie w latach międzywojennych szkolnictwo zawodowe
o bardzo zróżnicowanych profilach kształcenia. Istniejące uprzednio Szkoły Niedzielne dla
Terminatorów zamieniono na Kursy Wieczorne dla Terminatorów. Po reorganizacji
w roku szkolnym 1920/1921 uczęszczało na nie 1500 uczniów. Na mocy ustawy z dnia
2.VII.1924 roku wprowadzającej przymus nauki dla młodzieży w wieku 15–18 lat,

pracującej w rzemiośle i przemyśle, kursy te otrzymały nazwę Szkół Dokształcających Zawodowych. W roku 1938/1939 pobierało w nich naukę 14 800 uczniów. Było 30 takich szkół w Warszawie, w tym 12 żeńskich i 2 koedukacyjne. Natomiast średnie szkoły zawodowe przekształcono od 1932 roku na gimnazja i licea zawodowe. W latach trzydziestych były w Warszawie 42 gimnazja zawodowe, w tym 17 państwowych i samorządowych, oraz 40 liceów, zaspokajających nie tylko potrzeby Warszawy, ale i regionu warszawskiego. Nauka w szkołach prywatnych była płatna i wynosiła od 80 do 200 zł rocznie. W 1939 roku działało na terenie Warszawy 11 poradni zawodowych i pracowni psychotechnicznych.

W szkolnictwie średnim ogólnokształcącym dominowały szkoły prywatne. Łącznie w szkołach średnich ogólnokształcących w 1938 roku pobierało naukę około 31 tysięcy uczniów. Były one dostępne głównie dla młodzieży pochodzenia inteligenckiego i burżuazyjno-ziemiańskiego, młodzież ta stanowiła aż 66,3% uczniów w czwartej klasie szkół ogólnokształcących. Dzieci z rodzin drobnomieszczańskich stanowiły 18,6% ogółu uczniów, dzieci niższych funkcjonariuszy państwowych – 8,3%, dzieci zaś pochodzenia robotniczego i służby domowej – 6,8%. Opłaty za naukę w średnich szkołach ogólnokształcących wynosiły w latach 1928–1936 od 110 do 220 zł rocznie w szkołach państwowych, od 250 do 400 zł w szkołach miejskich i od 700 do 1200 zł rocznie w szkołach prywatnych. Szkoły prywatne stosowały zniżki dla niezamożnej młodzieży. Większość gimnazjów i liceów państwowych skupiała się w Śródmieściu, a takie dzielnice jak Wola, Grochów i Saska Kępa nie posiadały ich wcale. W latach 1922–1938 wydano młodzieży prawie 32 tysiące świadectw dojrzałości, nie licząc blisko tysiąca zdobytych eksternistycznie. Wiele szkół miało bogatą tradycję, sięgającą jeszcze XIX wieku, wysoko kwalifikowaną kadrę nauczycielską i wysoki poziom nauczania. Nie należało do rzadkości, że uczyli w nich asystenci i docenci zatrudnieni w wyższych uczelniach na podstawie kontraktu lub w niepełnym wymiarze godzin. Często nauczyciele obok zajęć dydaktycznych w szkolnictwie średnim, które stanowiły podstawę ich utrzymania, prowadzili własne prace naukowe. Spośród nich rekrutowali się liczni członkowie towarzystw naukowych i popularno-oświatowych, stanowiąc o żywotności nauki w Warszawie.

Odzyskanie niepodległości wpłynęło istotnie na rozwój nauki, również w warszawskim środowisku naukowym. Państwo finansowało rozliczne instytucje naukowe, utrzymujące się dotychczas z ofiar społeczeństwa.

Głównym oparciem i warsztatem prac naukowych stały się wyższe uczelnie, reaktywowane jeszcze w latach I wojny światowej. One to rozrastając się zatrudniały większość kadry naukowej i pochłaniały skromne możliwości finansowe mało zasobnego państwa, wyniszczonego rabunkową gospodarką zaborców, wypadkami I wojny światowej i prowadzoną do 1920 roku wojną na Wschodzie. Inne instytucje naukowe, jak Kasa im. J. Mianowskiego czy Towarzystwo Naukowe Warszawskie, utraciły dominującą pozycję w życiu naukowym stolicy na rzecz nowo powstałych specjalistycznych instytutów naukowo-badawczych i ośrodków uczelnianych. Siedziba Polskiej Akademii Umiejętności pozostała aż do końca II Rzeczypospolitej w Krakowie.

W Warszawie, w pierwszych latach po odzyskaniu niepodległości, uderzające było zewnętrzne ubóstwo instytucji naukowych: brak odpowiednich gmachów, sal, pracowni i ich wyposażenia. Kontrastowało ono ze znakomitą plejadą naukowców, którzy rozproszeni w ciągu lat zaborów, ściągnęli tu ze wszystkich stron świata, rzucając często korzystną

459. Wypożyczalnia podręczników szkolnych pro prowadzona przez Zarząd Główny Polskiej Macie Szkolnej

pracę i stanowiska za granicą. Większość gmachów wyższych uczelni została zbudowana w okresie międzywojennym. Otrzymały je Wolna Wszechnica Polska (obecnie siedziba Akademii Sztabu Generalnego) przy ul. Banacha, Wyższa Szkoła Handlowa (obecnie Szkoła Główna Planowania i Statystyki) przy ul. Rakowieckiej, Szkoła Nauk Politycznych (Szkoła Główna Służby Zagranicznej do 1959) przy ul. Wawelskiej, Centralny Instytut Wychowania Fizycznego (obecnie Akademia Wychowania Fizycznego) na Bielanach. Znacznie rozbudowano pomieszczenia Politechniki.

Mimo trudnego stanu wyjściowego warszawskie szkolnictwo wyższe rozwijało się, rosła liczba katedr i słuchaczy. Bezpośrednio po zakończeniu wojny w roku akademickim 1920/1921 studiowało na Uniwersytecie 7500 osób, na Politechnice – 4100, na Wolnej Wszechnicy Polskiej – 2400, w Szkole Głównej Gospodarstwa Wiejskiego – 760, w Wyższej Szkole Handlowej – 710, w nowo otwartej Akademii Stomatologicznej – 500, w Państwowym Instytucie Pedagogicznym – 260. Do końca II Rzeczypospolitej działało w Warszawie 13 szkół z prawami wyższych uczelni, w 1938 roku studiowało na nich 22 000 młodzieży. Na Uniwersytecie studiowało 9000 osób, na Politechnice – 4800, w Szkole Nauk Politycznych – 1600, w Szkole Głównej Gospodarstwa Wiejskiego – 1400, w Szkole Głównej Handlowej – 1200 i w Wolnej Wszechnicy Polskiej – 1200. Powstały w tym okresie nowe szkoły wyższe: Centralny Instytut Wychowania Fizycznego (1929), Wyższa Szkoła Dziennikarska, która w 1927 roku wyodrębniła się z Wolnej Wszechnicy Polskiej, Wyższa Szkoła Muzyczna im. Fryderyka Chopina z filiami w Radomiu i Białymstoku (1930), Państwowy Instytut Sztuki Teatralnej (1932) i Szkoła Wschodnioznawcza.

W uczelniach warszawskich kształciło się stosunkowo więcej młodzieży pochodzenia robotniczego niż w Krakowie, Poznaniu, Lwowie i Wilnie. W roku akademickim 1934/ /1935 młodzież robotnicza stanowiła 10% studiujących, młodzież pochodzenia inteligenckiego – 55%, studenci ze środowisk drobnomieszczańskich – 27%, pochodzenia chłopskiego – 8%; około 30% studiujących – to kobiety. Studenci wyznania mojżeszowego, prawosławnego i greckokatolickiego stanowili około 25%

NAUKA

W pierwszych latach II Rzeczypospolitej Warszawa nie mogła poszczycić się dużą liczbą instytutów, towarzystw naukowych i liczną rzeszą ich członków. Rola warszawskiego ośrodka naukowego zaczęła wzrastać głównie dzięki powstawaniu nowych placówek naukowo-badawczych, instytutów i towarzystw oraz przenoszeniu się takich instytucji do Warszawy z innych miast. W końcu 1936 roku Warszawa była już siedzibą 143 instytutów i towarzystw naukowych, Lwów – 38, Kraków – 33, Poznań – 23, Wilno – 17. Większość warszawskich placówek naukowych, obejmujących działalnością cały kraj, powstała już po I wojnie.

Poważny rozwój nauki w Warszawie nie dokonał się bynajmniej dzięki zapewnieniu opieki materialnej przez władze państwowe. Wprost przeciwnie, wiele instytucji cierpiało niedobory, grożące likwidacją placówek. Nie omijały one też wyższych uczelni. Według sprawozdania rektora UW prof. Stefana Pieńkowskiego w 1926 roku brak funduszów groził zamknięciem uczelni w roku akademickim 1926/1927. Podobnie wyglądała sytuacja na Politechnice Warszawskiej, gdzie przejściowo likwidowano katedry, zmniejszano liczbę etatów asystenckich, okresowo zamykano pracownie. W jeszcze gorszej sytuacji znalazły się instytucje (np. Towarzystwo Naukowe Warszawskie) powstałe z inicjatywy i fundacji społeczeństwa oraz ludzi nauki, kiedy po odzyskaniu niepodległości ofiarność społeczeństwa zmalała, a państwo nie objęło ich opieką finansową. Pracownicy tych instytucji po parę miesięcy nie otrzymywali pensji.

Nie jest przesadą stwierdzenie, że znaczny rozwój, który dokonał się mimo braku środków, był zasługą ludzi nauki, ich energii i umiejętności. Z licznych bardzo przykładów wynika, że w budowaniu i organizowaniu placówek naukowych znaczny był wkład społeczeństwa, prywatnych i państwowych jednostek gospodarczych oraz indywidualnych ofiarodawców.

Ciekawe byłoby zbadanie dróg rekrutacji pracowników warszawskich zakładów naukowych. Znikoma część pochodziła z dawnej Szkoły Głównej bądź ze zruszczonych uczelni warszawskich, jak na przykład Aleksander Wasiutyński, od roku 1901 profesor Instytutu Politechnicznego w Warszawie. Wielu naukowców przybyło z uczelni krakowskiej, lwowskich i poznańskiej. Byli to między innymi Jan Zawidzki, profesor chemii nieorganicznej Uniwersytetu Jagiellońskiego, od 1917 roku profesor Politechniki Warszawskiej, fizyk Czesław Białobrzeski, matematyk Kazimierz Żórawski, chemik Wiktor Lampe. Jeszcze liczniejsza bodaj grupa pracowników nauki przybyła z uczelni lwowskich, a wśród nich filozofowie – Jan Łukasiewicz, Tadeusz Kotarbiński, matematycy – Wacław Sierpiński, Zygmunt Janiszewski i Stefan Mazurkiewicz, profesorowie nauk technicznych – Karol Pomianowski, Bohdan Stefanowski i w późniejszym nieco okresie Maksymilian Tytus Huber (1927) oraz Stefan Bryła (1934). Należy zauważyć, że sprowadzenie naukowców z innych ośrodków w późniejszych latach, na przykład po 1934 roku, miało już inny aspekt, nie wiązało się z brakiem odpowiednio kwalifikowanych sił, lecz było raczej wynikiem atrakcyjności dobrze zorganizowanego warszawskiego ośrodka naukowego. W pierwszych latach powojennych wielu wybitnych naukowców ściągnięto spoza granic Polski, zarówno wschodnich jak i zachodnich. Jako jeden z pierwszych przybył wtedy Stanisław Leśniewski z Petersburga, w 1916 roku przyjechał Wojciech Świętosławski z Laboratorium Termochemicznego Uniwersytetu Moskiewskiego, w 1919 roku – Leon Petrażycki z Petersburga, w 1921 roku – Andrzej Pszenicki z Instytutu Inżynierów Cywilnych w Petersburgu, w 1922

460. Obserwatorium Astronomiczne w Warszawie. Na zdjęciu dr F. Kępiński, dyr. Kamiński oraz asystenci E. Rybka i W. Jędrzejewski, 1925 r.

roku – Stanisław Bełżecki z Instytutu Politechnicznego w Petersburgu i Edward Warchałowski z Instytutu Mierniczego w Moskwie. Z Zachodu między innymi przybyli: Felicjan Kępiński, adiunkt obserwatorium berlińskiego w Babelsbergu, w 1918 roku objął on obowiązki adiunkta Obserwatorium Warszawskiego, w 1915 roku przyjechał Józef Wierusz-Kowalski z Katedry Fizyki Uniwersytetu we Fryburgu. Jego następca na stanowisku kierownika Zakładu Fizyki Doświadczalnej, Stefan Pieńkowski, został ściągnięty w 1919 roku z Liège w Belgii, Mieczysław Wolfke przybył w 1921 roku z Niemiec, Roman Kozłowski, doktor Sorbony i wieloletni wykładowca w Boliwii, przybył do Warszawy w 1924 roku z Paryża. Do kraju przyjechali również, aby objąć tu katedry, Józefa Joteyko, wykładowca Collège de France w Paryżu, Zygmunt Mokrzecki, kierownik znanej w świecie stacji entomologicznej w Symferopolu na Krymie, Roman Prawocheński z Akademii Rolniczej w Moskwie.

Wymienieni uczeni warszawscy to zaledwie mała część tych, którzy powrócili do kraju po odzyskaniu niepodległości. Chodzi przy tym nie tylko o ukazanie dróg rekrutacji naukowców Warszawy, ale i o zwrócenie uwagi na żywość kontaktów z wysoko cenionymi europejskimi ośrodkami naukowymi. Fakt ten miał istotny wpływ na poziom warszawskiej kadry naukowej, na jej znajomość najnowszych prądów i teorii naukowych. Nawiązane wcześniej kontakty naukowe i druk prac w fachowych czasopismach zagranicznych w znacznym stopniu ułatwiły włączenie się środowiska warszawskiego w naukę światową.

Jakie było miejsce Warszawy wśród innych ośrodków naukowych Polski w latach 1918–1939?

W badaniach literaturoznawczych i językoznawstwie Warszawa ustępowała miejsca Krakowowi, aczkolwiek w stolicy właśnie mieścił się Gabinet Korbuta, jedyna tego typu placówka badań literaturoznawczych.

W badaniach prehistorycznych i archeologicznych głównym ośrodkiem był Poznań, siedziba Polskiego Towarzystwa Prehistorycznego. Znaczne wysiłki organizacyjne i fascynujące odkrycia Józefa Kostrzewskiego w Biskupinie odbiły się szerokim echem aż w dalekiej Japonii. Archeologia polska oraz klasyczna mimo prac Włodzimierza Antoniewicza i Kazimierza Michałowskiego znajdowała się w Warszawie jeszcze w stadium początkowym w porównaniu ze swym późniejszym świetnym rozwojem.

W naukach historycznych prężny warszawski ośrodek zdobywał sobie dopiero należne miejsce między silnymi tradycją Krakowem i Lwowem oraz Poznaniem. Istniał zresztą jakby niepisany podział kompetencji: w historii gospodarczej przodował Lwów i Poznań, w historii ustroju i kultury oraz historii sztuki – Kraków, Warszawa zaś podjęła badania nad bardzo zaniedbaną dziedziną historii powszechnej, zdobywając w tym zakresie poważne osiągnięcia. Najwybitniejszymi historykami środowiska warszawskiego tego okresu byli: Marceli Handelsman (historia powszechna i metodologia), Bohdan Suchodolski (historia kultury), Władysław Tatarkiewicz (estetyka i historia filozofii), Zygmunt Batowski (historia sztuki), Natalia Gąsiorowska (historia gospodarczo-społeczna), Stanisław Kętrzyński (historia średniowiecza), Tadeusz Manteuffel (średniowiecze powszechne), Tadeusz Wałek-Czarnecki (historia gospodarcza świata starożytnego), Stanisław Arnold (historia gospodarcza) oraz historycy dziejów nowożytnych i najnowszych – Szymon Askenazy, Wacław Tokarz, Adam Próchnik i inni.

Poznań, siedziba Instytutu Socjologii, uchodził za najważniejszy ośrodek badań socjologicznych. Pracował tam głośny socjolog Florian Znaniecki, w Warszawie natomiast działali Ludwik Krzywicki i Stefan Czarnowski, dwie wybitne indywidualności socjologii polskiej. W miarę rozwoju badań, prowadzonych przez Instytut Gospodarstwa Społecznego, Instytut Spraw Społecznych oraz Instytut Badania Koniunktur Gospodarczych i Cen, stolica umacniała swą przewagę w zakresie prowadzenia prac badawczych typu ekonomiczno-socjologicznego.

W naukach filozoficznych dorobek Warszawy miał lwowski rodowód i często obok określeń „warszawska szkoła filozoficzna" czy „warszawska szkoła logistyczna" można spotkać określenie „lwowsko-warszawska szkoła filozoficzna". Wybitniejszymi przedstawicielami byli: Jan Łukasiewicz, Stanisław Leśniewski i Tadeusz Kotarbiński.

W zakresie nauk przyrodniczych Warszawa ustępowała w astronomii Krakowowi, w antropologii zaś dzieliła się osiągnięciami z Poznaniem, gdzie miało siedzibę Polskie Towarzystwo Antropologiczne; podobnie było w botanice, równie silnie rozwiniętej w innych ośrodkach naukowych poza Warszawą. W naukach biologicznych rola Warszawy była większa, świetnie rozwijały się – dzięki znacznym subwencjom rządu – prace badawcze w Instytucie Biologii Doświadczalnej im. Marcelego Nenckiego oraz w Państwowym Instytucie Higieny. W naukach medycznych i farmacji prymat Warszawy był bezsporny; nie bez znaczenia był fakt szybkiego rozwoju przemysłu chemicznego w Warszawie.

Uznany nie tylko w kraju priorytet Warszawy w naukach matematycznych miał we Lwowie równie poważnych konkurentów w osobach genialnego Stefana Banacha i Hugona Steinhausa. Lwowskie „Studia Mathematica", jakkolwiek nie były wydawnictwem konkurencyjnym dla warszawskich wydań obcojęzycznych „Fundamenta Mathematica", gdyż poświęcone były innemu działowi matematyki, stanowiły jednak ich odpowiednik i od roku 1929 ukazało się 17 tomów tej serii. Cieszyły się one równie wielką poczytnością na rynku światowym. Wspólnym wydawnictwem obu ośrodków, lwowskiego oraz warszaw-

461. Otwarcie Instytutu Radowego w Warszawie, 29.V.1932 r. M. Skłodowska-Curie sadzi jedno z sześciu pamiątkowych drzew

skiego, była seria monografii matematycznych świadcząca o współpracy obu środowisk. W zakresie nauk chemicznych ośrodek warszawski nie ujawnił jeszcze w 1925 roku zdecydowanej przewagi. Nieznacznie większa liczba pracowni i laboratoriów chemicznych w Warszawie niż we Lwowie była związana z większą liczbą uczelni w stolicy. Z liczby zakładów chemicznych uniwersyteckich najwięcej – bo 7 – posiadał Uniwersytet Poznański, 6 – Uniwersytet Jagielloński i 5 Wileński, przy dwóch zaledwie na Uniwersytecie Warszawskim. Nie w liczbie chemicznych zakładów uniwersyteckich Warszawy tkwiła siła, która spowodowała, że Warszawa stała się pierwszorzędnym ośrodkiem badawczym w latach późniejszych, ale raczej w zakładach Politechniki Warszawskiej. W 1925 roku przeniesiono do Warszawy ze Lwowa Chemiczny Instytut Badawczy. Przy okazji trzeba wspomnieć nazwisko założyciela i pierwszego dyrektora tego Instytutu, inż. Ignacego Mościckiego, asystenta Katedry Fizyki na Uniwersytecie we Fryburgu, profesora elektrochemii Politechniki Lwowskiej i od 1.X.1925 roku profesora elektrochemii technicznej Politechniki Warszawskiej, a następnie wieloletniego prezydenta II Rzeczypospolitej.

W naukach fizycznych silnemu ośrodkowi krakowskiemu, pod kierunkiem Konstantego Zakrzewskiego i Władysława Natansona, oraz lwowskiemu, pod kierunkiem Wojciecha Rubinowicza, już od pierwszych lat powojennych dorównywał poziomem ośrodek warszawski, zdobywając nie mniejszy rozgłos przez podjęcie prac w nowej dziedzinie fizyki cząsteczkowej i atomowej.

Przewaga osiągnięć Warszawy była natomiast widoczna w elektrotechnice, głównie dzięki pracom zakładów Politechniki Warszawskiej i Państwowej Wyższej Szkoły Budowy Maszyn i Elektrotechniki im. H. Wawelberga i S. Rotwanda.

W innych naukach technicznych wybijał się Kraków ze swoją Akademią Górniczo-Hutniczą. Tak było na przykład w metalurgii i technologii metali. Dopiero gdy powstał w Warszawie, na początku lat trzydziestych, Instytut Metalurgii i Metaloznawstwa, ściśle współpracujący z Działem IV Metalurgii Chemicznego Instytutu Badawczego, otrzymane tam wyniki prac badawczych z dziedziny analiz metali szlachetnych, lekkich stopów metali białych i kolorowych spowodowały, że Warszawa wysunęła się na plan pierwszy.

W jeszcze innym dziale techniki – mechanice, przewaga Warszawy nie była bezsporna. Utrzymywały ją głównie centralne i stołeczne instytuty, jak Stacja Doświadczalna PKP, Laboratorium Mechaniczne m. st. Warszawa oraz laboratoria przemysłowe, pracujące również na potrzeby przemysłu zbrojeniowego.

Należy też zwrócić uwagę na koncentrację zakładów naukowych techniki rolnej i leśnej przy Szkole Głównej Gospodarstwa Wiejskiego, najpoważniejszej placówce w tej dziedzinie obok Państwowego Instytutu Naukowego Gospodarstwa Wiejskiego w Puławach.

Uczeni środowiska warszawskiego wnieśli poważny wkład do nauki światowej w dziedzinie matematyki i logiki matematycznej, w zakresie nauk przyrodniczych (antropologia, paleontologia, fizjologia i neurofizjologia, immunologia, nauka o grupach krwi, fizyka teoretyczna i fizyka atomowa, odkrycie nowych pierwiastków i teoretycznych podstaw holografii) oraz ekonomicznych. Podobnie w zakresie nauk humanistycznych naukowcy środowiska warszawskiego współpracowali na forum międzynarodowym uczestnicząc w pracach towarzystw naukowych. W zakresie nauk technicznych wiele rozwiązań opracowanych przez warszawskich konstruktorów i wynalazców znalazło zastosowanie poza granicami Polski.

Międzywojenne osiągnięcia nauki i techniki w Warszawie, stolicy kraju zacofanego i zniszczonego po I wojnie światowej, nie tłumaczą się dotacjami państwa, które były niewystarczające, ani dobrą koniunkturą gospodarczą. Zagadnienie to wyjaśnia prof. Świętosławski w artykule „O organizacji pracy twórczej i wynalazczej", ogłoszonym w 1937 roku w książce „Kultura i nauka": „ ... na umysły twórcze oddziaływać mogą dodatnio dwa bodźce psychiczne – jeden z nich poczyna działać, gdy dane społeczeństwo porwane zostaje myślą o dokonaniu wielkiego wysiłku zbiorowego, związanego z realizacją narodowego celu, do którego zmierza, drugi oddziaływa, gdy społeczeństwo uświadomi sobie, że zostało zdystansowane przez inne w rozwoju czy to nauki, czy to kultury, czy to techniki lub wreszcie sił obronnych kraju [...] Postęp ludzkości i rozwój poszczególnych narodów uzależnione były niejednokrotnie od podobnie przeżywanych momentów ogólnego podniesienia wydajności wszelkiej pracy z twórczą na czele".

Ożywione tętno prac naukowych prowadzonych w Warszawie znalazło wyraz w produkcji wydawniczej. O ile przed I wojną przewaga publikacji naukowych była po stronie Krakowa i Lwowa, o tyle w okresie międzywojennym nastąpiły pod tym względem duże zmiany. Towarzystwo Naukowe Warszawskie, które w 1919 roku mogło wydać drukiem około 80 arkuszy wydawniczych prac naukowych, w latach 1938–1939 opublikowało 495 arkuszy. Kasa im. J. Mianowskiego rozporządzała w latach dwudziestych, po ustabilizowaniu złotego, budżetem w wysokości od 700 do 800 tysięcy złotych, co przeważnie pokrywało wydatki związane z drukiem prac i czasopism naukowych. Działalność Kasy im. J. Mianowskiego, która od 1920 roku stała się na podstawie zmienionego statutu organizacją ogólnopolską, zmierzała do stworzenia w Warszawie ośrodka prac naukowych w zakresie programowania rozwoju nauki. W 1920 i 1927 roku Kasa zorganizowała dwa zjazdy krajowe, poświęcone wytyczeniu dalszych dróg rozwoju nauki polskiej. Liczne prace i czasopisma wydawało ponad 100 instytutów naukowo-badawczych, zlokalizowanych w Warszawie, o ogólnokrajowym zasięgu oddziaływania.

KULTURA

Liczba czasopism wydanych w Warszawie w latach 1925–1932 wzrosła o 70%, w całym kraju o 56%. Rzecz na tyle niebagatelna, że czytanie gazet i tygodników wyprzedza czytanie książek, a w międzywojennym modelu kultury polskiej słowo drukowane było najbardziej masowym środkiem komunikacji kulturowej. Wzrost liczby czasopism w Warszawie był najwyższy w grupie poważnych czasopism naukowych. Odnotowujemy również duży wzrost produkcji książkowej, która w 1933 roku wynosiła w Warszawie 58% całości, w zakresie książki naukowej i literatury pięknej procent ten był jeszcze wyższy.

Do największych firm wydawniczych należały: Gebethner i Wolff (od 1858), Wydawnictwo M. Arcta (od 1887), Towarzystwo Wydawnicze Sp. Akc. zorganizowane w 1903 roku przez Jakuba Mortkowicza, „Nasza Księgarnia” (od 1921), firma „Ignis” (w latach 1920–1928), Wydawnictwo „Rój” założone w 1925 roku przez Melchiora Wańkowicza oraz wydawnictwa: F. Hoesick, J. Przeworski, E. Kuthan, publikujące przeważnie literaturę piękną. Jedną z poważniejszych oficyn wydawniczych była firma Trzaska, Evert i Michalski (od 1919) specjalizująca się w publikacji prac naukowych, popularnonaukowych i encyklopedii.

Z innych wydawnictw warto wymienić Towarzystwo Oświaty Rolniczej „Księgarnia Rolnicza”, Główną Księgarnię Wojskową, Instytut Wydawniczy „Biblioteka Polska” oraz przedsiębiorstwa wydawnicze i spółdzielnie tworzone przez związki zawodowe i partie polityczne. Do tych ostatnich należała „Książka”, założona w 1918 roku przez grupę działaczy komunistycznych. W latach 1922–1928 „Książka” opublikowała 79 tytułów literatury marksistowskiej w nakładzie 216 tysięcy egzemplarzy. Zamknięta w 1929 roku na polecenie władz wznowiła działalność w latach 1931–1937 pod nazwą „Tom”. Warszawa była centrum wydawniczym nielegalnych publikacji komunistycznych, przejściowo tylko pod koniec lat dwudziestych prym dzierżył Kraków.

W ciągu całego okresu międzywojennego wydano w Warszawie ogółem 52 tysiące tytułów książek i czasopism w 250 milionach egzemplarzy, a jeśli „ruch wydawniczy jest najlepszym probierzem siły promieniowania ośrodka kulturalnego” (S. Rychliński), warto zapoznać się z charakterystyką produkcji wydawniczej w Warszawie pod względem treści. Analiza taka przeprowadzona przez Marię Czarnowską wykazała, przy zastosowaniu podziału, wprowadzonego przez Engelsa, na trzy wielkie grupy nauk (przyroda, społeczeństwo, kultura), następującą kolejność liczebną grup: społeczeństwo, przyroda, kultura. W latach trzydziestych poza Warszawą model wydawniczy układał się według pierwszeństwa tematów związanych z kulturą, na dalszym miejscu zostawiając nauki społeczne i przyrodnicze. Warszawski profil wydawniczy bliższy był układowi, jaki występuje po II wojnie światowej, a więc w skali krajowej okresu międzywojennego był nowocześniejszy. Warszawa miała również największy udział w kolportażu i sprzedaży publikacji. Jej sieć księgarska była najgęstsza. Jedna księgarnia przypadała na 4400 osób.

Osobną kartę rozwoju kultury stanowią biblioteki. Największa z nich w grupie bibliotek uczelnianych to Biblioteka Uniwersytecka, druga co do wielkości po Bibliotece Jagiellońskiej, posiadająca w 1924 roku 712 tysięcy książek. Biblioteka Publiczna, licząca przed wybuchem wojny 480 tysięcy książek, przejęła w 1935 roku sieć placówek Towarzystwa Bibliotek Powszechnych i Towarzystwa Bibliotek dla Dzieci. W 1928 roku Biblioteka Publiczna w chwili przejęcia przez miasto posiadała tylko jedną filię; w 1939 roku miała 5 filii dzielnicowych, 33 wypożyczalnie dla dorosłych, 16 czytelń i 142 punkty biblioteczne. Z innych większych bibliotek państwowych trzeba wymienić Bibliotekę Sejmową, założoną w 1919 roku, która zgromadziła do 1939 roku 85 tysięcy woluminów, i Centralną Bibliotekę Wojskową (od 1917), posiadającą 350 tysięcy woluminów w chwili wybuchu wojny. Od 1919 roku gromadzono zbiory dla powstałej w 1928 roku Biblioteki Narodowej. Przejęła ona między innymi zwrócone w 1923 roku przez Związek Socjalistycznych Republik Rad zbiory Biblioteki Załuskich i w 1927 roku zbiory Biblioteki w Raperswilu (Szwajcaria), gromadziła cenne inkunabuły, dokumenty pergaminowe, mapy, rękopisy. Wiele cennych rękopisów i druków liczyły także trzy wielkie biblioteki prywatne: Biblioteka Ordynacji Zamoyskich (148 tys. woluminów w 1938), Biblioteka Ordynacji Przeździeckich (36 tys. woluminów) i Biblioteka Ordynacji Krasińskich (107 tys. woluminów w 1937). Własne biblioteki posiadały instytuty i towarzystwa naukowe, jak na przykład Warszawskie Towarzystwo Lekarskie. Księgozbiory publiczne uzupełniała sieć prywatnych wypożyczalni. W 1939 roku było ich na terenie Warszawy 183, wypożyczono w nich około 380 tysięcy książek w ciągu roku.

Wzrost upowszechnienia kultury w Warszawie okresu międzywojennego był nie tylko wynikiem podniesienia oświaty, rozszerzenia sieci bibliotek i świadomego działania wielu organizacji kulturalno-oświatowych oraz politycznych. Nie mniej ważne było istnienie prężnego środowiska twórczego i ożywione życie artystyczne, które siłą swej atrakcyjności wciągało w orbitę zainteresowań coraz szersze rzesze odbiorców. Tak się złożyło, że we wszystkich dziedzinach życia artystycznego Warszawy, w literaturze, w teatrze, filmie i muzyce, wystąpiły nowe, interesujące zjawiska, tworzyli utalentowani artyści.

W Warszawie zgromadziło się w okresie międzywojennym wielu wybitnych poetów i pisarzy. Na 186 członków Związku Zawodowego Literatów Polskich w stolicy było co najmniej 55 twórców do dziś znanych.

Z powstaniem niepodległego państwa polskiego zbiegła się ożywiona działalność grupy poetów, skupionej wokół miesięcznika „Pro arte et studio". Organizowała ona wieczory literackie w kawiarni „Pod Picadorem" przy ul. Nowy Świat, a następnie w podziemiach Hotelu Europejskiego. Byli to Julian Tuwim, Jan Lechoń, Antoni Słonimski, Jarosław Iwaszkiewicz i Kazimierz Wierzyński. Kawiarnia, a właściwie kabaret literacki istniał od 29.XI.1918 roku do marca 1919 roku. Utwory własne deklamowali autorzy oraz Stefan Jaracz.

Równoczesne pojawienie się pięciu wybitnych indywidualności poetyckich było faktem nie znanym dotąd w dziejach poezji polskiej. Poeci ci, na wieczorze inauguracyjnym zorganizowanym 6.XII.1919 roku w sali Towarzystwa Higienicznego przy ul. Karowej, uformowali grupę pod nazwą Skamander i rozpoczęli wydawanie miesięcznika pod tymże tytułem.

463. Karykatura Władysława Daszewskiego przedstawiająca stałych bywalców „Ziemiańskiej". Na zdjęciu Bolesław Wieniawa-Długoszowski i skamandryci Jan Lechoń, Julian Tuwim, Antoni Słonimski

W pierwszym numerze pisma głosili: „Nie występujemy z programem, gdyż programy są zawsze spojrzeniem wstecz, są dzieleniem nieobliczalnego życia przez znane". Opowiadali się za swobodnym, niczym nie skrępowanym rozwojem talentów. Późniejsi ich krytycy wytykali im brak programu (Irzykowski, „Kwadryganci"), a kult dla talentu i poziomu artystycznego nazywali uszczypliwie „talentyzmem".

Odejście od dawnej, sztucznej wzniosłości, a zainteresowanie rzeczywistością, pięknem dnia codziennego – oto co było im wspólne. Siłę skamandrytów obok ich talentów i dbałości o zewnętrzną formę wiersza stanowiło wyczucie potrzeb dnia. Poezja objęła kręgi nowych realiów. Obok piękna przyrody skamandryci dojrzeli uroki krajobrazu miejskiego i cywilizacji technicznej. Przełom, który się dokonał w poezji za ich przyczyną, był ogromny. Wzbogacali słownictwo poetyckie, nadawali wierszom prostotę, upraszczali składnię, uczynili poezję bliższą przeciętnemu odbiorcy. Poeci Skamandra chętnie i z powodzeniem pracowali dla rynku rozrywkowego. Chcieli i umieli zaspokajać potrzeby masowej rozrywki literackiej. Pisali szopki polityczne, wiersze i teksty piosenek dla kabaretów, na przykład w latach 1919–1932 dla „Qui pro quo". Do kręgu poetów związanych z grupą Skamandra należeli między innymi również: Kazimiera Iłłakowiczówna, Jerzy Liebert, Maria Jasnorzewska-Pawlikowska. Na łamach pisma grupy publikowali utwory i opracowania krytyczne Stanisław Baliński, Emil Breiter, Juliusz Kaden-Bandrowski, Stefan Napierski, Mieczysław Rytard, Stanisław Ignacy Witkiewicz, Władysław Zawistowski i Wilam Horzyca, uznawani za czołowych krytyków Skamandra, oraz Władysław Broniewski, Stanisław Ryszard Stande, Adam Ważyk. Julian Brun-Bronowicz wydał tu głośną pracę krytyczną „Stefana Żeromskiego tragedia pomyłek", która wszczęła trwającą całe lata dyskusję na temat inteligencji polskiej.

Do popularności skamandrytów przyczyniły się nie tylko utwory ogłaszane w ich własnym organie. Daleko większy zasięg oddziaływania zapewnił im jeden z najpoczytniejszych magazynów literacko-kulturalnych dwudziestolecia międzywojennego: „Wiadomości Literackie" (1924–1939). Redaktorem „Skamandra" i „Wiadomości Literackich", wcześniejszego od nich „Pro arte et studio" oraz późniejszego miesięcznika „Pologne Littéraire" (1926–1936) był jeden z najbardziej utalentowanych wydawców, Mieczysław Grydzewski, posiadający znakomite wyczucie potrzeb rynku czytelniczego. „Wiadomości" poruszały wiele spraw nurtujących społeczeństwo. Od 1927 roku publikował tam „Kroniki tygodniowe" Słonimski. W 1925 roku rozpoczęto na łamach pisma dyskusję o roli PPS w literaturze, a w 1928 roku – o poezji proletariackiej. Przekonywającej obrony wartości poezji proletariackiej podjął się Władysław Broniewski, sekretarz „Wiadomości Literackich" w latach 1925–1936. Druga połowa lat dwudziestych to okres szczególnie bogaty w utwory literatury zaangażowanej, nie tylko w Polsce, gdzie pisali w tym okresie: Wasilewska, Strug, Kruczkowski, Broniewski, Pruszyński, ale i w Europie. Tygodnik zamieszczał obok tłumaczeń z literatury zachodnioeuropejskiej również utwory poetów radzieckich. Obok reportaży z krajów Europy Zachodniej, pojawiło się wiele reportaży z Kraju Rad.

Na łamach „Wiadomości" Tadeusz Boy-Żeleński, wielki mistrz słowa i krytyk, prowadził kampanie o reformę praw i obyczajów. Wywarł on wielki wpływ na atmosferę intelektualną Warszawy w okresie międzywojennym. Zasięg pisma był ogólnopolski.

Na łamach „Skamandra" debiutował w 1922 roku Adam Ważyk, jedna z najciekawszych indywidualności przyszłej poezji awangardowej. Razem ze skamandrytami na początku 1919 roku odbywali zebrania w Hotelu Europejskim futuryści. Organizatorami warszawskiej grupy futurystów byli Aleksander Wat i Anatol Stern, obaj niedawni absolwenci

Gimnazjum Rocha Kowalskiego. Podobieństwo futurystów do skamandrytów polegało na tym, że oni również wyciągali własne wnioski z faktu rozpoczęcia twórczej pracy artystycznej w nowych warunkach historycznych. Walczyli ze sztuką mieszczańską „zbuntowani przeciwko Bogu, ortografii i literackiej tradycji". Stosowali eksperymenty słowotwórcze, a skojarzenia słów były dla nich ważniejsze od logiki znaczeń. Futuryści dokonali tego, że sens w dawnym rozumieniu przestał obowiązywać w poezji. Obok publikacji zbiorków wierszy oraz ulotek, jednodniówek i druków, szokujących pisownią, jak chociażby „Nuż w bżuhu", „Jednodniuwka futurystuw" (Brunona Jasieńskiego i A. Sterna), urządzali głośne zabawy i takie imprezy jak obwożenie się w taczkach po mieście czy umyślnie burzliwe zebrania. Celem ich było szokowanie i poruszenie spokojnej publiczności, godzenie w dotychczasowe przyzwyczajenia estetyczne.

W 1921 roku zaczął wychodzić w Warszawie miesięcznik artystyczny „Nowa Sztuka". W artykule wstępnym Stern pisał: „Pozostawcie cośkolwiek człowiekowi dzikiemu, który mieszka w każdym z nas i który krzyczy, pozostawcie coś intuicji". Pismo postawiło sobie za cel zintegrowanie awangardy literacko-artystycznej. Ukazały się tylko dwa numery. W pismach futurystów publikowali: Stanisław Młodożeniec, Bruno Jasieński, najwybitniejszy przedstawiciel lewicowego nurtu w poezji futurystycznej, i inni. Wiersze futurystów warszawskich do 1924 roku, który był końcem ich sezonu, mieszczą się w kategorii absurdu, czarnego humoru, groteski. I choć po kilku latach poszły w zapomnienie, ich idee można odnaleźć w późniejszej literaturze. Groteska i absurd w „Ferdydurke" Gombrowicza ma wiele wspólnego z futurystycznym ukazywaniem nieprzystosowania oficjalnych wzorów kultury do życia.

W 1925 roku ukazał się zbiorek poezji trzech autorów: Władysława Broniewskiego, Stanisława Ryszarda Stande i Witolda Wandurskiego, pod wymownym tytułem „Trzy salwy". We wstępie autorzy tak scharakteryzowali swój program: „Nie o sobie piszemy. Jesteśmy robotnikami słowa. [...] Niech słowa nasze padną jak salwy w ulice śródmieścia, niech odegrzmią echem w dzielnicach fabrycznych. Walczymy o nowy ład społeczny. Walka ta jest najwyższą treścią naszej twórczości". Inny wybitny poeta rewolucyjny Warszawy, Edward Szymański, związany z robotniczą Wolą, autor słów popularnego hymnu Związku Walki Młodych „Zdobywczym krokiem", tak dobitnie podkreślał klasowy charakter tej walki w wierszu pt. „Raport":

„Zapomniałem jak sen pachnie ciszą
Nie pamiętam już słów spokojnych
Chrypię werbel prostym towarzyszom
Szeregowcom klasowej wojny.
...
Sercem dzwoni rytm moich wierszy
Nie dla zysku ani dla sławy
Byle wam zapłonęła w sercu
Moja miłość
I moja nienawiść".

Ważną rolę w popularyzacji modelu kultury proletariackiej odegrały takie pisma jak: „Kultura Robotnicza" (1922–1923), „Nowa Kultura" (1924), „Dźwignia" (1927),

465. Poeci: Stanisław Ryszard Stande, Władysław Broniewski i Witold Wandurski

466. Grupa literacka Kwadryga na lampce wina u Fu-
giera na Rynku Starego Miasta, po wieczorze autorskim, który odbył się 5.XII.1930 r. w auli Uniwersy-
tu Warszawskiego

„Miesięcznik Literacki" (1930), „Lewar" (1932), „Oblicze Dnia" (1936), „Dziennik Popularny" (1936–1937).

Do kręgu proletariackiej literatury należeli także: Lucjan Szenwald, autor tekstów satyrycznych, rozpowszechnianych wśród robotników, Leon Pasternak i Wanda Wasilewska. Ideały społecznego zaangażowania były głównym punktem programu grupy poetów Kwadryga, która powstała w 1926 roku w środowisku studentów Uniwersytetu Warszawskiego jako opozycja artystyczna wobec Skamandra i działała do 1933 roku. Pismo grupy pod tym samym tytułem wychodziło w latach 1927–1931 i pod tytułem „Nowa Kwadryga" w 1937 roku. Najwybitniejszymi spośród poetów grupy powstałej z inicjatywy Stanisława Ryszarda Dobrowolskiego byli: Konstanty Ildefons Gałczyński, Lucjan Szenwald – działacz KPP, Władysław Sebyła, Aleksander Maliszewski, Stefan Flukowski, Włodzimierz Słobodnik oraz Stanisław Ciesielczuk, Nina Rydzewska i Marian Piechal. Z grupą związani byli również Mieczysław Bibrowski, Sergiusz Kułakowski, Czesław Miłosz, Marian Markowski, Stanisław Maria Saliński, Zbigniew Uniłowski, przedwcześnie zmarły utalentowany pisarz, który opisał środowisko Kwadrygi w powieści autobiograficznej „Wspólny pokój" (1932), oraz Andrzej Wolica. Grupa nie była jednorodna ani pod względem ideologicznym, ani artystycznym, choć jej członkowie występowali zwykle w imieniu zbiorowości, w liczbie mnogiej, używając słowa „my", zamiast „ja". Znaczny wpływ na przekonania grupy wywarł Władysław Sebyła, od 1929 roku redaktor „Kwadrygi", pierwszy polski poeta katastrofista: jego wizje poetyckie zagłady Drugiej Rzeczypospolitej potwierdziła rzeczywistość.

467. Reklama anonsująca otwarcie nowego kabaretu
dniu 1.VIII.1935 r.

Najbardziej popularnym poetą grupy stał się K. I. Gałczyński, który z dnia na dzień zyskał ogromny rozgłos dzięki wierszowi „Skumbrie w tomacie" (1936), napisanym w dziesięć lat po przewrocie majowym i opublikowanym w wileńskim „Prosto z mostu". Lekceważący i drwiący stosunek do wypadków majowych poczytano mu za bluźnierstwo. Wiersz, który poruszył całą Polskę, nie był pierwszym tego typu w jego twórczości. W 1926 roku opublikował on w tygodniku satyrycznym „Cyrulik Warszawski" – „Piekło polskie". Była to parodia „Piekła" Dantego – satyryczna galeria popularnych znakomitości świata literackiego Warszawy.

Helena Boguszewska wspólnie z Jerzym Kornackim postulowali wprowadzenie do literatury pięknej problematyki społecznej, związanej z życiem ówczesnego proletariatu. Z ich inicjatywy powstał w 1933 roku zespół literatów pod nazwą Przedmieście. Wydali oni w sumie osiem książek, w tym publikacje zbiorowe: „Przedmieście" (1934) i „Pierwszy maja" (1934) oraz powieść „Jadą wozy z cegłą" (1935) napisaną przez Boguszewską i Kornackiego. Grupa istniała do 1937 roku.

W środowisku warszawskim powstało kilka organizacji ważnych dla rozwoju literatury: Związek Autorów i Kompozytorów Scenicznych – ZAiKS (1918), Polski Oddział Pen-Clubu (1918), Związek Zawodowy Literatów Polskich, który z organizacji lokalnej stał się ogólnopolską w 1935 roku. Inny charakter miała Polska Akademia Literatury, zorganizowana dopiero w 1933 roku, z siedzibą w Warszawie, naczelna instancja piśmiennictwa polskiego. Miała ona na celu tworzenie warunków rozwoju literatury. Przyznawała nagrody ogólnopolskie za twórczość literacką, przydzielała stypendia. PAL opublikowała wydanie zbiorowe pism Prusa i Orzeszkowej. Skład jej (15 członków dożywotnich, w tym połowa z nominacji Rządu) budził kontrowersje w środowisku pisarzy.

W Warszawie w okresie międzywojennym stałe sceny polskie stanowiły 42% ogółu. Nie w przewadze liczbowej jednak upatrywać należy doniosłość krótkiego okresu rozwoju teatrów warszawskich między wojnami, rozwoju, który sprawił, że była to ważna epoka w dziejach teatru polskiego. Teatr warszawski w latach międzywojennych wniósł istotne zmiany strukturalne w porównaniu z okresem poprzednim, wykształcił nowe formy gry aktorskiej, realizował nowe idee społeczne i artystyczne, zdobywał nową publiczność, dążąc do rozszerzenia zasięgu oddziaływania społecznego. Nade wszystko wart jest podkreślenia fakt, że w czasie tym pojawili się i dojrzewali twórcy, reformatorzy sceny polskiej; ich wpływ dostrzegamy jeszcze dzisiaj.

Juliusz Osterwa w Teatrze Reduta (1919–1924), mieszczącym się w Salach Redutowych Teatru Wielkiego, oraz w Instytucie Reduty (1932–1939) przy ul. Kopernika 36/40 przeciwstawiając się „teatrowi gwiazd" wprowadzał zasadę gry zespołowej. Miał na celu wykształcenie aktora nowego typu i przygotowanie go do występowania w utworach wielkiego repertuaru. Pogłębiał psychologiczny rysunek postaci, unowocześnił sposób mówienia wiersza na scenie, przykładał ogromną wagę do właściwego jego podania. Dążąc do zbliżenia widza ze sceną zlikwidował kurtynę i budkę suflera oraz rampę. Osterwa wystawiał w ciekawej formie prawie wyłącznie utwory polskie, odkrywając na nowo w scenicznej postaci Słowackiego, Norwida, Wyspiańskiego.

Przez 2 lata (1924–1926) Leon Schiller realizował na scenie Teatru im. Bogusławskiego, przy ul. Hipotecznej 8, ideę teatru monumentalnego dla mas. Schillera interesował współczesny repertuar polityczny. Jego metody inscenizacyjne nazywano niekiedy teatrem

468. Scena zbiorowa z „Opery za trzy grosze" Ber ta Brechta. Przedstawienie w Teatrze Polskim reży rował Leon Schiller, oprawa scenograficzna Stanisł Śliwińskiego

Lucyna Messal i Władysław Szczawiński
Maria Malicka i Zbyszko Sawan w finale rewii
llo Malicka i Sawan", wystawionej w „Morskim
" 14.I.1931 r.

muzycznym. Był uznany za jednego z wybitniejszych inscenizatorów europejskich. W 1936 roku wystawił w Paryżu balet Szymanowskiego „Harnasie", w 1937 roku „Dziady" w Sofii. Nagłe zamknięcie Teatru im. Bogusławskiego przez władze miejskie w 1926 roku i protest wystosowany przez najwybitniejszych przedstawicieli świata kulturalnego Warszawy pozwalają stwierdzić, jak wysoko oceniali współcześni działalność artystyczną tej placówki. Schiller pracował również w innych teatrach Warszawy. Dużym powodzeniem cieszyły się jego „Pastorałki", oparte na motywach sztuki ludowej. Wystawienie w Teatrze Polskim „Opery za trzy grosze" Bertolta Brechta spowodowało ostre ataki za zbyt daleko posuniętą rewolucyjność widowiska. Sztukę zawieszono, a dyrektor teatru Szyfman musiał zwolnić Schillera.

Idee sztuki postępowej społecznie starał się realizować Stefan Jaracz, reżyser i dyrektor Teatru Ateneum, przy ul. Czerwonego Krzyża 20, w latach 1930–1933 i 1935–1939. Jaracz reprezentując realizm w teatrze sam stworzył wiele niezapomnianych postaci, trafnie oddając ich groteskowość czy też uwikłanie w bezsilnych buntach. Prowadząc scenę stworzoną przez Związek Zawodowy Kolejarzy i Towarzystwo Uniwersytetów Robotniczych (TUR) współpracował ściśle z działaczami związkowymi i socjalistami.

Poza wymienionymi reżyserami i aktorami do najwybitniejszych indywidualności twórczych tego okresu należeli: Aleksander Zelwerowicz, Aleksander Węgierko, Mieczysław Frenkiel, Edmund Wierciński, Wilam Horzyca, Wincenty Rapacki, Kazimierz Kamiński, Ludwik Solski, Karol Adwentowicz, Antoni Fertner, Seweryna Broniszówna, Stanisława Wysocka, Maria Dulęba, Mieczysława Ćwiklińska, Maria Przybyłko-Potocka, Irena Solska, Zofia Lindorfówna, Jerzy Leszczyński, Kazimierz Junosza-Stępowski, Wojciech Brydziński, Józef Węgrzyn, Jan Kurnakowicz oraz z młodszych: Elżbieta Barszczewska, Irena Eichlerówna, Maria Romanówna, Maria Modzelewska, Barbara Ludwiżanka, Nina Andrycz, Marian Wyrzykowski, Jan Kreczmar, Jacek Woszczerowicz i Aleksander Dzwonkowski. Znakomitą plejadę aktorów uzupełniali świetni dekoratorzy, którym niejeden spektakl zawdzięczał powodzenie: Wincenty Drabik, Karol Frycz, Władysław Daszewski, Iwo Gall, Andrzej Pronaszko.

Wybitną postacią teatru był Arnold Szyfman, utalentowany organizator i dyrektor dwóch scen warszawskich: Teatru Polskiego przy ul. Oboźnej 11 i Małego przy ul. Jasnej 5. Sceny te jako prywatne nie korzystały z subsydiów władz miejskich i utrzymanie bez dotacji w ciężkich warunkach materialnych dwóch placówek teatralnych w ciągu całego okresu dwudziestolecia było wyczynem bez precedensu. W latach 1918–1939 istniało łącznie około 180 teatrów, teatrzyków i kabaretów, dwie trzecie z nich upadały z powodu trudności materialnych po jednym sezonie, a nierzadko już po kilku przedstawieniach.

Specyfiką życia teatralnego Warszawy była duża liczba kabaretów, rewii i scen estradowych, prowadzonych często w lokalach rozrywkowych. Do najbardziej znanych należał kabaret „Qui pro quo", rewia „Morskie Oko", „Sfinks", rewia „Mignon", kabaret „Cyrulik Warszawski", kabaret-operetka „Czarny kot" oraz działające przez cały okres międzywojenny teatrzyki letnie w Bagateli i w Dolinie Szwajcarskiej, prezentujące różne imprezy. W kabaretach i teatrzykach rewiowych występowali tak utalentowani aktorzy jak: Zula Pogorzelska, Hanka Ordonówna, Mira Zimińska, Loda i Zizi Halama, Fryderyk Jarossy, Kazimierz Krukowski, Eugeniusz Bodo, Adolf Dymsza, Ludwik Sempoliński. Przykładem łączenia w jednym lokalu rozrywki i sztuki może być założona 7.VI.1935 roku kawiarnia-salon Sztuka i Moda przy ul. Królewskiej, znana pod skrótową nazwą SiM. Odbywały się tu wystawy obrazów, rewie mody, koncerty estradowe, dancing, konkursy na polską piosenkę i inne imprezy. Było to, obok Instytutu Propagandy Sztuki, jedno z bardziej uczęszczanych miejsc spotkań świata artystycznego Warszawy.

Duże osiągnięcia miał amatorski ruch teatralny organizowany w środowiskach robotniczych. Pierwszy tego rodzaju zespół teatralny Scena i Lutnia Robotnicza (VIII.1919–X.1921) powstał pod kierownictwem Antoniny Sokolicz, pisarki i działaczki komunistycznej. W latach 1921–1923 wieczory artystyczne i wykłady urządzało Studio Teatru Robotniczego Uniwersytetu Ludowego. W 1925 roku Władysław Broniewski zorganizował wspólnie z Ryszardem Stande i Wiką Rajchmanową Warszawski Teatr Robotniczy. Teatr pozyskał do współpracy Leona Schillera i Stanisławę Wysocką i zmienił w 1930 roku swą nazwę na Robotnicze Studio Teatralne. Młodzież akademicka z komunistycznego Związku Młodzieży Polskiej utworzyła w 1930 roku zespół estradowy pod nazwą Akademicki Klub Literacko-Artystyczny (AKLA). W rok później wszedł on w skład tajnego kabaretu politycznego działającego pod nazwą Czerwona Latarnia, którym kierował w latach 1932–1935 Lucjan Szenwald. Filią Czerwonej Latarni był Teatr Eksperymentalny (1933–1936), zorganizowany przez Towarzystwo Propagandy Teatrów i Sztuki pod kierunkiem Jerzego Waldena. Powstała w Warszawie w 1924 roku Sekcja Dramatyczna TUR-u miała pod swą opieką zespoły teatralne w całej Polsce. Był to ruch amatorski bardzo ożywiony. W 1929 roku stworzono Centralną Scenę Robotniczą, którą czas jakiś kierował Eugeniusz Poreda, Wacław Radulski i Dobiesław Damięcki. Duże zasługi dla rozwoju amatorskiego ruchu teatralnego miał Instytut Teatrów Ludowych założony w 1929 roku przez Jędrzeja Cierniaka. Służył on pomocą teatrom robotniczym, szkolnym i wiejskim, wypożyczając kostiumy i udzielając porad. Wydawał książki instruktażowe, teksty sztuk-i czasopismo „Teatr Ludowy”.

Pierwszy teatr dla dzieci zorganizowano dopiero w 1926 roku w Komedii przy ul. Jasnej 3. W 1929 roku powstały aż 4 teatry dla dzieci, najważniejszymi z nich były: Jaskółka i Teatr dla Dzieci Tymoteusza Ortyma. Dużą popularnością przez 11 lat cieszył się teatr kukiełek Baj wśród najmłodszych mieszkańców Warszawy.

Lata międzywojenne są okresem znacznego rozkwitu literatury żydowskiej i żydowskiego teatru. W Warszawie, w której 29,1% mieszkańców w 1938 roku stanowiła ludność żydowska (drugie po Nowym Jorku tak liczne skupisko), żyło i tworzyło wielu pisarzy i artystów scen żydowskich. Jedną z najdłużej istniejących scen żydowskich w Warszawie, o światowym nawet rozgłosie, była tak zwana Trupa Wileńska w Teatrze Elizeum. Dramat Anskiego „Dybuk” wystawiony przez ten teatr ponad 300 razy stał się warszawskim i międzynarodowym przebojem. Od 1918 roku działał przy ul. Leszno 1 Teatr Centralny przemianowany w roku 1924 na Warszawski Żydowski Teatr Artystyczny (Warszawer Idiszer Kunstteater – WIKT), w którym występowali wybitni aktorzy: Ester Rachel Kamińska, zwana matką sceny żydowskiej, jej córka Ida i Zygmunt Turkow. Ostatnie występy zespołu WIKT, który dał wiele premier odnotowanych w historii teatru żydowskiego, odbywały się w sierpniu 1939 roku w Teatrze Nowości przy ul. Bielańskiej, a także w pierwszych dniach września tegoż roku, dopóki bomba nie zburzyła sceny i widowni (5.IX). Z innych scen żydowskich w Warszawie warto wymienić Teatr Młodych pod kierownictwem Michała Weicherta i Teatr dla Młodzieży. W 1918 roku grały 3 teatry żydowskie w Warszawie: Teatr Centralny, Elizeum i Wenus przy ul. Długiej. W 1931 roku,

471. Publiczność przed menażerią cyrkową, 1938

mimo kryzysu, istniało 5 teatrów: Teatr im. Abrahama Kamińskiego, Nowości, Skala, Elizeum i Eldorado. Teatry żydowskie miały bardzo liczną publiczność. Poza wymienionymi aktorami do najwybitniejszych artystów żydowskich scen w Warszawie należeli: Klara Segałowicz, Ajzyk Samberg, Abram Morewski, Samuel Landau, Mojżesz Lipman i reżyserzy: Dawid Herman, Zygmunt Turkow, Michał Weichert, Marek Ansztejn, Jakub Rotbaum i Ida Kamińska. Odpowiednikiem polskich kabaretów były teatry miniatur odtwarzające folklor żydowski. Należały do nich: Azazel w pasażu Simonsa na Długiej, Samtabion, Idisze Bande i Ararat.

W stolicy działały zasłużone organizacje aktorów i dramaturgów – Związek Artystów Scen Polskich (1918), Związek Autorów Dramatycznych (1919) i Związek Artystów Scen Żydowskich.

Temperaturę życia teatralnego Warszawy podnosiło niewątpliwie żywe zainteresowanie prasy i pism, celne recenzje i polemiki toczone na gorąco przez takich mistrzów słowa, jak Boy-Żeleński (zbiór recenzji teatralnych pt. „Flirt z Melpomeną", 10 tomów w 1920–1932), Karol Irzykowski, jednocześnie krytyk filmowy („Dziesiąta Muza", 1924), Antoni Słonimski, Jan Lorentowicz, Adam Grzymała-Siedlecki, Jan Lechoń, Wiktor Brumer, Adam Zagórski, Władysław Zawistowski, Bohdan Korzeniewski, Tymon Terlecki.

Mimo wysiłków czynionych w kierunku upowszechnienia sztuki teatralnej, jak na przykład: wprowadzenie biletów zniżkowych na popołudniowe spektakle, sprzedaż abonamentów przez Towarzystwo Krzewienia Kultury Teatralnej (TKKT), rozprowadzanie biletów przez związki zawodowe, a także stosowanie innych metod organizowania widowni, kino pozostało bardziej masową formą rozrywki niż teatr. Statystyczny warszawiak chodził siedem razy częściej w roku do kina niż do teatru, a mieszkaniec Łodzi 10–12 razy. Proporcje te utrzymały się w okresie 1925–1938, a to było już wielkim sukcesem stolicy, świadczącym o niesłabnącej sile oddziaływania teatru warszawskiego w okresie międzywojennym, ponieważ w tym czasie kinematografia warszawska poczyniła znaczne postępy.

W 1919 roku były 24 biura wynajmu i importu filmów zagranicznych. Sieć kin w Warszawie wzrosła, w 1919 roku było ich 42, w 1939 roku – 70. Większość z nich stanowiły tak zwane teatry świetlne o niewielkiej liczbie miejsc, bo około 200. Reprezentacyjnymi kinami premierowymi były: Apollo przy ul. Marszałkowskiej 106 (610 miejsc), Corso przy ul. Wierzbowej 7 (600 miejsc), Colosseum, dawne Palais de Glace, na Nowym Świecie 17 (2360 miejsc), sala Filharmonii przy ul. Jasnej (1705 miejsc), Pan na Nowym Świecie 40 (850 miejsc) i Stylowy na ul. Marszałkowskiej 112 (900 miejsc). Od przyjęcia, z jakim filmy spotykały się w Warszawie, zależało w dużej mierze ich powodzenie w kraju.

Znacznie wzmocniła się też baza produkcyjna kinematografii warszawskiej. Na 267 polskich filmów pełnometrażowych, zrealizowanych w latach 1919–1939, tylko 4 wyprodukowano w Poznaniu, 3 w Bydgoszczy, 1 w Łodzi i 1 w Katowicach, w sumie niecałe 4%. Pozostałe 96% filmów powstało w Warszawie. Rocznie produkowano tam od 10 do 27 filmów, co nie było liczbą zbyt dużą, jeśli w Czechosłowacji liczącej dwukrotnie mniej obywateli produkowano rocznie od 23 do 47 filmów.

W 1928 roku powstała „Kronika Filmowa" Polskiej Agencji Telegraficznej (PAT) jako stała część projekcji. Pierwszy film dźwiękowy wyświetlono w Warszawie w 1929 roku w kinie Splendid, mieszczącym się w Galerii Luxemburga, był to „Śpiewający błazen".

Wiele filmów związanych było z tematyką i realiami Warszawy. Przeważnie były to filmy

Przed wyjściem z kina Apollo przy ul. Marszałkowskiej 106, 1936 r.

453

473. Stefek Rogalski i Tadzio Fijewski w filmie „Legion ulicy" reżyserii Aleksandra Forda

474. Afisz anonsujący imprezę zorganizowaną przez Stowarzyszenie Miłośników Filmu Artystyczne „Start"

sentymentalne i apaszowskie („Tajemnica przystanku tramwajowego", 1922; „Ludzie mroku", 1922; „Wampiry Warszawy", 1937) lub poruszające tematykę historyczną („Dziesięciu z Pawiaka", 1931; „Księżna Łowicka", 1932; „Córka generała Pankratowa", 1934). Adaptowano również dzieła wybitnych pisarzy: Żeromskiego, Reymonta, Struga. Niestety, poziom artystyczny filmów odbiegał z reguły od walorów oryginału.

Ogólnie biorąc, warszawscy producenci filmowi nie mieli zbyt wysokich ambicji artystycznych. Film był przede wszystkim przedsiębiorstwem dochodowym i w o wiele większym stopniu niż teatr uzależniał treść i formę swych dzieł od gustu przeciętnego odbiorcy, licząc na spodziewane dochody kasowe. Ten stan rzeczy pragnęła zmienić grupa młodych „gniewnych" filmowców, którzy na jesieni 1930 roku założyli awangardowe Stowarzyszenie Filmu Artystycznego „Start". Propagowali film realistyczny, społecznie zaangażowany, na wysokim poziomie artystycznym. Niestety, młodzi filmowcy nie rozporządzali środkami na produkcję własnych filmów pełnometrażowych, mimo to udało się im oraz współpracującym z nimi filmowcom zrealizować parę wartościowych filmów krótkometrażowych i dokumentalnych. Stowarzyszenie „Start" przestało istnieć w 1934 roku, a jego miejsce zajęła Spółdzielnia Autorów Filmowych (SAF), która miała na celu obronę interesów filmowców nieskomercjalizowanych.

Teren działalności „startowców", wobec skromnych możliwości realizacyjnych, ograniczał się głównie do urabiania opinii publicznej za pomocą krytyk prasowych, ankiet, zebrań dyskusyjnych i pokazów filmowych. Kampania o kulturalne wychowanie masowego widza-odbiorcy filmów i o wyrobienie jego smaku była cennym elementem dorobku warszawskiego środowiska twórców.

Lata międzywojenne przyniosły znaczny rozwój i wzbogacenie form życia muzycznego stolicy. Tu tworzyli kompozytorzy: Karol Szymanowski, Roman Statkowski, Tadeusz Joteyko, Henryk Melcer, Zygmunt Stojowski, Felicjan Szopski, Emil Młynarski, Piotr Rytel, Juliusz Wertheim, Ludomir Rogowski, Ludomir Różycki i twórcy pieśni – Stanisław Niewiadomski i Piotr Maszyński.

Czołową placówką był Teatr Wielki, utrzymywany z budżetu miejskiego przy deficytach sięgających parę milionów złotych rocznie. W repertuarze Opery znalazło się kilka prawykonań oper i baletów kompozytorów polskich.

Do najwybitniejszych śpiewaków polskich występujących w Teatrze Wielkim należeli: Ada Sari, Ewa Bandrowska-Turska, Helena Zboińska-Ruszkowska, Matylda Lewicka-Polińska, Wanda Wermińska, Jan Kiepura, Wacław Brzeziński, Adam Dobosz, Ignacy Dygas, Stanisław Gruszczyński, Franciszek Freszel, Eugeniusz Mossakowski, Zygmunt Mossoczy i inni. Baletem kierował Piotr Zajlich, primabaleriną w latach 1919–1934 była Halina Szmolcówna.

Mimo znakomitych wykonawców i wysokiego poziomu inscenizacji wystawianych dzieł frekwencja w Operze spadała. Publiczność rzadko zajmowała 60–70% miejsc na widowni. W tej sytuacji utrzymanie Teatru Wielkiego przekraczało możliwości finansowe miasta. Starania o upaństwowienie lub subwencje rządowe nie dawały rezultatu. W sierpniu 1931 roku Operę zamknięto. W grudniu tegoż roku Operę przejęło Zrzeszenie Artystów Polskich, działające jako spółka z ograniczoną odpowiedzialnością. Artyści nie mogli pogodzić się z zamknięciem czołowej placówki muzycznej w kraju. Tadeusz Mazurkiewicz, dyrektor Opery, tak to uzasadniał: „Pragniemy, jak dobrzy żołnierze, wytrwać na

75. Grupa kompozytorów i muzyków warszawskich.
edzą od lewej: Ludomir Różycki, Karol Szymanow-
i, Emil Młynarski, Grzegorz Fitelberg i Roman Choj-
acki

. Fragment sali Filharmonii Warszawskiej pod-
jednego z Międzynarodowych Konkursów Szope-
vskich

skromnym odcinku polskiego frontu sztuki, przetrwać wraz z całym narodem kryzys gospodarczy [...] i oddać w chwili odpowiedniej w ręce własnego Rządu pieczę nad placówką, która w gorszych warunkach przetrwała sto lat". W 1932 roku powstało Towarzystwo Przyjaciół Muzyki i Opery Narodowej. W 1935 roku, podobnie jak w latach 1917–1918, kierownictwo Opery objęła Janina Korolewicz-Waydowa. Ciężka sytuacja artystów, którym nie wypłacano gaż, zmusiła ich do strajku. Od 15.II.1938 roku biorący udział w strajku pracownicy Opery nie opuszczali przez 15 dni Teatru Wielkiego.

Katastrofalną sytuację materialną Opery ratowano programem operetkowym, choć istniały w Warszawie sceny operetkowe. Był to Teatr Nowości z Lucyną Messal, Wiktorią Kawecką, Elną Gistedt i Kazimierą Niewiarowską. Przejściowo nawet istniała odrębna Operetka Lucyny Messal i Teatr Niewiarowskiej. Wybitnym reżyserem operetek był w tym okresie Ludwik Sempoliński.

Warszawa była jedynym miastem w latach II Rzeczypospolitej, które posiadało dwie orkiestry symfoniczne. Jedna należała do Filharmonii Warszawskiej, drugą w 1932 roku stworzył Grzegorz Fitelberg; była to orkiestra symfoniczna Polskiego Radia. Występowała ona również z własnym repertuarem w Teatrze Wielkim i w sali kina Roma przy ul. Nowogrodzkiej. Wysoki poziom tej orkiestry potwierdziły entuzjastyczne recenzje zamieszczane w prasie francuskiej po koncertach w Paryżu w 1937 roku.

Filharmonia Warszawska, podobnie jak Opera, przeżywała trudności finansowe. Muzycy zdani wyłącznie na własne siły zawiązali Stowarzyszenie Artystów Orkiestry Filharmonii Warszawskiej; prowadziło ono Filharmonię na własne ryzyko aż do 1939 roku, borykając się z ogromnymi trudnościami.

Mimo niepewności egzystencji nie zrezygnowano z ambitnego programu i publiczność warszawska usłyszała prawykonania wielu wybitnych utworów współczesnych polskich i obcych. W jednym tylko sezonie koncertowym 1924/1925 odbyło się aż 15 prawykonań utworów polskich.

Na estradzie Filharmonii koncertowali najwybitniejsi muzycy warszawscy i zagraniczni: Ewa Bandrowska-Turska, Ada Sari, Zbigniew Drzewiecki, Irena Dubiska, Bronisław Huberman, Paweł Kochański, Wanda Landowska, Aleksander Michałowski, Ignacy Paderewski, Artur Rubinstein, Karol Szymanowski, Józef Śliwiński, Józef Turczyński, Eugenia Umińska, Maria Wiłkomirska i Kazimierz Wiłkomirski, Bolesław Woytowicz oraz Claudio Arrau, Robert Casadesus, Alfredo Casella (koncert kompozytorski w 1926), Siergiej Prokofiew (dwa koncerty kompozytorskie w 1925 i 1930), Siergiej Rachmaninow, Arthur Schnabel, Igor Strawiński (dwa koncerty kompozytorskie w 1924), Jacques Thibaud i inni. W 1934 roku Stanisław Kazuro zorganizował Chór Oratoryjny.

Wśród zespołów chóralnych stolicy wysoki poziom prezentowały: Towarzystwo Śpiewacze „Harfa" (od 1906) pod kierownictwem Wacława Lachmana oraz Towarzystwo Śpiewacze „Lutnia" pod kierownictwem Piotra Maszyńskiego.

Poważnym ośrodkiem ruchu koncertowego w Warszawie było Konserwatorium Muzyczne, dysponujące salą we własnym gmachu przy ul. Okólnik, gdzie stale odbywały się koncerty muzyczne.

Duże znaczenie w życiu muzycznym stolicy miała druga uczelnia muzyczna – Wyższa Szkoła Muzyczna im. Fryderyka Chopina, zorganizowana przy Warszawskim Towarzystwie Muzycznym. Z tego środowiska wyszła inicjatywa międzynarodowych konkursów pianistycznych i skrzypcowych, które stały się rychło imprezami o dużym zasięgu, stwarzającymi młodym, utalentowanym wykonawcom możliwości włączenia się do muzyki światowej. W pierwszym Międzynarodowym Konkursie im. Fryderyka Chopina, zorganizowanym w styczniu 1927 roku, wzięło udział 30 pianistów z 9 krajów (laureaci w kolejności nagród: Lew Oborin, Stanisław Szpinalski, Róża Etkin, Grzegorz Ginsburg); II konkurs w 1932 roku zgromadził 80 pianistów z 18 państw (nagrody: Aleksander Uniński, Imre Ungar, Bolesław Kon, Lajos Kentner); na III konkurs w 1937 roku przybyło 105 pianistów z 22 państw (nagrody: Jakub Zak, Rosa Tamarkina, Witold Małcużyński, Lance Dossora, Agi Jambora).

I Międzynarodowy Konkurs Skrzypcowy im. Henryka Wieniawskiego odbył się z inicjatywy Adama Wieniawskiego, bratanka kompozytora, zorganizowany podobnie jak konkursy szopenowskie w sali Filharmonii Warszawskiej przez Wyższą Szkołę Muzyczną im. Fryderyka Chopina przy WTM. W dniach od 3 do 16 marca 1935 roku stanęło do konkursu 55 skrzypków z 16 państw, wybranych spośród 160 kandydatów (nagrody: Ginette Neveu, Dawid Ojstrach, Bussja Goldstein, Ida Haendel, Bronisław Gimpel; dyplom honorowy otrzymała Grażyna Bacewiczówna).

Kulturę muzyczną okresu międzywojennego wzbogacała działalność licznych towarzystw, zawiązanych przez twórców i miłośników muzyki. Należało do nich założone w 1924 roku przez K. Szymanowskiego Polskie Towarzystwo Muzyki Współczesnej. W latach trzydziestych rozwinęło ono żywą działalność artystyczną organizując koncerty, na których wykonywano utwory kompozytorów polskich młodszej generacji: G. Bacewiczówny, Antoniego Szałowskiego, Jana Maklakiewicza, Romana Maciejewskiego, Stefana Kisielewskiego, Zygmunta Mycielskiego, Tadeusza Kasserna. Wykonywane były również utwory współczesnych kompozytorów obcych, jak Claude Debussy, Maurice Ravel, Darius Milhaud, Igor Strawiński i inni.

Stowarzyszenie Miłośników Dawnej Muzyki propagowało mało znane utwory dawnych mistrzów, wykonując w ramach pracy społecznej liczne koncerty dla publiczności. Bezpłatne bilety rozsyłano do gimnazjów i szkół muzycznych. W latach 1926–1933 zorganizowano 109 takich koncertów.

W kwietniu 1939 roku odbył się w Warszawie i Krakowie XVII Festiwal Międzynarodowego Towarzystwa Muzyki Współczesnej. Polska muzyka współczesna zajęła wówczas poczesne miejsce. Polska muzyka dawna XVI–XVII wieku była zaprezentowana na osobnym koncercie. Liczne recenzje, które ukazały się w fachowej prasie muzycznej za granicą, świadczyły o dużym znaczeniu propagandowym tej imprezy.

Warto również podkreślić starania o popularyzację muzyki wśród społeczeństwa. Celowi temu służyła Organizacja Ruchu Muzycznego – ORMUZ, powołana do życia w 1935 roku przez Towarzystwo Wydawnicze Muzyki Polskiej. Wybitni wykonawcy, jak: Irena Dubiska, Eugenia Umińska, Wacław Kochański, Jerzy Lefeld, Witold Lutosławski, Jadwiga Szamotulska i inni, jeździli z koncertami do małych miast i miasteczek, współpracując z miejscowymi muzykami. W jednym tylko kwartale 1935 roku zorganizowano 115 takich imprez poza Warszawą.

Dużą aktywność w krzewieniu kultury pieśniarskiej przejawiało Zjednoczenie Polskich Związków Śpiewaczych i Muzycznych, powstałe w 1926 roku. Poza wymienionymi już chórami „Harfa" i „Lutnia" istniało na terenie Warszawy wiele amatorskich zespołów chóralnych kierowanych przez zawodowych muzyków, jak na przykład Chór Drukarzy warszawskich pod dyrekcją Ludwika Wawrzynowicza czy Chór Akademicki pod dyrekcją Jana Maklakiewicza.

Bardzo popularne były orkiestry dęte, koncertujące na placach i w parkach, podczas akademii i uroczystości państwowych. Były to orkiestry Straży Ogniowej, tramwajarzy, kolejarzy czy ciesząca się wielką renomą Orkiestra Policji Państwowej pod dyrekcją Aleksandra Sielskiego, przez wiele lat występująca na porankach symfonicznych.

Duże zasługi w popularyzacji muzyki miał kierowany przez Tadeusza Czerniawskiego Wydział Oświaty i Kultury Magistratu. Już od 1920 roku zorganizował on coniedzielne koncerty popularne, początkowo w sali Konserwatorium, a następnie w Filharmonii. Od 1922 roku odbywały się koncerty dzielnicowe w lokalach szkół na Grochowie, Woli, Bródnie, Ochocie, Mokotowie, Powązkach, na Powiślu i w innych dzielnicach peryferyjnych. Od 1925 roku, w czwartki przed południem, w koncertach symfonicznych dla młodzieży szkolnej brali udział znani artyści: Józef Turczyński, Zofia Rabcewiczowa, Wanda Wermińska, Adam Dobosz i inni.

W Warszawie działało kilka związków zawodowych muzyków, jak Warszawski Związek Muzyków (1917), z którego w 1918 roku wyodrębniła się Sekcja Pedagogiczna tworząc Polskie Stowarzyszenie Muzyków Pedagogów, Stowarzyszenie Pisarzy i Krytyków Muzycznych oraz Stowarzyszenie Kompozytorów Polskich.

Od 1926 roku zaczął funkcjonować nowy środek masowego przekazu – radio. W początkach działalności traktowano je prawie wyłącznie jako narzędzie rozrywki i działalności artystycznej, właśnie głównie muzyki, później dostrzeżono jego znaczenie polityczne, propagandowe i oświatowe.

Od 1.II.1925 roku do 14.II.1926 roku działała w Warszawie pierwsza próbna radiostacja o mocy 0,6 kW, zorganizowana przez spółkę akcyjną pod nazwą Polskie Towarzystwo Radiotechniczne.

Spółka akcyjna „Polskie Radio", która otrzymała koncesję na prowadzenie radia, w dniu

77. Studio muzyczne Polskiego Radia w Warszawie, 1927 r.

18.IV.1926 roku uruchomiła stałą emisję programów radiowych z radiostacji o mocy 1,5 kW. W 1927 roku własne stacje nadawcze miał już Kraków, Poznań, Katowice. We wsi Łazy pod Raszynem, w pobliżu Warszawy, zbudowano najsilniejszą wówczas na świecie radiową stację nadawczą o mocy 120 kW; w dniu 24.V.1931 roku zaczęła ona nadawać program Warszawa I, obejmując zasięgiem 90% terytorium Polski.

Do końca 1939 roku w Polsce działało 10 radiostacji nadawczych. Warszawa przygotowywała i nadawała od 60 do 83% programu. Stolica była najliczniejszym odbiorcą programów radiowych. W 1937 roku na 1000 mieszkańców w kraju przypadało 29 radioodbiorników, w Warszawie – 104. W 1936 roku rozpoczęto prace w celu uruchomienia telewizji. W październiku 1937 roku zmontowano na gmachu Towarzystwa „Prudential" (obecnie hotel „Warszawa") krótkofalową stację telewizyjną. Dalsze próby z ikonoskopem angielskim przerwała wojna.

W okresie międzywojennym znacznie podniosła się kultura fizyczna społeczeństwa. Władze miejskie zwróciły specjalną uwagę na wychowanie fizyczne młodzieży w szkołach oraz młodzieży pozaszkolnej. Około 40% szkół posiadało własne boiska. Przydzielano klubom tereny potrzebne do uprawiania sportu i budowy urządzeń. Inwestycje te finansował Zarząd Miejski oraz Państwowy Urząd Wychowania Fizycznego i Przysposobienia Wojskowego.

W 1918 roku stolica nie posiadała ani jednego boiska sportowego odpowiadającego wymogom sportu wyczynowego. W 1927 roku oddano jednocześnie do użytku dwa duże obiekty tego typu: stadiony z krytymi trybunami w Łazienkach i w parku Skaryszewskim, co umożliwiało organizację międzynarodowych zawodów hippicznych i lekkoatletycznych. W 1930 roku powstały przystanie „Sokół", Yacht Klub Polski i YMCA (Chrześcijańskie Stowarzyszenie Młodzieży Męskiej). W sumie Warszawa miała 22 przystanie, w tym pięknie wyposażoną przystań Warszawskiego Towarzystwa Wioślarskiego. Rozpoczęto budowę stadionów dla robotniczych klubów sportowych: RKS „Okęcie", RKS „Grochów", RKS „Huragan", położonych na przedmieściach. Wybudowano pływalnie Akademickiego Związku Sportowego, Związku Pływackiego i Żydowskiego Akademickiego Związku Sportowego. W 1919 roku powstały w Warszawie ogniska YMCA: przy ul. Obozowej dla żołnierzy, przy ul. Nowowiejskiej dla młodzieży akademickiej i przy ul. Agrykoli dla dzieci. YMCA prowadziła również zajęcia w Dolinie Szwajcarskiej. Sprowadzono dużo wartościowego sprzętu sportowego i przeniesiono na teren Polski nowoczesne przepisy gry (koszykówka, siatkówka). Od 1922 roku misja wojskowa YMCA została przekształcona w organizację Polska YMCA o własnym statucie.

Pierwsza w Polsce Poradnia Sportowa, przeprowadzająca badania i kwalifikację osób zamierzających uprawiać sport, została założona 7.III.1927 roku w Warszawie. W 1933 roku otwarto I Robotniczą Poradnię Sportowo-Lekarską.

Rozwijały się istniejące już kluby sportowe, powstawały nowe. W 1921 roku absolwenci szkół średnich i grupa młodzieży akademickiej założyła Klub Sportowy „Warszawianka", który stał się jednym z najsilniejszych klubów stolicy. Ogółem na terenie Warszawy istniały 22 kluby sportowe. Do najpopularniejszych należały AZS, WKS „Legia", KS „Polonia", KS „Varsovia" (niezależnie od „Warszawianki"), nie licząc starych towarzystw sportowych, jak WTW, WTC[yklistów] i WTŁ[yżwiarskie]. Z klubów robotniczych dużą popularnością cieszyły się RKS „Skra", RKS „Sarmata" i RKS „Marymont". Organizowano fabryczne kluby sportowe przy wielkich zakładach przemysłowych, jak „Lilpopian-

478. Kpt. J. Bajan i mechanik G. Pokrzywka, zdobywcy I miejsca w challenge'u – międzynarodowych zawodach samolotów sportowych – na samolocie RWD-9 polskiej konstrukcji. Lotnisko Mokotowskie 15.X.1934 r.

ka" czy „Ursus" oraz kluby środowiskowe, jak Sportowe Towarzystwo Skarbowców czy „Rodzina Urzędnicza".

Największą popularnością wśród kibiców warszawskich cieszyła się piłka nożna, choć drużyny warszawskie ani razu w ciągu dwudziestolecia międzywojennego nie wywalczyły sobie mistrzostwa Polski. W latach 1927–1939 Warszawa była 21 razy gospodarzem międzynarodowych spotkań piłkarskich, rozgrywanych z zawodnikami 13 państw. Najlepsze wyniki sportowcy stolicy uzyskiwali w lekkoatletyce. Pośród warszawskich olimpijczyków najwięcej było mistrzów w tej właśnie dziedzinie sportu: Antoni Cejzik, Mieczysław Forlański, Witold Gierutto, Jadwiga Jędrzejowska, Antoni Kolczyński, Halina Konopacka, Stefan Kostrzewski, Maria Kwaśniewska, J. Kurkowska-Spychajowa, Janusz Kusociński, Eugeniusz Lokajski, Józef Noji, Stanisław Petkiewicz, Franciszek Szymura. Olimpijczykiem był też poeta warszawski Kazimierz Wierzyński, który urzeczony pięknem ruchu wprowadził do swoich utworów tematykę sportową. Otrzymał on w 1928 roku I nagrodę w konkursie Literackim IX Igrzysk Olimpijskich w Amsterdamie za tom poezji „Laur olimpijski", który został przetłumaczony na kilka języków obcych.

Odzyskanie niepodległości stworzyło nowe warunki rozwoju nauki i kultury. Jednakże granice tego rozwoju określał ówczesny ustrój kapitalistyczny.

Cechą charakterystyczną twórców kultury i nauki dwudziestolecia międzywojennego, działających już w odmiennej sytuacji politycznej, bo nie w warunkach narzuconych przez aktualne zadania walki narodowowyzwoleńczej minionej epoki, była postawa odmiennego zaangażowania, wyrażająca się w formie kultu tradycji patriotyczno-wyzwoleńczych i dziejów martyrologii narodowej: odegrało to znaczną rolę w wychowaniu ówcześnie dojrzewającego pokolenia.

ARCHITEKTURA W LATACH 1915–1939

Pierwsze lata okresu dwudziestolecia międzywojennego – to realizacja haseł architektury narodowej. Pierwociny tych założeń można było odczytać w historyzmie ubiegłego stulecia, co wyrażało się w propagowaniu form nawiązujących do polskiego renesansu czy gotyku nadwiślańskiego. Form narodowych szukano nawet w sztuce ludowej Podhala, czego wyrazem był styl zakopiański.

Młoda państwowość potrzebowała gmachów użyteczności publicznej, gmachów administracji, szkół, dworców, szpitali. Możność swobodnej manifestacji niepodległości i pragnienie uzewnętrznienia tego faktu stworzyły psychologiczną przesłankę szukania wzorów w architekturze okresu bezpośrednio poprzedzającego upadek państwowości polskiej, a więc w klasycyzmie końca XVIII wieku oraz w epoce największego rozkwitu Polski – w renesansie. Częstokroć następowała kompilacja tych wzorów wzbogacana jeszcze rodzimym barokiem. W architektonicznym pejzażu Polski zarysowało się więc oryginalne zjawisko stylowe, nazywane umownie „stylem dworkowym", choć nazwa ta powinna odnosić się raczej do budownictwa mieszkaniowego, a w szczególności do willi. W tych ostatnich stosowano zazwyczaj podstawowe elementy dworu polskiego z końca XVIII wieku: kolumnowy portyk, wystawka i wysoki dach. W większych gmachach nawiązywano do polskich renesansowo-barokowych pałaców, kamienic, ratuszy i zajazdów.

479. Domy przy ul. Wyspiańskiego

Właściwością tej fazy stylowej architektury warszawskiej było podkreślenie w nowych układach wyrazu rodzimości, a nie tworzenie plagiatów rozwiązań historycznych. Malownicze formy stylu akceptowano widząc w nich najwłaściwszą interpretację polskiej spuścizny architektonicznej.

Panowanie tego stylu widoczne jest w największej liczbie przykładów w latach 1918–1925. Styl ów, nie wymagający nowych rozwiązań technicznych, a więc praktyczny i łatwy do przyswojenia, przyjęło również budownictwo mieszkaniowe. Zaczęły się pojawiać nie tylko wille-dworki, ale całe zespoły architektoniczne tego typu, będące pierwszymi osiedlami. Budownictwo to w znacznym procencie przetrwało na Żoliborzu (Żoliborz Oficerski i Urzędniczy), Bielanach, Ochocie (kolonie: Staszica i Lubeckiego) i na Czerniakowie. W projektowaniu tych budowli udział wzięli architekci: Aleksander Bojemski, Teodor Bursze, Roman Feliński, Romuald Gutt, Marcin Kontkiewicz, Rudolf Świerczyński, Kazimierz Tołłoczko i Tadeusz Tołwiński.

Do gmachów warszawskich większej skali, wznoszonych w tym samym stylu, zaliczyć należy dom akademiczek przy ul. Górnośląskiej, projektu Konstantego Jakimowicza, i budynek Gimnazjum im. Stefana Batorego przy ul. Myśliwieckiej (1922–1923), wzniesiony według projektu Tadeusza Tołwińskiego.

Równocześnie z powyższym stylem rozwijał się klasycyzm typu akademickiego; ze względu na swój monumentalizm nadawał się on szczególnie do gmachów reprezentacyjnych. Jego przedstawicielem był Marian Lalewicz, wychowanek Akademii Sztuk Pięknych w Petersburgu, autor wielkiego domu mieszkalnego Pocztowej Kasy Oszczędności przy ul. Brzozowej, będącego właściwie biernym naśladownictwem klasycyzmu akademickiego XVIII wieku. W gmachach natomiast Państwowego Banku Rolnego przy ul. Nowogrodzkiej (1928) czy Dyrekcji Okręgowej Polskich Kolei Państwowych przy ul. Targowej naśladowanie form historycznych architekt ograniczył do monumentalnych portyków; reszta budowli, zarówno w opracowaniu elewacji jak i układzie brył, dowodziła bliższych związków z modernizmem niż historyzmem.

Drugim reprezentantem klasycyzmu był Paweł Wędziagolski, również wychowanek

480. Państwowy Bank Rolny przy ul. Nowogrodzkiej 50. Obecnie Oddział Narodowego Banku Polskiego

481. Gmach Zakładów Doświadczalnych Wyższej Szkoły Handlowej przy ul. Rakowieckiej 24. Obecnie Szkoła Główna Planowania i Statystyki

akademii petersburskiej. Twórca ten wzniósł wiadukt kolejowy nad ul. Solec, nawiązujący do architektury starorzymskiej, oraz monumentalny gmach Wolnej Wszechnicy przy ul. Banacha.

Trzeci kierunek, który pojawił się w architekturze Warszawy lat dwudziestych, nawiązał do sztuki wywodzącej się z doświadczeń dekoracyjnych towarzystwa „Polska Sztuka Stosowana", stylizującego motywy ludowe, zwłaszcza góralskie. Na tę stylizację wpłynęły również rozwiązania kubizmu, formizmu i ekspresjonizmu. Wytworzony został specyficzny język form dekoracyjnych sprowadzonych do trójkątnej „jodełki" oraz „kryształków". Ponieważ ośrodkiem tych rozwiązań było środowisko krakowskie (Warsztaty Krakowskie), architekturę powstałą w tym kręgu określano mianem szkoły krakowskiej.

W Warszawie znakomitą realizacją tego kierunku są wnętrza teatru Ateneum, dzieło Romualda Millera i Wojciecha Jastrzębowskiego. Zachowały się tu i kapitele pilastrów hallu w postaci kryształowych pryzmatów, i boazerie widowni intarsjowane w motyw trójkątnej jodełki. Drugim reprezentacyjnym przykładem jest gmach Wyższej Szkoły Handlowej przy ul. Rakowieckiej, projektu Jana Koszczyc-Witkiewicza (1928–1930). Prosta, sprowadzona do kubiku bryła budowli zrytmizowana jest ażurem szkieletowej elewacji i dekorowana w narożach attykowymi sterczynami, zaczerpniętymi z „zaciosowych" form snycerki góralskiej.

Ten sam autor, w tym samym duchu, wzniósł budynek szkoły i przedszkola przy ul. Czarneckiego (1934); zaakcentował w nim cechy swojskie, wyrażające się w tak zwanym „stylu kozikowym" czy „manierze na trójkątno".

W połowie lat dwudziestych w Warszawie zaczyna pojawiać się nowe zjawisko stylowe – funkcjonalizm, którego założeniem było podporządkowanie formy funkcji. Było to przeniesienie na nasz grunt osiągnięć awangardy europejskiej (Le Corbusier, Gropius). Reprezentantami nowego kierunku byli członkowie grupy Blok: Mieczysław Szczuka i Teresa Żarnowerówna, którzy już od 1924 roku tworzyli wizje funkcjonalnych zespołów mieszkaniowych. W ten rytm poszukiwań włączył się Wydział Architektury Politechniki Warszawskiej; z grona jego profesorów i studentów wyłoniła się w 1926 roku grupa Praesens. Osiągnięcia tego zespołu twórców upoważniają do mówienia o polskiej odmianie funkcjonalizmu i nazywania go – w odróżnieniu od szkoły krakowskiej – szkołą warszawską.

Funkcjonalizm, echo awangardy zachodnioeuropejskiej, był też poniekąd kontynuacją haseł niektórych miejscowych modernistów sprzed I wojny światowej, że wspomnimy nazwiska: Heuricha-syna, Jankowskiego czy Przybylskiego.

Do pierwszych przejawów czystego funkcjonalizmu należą wille przy ul. Niegolewskiego 8 (Barbara i Stanisław Brukalscy; 1927–1929) i przy ul. Katowickiej 9 (Bohdan Lachert, Józef Szanajca; 1928–1929). Pierwsza nawiązuje do architektury Holendra Rietvelda, druga – do sztuki Le Corbusiera.

Równolegle do tych pierwszych eksperymentów willowych hasła funkcjonalizmu znalazły oddźwięk w szerszym programie budownictwa mieszkaniowego – w osiedlach Warszawskiej Spółdzielni Mieszkaniowej, Zakładu Ubezpieczeń Społecznych oraz w osiedlach miejskich. Program zakładał stworzenie mieszkania taniego i nowoczesnego. Przy mini-

mum środków zaczęły powstawać proste bloki, różnicowane jedynie, między innymi,
rytmami akcentów klatek schodowych, balkonów galeryjnych, pionów kominowych.
Zasadą naczelną stało się dopuszczenie słońca do każdego mieszkania przez duże, tak
zwane weneckie okno. Rozwój tej architektury nastąpił w latach 1925–1939. Autorami
kolonii WSM na Żoliborzu byli: Brunon Zborowski, Brukalscy, Juliusz Żakowski. Kolonie
te, o zindywidualizowanym obliczu, zostały wkomponowane w promienisty układ ulic
rozchodzących się z okrągłego placu Wilsona (obecnie im. Komuny Paryskiej). Kolonia
WSM na Rakowcu, wspólne dzieło członków grupy Praesens, nie zniewolona sytuacją
urbanistyczną, została ukształtowana w duchu nowatorskiej kompozycji liniowej o blokach ustawionych szeregowo, równolegle do padających promieni słonecznych. Przejawem funkcjonalizmu w dziedzinie urbanistyki był projekt Warszawy funkcjonalnej (Jan
Chmielewski, Szymon Syrkus, ,,Warszawa funkcjonalna'', 1934).

Do dzieł wczesnego funkcjonalizmu, nie należących do architektury mieszkaniowej,
włączyć trzeba gmach obecnej redakcji ,,Życia Warszawy'' przy ul. Marszałkowskiej
(Maksymilian Goldberg, Hipolit Rutkowski; 1927–1929).

Odmianą funkcjonalizmu, akcentującego formę ,,pudełka'' o jasnych powierzchniach
ścian, stały się rozwiązania operujące surową powierzchnią cementowej cegły, ale zarazem

484. Ministerstwo Spraw Zagranicznych przy ul. Fredry. Fotografia sprzed 1939 r.

485. Dom E. Wedla przy ul. Puławskiej 26

łagodzące dyktat bezwzględnego uzależnienia formy od funkcji. Do architektów tej odmiany należy zaliczyć znaną z okresu modernizmu spółkę autorską: Karol Jankowski i Franciszek Lilpop, których dziełami w tym czasie są: Instytut Aerodynamiki Politechniki Warszawskiej przy ul. Nowowiejskiej oraz Zakład Nazaretanek przy ul. Czerniakowskiej; Jankowski zaprojektował też zabudowania zakładów mechanicznych w Ursusie.

Ten sam kierunek reprezentują ówczesne prace Romualda Gutta: gmach szkoły zawodowej przy ul. Górnośląskiej, dom mieszkalny w al. Niepodległości przy zbiegu z ul. Koszykową oraz Szpital Wojewódzki przy ul. Czerniakowskiej (róg ul. Rozbrat).

Funkcjonalizm określany mianem stylu międzynarodowego, początkowo pojmowany rygorystycznie, zaczął niebawem w latach trzydziestych tracić swój oschły charakter na rzecz wprowadzania efektownych „smaczków" dekoracyjno-konstrukcyjnych, ożywiających geometryczną prostotę bryły. Powstawać zaczęły budowle o charakterze kompromisowym: zdobycze funkcjonalizmu, jego plastyczny wyraz, włączano w układy podkreślające symetrię i monumentalizm.

Przedstawicielem tej właśnie odmiany, może najwybitniejszym, był Rudolf Świerczyński, autor gmachu Ministerstwa Komunikacji przy ul. Chałubińskiego (1927), Banku Gospodarstwa Krajowego przy Al. Jerozolimskich, ozdobionego płaskorzeźbami Jana Szczepkowskiego, oraz przedwojennego gmachu Kierownictwa Marynarki Wojennej przy al. Żwirki i Wigury.

W podobnym duchu, bardziej jeszcze akcentując monumentalizm i uwypuklając symetrię oraz konstrukcję budowli, tworzyło kilku wybitnych architektów, jak: Tadeusz Tołwiński (gmach Muzeum Narodowego), Antoni Dygat (Wytwórnia Papierów Wartościowych i Wojskowy Instytut Geograficzny przy Al. Jerozolimskich), Zdzisław Mączeński (Ministerstwo Oświaty i Szkolnictwa Wyższego przy al. Szucha) oraz Czesław Przybylski („Dom bez kantów" przy Krakowskim Przedmieściu, Dworzec Główny – zburzony 1944).

Po triumfalnym rozkwicie architektury funkcjonalnej w początkach lat trzydziestych, kierunek ten znalazł się pod obstrzałem krytyki zarzucającej mu nieprzystosowanie do warunków klimatycznych, oschłość i kosmopolityzm. Pod jego zewnętrzną powłokę zaczął się wdzierać dekoracyjny, wykwintny klasycyzm, którego wykładnikiem może być twórczość Bohdana Pniewskiego (zwłaszcza gmach Ministerstwa Spraw Zagranicznych – zburzony 1944 – oraz willa przy ul. Rzymskiej 13).

Styl międzynarodowy, potocznie określany jako nowoczesny, począł przyjmować wiele indywidualnych wersji, w których nacisk kładziono na luksusowe wykonanie i zdobnictwo, co nie oznaczało bynajmniej osłabienia ich wagi artystycznej. Różnorodność ujęć mniej lub bardziej oszczędnych albo bogatych przejawiła się w budownictwie willowym, choć ową skłonność do elegancji odczytać można też w budowlach większego formatu, na przykład w domach mieszkalnych wzniesionych przez Juliusza Żurawskiego – dom E. Wedla przy ul. Puławskiej (1936) oraz dom przy ul. Mickiewicza (1937).

Architektura warszawska w omawianym okresie przeszła więc przez dwie fazy: narodową i międzynarodową. Ta druga ostatecznie zapanowała, ale nie należy jednak zapominać, że ów styl nowoczesny, jako łatwy w realizacji, znalazł powszechne zastosowanie w budownictwie czynszówek, projektowanych przez podrzędne siły. Znaczne kwartały ulic, na przykład: Grochowskiej, Okopowej czy Marymonckiej, zaczęły zapełniać się bezwartościową pod względem artystycznym, utylitarną zabudową.

SZTUKA W LATACH 1915–1939

W chwili wybuchu pierwszej wojny światowej sytuacja sztuk pięknych w Warszawie nie była zbyt korzystna. Założona w 1904 roku warszawska Szkoła Sztuk Pięknych, od początku swego istnienia borykająca się z licznymi trudnościami, nie zdążyła jeszcze wytworzyć silnego środowiska twórczego. W tym czasie dopiero zaczynali kształcić się artyści, którzy w późniejszych latach mieli odegrać poważną rolę w życiu kulturalnym Warszawy. Istniała wprawdzie od 1864 roku Zachęta (Towarzystwo Zachęty Sztuk Pięknych), ale prowadzona przez nią polityka wystawowa z biegiem lat stawała się coraz bardziej zachowawcza, niechętna wszystkiemu, co mogło wprowadzić ożywcze tchnienie do prowincjonalnej atmosfery.

Pierwszą nowoczesną instytucją kulturalną Warszawy stał się założony w 1917 roku Polski Klub Artystyczny z siedzibą w hotelu „Polonia", skupiający plastyków, muzyków, literatów, aktorów i architektów. Od chwili swego powstania był on ostoją wielu fermentów artystycznych i ważnych wydarzeń kulturalnych.

Dopiero jednak koniec wojny, połączony z odzyskaniem niepodległości, wpłynął zasadniczo na ożywienie ruchu artystycznego w Warszawie, która, mianowana stolicą odrodzonego kraju, szybko zdystansowała Kraków bardziej od niej twórczy w poprzednich latach. Właśnie z Krakowa napływać zaczęły początkowo myśli i dzieła artystyczne, później także ich twórcy przyciągani dynamizmem życia stołecznego. Ówczesne ogólnopolskie dążenia migracyjne, trudny proces integracji trzech zaborów, a także euforia po odzyskaniu wolności, wyrażająca się między innymi w snuciu wielkich planów, najsilniejsze piętno wywarły na Warszawie, znajdując również wyraz w jej życiu kulturalnym i artystycznym. Już na początku 1919 roku odbył się w Warszawie I Zjazd Polskich Plastyków, przedstawicieli różnych miast. Równocześnie obradowali teoretycy sztuki: historycy, muzeolodzy, konserwatorzy. W tym samym czasie powstał Związek Polskich Artystów Grafików z siedzibą w Warszawie. Angażowanie się samych artystów w sprawy organizacyjne stało się charakterystyczne dla całego pierwszego powojennego dziesięciolecia. Tworzące się dopiero państwo nie mogło dać sztuce pełnego oparcia, mimo że ważność tego zagadnienia zaakceptowana została od razu jesienią 1918 roku przez utworzenie Ministerstwa Sztuki i Kultury. Niestety, żywot jego był krótki i nieowocny. Istniało ono dwa lata, ale w tym czasie nie opracowano żadnego programu, natomiast zamknięto Szkołę Sztuk Pięknych, zarzucając jej zbyt niski poziom. Ministerstwo uległo likwidacji; zastąpił je Departament Sztuki w Ministerstwie Wyznań Religijnych i Oświecenia Publicznego. Tym więc cenniejsze stały się wszelkie inicjatywy wychodzące od artystów i przez nich realizowane.

Na takim tle organizacyjnym sztuka warszawska po odzyskaniu niepodległości zaczęła rozwijać się nadzwyczaj bujnie. Nawet wątły nurt nowatorski, praktycznie do tego czasu nieobecny poza istnieniem potencjalnych jego uczestników, takich jak Kamil Romuald Witkowski czy studiujący jeszcze Henryk Stażewski i Mieczysław Szczuka, znalazł teraz oparcie w krakowskiej grupie formistów polskich. Wygłoszony przez Zbigniewa Pronaszkę w Polskim Klubie Artystycznym odczyt na temat formizmu stał się bodźcem do utworzenia warszawskiego odłamu tej grupy, a pierwsza warszawska wystawa formistów polskich otwarta została tamże w kwietniu 1919 roku. Niejednolity pod względem formy, a nawet programu ideowego charakter grupy nie pozwala na bliższe jej omówienie w tak krótkim szkicu. Była to bardzo jeszcze nieśmiała ówczesna awangarda, na którą składały się różnorodne tendencje i poszukiwania formalne. Artystom tym znane były osiągnięcia kubizmu i futuryzmu. Upraszczanie formy i sprowadzanie jej do figur geometrycznych przeplatało się w ich twórczości z próbą oddania ruchu na obrazie, a także z ekspresjonistyczną deformacją.

Te nowe elementy mieszały się z modernistyczną tradycją pierwszych lat XX wieku, a także – szczególnie u artystów przybyłych z Krakowa – z nowym spojrzeniem na rodzimą sztukę ludową inspirującą poszukiwania formalne. Żaden z artystów reprezentujących ten nurt nowatorski nie należał do jednego, ściśle określonego kierunku w sztuce, a nadawane im miano ekspresjonistów czy futurystów było w najwyższym stopniu dowolne, oznaczające jedynie nie spotykaną dotychczas swobodę twórczą i zerwanie z przyjętymi szablonami. Taki też charakter miał klub futurystów „Picador", łączący plastyków i poetów o różnych orientacjach artystycznych, lecz skupiających się pod hasłem światoburczej, nieco anarchistycznej nowoczesności. Więcej w tych pierwszych wystąpieniach było młodzieńczego zapału i zdrowego fermentu niż prawdziwej awangardy, świadomej swych celów i programu. Trzeba tu dodać, że najwybitniejsi przedstawiciele formistów polskich, twórcy własnych teorii artystycznych: Leon Chwistek i Stanisław Ignacy Witkiewicz, nigdy do środowiska warszawskiego nie należeli.

Ruch formistyczny nie trwał długo. Grupa powstała w Krakowie w 1917 roku, a istniała do roku 1922. W Warszawie odbyły się jeszcze dwie wystawy, jedna w maju 1921 roku w Zachęcie wywołała burzę krytyki i protestów, druga w lipcu 1922 roku otworzyła działalność nowo założonego Salonu Sztuki Czesława Garlińskiego. Mimo rozpadnięcia się grupy i rozejścia się dróg poszczególnych jej członków, wszyscy oni później powoływali się na formizm, widząc w nim znakomitą szkołę dyscypliny formalnej.

O ile formizm przyjęty został przez krytykę warszawską początkowo z pewnym zainteresowaniem, a następnie z wyraźną niechęcią, o tyle następne ugrupowanie, które powstało

. Wacław Borowski, Dziewczyna z tulipanem,
1, olej, płótno

w stolicy, znalazło pełne uznanie w kręgach postępowej inteligencji. Stowarzyszenie
Artystów Polskich „Rytm" założyli artyści już znani i cenieni. Wielu z nich należało
poprzednio do grupy Formistów, nie byli to jednak jej najbardziej radykalni członkowie.
Nowatorstwo formizmu sprowadzone zostało u rytmowców raczej do maniery polegającej
na stylizacji i dekoracyjności. Przyjęta nazwa „Rytm" zgodnie z programem grupy
wyrażać miała dążność do klasycznej i rytmicznej równowagi kompozycyjnej zarówno
w całym dziele sztuki, jak i w odtwarzaniu poszczególnych form. Tym jednak, co
jednoczyło grupę najsilniej, było występowanie przeciw epigonom impresjonizmu, opozycja w stosunku do kostniejącej coraz bardziej twórczości Towarzystwa Artystów Polskich
„Sztuka" oraz protest przeciw niskiemu poziomowi wystaw Zachęty. To bojowe nastawie-
nie „Rytmu", podkreślone demonstracyjnym przeniesieniem eksponatów z odbywającej
się w 1924 roku w Zachęcie IV Wystawy Stowarzyszenia do Salonu Garlińskiego, wyrobiło
mu w społeczeństwie opinię rewolucyjnego. W rzeczywistości jednak, poza najbardziej
konsekwentnymi w stosunku do swej formistycznej przeszłości: Wacławem Wąsowiczem
i K. R. Witkowskim, dopatrzyć się można wśród członków grupy tendencji równie
zróżnicowanych, co dalekich od nowatorstwa. Najbardziej może „rytmiczni" byli Władysław Skoczylas i Zofia Stryjeńska. U innych dostrzegamy wpływy klasycyzmu, jak
w przypadku Ludomira Ślendzińskiego lub w mniejszym stopniu Wacława Borowskiego
i rzeźbiarza Henryka Kuny. Rzeźby Edwarda Wittiga wyrażać miały siłę i gotowość do
walki zwycięskiego narodu. Związki ze zwalczanym impresjonizmem odnajdujemy u Tadeusza Pruszkowskiego i Stanisława Rzeckiego. W całkowicie własnej, indywidualnej
manierze tworzyli Roman Kramsztyk i Eugeniusz Zak. Brak jednolitego programu
zarzucali „Rytmowi" krytycy z okazji kolejnych wystaw, dostrzegając jednak rozwój
„każdego z członków grupy w myśl własnych, artystycznych przykazań".

Niezależnie od wysuwanych przeciw nim zastrzeżeń rytmowcy uznani zostali za „czołową grupę młodej sztuki polskiej", mimo że byli to artyści w pełni dojrzali, a przede wszystkim na ogół nieskorzy do podejmowania jakiegokolwiek ryzyka twórczego. Z powyższym określeniem spotykamy się jeszcze w 1929 roku, kiedy od pięciu już lat istniał na terenie Warszawy ruch prawdziwie nowatorski, reprezentowany przez ugrupowanie „Blok", a następnie „Praesens".

Blok Kubistów, Suprematystów i Konstruktywistów, założony w 1924 roku, otwiera u nas historię awangardy typu konstruktywistycznego. Poprzednio formiści, związani silnie ze środowiskiem krakowskim, tworzyli jeszcze sztukę tkwiącą korzeniami w polskiej tradycji. Oprócz inspiracji płynących z Niemiec, Francji i Włoch nawiązywali oni do ludowej sztuki Podhala i dawnej sztuki cechowej. „Blok" odciął się od tradycji, a przede wszystkim od jakichkolwiek związków z ludowością wywodzącą się ze wsi; działał w mieście i dla miasta rozumianego w sensie nowoczesnym, z jego ludem pracującym, z całą jego mechanizacją, techniką, dynamiką rozwoju. Pod względem formalnym sztuka członków „Bloku" nie przedstawiała się jednoliciej od poprzednio omówionych ugrupowań. Wyróżniał ich jednak spośród współczesnych całkowicie odmienny program i stosunek do rzeczywistości, a także znajomość prawdziwie najnowszych osiągnięć plastyki europejskiej. Większość członków „Bloku" kształciła się w Związku Radzieckim i Niemczech lub utrzymywała bliskie kontakty z rewolucyjną sztuką tych krajów. Później na łamach własnego periodyku nazwanego „Blok. Czasopismo Awangardy Artystycznej" zamieszczano wypowiedzi wybitnych przedstawicieli europejskiej awangardy, często pisane specjalnie dla „Bloku". Wśród członków tej grupy znalazło się wiele wybitnych indywidualności, nie mogło więc być mowy o ślepym naśladownictwie obcych wzorów. Artyści tej miary, co malarze Henryk

Stażewski, Władysław Strzemiński, Mieczysław Szczuka, Teresa Żarnowerówna, Henryk Berlewi oraz rzeźbiarka Katarzyna Kobro-Strzemińska, zaczynając swą samodzielną twórczość nie od stanu, w jakim znajdowała się aktualnie sztuka polska, lecz od znajomości osiągnięć czołówki europejskiej, rozwijali dalej własną koncepcję, tworząc nowe oryginalne wartości. W ten sposób sztuka polska włączyła się do międzynarodowego nurtu awangardy i dzięki wymienionym artystom obecność nasza w tamtym historycznym ruchu stała się faktem. Spośród wymienionych Berlewi, Stażewski, Szczuka i Żarnowerówna byli wychowankami warszawskiej Szkoły Sztuk Pięknych.

Całkowitą na naszym gruncie nowość stanowiło wprowadzenie przez „Blok" sztuki

489. Henryk Stażewski, Kompozycja, 1926, olej, płótno

490. Romuald Kamil Witkowski, Martwa natura, 1928, olej, płótno

abstrakcyjnej oraz przerzucenie ciężaru z zagadnień estetycznych na problemy konstrukcji. „Zamiast natchnienia, estetycznej kontemplacji – świadoma kształtująca wola, domagająca się jasności form [...] Względy utylitarne w technice dają rezultaty zbliżone do estetycznych. Stajemy wobec problematu estetyki maksymalnej ekonomii". Na miejsce dotychczasowego kultu doskonałości rzemiosła, a więc samego wykonania jednostkowego dzieła, czy było to malarstwo czy ręcznie wykonany mebel, członkowie „Bloku" postawili na pierwszym miejscu twórczą myśl artysty. Proces tworzenia nie powinien ograniczać się, ich zdaniem, do pojedynczych egzemplarzy dzieł sztuki, lecz celem jego powinno być raczej poszukiwanie i projektowanie form użytkowanych następnie w przemyśle. Dzięki takiemu ustawieniu pracy artysty nowe formy powielane w wielu egzemplarzach miałyby szerszy dostęp do odbiorców – zmieniała się zatem ich funkcja społeczna.

Zgodnie z głoszoną teorią artyści zrzeszeni w „Bloku" nie rezygnując z twórczości malarskiej lub rzeźbiarskiej zajmowali się równocześnie wieloma dziedzinami: grafiką użytkową, architekturą wnętrz, scenografią, drukarstwem. W projektach swoich, stosując formy najprostsze, zgodne z funkcją przedmiotu, ograniczali się często do barw podstawowych, takich jak czerń, biel, czerwień, błękit i żółcień. Działalność własną przeciwstawiali modnemu zdobnictwu. Znalazło to między innymi wyraz w sposobie traktowania książki, z której wyeliminowana została ilustracja, a cały nacisk położono na układ graficzny, zakomponowany przejrzyście i funkcjonalnie.

„Blok" istniał zaledwie dwa lata; w tym czasie ukazało się 11 numerów pisma. Zorganizowano tylko jedną dużą zbiorową wystawę w Warszawie w marcu 1924 roku, otwierając ją programowo w automobilowym salonie firmy Laurin i Klement. Równocześnie jeden z członków grupy, H. Berlewi, pokazał duży zespół swych nowych prac nazwanych „mechano-fakturami" w innym salonie automobilowym, gdzie również wyłożono jego broszurę teoretyczną „Mechano-faktura". „Blok" w nieco mniejszym już składzie wystą-

491. Tytus Czyżewski, Tania, ok. 1930, olej, płótn

492. Tadeusz Pruszkowski, Portret malarza, 1931, olej, płótno

93. Bolesław Cybis, Portret starej kobiety, 1926, olej, płótno

pił zbiorowo w Rydze, ponadto poszczególni jego członkowie uczestniczyli w kilku międzynarodowych wystawach za granicą. Zamknięciem działalności „Bloku" stało się współuczestnictwo w organizacji Międzynarodowej Wystawy Architektury Nowoczesnej w Warszawie w 1926 roku.

Położenie większego nacisku na zagadnienia architektoniczne oraz wewnętrzne tarcia doprowadziły do likwidacji grupy. Lukę po niej zapełnił w 1926 roku „Praesens" – awangardowa grupa łącząca plastyków z architektami, wychowankami Wydziału Architektury Politechniki Warszawskiej, takimi jak Barbara i Stanisław Brukalscy, Helena i Szymon Syrkusowie, Bohdan Lachert, Józef Szanajca i inni. O ile zainteresowanie architekturą w „Bloku" nie wychodziło poza etap projektów oraz rozważania teoretyczne, o tyle „Praesens" dzięki obecności architektów włączył się w sposób praktyczny do dialogu na temat kształtu i funkcji architektury XX wieku. W konkretnych realizacjach starano się podporządkować architekturze inne dziedziny plastyki, stosując zasadę całościowej organizacji przestrzennej formy i barwy. Wymagano, aby projektowany budynek był funkcjonalny, przy czym brano pod uwagę w równym stopniu czynniki techniczne, jak i socjalne.

Grupa „Praesens" wydawała kwartalnik pod tym samym tytułem. Zapoczątkowano też redagowanie własnej biblioteki, w której ukazała się w 1928 roku praca teoretyczna W. Strzemińskiego pod tytułem „Unizm w malarstwie". Ten niestrudzony twórca i propagator sztuki nowoczesnej, dążący do jak najściślejszego powiązania sztuki z życiem codziennym całego społeczeństwa, był równocześnie autorem najśmielszej, najskrajniej abstrakcyjnej teorii sztuki, jaka przed drugą wojną światową powstała na terenie Europy. Strzemiński nigdy w Warszawie nie mieszkał. W latach dwudziestych jednak, tułając się po miastach prowincjonalnych, należał do warszawskiego środowiska artystycznego, wpływając zasadniczo – równie jak Szczuka – na ożywienie ruchu awangardowego w stolicy. Śmierć Szczuki w 1927 roku oraz związanie się Strzemińskiego od początku lat trzydziestych z Łodzią położyły kres temu i tak wątłemu nurtowi.

„Praesens" jako grupa artystyczna zakończył swą działalność w 1930 roku wydaniem drugiego numeru kwartalnika. Powstał natomiast zespół architektów pod tą samą nazwą. Cały zespół lub poszczególni jego członkowie budowali w Warszawie przed 1939 rokiem szereg osiedli dla Warszawskiej Spółdzielni Mieszkaniowej oraz dla Zakładu Ubezpieczeń

494. Menasze Seidenbeutel, Martwa natura, 1930 olej, płótno

Społecznych, próbując realizować propagowane przez grupę postępowe założenia formalne i społeczne. Jeszcze jako grupa artystyczna „Praesens" zorganizował własną wystawę w Warszawie w 1926 roku. Następnie w 1929 wziął udział w Powszechnej Wystawie Krajowej w Poznaniu. Zyskał tam pochlebne opinie głównie za swą działalność wystawienniczą, natomiast był całkowicie pominięty przy rozdawaniu licznych nagród i medali.

Zorganizowany ruch awangardowy w Warszawie, ważny dla całej historii sztuki polskiej XX wieku, w okresie swego istnienia pozostał jednak nurtem peryferyjnym i nie przetrwał roku 1930. Specyfikę warszawskiego środowiska plastycznego ukształtowali inni ludzie, reprezentujący krańcowo różne poglądy, a instytucją, która odegrała zasadniczą rolę w tym procesie, była warszawska Szkoła Sztuk Pięknych, reaktywowana w 1923 roku. Na jej profesorów i wykładowców powołani zostali artyści zarówno warszawscy, jak i przybyli z Krakowa, co wpłynęło na jej późniejszy charakter. Warszawskie kontakty sprzed pierwszej wojny światowej z petersburską akademią, a także ściśle warszawska tradycja

wywodząca się jeszcze ze szkoły Gersona spowodowały, że kładziono tu szczególny nacisk
na umiejętność doskonałego rysunku i komponowanie scen figuralnych. W Krakowie
natomiast na początku wieku wysoki poziom osiągnęła sztuka modernizmu, rozwinął się
też wspaniale nurt tak zwanej sztuki stosowanej. W ten sposób warszawska tendencja do
akademizmu i krakowskie zamiłowanie do dekoracyjności, a także wysoka ocena rękodzieła i uznanie sztuki Podhala za charakterystycznie polską wywarły silne piętno na
rodzącej się „szkole warszawskiej". Ważną rolę w kształtowaniu się środowiska odegrał
również czynnik całkowicie pozaartystyczny, jakim była rzadko spotykana w innych tego
typu uczelniach atmosfera przyjaźni pomiędzy uczniami a wykładowcami. Tworzyła ona

499. Franciszek Józef Bartoszek, Kuźnia, 1937, olej, płótno

więzi trwające dłużej niż lata studiów. Więzi te przybierały częstokroć formę organizacyjną stowarzyszeń artystycznych; w ciągu 16 lat istnienia Szkoły powstało ich osiem. Było to zjawisko bez precedensu, tym ciekawsze, że program ich, układany wspólnie z profesorami, opierał się na założeniach programowych Szkoły, był ich rozwinięciem i kontynuacją w życiu samodzielnym, po opuszczeniu murów uczelni. Ani jedno z powstałych w niej ugrupowań nie zbuntowało się przeciw niej i nie wystąpiło z własnymi propozycjami.

Pierwszym dyrektorem nowo otwartej Szkoły Sztuk Pięknych został Miłosz Kotarbiński, a na jej profesorów powołano: Józefa Czajkowskiego, Wojciecha Jastrzębowskiego, Tadeusza Pruszkowskiego i Karola Tichego. Katedrę grafiki otrzymał Władysław Skoczylas, gorący zwolennik i propagator techniki drzeworytniczej. Z jego właśnie inicjatywy założono w 1925 roku Stowarzyszenie Artystów Grafików „Ryt", grupujące początkowo kolegów profesora, takich jak Edmund Bartłomiejczyk, Wacław Borowski, Zygmunt Kamiński, Wacław Wąsowicz i inni, oraz uczniów: Tadeusza Cieślewskiego (syna), Janinę Konarską, Bognę Krasnodębską i Wiktora Podoskiego. Już w pierwszej wystawie „Rytu", otwartej w styczniu 1926 roku w Salonie Sztuki Garlińskiego, wziął udział także Tadeusz Kulisiewicz, jedna z czołowych później postaci Stowarzyszenia.

Skoczylas, wybitny artysta, społecznik i pedagog, wykształcił liczny zastęp warszawskich grafików kładąc podwaliny pod tę sławną gałąź sztuki w Polsce. Ucząc znakomitego rzemiosła w zakresie różnych technik graficznych, zaszczepiał równocześnie własne zamiłowanie do drzeworytu, traktowanego w sposób zwarty, syntetyczny. Te właśnie wartości najpełniej zaobserwować można na przykładzie teki Kulisiewicza zatytułowanej *Szlembark*, gdzie artysta postaciom z góralskiej wioski nadał hieratyczną surowość świątków podhalańskich.

Poważne zasługi położył „Ryt" w dziedzinie tworzenia i propagowania pięknej książki. Poczynając od bibliofilskiej wartości katalogów własnych wystaw, ozdabianych oryginalnymi drzeworytami, poprzez prelekcje wygłaszane na wystawach i działalność publicystyczną członkowie „Rytu" podjęli szeroką współpracę z drukarstwem. Rolę swoją w tym zakresie rozumieli oni całkowicie odmiennie niż awangarda, w przeciwieństwie do niej kładąc nacisk na zdobienie książki. I tak przez wiele następnych lat twórcami ilustracji najbardziej lubianych i najwyżej przez ogół społeczeństwa cenionych byli właśnie przedstawiciele tego Stowarzyszenia. W tej dziedzinie najwyższe osiągnięcia należą do Ostoi-Chrostowskiego. Również członkowie „Rytu" stanowili żelazny punkt programu propagandy sztuki polskiej za granicą, licznie uczestnicząc w reprezentacyjnych wystawach polskiej plastyki oraz zdobywając nagrody na międzynarodowych konkursach.

Drugim naszym obok „Rytu" najczęstszym i najlepiej znanym na światowym forum sztuki przedstawicielem był „Ład". Grupa ta, powstała jako doświadczalna spółdzielnia artystów i rzemieślników, założona została w 1926 roku z inicjatywy profesorów J. Czajkowskiego i W. Jastrzębowskiego. Wyrosła ona z tradycji wcześniejszych ugrupowań: „Polskiej Sztuki Stosowanej" (1901–1914) i „Warsztatów Krakowskich" (1913–1926), których „Ład" był bezpośrednią kontynuacją, przeniesioną na teren Warszawy. Tradycja ta doprowadziła do triumfu polskiej sztuki dekoracyjnej w Paryżu na wystawie światowej w 1925 roku. Ona też wpłynęła na dalszy program „Ładu", diametralnie różniący go od propozycji wysuwanych przez „Blok" i „Praesens". Zamiast awangardowej anonimowoś-

500. Władysław Skoczylas, Dziewczęta z koszami ziemniaków, 1928, drzeworyt

ci, mechanizacji i powielania form artystycznych, a więc tego co dziś nazywamy wzornictwem przemysłowym, „Ład" produkował przedmioty artystyczne o przeznaczeniu użytkowym wykonywane ręcznie jako prace autorskie. Całkowity brak produkcji mechanicznej był zresztą wynikiem nie tyle założeń programowych, ile sytuacji ekonomicznej spółdzielni, która rozpoczęła działalność jedynie na podstawie funduszów pochodzących z wkładów członkowskich. Produkowane przez „Ład" meble, tkaniny, ceramika i wyroby metalowe pomyślane jako wyposażenie wnętrz mieszkalnych szerokiego kręgu mniej zamożnej inteligencji, sprowadzone wyłącznie do rękodzieła, z biegiem lat drożały coraz bardziej. Wysokie wymagania artystyczne, jakie stawiali sobie ich twórcy, znakomite pod względem rzemieślniczym wykonanie, stosowanie tradycyjnych surowców, takich jak drewno, len i wełna, a także sięganie do wzorów rodzimego ludowego zdobnictwa wpłynęły na wysoką ocenę wytwórczości „Ładu". Styl przez niego reprezentowany uznano za oficjalny, a jego wyrobów używano do wyposażenia i przyozdabiania instytucji państwowych. Do najwybitniejszych osiągnięć „Ładu" zaliczyć trzeba metaloplastykę Henryka Grunwalda oraz tkaniny, a przede wszystkim działalność na tym polu Eleonory Plutyńskiej. Ta znakomita artystka i pedagog, związana przez całe życie z warszawską Szkołą, następnie Akademią Sztuk Pięknych, położyła podwaliny pod rozwój polskiej tkaniny artystycznej, która zyskała międzynarodową sławę.

Obok „Rytu" i „Ładu" powstało na terenie Szkoły w 1925 roku ugrupowanie malarskie pod nazwą „Bractwo św. Łukasza", które, tak jak oba poprzednie, przetrwało do 1939 roku. I w tym także przypadku inicjatorem i założycielem był profesor, a nazwa, jaką przyjęto, wyraźnie określała charakter grupy. Tadeusz Pruszkowski należał do najbardziej uwielbianych pedagogów, a jego stosunek do uczniów opierał się na idealnie pojętej relacji między mistrzem a czeladnikami, co dotyczyło szczególnie najstarszego rocznika zrzeszonego w „Bractwie". Zgodnie ze swą nazwą miało ono charakter cechu średniowiecznego, którego naczelną władzę stanowiło walne zgromadzenie, a organem kierowniczym i reprezentacyjnym była kapituła. Oficjalnie „Bractwo" wystąpiło dopiero po uzyskaniu przez jego członków dyplomów, kiedy to odbyły się uroczyste „wyzwoliny" uczniów na „czeladników sztuki", po czym w lutym 1928 roku otwarto w Zachęcie pierwszą wystawę. Wzięli w niej udział między innymi: Bolesław Cybis, Jan Gotard, Eliasz Kanarek, Edward Kokoszko, Antoni Michalak, Jan Zamojski. Pokazane na wystawie prace wzbudziły zachwyt mistrzowskim opanowaniem techniki malarskiej i rysunku. Entuzjastyczne opinie chłodziła nieco prasa, a szczególnie znany krytyk Mieczysław Sterling, którego negatywna ocena zawarta była już w tytule artykułu „Antykwarstwo w sztuce" ogłoszonego na łamach dwutygodnika „Wiek XX". Sterling dostrzegł w młodzieńczych pracach niebezpieczeństwo, które miało zaciążyć na dalszej twórczości młodych artystów: zapatrzenie się w malarstwo holenderskie, głównie XVII-wieczne. Kolejne wystawy potwierdziły słuszność tych obaw, co znalazło wyraz w późniejszych wypowiedziach krytyki atakującej „Bractwo" z różnych pozycji, od awangardy do koloryzmu. Coraz dojrzalszym artystom przestano wybaczać szkolne niedociągnięcia, natomiast dostrzegano w nich przedwczesną pryncypialność – wynik pilnych studiów z gotowymi w pewnym stopniu receptami, a bez twórczej inwencji, polotu, ryzyka. Tematyczne, silnie modelowane malarstwo „Bractwa", jego wyrazisty rysunek nieco manieryczny, a przede wszystkim zainteresowanie wielkimi kompozycjami, często malowanymi wspólnie, znalazło uznanie u władz państwowych. Jak sztuka „Rytu" i „Ładu", tak i twórczość „Bractwa św. Łukasza" spełniała nieraz funkcję oficjalną (zdobienie ścian gmachów państwowych). W 1939 roku na światową wystawę w Nowym Jorku „Bractwo" przygotowało 7 wielkich, malowanych zespołowo kompozycji z historii Polski.

Nieco już inny charakter miała następna grupa powstała na terenie pracowni T. Pruszkowskiego, założona w 1929 roku pod nazwą Stowarzyszenie Plastyków „Szkoła Warszaw-

Tadeusz Kulisiewicz, Mędrzec z Arles, 1934, woryt

502. Tadeusz Cieślewski (syn), Ulica Freta, dr woryt

ska". Program jej działania, podobnie jak w przypadku „Bractwa", przypominał organizację cechową, gwarantującą rzetelność wykonania i artystyczny poziom twórczości. Jednak już pierwsza wystawa, otwarta w 1930 roku w gmachu Zachęty, wykazała, że członkowie „Szkoły Warszawskiej" w znacznie mniejszym stopniu niż ich starsi koledzy ulegli „muzealnej" manierze, bardziej natomiast tkwili w tradycji sztuki polskiej. Malowane przez nich pejzaże i martwe natury odznaczały się większą subtelnością koloru, a w scenach rodzajowych przejawiał się swoisty humor z akcentem groteski i dużą dozą fantazji. Należeli tu między innymi: Eugeniusz Arct, Włodzimierz Bartoszewicz, Teresa Roszkowska, Efraim i Menasze Seidenbeutlowie.

Także i młodsze roczniki uczniów Pruszkowskiego nie zaniechały tradycji zrzeszania się. Założona w 1932 roku „Loża Wolnomalárska", której nazwa po dwóch latach uproszczona została do „Loży Malarskiej", stanowiła dalszy etap zainteresowania kolorem. Sprzyjały temu niewątpliwie stale organizowane przez warszawską Szkołę plenery w Kazimierzu nad Wisłą, który stał się od początku lat trzydziestych niemal enklawą artystyczną Warszawy. Malowniczość krajobrazu, egzotyka spotykanych tam typów, światło bardziej przypominające południe Europy na pewno wpłynęły dodatnio na wzbogacenie palety rozkochanych w Kazimierzu młodych adeptów sztuki. Niemniej zagadnienie koloru jako takie w całym 20-leciu międzywojennym nie stanowiło dla warszawskich artystów problemu naczelnego. Kolor pełnił funkcję służebną w stosunku do przedstawionego tematu, a o rozjaśnieniu i ożywieniu palety można mówić jedynie pamiętając malarstwo łukaszowców operujących więcej walorem niż barwą.

Ostatnie z ugrupowań powstałych pod protektoratem T. Pruszkowskiego, założone w 1936 roku, przybrało nazwę „Grupa Czwarta", potwierdzając tym określeniem brak wyróżniających je cech poza związkami koleżeńskimi.

Jedyną w środowisku Szkoły warszawskiej manifestacją na rzecz koloru było utworzenie przez trzy uczennice, również z pracowni Pruszkowskiego, grupy „Kolor". Była to jednak czysto słowna deklaracja, nie przejawiająca się wyraźnie w twórczości młodych malarek. Zdecydowanie inną pozycję zajęła nieco efemeryczna na gruncie warszawskim grupa „Pryzmat". Tworzyli ją uczniowie Felicjana Szczęsnego Kowarskiego, którzy podążyli za swym mistrzem z Krakowa do Warszawy, dokąd zaproszony został w 1930 roku na stanowisko profesora malarstwa sztalugowego. Przynieśli oni z Krakowa zainteresowanie kolorem, tak silne na tamtym terenie, że doprowadziło nawet do powstania potężnego nurtu w sztuce polskiej nazwanego koloryzmem. Filarami tego kierunku stali się kapiści, byli uczniowie krakowskiej Akademii Sztuk Pięknych, a następnie filii tej uczelni założonej i prowadzonej w Paryżu przez Józefa Pankiewicza. Po powrocie do Polski w 1931 roku zorganizowali oni swą pierwszą krajową wystawę w Warszawie w Polskim Klubie Artystycznym, a następnie osiedli w Krakowie. Pod wodzą kapistów powstał w Krakowie silny front koloryzmu przynoszący nową falę zainteresowania impresjonizmem i jego pochodnymi. To właśnie koloryści, w znacznie większym stopniu niż awangarda, stali się przeciwnikami „szkoły warszawskiej" rozumianej nie jako ugrupowanie czy instytucja, lecz jako zespół cech dominujących w warszawskim środowisku artystycznym, a przynajmniej w przeważającej jego części.

Grupa „Pryzmat", reprezentująca tendencje kolorystyczne, nie nawiązała bliższego kontaktu czy choćby dialogu z innymi pracowniami malarskimi warszawskiej uczelni. Członkowie grupy: Józef Dutkiewicz, Karol Larisch, Krystyna Łada, Juliusz Studnicki, Wacław Taranczewski, Kazimierz Tomorowicz i inni, pozostali zespołem zwartym, wyobcowanym z warszawskiego środowiska, uważając siebie za Wallenrodów koloryzmu na warszawskim gruncie. W połowie lat trzydziestych rozproszyli się po kraju. Na miejscu pozostali jedynie F. S. Kowarski oraz jego asystent, a później profesor malarstwa dekoracyjnego Leonard Pękalski. Obaj ci artyści, autorzy licznych realizacji malarstwa ściennego, wnieśli do warszawskiej Szkoły pierwiastek monumentalizmu. Po drugiej wojnie światowej część pryzmatowców, a także kapistów powróciła do Warszawy i objęła stanowiska profesorów i wykładowców w warszawskiej Akademii Sztuk Plastycznych.

Nie wspomniana dotychczas, istniała jednak w warszawskiej Szkole Sztuk Pięknych także rzeźba, którą wykładał znakomity rzeźbiarz i pełen dobroci człowiek, Tadeusz Breyer. Wykształcił on spory zastęp młodych adeptów tej dyscypliny artystycznej. Jak w malarstwie i grafice, tak i w zakresie rzeźby najsilniejszą stronę nauczania stanowił warsztat artystyczny. Uczniowie Szkoły zdobywali rzetelną wiedzę fachową, a panująca na uczelni atmosfera utwierdzała w nich zamiłowanie do zawodu. Szkoła miała szczęście do pedago-

Bogna Krasnodębska-Gardowska, Powrót z la- 935, drzeworyt

477

gów będących równocześnie społecznikami. Nie zaprzestając własnej twórczości, prowadzili działalność artystyczno-organizacyjną, uczyli, wychowywali, a także troszczyli się o byt swych wychowanków i dalszy rozwój ich talentów. Kolejnym przykładem takiej właśnie postawy pedagogów było założenie w 1929 roku z inicjatywy profesora Karola Stryjeńskiego Spółdzielni Rzeźbiarskiej „Forma", której cel był wyraźnie komercjalny, przynajmniej na początku jej istnienia. Zgłaszane zamówienia rozpatrywała rada artystyczna Spółdzielni, która następnie przekazywała je poszczególnym członkom „Formy" dobierając wykonawców w wyniku konkursu wewnętrznego lub podejmując w tej sprawie odpowiednie decyzje. Otrzymywane zamówienia bywały różnego rodzaju: od rzeźby monumentalnej aż po użytkową. Do spółdzielni „Forma" należało między innymi wielu znanych później rzeźbiarzy, jak Alfons Karny, Antoni Kenar, Franciszek Masiak, Franciszek Strynkiewicz, Karol Tchorek, Marian Wnuk, Bazyli Wojtowicz czy też Ludwika Nitschowa, najbliższa warszawiakom dzięki swemu pomnikowi Syreny.

Dla uczczenia 10-lecia działalności Szkoły Sztuk Pięknych Sejm Rzeczypospolitej nadał jej w 1932 roku godność Akademii, a w roku następnym zorganizowano Wystawę 5 Stowarzyszeń Artystycznych powstałych na terenie tej uczelni. W wystawie wzięły udział: „Ryt", grupa z „Ładu", „Bractwo św. Łukasza", „Szkoła Warszawska" i „Forma". Zamanifestowana została w ten sposób więź ideologiczna i koleżeńska byłych uczniów Akademii. Następnym krokiem na drodze konsolidacji całego ruchu było utworzenie w 1934 roku Bloku Zawodowych Artystów Plastyków, który odciął się zdecydowanie od ogólnopolskiego Związku Zawodowego Polskich Artystów Plastyków, otwartego szeroko dla wszystkich kierunków i tendencji. Do Bloku ZAP weszły obok wyżej wymienionych

504. Stanisław Ostoja-Chrostowski, I Międzynarodowa Wystawa Drzeworytów, 1933, plakat

478

ugrupowań także „Loża Malarska" i „Towarzystwo Wileńskich Artystów Plastyków", a w następnych latach dołączyły jeszcze „Grupa Czwarta" i założona przez T. Cieślewskiego (syna) grupa grafików „Czerń i Biel". Organem Bloku ZAP stał się nieregularnie wychodzący miesięcznik „Plastyka", będący w opozycji wobec wydawanego przez ZZPAP krakowskiego „Głosu Plastyków", znajdującego się pod silnym wpływem kapistów. Blok ZAP deklarował walkę o rodzime wartości plastyczne oraz „ukulturalnienie życia społeczeństwa w zakresie spraw sztuki". Propagując przede wszystkim twórczość członków Bloku, „Plastyka" szczególny nacisk kładła na pogłębienie wiedzy fachowej wśród kolegów. Tak zatem biegła linia podziału: z jednej strony stawiane przez Związek na pierwszym miejscu zagadnienia czysto artystyczne, koncentrujące się wokół formy dzieła, z drugiej – reprezentowana przez Blok fachowość, kładąca nacisk na stronę techniczną. Ostra polemika między kolorystami a przedstawicielami tendencji reprezentowanych przez Blok ZAP toczyła się przez krótki czas także w samej Warszawie na łamach „Kolumny Plastyki", której miejsca użyczyły „Wiadomości Literackie". Mimo pozornie bardziej artystowskiego nastawienia Związku to właśnie w jego szeregach znaleźli się nie tylko reprezentanci awangardowej myśli artystycznej, lecz także przedstawiciele lewicy społecznej i politycznej, włącznie z członkami i sympatykami KPP.

W latach trzydziestych Warszawa zyskała instytucję otwartą dla wszelkich tendencji artystycznych. Powstanie Instytutu Propagandy Sztuki łączy się ze wspomnianym na początku niniejszego szkicu dążeniem artystów do wypracowania jak najlepszych form życia i działania artystycznego, bez oglądania się na instytucje państwowe. Ważna i charakterystyczna dla pierwszego 10-lecia sztuk plastycznych w Warszawie sprawa polichromii Rynku Starego Miasta wyszła od samych artystów i przez nich została przeprowadzona. W akcji tej, zrealizowanej w 1928 roku pod patronatem Towarzystwa Opieki nad Zabytkami Przeszłości, wzięli udział artyści reprezentujący różne kierunki. Mimo jednolitego kierownictwa, należącego do rzeźbiarza Stanisława Ostrowskiego, całość realizacji, zbyt zróżnicowana, spotkała się z ostrą krytyką. Dziś, kiedy jedynym ocalałym fragmentem jest polichromia Zofii Stryjeńskiej, możemy już bez ówczesnych emocji ocenić śmiałość i rozmach artystów, którzy przecież nie mieli doświadczenia w zakresie plastyki monumentalnej. To oni stali się u nas w praktyce pionierami tak modnej później współpracy malarzy i rzeźbiarzy z architektami. Dzięki nim również ożywiło się na czas jakiś zainteresowanie sztukami pięknymi wśród najszerszych rzesz odbiorców.

Jedna taka akcja, nawet udana, nie zmieniła faktu, że sytuacja sztuk pięknych u schyłku pierwszego 10-lecia niepodległości była katastrofalna. Brak własnego ministerstwa, stale zmniejszane fundusze, przegrana walka artystów z Zachętą prowadzącą własną zachowawczą politykę, brak reprezentacyjnego salonu wystawowego nie sprzyjały rozwojowi życia artystycznego. W 1928 roku, w tym samym czasie kiedy realizowana była polichromia Starego Miasta, Polski Klub Artystyczny zorganizował serię wieczorów dyskusyjnych na temat ,,Sztuka a państwo". Na podstawie wniosków z dyskusji opracowany został memoriał w sprawie uzdrowienia istniejącej sytuacji. Przekazany prezydentowi, sejmowi i rządowi memoriał nie odniósł zamierzonego skutku.

W takiej sytuacji artyści zmuszeni zostali do jeszcze jednego wysiłku. Według projektu Stanisława Woźnickiego, architekta i redaktora szeregu pism artystycznych, między innymi ,,Plastyki", dzięki działalności W. Skoczylasa, pełniącego wówczas obowiązki dyrektora Departamentu Sztuki w Ministerstwie Wyznań Religijnych i Oświecenia Publicznego, oraz Jerzego Warchałowskiego, ówczesnego doradcy artystycznego w Ministerstwie Spraw Zagranicznych, powołany został do życia w 1930 roku Instytut Propagandy Sztuki. Wymarzonego Pałacu Sztuki nie doczekano się, powstał jednak pawilon przy ul. Królewskiej, otwarty w grudniu 1931 roku, a wybudowany głównie za pieniądze pożyczone, przy czym weksle żyrowali osobiście W. Skoczylas i twórca pawilonu, Karol Stryjeński. Nareszcie można było zacząć organizować doroczne Salony o zasięgu ogólnopolskim, a ponadto wystawy sztuki obcej, wystawy indywidualne i grupowe, retrospektywne i tematyczne. Rozwinięto akcję odczytową, w której uczestniczyli artyści, krytycy,

506. Alfons Karny, Noakowski, 1929, brąz

507. Tadeusz Breyer, Pomnik gen. J. Sowińskiego na Woli, 1931–1937, brąz

508. Henryk Kuna, Rytm, 1924, brąz

9. Franciszek Strynkiewicz, Portret córki, 1930, z

historycy sztuki, nieraz goście zagraniczni. Organizowano również liczne konkursy, które przyczyniły się do podniesienia poziomu artystycznego oraz wspierały plastyków finansowo. Od 1937 roku Instytut posiadał własny organ, „Nike", czasopismo o charakterze naukowym i informacyjnym.

Właśnie na terenie IPS-u dokonał się ostateczny i najbardziej widoczny podział na warszawski Blok i ogólnopolski Związek. Oba te stowarzyszenia zorganizowały w 1936 roku własne, odrębne Salony, nie widząc możliwości dalszej współpracy. Tu także, w pawilonie IPS-u, odbyła się w 1933 roku jedyna wystawa ogólnopolskiej grupy Plastyków Nowoczesnych – ostatniej na terenie Warszawy zbiorowej manifestacji ruchu awangardowego, tak żywego w stolicy w latach dwudziestych (wystawa ta przeniesiona została jedynie do Łodzi i eksponowana w tamtejszym oddziale IPS-u).

Jak widać z dotychczasowego wywodu, znaczenie środowiska związanego z warszawską Akademią Sztuk Pięknych z biegiem lat rosło i umacniało się. Równocześnie jednak zaczęła rosnąć nowa siła. Na miejsce awangardy, w drugiej połowie lat trzydziestych w całej Europie poważnie osłabionej, rodziło się w Warszawie silne środowisko architektoniczne, wychodzące z rozmachem poza tradycyjne ramy wznoszenia budynków. Doskonale postawione na Wydziale Architektury Politechniki Warszawskiej grafika oraz architektura wnętrz sprawiły, że z tego właśnie kręgu zaczęli wychodzić artyści, którzy stali się konkurencją przede wszystkim dla „Ładu" i „Rytu". Projektowane przez nich meble i całe wyposażenia wnętrz biły „Ład" swą nowoczesnością zarówno formy, jak i techniki wykonania, a ich grafika użytkowa podniosła znaczenie tej gałęzi sztuki, do tego czasu w Polsce nie docenianej.

Właśnie na polu grafiki użytkowej ważną rolę odegrało założone w 1933 roku Koło Artystów Grafików Reklamowych, w którego skład weszła liczna grupa wycho-

510. Wystawa Spółdzielni „Ład" na Powszechn
Wystawie Krajowej w Poznaniu, fragment. Arch. Prz
mysław Kocowski, 1929

wanków Wydziału Architektury. KAGR rozwinęło szeroką działalność w zakresie projektowania plakatów, prospektów, ogłoszeń, znaków firmowych, znaczków pocztowych, banknotów i etykiet. Nie stroniło również od ekslibrisów i grafiki książkowej. Spontaniczny udział członków KAGR-u w konkursach organizowanych przez IPS, a także przez ich Koło przyczynił się w znacznej mierze do wzrostu zainteresowania społeczeństwa tą dziedziną sztuki i położył podwaliny pod rozwój polskiego plakatu, cieszącego się sławą po wojnie.

Na tle omówionych dotychczas ugrupowań, tak bardzo różnorodnych, całkowicie odrębną pozycję zajmowała Grupa Plastyków Warszawskich „Czapka Frygijska", istniejąca w latach 1934–1937. Stanowisko jej określone zostało ściśle przez ideologię, której miała służyć. Założona z inicjatywy KPP, skupiała plastyków zdecydowanie lewicowych, którzy postanowili dać plastyczny wyraz ideom i dążeniom świata pracy, tworzyć sztukę tematyczną i stać na gruncie realizmu. Była to jedyna w 20-leciu międzywojennym grupa, która swój program radykalny społecznie i politycznie realizowała za pomocą środków tradycyjnych. I tu jednak znaleźli się artyści, którzy swą indywidualnością nadali rangę artystyczną poczynaniom grupy. Byli to przede wszystkim Mieczysław Berman, świetny grafik, oraz sympatyzujący z grupą Bronisław Linke, wrażliwy na każdy przejaw niesprawiedliwości i potrafiący narzucić widzowi sugestywną jej wizję. Pierwsze oficjalne wystąpienie Grupy Plastyków Warszawskich odbyło się w 1936 roku pod patronatem Stowarzyszenia

511. Salon Pokazowy Elektrowni Miejskiej, fragm
hallu. Warszawa, ul. Marszałkowska 150. Architek
Jadwiga i Janusz Ostrowscy, Zygmunt Stępiński. L
trzydzieste

Lokatorów „Szklane Domy" WSM-u w tamtejszym klubie „Czapka Frygijska".

Przyglądając się międzywojennemu życiu artystycznemu stolicy z perspektywy lat kilkudziesięciu dostrzega się dysproporcję między dwoma tamtymi dziesięcioleciami. Pierwsze z nich było tyglem, w którym wrzało od coraz to nowych pomysłów i teorii. Zmieniali się ludzie, rodziły się i rozpadały ugrupowania o śmielszym programie. Świeży zapał kazał artystom podejmować doniosłe akcje zmierzające do znalezienia właściwej pozycji dla zaniedbanych sztuk pięknych. W latach dwudziestych proporcjonalnie mniej było wydarzeń artystycznych, były one jednak bardziej zróżnicowane i o znacznie większym ciężarze gatunkowym. Wtedy to właśnie rodziły się koncepcje często śmiałe, wybiegające w przyszłość.

Lata trzydzieste przynoszą pewną stabilizację. Mnoży się ogólna liczba artystów, do których dochodzą nowe roczniki, przybywa lokali wystawowych, otwierają się nowe możliwości. Po trochu także i państwo zaczyna wkraczać ze swym mecenatem, jeśli nie poprzez władze centralne, to przez liczne instytucje. Organizowane za pośrednictwem IPS-u czy KAGR-u konkursy mają swych mocodawców, którzy przeznaczają na ten cel fundusze. Zdobi się gmachy państwowe już istniejące i aktualnie wznoszone: sejm, ministerstwa, nowy Dworzec Główny. Plastykom i architektom warszawskim powierza się wyposażenie dwóch zakupionych statków flagowych. Szczególnie bujny rozwój następuje w ostatnich latach dzięki dalekosiężnym planom prezydenta Stefana Starzyńskiego.

Reasumując można powiedzieć najogólniej, że sztuka Warszawy lat dwudziestych była bardziej demokratyczna niż w okresie późniejszym, kiedy to wciągnięta została w system mający głosić potęgę państwa. O wiele bardziej niezależne pod tym względem pozostały inne ośrodki artystyczne: Lwów, Łódź, Kraków. Jednak stolica wraz ze swym bujnym życiem stanowiła centrum, które przyciągało wszystko, co było w Polsce wartościowe. Obok rozlicznych planów na przyszłość także i rozproszeni Plastycy Nowocześni podjęli kolejną próbę zjednoczenia się i podbicia Warszawy, szykując swą wystawę na jesień 1939 roku.

VIII. LATA WOJNY I OKUPACJI 1939–1945

LATA WOJNY 1939–1945

1 września 1939 roku o godzinie 4.30 premier i minister spraw wewnętrznych gen. dr Felicjan Sławoj-Składkowski otrzymał meldunek telefoniczny od wojewody Tymińskiego, że Niemcy zbombardowali Dworzec Główny w Krakowie. W pół godziny później odezwała się syrena posterunku Obrony Przeciwlotniczej na Stacji Filtrów przy ul. Koszykowej 81, ogłaszając na rozkaz Komendy Miasta alarm dla Warszawy. Samoloty niemieckie pojawiły się nad stolicą około godziny dziewiątej w czasie posiedzenia rządu, który obradował nad wytworzoną sytuacją. Obrzuciły one bombami rejon lotniska na Okęciu oraz osiedla mieszkaniowe na Rakowcu i Kole. Ludność cywilna poniosła straty.

Alarmy lotnicze zaczęły się powtarzać dzień w dzień. Pewnym zabezpieczeniem na wypadek nalotów nieprzyjacielskich miały być wykopane przez mieszkańców rowy przeciwlotnicze oraz nieliczne schrony.

Warszawa nie była przygotowana do działań wojennych, stała się jednak polem bitwy. 3 września (prawie jednocześnie z ogłoszeniem wiadomości o przystąpieniu do wojny Wielkiej Brytanii i nieco później Francji oraz z demonstracjami na ulicach miasta) minister

512. Bombowce hitlerowskie nad Warszawą w
wrześniu 1939 r.

484

3. Gen. Walerian Czuma, dowódca obrony rszawy

gen. Tadeusz Kasprzycki wezwał komendanta głównego Straży Granicznej gen. Waleriana Czumę, powierzając mu obronę stolicy od południa. Wiadomości z frontu mówiły o przedarciu się wojsk pancernych nieprzyjaciela w rejonie Częstochowy i marszu na Warszawę. Oprócz rozkazu ustnego otrzymał gen. Czuma – zresztą dość ogólnikowe – wytyczne na piśmie. Szefem sztabu Dowództwa Obrony Warszawy został płk dypl. Tadeusz Tomaszewski, dotychczasowy komendant Legii Akademickiej.

4 września w myśl wskazówek Naczelnego Dowództwa rząd przystąpił do ewakuacji ministerstw, kierując je na Lublin. Pierwsze pociągi odeszły dopiero 5 września nad ranem na skutek zbombardowania węzłów kolejowych i przejazdu transportów wojskowych na linie frontu. Naczelny wódz, marszałek Edward Rydz-Śmigły, oraz premier Składkowski opuścili stolicę w nocy z 6 na 7 września; wycofana została także z rejonu Warszawy na rozkaz Naczelnego Dowództwa Brygada Pościgowa, walcząca z poświęceniem i, co ważniejsze, z powodzeniem. Zniszczyła ona 40 samolotów nieprzyjaciela na pewno, 9 prawdopodobnie, uszkodziła też 20 maszyn niemieckich. Sama utraciła 38 samolotów.

6 września, gdy stały się widoczne przejawy dezorientacji i paniki w związku z ewakuacją urzędów centralnych, prezydent m. st. Warszawy min. Stefan Starzyński powołał Straż Obywatelską pod komendą mgr. Janusza Regulskiego. Około północy płk dypl. Roman Umiastowski, pełniący funkcję szefa propagandy w sztabie Naczelnego Wodza, autor popularnych książek o tematyce wojennej, wezwał przez radio mieszkańców stolicy do budowy barykad i zaapelował do wszystkich mężczyzn nie powołanych dotychczas do wojska, by bezzwłocznie wyruszyli na wschód, gdzie zostaną zmobilizowani. W trzy godziny później, pod naciskiem Dowództwa Obrony Warszawy i prezydenta Starzyńskiego Polskie Radio odwołało nieszczęsny apel. Wielu jednak mężczyzn wyruszyło już w drogę, tarasując podwarszawskie szosy i narażając się na naloty. W stolicy dzięki energii władz miejskich stawiło się około 100 000 ochotników do kopania rowów przeciwczołgowych, barykad i umocnień. Ponieważ została wysadzoną w powietrze radiostacja Warszawa I w Raszynie, przystąpiono do uruchomienia radiostacji Warszawa II, której urządzenia techniczne mieściły się w starym Forcie Mokotowskim przy ul. Racławickiej.

Generał Czuma zdecydował się na oparcie obrony stolicy o krawędzie zwartej zabudowy, użycie całej, pozostającej do jego dyspozycji artylerii lekkiej do zwalczania broni pancernej i ufortyfikowanie wylotów dróg z miasta zaporami przeciwczołgowymi. W rozkazie dziennym nr 1 powiadomił żołnierzy o zdecydowanej woli obrony miasta: „objęliśmy pozycję, z której nie ma zejścia''.

Miasto nie było łatwym terenem operacyjnym, dzieliła je bowiem na dwie samoistne części Wisła. Liczbę budynków szacowano na około 30 000, z tego jedna trzecia stanowiła domy z drewna; zaledwie 54,7% budynków miało pokrycia ogniotrwałe. Dowódca Obrony Warszawy podzielił miasto na przedmoście zachodnie, którego dowódcą został wybitny oficer, płk dypl. Marian Porwit, i przedmoście praskie, będące w fazie organizowania się, oraz mianował prezydenta Warszawy Starzyńskiego komisarzem cywilnym przy Dowództwie Obrony Warszawy.

8 września przybył do Warszawy gen. dyw. Juliusz Rómmel, dotychczasowy dowódca armii „Łódź'', który stracił kontakt ze swymi oddziałami. Szef sztabu głównego gen. Stachiewicz podporządkował mu armie „Modlin'' i „Łódź'' oraz Dowództwo Obrony Warszawy, ale marszałek Rydz-Śmigły zatwierdził Rómmla jedynie jako dowódcę armii „Warszawa'', jej szefem sztabu został płk dypl. Aleksander Pragłowski, dotychczasowy szef sztabu armii „Łódź''.

8 września po południu natarła na miasto 4 Dywizja Pancerna gen. Georga Hansa Reinhardta, wzmocniona zmotoryzowanym 33 Pułkiem Piechoty oraz dwoma dywizjonami artylerii. Liczyła ona około 250 czołgów lekkich i średnich. 4 Dywizja nie miała szczęścia do Polaków. Wiele jej maszyn zostało rozbitych w walkach z Wołyńską Brygadą Kawalerii 1 września pod wsią Mokra, a 4, 5 i 6 września w starciach pod Górą Borową i Piotrkowem. Niemniej jej dowództwo sądziło, że weźmie Warszawę z marszu, i szykowało się do triumfalnego zajęcia stolicy. Po uderzeniu na Okęcie i Włochy, z których wyparto placówki polskie, ukazał się komunikat naczelnego dowództwa Wehrmachtu, że „o godzinie 17.15 wojska niemieckie wdarły się do Warszawy''.

O godzinie 17.20 odezwała się na Ochocie polska artyleria. Zaskoczeni Niemcy, spaliwszy prowizoryczne barykady, stanęli w miejscu i nie odważyli się na dalszy atak. Poniesione straty zmusiły ich do wycofania się na pozycje wyjściowe, a miasto przez całą noc było ostrzeliwane przez artylerię polową 4 Dywizji, nadleciały także samoloty, niszcząc na Woli zbiornik gazu, który stanął w płomieniach.

Następnego dnia o godzinie 7 niemieckie siły 4 Dywizji Pancernej oraz jednostki przydzielone do niej przystąpiły do natarcia na stanowiska polskie. Zostały powstrzymane na wszystkich odcinkach; bój trwał prawie przez cały dzień. 35 Pułk Czołgów, 12 Pułk Strzelców i Dywizjon Artylerii szturmowały Ochotę, czołgi przedarły się nawet do placu Narutowicza. W obronie wyróżnili się żołnierze 41 pp oraz bateria 29 Pułku Artylerii Lekkiej; walki trwały w rejonie ulicy Sękocińskiej, żołnierze polscy musieli wypierać placówki nieprzyjaciela z okupowanych przez niego domów. Wojsku przyszła z wydatną pomocą ludność cywilna. Pułkownik dypl. Porwit, który osobiście dowodził na tym odcinku oddziałami polskimi, przystąpił do przeciwnatarcia. Szkolna półkompania lekkich czołgów „7 TP'', dowodzona przez por. Kraskowskiego, wraz z grupami szturmowymi

41 pp z batalionu mjr. Kassiana zlikwidowała wszystkie niemieckie gniazda oporu. Nie u-
dała się także próba wdarcia Niemców przez Pole Mokotowskie ku centrum; nieprzyjaciel
musiał się wycofać na wszystkich odcinkach. Natomiast 36 Pułk Czołgów i 33 Pułk
Piechoty Zmotoryzowanej, wsparte Dywizjonem Artylerii, napotkawszy opór ze strony
oddziałów polskich, skierowały się na ulicę Wolską. Była ona zatłoczona uchodźcami
z zachodnich województw Polski oraz żołnierzami z rozbitych jednostek. Niemcy sądzili,
że pod osłoną tych tłumów będą mogli łatwiej przedrzeć się do miasta. O godzinie 9.30
czołgi niemieckie podpełzły pod pozycje obronne 8 kompanii 40 pp, dowodzonej przez
por. Zdzisława Pacaka-Kuźmirskiego. Kiedy Niemcy dotarli pod barykadę, por. Kuźmir-
ski kazał podpalić wylaną na jezdnię terpentynę, znalezioną w jednej z fabryk, i maszyny
stanęły w płomieniach. Po godzinnej potyczce kolumna niemiecka wycofała się z pola
walki, ponosząc duże straty. W sumie na Ochocie i Woli 4 Dywizja Pancerna straciła 42
czołgi, 30 zaś przejściowo zostało unieruchomionych; nocą Niemcy zdołali je ściągnąć na
tyły.
Odparcie niemieckiego natarcia było dużym sukcesem załogi Warszawy. Żołnierze nabrali
wiary we własne siły i w rozkazy dowódców, przekonując się, że nieprzyjaciela można bić
skutecznie. Oddziały polskie zwiększyły się o Robotniczą Brygadę Obrony Warszawy;
napływ ochotników był ogromny – w ciągu rannych godzin dnia 9 września stawiły się
tysiące ludzi, w tym wielu członków Polskiej Partii Socjalistycznej i działaczy byłej
Komunistycznej Partii Polski. Cztery kompanie po 250 żołnierzy każda odeszły na odcinki
frontu, sześć dalszych było w trakcie formowania i przysposabiania do walki, ale wielu
ochotników trzeba było odesłać do domów. Dowódcą RBOW został kpt. rez. Marian
Kenig, członek PPS.
Nie mogąc zdobyć Warszawy w bezpośrednim natarciu, Niemcy szykowali się do jej
regularnego oblężenia, zaciskając pierścień wokół miasta. Przegrupowali swoje siły;
4 Dywizję Pancerną wysłali nad Bzurę, zastąpiły ją jednostki niemieckiej piechoty.
14 września gen. Czuma dokonał reorganizacji w obronie stolicy, korzystając z nadejścia
nowych oddziałów polskich. Miasto podzielono na dwa zasadnicze odcinki obronne –
,,Warszawa-Zachód", którym dowodził płk dypl. Marian Porwit, oraz ,,Warszawa-
-Wschód", którego dowódcą został gen. Juliusz Zulauf, a jego zastępcą dotychczasowy
dowódca płk Julian Janowski, pełniący przed wojną funkcję zastępcy komendanta
głównego Straży Granicznej. W obsadzie odcinka obronnego ,,Warszawa-Zachód" zaszła
zmiana jedynie na stanowisku dowódcy odcinka ,,Południe", po śmierci ppłk. Jakuba
Witalisa Chmury, poległego w wypadzie na Okęcie, objął je ppłk dypl. Kazimierz
Galiński, dowodząc zarazem 360 pp. Odcinek obronny ,,Warszawa-Wschód", obejmujący
obszar prawobrzeżnej Warszawy, został podzielony na dwa pododcinki: ,,Północny",
którym dowodził płk dypl. Wilhelm Lawicz, oraz ,,Południowo-Wschodni" początkowo
pod dowództwem płk. dypl. Ludwika de Laveaux, a później płk. Eugeniusza Żongołłowi-
cza. Załoga miasta liczyła trzy dywizje piechoty, oddziały pomocnicze, 66 dział przeciw-
pancernych oraz sporo artylerii ciężkiej. Według raportu dowódcy Obrony Warszawy z
28 września (a więc już po przedarciu się resztek armii ,,Poznań" i ,,Pomorze") stan liczbowy wynosił 2988 oficerów, 82842 szeregowych oraz 21856 koni.
Zwierzchnikiem wszystkich władz cywilnych stolicy został komisarz cywilny mjr rez.
Stefan Starzyński, podlegała mu obrona przeciwlotnicza, którą kierował wiceprezydent
miasta inż. Julian Kulski, Straż Obywatelska pod kierownictwem mgr. Janusza Regulskiego, straż ogniowa, ochotnicze bataliony pracy, których komendantem był Mieczysław
Dębski, stołeczny Komitet Samopomocy Społecznej, któremu przewodniczył Artur
Śliwiński, oraz Polski Czerwony Krzyż z Wacławem Lachertem na czele. Generał Rómmel
jako naczelny zwierzchnik wojskowy powołał Komitet Obywatelski, w którym objął
przewodnictwo (zastępcą był Starzyński). Zadaniem Komitetu, nazywanego także Radą
Obrony Stolicy, była analiza sytuacji militarnej oraz zagadnień związanych z położeniem
ludności cywilnej. Z każdym bowiem dniem pogarszała się sytuacja miasta, otoczonego ze
wszystkich stron przez silne oddziały niemieckie, ostrzeliwanego przez artylerię wroga,
atakowanego z lądu i powietrza. Zaczęło brakować żywności, lekarstw, a także amunicji,
którą ściągano ze składów w Palmirach.
15 września pojawił się na przedpolach Warszawy kanclerz Rzeszy Adolf Hitler i nakazał
artylerii skierowanie ognia na dzielnice zabytkowe. Następnego dnia samoloty zarzuciły
miasto ulotkami wzywającymi do poddania się w ciągu 12 godzin. Zgłosili się także
parlamentariusze na Pradze, usiłując dotrzeć do gen. Rómmla z kategorycznym żądaniem
kapitulacji, ale dowódca armii ,,Warszawa" odmówił ich przyjęcia.
W niedzielę 17 września już od świtu artyleria nieprzyjacielska zaczęła ostrzeliwanie
stolicy, powodując wiele pożarów. Stanęły w ogniu: Zamek Królewski, katedra św. Jana,
Filharmonia, gmach Sejmu, dziesiątki domów mieszkalnych w Śródmieściu i na peryferiach. Ludność poniosła wielkie straty w zabitych i rannych; wszędzie pomagała w gaszeniu
pożarów i usuwaniu gruzów. Przy ratowaniu dzieł sztuki w Zamku zginął kustosz
Kazimierz Brokl.
Niemcy nacierali głównie na Grochowie i na Saskiej Kępie, gdzie toczyły się walki o Wał
Gocławski. Następnego dnia Niemcy również ruszyli do szturmu w rejonie Grochowa,
Woli i Mokotowa, spotykając się wszędzie z twardą obroną. Podpułkownik dypl. Okulicki
na czele trzech batalionów – ,,Stołecznego" pod dowództwem mjr. Józefa Spychalskiego,

514. Stefan Starzyński, prezydent miasta, komisarz
wilny przy Dowództwie Obrony Warszawy

1 batalionu 360 Pułku Piechoty mjr. Franciszka Mazurkiewicza oraz 4 batalionu tegoż pułku, mjr. Stanisława Piękosia, wspartych artylerią, rozpoczął działania zaczepne w kierunku Jelonek i Babic w celu „ściągnięcia jak najwięcej sił niemieckich na siebie". Była to jedyną akcją w kierunku zachodnim, odciążająca w pewnym stopniu walczące w rejonie Puszczy Kampinoskiej resztki armii „Poznań" i „Pomorze".

Do oblężonej Warszawy usiłowały przedrzeć się różne jednostki polskie. W sytuacji, kiedy naczelny wódz przestał właściwie dowodzić wojskiem, oczy wszystkich walczących skierowały się na bohaterskie miasto, dające przykład nieugiętej postawy. W nocy z 19 na 20 września przebił się spod Falenicy płk dypl. Władysław Kaliński, dowódca 13 Dywizji Piechoty, wraz z 200 żołnierzami, przeprawił się na lewy brzeg i dotarł do miasta. Otrzymał on rozkaz od gen. Rómmla odtworzenia swojej jednostki z resztek 13, 19 i 29 DP oraz z Robotniczej Brygady Obrony Warszawy. Również tej wrześniowej nocy ruszył do stolicy z rejonu Palmir gen. Kutrzeba na czele resztek 15 i 25 DP, zbierały się też po potyczkach oddziały 14 i 17 DP. O świcie 20 września grupa kawalerii gen. Władysława Abrahama, złożona z żołnierzy Wielkopolskiej Brygady Kawalerii, a także Podolskiej i Pomorskiej, dotarła do Bielan, gdzie również przy 25 DP znalazł się gen. Kutrzeba, którego gen. Rómmel mianował swoim zastępcą.

21 września opuściło stolicę 178 przedstawicieli korpusu dyplomatycznego i 1200 cudzoziemców. 22, 23 i 24 września artyleria niemiecka wzmogła ostrzeliwanie Warszawy, niszcząc wiele domów mieszkalnych oraz obiektów zabytkowych, jak pałac Krasińskich, gmach Generalnego Inspektoratu Sił Zbrojnych, wzniecając ogień w zabudowaniach Politechniki i w gmachu Teatru Wielkiego, częściowo uratowanego dzięki straży pożarnej. Naloty i nieustanne ostrzeliwanie miasta spowodowały przerwę w dostawie prądu, gdyż elektrownia znalazła się w zasięgu niemieckiego ognia; zamilkła radiostacja Warszawa II,

która niosła w świat komunikaty o obronie stolicy i podtrzymujące na duchu przemówienia Stefana Starzyńskiego.

W dniu 25 września, nazwanym przez warszawiaków „lanym poniedziałkiem", Wehrmacht ruszył do natarcia. Hitler przyjechał do Grodziska i wydał rozkaz szturmu. „Cel walki był od tej chwili jasny dla wszystkich" – pisał płk Porwit – „wyrażał się bowiem w świadomości wszystkich prostymi słowami: Nie dać się!". Trzynaście dywizji piechoty, dwie dywizje pancerne oraz pułk SS „Leibstandarte Adolf Hitler", należące do 8 Armii gen. Blaskowitza, uderzyły od zachodu. Na prawobrzeżną Warszawę nacierało pięć dywizji piechoty, jedna dywizja pancerna i brygada kawalerii 3 Armii gen. Küchlera. Wspierały je dwie floty powietrzne, I i IV, nadlatując bez przerwy nad miasto, które stanęło w ogniu i dymach. Spłonął szpital Św. Ducha przy ul. Elektoralnej (mnóstwo chorych i rannych znalazło śmierć w płomieniach), poszły z ogniem dziesiątki kamienic w Śródmieściu, zgorzały gmachy szpitala Dzieciątka Jezus, Ministerstwa Spraw Wewnętrznych przy ul. Nowy Świat, Resursy Obywatelskiej i Muzeum Przemysłu oraz Techniki na Krakowskim Przedmieściu, Teatr Wielki i wiele innych.

Załoga obrony miasta odparła wszystkie natarcia, Niemcy zajęli jedynie Królikarnię, która znajdowała się poza linią zasadniczej obrony Mokotowa, opierającej się o ul. Ursynowską. Pod wieczór ppłk Galiński na czele żołnierzy 27 DP próbował odbić Królikarnię, co mu się nie udało; zmarł na skutek otrzymanej rany. Jego miejsce zajął ppłk dypl. Tadeusz Daniec ze sztabu armii „Warszawa".

518. Zamek warszawski spalony 17 września 1939 r.

26 września był drugim dniem wielkiego szturmu niemieckiego. Od świtu rozpoczęła ostrzeliwanie artyleria, po przygotowaniu ogniowym ruszyła do natarcia piechota. Ale na razie plany niemieckie zawiodły, przewidywały one bowiem złamanie zasadniczej linii obrony Warszawy na wszystkich odcinkach, szczególnie na południu, i wdarcie się w głąb, tymczasem oddziały wroga zdołały zaledwie po ciężkich i krwawych walkach zepchnąć siły polskie z wysuniętych placówek.

Zniszczenie miasta, tragiczne położenie ludności cywilnej, brak wody i żywności, przepełnienie szpitali i budynków publicznych rannymi, głównie spośród cywilów, sprawiło jednak, że gen. Rómmel w porozumieniu z Komitetem Obywatelskim powziął decyzję wszczęcia pertraktacji kapitulacyjnych. Z ramienia dowództwa gen. Kutrzeba i płk dypl. Pragłowski udali się rano 27 września na rozmowę z gen. Blaskowitzem do jego siedziby w fabryce „Skoda" na Okęciu. Następnego dnia, 28 września 1939 o godzinie 13.00, podpisano kapitulację przekazującą miasto pod władzę okupanta.

Warszawa poniosła dotkliwe straty. Około 12% budynków zostało zniszczonych całkowicie, wiele było uszkodzonych, nie działały elektrownia, filtry, kanalizacja, komunikacja miejska została zniszczona, place i skwery pokryły się mogiłami poległych. Armia polska straciła ponad 2000 żołnierzy, ludność cywilna ponad 10 000 mieszkańców. Od 29 września wychodziły z Warszawy kolumny żołnierzy, broń złożyło około 100 000 ludzi. Oficerów kierowano do obozów jenieckich, żołnierzy zaś rozpuszczono do domu. Wielu z nich nie oddało broni, ukrywszy ją w przekonaniu, że przyda się w najbliższym czasie. Odezwy generała Rómmla i prezydenta Starzyńskiego wzywały ludność do spokoju i opanowania.

1 października wkroczyły do stolicy pierwsze oddziały wroga. Zaczynał się ciężki, pięcioletni okres okupacji. Do sierpnia 1944 roku ludność Warszawy będzie się znajdowała we władzy wroga. Zarówno niemieckie dowództwo wojskowe, jak i administracja cywilna zastosowały wobec mieszkańców Warszawy „ostry kurs". Z miejsca po wkroczeniu wojsk okupacyjnych aresztowano około 300 osób w charakterze zakładników, restrykcje dotknęły głównie środowisko inteligenckie. 5 października, kiedy Hitler w Alejach Ujazdowskich odbierał defiladę, żandarmeria polowa usunęła z domów wszystkich mieszkańców, pozwalając im wrócić do mieszkań dopiero po południu. Od zmierzchu do świtu obowiązywała godzina policyjna.

Życie w zrujnowanym mieście stabilizowało się powoli. Przede wszystkim dzięki energicznej akcji Starzyńskiego uprzątnięto z jezdni resztki barykad i gruzy. Wszystkie instytucje Zarządu Miejskiego przystąpiły do naprawy zniszczonych urządzeń komunalnych. Ruszyła elektrownia i wodociągi, właściciele domów przystąpili do remontów, chociaż brakowało szkła i materiałów budowlanych. Uruchomiono także linię autobusową z placu Teatralnego na plac Zbawiciela, a później drugą od Nowego Światu do Towarowej. Tramwaje zaczęły kursować od placu Krasińskich do placu Wilsona (dziś Komuny Paryskiej), łącząc Żoliborz ze Śródmieściem. Przemysł warszawski, z wyjątkiem takich zakładów jak Lilpop czy Zakłady Ostrowieckie, na których produkcji zależało Niemcom, nie podjął jeszcze działalności. Nieczynne były kina, teatry i lokale rozrywkowe, nie ukazywała się prasa, z wyjątkiem niemieckiej, drukowanej w Łodzi, zawiesiło pracę wiele urzędów cywilnych. Setki urzędników państwowych i pracowników fizycznych straciły możność zarobkowania, co przyczyniło się do zubożenia ludności.

Prezydent Starzyński, w praktyce internowany na warszawskim ratuszu, choć wciąż urzędujący, starał się o uruchomienie wszystkich agend miejskich w celu przyjścia z pomocą mieszkańcom Warszawy. Uważał bowiem, że „nie wolno pozbawiać ludności stolicy, jak długo to jest możliwe, usług oddanego swym obowiązkom aparatu służb miejskich; służby miejskie powinny starać się w miarę potrzeb i możności zapewnić usługi dawniej spełniane przez organa państwa i praca wojenna Zarządu Miejskiego musi być prowadzona w ścisłej współpracy i kontakcie z władzami podziemnej administracji polskiej, wojskowej czy cywilnej, dla jak najlepszego służenia interesom narodowym przez nie reprezentowanym". Dlatego nawiązał bliski kontakt z organizacją podziemną Służba Zwycięstwu Polski, która powstała 27 września, a na jej czele stanął wyznaczony przez Rómmla gen. Michał Karaszewicz-Tokarzewski, działający pod pseudonimem „Torwid". Mimo powstania we Francji rządu gen. Władysława Sikorskiego nie powołano jeszcze w podziemiu administracji cywilnej. Poza Służbą Zwycięstwu Polski zaczęły działalność pierwsze grupy organizacji podziemnych, jak Komenda Obrońców Polski (KOP), Orzeł Biały, Polska Ludowa Akcja Niepodległościowa (PLAN) i wiele innych. 10 października ukazała się pierwsza podziemna gazetka, był nią tygodnik „Polska żyje", który wychodził z małymi przerwami ze względu na aresztowania redaktorów lub wpadki drukarń aż po dzień wybuchu powstania warszawskiego. Redaktorem „Polska żyje" został Witold Hulewicz, poeta, jeden z czołowych ekspresjonistów polskich, doskonały znawca kultury niemieckiej, autor książki o Beethovenie, były powstaniec wielkopolski, kierownik literacki Polskiego Radia. Dopiero następnego dnia, 11 października, Niemcy przystąpili do kolportażu gazety hitlerowskiej w języku polskim, osławionego „Nowego Kuriera Warszawskiego".

21 października „Nowy Kurier Warszawski" zamieścił obwieszczenie o egzekucji 4 obywateli polskich, w tym Jana Siokały, byłego szefa policji w Poznaniu, za rzekome posiadanie broni. 22 października władze okupacyjne wydały zarządzenie o natychmiasto-

). Generał Juliusz Rómmel, dowódca armii „Łódź" w czasie kampanii wrześniowej, a następnie armii „Warszawa" podczas oblężenia stolicy

wej konfiskacie aparatów radiowych; posiadanie ich miało być odtąd karane śmiercią. 26 października proklamowano utworzenie Generalnego Gubernatorstwa, którego rząd powierzył Hitler byłemu ministrowi sprawiedliwości Rzeszy, dr. Hansowi Frankowi. Gubernatorem dystryktu warszawskiego został SA-Brigadeführer dr Ludwig Fischer. Następnego dnia aresztowano prezydenta Stefana Starzyńskiego, komisarycznym burmistrzem władze okupacyjne mianowały inż. Juliana Kulskiego. Natomiast komisarycznym prezydentem Warszawy został dr Otto, po nim dr Dengel; dopiero Ludwig Leist, który kierował sprawami miasta przez cztery lata, będzie nosił tytuł starosty Warszawy.

Kiedy władze okupacyjne wezwały urzędników do stawienia się w miejscach dotychczasowej pracy, kierownik Ministerstwa Wyznań Religijnych i Oświecenia Publicznego, dr Kazimierz Szelągowski, w porozumieniu ze Związkiem Nauczycielstwa Polskiego wezwał pedagogów do uruchomienia szkół. Wiele gmachów szkolnych było zniszczonych lub uszkodzonych, w większości brakowało szyb, dzięki jednak nauczycielom oraz uczniom prowizorycznie zabezpieczono budynki i rozpoczęto naukę. Nie trwała ona długo. Już 15 listopada Niemcy wydali zakaz dalszej działalności szkół ogólnokształcących, zezwalając jedynie na szkoły podstawowe i zawodowe zgodnie z hitlerowską koncepcją utrzymania społeczeństwa polskiego na jak najniższym poziomie intelektualnym. W przewidywaniu trudności, które siłą faktu groziły polskiemu szkolnictwu, powstała już w końcu października Tajna Organizacja Nauczycielska (TON); kierownikami jej zostali: Zygmunt Nowicki, Czesław Wycech, Kazimierz Maj, Wacław Tułodziecki i Teofil Wojeński. Związek Nauczycielstwa Polskiego nie mógł działać legalnie, po zajęciu Warszawy jego biura zostały zagarnięte przez okupantów i opieczętowane, a następnie przekazane do użytku Ubezpieczalni Społecznej. Zarządzenie generalnego gubernatora z 31 października zabroniło używania nazw ,,gimnazjum'' i ,,liceum''; w grudniu 1939 roku Niemcy usunęli z programów szkolnych naukę historii, geografii i literatury polskiej. Nie tylko więc młodzież liceów przeszła na system tajnych kompletów, musiała się także dokształcać i reszta dzieci. Do końca roku szkolnego powstało w mieście około 900 tajnych kompletów, odbywających się w mieszkaniach prywatnych; uczyło na nich za nędzne grosze około 800 nauczycieli, w tym wielu wybitnych. Szkoła warszawska zeszła do podziemia. 8 grudnia powołano Międzystowarzyszeniową Komisję Porozumiewawczą Organizacji i Stowarzyszeń Nauczycielskich; w jej skład weszła również Tajna Organizacja Nauczycielska i cztery inne. Celem tej komisji było kierowanie tajną oświatą i niesienie pomocy ofiarom terroru hitlerowskiego, w Warszawie pojawili się bowiem nauczyciele i profesorowie szkół wyższych z terenów zachodnich, którym udało się ujść przed gestapo.

Nie było oczywiście mowy o otworzeniu Uniwersytetu Warszawskiego. Haniebne aresztowanie przez gestapo profesorów Uniwersytetu Jagiellońskiego w Krakowie 6 listopada 1939 roku i wysłanie ich do obozu koncentracyjnego w Sachsenhausen, gdzie wielu poniosło śmierć, potwierdziło obawy, że hitlerowcy pragną zniszczyć kulturę polską doszczętnie. Wywieziono z Warszawy scenę obrotową Teatru Narodowego, wysłano na przemiał zbiory Biblioteki Sejmowej, zamknięto dla publiczności Bibliotekę Uniwersytecką i Narodową. Sam dr Frank dał znak do niszczenia polskich dóbr kulturalnych, zrywając srebrne orły z tronu królewskiego na zamku warszawskim, już częściowo zniszczonym. Dyrektor Muzeum Narodowego, dr Stanisław Lorentz, razem ze współpracownikami uratował zabytkowe plafony Zamku, wiele mebli i cennych pamiątek, przenosząc je potajemnie do magazynów Muzeum Narodowego.

520. Kazimierz Maj, Czesław Wycech, Teofil Wojeński, Wacław Tułodziecki, członkowie kierownictwa Tajnej Organizacji Nauczycielskiej (TON), powstałej końcu października 1939 r.

522. Targowisko na placu Za Żelazną Bramą w dniu 3.XI.1940 r.

31 października 1939 roku ukazało się nowe zarządzenie gubernatora generalnego; na jego podstawie można było w praktyce każdego postawić przed sądem doraźnym, a wyrok był tylko jeden – kara śmierci. Paragraf 3 mówił, że „kto nawołuje lub zachęca do nieposłuszeństwa rozporządzeniom lub zarządzeniom władz niemieckich, podlega karze śmierci". Zarządzenie gubernatora nie mówiło nic o konieczności przedstawienia dowodów winy, poddany Generalnego Gubernatorstwa nie miał więc możliwości obrony.

3 listopada ogłoszono wiadomość o wykonaniu wyroku na Eugenii Włodarz i Elżbiecie Zahorskiej za zamachy na żołnierzy niemieckich i zrywanie plakatów; 11 listopada żandarmeria za wywieszenie plakatu rozstrzelała w Zielonce zatrzymanych zupełnie przypadkowo 9 mężczyzn, w tym 3 chłopców. 16 listopada ukazało się obwieszczenie podpisane przez komendanta pułku policji Warszawy o skazaniu na śmierć 7 mężczyzn, 19 listopada ogłoszono w „Nowym Kurierze Warszawskim" wykonanie wyroku śmierci na 15 mężczyznach; jednym z nich był dr Rafał Blüth, literat, członek zespołu redakcyjnego katolickiego czasopisma „Verbum", u którego znaleziono w czasie przypadkowej rewizji maszynopis utworu antyhitlerowskiego; 22 listopada policja niemiecka rozstrzelała wszystkich mężczyzn w domu przy ul. Nalewki 9 za zamordowanie polskiego policjanta; czynu tego dokonał zawodowy przestępca, o czym Niemcy doskonale wiedzieli. Chodziło jednak o sterroryzowanie Warszawy. 301 batalion Schutzpolizei, stacjonujący w gmachu Sejmu, dokonał w tajemnicy wielu egzekucji obywateli polskich na terenach ogrodu. Ale największą zbrodnię, która wstrząsnęła całym społeczeństwem polskim, popełnili hitlerowcy na terenie Wawra w dniu 27 grudnia 1939 roku. Na rozkaz płk. Maksa Daumego,

zastępcy dowódcy 31 pułku Ordnungspolizei, zamordowali oni 107 przypadkowych mieszkańców tego osiedla, wyciągniętych z domów i skazanych na karę śmierci przez sąd pod przewodnictwem mjr. Fryderyka Wilhelma Wenzla, który później osobiście kierował egzekucją. Powieszony został na drzwiach swojej restauracji Antoni Bartoszek, gdyż poprzedniego dnia dwaj kryminaliści, zwolnieni we wrześniu 1939 roku z więzienia, zastrzelili w niej dwóch podoficerów 538 batalionu budowlanego. Nie pomogły tłumaczenia, że czynu dokonali bandyci, ani zapewnienia, że ludność polska będzie współdziałać w ich ujęciu, „sprawiedliwości" stało się zadość.

Niemcy szczególnie prześladowali ludność żydowską Warszawy. Po wkroczeniu do miasta chodzili bezkarnie po sklepach i mieszkaniach żydowskich, dokonując grabieży. 1 grudnia wydali zarządzenie o noszeniu przez wszystkich Żydów opasek z gwiazdą Dawida. Sklepy, apteki i szpitale żydowskie musiały również zaopatrzyć się w wywieszki z gwiazdą.

Pod koniec grudnia 1939 roku Służba Zwycięstwu Polski została zgodnie z dyrektywami gen. Sikorskiego przekształcona w Związek Walki Zbrojnej; komendantem obszaru niemieckiego został płk dypl. Stefan Rowecki, który przyjął pseudonim „Grot". Generał Tokarzewski został wysłany do Lwowa. Organem centralnym ZWZ zostało czasopismo „Biuletyn Informacyjny", wychodzące w Warszawie od 5 listopada jako gazetka podziemna, której ostatni numer na terenie miasta ukaże się 4 października 1944 roku. Ten tygodnik należał do najpopularniejszych pism podziemnych.

Polityka hitlerowców w stosunku do kultury polskiej była wyraźnie określona: nie dopuścić do jakiegokolwiek rozwoju myśli polskiej, a jeśli pod koniec listopada 1939 roku zdecydowano się na uruchomienie kilku kin w Warszawie, uczyniono to w przekonaniu, że wyświetlane tam filmy będą służyć propagandzie III Rzeszy. 16 grudnia ukazało się zarządzenie generalnego gubernatora Franka w sprawie dokonanych już konfiskat i grabieży polskich dóbr kulturalnych; przejęciu przez Niemców miały podlegać nie tylko zbiory państwowe, komunalne i zrzeszeń religijnych, ale i prywatne.

523. Generał Stefan Grot-Rowecki, komendant główny Związku Walki Zbrojnej, następnie Armii Krajowej

Władze okupacyjne przystąpiły w Warszawie do celowego obniżenia stopy życiowej mieszkańców. 18 stycznia 1940 roku wydano rozporządzenie o składaniu do depozytu będących dotychczas w obiegu banknotów 100- i 500-złotowych, 23 stycznia natomiast hitlerowcy wprowadzili karty aprowizacyjne na chleb po cenach urzędowych i tylko dla pracujących. Podjęto fikcyjną walkę ze zwyżką cen i spekulacją towarami, co przyczyniło się do dalszego chaosu gospodarczego i powstania w szerszym niż dotychczas zakresie „czarnego rynku".

Nie ustawały masowe egzekucje. Rozbicie organizacji podziemnej Polskiej Ludowej Akcji Niepodległościowej spowodowało w dniach 14–18 stycznia aresztowania wśród inteligencji. 22 stycznia stracono w Palmirach 80 osób, w tym 2 kobiety, tylko częściowo związanych ze sprawą PLAN-u. Od 7 grudnia 1939 roku polana leśna w Palmirach stała się miejscem masowych mordów. Zatrzymanych kierowano do gmachu gestapo w al. Szucha, gdzie przeprowadzano badania, usiłując wymusić zeznania biciem i torturami. Centralnym więzieniem politycznym stał się Pawiak, a dla kobiet tak zwana Serbia, mieszcząca się przy ul. Dzielnej 24/26. Aleja Szucha została przemianowana przez Niemców na Strasse der Polizei, sporo ulic w mieście otrzymało niemieckie nazwy. Aleje Ujazdowskie przemianowano na Siegesallee, ul. Belwederską na Sonnenstrasse, Koszykową na Dr. Kurt Lückstrasse, Puławską na Feldherrn-Allee, plac Unii Lubelskiej na Fliegerplatz, a plac Piłsudskiego na Adolf Hitler-Platz. Urzędnicy niemieccy zajmowali mieszkania w określonych rejonach, głównie w okolicach placu Unii Lubelskiej, wyrzucając właścicieli na bruk.

W nocy z 28 na 29 marca doszło do pierwszego starcia zbrojnego w mieście, kiedy Niemcy próbowali dostać się do jednego z mieszkań przy ul. Sosnowej 3, zajmowanego przez kierownictwo Organizacji Wojskowej „Wilki". Jej komendant Józef Brückner, oficer lotnictwa o pseudonimie „Biernacki", wraz z adiutantem Romanem Kluzowskim „Halnym" otworzyli do okupantów ogień i zbiegli z lokalu. Gestapo natychmiast aresztowało 34 mężczyzn, mieszkańców domów przy ul. Sosnowej 3 i Złotej 46; zginęli oni później w egzekucji w Palmirach.

Ważnym wydarzeniem w historii podziemia było powołanie przez Komendę Główną ZWZ grup sabotażowo-dywersyjnych, nazwanych Związek Odwetu. Jego członkowie dokonali 20 kwietnia udanej akcji uszkodzenia samolotu transportowego na lotnisku Okęcie.

13 kwietnia został otwarty jawny teatrzyk rewiowy „Kometa" na ul. Chłodnej, gdzie wystawiono „Czar wiosny" w reżyserii Stanisława Heinricha. Związek Artystów Scen Polskich na tajnym zebraniu powziął uchwałę bojkotu otwieranych za zgodą okupanta placówek. Najwybitniejsi aktorzy pracowali jako kelnerzy w restauracjach lub kawiarniach, na przykład w otwartej 27 kwietnia 1940 roku kawiarni „U aktorek", mieszczącej się w Al. Ujazdowskich, później przeniesionej na ul. Mazowiecką. Władze hitlerowskie zakazały sprzedaży wszelkich podręczników przedwojennych i 30 kwietnia ogłosiły „Liste der deutschfeindlichen, schädlichen und unerwünschten polnischen Schrifttums Nr 1", na której znalazło się 430 dzieł 338 polskich pisarzy; drugą z kolei tego rodzaju listę proskrypcyjną opublikowano 31 października tegoż roku; obejmowała ona dalsze tytuły 1249 zabronionych książek 799 polskich autorów, między innymi dzieła laureatów Nobla – Sienkiewicza i Reymonta – oraz wielu pisarzy współczesnych.

Terror niemiecki nie ustawał. Wzmógł się po wizycie Himmlera w Warszawie. 2 maja odszedł z Pawiaka pierwszy transport więźniów do obozu koncentracyjnego Sachsenhausen w Oranienburgu pod Berlinem, 8 maja zaś miasto przeżyło pierwsze wielkie łapanki uliczne, w których zatrzymano kilka tysięcy mężczyzn. Himler bowiem nakazał osadzenie 20 000 Polaków w obozach koncentracyjnych.

Zajęcie Danii oraz Norwegii, podjęcie ofensywy niemieckiej na Francję, kapitulacja Belgii i Holandii odwróciły uwagę opinii światowej od wydarzeń w Generalnym Gubernatorstwie. Hitlerowcy korzystając z tego dokonali aresztowań w kręgach polskiej inteligencji, pragnąc ją zniszczyć jako kierowniczą warstwę narodu. W tajnym memoriale z 15 maja zatytułowanym „Einige Gedanken über die Behandlung der Fremdvölkischen im Osten" Himmler żądał, aby „obcoplemienna ludność wschodu" kończyła jedynie czteroklasowe szkoły podstawowe, uczące podpisywania się, liczenia do pięciuset i zrozumienia, że „wola niemiecka jest wolą bożą". Jednym z przejawów nienawiści do polskiej kultury było usunięcie 31 maja pomnika Chopina z parku Łazienkowskiego.

Upadek Francji zbiegł się z szeregiem nowych egzekucji w Palmirach. 14, 20 i 21 czerwca stanęli przed plutonami policyjnymi wybitni politycy, jak Mieczysław Niedziałkowski, Maciej Rataj i wiceprezydent Warszawy Jan Pohoski. Zginął także Janusz Kusociński, mistrz olimpijski z 1932 roku. Niepełna lista straconych w tych dniach czerwcowych obejmowała 358 nazwisk.

Upadek Francji i przeniesienie rządu emigracyjnego do Wielkiej Brytanii spowodowały także zmiany w podziemiu. Awansowany wiosną do stopnia generała brygady Stefan Rowecki objął obowiązki komendanta głównego Związku Walki Zbrojnej, z jego też inicjatywy 3 lipca powstała Zbiorowa Delegatura Rządu, złożona z przedstawicieli Stronnictwa Ludowego, Stronnictwa Narodowego, organizacji podziemnej Wolność, Równość, Niepodległość (dawna PPS) oraz Związku Walki Zbrojnej. Przewodnictwo powierzono przybyłemu emisariuszowi z Francji, płk. Janowi Skorobohatemu-Jakubowskiemu, noszącemu pseudonim „Vogel". Ostatnie posiedzenie odbyła Delegatura 13 września 1940 roku, kiedy przywrócono istniejący dotychczas Polityczny Komitet Porozumiewawczy, mający charakter reprezentacji politycznej stronnictw, do której doszedł jeszcze przedstawiciel Stronnictwa Pracy. W grudniu 1940 roku urząd delegata rządu na kraj objął były minister i prezydent Poznania Cyryl Ratajski (pseudonim „Górski"). Z tą chwilą podziemie przybrało kształt, który z niewielkimi zmianami utrzymał się przez cały okres wojny.

12 sierpnia Warszawa ponownie przeżyła wielkie łapanki uliczne, których ofiarą padło około 1500 mężczyzn. Policji bezpieczeństwa i żandarmerii pomogli w tej akcji także żołnierze Wehrmachtu, zabierając ludzi z tramwajów, sklepów, kościołów lub po prostu z ulicy. W dwa dni później odszedł pierwszy transport więźniów i zatrzymanych w łapankach do obozu koncentracyjnego w Oświęcimiu. Liczył on w sumie 1666 ludzi. 30 sierpnia i 17 września odbyły się dalsze egzekucje w Palmirach; w pierwszej zginęło 87 więźniów, w tym grupa mężczyzn z Włoch pod Warszawą, w drugiej 198, w tym 179 mężczyzn i 19 kobiet. 19 września hitlerowcy przeprowadzili znowu wielką obławę w mieście, głównie na kolonii Staszica i Żoliborzu. Zatrzymano ponad 2000 osób. 23 września odszedł następny transport do Oświęcimia, liczący 1705 mężczyzn. Wśród nich znajdowali się działacze PPS – Stanisław Dubois, były poseł na Sejm, więzień brzeski, oraz Konstanty Jagiełło – a także 12 kierowników szkół warszawskich, aresztowanych na początku maja i oskarżonych o sabotowanie zarządzeń hitlerowskich; tylko dwóch z nich przeżyło obóz.

W maju odbyły się pierwsze okupacyjne matury na nielegalnych kompletach, jesienią zaczął działać tajny Uniwersytet Warszawski oraz Uniwersytet Ziem Zachodnich. Wykładowcami byli profesorowie i asystenci Uniwersytetu Poznańskiego, którzy uniknęli śmierci. Rozpoczęła działalność tajna Politechnika i inne wyższe uczelnie. Z inicjatywy tajnej Rady Wydziału Lekarskiego UW podjęto nauczanie studentów medycyny pod osłoną legalnie istniejącej Prywatnej Szkoły Zawodowej dla Personelu Sanitarnego doc. J. Zaorskiego; jej pierwszym dyrektorem naukowym był prof. dr Stefan Kopeć, zamordowany przez hitlerowców w 1941 roku, po nim objął stanowisko prof. dr Franciszek Czubalski. Na pierwszym roku było 87 słuchaczy, na utworzonym w kilka miesięcy później drugim roku łącznie z pierwszym było już około 300 studentów. Na tajnym Uniwersytecie Warszawskim studiowało około 400 studentów, również tylu na Politechnice.

6 października z udziałem Franka nastąpiło uroczyste otwarcie niemieckiego Theater der Stadt Warschau w gmachu Teatru Polskiego, 12 października zaś władze okupacyjne otworzyły Teatr Miasta Warszawy, dostępny w niektóre dni tygodnia dla Polaków. Dyrektorem został znany przedwojenny aktor Igo Sym. „Nowy Kurier Warszawski" w nie podpisanym artykule wystąpił 28 września przeciwko aktorom polskim uchylającym się od współdziałania z jawnymi teatrzykami.

12 października 1940 roku gubernator dystryktu warszawskiego Fischer zarządził utworzenie trzech dzielnic mieszkaniowych: niemieckiej, polskiej i żydowskiej. 15 października „Nowy Kurier Warszawski" przyniósł plan getta obejmującego północną dzielnicę miasta; ulica Chłodna początkowo dzieliła dwie jego części, które połączył drewniany most nad jezdnią. Żydów zaczęto wysiedlać z mieszkań w pozostałych dzielnicach Warszawy, usuwano też Polaków z terenu getta. 25 listopada, otoczone wysokim murem pilnowanym przez strażników, getto zostało ostatecznie zamknięte i trzeba było mieć specjalną przepustkę, by się tam dostać. Na niewielkiej przestrzeni stłoczono około pół miliona mieszkańców, gdyż do getta warszawskiego Niemcy ściągnęli Żydów spoza miasta.

1 listopada 1940 roku ukazał się w „Biuletynie Informacyjnym", redagowanym przez pedagoga i działacza harcerskiego Aleksandra Kamińskiego (pseud. „Hubert") artykuł „Mały sabotaż", wzywający Polaków do przeprowadzania drobnych akcji skierowanych nie tylko przeciw Niemcom, ale i ludziom wysługującym się okupantowi. Pod koniec listopada powołano do życia organizację małego sabotażu, która przyjęła kryptonim „Wawer". 5 grudnia piątka bojowa „Wawra" dokonała pierwszej akcji – wybicia szyb w zakładach fotograficznych, wystawiających zdjęcia żołnierzy niemieckich. Pojawiły się później napisy na murach: „Wawer", przypominające rocznicę masowego mordu z grudnia 1939 roku, oraz „Oświęcim". Niebawem z inicjatywy harcerzy z 23 Warszawskiej Drużyny pojawiły się na ścianach domów warszawskich rysunki świń z napisem: „Tylko świnie siedzą w kinie, co bogatsze to w teatrze". Inną akcją członków „Wawra" było oblewanie Polek towarzyszących na ulicach Niemcom płynami żrącymi oraz podrzucanie w kinach probówek z gazem.

Po Nowym Roku 1941 władze okupacyjne wysłały z Pawiaka do obozu oświęcimskiego drugą grupę więźniów, liczącą około 500 osób; wśród nich znajdował się wybitny działacz polityczny, członek PPS – Norbert Barlicki. Następny transport 593 mężczyzn odszedł z Warszawy do Oświęcimia 31 stycznia. Byli wśród nich ludzie aresztowani w dniach 11 i 12 stycznia według przygotowanych list.

7 lutego w gmachu szkolnym przy ul. Skaryszewskiej 8 powstał punkt etapowy niemieckiego Urzędu Pracy, skąd zaczęto wywozić Polaków na roboty przymusowe do Rzeszy. Kierownikiem tego „obozu przejściowego" został Niemiec Bolongino.

7 marca 1941 roku Roman Rozmiłowski „Zawada" oraz Jan Kowalski „Mały", żołnierze grupy bojowej ZWZ, wykonali wyrok śmierci na Igo Symie, agencie hitlerowskim. Akcja odbiła się głośnym echem w całym mieście i wywołała furię władz okupacyjnych. Fischer nakazał aresztowanie większej liczby zakładników, zakazał wykonywania produkcji artystycznych w polskich teatrach, rewiach i zakładach gastronomicznych na miesiąc oraz ustalił godzinę policyjną dla Polaków od 20 do 5 rano. Zatrzymano około 100 mężczyzn i kobiet; 11 marca rozstrzelano w Palmirach 21 osób, w tym dwóch wybitnych naukowców: prof. dr. Stefana Kopcia oraz prof. dr. Kazimierza Zakrzewskiego, związanego z ruchem syndykalistycznym. Ofiary tej egzekucji nie miały nic wspólnego ze sprawą Igo Syma, a nawet ze środowiskiem aktorskim. 24 marca odszedł jedyny transport więźniów z Pawiaka do obozu w Buchenwaldzie, liczący 108 mężczyzn. 13 kwietnia ukazały się listy gończe, podpisane przez SS-Gruppenführera Modera, za parą aktorów – Dobiesławem Damięckim i Ireną Górską, podejrzanymi o współdziałanie w zamachu na Syma. 1 kwietnia odbyła się dalsza egzekucja w Palmirach, głównie aresztowanych działaczy podziemia z Łowicza. 5 kwietnia odszedł do Oświęcimia nowy transport 1021 więźniów politycznych. Znajdowali się wśród nich Stefan Jaracz i Leon Schiller, wybitni ludzie teatru.

1 i 3 maja organizacja małego sabotażu „Wawer" podjęła akcję dekorowania miasta biało-czerwonymi chorągiewkami, zawieszając je na murach, drutach telefonicznych i tramwajowych. Był to trudny okres dla Warszawy. Na skutek przygotowań do ofensywy na Wschodzie kierowane były na obszar Generalnego Gubernatorstwa coraz to nowe jednostki Wehrmachtu. Niemcy dokonywali masowych rekwizycji dla wojska, ceny żywności osiągnęły poziom dotychczas nie notowany. Nastąpiły też ograniczenia w transporcie kolejowym.

17 i 18 maja gestapo dokonało znowu aresztowań przedwojennych działaczy politycznych, wśród nich prof. Romana Rybarskiego, byłego wiceministra skarbu. 28 maja w transporcie 304 więźniów do Oświęcimia znaleźli się ponownie Stanisław Dubois (przywieziony do Warszawy na badania) oraz o. Maksymilian Kolbe, franciszkanin, założyciel ośrodka drukarsko-wydawniczego w Niepokalanowie. 12 czerwca rozstrzelano w Palmirach 15 mężczyzn i 14 kobiet. Śmierć znaleźli tam między innymi Witold Hulewicz, redaktor „Polska żyje", oraz Stanisław Piasecki, przedwojenny redaktor tygodnika literackiego „Prosto z mostu", w latach okupacji działacz podziemnego Stronnictwa Narodowego oraz redaktor konspiracyjnej „Walki".

22 czerwca 1941 Niemcy napadły na Związek Radziecki; wiadomość o wybuchu wojny podana przez megafony wywołała olbrzymie wrażenie w Warszawie. Przez miasto maszerowały na wschód oddziały niemieckie dniem i nocą. „Nowy Kurier Warszawski" przynosił codziennie komunikaty Oberkommando der Wehrmacht o sukcesach armii hitlerowskiej. Pędzeni przez miasto jeńcy radzieccy spotykali się ze spontaniczną pomocą i życzliwością; wielu z nich uciekło, znajdując opiekę u rodzin polskich.

Wybuch wojny niemiecko-radzieckiej przyczynił się także do zmiany struktury politycznej podziemia. Grupy komunistów polskich, zasilone przybyszami ze wschodnich terenów, zaczęły podejmować żywszą niż dotychczas działalność. Powstał Związek Walki Wyzwoleńczej, istniały także inne organizacje, jak Stowarzyszenie Przyjaciół ZSRR, grupa Proletariusz, organizacja Sierp i Młot, złożona z komunistów i radykalnych ludowców; została ona częściowo rozbita na skutek masowych aresztowań wśród jej kierownictwa.

Niemcy usiłowali oddziaływać na społeczeństwo Warszawy za pomocą ogromnych tablic propagandowych, ustawionych w centralnych punktach miasta. Na tych planszach, przedstawiających kierunek uderzenia na Związek Radziecki, grupy sabotażowe „Wawra" dopisywały lub wybijały stemplem datę: 1812. Na plakatach oznajmiających, że

4. Marceli Nowotko, pierwszy sekretarz Komitetu Centralnego Polskiej Partii Robotniczej

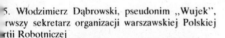

5. Włodzimierz Dąbrowski, pseudonim „Wujek", rwszy sekretarz organizacji warszawskiej Polskiej rtii Robotniczej

„Deutschland siegt an allen Fronten", żołnierze małego sabotażu przerabiali literę s na l: „Niemcy leżą na wszystkich frontach".

A jednocześnie nie ustawał terror okupanta. 17 lipca odbyła się ostatnia egzekucja w Palmirach, polana śmierci została obsadzona młodymi sosenkami dla zatarcia śladów. Następne egzekucje odbywały się w Lesie Kabackim, 3 i 11 września odeszły z Pawiaka dalsze transporty do Oświęcimia, liczące w sumie 184 więźniów. 22 września wysłano z więzienia na Serbii pierwszy transport 274 kobiet do obozu koncentracyjnego w Ravensbrück, tak zwany Sondertransport, gdyż wiele więźniarek politycznych wyjechało z wyrokami śmierci.

1 września odbył się zjazd połączeniowy różnych grup socjalistycznych, pozostających w opozycji do WRN, powstała organizacja o nazwie Polscy Socjaliści, której organem prasowym była „Barykada Wolności". Przewodniczącym Komitetu Centralnego został wybrany dr Adam Próchnik. Doszło do zmian w kierownictwie Związku Walki Zbrojnej. Zastępcą gen. „Grota" został gen. Tadeusz Komorowski, występujący pod pseudonimem „Korczak", który na skutek aresztowań w Krakowie musiał zmienić teren działania. Jednocześnie szefem sztabu w miejsce tragicznie zmarłego płk. dypl. Janusza Albrechta „Wojciecha" został mianowany płk dypl. Tadeusz Pełczyński, późniejszy generał „Grzegorz". Do Warszawy przybył 31 października potajemnie marszałek Polski Edward Rydz-Śmigły, który uciekł z Rumunii na Węgry i stamtąd przez Słowację przedostał się do kraju. Występował jako Adam Zawisza. Ściągnięty do Warszawy przez grono swoich zwolenników, zamierzał podjąć działalność podziemną. Razem z ppłk. doc. dr. Wacławem Lipińskim napisał 50-stronicową broszurę „Wojna polsko-niemiecka. Kampania wrześniowa w Polsce w 1939 r.", będącą odpowiedzią na zarzuty stawiane przez niektórych publicystów tajnej pracy odnośnie do przebiegu kampanii wrześniowej. Jako autorzy występowali ppłk W. Gel oraz A. Szański. Niedługo jednak po przybyciu do Warszawy Rydz-Śmigły ciężko zachorował i zmarł 2 grudnia 1941 roku.

Ukazała się także pierwsza w podziemiu „Antologia poezji współczesnej", opracowana przez Narcyza Kwiatka. Pod tym pseudonimem kryli się Jan Janiczek, dziennikarz i poeta, oraz Stanisław Miłaszewski, znany dramaturg, przedwojenny prezes Zjednoczonych Polskich Pisarzy Katolickich. Książeczka miała 30 stron i zawierała 34 utwory poetyckie. Doczekała się ona przedruku w 1942 roku w Szkocji. Następnie została przetłumaczona na język angielski i wydana w 1944 roku w Glasgow jako „A Call from Warsaw. Antology of Underground Warsaw Poetry".

W nocy z 27 na 28 grudnia wylądowała w pobliżu Starej Miłosnej grupa spadochroniarzy zrzuconych z radzieckiego samolotu. Na jej czele stał Marceli Nowotko, znany działacz komunistyczny, występujący pod pseudonimami „Marian" oraz „Stary". Nowotko i jego towarzysze, czyli tak zwana Grupa Inicjatywna, mieli stanowić kierownictwo przyszłej partii. Jej program, przedyskutowany w gronie polskich komunistów przebywających na terenie Związku Radzieckiego, wysuwał koncepcje utworzenia wraz z innymi stronnictwami politycznymi szerokiego frontu narodowego w celu przygotowania powstania zbrojnego. Przewidywano dla nowej partii, która miała powstać w kraju, nazwę Polskiej Partii Robotniczej. Program jej uwzględniał konieczność daleko idących reform społecznych, na plan pierwszy wysuwał jednak walkę narodowowyzwoleńczą, biorąc pod uwagę istniejącą sytuację, w której całemu narodowi zagrażało ze strony hitlerowców wyniszczenie biologiczne.

5 stycznia 1942 roku powstała Polska Partia Robotnicza. Aktyw organizacji podziemnych (Związek Walki Wyzwoleńczej, Robotniczo-Chłopska Organizacja Bojowa, Stowarzyszenie Przyjaciół ZSRR, Sierp i Młot, Proletariusz, Polska Ludowa, Front Walki za Naszą i Waszą Wolność oraz Czyn Chłopsko-Robotniczy), a także przybyli do kraju członkowie Grupy Inicjatywnej (z wyjątkiem chorego Nowotki) zebrali się na Żoliborzu w mieszkaniu Juliusza Rydygiera i uchwalili powołanie PPR. Jednocześnie utworzono jej ramię zbrojne pod nazwą Gwardii Ludowej (GL), której żołnierzami mieli być wszyscy członkowie PPR. Sekretarzem nowo powstałej partii został Marceli Nowotko, szefem sztabu GL inż. arch. Marian Spychalski „Marek". Funkcje sekretarza Komitetu Warszawskiego PPR powierzył Komitet Centralny Włodzimierzowi Dąbrowskiemu „Wujowi".

14 lutego Związek Walki Zbrojnej został przekształcony w Armię Krajową, jej komendantem głównym był nadal gen. Stefan Rowecki.

24 lutego gubernator Fischer wydał rozporządzenie o utworzeniu dzielnicy niemieckiej, która obejmowała część Śródmieścia na południe od Al. Jerozolimskich, przemianowanych na Reichstrasse, rejon al. Szucha oraz północną część Mokotowa. Władze okupacyjne starały się zgermanizować miasto, opracowały także plan przekształcenia go po wygranej wojnie w niewielki ośrodek niemczyzny, skupiony wokół Starego Miasta, rzekomo założonego przez niemieckich kolonistów, na Pradze zaś miał powstać wielki obóz pracy dla 100 000 mieszkańców. Stadthauptmann Leist zażądał od komisarycznego burmistrza Kulskiego usunięcia niektórych pomników warszawskich, a na cokole pomnika Kopernika Niemcy umieścili tablicę z napisem „Dem grossen Astronomen Nikolaus Kopernikus". Pod koniec lutego żołnierz Szarych Szeregów, Aleksy Dawidowski „Alek" zdjął tablicę w biały dzień; naprzeciw pomnika mieściła się siedziba komendy tak zwanej granatowej policji, po Krakowskim Przedmieściu krążyły ustawicznie patrole żandarmerii. W odwecie Fischer zarządził usunięcie z placu Krasińskich pomnika Kilińskiego, którego

statuę przewieziono do Muzeum Narodowego. Na jego murach ukazał się napis: „Ludu Warszawy, jam tu! Jan Kiliński". A w kilka dni później na słupach ogłoszeniowych pojawiły się plakaty oznajmiające: „W odwet za zniszczenie pomnika Kilińskiego zarządzam przedłużenie zimy o 6 tygodni. Mikołaj Kopernik, astronom".

26 lutego w Aninie siostrzeniec gen. Boruty-Spiechowicza, Leszek Kopaliński, zastrzelił i ranił kilku policjantów niemieckich, którzy go przyszli aresztować. Sam zginął na miejscu. Na wiadomość o tym gubernator Fischer nakazał egzekucję 100 więźniów. „Trybuna Wolności", organ PPR, w artykule opublikowanym 15 marca pisała: „Tych stu niewinnych ludzi zginęło tak, jak ginęły ofiary Wawra, Legionowa, Oświęcimia lub setki i tysiące w obozach; jest to stały plon stale stosowanego terroru [...] Jedno wszakże musimy sobie uświadomić: terror ten nie może Niemcom przynieść pożądanego przez nich rezultatu. Muszą oni się przekonać, że terrorem nic nie zrobią. Tylko walka bezlitosna i zawzięta uratuje nas od zagłady".

6 i 12 marca odeszły nowe transporty więźniów Pawiaka do obozu w Oświęcimiu, liczące w sumie 131 osób. 13 marca pojawiły się na mieście klepsydry i nalepki z napisem: „Cześć Ich pamięci". Wśród zamordowanych znajdował się znany działacz kulturalny Jędrzej Cierniak.

Rok 1942 należał do przełomowych w dziedzinie podziemnej działalności kulturalnej. Organizowano w mieszkaniach prywatnych coraz więcej poranków, wieczorów literackich i imprez muzycznych. 2 kwietnia ukazało się pierwsze podziemne pismo literackie „Sztuka i Naród", wydawane przez grupkę młodych działaczy, w większości studentów tajnego UW, związanych politycznie z organizacją „Konfederacja Narodu". Pismo miało formę powielanego zeszytu, liczącego 22 strony druku.

17 i 21 kwietnia odeszły do Oświęcimia dalsze transporty 511 mężczyzn z Pawiaka. 28 kwietnia gestapo aresztowało na Żoliborzu pisarkę i tłumaczkę Antoninę Sokolicz-Merklową, działaczkę komunistyczną, jedną z założycielek Stowarzyszenia Przyjaciół ZSRR, członka PPR, która później zmarła w obozie oświęcimskim.

W kwietniu i na początku maja 1942 roku organizacja warszawska PPR i GL skoncentrowały swoje wysiłki na przygotowaniu do wymarszu oddziału partyzanckiego. Dowódcą GL w Warszawie był Bolesław Jaszczuk „Paweł", niebawem aresztowany. Jego następcą został Juliusz Kania „Antek". Dowódcą przyszłego oddziału mianowano Franciszka Zubrzyckiego „Małego Franka", byłego studenta Politechniki Warszawskiej, pracownika Zakładów Ostrowieckich przy ul. Kolejowej, kierującego akcją likwidowania konfidentów. Był on współorganizatorem kursu w Chylicach, na którym przeszli przeszkolenie wojskowe żołnierze jego oddziału, noszącego imię Stefana Czarnieckiego. Wyjazd z Warszawy nastąpił w dniach 10–15 maja w dwóch grupach, liczących 15 gwardzistów, w tym 3 byłych jeńców radzieckich. Terenem działania miały być okolice Piotrkowa i Tomaszowa Mazowieckiego, w dużej mierze zasiedlone przez Niemców i volksdeutschów.

28 maja Niemcy dokonali egzekucji więźniów Pawiaka w nowo wybranym miejscu – lasach sękocińskich obok osiedla Magdalenka, gdzie zamordowano 201 mężczyzn i 22 kobiety. Kilku więźniów zginęło, stawiając czynny opór gestapowcom. 30 maja wysłano z Serbii następny Sondertransport do obozu w Ravensbrück, liczący 270 więźniarek. Były wśród nich: znana malarka Maja Berezowska oraz Wanda Orlicz-Dreszerowa, która zasłużyła się ukrywaniem przed okupantem zasobów Okręgowej Izby Skarbowej w Warszawie wartości ponad 2 i pół miliona dolarów, przekazanych po wojnie rządowi Polski Ludowej.

Latem 1942 roku ukazała się broszura „W piekle", poświęcona martyrologii więźniów w obozach koncentracyjnych, oparta na ich relacjach. Jej autorką była Zofia Kossak, która później znalazła się w Oświęcimiu pod nazwiskiem Śliwińska. Ta publikacja doczekała się w 1943 roku drugiego wydania oraz tłumaczenia na język angielski w 1944. Książką o zagładzie więźniów w Oświęcimiu była broszura Natalii Zarembiny „Obóz śmierci". Jej przedruki ukazały się w Wielkiej Brytanii, Stanach Zjednoczonych i Meksyku w roku 1944. Opublikowano również nowe antologie poezji podziemnej: „Pieśń niepodległą" (nakład 1610 egzemplarzy, 127 stron druku) i „Słowo prawdziwe" (nakład 1500 egzemplarzy, wznowiony w roku następnym).

Coraz częściej podziemie przeprowadzało na terenie miasta akcje sabotażowe i dywersyjne. 19 maja żołnierze Socjalistycznej Organizacji Bojowej podłożyli bombę w lokalu kasyna gry w al. Szucha. 15 czerwca żołnierze Gwardii Ludowej podpalili skład benzyny na Dworcu Zachodnim. W nocy z 24 na 25 czerwca wybuchła bomba w gmachu Kriminalpolizei (Kripo) w Al. Ujazdowskich, podłożona przez grupę Związku Odwetu AK. 5 lipca spłonęły składy paliw płynnych Wehrmachtu przy ul. Podskarbińskiej na Grochowie; zamachu dokonali żołnierze AK.

Nieustannie odchodziły transporty więźniów z Pawiaka do obozu w Oświęcimiu. 4 czerwca hitlerowcy rozstrzelali w Lesie Kabackim 46 mężczyzn i jedną kobietę. 8 czerwca stracono w pobliżu Pawiaka 14 młodych mężczyzn. 30 czerwca dalszych 15 więźniów. Na początku lipca zginął wybitny artysta malarz prof. Tadeusz Pruszkowski, rozstrzelany wraz z kilku innymi mężczyznami na terenie byłego getta.

Od lipca 1942 roku Niemcy zaczęli wysyłać mieszkańców getta na śmierć do obozu w Treblince. Już 21 lipca mimo oficjalnych zapewnień ze strony władz hitlerowskich, że Żydom nic się nie stanie, aresztowano 60 zakładników żydowskich, kierując ich na Pawiak. 22 lipca SS-Sturmbannführer Herman Hoefle przekazał Radzie Żydowskiej dyrektywy

526. Franciszek Zubrzycki, pseudonim „Mały", [s]dent Politechniki Warszawskiej, dowódca pierwsz[ego] oddziału partyzanckiego Gwardii Ludowej, który [wy]szedł 10.V.1942 r. z Warszawy w lasy piotrkowski[e]

527. Winieta jednego z konspiracyjnych wydawn[ictw] literackich. „Pieśń niepodległa. Poezja czasu wojny[.]

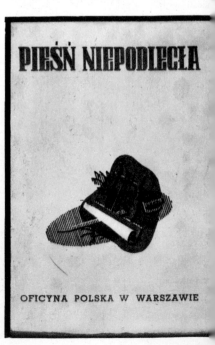

528. Omnibus konny uruchomiony w getcie warszaw-
m w 1941 r.

529. Dzieci zmarłe z głodu na ulicach getta

530. Rewiżja dokonywana przez gestapowców

dotyczące „przesiedlenia na wschód" wszystkich Żydów zamieszkałych w Warszawie. Ludność getta liczyła wówczas około 370 000 mieszkańców. Likwidowano przede wszystkim tak zwane „małe getto", położone na południe od ul. Chłodnej; mieszkańców brutalnie wyrzucano na ulicę i pędzono na rampę kolejową przy ul. Stawki, skąd transporty odjeżdżały do obozu w Treblince. Pociąg odchodził z Warszawy Gdańskiej o godzinie 12.25, przychodził do Treblinki II o 16.20, wracał pusty do Warszawy o godzinie 19. Przybyłych mordowano w komorach gazowych, a ciała ich palono. 23 lipca popełnił samobójstwo prezes Rady Żydowskiej inż. Adam Czerniakow. 5 sierpnia wraz z sierotami poniósł śmierć Janusz Korczak i inni wychowawcy żydowskiego Domu Sierot. Ogółem wywieziono do Treblinki latem 1942 roku około 310 000 mieszkańców getta, w tym dzieci i kobiety, zastrzelono w czasie akcji wysiedleńczej około 6000 mieszkańców.

5 września Niemcy ogłosili karę śmierci za ukrywanie osób pochodzenia żydowskiego. We wrześniu z inicjatywy Zofii Kossak i Wandy Filipowiczowej powstał Tymczasowy Komitet Pomocy Żydom, który 4 grudnia przekształcił się w Radę Pomocy Żydom, zwaną „Żegota". 18 września hitlerowcy aresztowali burmistrza Włoch Franciszka Kosteckiego, proboszcza miejscowej parafii rzymskokatolickiej ks. Juliana Chróścickiego i kilka osób za pomoc Żydom. Kierownictwo Walki Cywilnej wydało odezwę, opublikowaną w prasie podziemnej i podaną przez rozgłośnię BBC w Londynie, o konieczności pomocy dla uciekinierów z getta. W listopadzie ukazała się broszura M. B. (Antoniego Szymanowskiego) „Likwidacja ghetta warszawskiego", będąca opisem wydarzeń od 22 lipca do 12 września 1942 roku. W dzielnicy żydowskiej pozostało około 65 000 mieszkańców, w tym i sprowadzeni na teren Warszawy dotychczasowi więźniowie okolicznych obozów pracy.

Polska Partia Robotnicza ponosiła również straty: 2 lipca został aresztowany sekretarz Komitetu Warszawskiego Franciszek Wawrzyniak „Faja", 15 sierpnia zaś jego następca na tym stanowisku Jerzy Albrecht „Jureczek". Sekretarzem Komitetu Warszawskiego został Władysław Gomułka „Wiesław".

Mimo trudnych warunków życia i niebezpieczeństwa, które groziło niemal na każdym kroku, odbyły się latem tajne mistrzostwa Warszawy w piłce nożnej. Wzięło w nich udział osiem klubów. W finałach Polonia pokonała Olimpię z Grochowa 1:0 oraz Okęcie 3:0. Dwóch zawodników dostało się w ręce okupanta na Okęciu i zginęło na miejscu.

20 sierpnia i 1 września pojawiły się nad Warszawą radzieckie samoloty, bombardując w mieście obiekty niemieckie. 16 i 18 września miasto przeżyło wielkie obławy uliczne; brała w nich udział także policja granatowa oraz cywilni urzędnicy Arbeitsamtów, 19 września odszedł pierwszy transport na roboty przymusowe do Niemiec, liczący około 3000 zatrzymanych.

Ukazał się pierwszy w podziemiu konspiracyjny debiut młodego poety Krzysztofa Kamila Baczyńskiego, który pod pseudonimem Jan Bugaj opublikował w wydaniu powielaczowym „Wiersze wybrane".

W nocy z 28 na 29 września gestapo dokonało licznych aresztowań członków i sympatyków Polskiej Partii Robotniczej; przywieziono na Pawiak 87 mężczyzn i 29 kobiet. 6 października nastąpiły dalsze aresztowania, wpadło kilku sekretarzy komitetów dzielnicowych PPR, między innymi Sylwester Bartosik ze Śródmieścia i Henryk Rup, murarz z Mokotowa.

Nie ustawały akcje sabotażowe i dywersyjne podziemia. 30 września oddział żoliborski dywersji AK zniszczył dwa magazyny w fabryce śmigieł Szumańskiego na Bielanach,

531. Janusz Korczak (Henryk Goldschmidt), pis pedagog, uczestnik kampanii wrześniowej, zam dowany w Treblince w sierpniu 1942 r., razem z dzie powierzonymi jego opiece

532. Ludność cywilna podczas likwidacji getta wa wskiego, kwiecień 1943 r.

498

podpalając zakłady. Wzniecono również około 20 pożarów w kinach warszawskich. W nocy z 7 na 8 października siedem grup dywersyjnych AK pod dowództwem kpt. inż. Zbigniewa Lewandowskiego „Szyny" wysadziło w powietrze tory kolejowe, paraliżując na kilkanaście godzin ruch na węźle warszawskim. Akcja nosiła kryptonim „Wieniec".

16 października hitlerowcy powiesili 50 więźniów Pawiaka; szubienice ustawiono w pięciu punktach w pobliżu torów kolejowych: na Woli przy ul. Mszczonowskiej, w Szczęśliwicach, na Pelcowiźnie przy ul. Toruńskiej, w Rembertowie oraz w Markach. Zginęli wówczas między innymi: Sylwester Bartosik, Antoni Dobiszewski, Juliusz Kania, członek Grupy Inicjatywnej Feliks Papliński, Jan Pokorski, Henryk Rup i Witold Trylski. 24 października grupy bojowe GL obrzuciły granatami niemiecką kawiarnię „Café Club", restaurację na Dworcu Głównym oraz halę maszyn w drukarni przy ul. Marszałkowskiej, w której ukazywał się „Nowy Kurier Warszawski". 24 i 25 października hitlerowcy aresztowali wszystkich mężczyzn w domu sąsiadującym z „Café Clubem" oraz przeprowadzili łapanki w kawiarniach „U aktorek" i w „SIM-ie". Gubernator Fischer nałożył na miasto kontrybucję w wysokości 1 miliona złotych.

Ukazały się dalsze podziemne czasopisma społeczno-literackie: „Przełom" wydawany przez PPR oraz „Lewą marsz" Polskich Socjalistów, później Robotniczej Partii Polskich Socjalistów (RPPS).

3 listopada Niemcy dokonali egzekucji na terenie getta w pobliżu Pawiaka, rozstrzeliwując 40 osób. W nocy z 6 na 7 listopada do więzienia przywieziono około 300 zatrzymanych, ich liczba powiększyła się niebawem o aresztowanych w nocy z 10 na 11 listopada. Na Pawiaku przebywało około 2600 więźniów, liczba dotychczas nie spotykana. Znaleźli się tam między innymi: były prezydent RP prof. Stanisław Wojciechowski, były marszałek Sejmu Ustawodawczego Wojciech Trąmpczyński, były członek Rady Regencyjnej 77-letni Zdzisław Lubomirski, wybitny pediatra prof. Mieczysław Michałowicz, rektor Politechniki Warszawskiej prof. Kazimierz Drewnowski, znany literat Adam Grzymała-Siedlecki, wiceprezes Związku Dziennikarzy Hieronim Wierzyński, płk dypl. Alojzy Horak „Nesterowicz" oraz była posłanka na sejm, działaczka PPS Zofia Praussowa.

20 listopada ukazał się 1. numer czasopisma „Głos Warszawy" (organ KW PPR), wychodzącego dwa razy w tygodniu, kolportowanego masowo w środowiskach robotniczych.

21 i 24 listopada hitlerowcy urządzili łapanki w Śródmieściu oraz na Dworcu Głównym i Wschodnim. Część z zatrzymanych została skierowana na roboty przymusowe.

28 listopada zginął Marceli Nowotko, skrytobójczo zastrzelony na ul. Towarowej. Sekretarzem Komitetu Centralnego PPR został inż. Paweł Finder „Paweł"; Władysław Gomułka wszedł w skład sekretariatu, sekretarzem zaś Komitetu Warszawskiego został Anastazy Kowalczyk „Nastek". W dwa dni później grupa bojowa GL dokonała udanego zamachu na kasę Komunalnej Kasy Oszczędności, zabierając milion złotych, co było odwetem za kontrybucję nałożoną przez Fischera.

W celu usprawnienia akcji dywersyjnych Komenda Główna AK powołała Kierownictwo Dywersji, zwane w skrócie Kedyw; jego dowódcą został płk Emil Fieldorf „Nil", zastępcą ppłk Jan Mazurkiewicz „Radosław". W skład oddziałów dyspozycyjnych weszły także grupy szturmowe Szarych Szeregów. Również Sztab Główny GL zorganizował Grupę Specjalną (Spec-Grupę), której dowódcą był inż. Jan Strzeszewski „Wiktor", kierujący akcją na Komunalną Kasę Oszczędności.

3 grudnia odbyła się rozprawa konspiracyjnego Sądu Walki Cywilnej w Warszawie, który skazał na karę infamii lub nagany ośmiu polskich aktorów z Bogusławem Samborskim na czele, biorących udział w kłamliwym i tendencyjnie antypolskim filmie „Heimkehr" (Powrót), mówiącym o rzekomych prześladowaniach volksdeutschów w okresie przedwojennym.

Nowy Rok 1943 Warszawa przeżywała pod znakiem dwóch wiadomości – szykującej się klęski Niemców pod Stalingradem, gdzie konała VI armia gen. Paulusa, oraz niepokojących sygnałów z Lubelszczyzny, z której hitlerowcy zaczęli brutalnie i bezwzględnie wysiedlać ludność, odłączając dzieci od rodziców. Pogłoski o transportach dzieci z Zamojszczyzny w mrożących krew w żyłach warunkach podminowały miasto. Tłumy warszawiaków czekały na Dworcu Wschodnim na transporty ofiar z Zamojszczyzny, przewożonych w nie opalanych wagonach towarowych. Pierwszy transport wynędzniałych dzieci przybył do Warszawy 7 stycznia 1943 roku. Część zmarła w czasie drogi z zimna i głodu. Postawa warszawiaków zaniepokoiła władze okupacyjne. W nocy z 8 na 9 stycznia dokonały one masowych aresztowań, osadzając w więzieniu na Pawiaku około 430 osób. W obwieszczeniu komendanta policji bezpieczeństwa, którym był dr Ludwik Hahn, hitlerowcy uzasadniali te represje napadami na żołnierzy niemieckich i podali jedynie do publicznej wiadomości, że zatrzymali „200 polskich aktywistów". 15, 16 i 17 stycznia Niemcy schwytali w obławach ulicznych około 20 000 mieszkańców miasta, których kierowano na i tak już przepełniony Pawiak, do Cytadeli lub baraków obok Dworca Wschodniego. 17 stycznia odszedł z Pawiaka pierwszy transport 1005 mężczyzn i 311 kobiet do obozu w Majdanku pod Lublinem, w następnych dniach hitlerowcy wysłali do Majdanka również kilka tysięcy zatrzymanych w łapankach.

17 stycznia cztery grupy bojowe GL zaatakowały kina dla Niemców; w akcji zginął Ładysław Buczyński, zastępca dowódcy Spec-Grupy. Powstał komunistyczny Związek Walki Młodych, na jego przewodniczącą powołano Hannę Szapiro-Sawicką.

18 stycznia padły pierwsze strzały za murami getta. W czasie akcji likwidacyjnej dzielnicy żydowskiej Niemcy zostali zaatakowani przez grupy bojowe Żydowskiej Organizacji Bojowej i Żydowskiego Związku Wojskowego. Otrzymały one broń dzięki polskiemu podziemiu. Przez cztery dni trwała akcja w getcie nie zakończona – jak na razie – powodzeniem okupanta, bo jakkolwiek zastrzelono około 1200 osób i wywieziono do obozu w Treblince II około 6000 Żydów, to jednak nie zlikwidowano dzielnicy żydowskiej, co było zasadniczym celem Niemców.

4 lutego władze niemieckie nakazały zawieszenie przedstawień w teatrzykach i rewiach na 3 dni na znak żałoby po klęsce stalingradzkiej. 6 lutego Niemcy wykryli przy ul. Długiej 44/46 tajną drukarnię „Szaniec"; w walce padła cała obsługa, zadając jednak hitlerowcom straty. Aresztowano wszystkich mieszkańców domu, 29 kobiet wysłano natychmiast do obozu w Majdanku, mężczyzn zaś rozstrzelano 12 lutego w Lesie Chojnowskim pod Stefanowem. Na miasto nałożono nową kontrybucję, tym razem w wysokości 10 milionów złotych, przesunięto godzinę policyjną na dziewiętnastą. Wśród 70 zamordowanych w Stefanowie byli między innymi płk Alojzy Horak, pełniący funkcję głównego inspektora Batalionów Chłopskich, oraz inż. Zygmunt Słomiński, w latach 1927–1934 prezydent m. st. Warszawy.

15 lutego grupa bojowa Kierownictwa Walki Cywilnej zastrzeliła oficera granatowej policji Święcickiego, wykonując na nim wyrok śmierci za współudział w łapankach.

19 lutego został aresztowany prof. Jan Piekałkiewicz, drugi po Ratajskim delegat rządu, ekonomista, wykładowca w Szkole Nauk Politycznych. Przez trzy miesiące przebywał w izolatce w gmachu gestapo w al. Szucha, zmarł z wycieńczenia na Pawiaku 19 czerwca 1943 roku; zwłoki Niemcy spalili w ruinach getta. Jego następcą został przedstawiciel Stronnictwa Pracy, inż. rolnik Jan Stanisław Jankowski „Soból", który sprawował swój urząd do wiosny 1945 roku.

W nocy z 21 na 22 lutego oraz 26 i 28 lutego grupy bojowe organizacji żydowskich zlikwidowały kilku Żydów, szczególnie niebezpiecznych agentów gestapo.

1 marca prasa Polskiej Partii Robotniczej opublikowała deklarację ideową „O co walczymy", stanowiącą program działalności i określającą stosunek polskich komunistów do podstawowych zagadnień społecznych, politycznych i ekonomicznych.

533. Krzysztof Kamil Baczyński, pseudonim „Jan Bugaj". Najwybitniejszy z poetów młodego pokolenia w latach okupacji

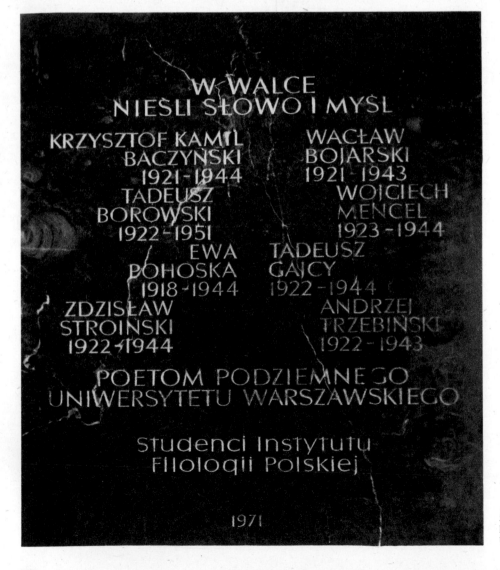

534. Tablica poświęcona poległym poetom żołnierzom Polski Podziemnej, umieszczona w gmachu Polonicum Uniwersytetu Warszawskiego

535. Powieszeni w Rembertowie

5 marca bojowcy GL wykonali wyrok śmierci na komendancie warszawskiej policji granatowej płk. Reszczyńskim. W pierwszych dniach miesiąca wybuchły bomby zegarowe, przesłane przez zespół saperów AK, w pałacu Brühla, gdzie miał swą siedzibę gubernator Fischer, w pałacu Blanka i dyrekcji Arbeitsamtu przy ul. Długiej. Niemcy ponieśli straty w zabitych i rannych.

12 marca Niemcy przeprowadzili łapanki w rejonie Politechniki i na Pradze. 13 marca Żydzi w getcie rozbroili strażników z Werkschutzu, hitlerowcy zaś w odwecie wymordowali około 210 przypadkowych osób znajdujących się na ulicach dzielnicy żydowskiej. 15 i 25 marca odeszły transporty więźniów Pawiaka do obozu koncentracyjnego w Majdanku; łącznie wywieziono około 1550 osób, w tym prawie 500 zatrzymanych w łapankach styczniowych.

18 marca doszło do starcia zbrojnego na ul. Mostowej. Poległ dowódca Spec-Grupy Sztabu Głównego GL inż. Jan Strzeszewski „Wiktor" oraz dowódca grup bojowych Związku Walki Młodych Tadeusz Olszewski „Zawisza"; do szpitala więziennego przywieziono ciężko ranną w tej walce przewodniczącą ZWM Hankę Sawicką, która zmarła po kilku godzinach.

23 marca w mieszkaniu przy al. Niepodległości został aresztowany żołnierz Szarych Szeregów, dowódca plutonu SAD (sabotaż i dywersja) Jan Bytnar „Rudy". 26 marca

536. Inż. Zbigniew Lewandowski, pseudonim „Szyna", szef konspiracyjnego Biura Badań Technicznych (BBT 1940–1944)

537. Jeden z napisów na ulicach Warszawy, namalowany w ramach akcji małego sabotażu

538. Tajna drukarnia

oddział harcerski AK pod dowództwem Stanisława Broniewskiego „Orszy" dokonał śmiałego odbicia więźnia pod Arsenałem w czasie transportu z al. Szucha na Pawiak. W akcji zginęło 4 Niemców, padło 2 harcerzy, Aleksy Dawidowski „Alek" został ciężko ranny, uwolniono 25 więźniów. Bytnar zmarł w cztery dni później na skutek tortur odniesionych podczas badań. Akcja pod Arsenałem, oznaczona kryptonimem „Meksyk II", rozeszła się głośnym echem po całej Warszawie jako niezwykły, pierwszy tego rodzaju wyczyn. 27 marca hitlerowcy rozstrzelali na Pawiaku około 140 więźniów, mszcząc się za nie wykrytą akcję. 30 marca grupa bojowa AK zastrzeliła w cukierni przy ul. Marszałkowskiej przybyłych do Warszawy z Krakowa dwóch oficerów gestapo.

28 marca w podziemnym czasopiśmie „Rzeczpospolita Polska", będącym oficjalnym organem Delegatury Rządu, ukazało się „Wezwanie w sprawie bojkotu imprez rozrywkowych", a więc wszystkich teatrów, teatrzyków i kin.

Grupy bojowe AK prowadziły nadal wiele akcji przeciwko okupantowi; w nocy z 4 na 5 kwietnia oddział batalionu „Baszta" podpalił baraki Arbeitsamtu na Dworcu Gdańskim, 9 kwietnia zastrzelono Kurta Hoffmana, kierownika warszawskiego Arbeitsamtu, 12 kwietnia zginął wyższy urzędnik tej instytucji Hugo Dietz, a 16 kwietnia komisarz Ubezpieczalni Społecznej Bruno Kurth.

539. Łapanka na ulicach Warszawy

11 kwietnia odbył się krajowy podziemny zjazd Polskich Socjalistów, który uchwalił powołanie Robotniczej Partii Polskich Socjalistów (RPPS).

19 kwietnia 1943 roku o świcie oddziały hitlerowskie przystąpiły do ostatecznej likwidacji warszawskiego getta. Napotkały zdecydowany opór żołnierzy Żydowskiej Organizacji Bojowej oraz Żydowskiego Związku Wojskowego. 1300 SS-manów i policjantów niemieckich, wspieranych czołgiem, dwoma samochodami pancernymi oraz haubicą i trzema działkami przeciwpancernymi, zostało wypartych z granic getta. Niemcy musieli zdobywać dom po domu w zażartej walce, powstańcy bronili się z godnym podziwu męstwem. Na ich czele stanął 24-letni Mordechaj Anielewicz. Polacy pospieszyli z pomocą walczącym. Grupy bojowe GL, AK, SOB (Socjalistycznej Organizacji Bojowej) i OW KB (Organizacji Wojskowej Korpusu Bezpieczeństwa) zaatakowały poszczególne stanowiska hitlerowców w pobliżu murów getta. Podziemnymi kanałami przerzucono trochę broni i amunicji. 22 kwietnia na placu Muranowskim wziął udział w walce oddział OW KB pod dowództwem mjr. Henryka Iwańskiego „Bystrego", który dostał się na teren getta kanałami. Wielu mieszkańców dzielnicy, nie chcąc dostać się w ręce SS-manów, poniosło śmierć, wyskakując na bruk z płonących domów. Ludność zajmowanych kamienic wywożono na zagładę do obozu w Treblince II. W trakcie walk dowódca oddziałów likwidacyjnych SS-Brigadeführer Jürgen Stroop został mianowany szefem policji i służby bezpieczeństwa w dystrykcie warszawskim. 8 maja Niemcy zdobyli bunkier dowództwa obrony getta przy ul. Miłej 18; Mordechaj Anielewicz i jego żołnierze odebrali sobie życie. 16 maja Strooþ kazał wysadzić w powietrze zabytkową synagogę przy ul. Tłomackie i zameldował przełożonym, że w Warszawie nie ma już dzielnicy żydowskiej. Ale walki na terenie getta toczyły się sporadycznie jeszcze do końca maja. Około 60 000 Żydów Niemcy wysłali do Treblinki. Północna dzielnica miasta przestała istnieć, zachowały się jedynie dwa budynki – kościół św. Augustyna przy ul. Nowolipki oraz więzienie na Pawiaku.

28 kwietnia odszedł z Pawiaka do Oświęcimia transport 107 kobiet oraz 400 mężczyzn. 7 maja odbyła się pierwsza większa egzekucja na terenie byłego getta, zginęły 94 osoby, w tym 17 kobiet. Wśród zamordowanych było 4 oficerów AK z organizacji dywersyjnej „Wachlarz". 11 maja rozstrzelano skoczka spadochronowego kpt. rez. Mikołaja Arciszewskiego, z zawodu dziennikarza, dowódcę grupy „Michał", zrzuconego wraz z radiostacją w celach wywiadowczych z samolotu radzieckiego w sierpniu 1942 roku.

Nie ustawała akcja podziemia. 6 maja żołnierze Kedywu zastrzelili SS-Oberscharführera Schultza, który torturował Jana Bytnara, 10 maja zginął od polskiej kuli pracownik Arbeitsamtu Fritz Geist, 22 maja został zabity drugi z oprawców „Rudego", SS-Oberscharführer Lange, wieczorem żołnierz AK Jan Kryst wykonał wyrok na trzech oficerach gestapo w restauracji „Adria" przy ul. Moniuszki, ginąc w czasie walki. Grupa bojowa GL dokonała skutecznego zamachu na hitlerowski lokal „Bar Podlaski" przy ul. Nowogrodzkiej oraz zastrzeliła dyrektora zakładów Schichta na Pradze, znęcającego się nad polskimi robotnikami. 14 maja podczas akcji na bank „Społem" padł na Krakowskim Przedmieściu dowódca Spec-Grupy Sztabu Głównego GL, artysta malarz Franciszek Bartoszek „Jacek".

12 maja Niemcy wysłali z Pawiaka 456 osób, w tym 119 kobiet, transportem do Oświęcimia. 15 maja aresztowano bywalców kawiarni Fuchsa przy ul. Filtrowej; był wśród nich prezes podziemnego Stronnictwa Narodowego Stefan Sacha. W nocy z 17 na 18 maja gestapo przeprowadziło dalsze aresztowania według uprzednio przygotowanych list: ofiarą

padło 138 kobiet i około 500 mężczyzn. Badania zatrzymanych prowadziło gestapo w wyjątkowo okrutny sposób.

Pod koniec maja Niemcy niezwykle uroczyście obchodzili 400-lecie śmierci Mikołaja Kopernika. Przemówienie na Wawelu wygłosił generalny gubernator Frank, podkreślając niemieckie pochodzenie uczonego. W Warszawie podziemie urządziło nabożeństwo żałobne w kościele św. Aleksandra, a trzej młodzi poeci – Wacław Bojarski, Tadeusz Gajcy, autor wydanego tomu wierszy „Widma", noszący pseudonim „Karol Topornicki" i Zdzisław Stroiński – złożyli 25 maja wieniec pod pomnikiem. W wyniku akcji Bojarski został postrzelony przez patrol żandarmerii, a 5 czerwca zmarł w szpitalu.

29 maja w ruinach getta odbyła się wielka egzekucja więźniów Pawiaka, w której zginęło ponad 500 osób, w następnych dwóch dniach hitlerowcy rozstrzelali jeszcze 100 więźniów, w tym 50 oficerów dotychczas ukrywających się, którzy wpadli w ręce okupanta. Wśród zamordowanych byli między innymi poeta Tadeusz Hollender, autor opublikowanego pośmiertnie pod pseudonimem „Tomasz Wiatraczny" tomu „Satyry i fraszki", prof. Akademii Sztuk Pięknych Mieczysław Kotarbiński, Stefan Sacha oraz inż. arch. Stanisław Skrypij „Sylwester", dowódca okręgu GL Warszawa-Miasto. Członkowie małego sabotażu rozrzucili ulotki piętnujące tę nową masową zbrodnię na Pawiaku; mury Warszawy pokryły się napisami: „Pawiak pomścimy".

2 i 3 czerwca Niemcy dokonali dalszych egzekucji na terenie byłego getta. Straciło życie 62 więźniów Pawiaka. 5 czerwca podczas ceremonii ślubnej w kościele św. Aleksandra aresztowano 89 osób. Większość zatrzymanych należała do oddziału dyspozycyjnego Komendy Głównej AK „Osa-Kosa". 16, 17 i 18 nastąpiły dalsze aresztowania, 24 czerwca rozstrzelano na terenie byłego getta 200 osób. 28 czerwca gestapo skierowało na Pawiak około 300 nowych więźniów, głównie z prowincji. Nie było dnia bez egzekucji.

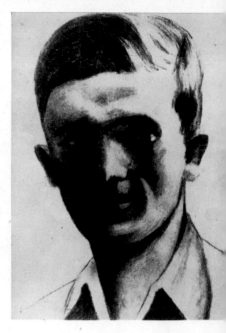

543. Mordechaj Anielewicz, pseudonim „Aniołe
komendant Żydowskiej Organizacji Bojowej, pr
wódca powstania w getcie

30 czerwca na ul. Spiskiej 14 dostał się w ręce hitlerowców na skutek zdrady komendant główny AK, gen. Stefan Rowecki „Grot", z al. Szucha przewieziono go natychmiast na Okęcie i wysłano samolotem do Berlina, gdzie jakiś czas był więźniem centrali gestapo, a następnie umieszczono go w obozie koncentracyjnym w Sachsenhausen. Rząd w Londynie mianował jego następcą gen. Tadeusza Komorowskiego, który przybrał pseudonim „Bór".

Nakładem podziemnego Towarzystwa Wydawniczego „Załoga" ukazało się wydanie głośnego reportażu Arkadego Fiedlera „Dywizjon 303", dotychczas kolportowanego w formie odbitek fotograficznych z egzemplarza książki opublikowanej w Wielkiej Brytanii. Aleksander Kamiński, jeden z inicjatorów powstania organizacji małego sabotażu, ogłosił pod pseudonimem Juliusza Góreckiego słynną opowieść o „Wojtku" i „Czarnym" pt. „Kamienie na szaniec", ukazującą podziemną walkę grupy warszawskich harcerzy, uczestników akcji pod Arsenałem, a Maria Kann w anonimowej broszurze „Na oczach świata" naświetliła historię i problematykę powstania w getcie.

4 lipca w Henrykowie pod Warszawą były więzień Oświęcimia Leon Schiller wystawił potajemnie swą sztukę „Gody weselne" przy współpracy choreograficznej Tacjanny Wysockiej. Przedstawienie odbyło się w zakładzie sióstr Samarytanek.

Tego samego dnia miastem wstrząsnęła wiadomość o śmierci gen. Władysława Sikorskiego w katastrofie samolotowej nad Gibraltarem. Władze konspiracyjne zmusiły kierownictwa jawnych teatrzyków do wstrzymania na znak żałoby przedstawień na dwa tygodnie.

5 lipca wywieziono 131 więźniów Pawiaka do obozu w Oświęcimiu. W czasie obław ulicznych i blokady domów w różnych dzielnicach miasta zatrzymano około 2000 osób. 13 lipca gestapo zlikwidowało Hotel Polski przy ul. Długiej; Żydów – obywateli obcych państw, którzy tam mieszkali – przewieziono do więzienia na Pawiak. 15 lipca odszedł znowu do Oświęcimia transport 139 więźniów.

11 lipca w odwet za mordy dokonane na Pawiaku grupa bojowa Związku Walki Młodych dokonała zamachu na „Café Club", lokal uczęszczany wyłącznie przez Niemców. 15 lipca w godzinach popołudniowych Spec-Grupa GL pod dowództwem dr. Henryka Sternhela obrzuciła granatami maszerującą kolumnę SS-manów w Al. Ujazdowskich w pobliżu ul. Wilczej. Gestapo aresztowało kilkudziesięciu lokatorów pobliskich domów. 16 lipca stracono na Pawiaku 130 więźniów, a hitlerowcy podali w obwieszczeniach rozplakatowanych na mieście, że będą w przyszłości za każdego zamordowanego lub zranionego Niemca rozstrzeliwać pewną liczbę Polaków.

15 lipca nastąpiło połączenie Kierownictwa Walki Cywilnej z Kierownictwem Walki Konspiracyjnej, działającym od jesieni 1942 roku, i utworzono Kierownictwo Walki Podziemnej, którego dowódcą był komendant główny AK. Zadaniem tej formacji miało być koordynowanie przedsięwzięć, kierowanie akcjami odwetowymi i wykonywanie wyroków śmierci na zbrodniarzach hitlerowskich.

W sierpniu niemal codziennie na Pawiaku dokonywano egzekucji na więźniach, rozstrzelano sporo zatrzymanych Żydów lub osób pochodzenia żydowskiego. 5 sierpnia wysłano z Pawiaka do Oświęcimia 133 więźniów, a 24 sierpnia 1016 osób, w tym 141 kobiet.

12 sierpnia w akcji „Góral" żołnierze Kedywu Komendy Głównej AK pod dowództwem por. Romana Kiznego „Poli" zdobyli 109 milionów złotych na ul. Senatorskiej przy pl. Zamkowym, przewożonych samochodem w konwoju z banku na Dworzec Wschodni. Władze okupacyjne ofiarowały 5 milionów złotych nagrody za wskazanie sprawców napadu, którzy jednak nie zostali wykryci.

44. Franciszek Bartoszek, pseudonim „Jacek", artys-a malarz, dowódca Spec-Grupy Gwardii Ludowej w Warszawie

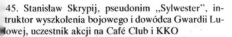

45. Stanisław Skrypij, pseudonim „Sylwester", in-truktor wyszkolenia bojowego i dowódca Gwardii Lu-lowej, uczestnik akcji na Café Club i KKO

W nocy z 2 na 3 września zginął przewodniczący Związku Walki Młodych Jan Krasicki „Kazik". Został zastrzelony przez Niemców podczas ucieczki w chwilę po aresztowaniu na ul. Jasnej. 6 września grupa bojowa ZWM wtargnęła do warsztatów samochodowych przy ul. Mokotowskiej i Kruczej, gdzie zniszczyła 9 silników Diesla. Następnego dnia żołnierze Kedywu wykonali wyrok śmierci na znanym z nieludzkiego postępowania SS-Oberschar-führerze Franzu Bürcklu, pastwiącym się nad więźniami Pawiaka. ·

15 września Niemcy przeprowadzili wielką łapankę na Żoliborzu, wyciągając ludzi z domów przy ul. Krasińskiego; 17 i 18 września dokonali tego samego na Pradze, 22 września zaś na placu Napoleona (dzisiaj plac Powstańców Warszawy). 24 września został zastrzelony z wyroku podziemia przez żołnierzy AK Hauptsturmfürhrer August Kretsch-mann, zastępca komendanta obozu przy ul. Gęsiej. 25 września grupa bojowa GL wysadziła tory kolejowe na węźle warszawskim przy ul. Bema. Następnego dnia oddziały Kedywu uderzyły na posterunek żandarmerii w Wilanowie oraz wykonały wyrok śmierci na volksdeutschach z Kępy Latoszkowej i na zdrajcach Polakach. W walce poległo 5 żołnierzy dywersji, zadanie zostało wykonane w całej rozciągłości.

1 października żołnierze Kedywu zastrzelili SS-Sturmmanna Ernsta Weffelsa, jednego ze strażników więzienia kobiecego na Pawiaku, obchodzącego się nieludzko z zatrzymanymi kobietami. Następnego dnia zginął Hauptsturmführer Josef Lechner, oficer warszawskie-go gestapo. 4 października odszedł do Oświęcimia wielki transport więźniów Pawiaka, liczący 1049 osób, w tym 244 kobiety.

10 października 1943 roku weszło w życie rozporządzenie generalnego gubernatora Hansa Franka o „zwalczaniu zamachów na niemieckie dzieło odbudowy w Generalnym Guber-natorstwie", przewidujące działalność sądów policyjnych, które miały orzekać o winie zatrzymanych i ferować jako jedyną – karę śmierci. Karze podlegały „uchybienia ustawom, rozporządzeniom lub zarządzeniom i dyspozycjom władz". W praktyce oznacza-ło to, że przed sądem mógł stanąć niemal każdy poddany GG. Nowym dowódcą SS i policji w dystrykcie warszawskim został po Stroopie SS-Brigadeführer Franz Kutschera. 13 października władze niemieckie rozpoczęły łapanki na nie spotykaną dotychczas skalę. Wzięły w nich udział nie tylko hitlerowskie formacje policyjne, ale i żołnierze Wehrmachtu i Luftwaffe. Zatrzymywano tramwaje, wyciągano z nich jadących, zabierano ludzi z ulicy i po przeprowadzeniu pobieżnej rewizji kierowano na Pawiak. Liczba osadzonych wynosiła 1500 mężczyzn i kobiet. 15 października Niemcy ogłosili przez megafony listę 100 zakładników, którym groziło rozstrzelanie na wypadek zamachów na Niemców.

16 października o godzinie 16 gestapo dokonało pierwszej egzekucji publicznej, rozstrzeli-wując 20 więźniów Pawiaka w al. Niepodległości 141, róg ul. Madalińskiego. Zwłoki natychmiast uprzątnięto. Następnego dnia Niemcy rozstrzelali dalszą grupę więźniów na ul. Piusa XI (dzisiaj Piękna), podając przez megafony liczbę zamordowanych, to jest 20 osób, gdy faktycznie zginęło 25 więźniów, 17 zaś zostało rozstrzelanych w ruinach getta. Nie było zresztą dnia, żeby Niemcy poza tymi ogłaszanymi i dokonywanymi publicznie egzekucjami nie rozstrzeliwali więźniów Pawiaka w ruinach byłej dzielnicy żydowskiej. Warszawa spływała krwią. 20 października rozstrzelano 20 mężczyzn w pobliżu Dworca Gdańskiego, 22 października 10 więźniów przy ul. Młynarskiej, róg Wolskiej. W tych dniach władze okupacyjne przeprowadziły dalsze łapanki w centrum miasta i na Pradze. 22 października oddziały dywersyjne Okręgu Warszawskiego AK obrzuciły granatami i os-trzelały samochody z niemiecką policją jadące Nowym Światem i Targową. Następnego dnia grupa bojowa Związku Walki Młodych cisnęła bombę do „Baru Podlaskiego" przy ul. Nowogrodzkiej, przeznaczonego wyłącznie dla SS-manów i niemieckiej policji. 23 paź-dziernika stracono w godzinach popołudniowych 20 więźniów na Wale Miedzeszyńskim, a około 300 osób w ruinach getta. W nocy z 23 na 24 października oddziały AK podjęły akcję odwetową, wykolejając pociągi niemieckie w rejonie węzła warszawskiego – w Płochocinie pod Celestynowem i pod Tłuszczem. Przerwa w ruchu trwała ponad 15 godzin. 24 października na ul. Złotej grupa bojowa GL ostrzelała Niemców. 26 październi-ka Niemcy dokonali nowej egzekucji przy ul. Leszno 3 (dzisiaj Świerczewskiego 83), mordując około 30 osób. Następna egzekucja odbyła się 30 października przy ul. Targowej; zginęło w niej 10 więźniów Pawiaka.

Mimo trudnych warunków egzystencji, kiedy każdy mógł zostać aresztowany i postawiony przed sądem policyjnym, rozpoczął się w podziemiu nowy rok akademicki 1943/44. W Warszawie działało 9 tajnych wyższych uczelni, w tym dwa uniwersytety – Warszawski i Ziem Zachodnich, ponadto Wolna Wszechnica Polska, Politechnika i Szkoła Główna Handlowa. Odbywały się nadal tajne wieczory literackie i koncerty.

Niemcy nieustannie przeprowadzali łapanki, ludzie starali się wychodzić z domu tylko w wypadkach koniecznych. 9 listopada nastąpiły dwie dalsze egzekucje publiczne – na ul. Grójeckiej, róg Wawelskiej, oraz na ul. Płockiej 2. Obwieszczenia przyniosły nazwiska 40 straconych oraz dalszych 50 nazwisk ludzi przewidzianych do ułaskawienia. Był wśród nich zatrzymany przypadkowo młody poeta i eseista, redaktor podziemnego czasopisma „Sztuka i Naród" Andrzej Trzebiński, występujący pod fałszywym nazwiskiem Jarociński. Zginął on 12 listopada w egzekucji przy ul. Nowy Świat 49. Tego dnia Niemcy dokonali również zbiorowego morderstwa przy ul. Kępnej, róg Jagiellońskiej, na Pradze. Łącznie rozstrzelano 60 więźniów, o czym powiadamiały rozplakatowane obwieszczenia. Jedno-cześnie 12 i 13 listopada w ruinach getta padło ofiarą hitlerowców około 400 osób.

14 listopada został aresztowany przy ul. Grottgera Paweł Finder „Paweł" wraz z Małgorzatą Fornalską „Jasią", gdy przybyli do lokalu, w którym miało się odbyć posiedzenie Komitetu Centralnego. Lokal okazał się „spalony", mieszkańcy domu ostrzegli następnych przybywających na to spotkanie. 23 listopada pierwszym sekretarzem wybrano Władysława Gomułkę „Wiesława", na czele zaś warszawskiej organizacji PPR stanął Aleksander Kowalski „Olek", przedwojenny działacz młodzieży komunistycznej.

Wzmogły się łapanki uliczne w różnych punktach miasta, po którym kroczyły patrole Schutzpolizei, zatrzymujące podejrzanych ludzi. 22 listopada na Żoliborzu policja niemiecka usiłowała zatrzymać aktora i działacza podziemia kulturalnego, jednego z założycieli pułku AK „Baszta", dowódcę kompanii „Orzeł" – Ludwika Bergera „Michała". Nie dał się wziąć żywcem, stoczył walkę z Niemcami. 24 listopada odbyły się dwie dalsze egzekucje publiczne – przy ul. Nabielaka 18, róg Belwederskiej, oraz przy ul. Radzymińskiej w pobliżu pętli tramwajowej. Zginęło według niemieckich danych 27 osób, w tym kilka kobiet. W dwa dni później niemieckie samochody policyjne patrolujące ulice miasta i przewożące zatrzymanych zostały zaatakowane przez grupy dywersyjne Okręgu Warszawskiego AK na ul. Nowy Świat przy Świętokrzyskiej oraz na wiadukcie mostu Poniatowskiego przy ul. Solec. W cztery dni później, 30 listopada, Niemcy przy ul. Solec 63 w pobliżu kościoła Świętej Trójcy rozstrzelali 34 osoby, 2 grudnia przy ul. Nowy Świat 64 34 mężczyzn, a w ruinach getta odbyła się egzekucja więźniów z Pawiaka.

2 grudnia grupa bojowa dywersji Okręgu Warszawskiego obrzuciła na ul. Puławskiej granatami samochody policyjne, zginęło kilku Niemców. 3 grudnia w godzinach południowych hitlerowcy rozstrzelali w pobliżu remizy tramwajowej oraz w głębi spalonego domu przy ul. Puławskiej 21/23 (dzisiaj kino „Moskwa") 100 mężczyzn, wśród nich wybitnego naukowca prof. dr. inż. Stefana Bryłę. 7 grudnia dokonali egzekucji w ruinach getta, zabijając około 50 zatrzymanych, tego dnia wywieziono z Pawiaka do Oświęcimia 65 więźniów, 9 grudnia dalszych 72 mężczyzn. 11 grudnia Niemcy rozstrzelali w ruinach getta około 50 mężczyzn, w egzekucji zaś publicznej przy ul. Leszno (obecnie Świerczewskiego 85) około 30 więźniów. W trzy dni później hitlerowcy dokonali jednej z większych egzekucji – około 70 mężczyzn zamordowano na ul. Wierzbowej 9, a ponad 200 więźniów przy ul. Bonifraterskiej za murem getta. 18 grudnia padło ofiarą hitlerowców 57 osób, z tego 10 kobiet, rozstrzelanych przy ul. Wolskiej 77 bądź w ruinach getta; następnego dnia zginęło tam 64 więźniów i więźniarek, a 20 grudnia znów 47 mężczyzn i 3 kobiety. W przeddzień Wigilii, 23 grudnia, Niemcy dokonali nowej egzekucji przy ul. Górczewskiej 14, mordując 43 więźniów; 27 i 30 grudnia stracono w pobliżu Pawiaka 45 ofiar, z tego 9 kobiet i dwoje dzieci. Ostatnia z egzekucji publicznych w 1943 roku odbyła się na Sylwestra; 31 grudnia o godzinie dziewiątej rano na ul. Towarowej 4 zginęło 43 mężczyzn.

Podziemie nie ustawało w walce przeciwko okupantom. 7 grudnia grupa bojowa GL zniszczyła pociąg w pobliżu Międzylesia, 13 grudnia żołnierze Kedywu zastrzelili kierownika urzędu mieszkaniowego Brauna, 22 grudnia doszło do wymiany strzałów między żandarmerią a grupą Związku Walki Młodych, w której padło 2 młodych komunistów na ul. Boboli; 29 grudnia zlikwidowano funkcjonariusza Sicherheitsdienstu Bizansa.

Polska Partia Robotnicza podjęła wysiłek utworzenia Krajowej Rady Narodowej; przedstawiciele Partii przeprowadzili wiele rozmów z reprezentantami lewego skrzydła Stronictwa Ludowego oraz z członkami Robotniczej Partii Polskich Socjalistów. 31 grudnia,

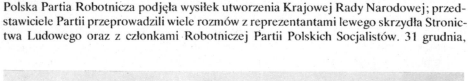

546. Pierwsze wydanie książki Aleksandra Kamińskiego (pseudonim „Jan Górecki") „Kamienie na szaniec"

547. Teren fabryki „Lilpop, Rau i Loewenstein" przy ul. Ordona, gdzie porzucono samochód ciężarowy po wyładowaniu pieniędzy zdobytych w akcji „Góral"

8. Jan Krasicki, pseudonim „Kazik", drugi przewodniczący ZWM

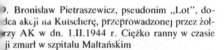

9. Bronisław Pietraszewicz, pseudonim „Lot", dowódca akcji na Kutscherę, przeprowadzonej przez żołnierzy AK w dn. 1.II.1944 r. Ciężko ranny w czasie akcji zmarł w szpitalu Maltańskim

w noc sylwestrową doszło w Warszawie do powołania parlamentu podziemnego polskiej lewicy – Krajowej Rady Narodowej. W mieszkaniu przy ul. Twardej 22 zebrali się na naradę przedstawiciele partii politycznych i organizacji społecznych, wyłoniono prezydium, przewodniczącym KRN został Bolesław Bierut „Tomasz", członek KC PPR. Jednocześnie powołano do życia Armię Ludową, na której czele stanął gen. dyw. Michał Żymierski „Rola".

Patrole żandarmerii niemieckiej krążyły niezmordowanie po mieście i zatrzymywały przechodniów. 5 stycznia 1944 w al. Niepodległości róg Rakowieckiej dostały się w ręce hitlerowców dwie łączniczki Komendy Głównej AK; w mieszkaniu jednej z nich, Hanny Czaki, odbywał się tego dnia komplet socjologii Uniwersytetu Ziem Zachodnich pod kierunkiem dr. Władysława Okińskiego. Niemcy aresztowali całą rodzinę Czakich, wszystkich studentów, a także Pohoską, która przyszła uprzedzić o grożącym niebezpieczeństwie. Większość osób, w tym Tytus Czaki, dr Władysław Okiński i Ewa Pohoska (autorka dramatu „Schyłek Amonitów", założycielka podziemnego pisma literackiego „Droga"), została później stracona. Był to jedyny wypadek przyłapania przez Niemców kompletu wyższej uczelni w okresie okupacji.

8 stycznia na szosie w pobliżu Wawra oddział Kedywu „Osjan" zaatakował powracającego z polowania gubernatora dystryktu warszawskiego Fischera. Zostało rannych 9 urzędników niemieckich, gubernator wyszedł z tej zasadzki bez szwanku. Był on na równi z Kutscherą odpowiedzialny za przeprowadzanie łapanek i egzekucji publicznych.

9 stycznia Krajowa Reprezentacja Polityczna przekształciła się w Radę Jedności Narodu. W jej skład weszli przedstawiciele stronnictw związanych z rządem w Londynie, a mianowicie – WRN (PPS), Stronnictwa Ludowego, Stronnictwa Narodowego i Stronnictwa Pracy. Przyłączyły się do RJN także i organizacje Ojczyzna, Racławice, Zjednoczenie Demokratyczne, przedstawiciele spółdzielczości i kościoła katolickiego. Przewodniczącym został wybrany Kazimierz Pużak „Bazyli", członek WRN.

Mordy na więźniach Pawiaka nie ustawały. 13 stycznia przy ul. Grójeckiej 14 Niemcy dokonali nowej egzekucji, rozstrzeliwując około 40 osób. 24 stycznia rozstrzelano 50 mężczyzn na ul. Kilińskiego przy gmachu byłego Ministerstwa Sprawiedliwości, a 28 stycznia około 30 osób w Al. Jerozolimskich 31 (obecnie 37); liczba zgładzonych była jednak znacznie wyższa: razem z rozstrzelanymi w getcie zginęło około 200 więźniów.

1 lutego 1944 roku około godziny dziewiątej rano żołnierze oddziału dywersyjnego AK „Agat", później przeformowanego w batalion „Parasol", dokonali pod dowództwem Bronisława Pietraszewicza „Lota" udanego zamachu na Franza Kutscherę. Akcja odbyła się błyskawicznie, padło kilku Niemców, którzy rozpoczęli strzelaninę, gdy samochód żołnierzy podziemia zastawił w Al. Ujazdowskich nie opodal ul. Pięknej drogę wozowi Kutschery. Polacy również ponieśli straty – zmarli z odniesionych ran dowódca 1 plutonu Bronisław Pietraszewicz „Lot" i Marian Sengier „Cichy", natomiast Zbigniew Gęsicki „Juno" oraz Kazimierz Sott „Sokół" skoczyli w nurty Wisły, nie chcąc się dostać w ręce gestapo.

Tego dnia zastrzelono z wyroku podziemia urzędnika Arbeitsamtu Willego Lüberta oraz komisarycznego zarządcę nieruchomości odebranych Żydom, adwokata dr. Albrechta Eitnera, podejrzewanego o to, że był oficerem Abwehry.

Niemców na wiadomość o zamachu na Kutscherę ogarnęły strach i wścieklość. W odwecie zamordowano 2 lutego na miejscu akcji 100 więźniów przywiezionych z Pawiaka, a ponad 200 mężczyzn stracono w ruinach getta. Następnego dnia rozstrzelano 160 osób w getcie, w tym 13 kobiet. Jednocześnie władze okupacyjne nałożyły na mieszkańców miasta kontrybucję w wysokości 100 milionów złotych, zamknęły na czas nieokreślony restaurację dla Polaków oraz jawne teatrzyki, godzinę policyjną ustalono od 19 do 5 rano. Mimo represji Warszawa odetchnęła. Świadomość, że zginął szef hitlerowskiej policji, odpowiedzialny za terror w mieście, podniosła wszystkich na duchu, tym bardziej że komunikaty z frontu wschodniego mówiły o szybkim posuwaniu się Armii Czerwonej na zachód.

10 lutego władze okupacyjne dokonały dwóch dalszych egzekucji publicznych – przy ul. Barskiej 4 i przy ul. Wolskiej 79/81. Wówczas straciło życie około 470 zatrzymanych, w tym 36 kobiet. 11 lutego na balkonie zniszczonego domu przy ul. Leszno zawisło 27 więźniów Pawiaka. Mimo zakazu zatrzymywania się Lesznem przeciągnęły nieprzeliczone tłumy mieszkańców oddając ostatni hołd męczennikom. Ta forma publicznej egzekucji wstrząsnęła Warszawą. 15 lutego rozstrzelano około 40 mężczyzn przy ul. Senatorskiej 6, róg Miodowej, a w getcie ponad 200 osób. Na miejscu kaźni zgromadziły się znowu tłumy ludzi, składając kwiaty i zapalając świece. W dwa dni później samochód policyjny otworzył ogień do modlących się, żandarmi niemieccy zatrzymali około 20 osób i zabrali złożone wieńce.

W ciągu tych czterech straszliwych miesięcy hitlerowcy stracili na ulicach Warszawy 1640 więźniów Pawiaka, w przeważającej części ludzi przypadkowo zatrzymanych na ulicach i postawionych przed sądy policyjne. W rzeczywistości jednak zginęło o wiele więcej mieszkańców Warszawy. Władysław Bartoszewski w monografii „Warszawski pierścień śmierci" szacuje liczbę straconych na co najmniej 4300 mężczyzn i kobiet.

19 lutego odbyło się pierwsze posiedzenie Warszawskiej Rady Narodowej, powołanej z inicjatywy PPR; przewodniczącym wybrano Kazimierza Przybyła „Stalskiego".

Na Pawiaku nie ustawały egzekucje, nie było prawie dnia, żeby nie wyprowadzano gromady ludzi w ruiny getta i tam tracono. 22 lutego zamordowano na terenie byłej dzielnicy żydowskiej ponad 300 osób.

26 lutego na wszystkich słupach ogłoszeniowych i murach zostało rozplakatowane „Anordnung" szefa bezpieczeństwa Generalnego Gubernatorstwa, gen. policji i SS Wilhelma Koppego, nakazujące Niemcom ewakuację z ziem polskich. Zarządzenie to, wymyślone i wydrukowane przez polskie podziemie, wywołało kilkudniową panikę wśród Niemców, którzy z wściekłością zrywali afisze. Niewiele osób domyśliło się, że jest to akt dywersji, gdyż obwieszczenie przypominało do złudzenia ogłoszenia hitlerowców.

16 marca stracono na terenie getta około 200 więźniów Pawiaka, w tym 5 kobiet, a 21 marca rozstrzelano około 200 osób. Niemcy w oficjalnym obwieszczeniu podali liczbę 140 straconych; 29 marca zginęło dalszych 150 Polaków, w tym 19 więźniarek.

28 marca odszedł z Warszawy pierwszy transport 580 więźniów do obozu koncentracyjnego w Gross Rosen na Dolnym Śląsku. 31 marca gestapo dokonało następnej egzekucji więźniów Pawiaka; zginęło 130 mężczyzn i 8 kobiet. Dowódcą SS i policji dystryktu warszawskiego został SS-Brigadeführer Paul Otto Geibel, który pozostał na tym stanowisku do połowy stycznia 1945 roku.

Terror w mieście nie przeszkodził w dalszym rozwoju podziemnego życia kulturalnego. W pierwszym kwartale 1944 roku odbyło się ponad 150 wieczorów literackich i muzycznych, 10 większych koncertów oraz wiele innych imprez. 29 marca w mieszkaniu prywatnym przy ul. Tamka 5 wystawiono fragmenty „Akropolis" Stanisława Wyspiańskiego w wykonaniu aktorów Studium Iwo Galla. 6 kwietnia „Biuletyn Informacyjny" ogłosił „Konkurs na utwór sceniczny dla teatru". Oprócz dotychczas ukazujących się czasopism literackich pojawiły się: miesięcznik „Kultura Jutra", wydany przez organizację Unia, „Droga", związany z grupą młodych żoliborskich socjalistów, oraz „Dźwigary" będące organem grupy literackiej znanej pod tą nazwą.

5 kwietnia wywieziono do obozu w Ravensbrück 54 więźniarki Pawiaka. 6 i 7 Niemcy dokonali w getcie egzekucji 90 mężczyzn i 8 kobiet, w tym kilku osób podejrzanych o pochodzenie żydowskie. W tych też dniach na Żoliborzu władze okupacyjne przeprowadziły masowe aresztowania, przetrząsając domy w poszukiwaniu broni i ukrywających się Żydów. 7 kwietnia przywieziono na Pawiak ponad 200 osób z tych łapanek. 11 kwietnia stracono 80 więźniów.

6 kwietnia doszło do walki przy ul. Solec 103. Niemcy wykryli największą w mieście wytwórnię materiałów wybuchowych AK, noszącą kryptonim „Kinga". Jej załoga broniła się kilka godzin; nie mogąc zająć wytwórni, gestapo zatopiło pomieszczenie i cała obsługa zginęła. 12 i 13 kwietnia oddziały AL wysadziły w powietrze tory linii średnicowej w pobliżu ul. Targowej, wstrzymując na kilka godzin ruch na węźle warszawskim.

13 kwietnia zginęło w ruinach getta około 115 więźniów Pawiaka, w następnych dniach ponad 250 osób. W obwieszczeniu z 16 kwietnia dowódca policji bezpieczeństwa i SD na dystrykt warszawski, oczywiście nie podpisany, ogłaszał, że polecił rozstrzelać 200 komunistów za 11 napadów na Niemców i wykolejenie pociągu na linii Warszawa–Małkinia z żołnierzami jadącymi do Rzeszy na urlop. 16 kwietnia Niemcy dokonali dalszej egzekucji więźniów Pawiaka, zginęło około 140 mężczyzn.

17 kwietnia żołnierze batalionu AL im. Czwartaków rozbroili straż i opanowali wartownię zakładów Philipsa przy ul. Karolkowej, 19 kwietnia zginął dowódca kompanii batalionu AL im. Czwartaków Ryszard Kazała „Zygmunt" w walce z policją niemiecką przy ul. Puławskiej. 26 kwietnia przy ul. Chocimskiej żołnierze „Parasola" wykonali wyrok śmierci na pułkowniku policji niemieckiej, Erwinie Gresserze. W odwecie Niemcy rozstrzelali jeszcze tego dnia 50 mężczyzn oraz 45 kobiet.

550. Kazimierz Przybył „Stalski" współorganiza[tor] PPR na Pradze, uczestnik powstania warszawskie[go], przewodniczący Warszawskiej Rady Narodowej

Wobec przybliżania się frontu wschodniego władze okupacyjne nakazały przygotowanie do obrony przeciwlotniczej; w wielu punktach miasta zbudowano zbiorniki na wodę.

3 maja w powiązaniu z Delegaturą Rządu powstała na mocy dekretu rządu w Londynie Krajowa Rada Ministrów. Na jej czele stanął delegat rządu z tytułem wicepremiera, inż. Jan Stanisław Jankowski. Podziemie dokonywało dalszych akcji bojowych na terenie Warszawy. W nocy z 3 na 4 maja oddział Kedywu zniszczył lub poważnie uszkodził 8 samolotów wojskowych na lotnisku polowym Bielany. 4 maja grupa dywersyjna Związku Walki Młodych zniszczyła linię wysokiego napięcia przy ul. 11 listopada na Pradze. 6 maja żołnierze „Parasola" dokonali nieudanego zresztą zamachu w mieszkaniu przy ul. Szucha na szefa wydziału IV komendy policji bezpieczeństwa dystryktu warszawskiego SS-Sturmbannführera Waltera Stamma. Tego dnia ukazał się dodatek nadzwyczajny „Nowego Kuriera Warszawskiego" wydany przez podziemie i szybko rozkolportowany. Tytuł na pierwszej kolumnie głosił, że wojska niemieckie wkroczyły do Szwecji. Był to drugi z kolei dywersyjny dodatek dziennika, znakomicie podrobiony przez wykonawców, a przynoszący wiele wiadomości z całego świata.

Na Pawiaku władze niemieckie dokonywały dalszych egzekucji wśród więźniów. W dniach 19, 20 i 22 maja zginęło około 500 osób, przy czym Niemcy podali, że 20 zamordowanych było żołnierzami podziemia „na żołdzie Anglii", 200 zaś straconych to komuniści. Jednocześnie 19 maja Niemcy przeprowadzili liczne aresztowania na Saskiej Kępie, blokując domy i osadzając na Pawiaku ponad 200 osób. 20 maja przeprowadzili łapankę na ul. Targowej. 24 maja odszedł pierwszy z Warszawy transport 859 więźniów Pawiaka do

1. Warszawski Nowy Rok 1944. Kukła Hitlera po-
szona na placu Trzech Krzyży z napisem: Powieszo-
o godz. 13⁰⁵, skonał o 14⁰⁵.

2. Tajny młodzieżowy zespół teatralny. Na zdjęciu
Zielińska i A. Łapicki w „Posażnej jedynaczce"
dry–syna, Warszawa 1941 r.

3. Warszawscy bukiniści na rogu ul. Królewskiej i ul.
nicznej

obozu koncentracyjnego w Stutthofie, następnego dnia wyprawiono do Ravensbrück 60 kobiet. 28 i 29 maja, w dniach Zielonych Świątek, Niemcy zatrzymali na plażach wiślanych przy Wale Miedzeszyńskim oraz na Bielanach około 900 kobiet i mężczyzn; większość przewieziono na Pawiak, część zaś skierowano do obozu przejściowego Arbeitsamtu przy ul. Skaryszewskiej.

7 maja nowym sekretarzem Komitetu Warszawskiego PPR została Izolda Kowalska. 17 maja grupa dywersyjna Związku Walki Młodych zniszczyła linię wysokiego napięcia przy ul. Radzymińskiej, 28 maja zaś oddział AL uszkodził wiadukt kolejowy przy ul. Podskarbińskiej na Grochowie.

5 czerwca grupa bojowa batalionu AL im. Czwartaków stoczyła walkę z Niemcami na ul. Zielnej. W trzy dni później żołnierze kompanii dywersyjnej „Żniwiarz" z Żoliborza zastrzelili kierownika obozu przejściowego Arbeitsamtu przy ul. Skaryszewskiej – Bolongina.

8 czerwca odszedł z Pawiaka transport 60 więźniarek do obozu koncentracyjnego w Ravensbrück. W poprzednich dniach rozstrzelano około 100 więźniów. 9 czerwca gestapowcy zamordowali nie ustaloną liczbę mężczyzn, 21 czerwca 75 więźniów, określonych przez Niemców jako komunistów. Następna egzekucja odbyła się w dniu 27 czerwca. 29 czerwca oddział AK odbił 13 więźniów Pawiaka, przebywających czasowo w szpitalu Jana Bożego przy ul. Bonifraterskiej.

2 lipca odbył się ostatni wieczór poetycki zespołu recytacyjnego Marii Wiercińskiej; wystąpił on z programem noszącym tytuł „Warszawa". Zespół ten występował około 150 razy w latach okupacji, nie tylko w stolicy, lecz i w pobliskich miejscowościach. Kończył się rok akademicki, studenci wyższych uczelni zaczęli składać egzaminy. Na tajnym wydziale prawa UW 17 studentów, którzy rozpoczęli studia w 1940 roku, uzyskało dyplomy magistrów.

Z Pawiaka odchodziły nadal wielkie transporty więźniów do obozów koncentracyjnych. 4 lipca wysłano 687 mężczyzn do Gross Rosen, 7 lipca 58 kobiet do Ravensbrück, 13 lipca odszedł dalszy transport kilkudziesięciu więźniów do Gross Rosen, 20 lipca 50 kobiet do obozu w Ravensbrück. W nocy z 19 na 20 lipca grupa więźniów podjęła zbrojny bunt, a z zewnątrz miała przyjść pomoc. Do dziś nie wiadomo, czy nie była to prowokacja ze strony hitlerowców, oddział „Osjan" bowiem, który miał wtargnąć do więzienia, został przez Niemców otoczony już na cmentarzu Powązkowskim i wielu żołnierzy padło w walce, a część dostała się w ręce wroga, na Pawiaku zaś rozstrzelano ponad 170 więźniów. 23 lipca rozpoczęły się przygotowania do ewakuacji więzienia na skutek zbliżania się do Warszawy oddziałów Armii Radzieckiej. 26 lipca rozstrzelano grupę więźniów, wśród nich Pawła Findera oraz Małgorzatę Fornalską, 28 lipca zwolniono kilkadziesiąt osób, 30 lipca odszedł do obozów koncentracyjnych wielki transport 1400 mężczyzn i 410 kobiet. Warunki ewakuacji były straszliwe i pociągnęły wiele wypadków śmiertelnych. W Skierniewicach Niemcy spalili wagon z 78 więźniami. 31 lipca zwolniono z Pawiaka około 200 osób, wśród nich Zofię Kossak pod nazwiskiem Śliwińska oraz personel lekarski.

W związku z ofensywą wojsk radzieckich 23 lipca wybuchła w Warszawie panika wśród Niemców, wielu z nich w popłochu opuściło miasto, szosy na zachód zostały zatarasowane uciekającymi. Komenda Główna AK zbierała się dwa razy dziennie, rozpatrując zmieniającą się sytuację. Rada Ministrów w Londynie wysłała do delegata rządu w Warszawie depeszę upoważniającą „do ogłoszenia powstania w momencie przez was wybranym". 27 lipca w godzinach przedpołudniowych ogłoszono przez megafony rozporządzenie gubernatora Fischera, nakazujące stawienie się 100 000 osób do kopania okopów nad Wisłą. Na wiadomość o tym komendant Okręgu Warszawskiego AK, płk dypl. Antoni Chruściel „Monter", wydał rozkaz alarmowy, zarządzając na następny dzień zgrupowanie oddziałów na stanowiskach wyczekiwania. Była to tak zwana pierwsza mobilizacja, która przebiegła dość sprawnie. Generał „Bór" odwołał ostre pogotowie, ale nie nakazał rozejścia się do domów.

W poniedziałek 31 lipca ukazał się kolportowany niemal jawnie „Biuletyn Informacyjny", w którym podano dane o położeniu na froncie: „Oddziały przednie armii sowieckiej, przesuwające się wschodnim brzegiem Wisły, nie nawiązywały do rana 30.VII. styczności z wojskiem niemieckim [...] Jedynie tylko w Wiązownie zjawił się podjazd sowiecki...". Niemcy od kilku dni na gwałt łatali lukę we froncie środkowym, ściągając ze wszystkich stron nowe jednostki. Z Włoch przerzucono do Warszawy Dywizję Pancerno-Spadochronową „Hermann Göring", liczącą 15 000 żołnierzy.

31 lipca Komenda Główna AK w lokalu przy ul. Pańskiej 67 odbywała popołudniowe zebranie, na które przybył wcześniej, niż był zapowiedziany, płk „Monter" z wiadomościami o zdezorganizowaniu przez radzieckie wojska pancerne obrony niemieckiej na przedmościu praskim. Generał Bór-Komorowski wysłał adiutanta po delegata rządu, obaj wysłuchali raz jeszcze relacji komendanta Okręgu i po wymianie opinii z członkami sztabu gen. „Bór" wydał rozkaz rozpoczęcia działań bojowych przez oddziały AK 1 sierpnia 1944 o godzinie 17. Inne organizacje nie zostały powiadomione o terminie wybuchu powstania. Sekretarz Komitetu Centralnego PPR Władysław Gomułka „Wiesław" 29 lipca opuścił miasto, kierując się na Lublin. Funkcje sekretariatu PPR miała pełnić na terenach położonych na zachód od Wisły tak zwana centralna trójka" Zenon Kliszko, Aleksander Kowalski i Helena Kozłowska.

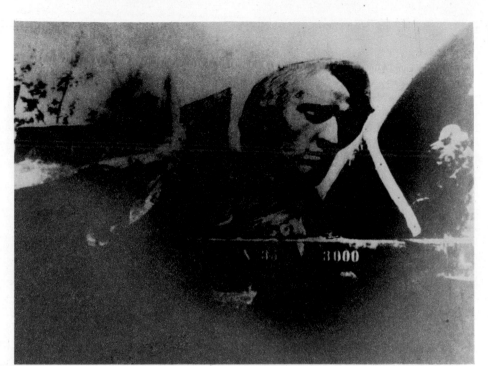

554. Demontaż warszawskich pomników. Fragment pomnika Chopina na wagonie kolejowym

555. Rabunek i wywóz dzieł sztuki z gmachu Zachęty, lipiec 1944 r.

Wielu żołnierzy AK zdążających na koncentrację w dniu 1 sierpnia zastanawiało się, czy to znowu nie próbny alarm. Rozkaz dotarł dopiero rano do komórek organizacyjnych i nie objął wszystkich. Mobilizacja nie przebiegała już tak sprawnie jak przed kilku dniami. W mieście było niespokojnie, po ulicach krążyły patrole niemieckiej policji i Wehrmachtu. O godzinie 14 doszło do przedwczesnego starcia Niemców z żołnierzami kompanii „Żniwiarz". Na Żoliborz zostały wysłane zmotoryzowane oddziały policji, do akcji włączyli się także lotnicy niemieccy. Pułkownik Geibel na wiadomość o potyczce postawił w stan pogotowia całą załogę warszawskiej Schutzpolizei i o godz. 16 kazał obsadzić dodatkowymi oddziałami centralne punkty łączności: Polską Akcyjną Spółkę Telefoniczną (PAST) na Zielnej, Pocztę Główną na pl. Napoleona i inne budynki.

Garnizon niemiecki składał się w Warszawie z 18 000 żołnierzy różnej wartości bojowej. Od kilku dni stolica stała się miastem frontowym, jednostki niemieckie dążyły do niego i odchodziły, w każdym razie wszyscy Niemcy byli dobrze uzbrojeni, wyposażeni w amunicję, ubezpieczeni zasiekami z drutu kolczastego i betonowymi bunkrami. Przeciw nim wystąpiło do boju około 20 000 powstańców słabo uzbrojonych, pozbawionych niemal całkowicie broni ciężkiej i stromotorowej, tak koniecznych do wiązania ogniem dalekosiężnym przeciwnika i rozbijania umocnień niemieckich. Jedyną bronią przeciwpancerną były butelki samozapalające lub butelki z benzyną.

Plan taktyczny przewidywał zajęcie obiektów kluczowych, niezbędnych nie tylko do codziennej egzystencji miasta, jak elektrownia, filtry czy sieć łączności (obsadzona zresztą w ostatniej chwili przez wzmocnione posterunki niemieckie), ale przede wszystkim z wojskowego punktu widzenia, jak na przykład mosty wraz z przyczółkami, ponadto przewidywał oczyszczenie poszczególnych dzielnic z Niemców, stworzenie normalnego organizmu miejskiego, a także obsadzenie obu lotnisk warszawskich: Okęcia oraz Bielan. To się nie udało na skutek słabości sił polskich. Powstańcy odnieśli wprawdzie wiele sukcesów dzięki ofiarności żołnierzy i za cenę krwi, ale już pierwsze meldunki mówiły raczej o niepowodzeniach.

W Obwodzie I, Śródmieście, dowodzonym przez ppłk. Edwarda Pfeiffera „Radwana", oddziały batalionu „Bończa" pod dowództwem Franciszka Sobeskiego „Bończy" uderzyły na most Kierbedzia poprzez ruiny Zamku; natarcie załamało się i batalion obsadził wyloty ulic Miodowej i Podwale, broniąc dojścia do Starego Miasta. Batalion „Gustaw" pod dowództwem kpt. Ludwika Gawrycha „Gustawa" otrzymał jako zadanie bojowe opanowanie niemieckich punktów oporu na placu Piłsudskiego (obecnie plac Zwycięstwa), a także zajęcie siedziby gubernatora Fischera przy ul. Wierzbowej, w dawnym gmachu Ministerstwa Spraw Zagranicznych. Powstańcy dotarli jedynie do ul. Senatorskiej i utknęli w ogniu niemieckim. Batalion im. Czarnieckiego kpt. Lucjana Giżyńskiego „Gozdawy" po walce z czołgami zajął budynek Sądu Apelacyjnego i teren placu Krasińskich. IV batalion Wojskowej Służby Ochrony Powstania (WSOP) por. Tadeusza Okolskiego „Dzika" opanował ratusz i więzienie przy ul. Daniłowiczowskiej. Na Powiślu batalion kpt. Cypriana Odorkiewicza „Krybara" usiłował zająć gmachy Prezydium Rady Ministrów i Uniwersytetu Warszawskiego, uderzając spod skarpy; załogi niemieckie odparły polskie szturmy. W salach *Auditorium Maximum* UW okupanci mieli wielkie magazyny broni, ich zdobycie mogło przyczynić się do lepszego wyposażenia oddziałów powstańczych, Uniwersytet pozostał jednak w rękach niemieckich. Natomiast zajęta została po ciężkich bojach elektrownia przez oddział kpt. inż. Stanisława Skibniewskiego „Cubryny"; walki o jej opanowanie przeciągnęły się do następnego dnia. III zgrupowanie por. Konrada Szewdyna „Konrada" poszło do szturmu na dwa mosty: Poniatowskiego i Średnicowy, załogi niemieckie zdołały jednak utrzymać te pozycje. Wziętych do niewoli powstańców rozstrzelano następnie pod wiaduktem.

Nie powiodło się natarcie na „dzielnicę policyjną" od północy, tak jak i szturm od południa przeprowadzony siłami I Dywizjonu 7 Pułku Ułanów pod dowództwem rtm. Lecha Głuchowskiego „Jeżyckiego". Zajęto kasyno garnizonowe i szykowano się do uderzenia na dom przy ul. Szucha 16, jednak przeciwuderzenie niemieckie zepchnęło powstańców na pozycje wyjściowe. Ze 187 atakujących padło 67 ułanów „Jelenia" (taki był kryptonim 7 Pułku Ułanów) i powstańcy wycofali się częściowo do Śródmieścia i na Mokotów; pewna grupa zdołała się przebić pod osłoną nocy do lasów. Również szturm kompanii kpt. dr. Tadeusza Bartoszka „Cegielskiego" w Al. Ujazdowskich od strony Ogrodu Botanicznego nie powiódł się.

3 batalion pancerny kpt. Stefana Golędzinowskiego „Golskiego" nacierał na budynki szpitalne przy ul. 6 Sierpnia (obecnie Nowowiejska) i na budynek Ministerstwa Komunikacji; po ciężkich walkach utrzymał się na pozycjach przy zbiegu ulic Koszykowej i Śniadeckich. IV zgrupowanie rtm. „Zaremby" miało za zadanie zająć budynek stacji telekomunikacyjnej przy ul. Nowogrodzkiej. Oddziały nie otrzymały broni, walki z patrolami wroga zaczęły się już około godziny 16, na skutek więc słabego uzbrojenia i rozproszenia plutonów zadania nie wypełniono.

W samym centrum miasta batalion im. Kilińskiego pod dowództwem rtm. Henryka Roycewicza „Leliwy" poszedł do szturmu na gmach Poczty Głównej przy placu Napoleona i koszary formacji kolaboracyjnych przy ul. Górskiego. Walki trwały przez całą noc i przez cały następny dzień, zakończyły się po południu 2 sierpnia zajęciem gmachu przez powstańców. Plac Napoleona i stojący przy nim wieżowiec „Prudentialu", na którym wywieszono 1.VIII. biało-czerwony sztandar, znalazły się w rękach Polaków. Natomiast nie powiódł się atak na budynek PAST-y przy ul. Zielnej, jego załoga bowiem została wzmocniona na kilka godzin przed godziną „W" przez oddział SS. 6 kompania zgrupowania im. Kilińskiego opanowała sąsiedni gmach Polskiego Radia przy ul. Zielnej 35.

IV zgrupowanie kpt. Kazimierza Czapli „Gurta" nacierało na Dworzec Główny od strony ul. Nowogrodzkiej i od ul. Chmielnej, lecz nie zdołało wyprzeć z niego załogi niemieckiej. Powiodło się natomiast uderzenie na gmach Wojskowego Instytutu Geograficznego w pobliżu placu Starynkiewicza przy Al. Jerozolimskich. Zgrupowanie „Chrobry I" kpt. Gustawa Billewicza „Sosny" uderzyło na silny hitlerowski punkt oporu na skrzyżowaniu ulic Chłodnej i Żelaznej, nazywany „Nordwache", obsadzony przez Schutzpolizei, ogień niemiecki nie pozwolił jednak zbliżyć się na odległość szturmową.

Oddziały I Obwodu nie miały możności pełnej koncentracji na skutek przedwczesnych walk z patrolami niemieckimi, a później wprowadzenia przez wroga broni pancernej, niemniej w ciężkich i krwawych bojach zdołały zająć i utrzymać teren, co miało ogromne znaczenie dla dalszego powodzenia akcji bojowych. Między poszczególnymi oddziałami polskimi nie było łączności, w wielu bowiem punktach nadal tkwiły niemieckie załogi w gmachach panujących nad okolicą.

Żoliborz, Marymont i Bielany wchodziły w skład II Obwodu, którym dowodził ppłk Mieczysław Niedzielski „Żywiciel". Walki na Żoliborzu zaczęły się przedwcześnie od starcia drużyn powstańczych z patrolami wroga. Niemcy natychmiast ściągnęli czołgi oraz samochody pancerne, usiłując przeprowadzić wielką obławę. Poszczególne oddziały przystąpiły do działania, nie mając łączności z dowództwem. Batalion im. Jarosława Dąbrowskiego Socjalistycznej Organizacji Bojowej został zaskoczony podczas zbiórki na terenie Warszawskiej Spółdzielni Mieszkaniowej i poniósł ciężkie straty.

Zgrupowanie „Żaglowiec", dowodzone przez chor. Stefana Szubę „Leszcza", nacierało na Cytadelę, rejon Dworca Gdańskiego i Fort Traugutta. Szturm załamał się w ogniu niemieckim. Zgrupowanie „Żyrafa" kpt. Kazimierza Nowackiego „Witolda" miało za zadanie uderzyć na „Pionierpark" w okolicach Fortu Bema, musiało się jednak wycofać; należący do niego oddział kpt. Witolda Plechowskiego „Sławomira" zakonspirował się na Powązkach. 9 kompania dywersyjna por. Mieczysława Morawskiego „Żniwiarza" (albo „Szeligi") stoczyła ciężką walkę przy ul. Słowackiego, tracąc 15 żołnierzy. Zgrupowanie rtm. Adama Rzeszotarskiego „Żmii" zostało rozproszone przez oddziały policji niemieckiej w czasie koncentracji na Marymoncie. Mimo to powstańcy próbowali natarcia na gmach Centralnego Instytutu Wychowania Fizycznego od południa; akcja nie powiodła się. Zgrupowanie kpt. Władysława Nowakowskiego „Serba" również próbowało zająć gmach CIWF-u, ale zostało odparte. Część oddziałów skierowana została do natarcia na lotnisko bielańskie, czekając na główny szturm od strony Kampinosu. Na skutek niepowodzeń ppłk „Żywiciel" zdecydował się po północy opuścić dzielnicę i przejść do Puszczy Kampinoskiej. Na Żoliborzu pozostał jedynie oddział rtm. „Żmii" w rejonie placu Wilsona (obecnie Komuny Paryskiej).

Walki w III Obwodzie AK, dowodzonym przez mjr. Jana Tarnowskiego „Lelka-Waligórę", przybrały tragiczny obrót. Niemcy rzucili do przeciwnatarcia broń pancerną i czołgi i po godzinie rozproszyły powstańców. Hitlerowcy urządzili obławę, rozstrzeliwując zatrzymanych mężczyzn. Z liczby około 1050 powstańców pozostało na placu boju

556. Obrona Elektrowni Warszawskiej na Powiślu

57. Stanowisko powstańcze w gmachu Poczty Głównej na pl. Napoleona (obecnie plac Powstańców Warszawy)

58. Gmach PAST-y przy ul. Zielnej zdobyty przez powstańców

zaledwie 400 żołnierzy. Na skrzyżowaniu ulic Wolskiej i Młynarskiej powstańcy pod dowództwem kpt. Karola Kryńskiego „Wagi", z zawodu artysty malarza, żołnierza OW PPS, zaczęli budować barykadę z tramwajów, która powstrzymała natarcie niemieckich czołgów. Z Koła przeszedł w rejon ul. Wolskiej oddział AL pod dowództwem ppor. Zbigniewa Paszkowskiego „Stacha", podejmując szturm na remizę tramwajową.

Również na Woli znalazły się słynne oddziały dywersyjne, wchodzące w skład zgrupowania ppłk. Jana Mazurkiewicza „Radosława", podporządkowane Komendzie Głównej AK, której miejsce postoju znajdowało się w fabryce mebli „Kamler i Szczerbiński" przy ul. Dzielnej 72. Na pół godziny przed wybuchem powstania siedziba Komendy została przypadkowo zdekonspirowana i Niemcy ściągnęli siły, by zająć teren fabryki. Dopiero przeciwuderzenie oddziałów „Radosława" uwolniło Komendę Główną od groźby dostania się w ręce hitlerowców. Na skutek niepowodzeń oddziałów III Obwodu zgrupowanie „Radosława", mające pełnić funkcje odwodu KG AK, zostało rzucone do akcji. Batalion „Zośka" pod dowództwem kpt. Ryszarda Białousa „Jerzego" zdobył koszary niemieckie przy ul. św. Kingi, fabrykę Pfeifera oraz zajął pozycje na cmentarzu Żydowskim. Batalion „Pięść" mjr. Alfonsa Kotowskiego „Okonia" obsadził cmentarz Ewangelicki, batalion „Parasol" kpt. inż. Adama Borysa „Pługa" – cmentarz Kalwiński, a batalion „Miotła" kpt. Władysława Mazurkiewicza „Niebory" zamknął wylot ul. Okopowej na plac Kercelego. Przy ul. Leszno zajął pozycje batalion „Czata 49" mjr. Tadeusza Rungego „Witolda". Oddział dywersyjny Okręgu „Kedyw Kollegium A" pod dowództwem por. Stanisława Sosabowskiego „Stasinka", podporządkowany ppłk. „Radosławowi", zdobył wielkie

magazyny żywności i umundurowania przy ul. Stawki i dzięki temu powstańcy przebrali się w panterki. W walkach tych został ranny ppor. Tomasz Sobieszczański „Kolumb", którego pseudonim stał się zaszczytnym określeniem całego młodego pokolenia wojennego.

Zadania IV Obwodu, Ochoty, przekraczały całkowicie możliwości powstańców. Dom Akademicki na placu Narutowicza i inne punkty oporu hitlerowców stanowiły pozycje silnie umocnione. Wszystkie natarcia Polaków przyniosły jedynie krwawe straty. W nocy z 1 na 2 sierpnia dowódca Obwodu ppłk Mieczysław Sokołowski „Grzymała", nie mając żadnej łączności z innymi obwodami, postanowił wyprowadzić swoich podwładnych do podwarszawskich lasów. Pozostały na Ochocie dwa oddziały – przy ul. Kaliskiej por. Andrzeja Chyczewskiego „Gustawa" oraz przy ul. Wawelskiej por. Jerzego Gołembiowskiego „Stacha". Dzięki ich bohaterskiej dziesięciodniowej obronie oddziały niemieckie i formacje kolaboracyjne nie mogły przystąpić do natarcia na Śródmieście.

Powstańcy V Obwodu, dowodzonego przez ppłk. Aleksandra Hrynkiewicza „Przegonię", mieli trudne zadanie do spełnienia, gdyż cała północna część była dzielnicą niemiecką, umocnioną zasiekami i bunkrami. W ostatnim dniu batalion SS, stacjonujący w SS-Stauferkaserne, został wzmocniony kompanią czołgów Dywizji „Wiking". Nacierające na pozycje niemieckie oddziały powstańcze poniosły wielkie straty i zostały rozbite. Nie powiodły się szturmy na koszary Dywizjonu Artylerii Konnej i 1 Pułku Szwoleżerów, na Staufer- i Flakkaserne przy ul. Rakowieckiej. O północy większość oddziałów opuściła Mokotów kierując się do lasów chojnowskich. Odniósł sukcesy jedynie pułk „Baszta", podlegający Komendzie Głównej i pozostawiony na Mokotowie na żądanie płk. „Montera". Jego żołnierze nie zajęli wprawdzie obiektów niemieckich, jak przewidywały plany, wtargnęli jednak na teren Wyścigów Konnych, próbowali zająć Fort Mokotowski, gdzie kompania por. Zdzisława Hocolda „Zbójnika" została niemal całkowicie rozbita, nacierali na domy Wedla, Dworkową i koszary SS przy ul. Kazimierzowskiej róg Narbutta. W nocy dowódca „Baszty" ppłk Stanisław Kamiński „Daniel" zdecydował się mimo strat pozostać na Mokotowie, dzięki czemu południowa część dzielnicy pozostała w rękach powstańców. Następnie do „Baszty" dołączały i inne oddziały V Obwodu, jak żołnierze grupy artyleryjskiej „Granat", 1 Pułku Szwoleżerów czy nawet „Jelenia" z I Obwodu.

Nie zdobyto też lotnisk warszawskich. Okęcie miał zająć 7 Pułk Piechoty „Garłuch" mjr. Stanisława Babiarza „Wysokiego", w ostatniej chwili natarcie zostało odwołane, do szturmu poszedł jedynie oddział por. Romualda Jakubowskiego „Kuby", całkowicie rozbity w przeciwnatarciu nieprzyjaciela. Padło około 120 powstańców. Podobnie jak na Woli czy w rejonie Fortu Mokotowskiego hitlerowcy dobijali rannych i rozstrzeliwali wziętych do niewoli. Część powstańców przedarła się na Mokotów, część do lasów chojnowskich.

Również szturm na lotnisko bielańskie nie przyniósł żadnych rezultatów. Podjęły go oddziały VIII rejonu kpt. Józefa Krzyczkowskiego „Szymona" dopiero nad ranem 2 sierpnia, gdyż rozkazy o godzinie „W" dotarły zbyt późno, aby na czas skoncentrować się i przejść do uderzenia. Kapitanowi „Szymonowi" podporządkował się silny i doskonale uzbrojony oddział ppor. Adolfa Pilcha „Góry". Bój o lotnisko na Bielanach mimo pewnych początkowych sukcesów zakończył się niepowodzeniem powstańców, a w walkach został ciężko ranny kpt. „Szymon".

Potyczki na terenie Pragi, stanowiącej równocześnie VI Obwód AK i niezwykle ważne przedmoście, jeśli idzie o walki na froncie, trwały kilka godzin. Natarcia na obiekty niemieckie nie przyniosły rezultatów, oddziały powstańcze rozproszyły się i na ogół przeszły ponownie do konspiracji. Prawobrzeżna część Warszawy na skutek słabego uzbrojenia nie odegrała żadnej roli w powstaniu warszawskim, chociaż logicznie rzecz biorąc powinna była obok I Obwodu zadecydować o powodzeniu.

Szturm na niemieckie pozycje w mieście opłaciło życiem ponad 2000 powstańców, w niektórych oddziałach straty procentowe były niezwykle wysokie. Poświęcenie młodzieży powstańczej było niezwykłe. Wszystkim walczącym oddziałom ludność cywilna pomagała budować barykady, rowy przeciwczołgowe czy łącznikowe, dostarczała też żywności oraz odzieży.

Na wiadomość o wybuchu powstania w Warszawie Himmler przybył 2 sierpnia do Poznania, by osobiście wydawać rozkazy wojsku i policji, która miała uderzyć na stolicę. Oddziały niemieckie otrzymały rozkazy: „Każdego mieszkańca należy zabić, nie wolno brać żadnych jeńców, Warszawa ma być zrównana z ziemią". 3 sierpnia gen. Guderian, szef OKW (Oberkommando der Wehrmacht), zawiadomił telegraficznie generalnego gubernatora Franka, że Hitler „jest stanowczo zdecydowany zdławić powstanie w Warszawie wszelkimi możliwymi środkami". Dowódcą korpusu, wchodzącego w skład 9 Armii Polowej gen. von Vormanna, został mianowany SS-Obergruppenführer i gen. płk policji Erich von dem Bach. Podległy mu korpus liczył początkowo 86 oficerów i 6535 żołnierzy, w tym i kolaborantów z Rosyjskiej Narodowej Armii Wyzwoleńczej (RONA) Kamińskiego. Utrata Warszawy i głównych arterii komunikacyjnych groziła odcięciem jednostek 9 Armii, walczącej na przedmościu praskim z nacierającymi od południa wojskami radzieckimi. 5 sierpnia został rozbity 3 Pancerny Korpus Humański w bitwie pod Wołominem przez przeważające siły niemieckie; sytuacja na froncie ukształtowała się raczej niepomyślnie dla Warszawy, mimo iż pod Warką 8 Armia gen. Czujkowa utworzyła przyczółek. Von dem Bach skoncentrował wszelkie wysiłki, by w myśl rozkazów jak najszybciej zlikwidować zarzewie powstania i spacyfikować miasto. Hitlerowcy, zgodnie z zaleceniami władz, nie przebierali w środkach. Aby niszczyć powstańcze barykady, pędzili przed czołgami kobiety i dzieci. Na Woli rozpoczęły się masowe mordy. W ciągu kilku dni ofiarą hitlerowskich zbrodniarzy padło około 40 000 mieszkańców tej dzielnicy, rozstrzeliwanych z broni maszynowej.

W nocy z 9 na 10 sierpnia wycofał się z Ochoty oddział por. „Gustawa", przebijając się do lasów. 11 sierpnia powstańcy z bloków przy ul. Wawelskiej opuścili redutę, przechodząc kanałami do Śródmieścia. Także 11 sierpnia zgrupowanie ppłk. „Radosława" przeszło z rejonu cmentarzy na Stare Miasto, bombardowane i ostrzeliwane z artylerii. Trzy zachodnie dzielnice, Powązki, Wola i Ochota, mimo bohaterskiej obrony zostały przez powstańców utracone. Rozpoczął się bój o Stare Miasto.

Dowódcą grupy „Północ" został płk dypl. Karol Ziemski „Wachnowski", podlegały mu oddziały Starówki, Żoliborza i Kampinosu. Myślą przewodnią płk. „Wachnowskiego" była czynna obrona dzielnicy i współdziałanie z pozostałymi grupami powstańczymi. Na Starym Mieście znalazła się również Komenda Główna AK, która przeniosła się tutaj z ul. Dzielnej. Niemcy nacierali ze wszystkich stron, korpus von dem Bacha wzrósł już do liczby 13 000 Niemców i kolaborantów, wspierany przez lotnictwo, artylerię, pociąg pancerny

. Oddział powstańczy na ul. Czackiego i Mazowiec-
j, 4 IX 1944 r.

515

nr 75, czołgi, 35 dział szturmowych, moździerze salwowe, zwane „krowami" lub „szafami", dysponował też 50 „goliatami". Powstańców było około 6000, z tego 1300 zaledwie uzbrojonych, dysponujących 4 cekaemami, 52 erkaemami, 249 pistoletami maszynowymi, 35 miotaczami ognia i 6 piatami. 13 sierpnia Niemcy wypuścili czołg wypełniony dynamitem; zdobyty przez powstańców, eksplodował na ul. Kilińskiego, przynosząc śmierć 300 walczącym Polakom.

14 sierpnia gen. „Bór" wydał rozkaz oddziałom AK w Generalnym Gubernatorstwie, by szły na pomoc Warszawie. Wysłany przez KG AK do Kampinosu mjr „Okoń" zaczął organizować odsiecz dla obrońców na wpół zburzonego Starego Miasta. 20 sierpnia załamało się natarcie mjr. „Okonia" na Dworzec Gdański, 21 sierpnia oddziały powstańcze zostały zmuszone po krwawych walkach do opuszczenia ruin remizy tramwajowej na Muranowie. Załoga dzielnicy była już wyczerpana fizycznie, straty wynosiły ponad 2000 poległych i rannych, mimo zrzutów lotniczych z Zachodu brakowało amunicji. W nocy z 21 na 22 sierpnia mjr „Okoń" ponowił próbę przebicia się przez Dworzec Gdański na Starówkę, straty wyniosły około 400 poległych i rannych, ale wyznaczonego celu nie osiągnął. Również nacierająca od południa grupa żołnierzy Starego Miasta poniosła wielkie straty. Dzielnica była w dalszym ciągu bombardowana z powietrza i niszczona przez artylerię, położenie ludności cywilnej stawało się z każdym dniem coraz tragiczniejsze. 24 sierpnia Niemcy znowu ruszyli do szturmu, walki trwały ponad 10 godzin, obroniono wszystkie pozycje za cenę ogromnych ofiar. W nocy z 25 na 26 sierpnia odeszła do Śródmieścia kanałami Komenda Główna AK oraz władze cywilne. Od rana zacięte walki rozgorzały na nowo, o godzinie 14 „stukasy" zbombardowały ul. Freta, gdzie mieścił się sztab AL. Poległ dowódca Obwodu AL Warszawa mjr Bolesław Kowalski „Ryszard" wraz z większością oficerów.

Szturmy niemieckie wyczerpały polskie siły, zużyto wszelkie odwody i możliwości. Niemcy uderzali nawet nocą, wypierając przemęczonych powstańców z barykad, obszar obrony zacieśniał się już do niewielkiego terenu, szpitale nie mogły pomieścić ponad 7000 rannych żołnierzy i cywilów.

28 sierpnia płk „Wachnowski" zdecydował się na przebicie do Śródmieścia. Miało ono nastąpić w nocy z 30 na 31 sierpnia od ul. Bielańskiej ku Żelaznej Bramie. Ze strony Śródmieścia poszły do walki oddziały mjr. Stanisława Steczkowskiego „Zagończyka", dowódcy IV Rejonu, ale mimo wysiłków powstańców nie zdołano osiągnąć sukcesu. Walczący ponieśli dalsze straty. 1 września nad Starym Miastem pojawiły się samoloty, co dziesięć minut zrzucając bomby na i tak już bardzo strzaskaną dzielnicę. Jednocześnie Niemcy ruszyli do natarcia ze wszystkich stron. Ostatkiem sił odparli powstańcy ataki wroga, było wielu zabitych i rannych. W nocy około 4500 żołnierzy Starówki przebiło się kanałami do Śródmieścia, 800 zaś powstańców przeszło kanałami na Żoliborz, w tym oddziały AL.

Wkraczający 2 września Niemcy wymordowali większość rannych i wysłali sporo ludności cywilnej do obozów koncentracyjnych, tak jak to uczynili z mieszkańcami Woli, Ochoty czy z ludnością północnego Mokotowa i Sielc.

W walkach na Starym Mieście poległo trzech wybitnych poetów konspiracji – 4 sierpnia na placu Teatralnym Krzysztof Kamil Baczyński, 16 sierpnia na ulicy Przejazd 1/3 Tadeusz Gajcy i Zdzisław Stroiński. Zginął także Juliusz Kaden Bandrowski na Ochocie, trafiony odłamkiem pocisku. Karol Irzykowski postrzelony przez kolaborantów z RONA zmarł

561. Dziecko zagubione wśród ruin płonącej Warszawy, sierpień 1944 r.

562. Odwrót oddziałów powstańczych z Woli na Stare Miasto. Ewakuacja szpitala z dn. 7.VIII.1944 r.

2 listopada w Żyrardowie. Ofiar wśród intelektualistów i ludzi sztuki było znacznie więcej. Walcząca Warszawa po zajęciu przez Niemców Starego Miasta rozpadła się na trzy nie powiązane z sobą dzielnice: Śródmieście wraz z Powiślem i Górnym Czerniakowem, obsadzonym przez oddziały mjr. Zygmunta Netzera „Kryski", do którego dołączyły we wrześniu resztki zgrupowania „Radosława"; Żoliborz, którym nadal dowodził ppłk „Żywiciel", oraz Mokotów wraz z Sadybą i Sielcami. Dowódcą V Obwodu po wycofaniu się do lasów ppłk. „Przegoni" został ppłk Józef Rokicki „Karol". Łączność między dzielnicami utrzymywano jedynie poprzez gońców, przechodzących kanałami, lub przez radiostację za pośrednictwem Londynu. Położenie ludności cywilnej pogarszało się, kończyły się zapasy uprzednio nagromadzonej żywności, dawał się odczuwać brak mleka, wszelkich jarzyn, szczególnie w Śródmieściu, trzeba było wyczekiwać godzinami na kubełek wody, toteż wzmogła się śmiertelność niemowląt i dzieci.

Po walkach o Stare Miasto bój przeniósł się w rejon Wisły. Niemcy bowiem zdecydowali się na odcięcie powstańców od rzeki, spodziewając się, zresztą nie bez podstaw, ofensywy wojsk radzieckich. 2 września po dwóch dniach walk padła Sadyba. 6 września powstańcy zostali wyparci z Powiśla, ciężkim ciosem dla całego miasta było zajęcie przez wroga elektrowni, której załoga wojskowa i cywilna po bohatersku wypełniała swój obowiązek. 8 września oddziały niemieckie dotarły aż na tyły Poczty Głównej, 9 września szturmowali w kierunku ulic Brackiej i Mazowieckiej. 13 września został odcięty od Śródmieścia Górny Czerniaków. 14 września Niemcy po walkach obsadzili wał przeciwpowodziowy na Marymoncie, odcinając powstańców Żoliborza od Wisły. 15 września padły po sześcio-dniowych zaciętych walkach Sielce.

Te działania niemieckie wiązały się z konkretną sytuacją za Wisłą. 10 września ściągnięte spod Warki jednostki 1 Armii Wojska Polskiego uderzyły w kierunku warszawskim. 13 września 125 Korpus Armii Czerwonej podjął działania ofensywne, mające na celu wyparcie Niemców z przedmościa praskiego. Tego dnia hitlerowcy wysadzili w powietrze cztery warszawskie mosty, a 1 Pułk Piechoty 1 Dywizji im. Tadeusza Kościuszki dotarł do portu praskiego.

14 września 1944 roku, w czwartek, Praga była wolna. Władze Polskiego Komitetu Wyzwolenia Narodowego skierowały pierwszy pociąg wiozący około 400 ton żywności. Niektóre domy dzielnicy ucierpiały w trakcie walk, część ludności, głównie mężczyzn, wywieźli Niemcy w ciągu sierpnia do obozów koncentracyjnych lub obozów pracy. Powstała Komisja Organizacyjna Rady Związków Zawodowych, wzywająca robotników do rejestracji. Prezydium PKWN na wniosek kierownictwa Polskiej Partii Robotniczej mianowało 18 września płk. inż. arch. Mariana Spychalskiego pierwszym prezydentem Warszawy.

Od nocy z 13 na 14 września walcząca Warszawa zaczęła otrzymywać radziecką pomoc z powietrza. Lotnictwo zrzucało żywność, broń i amunicję. Rankiem 15 września zwiadowcy 1 Dywizji im. Kościuszki przeprawili się pod silnym ogniem niemieckim na Górny Czerniaków i wrócili, przywożąc oficera łącznikowego z oddziałów płk. „Radosła-wa". Następnego dnia wylądowały na przyczółku dwa bataliony 9 pp z 3 Dywizji Piechoty, ponosząc już duże straty podczas przeprawy. 18 września nad miastem pojawiła się flota powietrzna — 107 liberatorów VIII amerykańskiej Armii Powietrznej, zrzucając zasobniki, których niewiele dotarło do rąk powstańczych. Większość zrzutu przejęli Niemcy. 19 września wzdłuż całego warszawskiego brzegu Wisły rozgorzały walki. Dwa bataliony 6 pp z 2 Dywizji Piechoty wylądowały na Żoliborzu; nie uzyskały kontaktu z powstańcami, po trzech dniach walk zostały rozbite. Dwa bataliony 8 pp z 3 DP usiłowały utworzyć przyczółek pomiędzy mostem Średnicowym i Poniatowskiego, zostały jednak przez wroga wyparte. 20 września płk „Radosław" przeszedł kanałami na Mokotów. Niezwykle krwawe walki na przyczółku czerniakowskim i nad Wisłą trwały do 23 września włącznie. 1 Armia WP straciła ogółem w zabitych, rannych i zaginionych 3764 żołnierzy, równie wielkie straty poniosły oddziały Armii Czerwonej.

24 września wojska niemieckie uderzyły na Mokotów. Po trzech dniach walk niemal o każdy dom powstańcy skapitulowali 27 września o godzinę 11; część oddziałów przebiła się kanałami do Śródmieścia, łącznie z dowódcą V Obwodu ppłk. „Karolem". Tego dnia, 27 września po południu, Niemcy rozpoczęli akcję oczyszczenia z powstańców Puszczy Kampinoskiej. Oddziały polskie zdołały się wymknąć i dojść do Jaktorowa, gdzie w bitwie poniosły klęskę; zginął mjr „Okoń" i wielu żołnierzy, drobna z nich część przebiła się przez kordon niemiecki i dotarła w rejon Gór Świętokrzyskich.

Jednocześnie z uderzeniem na grupę „Kampinos" wojska niemieckie rozpoczęły natarcie na Żoliborz. 28 września stanowiska powstańcze zaatakowały oddziały 19 Dywizji Pancernej, 30 września Polacy odparli w centrum dzielnicy siedemnaście szturmów nieprzyjaciela. Podjęto nieudaną próbę przedarcia się za Wisłę; złe warunki atmosferyczne nie pozwoliły jednostkom 1 Armii WP na stworzenie osłony dymnej. Wieczorem pojawił się na Żoliborzu płk „Wachnowski", nakazując oddziałom powstańczym w imieniu gen. „Bora" przerwać walkę. Żołnierze ppłk. „Żywiciela" poszli do niewoli, potraktowani, podobnie jak i powstańcy Mokotowa, jako kombatanci. Jedynie grupa członków Polskiej Partii Robotniczej zdołała przebić się przez szeregi niemieckie i przedostać się na drugi brzeg Wisły.

2 października 1944 r. o godz. 21.00 przedstawiciele komendanta głównego AK w oso-

bach płk. dypl. Iranek-Osmeckiego „Hellera" oraz ppłk. dypl. Zygmunta Dobrowolskiego „Zyndrama" podpisali akt kapitulacji, którą przyjął von dem Bach. Ustały boje w Warszawie po 63 dniach i nocach zaciętych zmagań, w których straciło życie około 15 000 powstańców i ponad 150 000 cywilów.

Była to bezspornie największa akcja zbrojna polskiego podziemia w latach wojny, o znaczeniu doniosłym dla terenów na zachód od Wisły, angażująca w walce nie tylko niemal całą ludność stolicy, ale także mobilizująca działania partyzanckie na zapleczu frontu. Opanowanie wielu dzielnic, sparaliżowanie komunikacji w mieście i trudności w swobodnym przerzucie wojsk osłabiły możliwości manewrowe strony niemieckiej w momencie dla niej niedogodnym. Warszawa w rękach hitlerowców – to wysunięte na wschód przedmoście o dużym wpływie militarnym na odcinek strzaskanego i odtwarzanego frontu środkowego. Warszawa w rękach powstańców – to dodatkowa przeszkoda w działaniach na większą skalę i nieustanne zagrożenie na wypadek przewidywanej przecież ofensywy armii radzieckich. Wraz z Modlinem i przyczółkiem w rejonie Wyszkowa stanowiła też Warszawa podstawę trójkąta obronnego, ryglującego dostęp do byłych Prus Wschodnich. Zrozumieli to po miesiącu walk Niemcy i dlatego von dem Bach na polecenie swoich zwierzchników z Wehrmachtu dążył za wszelką cenę do zlikwidowania tego ogniska niepokoju, którym była stolica Polski.

W tych dwumiesięcznych bojach miasto poniosło ogromne straty materialne, przestało istnieć. A hitlerowcy, nie dotrzymując umowy kapitulacyjnej, zniszczyli je później niemal całkowicie. Spłonęło wiele zakładów naukowych i bibliotek z bezcennymi rękopisami, przepadły archiwa oraz mnóstwo dzieł sztuki. Straty wynosiły około 70% majątku narodowego.

Padło miasto, które przez pięć lat było sercem i mózgiem konspiracji, a za swą nieugiętą postawę otrzymało Srebrny Krzyż Orderu Virtuti Militari i Krzyż Grunwaldu. Tu mieściły się komendy główne i sztaby wszystkich wielkich organizacji podziemnych, tu wychodziło 50% prasy tajnej, ukazującej się na terenie GG, tu działały wyższe uczelnie i publikowano książki, tu ani na chwilę nie rezygnowano z walki. Warszawa zyskała zaszczytne miano Miasta Niepokonanego.

Gdy z ruin Śródmieścia szły do niewoli oddziały powstańcze, a ludność cywilna na poniewierkę, na Pradze działał już Zarząd Miejski, zorganizowany na zasadzie przedwojennej struktury, zatrudniający około 3600 osób. Pierwszym sekretarzem Komitetu Warszawskiego PPR była nadal Izolda Kowalska. Uruchomiono piekarnie, 15 października ukazał się pierwszy numer wychodzącego do dziś popularnego dziennika „Życie Warszawy", rozpoczęto zaopatrywanie dzielnicy w wodę ze studzien artezyjskich wielkich zakładów pracy. Powstawały komitety fabryczne, 27 października otwarto na Grochowie pierwszą bibliotekę i wypożyczalnię książek, 3 listopada zespół teatralny „Comedia" wystawił na Grochowie dwie jednoaktówki.

30 listopada odbyło się posiedzenie Warszawskiej Rady Narodowej, wraz z nowymi jej członkami. Przewodniczącym Prezydium został prezydent płk Spychalski. Ruszyły też odbywające się na Grochowie zajęcia na trzech wydziałach Uniwersytetu Warszawskiego – lekarskim, weterynaryjnym i stomatologicznym. 1 grudnia uruchomiono ręczną centralę telefoniczną, zaczął działać Sąd Okręgowy.

10 grudnia zwołano konferencję z udziałem ponad 800 osób, w tym przedstawicieli wszystkich praskich zakładów pracy i związków zawodowych, w celu wytyczenia programu odbudowy przemysłu na Pradze. Przewodniczącym Komitetu Odbudowy Przemysłu został

563. Wojsko Polskie walczące w składzie 1 From Białoruskiego na przedpolach Pragi we wrześniu 194-

W. Dobrzyński z fabryki „Perun" przy ul. Grochowskiej. Działało już 160 stołówek, 33 piekarnie, 4 szpitale i 4 ośrodki zdrowia.

3 stycznia 1945 roku na IV Sesji Krajowej Rady Narodowej powzięto jednomyślnie uchwałę o odbudowie Warszawy, Rada Ministrów Rządu Tymczasowego uchwaliła kredyt nadzwyczajny w wysokości 100 milionów złotych.

12 stycznia 1945 rozpoczęła się na całej szerokości frontu ofensywa radziecka. Niemcy przemienili miasto w „Festung Warschau", umacniając wiele gmachów, resztę niszcząc. Do wysadzenia w powietrze przygotowany był między innymi pałac Na Wodzie w Łazienkach, gdy 16 stycznia wkroczyła do akcji 1 Armia WP, licząca 100 000 żołnierzy, 157 czołgów, dział pancernych i samochodów pancernych oraz 1486 dział i moździerzy. W nocy z 16 na 17 stycznia Armia Pancerna gen. Bogdanowa przełamała pozycje 9 niemieckiej Armii gen. Smilo von Lüttwitza i ruszyła pod Sochaczew. Dwie inne armie radzieckie, 61 Armia gen. Biełowa i 47 Armia gen. Perchorowicza, oskrzydliły do południa i północy grupę wojsk niemieckich gen. Webera w Warszawie. Już w nocy z 16 na 17 stycznia przeprawiły się przez Wisłę oddziały polskie 2 Dywizji Piechoty gen. Rotkiewicza, 6 Dywizji Piechoty płk. Szejpaka oraz 1 Brygady Kawalerii płk. Radziwonowicza. O godzinie 10 rano na ruinach Dworca Głównego, wysadzonego w powietrze już po powstaniu, zawisła biało-czerwona flaga. Po południu 17 stycznia gen. dyw. Stanisław Popławski, dowódca 1 Armii WP, zameldował prezydentowi Krajowej Rady Narodowej Bolesławowi Bierutowi o wyzwoleniu Warszawy.

IX. STOLICA POLSKI LUDOWEJ

URBANISTYKA I ARCHITEKTURA W LATACH 1945–1977

16 stycznia 1945 roku o świcie polskie i radzieckie jednostki artyleryjskie rozpoczęły przygotowanie ogniowe na warszawskim odcinku frontu. W nocy główne siły I Armii Wojska Polskiego przekroczyły Wisłę po lodzie i po ustawionych mostach. Rankiem 17 stycznia w Alejach Jerozolimskich i na ulicy Marszałkowskiej, w rejonie Dworca Głównego, toczyły się jeszcze zacięte boje. O godzinie dziesiątej nad wypalonym szkieletem Dworca Głównego załopotał biało-czerwony sztandar. Warszawa była wolna.

Warszawa w styczniu 1945 roku – to prawobrzeżna Praga zburzona w 30% i bezludne ruiny lewobrzeżnej części miasta.

Wśród wielu miast zrujnowanych w czasie drugiej wojny światowej stolica Polski zajmuje specjalną pozycję zarówno ze względu na rozmiar zniszczeń, jak i na sposób ich dokonania. Podczas gdy inne miasta były burzone w trakcie działań wojennych, w Warszawie, w której zniszczenia i straty spowodowane wojną były ogromne, hitlerowcy zrealizowali z góry zamierzony plan totalnej zagłady miasta i jego ludności.

Pierwszy akt niszczenia Warszawy rozpoczął się 1 września 1939 roku. O świcie na stolicę spadły pierwsze bomby. 8 września rozpoczęło się oblężenie miasta, które trwało trzy tygodnie. Okrążona ze wszystkich stron załoga Warszawy broniła się bohatersko, ludność cywilna ochotniczo stanęła do walki z wrogiem. Aby upozorować bombardowanie miasta o ponad milionowej ludności cywilnej, dowództwo niemieckie ogłosiło Warszawę „warowną twierdzą" (Festung Warschau) i przystąpiło do bezlitosnego bombardowania. Bohaterski prezydent miasta, Stefan Starzyński, kierujący obroną Warszawy, skończył swoje ostatnie przemówienie radiowe w walczącym mieście słowami: „...dziś Warszawa broniąca honoru Polski jest u szczytu swej wielkości i chwały". 28 września Warszawa skapitulowała.

Pierwsze wielkie miasto, które stawiło zacięty opór armiom Hitlera, przypłaciło to dotkliwymi stratami: 60 tysięcy zabitych i rannych wśród ludności cywilnej, 12% budynków zburzonych.

Bezpośrednio po kapitulacji polski zarząd miasta podjął próby częściowej odbudowy. Nie znano jeszcze zamierzeń okupanta. Napotkano jednak bezwzględny sprzeciw władz niemieckich i nie można było rozpocząć żadnych większych prac. W „memoriale" napisanym na początku 1944 roku dr Ludwik Fischer, hitlerowski gubernator District Warschau, wyjaśnił: „W 1939 r. natychmiast przystąpiono do takiego rozwiązania problemu warszawskiego, aby Warszawę pozbawić charakteru stolicy. Umyślnie nawet pozostawiono ruiny całkowicie zburzonych domów, aby stale przypominały ludności polskiej klęskę 1939 roku".

Losy Warszawy zostały przesądzone. Mówi o tym precyzyjnie i bez osłonek Hans Frank, gubernator generalny okupowanej Polski w swym „Dzienniku". Pod datą 4 listopada znajduje się następujący zapis: „...Führer zaaprobował działalność generalnego gubernatora w Polsce, a zwłaszcza decyzję o zburzeniu Zamku w Warszawie, oraz postanowienie, że miasto to nie będzie odbudowane [...]".

PRZYWRACANIE MIASTA DO ŻYCIA (1945–1946)

Pod datą 12 lipca 1940 roku tenże Frank notuje: „Jeżeli chodzi o Warszawę, Führer postanowił, że odbudowa jej jako polskiej metropolii nie będzie w żadnym wypadku brana w rachubę. Führer życzy sobie, ażeby w związku z ogólnym rozwojem Warszawa spadła do rzędu miast prowincjonalnych". Urbaniści hitlerowscy przygotowują realizację tych zamierzeń. 6 lutego 1940 roku przedstawiają gubernatorowi Frankowi tak zwany plan Pabsta: „Warschau – die neue deutsche Stadt" (Nowe niemieckie miasto – Warszawa) – techniczny projekt zamierzonej zbrodni.

Na 1/20 obszaru Warszawy, liczącej w 1939 roku 1300 tysięcy mieszkańców, ma powstać nowe niemieckie miasto dla 100 do 130 tysięcy ludności. Miasto polskie ma być wyburzone. Na Pradze przewiduje się zbudowanie obozu dla niewolniczej ludności polskiej. Sieć kolejowa wiążąca Warszawę z krajem ma być zniszczona, istnieć będzie jedynie tranzyt kolejowy i drogowy biegnący z zachodu na wschód.

Uzupełnieniem tego planu jest opracowany w październiku 1942 roku w pracowni H. Leufgena w Berlinie projekt zabudowy „przyczółka mostowego", czyli placu Zamkowego. W miejscu Zamku ma stanąć wielka „Weichselhalle" z monumentalną kolumnadą, zwieńczoną kolosalnym orłem ze swastyką – brama triumfalna skierowana na wschód.

W latach 1942–43 rozegrał się drugi akt niszczenia Warszawy – zagłada żydowskiego getta. W chwili wkroczenia Niemców do Warszawy, w październiku 1939 roku, ludność żydowska stolicy liczyła ponad 350 tysięcy. W północnej części Śródmieścia na obszarze około 4 km^2 Niemcy tworzą „żydowską dzielnicę mieszkaniową", całkowicie oddzieloną od reszty miasta, przesiedlają do niej również ludność żydowską z miejscowości podwarszawskich. Stłoczeni w nieludzkich warunkach i metodycznie głodzeni, Żydzi chorują i wymierają.

W lipcu 1942 roku Niemcy przystępują do „przesiedlenia na wschód" ludności getta. Od 22 lipca do 12 września 1942 roku z warszawskiego getta odchodzą codziennie transporty do komór gazowych obozów śmierci w Majdanku i w Treblince. Przed zaplombowaniem towarowych wagonów hitlerowcy skrupulatnie liczą ładunek: 310 322 mężczyzn, kobiet i dzieci. 5961 osób – chorych i starców – zostało zastrzelonych wprost na ulicy. 16 lutego 1943 roku Himmler wydaje rozkaz „ostatecznego rozwiązania kwestii żydowskiej".

„...Polecam przedłożyć mi całkowity plan zburzenia getta" – głosi rozkaz Reichsführera SS nr dz. 238/33/43 – „w każdym razie pomieszczenie dla 500 tysięcy podludzi (Untermenschen), które i tak nie nadawałoby się nigdy dla Niemców, musi zniknąć z powierzchni ziemi, a milionowe miasto Warszawa, trwałe i niebezpieczne ognisko rozkładu i buntu, musi być zmniejszone w swoim obszarze".

O świcie dnia 19 kwietnia 1943 roku oddziały SS, policji i wojska przystąpiły do ataku na ostatnich mieszkańców getta, stawiających im zdecydowany opór. 16 maja opór w getcie zostaje zdławiony, ludność wymordowana. Hitlerowskie oddziały przystępują do metodycznego wyburzania resztek wypalonej zabudowy. Jurgen Stroop, dowódca brygady SS i generał-major policji, kierujący „Grossaktion in Warschau" wysyła do Hitlera raport. Dokument ten, znaleziony przez wojska amerykańskie na terenie Niemiec, jeden z dokumentów procesu norymberskiego, zawiera codzienne meldunki o liczbie wymordowanych ludzi, spalonych domów i fotografie wykonane przez służbę fotograficzną SS. Raport Stroopa podsumowuje drugi akt niszczenia Warszawy.

Trzeci akt zagłady stolicy przyniosło powstanie warszawskie. W historii Warszawy powstanie stanowi jedną z najpiękniejszych kart patriotyzmu i bohaterstwa, która zawiera również rejestr najbardziej tragicznych strat. Przeciwko nieujarzmionemu miastu zwraca się cała furia hitlerowców. W swym „Dzienniku" Frank notuje pod datą 5 sierpnia: „Większa część Warszawy stoi w płomieniach. Spalenie domów jest najskuteczniejszym sposobem, by powstańców Warszawy pozbawić ich kryjówek. Po tym powstaniu i jego zdławieniu spotka Warszawę los, na który w pełni zasłużyła. Zostanie kompletnie zniszczona i starta z powierzchni ziemi".

Na rozkaz Himmlera do Warszawy zostaje skierowany najwybitniejszy specjalista od dławienia ruchów powstańczych, SS-Obergruppenführer i generał policji Erich von dem Bach. Do czasu jego przybycia dowództwo nad oddziałami SS, policji i Wehrmachtu, zwalczającymi powstanie, sprawował SS-Obergruppenführer Heinz Reinefahrt. W toku zeznań podczas procesu w Norymberdze von dem Bach opowiada o pierwszym spotkaniu z Reinefahrtem:

„Bach: ... Pierwszą rzeczą, którą mi powiedział, było to, iż otrzymał wyraźny rozkaz, że nie wolno brać jeńców i należy każdego mieszkańca Warszawy zabić. Zapytałem go: czy kobiety i dzieci także? na co ten mi odpowiedział: Tak, kobiety i dzieci także". Jak ściśle był wykonywany ten rozkaz, świadczy wymordowanie w ciągu pierwszego tygodnia powstania, w jednej tylko dzielnicy Warszawy, na Woli, ponad 35 tysięcy ludności cywilnej.

Równolegle z akcją zwalczania powstania i mordowaniem ludności hitlerowcy systematycznie palą miasto.

W ciągu 63 dni powstania straty ludności Warszawy wyniosły około 200 tysięcy zabitych. Pastwą bomb lotniczych, ognia artyleryjskiego i płomieni padła większa część lewobrzeżnej Warszawy. Po upadku powstania resztki ludności zostały wypędzone z miasta. Warszawa leżała w gruzach. Wówczas Niemcy przystąpili do ostatecznego obrachunku ze znienawidzonym miastem. Podstawą działania był rozkaz Hitlera nakazujący „spacyfiko-

wać Warszawę, to jest jeszcze podczas wojny zrównać Warszawę z ziemią, jeśli nie stoją temu na przeszkodzie wojskowe względy budowy twierdzy".

Jedyny to chyba dokument w historii, w którym nie starano się usprawiedliwić zniszczeń koniecznościami wojskowymi. Odwrotnie, nakazywano zniszczyć całe miasto, z wyjątkiem obiektów wojskowych.

Miasto podzielono na rejony zniszczeń, narożne budynki ponumerowano. Na wybranych gmachach i pomnikach umieszczono specjalne napisy dotyczące techniki i przewidzianej daty zniszczeń. Techniczna instrukcja objaśniała, jak najskuteczniej podpalać domy i potem wysadzać je w powietrze dla zaoszczędzenia materiałów wybuchowych, jak niszczyć drzewa, jak za pomocą czołgów wyrywać kable telefoniczne. Specjalne oddziały Vernichtungskommando – niszczycieli – burzą bezludne miasto.

Akcja ewakuowania dobytku materialnego była niemożliwa z powodu barbarzyńskich zarządzeń niemieckich. Mimo to garstka polskich naukowców starała się uratować z dobytku kulturalnego to, co jeszcze do uratowania pozostało.

Akcją ratowania dzieł sztuki, zbiorów bibliotecznych i archiwalnych, które uniknęły zagłady i rabunku i do których nie dotarły jeszcze złowrogie oddziały niszczycieli, kierował prof. Stanisław Lorentz, przy współpracy między innymi prof. Jana Zachwatowicza, dr. Stanisława Herbsta, dr. arch. Bohdana Guerquina.

Propozycja, by z akcji niszczycielskiej wyłączyć kilka gmachów i zabezpieczyć ocalałe w nich skarby kultury, spotkała się z kategoryczną odmową władz niemieckich. Wszystkie budynki miały być w najbliższym czasie zburzone i o żadnych wyłączeniach nie mogło być mowy. Nieustępliwy prof. Lorentz wysunął wówczas drugą propozycję: wywieźć najcenniejsze zbiory z Warszawy i pozostawić je w Polsce, a gdyby to było niemożliwe – wywieźć je na teren Niemiec. Byle tylko uratować je przed nieuchronną zagładą. Uzyskał zezwolenie, by pod nadzorem Niemców przygotować najcenniejsze dzieła sztuki do wywiezienia. Stworzyło to szanse legalnej i nielegalnej akcji ratowania zbiorów.

Tylko w nielicznych jednak przypadkach udało się ubiec niemieckie Vernichtungskommando. Ze szczególną zaciętością niszczą hitlerowcy wszystko, co związane jest z polską historią i kulturą. Kamienica Baryczków na Starym Mieście z największym zbiorem varsavianów została spalona po kapitulacji Starówki. 31 października pastwą płomieni padło Archiwum Miejskie w Arsenale, 4 listopada – Archiwum Akt Nowych i w tym samym czasie bezcenne unikalne zbiory Archiwum Akt Dawnych. W końcu listopada wysadzono w powietrze mury uprzednio spalonego i doszczętnie zrabowanego Zamku Królewskiego i katedrę św. Jana.

Spośród 957 budynków sklasyfikowanych jako obiekty zabytkowe w Warszawie, 782 zostały całkowicie zburzone, 141 – częściowo. Pozostałe 34, spalone – przetrwały, gdyż oddziałom niszczycielskim zabrakło czasu. „Pracowały" do ostatniej chwili. 16 stycznia po południu hitlerowcy zdążyli jeszcze wysadzić w powietrze część kościoła Karola Boromeusza na Chłodnej i podpalić zbiory Biblioteki Publicznej na Koszykowej.

Bilans strat, jakie poniosła Warszawa w ciągu 5 lat wojny i okupacji, był wstrząsający. Spośród przedwojennej ludności, liczącej około 1300 tysięcy, śmierć poniosło ponad 700 tysięcy osób. Suma zniszczeń zabudowy i wyposażenia technicznego miasta wynosiła około 80%.

Uległ zniszczeniu pod gruzami, padł pastwą pożarów, został rozgrabiony lub zniszczony z premedytacją dorobek kulturalny i gospodarczy całej Polski, od wieków gromadzony w stolicy.

Nazajutrz po wyzwoleniu przed całym narodem i państwem straszliwie doświadczonym wojną i okupacją – utrata 22% przedwojennej ludności i 38% majątku narodowego – stanęło zadanie odbudowy Warszawy. Architekci i urbaniści otrzymali zadanie bez precedensu.

„Dramatyczność naszej sytuacji polega nie na trudnościach i wyrzeczeniach, w które jesteśmy wpleceni, lecz na tym, że jeżeli nie zrozumiemy tej prawdy, tej konieczności historycznej, to będziemy przez naszych następców osądzeni i potępieni, jeżeli zaś zrozumiemy i wypełnimy nasze zadania, odegramy naszą rolę – nie znajdziemy ani uznania, ani wdzięczności. Jesteśmy pokoleniem rzuconym na wzburzone wody największej bodaj dotychczasowej tragedii ludzkiej. I czy się z tym zgadzamy, czy buntujemy przeciwko temu, skazani jesteśmy na heroizm..." – pisał w „Skarpie Warszawskiej" Roman Piotrowski.

Poważnym dorobkiem umożliwiającym natychmiastowe przystąpienie do prac nad odbudową miasta były prowadzone konspiracyjnie w okresie okupacji studia nad społeczną i przestrzenną przebudową Warszawy. Była w tej tajnej działalności, prowadzonej wśród łapanek ulicznych, nocnych rewizji i terroru gestapo, świadomość, że jest to jeszcze jedna forma walki z okupantem, była także potrzeba kontynuowania twórczości zawodowej i przygotowania się do czekających zadań. W Warszawie wytworzyły się podczas okupacji trzy główne ośrodki pół jawnych, pół tajnych prac urbanistycznych. Pierwszym było Biuro Planowania Miasta, działające pod kierownictwem Stanisława Różańskiego, z przyłączoną nieoficjalnie Pracownią Planu Regionalnego (pod kierunkiem Jana Chmielewskiego i Kazimierza Liera) z zakonspirowaną Komisją Urbanistyczną, której przewodniczył prof. Tadeusz Tołwiński.

Drugim ośrodkiem był Wydział Architektury Politechniki Warszawskiej, który zdegradowany do Szkoły Budowlanej funkcjonował nadal nielegalnie jako ośrodek nauczania młodzieży oraz ośrodek prac naukowych. Szczególnie cenne były prace prowadzone w Katedrze Budowy Miast pod kierunkiem prof. Tadeusza Tołwińskiego oraz prace Zakładu Architektury Polskiej, po tragicznej śmierci prof. Oskara Sosnowskiego we wrześniu 1939 roku, prowadzone przez prof. Jana Zachwatowicza.

Trzecim – najbardziej radykalnym i najsilniej rozbudowanym – ośrodkiem warszawskich prac architektoniczno-urbanistycznych była Pracownia Architektury i Urbanistyki (PAU), zorganizowana konspiracyjnie przy Społecznym Przedsiębiorstwie Budowlanym

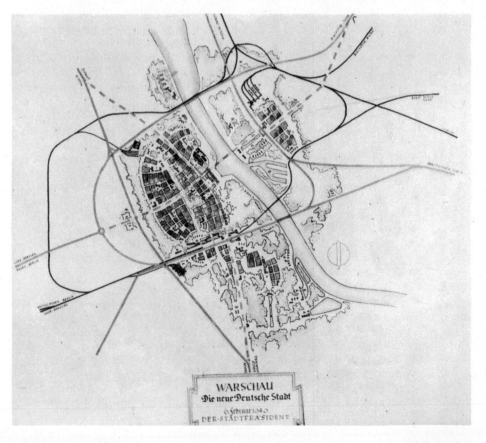

65. Tzw. plan Pabsta z 6.II.1940 r. opracowany przez urbanistów hitlerowskich. Przewidywano wybudowanie nowego miasta niemieckiego na miejscu wyburzonej Warszawy

523

(SPB), związana z postępowymi działaczami Warszawskiej Spółdzielni Mieszkaniowej (WSM).

W „Żoliborskiej PAU" kierowanej przez Szymona Syrkusa, a po jego aresztowaniu i wywiezieniu do Oświęcimia przez Romana Piotrowskiego i Helenę Syrkus, studiowano głównie dwa podstawowe tematy urbanistyczne: miejsce zamieszkania – osiedle społeczne i miejsce pracy – dzielnica przemysłowa. W PAU pracował liczny zespół architektów, urbanistów, ekonomistów i socjologów o zdecydowanie radykalnych poglądach, wśród nich: Stanisław Tołwiński, Kazimierz L. Toeplitz, Zygmunt Skibniewski, Stefan Putowski, Kazimierz Marczewski, Helena Morsztynkiewicz, Zasław Malicki, Barbara Brukalska. Tworzyć oni będą później trzon Biura Odbudowy Stolicy (BOS).

Ponadto pracowały konspiracyjnie samodzielne zespoły. Zygmunt Skibniewski, Stanisław Dziewulski i Kazimierz Marczewski opracowali ogólną koncepcję planu Warszawy oraz studium przebudowy śródmieścia; stały się one punktem wyjścia prac projektowych podjętych po wyzwoleniu.

Pierwsze fragmentaryczne prace nad odbudową miasta rozpoczęto z dniem wyzwolenia Pragi, 14 września 1944 roku. Zakres prowadzonych robót określony był przez najpilniejsze potrzeby i przez zasięg niemieckiej artylerii ostrzeliwującej Pragę. Jednocześnie w Lublinie przy PKWN powołano we wrześniu 1944 roku Dział Odbudowy; jego kierownikiem został Józef Sigalin. Opracowano tam pierwsze propozycje odbudowy Warszawy, przywrócenia jej stołeczności i przeniesienia do wyzwolonego miasta naczelnych władz.

Z postulatem stołeczności Warszawy wystąpił w grudniu 1944 roku Zarząd Główny Stowarzyszenia Architektów Polskich (SARP) – zrekonstruowany w Lublinie – motywując konieczność podjęcia takiej decyzji:

„W związku z dyskutowaną sprawą czasowego lub nawet ostatecznego przeniesienia Stolicy Państwa do Krakowa, Łodzi lub Poznania, ze względu na zniszczenia Warszawy, Zarząd SARP zgłasza swoje stanowisko w tej sprawie:

1. Warszawa musi zostać stolicą Polski zarówno ze względów kulturalno-historycznych, jak i ze względu na jej położenie geograficzne.

2. Przeniesienie stolicy do Warszawy musi nastąpić natychmiast po jej wyzwoleniu, gdyż tylko w ten sposób można zapewnić i przyspieszyć jej odbudowę".

Wniosek SARP, poparty przez Biuro Planowania i Odbudowy uznano w zasadzie za słuszny, ale przedwczesny. Przeciwnicy przeniesienia władz naczelnych do całkowicie zburzonej Warszawy powoływali się na skalę zniszczeń łatwą do odczytania na zdjęciach lotniczych, postępujący proces niszczenia miasta, na informację o zaminowaniu dużej liczby budynków i niebezpieczeństwa wypadków. Ważyły się losy Warszawy.

14 stycznia 1945 roku Rząd Tymczasowy w Lublinie powziął decyzję o przystąpieniu do prac przygotowawczych nad odbudową Warszawy jako stolicy Polski.

Na wieść o wyzwoleniu Stolicy prof. Lech Niemojewski pisze z Lublina odezwę: „Do Architektów Polskich!

Koledzy! Warszawa Was wzywa! Trzeba natychmiast przystąpić do pracy [...] Architekt polski musi spełnić swój obowiązek, musi stać się godnym polskiego żołnierza".

Patos pierwszych zdań odezwy był w pełni usprawiedliwiony. Zakończenie było konkretne i prozaiczne: apelowało, by zgłaszać się do prac w gmachu Wydziału Architektury u woźnego pana Gałązki.

Jeszcze przez pontonowe mosty na Wiśle przeprawiały się polskie i radzieckie czołgi, a już na lewym brzegu pojawili się warszawscy urbaniści. 18 stycznia, nazajutrz po wyzwoleniu miasta, przyjeżdża z Lublina, z Biura Planu i Odbudowy, grupa operacyjna „Warszawa" pod kierownictwem architektów: Józefa Sigalina, Lecha Niemojewskiego i Bohdana Lacherta.

W dniach 18–28 stycznia 1945 roku grupa dokonała lustracji zniszczeń, nawiązała kontakty z przybyłymi do Warszawy architektami i zainicjowała pierwsze poczynania organizacyjne. Prezydent miasta płk inż. arch. Marian Spychalski powołuje Biuro Organizacji Odbudowy m.st. Warszawy pod kierownictwem prof. Jana Zachwatowicza.

20 stycznia 1945 roku Rząd podjął uchwałę o przeniesieniu stolicy do Warszawy.

Wobec zaminowania ruin miasta przez Niemców i grożącego na każdym kroku niebezpieczeństwa, władze wojskowe wydały zakaz „wjazdu lub wchodzenia na lewobrzeżny teren miasta Warszawy aż do czasu jego rozminowania".

Nic nie zdołało jednak powstrzymać powracających warszawiaków. Gnał ich do Warszawy przemożny wewnętrzny nakaz podźwignięcia miasta z ruin. Szli na przekór pokusie przeczekania gdzie indziej najtrudniejszego okresu, wbrew oczywistym możliwościom znalezienia poza Warszawą łatwiejszych warunków do pracy i zamieszkania. Wracali do swojego miasta.

W dniu oswobodzenia Warszawy ludność miasta liczyła 162 tysiące, w tym zaledwie 22 tysiące zamieszkałych na lewym brzegu, na dalekich peryferiach. W niespełna cztery miesiące później, 30 kwietnia 1945 roku liczba ludności Warszawy wynosiła już 366 tysięcy, w tym 185 tysięcy zamieszkujących na lewym brzegu. W lutym i w marcu do Warszawy powracało ponad 2500 ludzi dziennie.

Decyzja rządu o przeniesieniu władz do Warszawy i powszechna decyzja warszawiaków natychmiastowego powrotu na ruiny przesądziły o przyszłych losach miasta.

Obie decyzje były heroiczne.

W Warszawie w styczniu 1945 roku nie było niemal żadnego całego budynku, nie było wody, światła, telefonów, komunikacji. Nie chodziły pociągi, nie było łączności z krajem. Połączenie kolejowe Dworca Wschodniego z Dworcem Gdańskim przez Wisłę odbywało się – najkrótszą drogą – przez Dęblin–Radom–Skarżysko–Koluszki–Skierniewice.

Obie decyzje były dalekowzroczne. Przeniesienie stolicy do Warszawy nadawało jej odbudowie rangę podstawowego zadania w skali państwa, powrót ludności mobilizował bezcenny kapitał entuzjazmu, inicjatywy i wytrwałości.

Pierwsze słowo w historii odbudowy Warszawy wypisali saperzy na murach wypalonych domów. Niezdarne, na mrozie pisane litery R o z m i n o w a n o oznaczały bezpieczny wstęp do ruin własnego domu. Od 17 stycznia do 10 marca 1945 roku saperzy unieszkodliwili w ruinach Warszawy 35 tysięcy różnego rodzaju min, 17 tysięcy niewypałów i 41 tysięcy pocisków. Przy rozminowaniu miasta zginęło 34 oficerów i żołnierzy.

7. Warta honorowa przy zburzonej kolumnie Zygmunta

14 lutego 1945 roku powołano Biuro Odbudowy Stolicy (BOS), na jego czele stanął inż. arch. Roman Piotrowski – „tata BOS", jak będą o nim później mówić warszawiacy.

Urbaniści BOS – najszczęśliwsi warszawiacy tamtych lat. Zgłaszali się do BOS: dostawali bochenek chleba, talon na buty i możność realizowania najwspanialszych marzeń.

„Jakimi byli ci ludzie? Czy byli to dalekowzroczni realiści czy fantastyczni wizjonerzy? Sądzę" – powie o nich w 25 lat później Roman Piotrowski – „że byli to ludzie zwyczajni, którym zdarzyła się niesłychana przygoda, że na krótkim kilkuletnim odcinku ich życia historia odcisnęła piętno wielkości".

Od pierwszych chwil BOS staje się wiodącym ośrodkiem we wszystkich dziedzinach przywracania miasta do życia, rejestracji zniszczeń, zabezpieczania istniejących wartości i planowania dalszego rozwoju Warszawskiego Zespołu Miejskiego (WZM) i Warszawy.

BOS współorganizuje wystawę „Warszawa oskarża" otwartą 3 maja 1945 roku w Muzeum Narodowym, BOS redaguje tygodnik „Skarpa Warszawska" (przekształcony w końcu 1946 w tygodnik „Stolica") – „Pismo poświęcone odbudowie stolicy: miasta i ludzi" – jak głosił podtytuł.

W nieopisanie trudnych warunkach życia Warszawy 1945 roku powstaje zjawisko nie mające odpowiednika w świecie: wielki ośrodek studiów, projektów i realizacji, odbudowy i rozbudowy śmiertelnie zniszczonego miasta.

W ślad za powołaniem BOS uchwalone zostały dwa akty prawne, mające zasadniczy wpływ na tok prac urbanistycznych: dekret o odbudowie m.st. Warszawy oraz dekret o komunalizacji gruntów na obszarze m.st. Warszawy.

Dekret o odbudowie Warszawy powoływał Naczelną Radę Odbudowy m.st. Warszawy pod przewodnictwem Prezydenta Krajowej Rady Narodowej oraz Komitet Odbudowy pod przewodnictwem Prezesa Rady Ministrów, stawiając przez to sprawę odbudowy Warszawy w rzędzie naczelnych zadań narodu i państwa.

Dekret o komunalizacji gruntów likwidował jedno z najbardziej istotnych ograniczeń poczynań urbanistycznych, przekazując na rzecz miasta wszystkie grunty leżące w jego granicach.

Opracowanie planu urbanistycznego poprzedzone jest z reguły gruntownym rozpoznaniem terenu oraz opracowaniem założeń programowych. Wyjątkowa sytuacja Warszawy, odbudowywanej z gorączkowym pośpiechem w pierwszych miesiącach 1945 roku, nakazywała odwrócenie ustalonego porządku. Wobec konieczności natychmiastowej odbudowy miasta plan urbanistyczny musiał powstać szybciej, niż można było przeprowadzić pełną inwentaryzację, przeanalizować potrzeby i ustalić pełny program.

Już w pierwszych dniach pracy w zburzonej Warszawie można było stwierdzić, że w zestawieniu z całkowicie niemal zniszczoną zabudową urządzenia podziemne oraz podstawowa sieć komunikacyjna zostały w znacznej mierze zachowane i powinny być uwzględnione w przyszłych planach rozwoju miasta. To stwierdzenie stanowiło jednak tylko techniczny punkt wyjścia prac nad planem. Najbardziej istotne, społeczne zasady planu wynikały z głębokich przemian ustrojowych. Były to zasady socjalistycznego równouprawnienia mieszkańców oraz konsekwencje gospodarki planowej, wywierające decydujący wpływ na sposób realizacji planu. Od pierwszych dni odbudowy i pracy nad planem zarysował się konflikt pomiędzy koncepcją odbudowy i przebudowy: odbudowy – idącej znacznie bardziej po linii bieżących potrzeb i możliwie szybkich efektów, uwzględniającej szeroki margines procesów spontanicznych, i przebudowy – podporządkowującej

568. Powrót na ruiny

nawet najbardziej usprawiedliwione potrzeby codzienne trudniejszym i bardziej odległym, ale za to bardziej generalnym koncepcjom przekształcenia struktury miasta.

Odbudowa czy przebudowa? Choć pojęcia te nie były tak wyraźnie przeciwstawne i oba mieściły się w sobie, konieczność przeprowadzenia zasadniczych zmian społecznych, konsekwencje przestrzenne przyjętych założeń mogły być bardzo różne. Założenie, że Warszawa ma stać się miastem socjalistycznym, nie było łatwe do określenia ani jednoznaczne.

Z wypowiedzi i z pasjonującej polemiki tamtych dni przebija świadomość trudności i odpowiedzialności za przyszłe losy miasta.

„A więc z jednej strony palące wymogi chwili bieżącej, klęska bezdomności tak okrutnie przez los skrzywdzonych warszawiaków, konieczność usunięcia tej klęski, a z drugiej – konieczność wykorzystania jedynej i wyjątkowej szansy historycznej, konieczność śmiałej odbudowy stolicy, nie tylko na chwilę dzisiejszą, lecz i na wieki, i na pokolenia. Oto prawdziwie dramatyczny dylemat. Nie wolno nam zaniedbać żadnej ze stron" – pisała Mirosława Parzyńska (, Życie Warszawy" 1946).

„Jeśli zbiorowość warszawska ma się odrodzić" – przypomina Stanisław Ossowski, wybitny socjolog – „jeśli ośrodek jej mają stanowić dawni warszawiacy, trzeba im w jakichś granicach odbudować dawną Warszawę. W takich granicach, aby widzieli w niej to samo – chociaż bardzo zmienione miasto, a nie inne miasto na tym samym miejscu. Trzeba się liczyć z faktem, że indywidualne przywiązanie mieszkańców do dawnych kształtów jest czynnikiem więzi społecznej".

„Gdybyśmy mieli dostosować się do trudności chwili i myśleć tylko o ratowaniu ocalałych szczątków Warszawy, a nie o jej przebudowie" – argumentuje Wacław Ostrowski – „musielibyśmy w ogóle zrezygnować z inwestycji, mających na celu skierowanie rozwoju miasta na nowe, właściwe tory i ograniczyć się do zabezpieczenia i remontu ruin budynków albo co najwyżej – do wypełnienia luk między nimi, musielibyśmy – innymi słowy – wyrzec się odbudowy jakiegokolwiek planu urbanistycznego, zrezygnować z usunięcia błędów popełnionych w przeszłości, uwzględnienia w budowie stolicy postulatów naszych czasów, z dostosowaniem jej do wykonywania nowych, wielkich funkcji. A o tym nie może być mowy..." („Skarpa Warszawska") 1946).

Entuzjazm nie przesłaniał trudności, z jakimi przyjdzie się im później borykać:

„Nie łudźmy się, to jest problem naprawdę trudny" – pisał Michał Kaczorowski, minister odbudowy. „Przez wiele lat obarczy nasze umęczone społeczeństwo, wyciśnie strumienie potu i łez. Nie zdajemy sobie jeszcze w pełni sprawy z ogromu wysiłku, jaki nas czeka. I z ogromu odpowiedzialności. Stają przed nami zadania techniczne tak wielkie, jakie nigdy nie stały przed żadnym z krajów świata. Lecz jeśli chcemy istnieć – musimy je podjąć. Inaczej nie rozerwiemy nigdy zaklętego koła polskiej nędzy, nie damy dla kultury światowej tego wkładu, na jaki w naszym przekonaniu nas stać". („Skarpa Warszawska" 1945).

Jeden z współautorów studiów konspiracyjnych i planów urbanistycznych powstających po wyzwoleniu – Stanisław Dziewulski – tak wspomina ten okres:

„Rok 1945 – nie mogło być inaczej – był w polskiej, a więc i warszawskiej urbanistyce momentem jedynym, niepowtarzalnym. Po przedwojennej bezsile ustrojowej, po okupacyjnej konspiracji urbanistycznej, rok 1945 był dla nas, urbanistów, podwójnym wyzwoleniem: społecznym i zawodowym. Odbiło się to na pierwszych wersjach planu, na ich rozmachu, radykalizmie – jak się potem okazało, nawet nadmiernym. Radykalizm ten, cechujący zarówno planowanie przestrzenne, jak polityczno-gospodarcze – mimo wszystkich nieuniknionych wówczas błędów – dał olbrzymi impuls do odbudowy i równoczesnej przebudowy miasta".

Pierwszy plan odbudowy Warszawy został przedstawiony już 5 marca 1945 roku Prezydentowi Krajowej Rady Narodowej. W ciągu ośmiu tygodni od wyzwolenia, w najtrudniejszych warunkach Warszawy 1945 roku, zdołano opracować szkicowy plan, który określił podstawowe zasady odbudowy i rozwoju miasta, przesądził funkcjonalną jego strukturę, stał się zaczątkiem dalszych prac planistycznych. Rodowód tego pierwszego planu jest jednak znacznie wcześniejszy. Wywodzi się z postępowych prac urbanistów warszawskich okresu międzywojennego i z prac konspiracyjnych prowadzonych w czasie okupacji.

Ważną rolę w pierwszym okresie prac BOS odegrała pracownia studiów, którą prowadził Maciej Nowicki do chwili swego wyjazdu za granicę w połowie 1946 roku. Talent i inwencja twórcza Nowickiego sprawiły, że choć projekty te nie wytrzymały próby czasu zarówno w zakresie programowym, jak i realizacyjnym, to jednak wywarły w okresie 1945–1946 silny wpływ na kierunki poszukiwań całego zespołu BOS.

4 stycznia 1946 roku na Sesji Naczelnej Rady Odbudowy Warszawy prezydent Bolesław Bierut inaugurując akcję „Cały Naród buduje swoją stolicę" formułuje wytyczne rozwoju stolicy, z których przebija euforia zwycięstwa:

„Dążenie do ograniczenia zasięgu planowania w dostosowaniu do naszych obecnych możliwości są wprawdzie zrozumiałe, ale niedostatecznie uzasadnione i słuszne. Odbudowując Warszawę tylko z punktu widzenia potrzeb żyjącego dziś pokolenia ograniczylibyśmy swoje plany i dostosowali do możliwości, na jakie potrafi zdobyć się tylko nasze pokolenie, a przecież Warszawę musimy odbudować dla przyszłych pokoleń – i ten wzgląd musimy wziąć pod uwagę [...] musimy nakreślić wizję nowej Warszawy dla wielu przyszłych pokoleń, planować ją nie tylko na jedno dziesięciolecie, ale na stulecia [...] Jeżeli tedy spojrzeć szerzej na przyszłość naszej stolicy, to musimy pogląd na plan Warszawy zrewidować i zawołać do naszych planistów: więcej odwagi, więcej śmiałości, więcej rozmachu!"

W takim klimacie powstają kolejne wersje planu odbudowy i przebudowy: marzec 1945, maj 1945, październik 1945, luty 1946. Znamienne jest, że plan nie ogranicza się do obszaru miasta w jego administracyjnych granicach, ale obejmuje Warszawski Zespół Miejski, w którym Warszawa stanowi część aglomeracji stołecznej, jej dzielnice centralne.

W lutym 1946 plan zostaje przedstawiony do wglądu środowisku zawodowemu i społeczeństwu. W szerokiej dyskusji nad planem znajdują swe odbicie konflikty występujące w pierwszej fazie odbudowy.

Na przełomie lat 1945 i 1946, pod naporem szybko toczących się wypadków politycznych, główny wysiłek odbudowy skupił się na zaspokojeniu potrzeb instytucji centralnych. Stołeczność – najbardziej w tym okresie miastotwórcza funkcja Warszawy – zagrażała zaspokojeniu bezpośrednich potrzeb mieszkańców miasta. Wobec bardzo ograniczonych środków konflikt był nieuchronny. „W tym sporze silniejszą stroną okazały się interesy stołeczne, mogące wywierać bardziej bezpośredni, a tym samym bardziej skuteczny nacisk na BOS. Naturalną odpowiedzią na to był ze strony mieszkańców Warszawy atak opinii publicznej..." (Roman Piotrowski, „Skarpa Warszawska" 1945). „Cudowna jest wizja Warszawy pokazana nam przez BOS" – pisał Władysław Sieroszewski – „ale nie wolno nam się dać oczarować żadnym wizjom, jeśli nie mamy wielkiego prawdopodobieństwa ich realizacji: a na to się zanosi..." („Skarpa Warszawska" 1946).

Plan określający zasady odbudowy i rozbudowy miasta, przekształcenia jego struktury społecznej i przestrzennej, obliczony na długie dziesiątki lat, nie mógł być realizowany bez trudności. Te właśnie konflikty i zmagania, zwłaszcza na starcie do odbudowy, były świadectwem wielkości dokonujących się przemian.

Podsumowaniem prac planistycznych okresu 1945–1946 jest wykonany przez Wydział Urbanistyki BOS we wrześniu 1946 roku Plan odbudowy Warszawy, stanowiący pełny dokument urbanistyczny, zawierający plan i opisy. W tezach programowo-przestrzennych sformułowane zostały następujące zasady:

„...nawiązując do wielowiekowego rozwoju miasta i jego bezcennego dorobku kulturalnego, należy wznieść miasto nowe, będące wyrazem naszych czasów i naszych postulatów społecznych, architektonicznych i technicznych; praca urbanistów musi opierać się na planowaniu gospodarczym i przestrzennym w skali regionu i kraju;

– w strukturze WZM plan rozróżnia trzy coraz większe organiczne całości: obszar śródmieścia o skondensowanych funkcjach stołecznych, Wielką Warszawę i Warszawski Zespół Miejski;

– Warszawa ma być miastem o funkcjach wszechstronnych, ośrodkiem centralnej dyspozycji nauki i kultury, ale także ośrodkiem przemysłu; miasto ma mieć układ funkcjonalny, co oznacza łączenie terenów o funkcjach pokrewnych i uzupełniających się oraz rozdzielanie terenów o funkcjach i zadaniach odmiennych i kolidujących;

– wszystkie dzielnice mieszkaniowe mają być dostępne dla wszystkich warstw ludności i jednakowo wyposażone w urządzenia współżycia zbiorowego; przyjęto zasadę hierarchicznej struktury jednostek od kolonii mieszkaniowej o 2 tys. mieszkańców, przez osiedle – 10 tys., dzielnicę – 50 tys., do całości miasta;

569. Odgruzowywanie

528

– funkcjonalne określenie stołecznej roli Warszawy znajdzie wyraz w rozplanowaniu Śródmieścia, w dzielnicy o największym ciężarze gatunkowym. Śródmieście nie będzie dzielnicą mieszkaniową; znajdą się tu jedynie te urządzenia i te budynki, które służą bezpośrednio i pośrednio wszelkiej dyspozycji. Pomimo zniszczeń, Śródmieście zostało zlokalizowane w tradycyjnym obszarze, gdyż pozostały tu do odzyskania poprzez odbudowę poważne wartości ekonomiczne, techniczne i kulturalne. Sklepy i domy towarowe ulokują się głównie po wschodniej stronie ul. Marszałkowskiej oraz przy Alejach Jerozolimskich. Powstanie tu element miasta o specyficznej atmosferze pełnej wielkomiejskiego napięcia;

– plan przewiduje trzy dzielnice przemysłowe: Śródmiejską Dzielnicę Przemysłową na Woli, oddzieloną od właściwego Śródmieścia szerokim pasem zieleni, oraz Kamionek i Żerań. Przemysł Warszawy musi przodować w całym kraju nie w swojej wielkości, ale w jakości produkcji;

– w zakresie komunikacji plan przewiduje szybką kolej miejską, której uzupełnieniem będą unowocześnione linie tramwajowe, biegnące na wydzielonych torowiskach; układ drogowy nawiązuje do 4 pasm rozwojowych, biegnących z północy na południe i ze wschodu na zachód oraz do szachownicowego układu ulic w Śródmieściu, przewiduje się cztery mosty drogowe: pod Cytadelą, u wylotu Karowej, odbudowę mostu Poniatowskiego i budowę mostu Siekierkowskiego; cechą komunikacji nowej Warszawy będzie dbałość o ruch pieszy, przebiegający w izolacji od komunikacji kołowej;

– tereny wypoczynkowe i zieleń powinny być zaprojektowane z dużym rozmachem; jednym z najważniejszych elementów planu jest odsłonięcie rzeki i powiązanie jej z miastem; Powiśle stanie się wielkim publicznym parkiem".

Autorzy planu zdawali sobie sprawę z trudności zrealizowania pięknej, ale odległej wizji: „Jasne jest, że realizacja planu urbanistycznego nowej Warszawy będzie kwestią długich lat. Tak długich, że sam plan wydawać się może utopią. Tak jednak nie jest. Odbudowa stolicy, nawet prowadzona w skali dostosowanej do szczupłych możliwości gospodarczych zniszczonego kraju, musi przebiegać według programu zakrojonego na dziesięciolecia [...] Plan nie wdaje się w szczegóły, nakreśla tylko zasadnicze rysy przyszłej stolicy, swobodne ramy, w które wpisywać się będą okresowe programy odbudowy, dostosowane do zmiennych i nie dających się dziś przewidzieć wymagań społecznych, demograficznych i politycznych oraz możliwości gospodarczych i technicznych".

Wobec wagi ustalonych w planie wytycznych urbaniści BOS wystąpili z inicjatywą, by plan Warszawy został poddany krytyce wybitnych specjalistów krajowych i zagranicznych. Na wniosek Naczelnej Rady Odbudowy Warszawy zostali zaproszeni do Warszawy dla wydania opinii o Planie generalnym WZM: S.J. Czernyszew i prof. W.B. Baburow z Moskwy, André Lurçat z Paryża, Paul Nelson – techniczny rzeczoznawca amerykański Ministerstwa Odbudowy Francji, nestor urbanistów europejskich prof. Hans Bernoulli z Bazylei (który był rzeczoznawcą planu Warszawy w 1931), C. von Eesteren, naczelny urbanista Amsterdamu, oraz prof. Tadeusz Tołwiński, kierownik Katedry Urbanistyki na Wydziale Architektury Politechniki Warszawskiej.

Opinie w całości planu były bardzo pozytywne, cytujemy:

prof. B. Baburow:

„Zespół BOS [...] pracę postawił bardzo dobrze [...] Zanalizowano cechy charakterystyczne stolic zagranicznych. Wyniki tych badań weszły do planu BOS nie jako mechaniczny konglomerat, ale jako dostosowana do specyficznych warunków Warszawy interpretacja. Zagadnienie ujęte jest w sposób dla mnie nowy...".

arch. André Lurçat:

„Plan Warszawy oceniam jako jeden z najlepszych planów, które widziałem od czasu zakończenia wojny".

prof. H. Bernoulli:

„Po raz pierwszy od lat 150 widzimy plan urbanistyczny, który można będzie realizować. Rząd wasz wydał dekret o komunalizacji gruntów. Miasto dysponuje terenami, na których osiadło i rozwijało się. Dzięki temu plan będzie urzeczywistniony. To nakłada na jego twórców ogromną odpowiedzialność...".

Wielki socjolog amerykański Lewis Mumford, który zapoznał się z planami odbudowy Warszawy, przedstawionymi na wystawie zorganizowanej w lutym 1946 roku w Chicago, pisał: „W nowych planach Warszawy fakty socjalnego życia nowoczesnego są kręgosłupem całej ich struktury [...] W demokratycznej wspólnocie społeczne potrzeby człowieka są tak istotne, jak jego zaopatrzenie materialne [...] W planach Warszawskiego Biura Odbudowy Stolicy architekci zaczynają od podstaw, a opierając się na naturze i istotnych potrzebach człowieka, znajdują wyraz nowej epoki..." (Warsaw lives again 1946).

Wraz ze studiami nad Planem ogólnym powstają w pracowniach BOS szczegółowe plany dzielnic i zespołów urbanistycznych: dzielnicy mieszkaniowej Muranów (W. Kłyszewski, J. Mokrzyński, E. Wierzbicki), rekonstrukcji Starego i Nowego Miasta (M. Kuzma), rekonstrukcji historycznego Traktu Królewskiego: Krakowskie Przedmieście – Nowy Świat (Z. Stępiński), Zachodniej Dzielnicy Przemysłowej (S. Putowski).

Organizowano konkursy urbanistyczno-architektoniczne: pierwszy powojenny konkurs na projekt gmachu PKO na rogu Marszałkowskiej i Świętokrzyskiej (I i II nagroda W. Kłyszewski, J. Mokrzyński, E. Wierzbicki), konkurs na projekt gmachu Wydziału Architektury na skarpie ujazdowskiej (I nagroda S. Bieńkuński), konkurs studialny na fragment warszawskiego śródmieścia wzdłuż ul. Marszałkowskiej (I nagroda S. Rychłowski, B. Płachecki). Choć projekty konkursowe nie zostały zrealizowane, to jednak przyniosły wiele cennych wniosków do późniejszych prac.

Odbudowa Warszawy, rozpoczęta nazajutrz po wyzwoleniu miasta, polegała w pierwszym okresie na rozbiórce powstańczych barykad, ekshumacji mogił ulicznych, trasowaniu przejść i przejazdów wśród ruin, wywózce gruzu, którego 20 milionów metrów sześciennych zalegało obszar śródmiejski. Jeszcze nie odbudowa, ale przywracanie miasta do życia: naprawa sieci wodociągowej i gazowej, szklenie okien. W kronice tamtych miesięcy powtarza się często słowo „pierwszy": pierwszy drewniany most przerzucony przez Wisłę, pierwsza oświetlona ulica, pierwsza woda w kranie, pierwszy wóz dla straży ogniowej (która dotychczas pełniła służbę pieszo), pierwsze przedstawienie teatralne w lewobrzeżnej Warszawie: „Śluby panieńskie" i pierwszy nowy warszawski sklep. Jaki? – kwiaciarnia. 8 lutego otwarty zostaje most kolejowy przy Cytadeli na drewnianych filarach. 24 marca przybywa transport 400 domków fińskich – dar ZSRR dla Warszawy. 4 kwietnia otwarto pierwsze w lewobrzeżnej Warszawie kino Polonia. 11 kwietnia na terenie zniszczonych zakładów przy ul. Bema odnaleziono fragmenty pomników Mickiewicza, Sapera, Lotnika, Poniatowskiego, Bogusławskiego. W końcu kwietnia Państwowy Urząd Samochodowy uruchomił regularną komunikację samochodową między pl. Narutowicza i ul. Targową, ciężarówki kursują 4 razy dziennie. 26 kwietnia uruchomiono pierwszy turbozespół elektrowni na Powiślu. 20 czerwca uruchomiono pierwszą linię tramwajową na Pradze, a 15 września – pierwszą w lewobrzeżnej Warszawie. 17 grudnia biura Prezydium Rady Ministrów przenoszą się z ul. Wileńskiej na Krakowskie Przedmieście.

Odbudowa Warszawy staje się coraz bardziej sprawą wszystkich Polaków, a hasło „Cały Naród buduje swoją stolicę" jest nie tylko programem, ale i stwierdzeniem istniejącego stanu rzeczy.

Z tego klimatu zapału i ofiarności wywodzi się SFOS (Społeczny Fundusz Odbudowy Stolicy), instytucja, która odegrała chlubną rolę w odbudowie Warszawy i całego kraju. Zapoczątkowana na Śląsku, gdzie już 8 maja 1945 roku w Katowicach powstał pierwszy Obywatelski Komitet Odbudowy Warszawy, 1 września 1946 uzyskuje ogólnopolskie ramy organizacyjne. Duszą Komitetu SFOS jest inż. arch. Jerzy Grabowski, sekretarz generalny przez cały 20-letni okres trwania tej instytucji.

SFOS przyczynił się wybitnie do odbudowy Warszawy, mobilizując dla tej sprawy nie tylko ogromny kapitał entuzjazmu, ale i bardzo poważne środki finansowe, które wyniosły w okresie 1946–1964 ponad 4 i pół miliarda złotych, co oznaczało równowartość 100 tysięcy izb mieszkalnych. Z pomocą SFOS odbudowano między innymi most Poniatowskiego, zbudowano Trasę W-Z, następnie odbudowano Stare i Nowe Miasto oraz wiele warszawskich pomników i obiektów kultury. Z biegiem lat działalność SFOS została rozszerzona i objęła cały kraj. W roku 1966 SFOS został niespodziewanie rozwiązany.

Pierwsza wielka realizacja: odbudowa mostu Poniatowskiego przebiegała w dramatycznych okolicznościach. 4 grudnia 1945 roku nastąpiło zawalenie łuków budowanego trzeciego przęsła: 1 robotnik poniósł śmierć, 9 było rannych. W cztery godziny po katastrofie zaalarmowani telefonicznie hutnicy w Chorzowie rozpoczęli pracę nad wykonaniem nowych niezbędnych części konstrukcji. 22 lipca 1946 roku Warszawa święciła rocznicę Manifestu otwarciem nowego mostu.

W krótkim czasie przeniosły się do Warszawy centralne władze państwowe, instytucje naukowe i gospodarcze. Masowo wracali warszawiacy. Przeprowadzony w lutym 1946 roku powszechny spis ludności Warszawy ujawnił, że stolica miała 478 755 mieszkańców, z tego 278 245 na lewym brzegu Wisły.

Zadania urbanistyki i architektury warszawskiej tego okresu były wyznaczone przez Trzyletni plan odbudowy 1947–1949 oraz przygotowania do intensywnej rozbudowy przemysłu, z których wywodzi się Plan sześcioletni 1950–1955.

TRZYLETNI PLAN ODBUDOWY (1947–1949)

W kwietniu 1947 roku na uroczystym posiedzeniu Naczelnej Rady Odbudowy Warszawy, Pracownia Urbanistyczna BOS przedstawiła Plan zagospodarowania przestrzennego Warszawy na lata 1947–1965. 18-letni okres objęty planem to podsumowanie okresu planu trzyletniego oraz trzy kolejne pięcioletnie plany gospodarcze. Novum przedstawionego planu stanowi wprowadzenie do planowania przestrzennego czynnika czasu, to jest planów etapowych.

„Było to preludium do opracowania metody planów etapowych, metody, która w latach następnych miała się tak dynamicznie rozwinąć w polskiej urbanistyce. Był to jednocześnie widoczny znak, że urbaniści podjęli kiełkujący w planowaniu gospodarczym kierunek i przystąpili do konstruowania pomostu między dalekosiężnym planem perspektywicznym rozwoju miasta a jego konkretnym stanem aktualnym" – pisał Z. Skibniewski. Teza – oczywista w naszej socjalistycznej rzeczywistości – że urbanistyka polska nie uznaje separacji między sporządzaniem planu zagospodarowania przestrzennego a jego realizacją, została potwierdzona.

Odbudowa zniszczonego miasta stworzyła szanse do realizacji budownictwa mieszkaniowego nie w formie poszczególnych budynków, lecz w jednostkach osiedlowych. Nawiązano do przedwojennych postępowych tradycji Warszawskiej Spółdzielni Mieszka-

570. Odbudowany most Poniatowskiego

niowej i Polskiego Towarzystwa Reformy Mieszkaniowej, pogłębionych w konspiracyj-nych studiach Pracowni Urbanistyczno-Architektonicznych (PAU) prowadzonych w cza-sie okupacji.

Pracom projektowym towarzyszyły istotne decyzje organizacyjne. W 1948 roku powołany zostaje przy Ministerstwie Odbudowy Zakład Osiedli Robotniczych (ZOR), a przy nim Biura Projektów i Studiów ZOR. ,,Cokolwiek sądzić ex post o pojedynczych wynikach pracy tego środowiska, o osiedlach z tak zwanej Krainy ZOR, trzeba uznać w sumie za pozytywny fakt jego zawiązania i jego działalności" (Z. Skibniewski). 150 tysięcy mieszkań zbudowanych w osiedlach warszawskich ZOR w latach 1948–1967 świadczy o skali tej działalności.

Projekty pierwszych warszawskich osiedli ZOR przyjmują za punkt wyjścia stworzenie takich warunków, które zmierzałyby do kształtowania określonej postawy społecznej mieszkańców. Wybudowane wówczas osiedla: południowy Muranów (Bohdan Lachert), Grochów (Bohdan Lewandowski), Młynów I (Michał Tetmajer i Jadwiga Guzicka) i Koło-Wschód (Helena i Szymon Syrkusowie) nawiązywały do angielskich wzorów wywodzących się z pojęcia miasta-ogrodu. Były także wyrazem w pełni zrozumiałej postawy urbanistów wobec przedwojennych zaniedbań dzielnic robotniczych i budowy kamienic czynszowych z typowym podwórkiem-studnią. Choć przez zbyt ekstensywną zabudowę projektanci nie wykorzystywali w pełni uzbrojonych terenów miejskich, osiedla te były przykładem przemyślanej, humanistycznej zasady organizowania środowiska człowieka w mieście.

Obok budownictwa mieszkaniowego na plan pierwszy wysuwa się budownictwo adminis-tracyjne. Stołeczne funkcje Warszawy wymagają rekonstrukcji lub budowy nowych gmachów dla centralnych władz i urzędów. Trwa intensywne odgruzowanie dzielnic śródmiejskich, z których do dnia 31 grudnia 1947 roku wywieziono około miliona metrów sześciennych gruzu. W wyniku przeprowadzonych konkursów rozpoczyna się realizacja wielu budynków publicznych: Dom Partii (W. Kłyszewski, J. Mokrzyński, Z. Wierzbicki), powstają zręby tak zwanej osi ministerstw biegnącej od Ministerstwa Komunikacji przy ul. Chałubińskiego (B. Pniewski), poprzez zespół Ministerstw Rolnictwa (J. Grabowski, S. Jankowski, J. Knothe), Górnictwa, Budownictwa i Chemii w rejonie Kruczej, do Ministerstwa Przemysłu i Handlu, dziś Komisji Planowania (S. Bieńkuński, S. Rychłow-ski), na pl. Trzech Krzyży. Rozpoczyna się budowa Głównego Urzędu Statystycznego na Polu Mokotowskim (R. Gutt), Banku Narodowego przy pl. Powstańców Warszawy (B. Pniewski), Banku Pod Orłami (rozbudowa S. Brukalski), odbudowa gmachu Rady Państwa w Al. Ujazdowskich (J. Bogusławski). Odbudowa obejmuje budynki Teatru Narodowego (R. Gutt), Filharmonii Narodowej (P. Biegański), Politechniki, Pałacu Kazimierzowskiego, pałacu Raczyńskich (Akademia Sztuk Pięknych). Rozpoczyna się budowa Centralnego Domu Towarowego (obecnie Centralny Dom Dziecka ,,Smyk") w Al. Jerozolimskich (Z. Ihnatowicz i J. Romański).

W kolejnym konkursie na rozwiązanie placu Zwycięstwa dwie prace otrzymują równorzędne nagrody (R. Gutt i B. Pniewski) i stają się podstawą do rekonstrukcji Ogrodu Saskiego i do zabudowy wschodniej strony placu. Niezrealizowane pozostają projekty rozstrzygniętych konkursów na Dworzec Centralny, Centralny Dom Młodzieży na tak zwanym Latawcu oraz na zespół wieżowców Centrali Społem i Państwowego Zakładu Ubezpieczeń Wzajemnych w rejonie Al. Jerozolimskich i ul. Marszałkowskiej, „jedyny w mieście akcent wysokościowy" – jak głosiły warunki konkursu.

Odtworzony i rozbudowany zostaje układ komunikacyjny: w 1947 roku odbudowano most kolejowy pod Cytadelą, 23 czerwca 1949 roku o godzinie 19.15 pierwszy pociąg przejechał przez most i poszerzony tunel średnicowy. W 1947 roku przez gruzy getta przebito Nową Marszałkowską (ul. Nowotki), co zapewniło połączenie Śródmieścia z Żoliborzem, w 1948 roku ul. Marszałkowska zostaje poszerzona na odcinku od ul. Chmielnej do Królewskiej.

W rezultacie intensywnej odbudowy zniszczonych zakładów przemysłowych w 1949 roku w przemyśle było zatrudnionych 56 700 osób, co stanowiło 48% stanu z końca 1938 roku. Przystąpiono do budowy nowego wielkiego zakładu poligraficznego „Dom Słowa Polskiego" w rejonie ul. Towarowej (K. Marczewski, S. Putowski, Z. Skibniewski). W lipcu 1949 roku uruchomiono Centralną Radiostację z nowo zbudowanym masztem w Raszynie.

Podjęto wielką akcję odtwarzania i uzupełniania terenów zieleni publicznej: na Powiślu na obszarze 17 ha przystąpiono do realizacji Parku Kultury, ambitnego zamierzenia wyprowadzenia śródmiejskiej zieleni ze skarpy nad Wisłą. Na szczególne wyróżnienie zasługuje akcja zalesień na obszarze WZM: skromnymi środkami stworzono system zaplecza zielonego dla stołecznej aglomeracji, zadrzewiając piaszczyste wydmy i nieużytki na obszarze około 30 tysięcy hektarów.

Wśród projektów i realizacji tamtych lat szczególną pozycję zajmuje budowa Trasy W–Z. Była ona nie tylko wielkim osiągnięciem technicznym i źródłem powszechnej satysfakcji społecznej, ale stała się w dyskusji „odbudowa czy przebudowa" ważkim argumentem na rzecz tej drugiej koncepcji.

Gdy wiosenne kry zniosły w 1947 roku most wysokowodny przy ul. Karowej, uzyskanie drugiej, północnej przeprawy przez Wisłę stało się niezbędnym warunkiem funkcjonowania szybko rosnącego miasta. Wraz z decyzją budowy nowego mostu na zachowanych filarach, mostu Kierbedzia, postanowiono odbudować częściowo tylko uszkodzony wiadukt Pancera, stanowiący połączenie mostu z Krakowskim Przedmieściem. Decyzja taka przywracała przedwojenny układ przestrzenny i komunikacyjny, a przez to przekreślała zamiary radykalnej przebudowy, szczególnie istotnej w tym rejonie miasta. Protestem przeciwko tej decyzji w Pracowni Urbanistycznej było opracowanie projektu Trasy W–Z (S. Jankowski, J. Knothe, J. Sigalin, Z. Stępiński): siedmiokilometrowej arterii komunikacyjnej z mostem, tunelem pod zrekonstruowanym Krakowskim Przedmieściem, z nowo projektowanym osiedlem Mariensztat. Projekt przewidywał wyburzenie wiaduktu Pancera i stojących wzdłuż niego budynków, nadających się do odbudowy. Nie wiadomo, co w tym projekcie było bardziej szokujące: propozycja wyburzeń czy proponowane tempo zrealizowania całości w ciągu dwóch lat. Ministerstwo Komunikacji, odpowiedzialne wówczas za projekty tras drogowych, odrzuciło projekt Trasy W–Z i proponowany harmonogram. „Przegląd Budowlany" pisał: „Pozostawmy realizację Trasy W–Z następnym pokoleniom, a na razie róbmy to, co jest konieczne i na co nas stać". Gdzie indziej

571. Osiedle Warszawskiej Spółdzielni Mieszkaniowej na Mokotowie

taka decyzja byłaby ostateczna, ale nie w Warszawie, w 1947 roku. Urbaniści odwołali się do prezydenta Bieruta. W pracowni BOS odbyła się wielogodzinna dyskusja nad makietą projektowanej trasy. Projekt i harmonogram prac został zatwierdzony i w pełni zrealizowany. Budowa obfitowała w dramatyczne i pełne napięcia chwile, gdy na skutek naruszenia układu wód podziemnych podczas budowy tunelu obsuwająca się skarpa groziła zawaleniem się kościoła św. Anny, wznoszącego się nad wlotem do tunelu. W przeddzień uruchomienia trasy, w dniu 22 lipca 1949 roku, król Zygmunt wrócił na swoje miejsce na odbudowanej kolumnie.

Budowa Trasy W–Z stała się punktem zwrotnym, udowodniła możliwość realizacji wielkich i trudnych założeń urbanistycznych w zrujnowanej Warszawie. W przeprowadzonej w styczniu 1970 roku ankiecie tygodnika „Polityka" Trasa W–Z została uznana za największe osiągnięcie architektury i urbanistyki 25-lecia PRL.

Aktywizacja północnej części miasta umożliwiła podjęcie na wielką skalę rekonstrukcji zespołów zabytkowych Starego i Nowego Miasta.

W początkowym okresie odbudowy opinie dotyczące rekonstrukcji zabytków nie były jednolite. Ścierały się ostro przeciwstawne poglądy. „Uczuciową reakcją przeciw wojennym zniszczeniom w całej Polsce, a zwłaszcza w Warszawie, jest fala pietyzmu w stosunku do budowli ocalałych z przeszłości. Bezkrytyczne poddawanie się temu nastrojowi jest objawem groźnym dla twórczości współczesnych architektów i urbanistów" – pisał Roman Piotrowski („Skarpa Warszawska" 1946). Zwolennicy odbudowy zespołów zabytkowych wysuwali swoje argumenty. „Chcemy w możliwie szerokim zakresie odtworzyć budynki zabytkowe przedstawiające bezcenne wartości kulturalne. Poza wszystkimi argumentami natury kulturalnej czy politycznej przemawia za tym także wzgląd urbanistyczny: partie miasta historycznego swą odrębną skalą i odmiennością założeń architektonicznych, a także odrębnością środowiska kulturalnego, którego są odbiciem, znakomicie uwypuklają cechy charakterystyczne nowej Warszawy" („Skarpa Warszawska" 1946).

„Odbudowa najcenniejszych naszych zabytków – to nie problem konserwatorski, lecz teza polityczna, to obrona naszej kultury, to walka o jeden z zasadniczych elementów nieśmiertelności narodu" (Jan Zachwatowicz, „Skarpa Warszawska" 1946).

Zwyciężyła w pełni koncepcja odbudowy.

Prace inwentaryzacyjne i zabezpieczające w rejonach zabytkowych zostały rozpoczęte nazajutrz po wyzwoleniu miasta. Całością prac kierował Wydział Architektury Zabytkowej BOS (pod kier. J. Zachwatowicza i P. Biegańskiego). Do opracowania poszczególnych zadań projektowych powołano specjalne pracownie, między innymi powstały one dla Starego Miasta (M. Kuzma), dla Krakowskiego Przedmieścia i Nowego Światu (M. Kuzma i Z. Stępiński). W czerwcu 1947 roku przystąpiono do odtworzenia zburzonej katedry św. Jana: przywrócono jej pierwotną gotycką formę (J. Zachwatowicz). W sierpniu rozpoczęto w czynie społecznym odgruzowanie Starego Miasta. W 1948 roku zaczęto odbudowę 4 kamienic na Rynku Starego Miasta.

W lipcu 1949 roku Sejm podjął uchwałę o odbudowie Zamku Królewskiego. W październiku 1949 roku zakończono niemal całkowicie odbudowę Nowego Światu i Krakowskiego Przedmieścia.

Rekonstrukcja zespołów zabytkowych odegrała szczególnie ważną rolę w kształtowaniu indywidualności przestrzennej Warszawy, podniesieniu jej prestiżu i w formowaniu uczuciowej więzi mieszkańców z miastem. Przy pełnej świadomości, że są to obiekty odbudowane lub wręcz odtworzone, zyskały one pełną aprobatę społeczeństwa i wysoką rangę w naszej kulturze.

Odbudowa Starego i Nowego Miasta oraz Traktu Królewskiego była nie tylko wielkim dziełem konserwatorskim, lecz stała się pasjonującym i w pełni udanym eksperymentem włączenia zespołów zabytkowych do organizmu wielkiego współczesnego miasta.

Opracowanie wytycznych do Planu sześcioletniego odbudowy Warszawy stworzyło okazję do aktualizacji planu perspektywicznego przeprowadzonej w 1949 roku i do sformułowania zasad ukształtowania przestrzennego WZM.

„W oparciu o Wisłę i masywy leśne – czytamy w materiałach Pracowni Urbanistycznej Warszawy z tego okresu – kształtuje się układ urbanistyczny Warszawskiego Zespołu Miejskiego. Charakterystyczną cechą tego układu jest wyraźne zróżnicowanie sposobu zagospodarowania poszczególnych grup terenowych. Ośrodki pracy i dzielnice mieszkaniowe są zgrupowane w odpowiednich zespołach wzdłuż tras komunikacyjnych i ciągów uzbrojenia.

Ukształtowane w ten sposób pasma, przecinane stosunkowo niewielkimi poprzecznymi pasmami zieleni, zmierzają wyraźnie do jądra układu, jakim jest śródmieście stolicy. W zależności od rzędu jednostki mieszkaniowej kształtuje się jej kompozycja przestrzenna, której dominantą lokalną czy dzielnicową jest odpowiedni ośrodek społeczny. Powiązanie tych ośrodków ma być szczególnie ważnym momentem kompozycji plastycznej miasta. W kontraście do terenów w zasadzie intensywnie zabudowanych kształtują się obszary zawarte między nimi, a klinowo podchodzące do centrum miasta. Są to, poza lasami, tereny rolne i ogrodnicze o małym procencie luźnej i niskiej zabudowy. Rdzeniem układu aglomeracji jest zespół dzielnic centralnych Warszawy".

Konfrontacja tych sformułowań sprzed trzydziestu lat z aktualnymi poglądami wskazuje na zbieżność zasad.

Opracowana koncepcja Planu sześcioletniego i zaktualizowany Plan perspektywiczny zostały przedstawione w pierwszej połowie 1949 roku Kierownictwu Partii i Rządu i stały się materiałem roboczym do opracowania Planu sześcioletniego.

Nowe tendencje oddziaływające na urbanistykę i architekturę Warszawy wyraziły się nie tylko w wytycznych politycznych i ekonomicznych, lecz przejawiły się w postaci tez tak zwanego realizmu socjalistycznego, tez sformułowanych na odbytej w dniach 20 i 21 czerwca 1949 roku w Warszawie Krajowej Partyjnej Naradzie Architektów. Głównym tematem narady była próba sformułowania polskich tez wynikających z metody realizmu socjalistycznego, dojrzałej na terenie Związku Radzieckiego.

W podstawowych referatach Edmunda Goldzamta i Jana Minorskiego zostały poruszone problemy gospodarcze, techniczne i przestrzenne; nawoływano też do szukania dróg architektury polskiej „socjalistycznej w treści i narodowej w formie". Architekci partyjni podjęli próbę zdefiniowania założeń ideowo-artystycznych, opierając się na radzieckim dorobku w architekturze, zarówno w dziedzinie praktyki jak i teorii.

Ustalenia tej narady – wobec trudnych i odpowiedzialnych spraw kształtowania przestrzennych ram dla społeczeństwa socjalistycznego – zostały oparte na jednostronnie pojmowanych przesłankach emocjonalnych i zmieniły się w formalne reguły. Zaciążyły one, poprzez oficjalne zaangażowanie naczelnych autorytetów władz politycznych, na architekturze i urbanistyce nadchodzących lat 1950–1955.

PLAN SZEŚCIOLETNI (1950–1955)

Okres 1950–1955 odzwierciedla realizację zamierzeń sześcioletniego planu rozwoju gospodarczego i budowy podstaw socjalizmu, a w zakresie twórczości – poszukiwania rozwiązań zgodnych z tezami socrealizmu.

Zbieżność tych dwóch programów wydaje się nieprzypadkowa. Formalny monumentalizm socrealizmu został uznany za odpowiednik wielkich zamierzeń gospodarczych rozwoju kraju. W ostatecznym rozrachunku – w wyniku doktrynalnych sformułowań i bezkrytycznej interpretacji – zaciążył nad realizacją wielkich zamierzeń gospodarczych i przestrzennych.

Głównym zamierzeniem Planu sześcioletniego opracowanego według wytycznych

Pierwszego (Zjednoczeniowego) Zjazdu PZPR w 1948 roku było forsowne uprzemysłowienie kraju.

Wytyczne rozwoju Warszawy i WZM zostały sformułowane w referacie Bolesława Bieruta wygłoszonym na I Warszawskiej Konferencji Partyjnej w dniu 3 lipca 1949 roku. Referat zawierał obszerne wytyczne programowe i realizacyjne:

„Szeroki program rozbudowy przemysłu w Warszawskim Zespole Miejskim przywróci Warszawie charakter miasta robotniczego, posiadającego poważną liczbę wielkich i nowoczesnych zakładów fabrycznych oraz mocny trzon wielkoprzemysłowej warstwy robotniczej.

Nowe budownictwo mieszkaniowe będzie skoncentrowane w osiedlach społecznych, których lokalizacja jest związana ściśle z rozwijającym się przemysłem. Pod robotnicze osiedla mieszkaniowe zostaną oddane tereny, które dawniej były dostępne jedynie dla zamożnej ludności Warszawy, mieszkania robotnicze wejdą do śródmieścia wzdłuż Trasy W–Z i ulicy Marszałkowskiej.

Rozpoczęta będzie również inwestycja podstawowa dla komunikacji Warszawy, budowa metra. Przewidziane jest rozpoczęcie na wielką skalę nowego ukształtowania śródmieścia".

Przewidziano budowę nowego ratusza stołecznego, ukształtowanie śródmiejskich placów: Zwycięstwa, Teatralnego, Wareckiego wraz z nowo projektowanym „placem Marszałkowskiej", budowę gmachu Biblioteki Narodowej, budowę wielkich hoteli, odbudowę Teatru Wielkiego, Filharmonii Warszawskiej, Zamku Królewskiego, budowę Hali Sportowej. Wspaniała wizja odbiegała jednak od możliwości realizacyjnych.

Program Planu sześcioletniego został zrealizowany w poszczególnych działach gospodarki bardzo nierównomiernie. Głównym kierunkiem inwestowania był przemysł, co doprowadziło do utworzenia w Warszawie rozwiniętej bazy produkcyjnej, zwłaszcza w dziedzinie przemysłu precyzyjnego, motoryzacyjnego, elektrycznego i poligraficznego. Obok rozbudowanych dzielnic przemysłowych – Woli i Targówka – powstały nowe dzielnice przemysłowe: Żerań, Huta Warszawa oraz Południowa Dzielnica Przemysłowa Służewiec.

Produkcja globalna na koniec planu 6-letniego w Warszawie wzrosła w stosunku do roku 1949 prawie pięciokrotnie.

Rozbudowie przemysłu towarzyszy rozbudowa energetyki: rekonstrukcja elektrowni na Powiślu, budowa elektrociepłowni Żerań, budowa linii wysokiego napięcia wiążącej Warszawę ze Śląskiem.

573. Trasa W–Z

Położenie głównego akcentu na przemysł – jako dominujący kierunek działania gospodarczego i politycznego – sprawiło, że w świadomości wszystkich zainteresowanych wytworzyło się poczucie nadrzędności zadań inwestycyjnych przemysłu wobec wszystkich okoliczności warunkujących ich realizację, a więc także i wobec zasad lokalizacji zakładu przemysłowego. Przy daleko posuniętej centralizacji decyzji nietrudno było o uzyskanie lokalizacji doraźnie dogodniejszej, a sprzecznej z planem. Przykładem takiego nagięcia planu była budowa Huty Warszawa na Młocinach.

Niezgodna z planem ogólnym lokalizacja huty stanowi jeden z najważniejszych błędów popełnionych w okresie planu sześcioletniego. Zablokowała ona naturalny kierunek rozwoju lewobrzeżnego pasma północnego wzdłuż Wisły, stworzyła źródło poważnych uciążliwości dla sąsiednich dzielnic mieszkaniowych, odcięła miasto od terenów rekreacyjnych i klimatyzacyjnych Puszczy Kampinoskiej.

Wysokie tempo rozwoju przemysłu – a w konsekwencji potrzeby zatrudnienia – spowodowało znaczny wzrost ludności. W grudniu 1949 roku ludność Warszawy liczyła 630 000, w grudniu 1955 – już 1 001 000 (w tym ok. 156 000 w wyniku powiększenia w 1951 obszaru miasta ze 141 km^2 do 411 km^2). Przyrost ludności opierał się głównie na migracji do stolicy; wynosiła ona w roku 1951 – 39 000, w 1952 – 35 000, w 1953 – 31 000. Budownictwo mieszkaniowe nie nadążało za potrzebami szybko wzrastającej liczby ludności. Choć w okresie planu sześcioletniego budownictwo ZOR rozwinęło się znacznie i oddało w Warszawie w latach 1950–1955 około 45 000 mieszkań, było to nie wystarczające i spowodowało pogorszenie warunków mieszkaniowych. W 1955 roku zagęszczenie doszło do 2,1 mieszkańca na izbę. Wobec ograniczonych możliwości zwię-

576. Ulica Piwna – ruiny

577. Ulica Piwna – odbudowana

578. Ulica Nowy Świat

kszenia programu budownictwa mieszkaniowego postanowiono ograniczyć przyrost ludności powstający wskutek migracji i wprowadzono ograniczenia meldunkowe. Nie poprawiło to w sposób zasadniczy sytuacji mieszkaniowej, natomiast zwiększyło znacznie liczbę dojeżdżających do pracy, nawet z odległych terenów województwa warszawskiego. W urbanistyce osiedlowej nastąpił regres. Dotychczasowe kryteria funkcjonalne w budowie osiedli zastąpiono sztucznym monumentalizmem opartym na formach historycznych. Najbardziej charakterystyczne przykłady budownictwa mieszkaniowego tego okresu to zabudowa ul. Nowotki (S. Brukalski), Młynów II i III (M. Tetmajer i J. Guzicka), MDM z placem Konstytucji (S. Jankowski, J. Knothe, J. Sigalin, Z. Stępiński), Bielany wzdłuż ul. Kasprowicza (M. i K. Piechotkowie), Wierzbno przy zbiegu al. Niepodległości i ul. Odyńca (W. Kłyszewski, J. Mokrzyński, E. Wierzbicki), Mirów przy trasie W-Z (T. Kossak), Praga II (J. Gieysztor), Latawiec (E. Sekrecka), Sielce (Z. Fafiusowa), wreszcie socrealistyczne przeróbki Muranowa (B. Lachert). Pozytywnym doświadczeniem osiedli mieszkaniowych okresu socrealizmu było zwrócenie uwagi na wartość uzbrojonych terenów miejskich oraz konieczność racjonalnego nimi gospodarowania.

Rozmach w rozbudowie układu komunikacyjnego, charakterystyczny dla lat 1947–1949, został znacznie ograniczony w latach 1950–1955. Z ważniejszych inwestycji komunikacyjnych zrealizowanych w tym okresie można wymienić: przebudowę i poszerzenie Waszyngtona oraz budowę ul. Marchlewskiego (Trasa N–S) na odcinku Al. Jerozolimskie – ul. Dzielna.

Zaplanowaną pierwszą szybką kolej miejską (metro) rozpoczęto w 1951 roku głębieniem pięciu szybów oraz budową odcinka tunelowego na Pradze. Wobec narastających trudności gospodarczych w 1953 roku przesunięto początkowy termin ukończenia budowy, potem ograniczono zakres prac do „odcinka doświadczalnego", a w 1957 roku podjęto decyzję całkowitego przerwania robót.

Trwa nadal rekonstrukcja budynków i zespołów zabytkowych. W 1951 roku ukończono odbudowę zespołu pałaców corazziańskich na pl. Dzierżyńskiego, rozstrzygnięto konkurs na odbudowę gmachu Opery (I nagroda B. Pniewski), ukończono odbudowę Pałacu Staszica (P. Biegański). 22 lipca 1953 roku oddany został trakt Starej Warszawy od pl. Zamkowego przez Rynek Starego Miasta do Barbakanu. Odbudowany pałac Ostrogskich został przekazany Towarzystwu im. Fryderyka Chopina.

Program wprowadzenia budownictwa mieszkaniowego do Śródmieścia i nadania mu cech monumentalnych znalazł swe odbicie w zrealizowanej w latach 1949–1952 Marszałkowskiej Dzielnicy Mieszkaniowej z placem Konstytucji. Dzielnica, o której można było odnotować diametralnie różne opinie: od panegirycznych zachwytów do nie mniej skrajnych ocen potępiających ten typ architektury, wywarła wpływ na budownictwo mieszkaniowe innych miast. Z biegiem lat architektura MDM oceniana jest coraz pozytywniej, wrasta w krajobraz miasta, przyczyniając się do jego różnorodności, a plac Konstytucji pozostaje nadal jedynym niestety w pełni zrealizowanym placem śródmiejskim.

Uwieńczeniem architektury i urbanistyki okresu realizmu socjalistycznego, a jednocześnie faktem, który zaważył w sposób nieodwracalny na ukształtowaniu centrum Warszawy, była budowa Pałacu Kultury i Nauki. Ogromny budynek, o kubaturze ponad 800 000 m³, dar Związku Radzieckiego dla Polski, został zaprojektowany przez moskiewskich architektów: Rudniewa, Wielikanowa, Rozina, Chriakowa i Nasonowa.

Przeprowadzona w rekordowo krótkim czasie (1952–1955) budowa pałacu była wybitnym osiągnięciem technicznym, natomiast w ocenie jego architektury wystąpiły dwa nurty: krótkotrwałych oficjalnych panegiryków i rzeczowej krytyki.

Z biegiem lat w odczuciu warszawiaków wielki gmach został jednak zaakceptowany, stał się miejscem historycznych wydarzeń, integralną częścią miasta, dominantą w jego sylwecie, do której świadomie nawiązują późniejsze projekty, ważnym centrum kultury i nauki, z którego na co dzień korzysta około 30 tysięcy osób.

Wbrew narastającej w roboczych dyskusjach krytyce odbyta w kwietniu 1953 roku w Warszawie I Narada Architektów Polskich nie zerwała z oficjalnym kierunkiem twórczości. W podstawowym referacie Jan Minorski głosił, że „dalszy rozwój ideowo-artystyczny architektury polskiej leży na drodze coraz większego opanowania wskazań metody realizmu socjalistycznego". Krytykował architektów warszawskich za to, że „ewolucja odbywa się zbyt powoli", chwalił „wielki i owocny wysiłek autorów w znalezieniu narodowej formy dla artystycznego kształtu pałacu".

W tej atmosferze rozstrzygnięty został konkurs na centrum Warszawy, który miał rozwiązać problem powiązania PKiN i otaczającej go przestrzeni ze śródmieściem oraz przedstawić propozycje układu przestrzennego wokół Pałacu.

Konkurs nie dał rezultatu, podobnie jak i następny, zamknięty konkurs na projekt zabudowy odcinka ul. Marszałkowskiej naprzeciw Pałacu. W przeprowadzonej dyskusji opinia publiczna była przeciwna propozycjom konkursowym. Środowisko architektoniczne coraz bardziej zdecydowanie występowało przeciw tezom socrealizmu.

Ostatecznej krytycznej oceny okresu realizmu socjalistycznego w architekturze i urbanistyce polskiej dokonała burzliwa Ogólnopolska Narada Architektów odbyta w Warszawie w dniach 26–28 marca 1956 roku. We wnioskach ogólnych stwierdzono, że:

„... Kierunek urbanistyki i architektury w latach 1949–55 był zasadniczo błędny [...]. W okresie tym zahamowany został rozwój postępu technicznego, zdewaluowano stronę użytkową architektury, przygniatając ją pompatycznymi formami niezgodnymi z humanistycznymi założeniami socjalizmu."

579. Dom Partii

Ogólnopolska Narada Architektów, która odbyła się w Warszawie w marcu 1956 roku, nie ograniczyła się do surowej oceny okresu realizmu socjalistycznego. Zarysowane zostały również kierunki dalszego rozwoju architektury i urbanistyki.

Wnioski narady postulowały:

„Musimy kierować się naszymi realnymi i potencjalnymi możliwościami gospodarczymi, żeby zaspokoić masowe potrzeby ludności. Trzeba, aby nowa architektura polska, operując w sposób wynalazczy i twórczy najnowszymi osiągnięciami technicznymi, była przede wszystkim humanistyczna i racjonalna".

W czasie gdy na naradzie trwała dyskusja, w Pracowni Urbanistycznej kończono opracowanie Planu generalnego Warszawy na 10–12 lat, to jest do roku 1965. Wobec pogarszającej się sytuacji mieszkaniowej główny nacisk w planie położono na zwiększenie terenów budownictwa mieszkaniowego. Doprowadziło to do zawężenia przestrzeni pomiędzy dzielnicami pracy i mieszkania i wprowadzenia zabudowy mieszkaniowej do Śródmieścia.

Zatwierdzony w lipcu 1956 roku plan ogólny stanowił podstawę bieżącej działalności gospodarczej i inwestycyjnej, nie odzwierciedlał jednak w pełni nowych poglądów środowiska urbanistycznego.

Okres 1956–1960 przebiegał w Pracowni Urbanistycznej pod znakiem rewizji poprzednich tendencji: dążono do przywrócenia planowi wartości funkcjonalnych.

Zgodnie z tendencją obejmowania pracami planistycznymi okresów dalszych niż perspektywiczny, przeprowadzono w latach 1961–1962 w Pracowni Urbanistycznej serię studiów nad planem kierunkowym WZM, obejmującym okres do około 2000 roku. Studia te traktowane były przede wszystkim jako badania możliwości rozwoju aglomeracji warszawskiej. Rozpatrywano warianty układów wielopasmowych i satelitarnych. Równocześnie z położeniem nacisku na studia kierunkowe zaznaczyła się na początku lat sześćdziesiątych tendencja do pogłębiania analizy ekonomicznej w planie perspektywicznym. Przy poprzednich wersjach planu analiza taka przeprowadzona była metodą tradycyjną: opracowywano kilka wariantów planu, dla każdego z nich sporządzano orientacyjne zestawienie kosztów realizacji, po czym zestawienia te porównywano. W latach 1961–1962 podjęto próbę szeroko rozumianego rachunku ekonomicznego: doprowadziła ona do wypracowania tak zwanej metody optymalizacji warszawskiej. Metoda ta polegała na skwantyfikowaniu w planie możliwie największej liczby elementów oraz na stworzeniu zracjonalizowanego systemu, uwzględniającego również elementy niewymierne. Posługując się tą metodą, na podstawie analizy wielu wariantów przeprowadzonej za pomocą maszyn liczbowych, dokonano po raz pierwszy w polskiej urbanistyce wyboru terenów mieszkaniowych na okres perspektywiczny. Wybrany – spośród najdogodniejszych – układ nowych dzielnic mieszkaniowych stał się podstawą konstrukcji planu perspektywicznego.

W toku prac nad planem na rok 1980 pojawiły się wątpliwości co do celowości prowadzonej dotąd polityki ludnościowej Warszawy. Oceniono, że postulowany wzrost zatrudnienia w dynamicznie rozwijającym się przemyśle mógłby zostać osiągnięty albo przez zbyt szybki wzrost liczby ludności miasta, albo przez wzrost liczby dojazdów do pracy ze zbyt odległych rejonów. Uznano, że w konsekwencji mogłoby to doprowadzić do

DALSZY ROZWÓJ I NARASTAJĄCE TRUDNOŚCI (1956–1970)

81 Osiedle Latawiec

82. Plac Konstytucji

niebezpiecznych zjawisk: zwiększenia dysproporcji pomiędzy rozwojem Warszawy a pozostałymi miastami województwa oraz zmniejszenia tempa poprawy warunków bytowych ludności WZM. W tej sytuacji władze postanowiły nie zatwierdzać przedstawionego w 1964 roku planu i podjęły jednocześnie liczne decyzje zmierzające do ograniczenia tempa wzrostu zaludnienia WZM poprzez ograniczenie wzrostu zatrudnienia w przemyśle i administracji. Akcja ta nazwana została potocznie „akcją deglomeracji".

W tych warunkach obowiązujący plan z 1961 roku stawał się coraz mniej przydatny. Opierając się na uchwale w sprawie ograniczenia wzrostu zatrudnienia w Warszawskim Okręgu Przemysłowym, przystąpiono do opracowania planu perspektywicznego WZM do roku 1985.

Mimo narzuconych tendencji powodujących wiele niebezpiecznych napięć w programie rozwoju WZM, prowadzone w tym okresie prace nad planem wniosły wiele cennych osiągnięć metodologicznych i funkcjonalno-przestrzennych.

W wyniku prowadzonych studiów kierunkowych, uwzględniających prognozy rozwoju do roku 2000, i analizy wariantów perspektywicznych, za podstawę dalszego rozwoju WZM przyjęto układ czterech pasm zbiegających się w centrum aglomeracji: północne prawobrzeżne: Białołęka, Legionowo, Nowy Dwór; południowe lewobrzeżne: Ursynów, Natolin, Piaseczno; zachodnie: Jelonki, Ursus, Piastów, Pruszków; wschodnie: Ząbki, Zielonka, Kobyłka, Wołomin. Pasma te wyznaczały główne kierunki rozwoju budownictwa mieszkaniowego związanego z rozbudową komunikacji i infrastruktury. Okazało się, że najkorzystniejsze warunki rozwoju z punktu widzenia możliwości swobodnego i prawidłowego kształtowania terenów osiedleńczych ma pasmo południowe i północne.

Koncepcja układu przestrzennego WZM, oparta na czterech wybranych pasmach rozwojowych oraz promienisto-obwodnicowym systemie komunikacji drogowej, pozwalá na uzyskanie w centralnym rejonie aglomeracji terenów o największej dostępności komunikacyjnej. Krzyżują się tam główne trasy komunikacji drogowej północ – południe i wschód – zachód, linie Szybkiej Kolei Miejskiej (SKM) i średnicowa linia kolejowa. Na obszarze tym wyznaczono lokalizację centrum Warszawy, pełniącego funkcję ośrodka usługowego najwyższego rzędu. Plan podkreślał i eksponował główną rolę centrum zarówno w układzie funkcjonalnym Warszawy, jak i w przestrzennym kształtowaniu krajobrazu miejskiego.

Dla odegrania tej roli centrum powinno być terenem największej koncentracji wyselekcjonowanych i unikalnych funkcji, najbardziej atrakcyjnych dla wszystkich kategorii użytkowników.

W układzie funkcjonalno-strukturalnym miasta ściśle współpracują z centrum ośrodki usługowe o charakterze ponaddzielnicowym. Najwyższą rangę wśród nich miało mieć centrum Pragi jako główny ośrodek centralny prawobrzeżnych dzielnic Warszawy. Położenie tego ośrodka powiązanego z Wisłą i portem praskim stwarzało szczególnie atrakcyjne możliwości rozwiązania przestrzennego.

Pogłębione zostały studia nad wielostopniową strukturą systemu usług, wysunięto koncepcję kształtowania i ochrony środowiska, uważając, że jej realizacja, zwłaszcza na obszarach intensywnie zurbanizowanych, jest podstawowym warunkiem prawidłowych stosunków ekologicznych oraz warunkiem funkcjonalnej sprawności aglomeracji. Za podstawę zapewnienia właściwych warunków klimatycznych WZM, a zwłaszcza najbardziej pod tym względem zagrożonych dzielnic centralnych uznano postulat organizacji systemu klimatyzacyjnego, to jest utworzenia pasma terenów otwartych, przenikających klinowo w kierunku centralnych dzielnic Warszawy i umożliwiających prawidłową wymianę powietrza, oraz zewnętrznych stref klimatycznych, pozwalających na regenerację powietrza. System ten łączy – poprzez ciągi o różnych przeznaczeniach – podstawowe jego elementy, jakimi są dolina Wisły oraz masywy leśne.

Zatwierdzony w lipcu 1969 roku – na wspólnym posiedzeniu Prezydiów Stołecznej i Wojewódzkiej Rady Narodowej – plan WZM i Warszawy stał się jednak już wkrótce nieprzydatny jako narzędzie sterowania aglomeracją stołeczną. Przesądziły o tym trudności gospodarcze, przede wszystkim zaś rozbieżności występujące coraz częściej pomiędzy założeniami planu a ich realizacją.

„Deglomeracja przemysłu", która jako remedium na narastające trudności w bilansie zatrudnienia okazała się fikcją, oraz sztuczna obniżka kosztów zasiedlenia, która przynosiła jedynie pozorne oszczędności – sprzyjały tendencjom ograniczania głównych inwestycji, a w konsekwencji ograniczenia tempa rozwoju WZM.

Miasto wypełniało stopniowo tereny rozwojowe zawarte w jego granicach administracyjnych; tereny otwarte, spełniające doniosłą funkcję w strukturze WZM, znajdowały się pod stałą presją inwestycji niezgodnych z przeznaczeniem tych terenów.

Podział administracyjny WZM na miasto i strefę podmiejską stanowiącą część województwa warszawskiego potęgował trudności.

Rozwój Warszawy w latach 1956–1970 wiąże się nadal z rozbudową i unowocześnieniem przemysłu. Jej udział w ogólnej produkcji przemysłowej Polski wzrósł do 6,3%. Stolica wysunęła się na drugie miejsce w kraju, po województwie katowickim, przodując w produkcji przemysłu elektronicznego, samochodowego, poligraficznego i optycznego.

584. Stadion Dziesięciolecia

W wyniku konsekwentnej realizacji planu zagospodarowania przestrzennego rozmieszczenie zakładów przemysłowych Warszawy doprowadziło do uformowania wydzielonych
dzielnic przemysłowych. 80 procent zakładów przemysłowych zbudowano po wojnie.
W zakresie urządzeń inżynieryjnych zbudowano nowy system ujęć wody spod dna rzeki,
zmodernizowano i usprawniono warszawskie filtry. Zbudowano rozległy system ogrzewa-
nia zdalaczynnego zasilany przez elektrociepłownie Żerań, Siekierki i Powiśle; pozwoliło
to ogrzać ponad 65% kubatury w mieście. Rurociąg gazowy doprowadził do Warszawy gaz
ziemny z południowo-wschodnich rejonów kraju. Mimo poważnych nakładów rozbudowa
sieci wodociągowo-kanalizacyjnej była jednak niedostateczna i nie nadążała za rozwojem
miasta.
Podstawową substancją stale rozwijającego się miasta pozostawało nadal budownictwo
mieszkaniowe.
Druga połowa lat pięćdziesiątych przyniosła istotne zmiany w zasadach projektowania
osiedli mieszkaniowych: odejście od obrzeżnej zamkniętej obudowy bloków i powrót do
funkcjonalnej prostoty budynków. Tę fazę rozwoju osiedli odzwierciedlają zespoły
Wierzbna przy ul. Komarowa (Z. Fafiusowa), Grochów – Kinowa (B. Lewandowski),
Bielany II (M. i K. Piechotkowie).
Umiejętne zaspokajanie wymagań funkcjonalnych połączone z troską o kompozycję
przestrzenną przynosi rozwiązania proste, odpowiadające potrzebom człowieka. Pojawiają się atrakcyjne kompozycje wnętrz osiedlowych o różnorodnych typach budynków.
Powstają najbardziej udane osiedla: Sady Żoliborskie (H. Skibniewska), Dolna – Sobie-
skiego (T. Brygiewicz), Zachodnie Al. Jerozolimskie (J. Baumiller, Z. Zdanowicz).
Trudności inwestycyjne lat sześćdziesiątych powodują nadmierną intensyfikację zabudo-

wy oraz stosowanie najtańszych rozwiązań architektoniczno-budowlanych, co wpływa na obniżenie wartości społecznych i przestrzennych osiedli. Rygorystyczna zasada stosowania projektów budynków typowych lub powtarzalnych wraz z szybko postępującą uprzemysłowioną metodą wznoszenia budynków z dużych elementów prefabrykowanych doprowadza do rozwiązań monotonnych. Projekty osiedli i dzielnic mieszkaniowych nie są realizowane w pełni: brak dzielnicowych ośrodków usługowych, brak w pełni zagospodarowanych terenów i urządzeń wypoczynkowych.

Wraz z tendencją do jak najbardziej intensywnego wykorzystania terenów dzielnic mieszkaniowych, zabudowa mieszkaniowa wchodzi na tereny śródmiejskie. W zachodniej części Śródmieścia powstają osiedla: Miedziana (Z. Stępiński), Srebrna (J. Bogusławski, B. Gniewiewski), Złota (S. Bieńkuński), Emilia (A. Kosecka, C. Wegner, L. Robaczyński), Grzybów (J. Bogusławski, B. Gniewiewski). Budynki mieszkalne wzosi się także na placu Teatralnym (J. Czyż, J. Furman, A. Skopiński) i na Powiślu (Z. Stępiński).

Od 1966 roku przeważają znowu tendencje funkcjonalnego rozwiązania osiedli i dzielnic mieszkaniowych. Pojawiają się nowe zarówno w skali, jak i w stosowanej zasadzie układów przestrzennych rozwiązania osiedlowe: Kępa Potocka (B. Chyliński, H. Graf), Zatrasie (J. Nowicki), Batorego (T. Brygiewicz), Służewiec-Prototypy (J. Skrzypczak, Z. Łuszczyński). Zostaje zrealizowane osiedle Za Żelazną Bramą (J. Czyż, J. Furman, A. Skopiński, J. Józefowicz). Jest to próba wprowadzenia budownictwa mieszkaniowego w bezpośrednie sąsiedztwo centrum miasta: koncentracja mieszkań w wielkich, powtarzalnych budynkach 16-kondygnacyjnych. Wadliwy układ mieszkań (ciemne kuchnie, nie przewietrzane mieszkania), brak terenów zieleni osiedlowej oraz niedostateczna liczba parkingów powodują ostrą krytykę tej dzielnicy.

Zapotrzebowanie na dzielnicowe ośrodki usługowe jest nadal nie zrealizowane mimo rozstrzygnięcia konkursów na projekty centrum dzielnicy Bródno (S. Putowski z zespołem), centrum „Kaskada" dla Żoliborza i Bielan (J. Skrzypczak z zespołem) i centrum „Skocznia" dla południowych dzielnic Mokotowa (O. Kaczyński, O. Kuncewicz, M. Niemczyk).

Do 1956 roku niemal wyłącznym inwestorem budownictwa mieszkaniowego było państwo: rady narodowe i zakłady pracy. Od 1957 roku rośnie gwałtownie rola spółdzielczości mieszkaniowej. W latach 1956–1960 budownictwo spółdzielcze stanowi 13,7% ogółu zbudowanych mieszkań, w latach 1961–1965 – 29,8%, w latach 1966–1968 – 65%. W latach 1969–1970 spółdzielczość staje się głównym inwestorem budownictwa mieszkaniowego. W końcu 1969 roku było w Warszawie około 412 000 mieszkań mających 1 012 000 izb, o przeciętnym zagęszczeniu 1,22 mieszkańca na izbę. Od 1945 roku odbudowano i zbudowano w Warszawie ponad 800 000 izb mieszkalnych wraz z usługami podstawowymi, co równa się zbudowaniu nowego miasta dla miliona mieszkańców. Mimo ogromnych wysiłków i poważnych osiągnięć sytuacja mieszkaniowa jest nadal trudna.

587. Osiedle Za Żelazną Bramą

Obok terenów o intensywnej zabudowie zasadniczą rolę w układzie przestrzennym miasta odgrywa zaprojektowany i częściowo zrealizowany system terenów otwartych. Wiąże on wielkie zespoły leśne WZM poprzez miejskie parki, ośrodki sportu i wypoczynku z zielenią osiedlową. Obok pełnienia funkcji wypoczynku i sportu, tereny otwarte odgrywają zasadniczą rolę w kształtowaniu środowiska przyrodniczego oraz w systemie klimatyzacyjnym miasta. Podstawą tego systemu jest ciąg doliny Wisły z towarzyszącymi terenami zieleni oraz pasma terenów nie zabudowanych, tak zwane kliny nawietrzające, doprowadzające z terenów pozamiejskich do Śródmieścia powietrze wolne od zanieczyszczeń oraz odprowadzające ze Śródmieścia ku Wiśle powietrze zanieczyszczone. Wśród warszawskich zespołów zieleni szczególną rolę odgrywają: park Łazienkowski, jeden z najpiękniejszych zespołów parkowo-pałacowych, zaliczony do najwyższej klasy zabytków w skali światowej i stanowiący wraz z Ogrodem Botanicznym i parkiem Ujazdowskim śródmiejski ciąg zieleni na skarpie; zespół parkowo-pałacowy Wilanowa, Las Bielański wraz z zielenią biegnącą w kierunku Młocin. Ważnym osiągnięciem lat 1956–1970 było rozpoczęcie realizacji wielofunkcyjnych ośrodków wypoczynkowo-rozrywkowych na Kępie Potockiej, Moczydle i w Szczęśliwicach.

Tereny wypoczynku i turystyki bliskiego zasięgu koncentrują się głównie w rejonie Zalewu Zegrzyńskiego, rzeki Świder, Pomiechówka, Zalesia, Powsina i lasów chojnowskich. Terenem o ogromnych potencjalnych walorach turystycznych jest Puszcza Kampinoska.

Warszawa lat 1956–1970 jest największym w Polsce ośrodkiem nauki i kultury. Na dwunastu wyższych uczelniach warszawskich kształci się ponad 60 tysięcy studentów (w tym 15 tysięcy zaocznie). Rozbudowano tu zespół gmachów Szkoły Głównej Planowania i Statystyki, zapoczątkowana została budowa zespołu Szkoły Głównej Gospodarstwa Wiejskiego – Akademii Rolniczej na Ursynowie oraz zespół Uniwersytetu i Akademii Medycznej przy al. Żwirki i Wigury. Zbudowany na śródmiejskiej skarpie gmach Państwowej Wyższej Szkoły Muzycznej jest jedną z najbardziej współczesnych uczelni tego typu w Europie.

Rozbudowa systemu komunikacyjnego WZM i Warszawy była w zasadzie kontynuacją uprzednich tendencji. Podstawowe zasady funkcjonowania systemu nie uległy zasadniczym zmianom. Warszawski węzeł kolejowy tworzy 7 linii kolejowych normalnotorowych zelektryfikowanych, zbiegających się promieniście w Warszawie, i elektryczna kolej dojazdowa EKD. W okresie 1956–1970 dokonano poważnych usprawnień węzła kolejowego. Zbudowano Dworzec Gdański, uruchomiono dwa dodatkowe tory na linii średnicowej, co umożliwiło wydzielenie ruchu podmiejskiego od dalekobieżnego, zbudowano Dworzec Śródmieście (układ ogólny A. Romanowicz i P. Szymaniak, wnętrza Z. Ihnatowicz i J. Sołtan), zbudowano przystanki Powiśle i Ochota (A. Romanowicz i P. Szymaniak), uruchomiono prowizoryczną stację Warszawa Centralna. W 1969 roku oddano do eksploatacji Dworzec Wschodni (A. Romanowicz i P. Szymaniak). Komunikacja lotnicza dysponuje nadal lotniskiem Okęcie, gdzie w 1969 roku oddano do użytku Dworzec Lotniczy dla komunikacji międzynarodowej (J. Dobrowolski, K. Dobrowolska i A. Włodarz).

Spośród inwestycji drogowych o podstawowym znaczeniu, wykonanych w tym okresie, wymienić należy: realizację Trasy N–S na odcinku od al. Wilanowskiej na Mokotowie do ul. Słowackiego na Żoliborzu, budowę zachodniego i północnego odcinka obwodnicy śródmiejskiej z mostem Gdańskim i bulwarem praskim, poszerzenie i przedłużenie w kierunku zachodnim ul. Świętokrzyskiej – Kasprzaka, poszerzenie Al. Jerozolimskich i mostu Poniatowskiego (z budową południowego ślimaka), poszerzenie al. Świerczewskiego (z przesunięciem kościoła NMP), przebicie al. Waryńskiego od Nowowiejskiej do Puławskiej wraz z przebudową Marszałkowskiej na odcinku pl. Unii – pl. Konstytucji, usprawnienie wszystkich tras wylotowych oraz przebudowę najważniejszych skrzyżowań. Rozbudowa obsługi komunikacyjnej nie nadążała jednak za wzrostem zadań przewozowych spowodowanych zwiększeniem terenu miasta, wzrostem liczby ludności oraz wzrostem odsetka zawodowo czynnych, a także uczącej się młodzieży.

Mimo stopniowej rozbudowy komunikacji miejskiej sytuacja była nadal trudna przede wszystkim na skutek braku taboru, co wyrażało się w niewystarczającej sprawności systemu i w bardzo złych wyrunkach podróżowania, szczególnie w godzinach szczytu.

Charakterystyczne dla okresu lat 1956–1970 były przemiany, które zaszły na obszarze Śródmieścia. Studia nad treścią i kształtem nowego stołecznego śródmieścia stały się kluczowym tematem pierwszych prac w BOS-ie. Nowe potrzeby społeczne, ogrom zniszczeń oraz nowe możliwości planistyczne uzasadniały wysuwanie najśmielszych projektów.

„Nowe Śródmieście będzie inne niż dawne" – deklarowali urbaniści warszawscy, gdy 20 milionów metrów sześciennych gruzu zalegało śródmiejskie dzielnice. „Śródmieście zajmie najbardziej reprezentacyjną część obszaru Warszawy: długi i szeroki przyskarpowy pas od Zamku do Belwederu, przechodzący na zachód w trapez obrzeżony Osią Saską, ul. Żelazną i jej przedłużeniem, Wawelską i Osią Stanisławowską...".

Proponując daleko idące zmiany w programie i koncepcji przestrzennej centrum, pozostawiono jego lokalizację w dawnym, tradycyjnym miejscu. Zdecydowała o tym przyjęta w planie ogólnym struktura funkcjonalna stołecznej aglomeracji, układ głównych tras komunikacyjnych skupiających się w Śródmieściu, zaważyły na podjęciu tej decyzji zachowane w tym rejonie resztki budynków o funkcjach stołecznych, ulice i uzbrojenie podziemne, a także i warszawska tradycja: parterowe sklepiki uparcie powracające na Marszałkowską i w Al. Jerozolimskie.

Najpilniejsze zadania pierwszych lat nie sprzyjały jednak budowie centrum. Pierwszeństwo miał przemysł, mieszkania i komunikacja. Trudna i kosztowna realizacja stołecznego centrum przesuwana była z reguły na dalsze lata. Nie ułatwiły powstania śródmiejskiego ośrodka usługowego także i początkowe tendencje planistyczne, wyznaczające zbyt rozległy obszar Śródmieścia, utożsamianego z pojęciem centrum. Koncepcja taka zakładała konieczność długoletnich rezerw terenowych, a także przyczyniła się do rozproszenia obiektów, które miały utworzyć taki właśnie ośrodek.

Mimo lokalnych błędów plan ogólny stwarzał generalnie możliwości prawidłowego ukształtowania nowego centrum stolicy. Tempo jego realizacji przez długie lata nie nadążało jednak za społecznym zapotrzebowaniem. Warto uświadomić sobie, że w 1956 roku funkcje ówczesnego centrum spełniały jedynie nie powiązane ze sobą fragmenty zabudowy: zabytkowy ciąg Krakowskiego Przedmieścia – Nowego Światu, rejon CDT – Krucza, pl. Konstytucji oraz Pałac Kultury i Nauki, stojący na rozległym placu pomiędzy „Dzikim Zachodem" a parterowymi sklepami Marszałkowskiej. Niewiele jak na milionową już wówczas stolicę.

589. Supersam

Na pozostałym obszarze Śródmieścia występował nadal przemieszany program mieszkalnictwa, administracji, handlu, kultury; brakowało więc wykształconych wyraźnie koncentracji usług i zakończonych zespołów przestrzennych. Narastały problemy rekonstrukcji starej zabudowy, komunikacja w centrum stawała się bardziej uciążliwa, dla wielu mieszkańców było ono tylko miejscem przesiadania się. W złośliwym, ale trafnym powiedzonku, przyrównującym odbudowaną Warszawę do obwarzanka z dziurą w środku, upominano się natarczywie o stołeczne centrum, wyposażone w obiekty z najbardziej atrakcyjnym programem, który odzwierciedlałby indywidualność przestrzenną wielkiego miasta: centrum – niezbędny element społecznej satysfakcji i integracji mieszkańców.

Na obszarze Śródmieścia powstało w tym okresie wiele obiektów o programie stołecznym: Grand Hotel (S. Bieńkuński, S. Rychłowski), Dom Chłopa (B. Pniewski, M. Handzelewicz-Wacławkowa), hotel Metropol (G. Chruścielewski, Z. Stępiński), Ministerstwo Finansów (S. Bieńkuński, S. Rychłowski), Państwowa Wyższa Szkoła Muzyczna (W. Benedek, W. Strumiłło, S. Niewiadomski), ukończono rekonstrukcję zespołu corazziańskich pałaców na pl. Dzierżyńskiego; mieści się tam stołeczny ratusz. Odbudowano Operę (B. Pniewski). W lipcu 1964 roku odsłonięto na pl. Teatralnym Pomnik Bohaterów Warszawy, popularną warszawską Nike (M. Konieczny). Śródmiejski handel zyskał nowe obiekty, jak: ,,Supersam" (J. Hryniewiecki, E. i M. Krasińscy, S. Kuś, W. Zalewski), pawilon ,,Chemia" (J. Bogusławski, B. Gniewiewski), pawilon meblowy ,,Emilia" (Cz. Wegner).

Mimo dużej wartości architektonicznej poszczególnych obiektów, ich efekt urbanistyczny jest niewielki. Są to budynki rozproszone, uzupełniają istniejącą zabudowę nie tworząc skończonych nowych zespołów. Nadal pozostała nie dokończona zabudowa tak charakterystycznego dla Warszawy zespołu śródmiejskich placów: Grzybowskiego, Dzierżyńskiego, Teatralnego, Zwycięstwa i Powstańców.

Pierwszą wielką realizacją śródmiejskiego centrum staje się budowa zespołu Strony Wschodniej ul. Marszałkowskiej. Wąski pas 800 m długości i niewiele ponad 50 m szerokości o powierzchni czterech hektarów to niewiele w mieście, któremu co rok przybywają dziesiątki hektarów nowych osiedli. Ale tu na środkowym odcinku Marszałkowskiej, naprzeciw Pałacu Kultury, opodal podziemnego Dworca Śródmieście, wyrzucającego codziennie 80 tysięcy pasażerów, ten skrawek terenu pomiędzy szeroką jezdnią Marszałkowskiej a resztkami przypadkowo zachowanej przedwojennej zabudowy miał rozstrzygnąć o kształcie i treści nowego centrum Warszawy. Dwa kolejne konkursy na projekt zabudowy tego fragmentu miasta, zorganizowane w okresie socrealizmu, nie dały rezultatu. Trzeci konkurs, rozstrzygnięty w 1959 roku, przyniósł wreszcie rozwiązanie. Przyznano dwie równorzędne pierwsze nagrody: Hannie Adamczewskiej i Kazimierzowi Wejchertowi oraz Zbigniewowi Karpińskiemu, z zaleceniem realizacji jego projektu.

Zbudowany w latach 1962–1969 zespół Strony Wschodniej obejmuje cztery domy towarowe, sklepy, kawiarnie i lokale rozrywkowe oraz zespół budynków mieszkaniowych. Spoza monumentalnej ściany domów towarowych, nawiązujących do skali wielkiego placu znajdującego się naprzeciw, wyrastają trzy 24-kondygnacjowe wieżowce mieszkaniowe, o drobnych podziałach architektonicznych, nawiązujących do istniejącej na zapleczu tkanki miasta. Szczególnym osiągnięciem jest Pasaż Śródmiejski przeprowadzony na

zapleczu domów towarowych; wzbogacają go podcienia, przejścia, niewielkie wnętrza oraz tarasy kawiarni – całość przeznaczona wyłącznie dla pieszych odizolowanych od uciążliwego sąsiedztwa samochodów. Zapoczątkowaniem – bardzo jeszcze skromnym – systemu ruchu miejskiego na różnych poziomach w centrum był zrealizowany w sąsiedztwie Strony Wschodniej dwupoziomowy przejazd z przejściami pod Marszałkowską w rejonie ul. Kniewskiego, a także podziemne przejścia dla pieszych na skrzyżowaniu ul. Marszałkowskiej i Al. Jerozolimskich.

Zapowiedzią dalszych zasadniczych przekształceń Śródmieścia był dwuetapowy konkurs, rozstrzygnięty w 1969 roku, na projekt koncepcyjny ścisłego centrum ograniczonego ulicami: Kopernika–Świętokrzyską–Żelazną–Chałubińskiego–Koszykową–Marszałkowską–Żurawią–pl. Trzech Krzyży (I etap) oraz na projekt zabudowy Zachodniego

592. Pasaż Śródmiejski

Rejonu Centrum, obejmującego tereny leżące bezpośrednio na zachód od Pałacu Kultury i Nauki, gdzie powinny się skupiać główne funkcje usługowo-komunikacyjne stołecznego centrum (II etap przewidziany był dla laureatów pierwszego konkursu). Spośród 23 prac I etapu nagrodzono cztery projekty, a ich autorzy zostali powołani do ostatniego etapu konkursu. Finałowe projekty przedstawiały zdecydowanie odmienne propozycje. Pozwoliło to na rozważenie bardzo różnych koncepcji, rzutujących w zasadniczy sposób na kompozycję całości Śródmieścia. Było w czym wybierać. I nagrodę w tym ostatecznym etapie uzyskała praca zespołu: J. Skrzypczak, J. Jedynak, B. i B. Wyporkowie, L. i W. Wojtysiakowie (komunikacja) i T. Pawłowski (konstrukcja). Realizacja Zachodniego Rejonu Centrum stawiała zadania przerastające swą skalą i poziomem technicznym wszystkie dotychczasowe realizacje śródmiejskie.

Przemiany grudniowe 1970 roku i zmiana kierownictwa Partii i Rządu zapoczątkowały nowy okres w rozwoju aglomeracji stołecznej.

Nowa polityka sprawiła, że zatwierdzony cztery lata wcześniej Plan perspektywiczny WZM, sformułowany pod presją postulowanych ograniczeń, występujących w latach sześćdziesiątych, nie mógł odgrywać roli narzędzia sterowania rozwojem WZM.

W latach sześćdziesiątych środki na inwestycje nie wzrastały, stan ten pogorszył dodatkowo spadek udziału inwestycji mieszkaniowych i komunalnych w ogólnej sumie nakładów. Udział stolicy w inwestycjach krajowych spadł z 9,1% w roku 1961 do 5,6% w roku 1970. Był niższy od udziału Warszawy w zatrudnieniu i tworzonym dochodzie narodowym. W wysokości nakładów finansowych przyznanych Warszawie nie uwzględniono jej funkcji stołecznych i międzynarodowych.

Wystąpiły poważne braki w koordynacji rozwoju aglomeracji, utrudnionej na skutek

LATA SIEDEMDZIESIĄTE (1971–1977).NOWA STRATEGIA ROZWOJU

działania na tym obszarze dwóch niezależnych władz administracyjnych: stołecznej i wojewódzkiej. Rosły dysproporcje między rozwojem stolicy i jej strefy podmiejskiej w tak podstawowych dla ludności dziedzinach, jak: budownictwo mieszkaniowe, wyposażenie w wodociągi i kanalizację, usługi, dostępność komunikacji publicznej, warunki i czas trwania dojazdów do pracy. Były to zjawiska alarmujące, gdyż dotyczyły ludzi żyjących na tym samym obszarze, pracujących w tych samych zakładach pracy, identyfikujących się z tymi samymi sukcesami odbudowy stolicy.

W latach siedemdziesiątych plan WZM został skonfrontowany z całkowicie odmienną strategią i możliwościami rozwoju. Uprzednio sformułowane wytyczne nie sprawdziły się, a w wielu podstawowych dziedzinach nastąpiło wręcz odwrócenie poprzednich procesów. Pięciolecie 1971–1975 przyniosło wysoką dynamikę inwestycyjną, wzrósł udział Warszawy w inwestycjach krajowych.

Podjęcie w roku 1973 intensywnych prac nad planem było konsekwencją nowej strategii rozwoju kraju i stolicy, zapoczątkowanej u progu lat siedemdziesiątych.

Aktualizację koncepcji rozwoju aglomeracji stołecznej zapoczątkowało opracowanie czterech wariantów planu przez cztery różne zespoły wyłonione z Instytutu Kształtowania Środowiska, Politechniki Warszawskiej oraz z Biura Planowania Rozwoju Warszawy. Przy poprzednich opracowaniach planu posługiwano się, co prawda, również metodą wariantów, ale były one sporządzone przez jeden zespół o tych samych doświadczeniach, poglądach i przyzwyczajeniach. Powołanie nowych, różnych zespołów projektowych pozwoliło na konfrontację różnych poglądów i metod. Zakończone w sierpniu 1973 roku opracowania zostały poddane szerokiej dyskusji środowisk fachowych i stały się podstawą do sformułowania wytycznych do dalszych prac nad planem prowadzonych w Biurze Planowania Rozwoju Warszawy. Uznano, że warunkiem, by plan mógł odegrać rolę narzędzia w sterowaniu rozwojem aglomeracji stołecznej, jest jego kompleksowy charakter. Położono silny nacisk na sformułowanie celów rozwoju społeczno-gospodarczego, prognozy rozwoju poszczególnych działów, ocenę możliwości wykonawstwa, opracowanie strategii i zasad realizacji.

Uznawano nadal, że aglomeracja stołeczna w skali kraju ma pełnić funkcje: ośrodka dyspozycji politycznej i gospodarczej oraz centrum nauki i kultury, tworzącego wartości integrujące cały kraj; ośrodka współpracy międzynarodowej; wielkiego ośrodka produkcyjnego z zapleczem naukowo-badawczym; głównego węzła o znaczeniu międzynarodowym w sieci transportu krajowego; ośrodka międzynarodowej i krajowej turystyki. Przyjęto, że czynnikiem decydującym o tempie rozwoju aglomeracji będą nadal jej funkcje produkcyjne, natomiast stopniowo wzrastać będzie ranga i znaczenie funkcji stołecznych i międzynarodowych.

Za główne cele rozwoju społecznego aglomeracji uznano: stały, społecznie odczuwalny wzrost dobrobytu i standardów życia wyrównany na obszarze całej aglomeracji; zapewnienie prawidłowych warunków ekologicznych jako podstawy właściwego rozwoju biofizycznego i psychicznego; zaspokojenie zróżnicowanych potrzeb wszystkich grup społecznych, a w szczególności rodziny, osób starszych i młodzieży; zaspokojenie potrzeb społecznych wyższego rzędu, takich jak uczestnictwo w kulturze i życiu społecznym, stworzenie różnorodnych form wypoczynku, aktywności pozazawodowej, rozwoju osobowości i zdobywania uznania społecznego; większe zróżnicowanie sposobów życia, jego poziomu i zaspokajania aspiracji oraz potrzeb poznawczych; uzyskanie ładu przestrzennego i estetycznych walorów otoczenia, zwłaszcza tych jego fragmentów, z którymi mieszkaniec styka się na co dzień.

Opracowanie czterech wariantów i dalsze studia potwierdziły słuszność dotychczasowych generalnych koncepcji przestrzenno-funkcjonalnych aglomeracji, wniosły również nowe zasady dalszego rozwoju. Położono nacisk na: rekonstrukcję i modernizację Warszawy w celu stworzenia na tym terenie warunków do dalszego rozwoju funkcji stołecznych i międzynarodowych; modernizację istniejących pasm zurbanizowanych i możliwe ograniczenie ich rozwoju ilościowego na rzecz podnoszenia standardów jakościowych. Ustalono, że prawobrzeżne pasmo północne powinno tworzyć układ pasmowo-węzłowy i prowadzić do Modlina, gdzie powstanie centrum współpracujące z transkontynentalnym lotniskiem, zlokalizowanym na północ od Modlina we wsi Wrona.

Zakończenie prac nad planem zbiegło się z utworzeniem w dniu 1 czerwca 1975 roku, w ramach reformy administracyjnej kraju, Województwa Stołecznego Warszawskiego (WSW). Wysuwany od lat przez urbanistów warszawskich postulat traktowania aglomeracji stołecznej jako jednego organizmu funkcjonalno-przestrzennego i administracyjnego stał się faktem.

Punktem wyjścia poszukiwań najlepszego rozwiązania przestrzennego WSW była rejestracja i analiza 42 modeli i koncepcji funkcjonalno-przestrzennych, powstałych w trakcie wieloletnich studiów nad rozwojem WZM. Konfrontacja tych modeli ze stanem istniejącym i obiektywnymi ograniczeniami zmniejszyła ich liczbę do dwunastu, które uznano za realne. Dalsza analiza zawęziła liczbę konkretnych propozycji do czterech wariantów. Wariant I – północny pasmowo-węzłowy – wyznaczał główny kierunek rozwoju wzdłuż prawobrzeżnych terenów północnych (budowa odciążającego centrum aglomeracji w Modlinie). Wariant II – zachodni pasmowy – kierował intensywne procesy urbanizacyjne na oś Warszawa–Grodzisk i ukazywał konsekwencje, jakie może przynieść dalsze nasilenie

procesów na linii Warszawa–Łódź. Warianty III i IV, wielokierunkowe, preferowały kierunek północny lub wschodni.

We wnioskach wspólnych dla wszystkich wariantów stwierdzono, że zakładane początkowo tempo rozwoju WSW, a zwłaszcza tempo aktywizacji obszarów pozawarszawskich było zbyt szybkie. Planowany obraz województwa stołecznego może być uzyskany około roku 2000, pod warunkiem znacznego wzrostu nakładów na mieszkania, gospodarkę komunalną i funkcje obsługi ludności, przy jednoczesnym przesunięciu tych środków na rzecz

595. Plac Zamkowy, 1977 r.

terenów pozawarszawskich. Analiza porównawcza wykazała, że wariant I północny pasmowo-węzłowy pozwala na skupienie już w roku 1990 najwyższego procentu ludności województwa w pełnowartościowych zespołach, dysponujących zróżnicowanym programem. Wariant ten zapewnia również najbardziej prawidłowe warunki kształtowania środowiska przyrodniczego.

Wariant I stał się zatem podstawą do opracowania w latach 1975–1976 Planu perspektywicznego zagospodarowania przestrzennego województwa stołecznego warszawskiego. Plan ten zakłada, że ludność województwa w okresie od roku 1990 do 2000 osiągnie liczbę 2 500 000–2 700 000 (w 1975 – 2 155 000), w tym Warszawa 1 520 000 (w 1975 – 1 435 000). Przewidywany przyrost ludności województwa wyniesie 345 000–545 000, w tym 245 000–365 000 – przyrost z migracji.

Na czoło zadań, których realizacja wpłynie w sposób decydujący na poprawę warunków życia, wysunięty został problem budownictwa mieszkaniowego: zapewnienie do roku 1990 każdej rodzinie na obszarze WSW samodzielnego mieszkania. Średnia powierzchnia mieszkania wzrastać będzie od około 45 m^2 w latach 1971–1975 do 70–75 m^2 w roku 1990, przy znacznym wzroście budownictwa jednorodzinnego, którego docelowy udział wynosić będzie 20–30%. Realizacja tego programu wymaga zbudowania do roku 1990 około 500 000 mieszkań (wobec nieco ponad 400 000 istniejących w Warszawie w 1975).

Koncentracja budownictwa mieszkaniowego nastąpi głównie w paśmie północnym: Tarchomin–Legionowo–Chotomów–Nowy Dwór–Modlin, o docelowej liczbie ludności miejskiej około 550 000. Budowa pasma wiąże się z koniecznością realizacji ogromnych inwestycji infrastruktury technicznej, między innymi nowego ujęcia wody z Narwi, budowy prawobrzeżnej oczyszczalni ścieków, modernizacji linii kolejowej do Nowego Dworu, budowy prawobrzeżnej linii metra. Jest to zamierzenie, którego skala nie ma dotychczas precedensu w historii rozwoju miast w Polsce.

Zasadniczej rozbudowie ulegnie układ komunikacyjny. W zakresie powiązań o dalekim zasięgu plan przewiduje: budowę lotniska transkontynentalnego w rejonie wsi Wrona, na północ od Modlina (rozbudowany port lotniczy Okęcie przeznaczony byłby dla ruchu krajowego); modernizację linii kolejowych i budowę nowych połączeń ze Śląskiem i Wybrzeżem; budowę dalekobieżnych dworców PKS powiązanych z dworcami kolejowymi Warszawa Wschodnia i Warszawa Zachodnia.

W komunikacji wewnętrznej podstawową rolę grać ma metro, którego brak odczuwamy już dziś. Sieć dróg powinna zapewnić współdziałanie tras ruchu szybkiego (autostrad), obsługujących ruch międzynarodowy i krajowy, z ulicami miejskimi. W planie perspektywicznym przewiduje się budowę dalszych czterech przepraw przez Wisłę.

Wobec znacznego wzrostu motoryzacji (z ok. 70 samochodów osobowych na 1000 mieszkańców w 1975 do ok. 250 w 1990) konieczna będzie radykalna przebudowa istniejącego już układu ulicznego oraz budowa skrzyżowań wielopoziomowych i parkingów.

Ogromne znaczenie dla rozwoju aglomeracji stołecznej ma zaopatrzenie w wodę. W 80 procentach zostanie ono pokryte z wód Wisły i Narwi, a w 20 procentach z wód podziemnych. W celu ochrony czystości rzek plan przewiduje budowę systemu oczyszczalni ścieków: Czajki–Pancerz–Nowy Dwór–Zakroczym, oraz oczyszczalni lokalnych.

Koncepcja rozwoju przestrzennego WSW uwzględnia ograniczenia wynikające z ochrony i kształtowania środowiska przyrodniczego. Plan wyłącza z intensywnych procesów urbanizacji: tereny leśne i tereny rolnicze o najwyższej wartości gleb; tereny klinów nawietrzających przenikające w kierunku dzielnic centralnych Warszawy; obszary tworzące system terenów rekreacyjnych.

Podstawowymi elementami systemu klimatycznego i rekreacyjnego w strefie zewnętrznej będą: Warszawski Zespół Leśny wraz z Kampinoskim Parkiem Narodowym, tereny wokół Zalewu Zegrzyńskiego, wzdłuż rzeki Wkry oraz ośrodki wypoczynku w Skubiance, Nieporęcie, Lepkach, Magdalence i Zielonce. W Warszawie istniejący układ terenów zieleni i wypoczynku rozwijany będzie w powiązaniu z doliną Wisły i jej skarpą oraz z siecią wielofunkcyjnych ośrodków wypoczynku, między innymi przy Lasku Bielańskim i Lesie Kabackim, na skarpie puławskiej, na Gocławiu, na Bródnie i w Tarchominie.

W zakresie turystyki przewiduje się trzykrotny wzrost krajowej i sześciokrotny wzrost liczby zagranicznych turystów, co wymagać będzie znacznej rozbudowy bazy hotelowo-turystycznej. Poza obszarem śródmiejskim hotele lokalizowane będą w powiązaniu z dzielnicowymi centrami usług, a campingi i motele przy głównych arteriach wlotowych do miasta.

Dynamiczny rozwój nauki, wynikający ze wzrostu jej znaczenia jako czynnika postępu społecznego, wyrazi się w umiarkowanym wzroście liczby studentów oraz w znacznej rozbudowie bazy materialnej.

Ważną rolę zarówno w układzie funkcjonalnym, jak i w kształtowaniu przestrzennej indywidualności stolicy i aglomeracji stołecznej grać będą zrealizowane w okresie perspektywicznym centra usługowe grupujące różnorakie obiekty kultury i handlu, hotele i budynki administracyjne.

Główna rola przypadnie centrum śródmiejskiemu o unikalnym programie zlokalizowanym w Zachodnim Rejonie Centrum (ZRC) i w centrum Pragi oraz w przyszłości w centrum Modlina. Ponadto przewiduje się budowę ośrodków dzielnicowych: „Kaskada" dla Żoliborza i Bielan, „Skocznia" dla Mokotowa oraz ośrodka dla Woli i Bródna. Plan

perspektywiczny przewiduje pełne ukończenie zabudowy śródmiejskich placów: Teatralnego, Zwycięstwa, Krasińskich i Trzech Krzyży.
Przeprowadzone w latach 1974–1975 studia nad planem WSW potwierdzają w pełni
pogląd, że realizacja założeń rozwoju perspektywicznego województwa będzie zadaniem
niezwykle trudnym. Warunkiem jego wykonania jest konieczność utrzymania wysokiego
tempa produkcji oraz konieczność zasadniczego przyspieszenia tempa rozwoju budownictwa mieszkaniowego i usługowego oraz infrastruktury technicznej.
Jedną z pierwszych zapowiedzi nowego okresu rozwoju stolicy była podjęta 20 stycznia
1971 roku przez Edwarda Gierka, I Sekretarza KC, na spotkaniu z przedstawicielami
środowisk twórczych, decyzja odbudowy Zamku Królewskiego. Świadomość, że odbudowa Zamku będzie konieczna, powstała niemal równocześnie z hitlerowskim wyrokiem
jego zagłady. Podczas gdy Vernichtungskommando przygotowało wysadzenie budynku
w powietrze, grupa uczonych polskich z narażeniem życia gromadziła materiały niezbędne
do odbudowy: fragmenty wnętrza, dokumentarne zdjęcia, rysunki. Powracający do miasta
w 1945 roku warszawiacy zastali w miejscu Zamku zwały gruzu, z którego sterczały
nieliczne fragmenty murów. Po odgruzowaniu terenów zamkowych i odbudowaniu pałacu
Pod Blachą (1947) szczątki murów znaczyły ślady Zamku i przypominały o konieczności
jego odbudowy. 26 stycznia 1971 roku zostaje powołany Obywatelski Komitet Odbudowy
Zamku, który kieruje społeczną zbiórką funduszy i czuwa nad przebiegiem prac. Decyzja
odbudowy otrzymała pełną aprobatę społeczeństwa. Aktywnie włączyła się w dzieło
odbudowy Polonia zagraniczna. W trzydziestolecie Polski Ludowej, 19 lipca 1974 roku,
o godz. 11.15, na Wieży Zamkowej uroczyście uruchomiono zegar, którego wskazówki
zatrzymały się o tej właśnie godzinie podczas wrześniowego bombardowania.
W 1977 roku zostały czasowo udostępnione publiczności odtworzone pomieszczenia we

wschodniej i południowej części Zamku. Dokonano gruntownej przebudowy placu Zamkowego, dostosowując jego układ przestrzenny do bryły Zamku. Przebudowa placu umożliwiła prowadzenie prac archeologicznych, które przyniosły wiele ciekawych znalezisk. Wielkie dzieło odbudowy ukończone będzie w 1981 roku. „Zamek Królewski" – pisał profesor Stanisław Lorentz – „świadek wzniosłych i tragicznych wydarzeń, odbudowany wysiłkiem całego społeczeństwa, będzie nie tylko pomnikiem przeszłości, ale też żywym ogniskiem kultury, ośrodkiem myśli patriotycznej i postępowej".

Ostatnim obiektem historycznym odtworzonym w Warszawie jest zamek Ujazdowski.

Odbudowa zespołów zabytkowych w Warszawie i włączenie ich do życia wielkiego współczesnego miasta jest dziełem bez precedensu w świecie. Nie wyczerpuje jednak problemów konserwatorskich stolicy. Pojęcie zabytku, zwłaszcza w mieście tak ogromnie zniszczonym, ulega szybkiej ewolucji zarówno w działalności konserwatorskiej, jak i w odczuciu społecznym. Niektóre obiekty przełomu XIX i XX wieku już dziś podlegają ochronie: wiadukt i most Poniatowskiego, Hale Targowe na Koszykach, Bank Pod Orłami, odcinek Al. Jerozolimskich z hotelem Polonia, a z lat późniejszych – Kolonia WSM na Żoliborzu. W odczuciu społecznym rangę zabytków uzyskały również, charakterystyczne dla swej epoki, niektóre bloki ulic, na przykład ulice: Mokotowska, Polna, Lwowska, Śniadeckich. Z biegiem lat trafią zapewne na listę zabytków chronionych obiekty wzniesione po wojnie, między innymi: pl. Konstytucji, Stadion X-lecia, CDT, Instytut Geologii przy ul. Rakowieckiej, Supersam, wśród zaś osiedli mieszkaniowych: WSM-Mokotów, Praga I, Sady Żoliborskie. Do rzędu chronionych zabytków następne pokolenie włączy Wschodnią Stronę Marszałkowskiej.

Zagadnieniem swoistym dla Warszawy stał się problem ochrony miejsc pamięci narodowej. Prócz pomników i cmentarzy trzeba wymienić także ponad 200 tablic umieszczonych w miejscach publicznych egzekucji dokonanych przez hitlerowców, fragment postrzelanego muru, drzewo z tabliczkami ku czci poległych przy Mauzoleum Męczeństwa (ruiny więzienia Pawiak) i kratę nad jego wejściem. Szczególne znaczenie zyskał fragment zburzonej kolumnady na placu Zwycięstwa. Ocalałe łuki nad Grobem Nieznanego Żołnierza stały się nie tylko dostojnym pomnikiem, ale również trwałym zapisem tragicznej i bohaterskiej historii miasta.

Kolejną wielką inwestycją lat siedemdziesiątych, wywodzącą się z nowej strategii rozwoju

597. Wieżowiec Banku Handlowego

stolicy, była budowa Trasy Łazienkowskiej. Przeprawy mostowe stanowiły od wielu już lat wąskie gardło warszawskiej komunikacji. Rozpoczęta w 1968 roku realizacja Trasy Łazienkowskiej została po kilku miesiącach przerwana. Podjęta w czerwcu 1971 roku decyzja o oddaniu do użytku w latach 1971–1975 16-kilometrowej trasy przełamała „komunikacyjny krąg milczenia". Rozpoczęto wkrótce prace na całej długości trasy. Po raz pierwszy od 60 lat w Warszawie zbudowano od dna rzeki nowy most. Zgodnie z tradycją Trasy W-Z, warszawiacy brali czynny udział w budowie Trasy Łazienkowskiej. Niemałą rolę przy budowie odegrało – nie po raz pierwszy w Warszawie – wojsko. Trasa Łazienkowska (K. Łubieński, J. Lemański, W. Rososiński, J. Knothe), oddana do użytku w lipcu 1974 roku, jest świetnie włączoną w istniejący układ miasta pierwszą trasą ruchu przyspieszonego. Udowodniła, że wielopoziomowe powiązania z bulwarami nadrzecznymi mogą być obiektami o wybitnych walorach przestrzennych.

Uzupełnieniem systemu arterii miejskich była budowana jednocześnie druga arteria biegnąca wzdłuż Wisły – Wisłostrada. W grudniu 1975 roku został oddany jej ostatni, północny odcinek. Przeprowadzenie go na estakadzie, tuż nad Wisłą, ocaliło Lasek Bielański, a i samej Wisłostradzie dodało atrakcyjności przez bezpośredni kontakt arterii z rzeką. Zapowiedziany program budowy w każdej pięciolatce nowej przeprawy przez Wisłę jest realizowany rozpoczętą w 1975 roku budową Trasy Toruńskiej, pierwszej arterii szybkiego ruchu (Z. Pląskowski, K. Łubieński, W. Rososiński). Połączy ona Żerań z Wolą i Ochotą, a w przyszłości magistrale warszawskie z autostradami w kierunku Łodzi i Białegostoku.

W roku 1976 przebudowano też al. Sobieskiego na odcinku od ul. Chełmskiej do Wilanowa, co znacznie usprawniło komunikację; niewłaściwe jednak przeprowadzenie towarzyszących robót inżynierskich spowodowało zniszczenie szpaleru topoli, który od lat towarzyszył Drodze Królewskiej.

Ważnym usprawnieniem węzła warszawskiego PKP było zakończenie jego pełnej elektryfikacji przez włączenie do trakcji elektrycznej odcinka Warszawa–Nasielsk. Ostatnią inwestycją komunikacyjną lat 1971–1975 był Dworzec Centralny, oddany do użytku w dniu 5 grudnia 1975 roku; był to jednocześnie początek realizacji Zachodniego Rejonu Centrum.

Pośród zadań podjętych w latach siedemdziesiątych poczesne miejsce zajmuje długofalowy program porządkowania, przebudowy i rozwoju Śródmieścia. Obejmuje on wyburzenia starej zabudowy, uzupełnienie istniejącej, przebudowę i modernizację układu komunikacyjnego oraz budowę nowych zespołów użyteczności publicznej o programie unikalnym. Wśród nich najważniejszą rolę odgrywają dwa zespoły, których projekty opracowane zostały u progu lat siedemdziesiątych: wspomniany już Zachodni Rejon Centrum i centrum Pragi. Studialny konkurs na projekt praski rozstrzygnięto w grudniu 1971 roku; przyznano dwie równorzędne I nagrody (zespół: O. Kaczyński, O. Kuncewicz i M. Niemczyk oraz zespół: B. Chyliński, J. Skrzypczak i S. Steller). Z dalszych pokonkursowych studiów do realizacji zakwalifikowano: w Zachodnim Rejonie Centrum projekt J. Skrzypczaka z zespołem, a w centrum Pragi projekt B. Chylińskiego z zespołem. Rozpoczęta budowa ZRC jest potwierdzeniem historycznej szansy warszawskiej: zrealizowania współczesnego centrum stolicy kraju.

W odróżnieniu od Strony Wschodniej Marszałkowskiej, która jest zespołem handlowo--mieszkaniowym, w Zachodnim Rejonie Centrum został skoncentrowany program turystyki, handlu i rozrywki o najwyższej dostępności komunikacyjnej, którą zapewnią: Dworzec Centralny (połączony tunelowym przejściem z Dworcem Śródmieście), Dworzec Miejskiej Obsługi LOT wraz z hotelem, projektowany przystanek metra oraz liczne trasy autobusowe i podziemne parkingi dla 4200 samochodów. Ciągi piesze zaprojektowane w czterech poziomach zapewniają bezkolizyjne powiązanie wszystkich obiektów ZRC. Dominantę przestrzenną centrum będzie stanowić pięć budynków wysokich (od 35 do 45 kondygnacji) nawiązujących wysokością do wieżowej części PKiN.

Aleje Jerozolimskie dzielą ZRC na dwie części: część południowa obejmuje 45-kondygnacyjny budynek Banku Handlowego i Centrali Handlu Zagranicznego (ukończony w 1978) oraz hotel i dworzec LOT (rozpoczęty w 1978); część północna – Dworzec Centralny oraz wyznaczone do późniejszej realizacji 3 wieżowce hotelowe, ośrodek obsługi turystycznej, zespół kulturalno-rozrywkowy z kinem, studiem TV kolorowej i Teatrem Rozrywki oraz zespół obiektów handlowych.

Pierwszym zbudowanym obiektem ZRC jest Dworzec Centralny (A. Romanowicz z zespołem), jeden z najbardziej współczesnych tego typu obiektów na świecie, z podziemnym rondem handlowym i estakadą nad skrzyżowaniem ul. Marchlewskiego z Al. Jerozolimskimi.

W latach siedemdziesiątych w układzie przestrzennym Warszawy pojawiły się śródmiejskie wieżowce o nowej skali. Pierwszym budynkiem z tej serii był hotel Forum (A. Samuelson, Szwecja), następnym budynek Intraco na Stawkach (P. Dybicz, Szwecja), wreszcie budynek Cekopu na pl. Dzierżyńskiego (A. Skopiński). Wieżowce wywołały

599. Dworzec Centralny – perony

ostrą dyskusję i kontrowersyjną ocenę, zwłaszcza w stosunku do ich lokalizacji. Słuszna troska o sylwetę zespołów historycznych nie powinna jednak wykluczać budowy wysokich budynków w centrum miasta. Odpowiednie ich rozmieszczenie i zgrupowanie pozwoli na wzbogacenie sylwety współczesnego centrum, tak jak wieże kościołów i ratuszy wzbogaciły sylwety zespołów i miast zabytkowych i zrosły się z nimi nierozerwalnie. Realizacje śródmiejskie tego okresu nie ograniczają się do rozpoczęcia budowy ZRC i wieżowców. Spośród zbudowanych ważniejszych obiektów należy wymienić: hotel Victoria na pl. Zwycięstwa (Z. Pawelski, L. Sołonowicz; współpraca D. Fraser i K. Hultin, Szwecja), największy stołeczny supermarket przy rondzie Wiatraczna (J. Kumelowski), Narodowy Bank Polski na pl. Powstańców Warszawy (B. Pniewski w konkursie rozstrzygniętym w 1948), rozpoczęcie budowy gmachu Biblioteki Narodowej na Polu Mokotowskim (St. Fijałkowski). Rozstrzygnięty został konkurs na projekt Warszawskiego Zgrupowania Nauki, którego realizacja będzie miała podstawowe znaczenie dla rozwoju stołecznej nauki. Dwie równorzędne I nagrody przyznano zespołom: W. Benedek i K. Kucza-Kuczyński oraz R. Girtler i M. Staniszkis.

W łuku siekierkowskim nad Wisłą, na obrzeżu Śródmieścia, powstanie wielki zespół naukowo-dydaktyczny z terenami sportu i wypoczynku o znaczeniu ogólnomiejskim, z zespołem domów studenckich i budynków mieszkalnych. Pierwszym etapem realizacji Warszawskiego Zgrupowania Naukowego jest rozpoczęta budowa Centrum Kopernikańskiego oraz Ośrodek Wystawowo-Informacyjny Budownictwa.

Obiektem o szczególnym znaczeniu społecznym jest powstałe w Międzylesiu koło Warszawy Centrum Zdrowia Dziecka (J. Bolechowski, A. Bołtuć, A. Zieliński) – zbudowany z funduszów społecznych szpital-pomnik ku czci dzieci pomordowanych w okresie ostatniej wojny.

Podstawowe znaczenie dla kształtowania środowiska przyrodniczego oraz rekreacji ma opracowany w latach siedemdziesiątych projekt zagospodarowania doliny Wisły. Dzięki wspaniałym warunkom przyrodniczym, powiązaniu z wielkimi masywami leśnymi, korzystnemu klimatowi i oczyszczonym wodom wiślanym, obszar doliny Wisły stanowić będzie główny rejon wypoczynku aglomeracji stołecznej, mogący zapewnić miejsce jednoczesnego wypoczynku 600 tysiącom ludzi (co piątemu mieszkańcowi aglomeracji), w tym 450 tysiącom nad Wisłą. Projekt obejmuje tereny od stopnia piętrzącego na rzece pod Wyszogrodem i Zalewu Łomiankowskiego długości 25 km – na północy – poprzez „śródmiejski" lub „wielkomiejski" 18-kilometrowy odcinek Wisły między Młocinami a Siekierkami, maksymalnie wykorzystany po obu brzegach dla sportów wodnych i rekreacji – aż do Czerska na południu.

Najciekawszym fragmentem tego wielkiego założenia jest Warszawski Zespół Wypoczynku „Świder-bis" (S. Putowski, K. Konopkowa, H. Lenartowicz, J. Sigalin). Nazwa ta pochodzi stąd, że autorzy projektu proponują przedłużenie biegu rzeki Świder wzdłuż

Wisły o 12 kilometrów. Rzeka ta jest jedną z nielicznych czystych rzek WSW, ale jej ujście do Wisły jest stosunkowo odległe od Warszawy, a mało dostępne koryto jest wąskie. Przedłużenie biegu tej rzeki pozwoliłoby na utworzenie dodatkowych jezior z przepływającym przez nie nowym nurtem. Powstałyby też nowe tereny nadrzeczne. Ich walory podnosiłoby sąsiedztwo lasów otwockich, wyjątkowo różnorodne środowisko przyrodnicze i płynąca tuż obok Wisła. Rzadko spotyka się w praktyce tak odkrywczy projekt.

Tradycyjny śródmiejski zespół parkowy na skarpie: Łazienki–Ogród Botaniczny–park Ujazdowski został – dzięki zbudowaniu czterech mostów-kładek dla pieszych – uzupełniony i wzbogacony ciągiem spacerowym od Ujazdowa aż po Stare Miasto; ma on wyjątkowe walory architektoniczne i krajobrazowe.

Naczelnym zadaniem lat siedemdziesiątych było nadrobienie zaległości i zaspokojenie nowych potrzeb budownictwa mieszkaniowego. W okresie pięciolecia 1971–1975 oddano między innymi osiedla: Stegny (J. Grembecka), Sadyba (H. Skibniewska), Szwoleżerów (H. Skibniewska) – znakomity przykład współdziałania architektury, małych form i zieleni, Domaniewska (T. Mrówczyński, R. Welder, J. Zaborski), Piaski (J. Nowakowski). Rozpoczęto budowę osiedli: Chomiczówka (gen. proj. H. Drewiczewska), Wawrzyszew (S. Steller i R. Tomicki), Marymont (Z. Łuszczyński). Mimo poważnych osiągnięć lat 1971–1975, w których oddano 90 tysięcy mieszkań, potrzeby mieszkaniowe rosły w tempie przewyższającym znacznie osiągane wyniki na budowach warszawskich. W odczuciu społecznym nie nastąpiła poprawa, okres oczekiwania na mieszkanie wydłużał się. Wbrew intencjom i zapowiedziom budownictwo mieszkaniowe nie uzyskało zdecydowanego priorytetu. Z niedostateczną liczbą budowanych mieszkań wiązała się monotonia powtarzalnych bloków. Nowe wartości przestrzenne i funkcjonalne przyniosło osiedle Służew nad Dolinką (J. Nowak i P. Sembrat) oraz osiedle Targówek (M. Handzelewicz-Wacławkowa i Z. Wacławek). W pełni nowym rozwiązaniem przestrzennym stała się budowa pierwszej dzielnicy zespołu Ursynów–Natolin. Przeznaczony dla 130 tysięcy mieszkańców zespół dzielnic został zlokalizowany na skarpie mokotowskiej pomiędzy Dolinką Służewiecką a Lasem Kabackim (odległość jak od pl. Inwalidów do pl. Unii Lubelskiej). Ma on bogaty program usług dzielnicowych i ogólnomiejskich (m.in. Centrum Onkologiczne rozpoczęte w 1977) i jest powiązany ze Śródmieściem projektowaną linią metra, które do czasu jego realizacji zastąpi linia trolejbusowa wzdłuż ul. Puławskiej; posiada też system nowych arterii komunikacyjnych.

Projektanci Ursynowa Północnego (M. Budzyński, A. Szkop, J. Szczepanik-Dzikowski), którego pierwsze bloki oddano do użytku w 1977 roku, udowodnili, że z tych samych

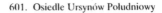
601. Osiedle Ursynów Południowy

wielkich płyt, z których powstawały monotonne zestawy bloków, można zbudować atrakcyjny przestrzennie zespół budynków o różnej wysokości, że „zrehabilitowana" ulica osiedlowa, przeznaczona dla pieszych, może stać się ośrodkiem usług i handlu oraz więzi sąsiedzkiej mieszkańców.

Jednocześnie z realizacją pasma południowego Ursynów–Natolin na deskach projektowych dobiegają końca opracowania pierwszych dzielnic pasma północnego: Tarchomina (J. Androsiuk, W. Jankowski, M. Świerczyński, S. Przybył), Białołęki (gen. proj. H. Skibniewska) oraz dzielnicy Gocław (gen. proj. T. Mrówczyński). W podjętych uchwałach uznano problem budownictwa mieszkaniowego za naczelne zadanie w rozwoju aglomeracji stołecznej na wiele nadchodzących lat.

„Mamy szansę stworzyć nowe środowisko mieszkaniowe. Możemy w tym celu wykorzystać doświadczenie innych, możemy nie powtarzać cudzych błędów. Jest to ogromna historyczna szansa. To, czy ją wykorzystamy – i w jakim stopniu – zależy w ogromnej mierze od tego, czy potrafimy sobie dziś, w przededniu wielkiej budowy, postawić jasno i w sposób pełny jej cele i czy dokona się mobilizacja społecznej opinii, domagającej się tej realizacji" – pisał Jacek Nowicki.

Lata 1945–1977 są okresem największych przemian i osiągnięć warszawskiej urbanistyki i architektury. Za wcześnie, by je podsumować, a cóż dopiero w pełni ocenić. Zwłaszcza, że ocena taka powinna przebiegać w bardzo różnych płaszczyznach. Są te warszawskie lata źródłem uzasadnionej dumy Polaków, ale są również tematem ostrej i równie uzasadnionej krytyki, że można było lepiej, więcej, że trzeba było mądrzej, gospodarniej.

Trudno ustalić przydatne dla każdego obiektywne kryteria oceny tego dorobku. Inaczej odczytują obraz Warszawy lat siedemdziesiątych ludzie pokolenia „skazanego na heroizm", współuczestnicy pierwszych lat odbudowy, inaczej „roczniki Kolumbów", jeszcze inaczej pokolenia nastolatków, którzy z rocznicowych artykułów dowiadują się, że 30 lat temu nie było w Warszawie Starego Miasta, Krakowskiego Przedmieścia i Nowego Światu.

Ta sama warszawska Trasa W-Z jest dla jednych przypomnieniem najprawdziwszych emocji i wzruszeń, dla innych po prostu arterią komunikacyjną o niedostatecznej już dziś przelotowości. I ci, i ci mają rację. Pierwszym można zazdrościć, drugim – tylko przytaknąć.

Dla oceny dorobku lat 1945–1977 nie wystarcza odnotowanie wzrostu liczby warszawskiej ludności, kubatury zbudowanych nowych osiedli, kilometrów nowych arterii. I tak jak uroda Krakowskiego Przedmieścia i funkcjonalna prostota Strony Wschodniej nie mogą

602. Makieta Warszawskiego Zespołu Nauki

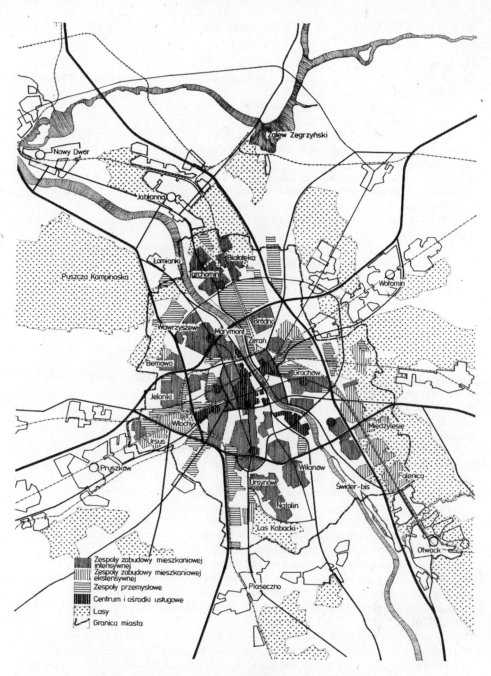

Zespoły zabudowy mieszkaniowej
intensywnej
Zespoły zabudowy mieszkaniowej
ekstensywnej
Zespoły przemysłowe
Centrum i ośrodki usługowe
Lasy
Granica miasta

przesłonić ruder centralnej Pragi i strefy podmiejskiej, tak wskaźniki wzrostu zaspokojenia potrzeb nie przedstawiają całej prawdy o powojennej architekturze i urbanistyce
warszawskiej. Wstydzimy się patosu słów. Obrzydzono je skutecznie przez długie lata
powtarzania pustych sloganów, a Warszawa była ich wdzięcznym tematem.

Na zakończenie relacji o przemianach warszawskiej urbanistyki i architektury sięgnijmy
ponownie do wypowiedzi z pierwszych lat: „Jakkolwiek oczywisty wydaje się fakt" –
czytamy w „Warszawskiej Skarpie" z 1945 roku – „że całkowita odbudowa Warszawy
stanowi zadanie przerastające możliwości jednego pokolenia, to jednak do obowiązku
naszego należy wytyczenie zasadniczego kierunku i przebudowy Stolicy w takich ramach
rozwojowych, w których następne pokolenia mogłyby znaleźć możliwie najpełniejszy
wyraz dla nowej treści narastającego życia".

Prace nad planem rozwoju Warszawy i aglomeracji stołecznej nie kończą się. Trwają, jak
trwa rozwój miasta, który warunkują. Zadania stojące przed następnym pokoleniem są
inne, co wcale nie oznacza, że łatwiejsze.

WARSZAWA W LATACH ODBUDOWY 1944–1955

Opracowanie to mówi o przełomowych latach w historii Warszawy. Na początku tego okresu miasto dogorywało w łunach powstania, do ostatniego dnia okupacji niszczone przez hitlerowców, ale na Pradze wyzwolonej 14.IX.1944 roku organizowano już nowe życie. Warszawa, która w dniu wyzwolenia 17.I.1945 roku była prawie martwa, w roku 1954 miało około miliona mieszkańców.

Polska otwierała w tym czasie nowy rozdział historii. W polityce wewnętrznej i międzynarodowej wyznaczają go: Manifest lipcowy, utworzenie Rządu Tymczasowego, a potem Jedności Narodowej, wreszcie zwycięstwo bloku stronnictw nad Polskim Stronnictwem Ludowym oraz wyeliminowanie opozycji. Choć od początku główną rolę grał ruch robotniczy, a zwłaszcza Polska Partia Robotnicza, to ustrój polityczny ulegał ewolucji programowej i faktycznej. Istotne zmiany w polityce spowodowało Plenum sierpniowe PPR z 1948 roku, a następnie zjednoczenie ruchu robotniczego. Gdy chodzi o ustrój prawno-polityczny, nawiązywano początkowo do Konstytucji 1921 roku; nową konstytucję uchwalono w roku 1952, miała ona wytyczyć perspektywy przemian socjalistycznych. Inkorporacja Ziem Odzyskanych, reforma rolna i upaństwowienie przemysłu wyznaczały nowy kształt geograficzny państwa, a zarazem jego kształt gospodarczy i społeczny. W roku 1947 Polska wchodziła na tory gospodarki planowej, którą w interesującym nas okresie reprezentowały 3-letni plan odbudowy (1947–1949) i 6-letni plan budowy podstaw socjalizmu (1950–1955). Proporcje tych planów ulegały zmianom, a sytuacja wewnętrzna kraju zależna była od zmian międzynarodowych. Początek okresu powojennego zdawał się rokować nadzieję na szeroko zakrojoną międzynarodową współpracę, zastąpiła ją jednak zimna wojna, zaostrzona jeszcze konfrontacją zbrojną w Korei. Zaostrzeniu uległa także sytuacja w ruchu robotniczym na tle rezolucji Kominformu w sprawie Jugosławii. Pod koniec omawianego okresu wystąpiły tendencje odprężeniowe w polityce międzynarodowej oraz tendencje do naprawienia błędów i ugruntowania praworządności w krajach socjalistycznych; dotyczyły one również ich wzajemnych stosunków.

Historia regionalna jest składnikiem historii ogólnonarodowej i powszechnej, jednak historia Warszawy posiada sobie właściwe, specyficzne znamiona. Wiążą się one ze stanem zniszczeń, a następnie z forsowną odbudową miasta; była to właściwie przebudowa urbanistyczna i społeczna. Ponieważ przemianom urbanistycznym poświęcone jest odrębne opracowanie, tu omówimy politykę odbudowy, warunki życia i zmiany społeczne. Stan zgromadzonych źródeł, materiałów i opracowań sprawia, że autor koncentruje się przede wszystkim na pierwszym pięcioleciu, lata następne, mniej systematycznie zbadane, ujmuje w dalszej części w formie jeszcze bardziej zwartej.

Decyzja o restytucji stołeczności podjęta przez Krajową Radę Narodową i rząd na początku 1945 roku pociągała za sobą określone preferencje w nakładach inwestycyjnych dla Warszawy: w latach 1946–1955 miasto otrzymywało według Kazimierza Secomskiego średnio 10,65% całości nakładów w gospodarce uspołecznionej („Rocznik Warszawski", VII, s. 470).

Działalność państwa na rzecz odbudowy stolicy wspierała wówczas (i przez wiele lat później) akcja, której celem było zorganizowanie ogólnonarodowej zbiórki i świadczeń na rzecz Warszawy. Zapoczątkowana na Śląsku i w Zagłębiu Dąbrowskim specjalną uchwałą Wojewódzkiej Rady Narodowej z maja 1945 roku doprowadziła do powstania Społeczne-

604. Defilada I Armii Wojska Polskiego w wyzwolonej Warszawie w dniu 19.I.1945 r.

605. Powroty, 1945 r.

go Funduszu Odbudowy Stolicy, któremu Warszawa już w pierwszych latach po wojnie zawdzięczała odbudowę wielu gmachów zabytkowych, budynków publicznych, tras komunikacyjnych. Obok świadczeń materialnych prowadzono też na szeroką skalę prace społeczne, polegające na odgruzowywaniu i porządkowaniu miasta, w którym w chwili wyzwolenia zalegało 20 milionów metrów sześciennych gruzu.

Organy państwa kierowały bezpośrednio procésem odbudowy i przebudowy, Zarząd Miejski natomiast sprawował opiekę społeczną, czuwał nad warunkami życia ludności, nad zdrowiem, nad gospodarką i urządzeniami komunalnymi.

Obok naczelnych organów władzy i administracji, które dużo uwagi poświęcały w owych latach sprawom Warszawy, istniały powołane do życia i powiązane z władzami naczelnymi organy specjalne; ich zadaniem było przygotowywanie planów, realizacja i kontrola procesu odbudowy. Już w lutym 1945 roku utworzono Biuro Odbudowy Stolicy (kierownik Roman Piotrowski), którego zadaniem była inwentaryzacja strat wojennych, planowanie odbudowy oraz praca nad zagospodarowaniem przestrzennym Warszawy. Politykę realizacyjną prowadziło w pierwszym okresie przede wszystkim Społeczne Przedsiębiorstwo Budowlane, w roku następnym (1946) Warszawska Dyrekcja Odbudowy, nadzorująca przedsiębiorstwa państwowe, społeczne i prywatne.

Rok 1947 przyniósł dalsze zmiany w organizacji odbudowy. Ustawa z 3 lipca o odbudowie Warszawy uchyliła dekret z 24 maja 1945 roku. Na miejsce poprzedniej Naczelnej Rady Odbudowy Warszawy (NROW) powołano nową, mniej liczną, bardziej operatywną.

W wyniku zasadniczych zmian ustrojowych istotnej ewolucji prawnej i funkcjonalnej uległ też Zarząd Miejski i organa samorządu terytorialnego.

W skład Stołecznej Rady Narodowej wchodzili członkowie powołani do niej w okresie konspiracji, przedstawiciele delegowani przez partie i stronnictwa obozu Polskiego Komitetu Wyzwolenia Narodowego, przedstawiciele związków zawodowych oraz organizacji i zrzeszeń zawodowych i społecznych. Pracami Rady kierowało Prezydium, które zwoływało posiedzenia plenarne; działały też komisje branżowe. Jako organa pomocnicze powołano w roku 1946 rady dzielnicowe. Na sytuację faktyczną Zarządu Miejskiego i Miejskiej Rady Narodowej miały istotny wpływ inne, szczegółowe akty prawne i ogólny układ stosunków między władzą centralną a lokalną w zakresie odbudowy miasta i zaspokajania potrzeb jego mieszkańców.

Szczególne znaczenie miał dekret z 26.X.1945 roku o własności i użytkowaniu gruntów na obszarze Warszawy (tzw. dekret o komunalizacji gruntów). Znosił on prywatną własność gruntów na terenie całego miasta w ówczesnych, pokrywających się z przedwojennymi, granicach. Dekret ten dał władzom planującym możliwość zasadniczej przebudowy układu urbanistycznego.

Innym istotnym aktem normatywnym było wprowadzenie publicznej gospodarki lokalami i kontroli najmu (dekret z 21.XII.1945 i poprzedzający go dekret z 7.IX.1944 o komisjach mieszkaniowych). Dekrety te, zamrażając czynsz na poziomie przedwojennym i przyznając władzom miejskim rozległe kompetencje w zakresie przydziału powierzchni mieszkaniowej, miały na celu demokratyzację polityki mieszkaniowej i ochronę warstw pracowniczych.

W pierwszym okresie po wyzwoleniu nastąpiły też istotne zmiany w materialnych podstawach samorządu terytorialnego. W ich wyniku skurczyła się finansowa samowystarczalność samorządu, wzrosła rola dotacji ze skarbu państwa i kontroli władzy centralnej nad samorządem. Większość funkcji związanych z odbudową i przebudową miasta oddana została w gestię organów centralnych lub specjalnie do odbudowy Warszawy powołanych, podczas gdy zadaniem władz miejskich było rozwiązywanie bieżących spraw miasta i jego mieszkańców. W tych warunkach preferencje zyskiwała odbudowa urządzeń stołecznych i metropolitalnych, podczas gdy przy rozwiązywaniu spraw lokalnych borykano się z ogromnymi trudnościami lokalowymi, oświatowymi, a także – już w tym pierwszym okresie – komunikacyjnymi.

Stosunek do udziału kapitału prywatnego w odbudowie miasta w okresie pierwszego pięciolecia ulegał szczególnie wyraźnym zmianom. Początkowo znaczna część działalności gospodarczej (drobny przemysł, rzemiosło i handel) była w rękach prywatnych, a państwo zachęcało do tworzenia prywatnych przedsiębiorstw budowlanych: były one wyłączone z ustawy nacjonalizacyjnej z 3.I.1946 roku, dekret zaś o remontach z 1947 roku stwarzał dla prywatnej inicjatywy dalsze udogodnienia. Dekret ten – według Juliusza Goryńskiego – dawał instytucjom, zrzeszeniom najemców i osobom prywatnym możliwość przystąpienia do remontów budynków zniszczonych w czasie wojny nawet w zastępstwie właściciela; zapewniał im przywilej wyjęcia wyremontowanych mieszkań spod rygorów ustawodawstwa kwaterunkowego na okres aż do pełnego zamortyzowania nakładów poniesionych na remont lub odbudowę. Mimo wspomnianych aktów normatywnych w końcu pierwszego pięciolecia ograniczano i eliminowano prywatną przedsiębiorczość budowlaną, a w wielu przypadkach likwidowano również tak zwane promesy, wyłączające spod kompetencji kwaterunku mieszkania wyremontowane własnym sumptem ludności.

Utrzymała się natomiast w ciągu pierwszego pięciolecia bardzo znaczna, choć w końcowym okresie także ograniczana, przewaga inicjatywy prywatnej w handlu detalicznym, gastronomii, rzemiośle usługowym i produkcyjnym. Państwo i miasto wpływały na sytuację rynkową poprzez reglamentację cen, przydziały żywności (system kartkowy), przez rozbudowaną działalność aparatu administracyjno-skarbowego oraz administracyjno--karnego. W roku 1947 (tzw. ,,bitwa o handel'') państwo, posługując się spółdzielczością, przeszło do bardziej aktywnej polityki, tworząc własne zakłady handlowe i spółdzielnie usługowo-rzemieślnicze.

Przemysł większych rozmiarów był natomiast od początku faktycznie, a następnie prawnie (od ustawy o nacjonalizacji przemysłu), w rękach przede wszystkim państwa, a częściowo i spółdzielczości. W okresie planu 3-letniego nastąpił znaczny wzrost inwestycji i zatrudnienia w przemyśle, a zwłaszcza w budownictwie.

Proces odbudowy Warszawy nie był pozbawiony spięć, konfliktów, a polityka odbudowy również istotnie się zmieniała. Przeciwko planowi zasadniczej przebudowy urbanistycznej występowali rzecznicy gospodarki prywatnej, a także Polskie Stronnictwo Ludowe. Inny charakter miały spory między rzecznikami potrzeb lokalnych i stołecznych, jeszcze inny – różnice poglądów między architektami i urbanistami snującymi wizję przyszłości a realizatorami polityki budowlanej.

Wprowadzenie nowej struktury społecznej i zawodowej wywoływało napięcia wśród grup ludności, która w czasie okupacji i po powstaniu nie miała możliwości wykonywania swego dotychczasowego zawodu i zajmowała się dorywczo pośrednictwem handlowym, często nielegalnym, a nieraz prowadziła działalność spekulacyjną. Pleniło się w pierwszym okresie szabrownictwo, a miasto było terenem wielu konfliktów społecznych. W walce z elementami spekulacyjnymi w handlu i mieszkalnictwie aparat karno-skarbowy i karno-

606. Tramwaj linii ,,10'', uruchomiony na trasi pl. Zbawiciela przez Marszałkowską do zajezdni ul. Młynarskiej, 1946 r.

-administracyjny działał w znacznym stopniu na zasadzie swobodnego uznania i można wysunąć hipotezę, że bardziej wpływał na wycofywanie się uczciwych przedstawicieli inicjatywy prywatnej niż na spekulantów, nieraz uprawiających korupcję i z większą łatwością dostosowujących się do sytuacji, w której ryzyko rekompensowało się ogromną spekulacyjną marżą zysku. Niezadowolenie wywoływało także – często nie dość uzasadnione – różnicowanie pozycji materialnej na przykład pracowników miejskich i pracowników niektórych centralnych instytucji państwowych.

To wszystko, a także zmienny stosunek państwa do spółdzielczości, przyczyniło się do powstania pewnych różnic, a nawet kontrowersji także między partiami robotniczymi. Sprawy te nie przedstawiały się prosto, ponieważ różnice w poglądach na temat planowania i możliwości bieżących, na temat stosunku kompetencji władz centralnych i władz miejskich nie powstawały wedle „klucza partyjnego". Trzeba bowiem z całym naciskiem podkreślić, że problem odbudowy Warszawy był w znacznym stopniu czynnikiem łączącym działaczy komunistycznych i socjalistycznych, czynnych w procesie odbudowy. Polem ich wspólnych działań i doświadczeń było w okresie międzywojennym Polskie Towarzystwo Reformy Mieszkaniowej, Towarzystwo Osiedli Robotniczych i zwłaszcza Warszawska Spółdzielnia Mieszkaniowa. Pod patronatem WSM w latach okupacji działała Pracownia Architektoniczno-Urbanistyczna, gdzie podejmowano śmiałe prace nad społeczną i urbanistyczną rekonstrukcją przyszłej Warszawy. Plany te często w chwili tworzenia dosyć abstrakcyjne, z powodu braku warunków, zdawały się nabierać znamion większej realności w nowym ustroju.

Mimo dramatycznego rozdarcia społeczeństwa i ostrych konfliktów w pierwszych latach po wojnie, osiągnięcia nowego ustroju wyrażające się w odbudowie zniszczonego kraju, w przyłączeniu Ziem Zachodnich i w zabezpieczeniu granic były bardzo znaczne. Niepoślednie miejsce zajmuje w nich odbudowa Warszawy, dzieło budzące konflikty, ale jednak integrujące społeczeństwo wokół nowej władzy, która potrafiła sprecyzować ambitny program odrodzenia miasta i podjąć organizacyjny wysiłek dla wykonania tego zadania.

Pierwszym i wstępnym warunkiem powrotu mieszkańców do stolicy było usunięcie tysięcy min zagrażających życiu, a założonych przez wroga w różnych częściach miasta. W akcji rozminowywania w pierwszych miesiącach po wyzwoleniu uczestniczyły polskie i radzieckie oddziały saperskie, płacąc nierzadko najwyższą cenę, cenę życia. „Pierwsi żołnierze odbudowy, ostatni żołnierze wojny" – tak nazwał ich w jednym z reportaży Jerzy Hryniewiecki.

LUDNOŚĆ

17 stycznia 1945 roku, w chwili wyzwolenia części lewobrzeżnej, ludność Warszawy liczyła 162 tysiące mieszkańców. Oznacza to, że przeważająca część miasta była całkowicie martwa. Na liczbę tę składało się bowiem 140 tysięcy mieszkańców Pragi, wyzwolonej 14 września 1944 roku, i 22 tysiące ludności rozsianej na dalekich peryferiach lewego brzegu. Spontaniczny, masowy powrót ludności do Warszawy rozpoczął się w pierwszych dniach wyzwolenia. Jeśli powrót ten przedstawić za pomocą wykresu, to okaże się, że jego linia wznosi się najbardziej stromo właśnie w pierwszych miesiącach ostrej zimy, przedwiośnia i wiosny. Do stycznia następnego roku przybyło 300 tysięcy osób, w ciągu czterech lat dalszych około 150 tysięcy, tak więc liczba ludności w styczniu 1949 roku wynosiła 604 tysiące, a zatem niewiele mniej niż połowa liczby ludności przedwojennej.

Przyrost charakteryzował się więc – w granicach pięciolecia – nierównym tempem i był zróżnicowany w zależności od części miasta.

607. Dzieci przedszkolne na spacerze

Sytuacja Pragi była w momencie startu odmienna od sytuacji lewego brzegu, co wynikało z odmienności losów między sierpniem 1944 roku a styczniem 1945 i rzutowało na okres późniejszy. Wyludniona przed wyzwoleniem (14.IX.1944) do połowy oraz zniszczona w 25% Praga wiodła żywot frontowego miasta w ciągu tych czterech miesięcy. Mimo to zorganizowano tu od razu Zarząd Miejski z myślą o administracji całego miasta i podjęto pierwsze działania w celu odbudowy przemysłu, oświaty i kultury (prezydentami miasta byli: do marca 1945 Marian Spychalski, a do kwietnia 1950 Stanisław Tołwiński). Po wyzwoleniu stolicy w 1945 roku Praga stała się przejściowo głównym centrum warszawskiego życia i jego ośrodkiem stołecznym. Ten przejściowy, związany z pełnioną funkcją awans nie zmienił społecznego i urbanistycznego oblicza Pragi, na jej terenie bowiem inwestycje w pierwszych latach były nader ograniczone, a zadaniem głównym stała się – odmiennie niż na lewym brzegu – nie tyle odbudowa, ile przebudowa. Istotne jednak będzie podkreślenie, że statystyki ogólnowarszawskie obejmują również dane o Pradze, co w znacznym stopniu zamazuje obraz niemal całkowitych zniszczeń, które w wielu dziedzinach były udziałem lewobrzeżnej części miasta.

Tak więc w przyroście ludnościowym do 1949 roku Praga partycypowała zaledwie w 1/6. Osadnictwo warszawskie na lewym brzegu, zależne od stanu zniszczeń, rozwijało się w tych pierwszych latach jakby na wyspach. Najszybciej dokonało się zasiedlenie Mokotowa i Żoliborza, które w 1950 roku osiągnęły bądź przekroczyły przedwojenne liczby ludności. Dynamikę stosunkowo wysoką wykazywały części Śródmieścia i Powiśla oraz cała Ochota. Najsłabszy wzrost był na Starym Mieście i na terenach obejmujących dawną dzielnicę żydowską.

Wzrost zaludnienia i krystalizowanie się ośrodków życia miejskiego były w tym okresie wynikiem masowych ruchów migracyjnych, przez które rozumieć należy przede wszystkim powrót dawnych mieszkańców miasta. Jeśli zważyć, że w dwóch pierwszych powojennych latach przybyło do Warszawy 364 tysiące mieszkańców, wyjechało zaś z niej 130 tysięcy, to będziemy mieli wyobrażenie o skali tego ruchu, który wcale nie był jednokierunkowy (akcje przesiedleń organizował Zarząd Miejski, a przesiedleńców kierowano głównie do Olsztyna i Elbląga).

W ruchu naturalnym rok 1945 wykazuje nadwyżkę zgonów nad urodzeniami; w latach następnych – dzięki akcjom leczniczym i profilaktycznym – obserwujemy znaczny spadek liczby zgonów. Urodzenia żywe w 1947 roku będą dwukrotnie przewyższać zgony, a tendencja na korzyść życia będzie się umacniać w latach następnych.

Piramida wieku ludności i stosunek liczby mężczyzn do liczby kobiet odzwierciedlają w ówczesnej Warszawie deformacje spowodowane przez wojnę i terror okupanta. Występuje dużo większa niż w okresach pokoju przewaga liczebna kobiet (w 1945 – 60,7%). W piramidzie wieku największe ubytki wykazują roczniki od 15 do 29 roku życia zmniejszone nieraz o połowę, głównie gdy chodzi o mężczyzn. Za tymi liczbami kryje się wdowieństwo i sieroctwo, często całkowite, a wtedy łączące się nieraz i z bezdomnością, kryje się samotność i zapowiedź samotnego przejścia przez życie kobiet młodych i bardzo młodych. Za tymi liczbami kryje się również to, co moglibyśmy nazwać sieroctwem odwróconym: tysiące rodziców ekshumujących i chowających swoje dzieci, które mogłyby otoczyć ich opieką w latach późniejszych.

Na te deformacje demograficzne nakładają się zaraz po wojnie (co dla okresów powojennych jest także charakterystyczne) tak zwane procesy kompensacyjne, polegające na znacznym wzroście liczby zawieranych małżeństw i przyrostu naturalnego, który w roku 1948 osiągnął wskaźnik mniej więcej czterokrotnie wyższy niż przed wojną. Rychło też można było zaobserwować znaczny spadek zgonów we wszystkich grupach wieku, w tym bardzo znaczny spadek zgonów z powodu chorób zakaźnych.

Ponieważ warunki życia były w całym tym okresie bardzo ciężkie, poprawę stanu zdrowotnego przypisać należy przede wszystkim na szeroką skalę prowadzonej akcji profilaktycznej i społeczno-lekarskiej.

Czołową rolę odegrał tu Zarząd Miejski, któremu sekundowały organizacje społeczne (zwłaszcza PCK), niezwykle cenna była też pomoc zagranicy: radziecka, szwedzka, szwajcarska, UNRRA (angielski skrót oznaczający Organizację Narodów Zjednoczonych do Spraw Pomocy i Odbudowy w latach 1943–1947); wyrażająca się w dostawie środków żywnościowych, medykamentów, a także w przysłaniu personelu medycznego. Wznowiła swą pracę Ubezpieczalnia Społeczna: działania tych instytucji w zakresie leczniczym, profilaktycznym i opieki społecznej – ściśle powiązane – warunkowały nawzajem swoją skuteczność.

Energicznie dźwigało się z ruiny szpitalnictwo warszawskie. Ogromna większość szpitali (poza Pragą) została w wyniku powstania zdewastowana, zburzona, spalona. Wkrótce po

609. Wypalony dawny pałac przy ul. Nowy Świat 26

wyzwoleniu zaczął jednak powracać personel lekarski wielu szpitali ewakuowanych po powstaniu wraz z chorymi. Pod koniec pierwszego roku po wojnie Warszawa miała 12 szpitali miejskich z 2872 łóżkami. W końcu roku 1948 stolica posiadała już w szpitalach, sanatoriach i innych zakładach leczniczych 6810 łóżek (wobec 9106 przed wojną). Był to już zatem wyraźny wzrost wskaźnika liczby łóżek szpitalnych na 1000 mieszkańców w porównaniu z okresem przedwojennym.

W wielu wypadkach osiągnięcia służby zdrowia były znaczne: groźba epidemii została usunięta, następne lata przynosiły wyraźną poprawę stanu zdrowia warszawian. Mimo to w końcu omawianego okresu potrzeby nie były w pełni zaspokojone, wzrastały one bowiem w związku ze zmianą struktury życia. W wydawnictwie „Warszawa w liczbach 1949" czytamy: „Na stały wzrost potrzeb w zakresie szpitalnictwa wpływa wiele czynników, z których najważniejsze są między innymi: upowszechnienie uprawnień do pomocy lekarskiej, ciasnota mieszkaniowa zmuszająca ludzi do szukania opieki szpitalnej niemal w każdym wypadku zachorowania, brak opieki domowej nad chorymi, gdyż zawodowa praca kobiet stała się zjawiskiem powszechnym".

W pewnym sensie odwrotnie niż ze szpitalnictwem i ochroną zdrowia rzecz się miała z opieką społeczną. Pierwsze lata wykazują ogromny wzrost zasięgu tej opieki, ale będzie on ulegać zmniejszeniu wobec przesłanek polityki społecznej zmierzającej do usamodzielnienia podopiecznych.

Wspomniano już o tym, że zasiedlenie Warszawy dokonywało się w sposób zróżnicowany, zależny od stanu zniszczenia poszczególnych części miasta. Spis z dnia 15.V.1945 roku wykazywał w porównaniu ze spisem z 28.XI.1939 (a więc już po pierwszych zniszczeniach wojennych) 69,5% ubytków w mieszkaniach, a 72,1% w izbach. I tu jednak średnia ogólnowarszawska nie wszystko nam mówi wobec faktu, że Praga była zniszczona w znacznie mniejszym stopniu. Na lewym brzegu ubytki w mieszkaniach (już po pierwszych remontach) wynosiły 83%, w izbach były jeszcze większe.

W ciągu 4 lat po wyzwoleniu do nielicznych ocalałych izb mieszkalnych przybyło mniej niż 125 tysięcy. W sumie miasto liczyło wtedy 290 tysięcy izb na 604 tysiące mieszkańców. W całym tym okresie przeciętne zagęszczenie na jedną izbę wynosiło więc powyżej 2 osób; największe zagęszczenie było w roku 1946 (przeciętnie 2,28 osoby na jedną izbę), obniżało się ono nieznacznie w latach następnych, by dojść do 2 osób na izbę w roku 1950. Te liczby jednak traktować trzeba ostrożnie, są one tylko orientacyjne; wiele wycinkowych publikacji z pierwszego okresu powojennego świadczy o tym, że zagęszczenie było jeszcze większe. Dodać do tego trzeba, że w porównaniu z niskim nawet przeciętnym standardem mieszkań Warszawy przedwojennej stan wyposażenia technicznego ówczesnych mieszkań był bardzo ubogi.

Informacje o sytuacji mieszkaniowej, nader ogólne, staną się bardziej konkretne, jeśli sięgnąć do materiałów dwóch ankiet mieszkaniowych przeprowadzonych wśród pracowników Elektrowni, fabryki Wedla, Ministerstwa Sprawiedliwości i PCK w roku 1946 i 1948. Komentując te materiały Adam Andrzejewski i Jerzy Cegielski pisali: „Poprzez wyłączenie spod publicznej gospodarki lokalami odradzał się w pierwszych latach układ gospodarki kapitalistycznej i drobnotowarowej". Sprzyjał temu „kierunek oficjalnej polityki budowlanej w okresie przedplanowym, a nawet w pierwszym okresie planowania. Nacisk na odbudowę stołecznych funkcji miasta w dziedzinie budownictwa mieszkaniowego wyrażał się w zaopatrywaniu w mieszkania przede wszystkim pracowników instytucji centralnych, w odsuwaniu na plan dalszy dostarczania nowych mieszkań dla pracowników fizycznych" („Stosunki mieszkaniowe w Warszawie, wyniki ankiet o sytuacji mieszkaniowej pracowników w latach 1946–1948", Warszawa 1950, s. 89–90).

W miarę uprzemysławiania i uspołeczniania budownictwa państwo mogło wpływać na kształtowanie polityki mieszkaniowej. Istotne znaczenie miało tu powołanie Zakładu Osiedli Robotniczych w 1948 roku. Uległa też zmianie polityka wobec sektora prywatnego, któremu, jak o tym wspomniano poprzednio, pod koniec okresu 1944–1954 anulowano przywileje płynące z wyłączenia mieszkań spod publicznej gospodarki lokalami.

W przeciwieństwie do sytuacji mieszkaniowej, która w momencie wyjściowym była bardzo zła i mogła ulegać tylko powolnej poprawie, urządzenia użyteczności publicznej i gospodarki komunalnej były zniszczone w mniejszym stopniu. Toteż w tych dziedzinach obserwujemy w pierwszych latach powojennych znaczny postęp.

Ogólne straty w urządzeniach wodociągów i kanalizacji wynosiły 24% wartości majątku przedwojennego. W początkowym okresie po wyzwoleniu ludność zaopatrywała się w wodę ze studzien podwórzowych, potem artezyjskich. Ale już od lipca 1945 roku wodociągi zaopatrują ludność w wodę wyłącznie ze Stacji Filtrów. Odbudowa sieci wodociągowej została w zasadzie zakończona w 1949 roku, z tym że spożycie wody na 1 mieszkańca przewyższyło znacznie poziom przedwojenny już w roku 1947. Przystąpiono też do przebudowy sieci wodociągowej na peryferiach, w dzielnicach robotniczych (podjęto w tym celu specjalną akcję z funduszów Rady Państwa w 1948/49).

Wskutek zniszczeń w czasie powstania i późniejszej akcji dewastacyjnej Niemców straty Elektrowni warszawskiej wynosiły około 50% ogólnego majątku. Dzięki pomocy radzieckiej (wydatnej potem i na lewym brzegu) oraz wykorzystaniu urządzeń podmiejskich

SYTUACJA MIESZKANIOWA

ZAKŁADY UŻYTECZNOŚCI PUBLICZNEJ, GOSPODARKA KOMUNALNA

0. Wiec ludności warszawskiej na pl. Teatralnym dn. 9.V.1945 r. z okazji zakończenia II wojny świa-wej. W tle ruiny ratusza

uruchomiono częściową dostawę prądu na Pradze już przed wyzwoleniem Warszawy lewobrzeżnej. Po oswobodzeniu Warszawy lewobrzeżnej rozpoczęto prace przygotowawcze do odbudowy Elektrowni na Powiślu. Światło zabłysło już w kwietniu 1945 roku, a do końca 1945 roku, jak pisze H. Janczewski, „udało się uruchomić znaczną część sieci energetycznej". Produkcja prądu wynosiła przed wojną około 220 tysięcy kWh, w 1945 roku spadła do 48 tysięcy kWh, a poziom przedwojenny osiągnęła w 1948 roku. Wobec znacznie niższej niż przed wojną liczby ludności oznaczało to wzrost zużycia energii elektrycznej na 1 mieszkańca.

Słabsze wyniki uzyskano w odbudowie gazowni. Długość sieci napełnianej gazem wynosiła w 1938 roku 688,7 km, w 1945 roku 135,1 km. W dalszych latach wzrosła trzykrotnie i osiągnęła w roku 1948 połowę produkcji przedwojennej i takie samo jak przed wojną zużycie gazu na 1 mieszkańca. Krótko mówiąc, w zakresie urządzeń użyteczności publicznej i gospodarki komunalnej postęp w pierwszych latach po wojnie był bardzo znaczny. Przyczynił się on do polepszenia warunków życia, a zaraz po wojnie warunkował powodzenie walki z zagrożeniem epidemicznym.

KOMUNIKACJA   Zjawiskiem charakterystycznym dla Polski powojennej był wzrost migracji ludności w skali całego kraju i wewnątrz wielkich miast. W pierwszym okresie powojennym zjawisko to wiązało się z masową migracją, a w przypadku Warszawy owa ruchliwość związana była także z nierównomiernym stopniem zasiedlenia różnych dzielnic miasta. Sprawy komunikacji w trzech odrębnych sferach i przekrojach – w komunikacji wewnątrzmiejskiej, w połączeniach Warszawy z jej regionem, z którym związki uległy nasileniu, i w komunikacji ogólnopolskiej – miały istotne znaczenie i dla życia gospodarczego, i dla restytucji funkcji stołecznych miasta.

Komunikacja wewnętrzna w wyniku wojny i powstania była zniszczona w bardzo

611. Rewindykowane skrzynie z zabytkami muzealnmi w hallu Muzeum Narodowego, sierpień 1945 r.

znacznym stopniu. Dotyczyło to tramwajów, ponieważ Warszawa została pozbawiona autobusów przez okupanta już w pierwszych miesiącach wojny. Mimo ogromu zniszczeń, w drugim półroczu 1945 roku ruszyły tramwaje na liniach praskich i lewobrzeżnych; na początku następnego roku przybył Warszawie nowy środek komunikacji w postaci trolejbusów, których rola w przewozie pasażerów była jednak stosunkowo nieznaczna. Dynamikę odbudowy i funkcjonowania tramwajów i autobusów charakteryzują następujące liczby: przed wojną Warszawa miała 710 wozów tramwajowych, w 1945 roku – 109, w 1948 roku – 335. Mimo dwukrotnie mniejszej liczby ludności niż przed wojną tramwaje przewoziły w 1948 roku więcej pasażerów (252 mln wobec 243), choć długość tras eksploatowanych była znacznie mniejsza niż przed wojną. Bardzo szybki był też rozwój komunikacji autobusowej, która w pierwszych latach korzystała szeroko z przystosowanych prowizorycznie do tego celu wozów ciężarowych. Przeciętnie roczna liczba przejazdów miejskimi środkami komunikacyjnymi na 1 mieszkańca wynosiła w 1948 roku 553,4, podczas gdy w 1938 roku – 209,8. Liczby powyższe ujawniają i dynamizm, i dramatyzm spraw komunikacji miejskiej. Polega on nie tylko na oczywistym niedoborze środków lokomocji w stosunku do okresu przedwojennego; wynika również ze zmienionej gęstości zaludnienia i zmieniającej się struktury życia. Przed wojną miasto było zaludnione gęsto, a przeważająca część jego mieszkańców skupiona była na stosunkowo niewielkiej przestrzeni; w latach powojennych zaludnienie było mniejsze, a rozmieszczenie jego bardzo nierównomierne. Niedostatek środków materialnych i wzrost ruchliwości mieszkańców zaciążyły na komunikacji miejskiej w latach ówczesnych i późniejszych.

Szczególnie doniosłe znaczenie dla przywrócenia życia Warszawie miały w pierwszych latach prędko odbudowywane koleje dojazdowe. W braku mieszkań w Warszawie bardzo wiele osób związanych z odbudową osiedlało się wtedy w strefie podmiejskiej, dojeżdżając codziennie do pracy, szkół i uczelni wyższych. O ogromnym wzroście powiązań Warszawy z jej zapleczem świadczą liczby: gdy w 1938 roku warszawskie koleje dojazdowe przewiozły ponad 12 mln pasażerów, to w roku 1948 już 28 mln.

Mimo zniszczeń również ruch kolejowy został wznowiony wkrótce po oswobodzeniu Warszawy. Dwa dworce w Warszawie prawobrzeżnej (Warszawa-Praga i Warszawa Wileńska) uruchomiono w pierwszym półroczu 1945 roku. Dworzec Zachodni rozpoczął pracę w dwa tygodnie po wyzwoleniu, a Główny działał w prowizorycznych budynkach od lipca tegoż roku. Most kolejowy koło Cytadeli uruchomiono tymczasowo w lutym 1945 roku, w czerwcu roku 1949 otwarto kolejowy most Średnicowy, poprzedzony odbudową średnicowego tunelu. Mimo spadku liczby pociągów i taboru kolejowego, ruch na kolejach był znacznie większy niż przed wojną, a dokonywał się w warunkach prymitywnych i przy wielkim zatłoczeniu.

HANDEL, APROWIZACJA I CENY

Wynędzniała ludność już w pierwszych dniach po wyzwoleniu wracała do miasta pozbawionego wszelkich urządzeń. W prymitywnych formach odradzał się natychmiast handel prywatny, najpierw uliczny i bazarowy, potem szukający siedzib w prowizorycznie odbudowywanych lokalach. Do roku 1948 handel ten był w przeważającej części prywatny, w niewielkim zaś stopniu spółdzielczy i państwowy. Stanowiąc charakterystyczny przejaw życia nie zaspokajał w pełni potrzeb ludności, co powodowało znaczny wzrost cen, często o charakterze spekulacyjnym, i prowadziło do pogłębiania się różnic warunków życia obywateli. Państwo – zanim w roku 1947 bezpośrednio zajęło się handlem – starało się zaspokoić potrzeby ludności również za pomocą systemu zaopatrzenia reglamentowanego. Prowadzenie stołówek pracowniczych i akcji dożywiania przez organizację opieki i pomocy społecznej wpływało także na pewne złagodzenie sytuacji. Ale i w tej dziedzinie kontrasty były duże. W licznych prywatnych restauracjach, po odpowiednio wysokich cenach można było dostać wszystko i to rzucało się w oczy nie tylko krajowym, ale także zagranicznym obserwatorom przybywającym z nie zniszczonych stolic Zachodu.

Mimo tendencji najpierw do ograniczania i kontroli handlu prywatnego, a następnie do przejmowania go przez państwo i spółdzielczość, jeszcze u schyłku 1949 roku (jak czytamy w „Kronice wydarzeń w Warszawie 1939–1949") na 8761 placówek handlu detalicznego było 1086 uspołecznionych, a 7075 prywatnych.

OŚWIATA

Sytuacja warszawskiej oświaty była dramatyczna. Większość budynków szkolnych została zniszczona w takim stopniu, że po wyzwoleniu lewego brzegu żaden nie nadawał się do użytku, część zaś budynków mniej zniszczonych była zarekwirowana na potrzeby wojska, urzędów i szpitali. Omawiając warunki panujące w szkołach w roku 1947 Karol Małcużyński pisał: „klasy – to małe, obskurne izdebki. Rozsiane są na czterech piętrach. Szkoła zajmuje po prostu parę prywatnych mieszkań – o ile to zasługuje na miano mieszkania. W 10 izbach uczy się blisko 700 dzieci".

Tymczasem – jak wiemy – dynamika wzrostu ludności była bardzo wysoka, szkolnictwo powszechne, średnie i zawodowe nie mogło jej sprostać. Zaznaczyły się też istotne dysproporcje w zaspokajaniu potrzeb szkolnych w poszczególnych rejonach miasta: izby szkolne nie mogły pomieścić uczniów, czemu starano się po części zaradzić, wprowadzając zmiany popołudniowe. Walka o miejsce w wyremontowanych gmachach nasilała się także wskutek stale rosnącej liczby kształcących się po wojnie osób dorosłych.

Dramatyzm sytuacji oświatowej ilustrują liczby. W 1937/38 roku Warszawa miała 298 szkół powszechnych, a w nich 130 924 uczniów. W roku szkolnym 1947/48, kiedy miasto osiągnęło blisko połowę zaludnienia przedwojennego, było 106 szkół oraz 58 816 uczniów. Liczba szkół więc w tym roku była nieco większa od 1/3 liczby szkół przedwojennych, a uczyła się w niej mniej więcej połowa przedwojennej liczby uczniów. Szkół średnich miała wtedy Warszawa 35 (wobec 100 przed wojną) i kształciło się w nich 11 276 uczniów (wobec 29 650 przed wojną). Znacznie mniejsza liczba szkół w stosunku do okresu przedwojennego oznaczała większy stopień trudności w umieszczeniu dziecka w szkole, proporcjonalnie mniejsza liczba dzieci uczących się znaczyła, że nie wszystkie zostały objęte obowiązkiem szkolnym.

612. Żołnierze polscy wracający z Francji. Kolumna na pl. Trzech Krzyży, 1945 r.

Od początku omawianego okresu obserwujemy nie tylko odbudowę szkolnictwa, ale także jego przebudowę. Zmalał znaczny przed wojną udział szkół prywatnych. Podjęto prace nad reformą i reorganizacją szkół ogólnokształcących. Przede wszystkim jednak położono większy niż przed wojną nacisk na szkolnictwo zawodowe (w 1947/48 – 121 szkół wobec 141 przed wojną i w tym czasie 17 430 uczniów wobec 21 155 przed wojną. Wobec dużo mniejszej liczby ludności był to bardzo znaczny wzrost wskaźnika wzrostu liczby szkół zawodowych).

Wreszcie istotne w tych latach znaczenie miało szkolnictwo dla dorosłych, organizowane intensywnie w związku z przerwą wojenną, która wielu rocznikom młodzieży utrudniła bądź uniemożliwiła naukę. Organizacja szkolnictwa dla dorosłych wiązała się także ze zmianami ustrojowymi, chodziło tu o stworzenie szansy nauki dla ludzi z warstw objętych po wojnie głębokimi procesami awansu społecznego. Ten sam aspekt miało uruchomienie od roku 1945/46 kursów przygotowawczych i tak zwanych lat zerowych na wyższych uczelniach; miały one ułatwić młodzieży z warstw robotniczych i chłopskich drogę do zdobycia wyższego wykształcenia.

Obok podstawowych swych funkcji szkoły już w pierwszych latach po wojnie objęły młodzież akcją dożywiania, kolonii letnich oraz masową akcją szczepień ochronnych.

SZKOŁY WYŻSZE

W budynkach wielu szkół wyższych stacjonowały do końca okupacji oddziały niemieckie. Niektórych spośród tych budynków okupant nie zdążył zniszczyć, toteż straty tu, z wyjątkiem wyposażenia, były mniejsze niż w szkolnictwie podstawowym i średnim. Ciężkie natomiast straty poniosła nauka polska, gdy chodzi o pracowników naukowych, ponieważ celowa niszczycielska akcja okupantów kierowała się w znacznym stopniu przeciw inteligencji twórczej.

Mimo to dynamizm odbudowy szkół wyższych był w Warszawie bardzo wysoki. Większość szkół podjęła pracę w 1945 roku. Były to: Uniwersytet, Szkoła Główna Handlowa, Szkoła Inżynieryjna Wawelberga i Rotwanda, Szkoła Główna Gospodarstwa Wiejskiego, Politechnika Warszawska, Akademia Nauk Politycznych. W roku następnym rozpoczęła naukę Akademia Sztuk Pięknych, Akademia Stomatologiczna, pod koniec roku 1946 – Akademia Wychowania Fizycznego.

Szkolnictwo wyższe już w roku 1947 osiągnęło taką liczbę słuchaczy jak przed wojną (powyżej 20 tysięcy). Do największych uczelni powojennych Warszawy należały, podobnie jak przed wojną, Uniwersytet i Politechnika, na następnych miejscach plasowała się Akademia Nauk Politycznych, SGGW, SGH. Uczelnie wyższe restytuowane w pierwszych latach po wojnie zachowały przeważnie swe dawne formy organizacyjne, podniesiono jedynie rangę Szkoły Inżynieryjnej Wawelberga i Rotwanda.

Samo już zestawienie liczbowe odbudowanych szkół podstawowych i średnich z jednej, a wyższych z drugiej strony ukazuje nam istotne między nimi różnice. Szkolnictwo podstawowe i średnie zaspokajało z trudem potrzeby młodzieży miejscowej i dojeżdżającej z okolic najbliższych. Szkolnictwo wyższe zaspokajało potrzeby szerokiego regionu i kraju. Ułatwienie wstępu na uczelnie młodzieży robotniczej i chłopskiej (kursy przygotowawcze, lata zerowe) sprawiło, że w kilka lat po wojnie liczebność szkół wyższych osiągnęła stan przedwojenny, a zatem w stosunku do liczby ludności kraju i miasta znacznie korzystniejszy.

Dynamiczny rozwój szkół wyższych prowadził też – mimo trudności lokalowych i mieszkaniowych – do prędkiego, po przejściowym rozproszeniu, skupienia się pracowników naukowych w Warszawie.

Równocześnie ze szkolnictwem wyższym nastąpiła restytucja organizacji i stowarzyszeń naukowych, przede wszystkim Towarzystwa Naukowego Warszawskiego, które w roku 1951 stanie się jednym z filarów Polskiej Akademii Nauk.

KULTURA

Warszawa jako zespół zabytków i pomników o doniosłym znaczeniu dla kultury narodowej i jako największy w latach II Rzeczypospolitej ośrodek kultury i nauki została zniszczona niemal całkowicie. Wysiłek, mający na celu odbudowę tego ośrodka, podjęty został natychmiast po wyzwoleniu miasta, a jego rezultaty w świetle danych liczbowych przedstawiamy poniżej.

Szybko dźwigały się z ruin biblioteki warszawskie. Inwentarz Biblioteki Uniwersyteckiej, Narodowej, SGH i Głównego Urzędu Statystycznego przekroczył już w roku 1948 ogólną liczbę pozycji z 1937 roku. Szybki był zwłaszcza rozwój Biblioteki Publicznej, której stan księgozbioru w 1948 roku wynosił 311 000 woluminów, wobec 87 000 woluminów ocalałych z pożogi wojennej.

Muzeum Narodowe rozpoczęło swą działalność wystawienniczą 3 maja 1945 roku. Otwarto wówczas wystawę „Warszawa oskarża". 20 stycznia 1946 roku otworzyło swe podwoje Muzeum Wojska Polskiego. W tych dwóch największych w Warszawie muzeach następował szybki wzrost frekwencji. W końcu 1949 roku Warszawa miała już trzynaście muzeów. W artykule bilansującym odbudowę warszawskiego ośrodka wydawniczego u schyłku 1948 roku czytamy, że po „ustaniu działań wojennych [...] zaczęły wracać «na stare śmieci» dawne firmy wydawnicze, instalowały się też w Warszawie nowo zakładane spółdzielcze przedsiębiorstwa wydawnicze: «Czytelnik», «Książka», «Wiedza», a w ślad za nimi również największe państwowe przedsiębiorstwa wydawnicze: Państwowe Zakłady Wy-

613. Zawodnicy „Polonii" po meczu, wrzesień 1945 r.

dawnictw Szkolnych, Państwowy Instytut Wydawniczy [...] Spośród większych warszawskich firm wydawniczych wymienić należy: Gebethnera i Wolffa, Naszą Księgarnię, firmę Trzaska, Evert i Michalski, z mniejszych: Przeworskiego, Kuthana, Cukrowskiego" („Stolica" nr 38/1948).

W końcu 1948 roku, w związku ze zjednoczeniem ruchu robotniczego, partyjne wydawnictwa połączyły się w jedno: „Książka i Wiedza". W latach następnych rola wydawnictw uspołecznionych (państwowych i spółdzielczych) wzrosła jeszcze bardziej, podczas gdy znaczenie przedsiębiorstw prywatnych spadło niemal całkowicie.

Stosunkowo prędka była również odbudowa ośrodka wydawnictw periodycznych i radia, co wiązało się ściśle z restytucją funkcji stołecznych oraz funkcji głównego ośrodka politycznego. W związku ze wzrostem centralizacji życia politycznego oraz zmianami w strukturze narodowej miasta liczba powstających gazet i czasopism była niższa niż przed wojną; z reguły były to natomiast pisma o wyższych nakładach.

Proces centralizacji widać szczególnie wyraźnie na przykładzie prasy. Dnia 15 października 1944 roku ukazał się na Pradze pierwszy numer „Życia Warszawy" w nakładzie 3 tysięcy egzemplarzy. W ciągu 1945 roku wydawano już w Warszawie centralne organy partii i stronnictw politycznych, jak: „Głos Ludu" (organ PPR), „Robotnik" (PPS), „Kurier Codzienny" (SD), „Gazeta Ludowa" (PSL), „Dziennik Ludowy" (SL). Prócz tego do Warszawy przeniosła się także redakcja czasopisma „Rzeczpospolita" (organ rządu); wydawano pisma popołudniowe, jak „Expres Wieczorny" i „Wieczór". W ciągu pierwszych dwóch lat Warszawa stała się największym w kraju ośrodkiem prasy codzien-

614. Scena z „Lilii Wenedy" Słowackiego w Teatrze Polskim, 1946 r. Na zdjęciu Elżbieta Barszczewska i Wojciech Brydziński

nej. Wolniej przebiegał proces przenoszenia do Warszawy redakcji pism kulturalnych; najpoważniejsze z nich ukazywały się w Łodzi i Krakowie, które w owych latach zastępowały po części stolicę w pełnieniu funkcji wielkiej metropolii kulturalnej. Pod koniec wszakże omawianego pięciolecia centralizacja dotyczyła już także i pism kulturalnych, i naukowych.

Przy wydatnej pomocy radzieckiej odbudowano również szybko radiofonię. W sierpniu 1945 roku uruchomiono radiostację Warszawa I i Warszawa III, w grudniu 1946 roku – Warszawę II, w lipcu 1949 – Centralną Radiostację w Raszynie.

W 1949 roku było w Warszawie 69 475 aparatów radiowych, co w przeliczeniu na liczbę mieszkańców dawało już przeciętną wyższą od przedwojennej.

W pierwszym pięcioleciu nastąpił też szybki rozwój teatrów warszawskich. Pierwszy z nich otwarto na Pradze w prowizorycznej siedzibie już w 1944 roku. W styczniu 1946 roku rozpoczął swą działalność Teatr Polski uroczystą premierą „Lilli Wenedy", w lutym 1949 roku w gmachu „Roma" (gdzie wcześniej mieściła się Filharmonia) odbyła się inauguracja Opery Warszawskiej, u schyłku tegoż roku miała tam miejsce wielka międzynarodowa impreza muzyczna: konkurs szopenowski.

W roku 1949 Warszawa miała już liczbę teatrów niemal dorównującą przedwojennej. W porównaniu z okresem przedwojennym bardzo wyraźnie wzrastała frekwencja (w 1948 – 987 tysięcy, przed wojną 1,1 miliona). Był to wynik upowszechnienia kultury teatralnej i demokratyzacji widowni, dzięki, między innymi, szerokiej działalności kulturalnej związków zawodowych.

O kulturze muzycznej świadczy wzrost liczby imprez muzycznych i słuchaczy, którzy brali w nich udział. W 1948 roku było 460 koncertów (wobec 338 w poprzednim), uczestniczyło w nich 221 tysięcy słuchaczy (wobec 182 tys. w 1947).

W przeciwieństwie do bujnego rozwoju wymienionych dziedzin, rozwój sieci kin wyraźnie nie nadążał za potrzebami warszawian, dopiero w czwartym roku po wojnie następuje tu większy przyrost. I wtedy jednak liczba kin wynosiła tylko 10 (wobec 70 przed wojną), liczba miejsc 7300 (wobec 42 700 przed wojną). W stosunku do tej liczby miejsc frekwencja była ogromna i świadczyła o nie zaspokojonym głodzie kina.

Warszawa dążąc do rozwoju kultury i nauki weszła na tę drogę w stanie niemal całkowitego zniszczenia materialnego, poniosła bowiem bezpowrotne straty osobowe, straty w dziełach sztuki, archiwach, księgozbiorach, w bazie technicznej prasy, radia i wydawnictw, a mimo to w ciągu pierwszego powojennego pięciolecia stała się na powrót największym ośrodkiem nauki, szkolnictwa wyższego i kultury.

W ciągu pięciolecia 1945–1949 liczba mieszkańców stolicy wzrosła ze 162 tysięcy do ponad 600 tysięcy. Warszawa przeżyła największą w swej historii przemianę, która była rezultatem procesów żywiołowych oraz – w coraz bardziej nasilającym się stopniu – zamierzonych, politycznych. Polityka ta, od początku kształtowana przez nową władzę, o rewolucyjnej treści społecznej, przechodziła także głęboką ewolucję: od uznawania

PRZEMYSŁ I ZATRUDNIENIE. PRZEMIANY STRUKTURY SPOŁECZNEJ I ZAWODOWEJ

615. Artysta malarz Tadeusz Cieślewski szkicujący u wylotu ul. Nowomiejskiej ruiny Starego Miasta

616. Handel na ul. Bagno, 1947 r.

w dość szerokim zakresie gospodarki trójsektorowej (państwowej, spółdzielczej i prywatnej) do eliminowania gospodarki prywatnej i przekształcenia modelu spółdzielczości.

Na początku tego okresu wracająca do Warszawy ludność przedstawiała, jeśli można tak rzec, strukturę płynną. I tylko na Pradze, mimo dotkliwej dewastacji przemysłu przez okupanta, zwłaszcza w ostatnich miesiącach jego panowania, przetrwała na miejscu część kadry robotniczej, która wsparta przez państwo i partie robotnicze przystąpiła niemal nazajutrz po wyzwoleniu do zabezpieczenia mienia i organizowania produkcji. Większą grupę tworzyli też pracownicy przedsiębiorstw miejskich i komunikacji, odbudowujący podstawowe funkcje miasta. Znacznie trudniej natomiast było ruszyć z odbudową przemysłu na wielką skalę, ponieważ większe zakłady przemysłowe lewobrzeżnej Warszawy były zniszczone w ogromnym stopniu, a kadry ich bardzo rozproszone. Mimo to obserwujemy aktywny stosunek powracających załóg do odbudowy warsztatów przemysłowych. Wielu robotników strzeże resztek fabrycznego mienia i stara się zorganizować cząstkową lub zastępczą produkcję. W tych działaniach korzystają załogi z poparcia partii robotniczych i związków zawodowych. W wielu przypadkach mamy tu do czynienia z nacjonalizacją faktyczną, poprzedzającą ustawę z dnia 3 stycznia 1946 roku. W wielu innych przypadkach stopień zniszczeń nie pozwolił jednak na wznowienie produkcji. Tak na przykład nie udało się odbudować wielkiej fabryki „Lilpop, Rau i Loevenstein", której pracownicy stanowili następnie podstawową część kadry PAFAWAG-u we Wrocławiu.

Wystąpiły w tym okresie istotne trudności związane z powojenną deformacją struktury demograficznej. Największe straty ponieśli mężczyźni w rocznikach produkcyjnych, a zatrudnione w przeważającej liczbie kobiety były w większości nie przygotowane do kwalifikowanej pracy przemysłowej. Toteż w pierwszym dwuleciu po wyzwoleniu, kiedy państwowe środki inwestycyjne były skromne, bardzo doniosłe procesy żywiołowe wpływały na kształtowanie się nietrwałej struktury społecznej. Najwcześniej odrodził się prywatny handel uliczny i bazarowy, później zaś rzemiosło wytwórcze i usługowe (zwłaszcza, choć nie tylko, na Pradze).

Warszawa pierwszego powojennego dwulecia była z jednej strony – w związku z odbudową jej stołeczności oraz odbudową miasta jako ośrodka nauki i kultury – miejscem szybko rozwijającej się administracji i szybkiego wzrostu liczbowego inteligencji twórczej, z drugiej zaś strony terenem prowizorycznego handlu, rzemiosła, budownictwa.

„W latach realizacji planu 3-letniego (1947–1949)" – jak pisze M. Drozdowski w „Historii Warszawy" – „uruchomiono większość zakładów przemysłowych nadających się do odbudowy. W akcji rekonstrukcji w owym czasie zmalała rola kapitałów prywatnych, które prowizorycznie odbudowały część zakładów stopniowo ulegających likwidacji. [...] Z nowych większych fabryk już w latach planu 3-letniego powstały: Tarchomińskie Zakłady Farmaceutyczne i Zakłady Przemysłu Odzieżowego«Cora». W końcu 1949 roku czynne były w Warszawie 1232 zakłady przemysłowe, zatrudniające 67 tysięcy osób (48% stanu z 1938)".

Jak widać na przykładzie przemysłu, między pierwszym dwuleciem a okresem planu 3-letniego wystąpiła wyraźna zmiana. Wzrost środków inwestycyjnych przeznaczonych na odbudowę miasta umacniał w tym okresie wpływ planowej polityki państwa na procesy społeczne, na zmianę struktury społecznej i zawodowej. W 1948 roku powstał Zakład Osiedli Robotniczych, centralny państwowy inwestor budowlany. Rola zaś spółdzielczości, po okresie wzmożonych wpływów w budownictwie i mieszkalnictwie, zmalała.

W wyniku wspomnianych procesów, u schyłku pierwszego pięciolecia struktura społeczna i zawodowa Warszawy była już uformowaną nową strukturą.

Na przełomie lat 1948 i 1949 w Warszawie było blisko 290 tysięcy pracowników najemnych; liczbę tę trzeba powiększyć o prawie 40 tysięcy dojeżdżających do pracy w mieście spoza jego granic. Z 290 tysięcy pracowników najemnych 80% było zatrudnionych w sektorze uspołecznionym; w gospodarce uspołecznionej było 91% ogółu pracowników umysłowych i 72% ogółu pracowników fizycznych. Największym pracodawcą były instytucje i przemysł państwowy, zatrudniające 54,5% pracowników najemnych.

Polityka państwa w okresie planu 3-letniego wywierała coraz większy wpływ na strukturę społeczno-zawodową, kształtującą się początkowo w znacznym stopniu spontanicznie. Polityka ta poprzez okres tak zwanej trójsektorowości zmierzała coraz wyraźniej do ograniczania i eliminowania sektora prywatnego oraz przekształcania sektora spółdzielczego. Wskutek tego na przełomie lat 1949 i 1950 struktura społeczno-zawodowa była już bardzo odmienna zarówno od struktury okresu przedwojennego, jak i od tego, co tworzyło się żywiołowo w pierwszym okresie po wyzwoleniu. Ludność Warszawy już wtedy składała się przeważnie z pracowników najemnych sektora socjalistycznego. Dotyczyło to zarówno pracowników fizycznych, związanych przede wszystkim z szybko rozwijającym się przemysłem, a zwłaszcza z budownictwem, jak i umysłowych, pełniących funkcje, które wiązały się ze stołecznością Warszawy.

Przyłączenie do Warszawy w roku 1951 miejscowości podstołecznych powiększyło obszar miasta trzykrotnie, z 14 148 do 42 725 hektarów. W stosunku do wcześniejszych koncepcji województwa stołecznego było to rozwiązanie kompromisowe, bo współzależności miasta z regionem występowały daleko poza tymi nowymi granicami administracyjnymi. Odchodzono jednak wówczas od koncepcji Warszawskiego Zespołu Miejskiego. Ustawa z roku

617. Aula Politechniki Warszawskiej podczas Kongresu Zjednoczeniowego PPR i PPS, grudzień 1948 r.

518. Pomnik Adama Mickiewicza, wysadzony w powietrze w grudniu 1944 r., ponownie ustawiony na Krakowskim Przedmieściu 20.I.1950 r.

1950 o radach narodowych jako organach jednolitej władzy państwowej zmieniała całą strukturę władzy lokalnej. Miejsce prezydenta zajął przewodniczący prezydium Stołecznej Rady Narodowej (Jerzy Albrecht), a obszar miasta podzielono na dzielnice z taką samą strukturą władzy. Wobec tendencji centralistycznych ustawa z roku 1950 nie przyniosła efektywnego wzrostu władzy lokalnej. Władze centralne preferowały natomiast rozwój funkcji stołeczno-metropolitalnych i przemysłowych z uszczerbkiem dla funkcji lokalnych i komunalnych.

Liczba ludności Warszawy rosła wtedy szybko. Pierwszego stycznia 1950 roku wynosiła ona 638 tysięcy, a wespół z terenami przyłączonymi w następnym roku – 804 tysiące. U schyłku roku 1955 Warszawa miała ponad milion mieszkańców, wśród miast milionerów zajmowała ona jednak dużo dalsze miejsce niż przed wojną. Do wzrostu liczby ludności, obok zmian administracyjnych, przyczynił się znaczny przyrost naturalny i migracyjny. Ten pierwszy miał niewątpliwie cechy wzrostu kompensacyjnego i był najwyższy w roku 1955; dzieci urodzone w tym roku stanowiły tak zwany wyż demograficzny. Przyrost migracyjny był także bardzo znaczny, miał jednak nieco inne przyczyny niż w pierwszym pięcioleciu, kiedy do Warszawy, nie bacząc na warunki, wracali dawni jej mieszkańcy, przybywali słabo kwalifikowani robotnicy budowlani, a także pracownicy administracji i kultury. W drugim pięcioleciu wzrosła przyciągająca siła nowego przemysłu. Władze wyraźnie forsowały jego rozwój, by klasa robotnicza mogła stanowić przeciwwagę rozwiniętej warstwy urzędniczej. Był to w tych latach przemysł już głównie państwowy, to samo dotyczyło budownictwa. „Rocznik statystyczny Warszawy" z 1956 roku podaje, że liczba zatrudnionych w uspołecznionych zakładach pracy wzrosła z 406 442 w roku 1951 do 449 583 w roku 1954. Zatrudnienie w przemyśle i rzemiośle wzrosło z 20,7% do 25,5%. Przemysłowy krajobraz miasta wzbogaciły wówczas między innymi: Fabryka

Samochodów Osobowych, Elektrociepłownia Żerań, Zakład Mechaniczny im. M. Nowotki, Zakłady Radiowe im. M. Kasprzaka, Fabryka Elementów Betoniarskich, Drukarnia im. Rewolucji Październikowej, Fabryka Wyrobów Precyzyjnych im. gen. Karola Świerczewskiego.

Rzemiosło uspołecznione natomiast nie nadążało w tym okresie za potrzebami; rzemiosło, handel i usługi prywatne uległy wyraźnemu regresowi.

W budownictwie zatrudnienie wynosiło nieco mniej niż 20%, a w administracji i instytucjach społecznych około 17,5%.

Znaczny był w owych latach wzrost szkolnictwa. Między rokiem 1949 a 1955 liczba uczniów szkół podstawowych wzrosła z ponad 55 tysięcy do przeszło 84 tysięcy. Liczba uczniów szkół licealnych była raczej stała (około 15 tysięcy), w szkołach zawodowych w roku 1954 było 27 686 uczniów. W reorganizowanym wiele razy szkolnictwie wyższym ograniczono autonomię; liczba studentów wzrosła z około 26 tysięcy do prawie 35 tysięcy.

Przejawem centralizmu w organizacji nauki było utworzenie Polskiej Akademii Nauk w wyniku połączenia Polskiej Akademii Umiejętności z Towarzystwem Naukowym Warszawskim, co nastąpiło na pierwszym Kongresie Nauki Polskiej w 1951 roku. W następstwie powołano wiele instytutów PAN-u, które wespół z instytucjami resortowymi stały się teraz znacznie ważniejszą formą organizacji nauki niż przed wojną.

Polityka kulturalna tego okresu była potem krytykowana jako dogmatyczna, jednostronna, ograniczająca autonomię twórczości artystycznej. Był to okres najjaskrawszej centrali-

621. Otwarcie V Światowego Festiwalu Młodzieży i Studentów na Stadionie Dziesięciolecia w dniu 21.VII.1955 r.

zacji życia kulturalnego w stolicy, często ze szkodą dla ośrodków innych. W owym czasie miastu przybyło wiele nowych scen teatralnych i sal kinowych. W roku 1955 oddano do użytku wielki, wielofunkcyjny obiekt kulturalny – Pałac Kultury i Nauki, dar Związku Radzieckiego, otwarto też odbudowaną po wojnie Filharmonię Warszawską (obecnie Narodową). Pierwszą wielką w niej imprezą był V Międzynarodowy Konkurs im. Fryderyka Chopina. Nastrój tego konkursu, podobnie jak i Światowego Festiwalu Młodzieży i Studentów oraz wielu inscenizacji teatralnych, a także prowadzonych wówczas dyskusji, oznaczał zmierzch ciasnej polityki kulturalnej; był też świadectwem zmian prowadzących do jej wzbogacania.

Warszawa stała się w ciągu powojennego 10-lecia na powrót największym polskim ośrodkiem miejskim, w którym dokonał się ogromny rozwój instytucji stołecznych i metropolitalnych. Znacznie trudniejsza natomiast była jej sytuacja w dziedzinie budownictwa mieszkaniowego, komunikacji i szeroko pojętej gospodarki komunalnej. Budownictwo zmodernizowane i mające poważne osiągnięcia w tworzeniu nowych osiedli nie nadążało za potrzebami ludności. Warszawa tego okresu nie znała bezrobocia, przeciwnie, zapotrzebowania na ręce do pracy nie można było zaspokoić, miasto przeżywało natomiast ostry deficyt mieszkaniowy. W roku 1954 władze miejskie wydały zarządzenie ograniczające meldunki: jego skutkiem był napór na miejscowości podstołeczne.

Znaczny wzrost liczby dojeżdżających do pracy z odległych miejscowości, a także ruchliwość wewnątrz miasta kazały zająć się zagadnieniami komunikacji. Mimo elektry-

22. Fragment Sali Kongresowej w Pałacu Kultury i Nauki, przekazanym Warszawie w 1955 r. jako dar narodów Związku Radzieckiego

fikacji kilku linii podstołecznych rozwiązania komunikacyjne nie nadążały za potrzebami. Obciążenie tramwajów i autobusów rosło, nie zrealizowano też planowanego wtedy metra. Wiele tych problemów stało się przedmiotem analizy w następnych latach, niektóre słabości udało się przezwyciężyć, w innych dziedzinach zmierza się do poprawy. Historia nowoczesnego miasta wykazuje jednak wiele problemów „długiego trwania", co sprawia, że poznanie przeszłości miasta może pomóc w zrozumieniu jego teraźniejszości.

Ostatecznie trzeba stwierdzić, że miasto – które w chwili wyzwolenia na lewym brzegu było całkowicie martwe i zniszczone – w ciągu pierwszego dziesięciolecia odrodziło się i przekształciło w dynamiczną metropolię kultury, ośrodek przemysłu, stołeczne centrum zarządzania. Mimo różnych dewiacji rozwoju było to miasto rozgęszczone, znacznie bardziej niż dawniej egalitarne, bogate w zieleń, fizycznie zdrowsze, poprzez odbudowywane wtedy zabytki szukające poczucia tożsamości z historią niedawną i tradycją w czasie nieraz odległą.

PRZEMIANY GOSPODARCZE
I SPOŁECZNE PO PLANIE SZEŚCIOLETNIM

Uchwalona przez Sejm w 1950 roku ustawa o planie 6-letnim i rozwoju gospodarczym była proklamacją programu socjalistycznej industrializacji Polski.

Nakreślona w tym planie wizja budowy wielkich obiektów przemysłowych w stolicy, będących sztandarowymi inwestycjami socjalizmu, stała się faktem. Zgromadziwszy wielkie zasoby majątku produkcyjnego obiekty te wyróżniały się nowoczesnością zastosowanych rozwiązań technicznych, a wspierane myślą naukową i dysponujące wysoko cenioną w kraju kadrą fachowców i specjalistów rozpoczęły normalną pracę, rządząc się własnymi immanentnymi prawami ruchu i rozwoju.

Zaważyły one w sposób trwały na kształcie przestrzennym i urbanistycznym oraz na potencjale produkcyjnym i gospodarczym miasta, jeśli ograniczyć problem wyłącznie do wymienienia wartości materialnych. Perspektywa minionych 30 lat nie umniejszyła ich wielkości. Czas wyraźnie im sprzyja, dlatego będą zapewne widoczne także i w strukturze gospodarczej Warszawy 2000 roku. Wiele obiektów przemysłowych wzniesionych w okresie planu 6-letniego było przedmiotem intensywnej rozbudowy i modernizacji w następnych latach.

623. Widok panoramiczny Warszawy od strony pla[c]a Teatralnego w kierunku alei Gen. Świerczewskie[go] (odcinek na zachód od wylotu tunelu Trasy W–Z[)]. W tle zabudowa Starego Miasta

REALIZACJA PROGRAMU
UPRZEMYSŁOWIENIA

Według spisu przemysłowego z 1965 roku na lata 1950–1955 przypadło uruchomienie 41% zakładów wybudowanych w Warszawie po wojnie, natomiast w dwóch kolejnych pięciolatkach 1956–1960 i 1961–1965 już tylko po 25,4%. Odbicie przyjętych ogólnych priorytetów w rozwoju miasta znajdujemy w ogólnej strukturze nakładów inwestycyjnych. W 1960 roku nakłady inwestycyjne na przemysł stanowiły 31,8% ogółu nakładów, w 1968 roku już 33,6%. Dopiero lata siedemdziesiąte przyniosły zmniejszenie nakładów na przemysł (w 1970 – 28,8%) na korzyść wzrostu innych działów, głównie gospodarki komunalnej, która w omawianym okresie często zadowalała się mniejszymi w porównaniu z przemysłem środkami.

Intensywny rozwój funkcji przemysłowych stolicy był przyczyną rażących zaniedbań innych funkcji, czego potwierdzenie znajdujemy w omawianej już strukturze nakładów inwestycyjnych i co stawiało władze wobec konieczności szukania doraźnych rozwiązań, działalność bowiem inwestycyjna w dziedzinie przemysłu wyprzedzała rozwój budownictwa mieszkaniowego i komunalnego. Słowem wyraźne zapóźnienia wykazywała rozbudowa urządzeń infrastruktury technicznej i społecznej. W tej sytuacji zaczynały rysować się trudności w sprawnym funkcjonowaniu organizmu wielkomiejskiego. Wystąpiły one już w początkowych latach realizacji planu 6-letniego.

Dokonano zatem kolejnej modyfikacji planu rozwoju stolicy, zmniejszając przewidywaną liczbę jej ludności w 1980 roku do 2 mln, a strefy zewnętrznej do 2,5 mln. Wprowadzenie statusu zamkniętego miasta i ograniczenie rozwoju ludnościowego na drodze administracyjnej pozwoliło ponownie zrewidować plany urbanistyczne i prognozy demograficzne dla Warszawy oraz założyć, że w roku 1980 będzie 1,6 mln mieszkańców, a w 1965 roku liczbę tę zmniejszono do 1,4 mln ludności.

Według wizji przedstawionej przez Bolesława Bieruta w 1949 roku Warszawa 1980 roku miała liczyć 2,3 mln mieszkańców miasta i 2,9 mln w strefie zewnętrznej w granicach Warszawskiego Zespołu Miejskiego. Tak więc w miarę upływu czasu w latach sześćdziesiątych coraz bardziej odchodzono od wizji Warszawy wielkiej, nakreślonej przez Bieruta, i zadowalano się skromniejszą skalą stolicy i mniej imponującymi rozwiązaniami. Generalnie biorąc kolejne zmiany w planach rozwoju Warszawy oscylowały między ujęciami maksymalnymi i minimalnymi. Lata sześćdziesiąte charakteryzowały się programem minimalizującym rozwój Warszawy.

Niemniej przemysł jako planowany czynnik miastotwórczy, przeobrażający struktury społeczne, w odniesieniu do Warszawy odegrał swoją rolę.

W 1970 roku największe zakłady zatrudniające powyżej tysiąca osób stanowiły zaledwie 2,5% ogółu jednostek przemysłu uspołecznionego stolicy. Natomiast ich załogi stanowiły połowę (50,2%) ogółu pracowników przemysłu uspołecznionego Warszawy. W liczbach absolutnych była to armia licząca 123 400 ludzi. W całym charakteryzowanym okresie przemysł był największym pracodawcą (31,4%) i zatrudniał, łącznie z budownictwem, 41,6% ogółu osób czynnych zawodowo na terenie Warszawy. W wielkościach absolutnych było to 312 400 ludzi, przy czym wielkości tej nie można odnosić wyłącznie do mieszkańców Warszawy, gdyż potencjał przemysłowy miasta angażował czynnik ludzki nie bacząc na granice administracyjnych podziałów i izochrony czasu dojazdów. W 1970 roku przeszło połowę pracowników dojeżdżających do pracy w stolicy stanowili zatrudnieni w przemyśle i budownictwie.

W latach 1960–1970 nie wystąpiły zmiany w strukturze gałęziowej przemysłu stolicy. Wiodący, stosując kryterium wielkości zatrudnienia, był przemysł elektrotechniczny, maszynowy i konstrukcji metalowych, środków transportu, metalowy. Dopiero na dalszych miejscach plasował się przemysł spożywczy, chemiczny, poligraficzny i odzieżowy. Przytoczona w wielkim skrócie struktura gałęziowa przemysłu Warszawy jest świadectwem wielkich zmian i przeobrażeń, które dokonały się w pierwszych latach po zakończeniu planu 6-letniego. Jednocześnie należy mieć na uwadze, że przemysł stolicy stanowi integralną część Warszawskiego Okręgu Przemysłowego, z którym łączą go nie tylko powiązania kooperacyjne, między innymi ponad jedna trzecia mieszkańców stolicy wyjeżdżających z Warszawy do pracy w uspołecznionych zakładach jest zatrudniona w przemyśle Warszawskiego Okręgu Przemysłowego.

ZAMKNIĘTE MIASTO

W 1954 roku ukazało się rozporządzenie w sprawie przepisów meldunkowych oraz pobytu na terenie m.st. Warszawa. U podstaw tej decyzji leżała troska władz o poprawę warunków bytowych mieszkańców stolicy oraz brak możliwości zapewnienia przybyszom mieszkań w sytuacji, gdy duża część mieszkańców gnieździła się w ruinach i przeludnionych lokalach. Zdaniem władz, niekontrolowana migracja do stolicy stanowiła dla odbudowującego się miasta wielki ciężar, niwecząc planowe wysiłki zmierzające do harmonijnego rozwoju organizmu miejskiego. Jednocześnie spodziewano się, że podjęte środki administracyjne pozwolą także uporządkować i warszawski rynek pracy.

Decyzja władz traktująca o ograniczeniu możliwości swobodnego osiedlania się pociągnęła za sobą rozliczne skutki zaplanowane i zaprogramowane, wywołała jednak cały splot zjawisk nie przewidywanych i nie planowanych. Pierwotnie zakładano, że wprowadzone ograniczenia będą narzędziem krótkotrwałego oddziaływania i po upływie kilku lat nie będzie potrzeby utrzymywania ich w mocy. W momencie wprowadzenia w Warszawie statusu zamkniętego miasta w wewnętrznym ruchu wędrówkowym ludności, stołeczny przemysł był nadal intensywnie rozbudowywany i modernizowany. Nie bacząc na wprowadzone ograniczenia zapadały decyzje o nowych lokalizacjach obiektów i powiększano moce produkcyjne, że wymienimy przykładowo Hutę Warszawa czy rozbudowę Fabryki Samochodów Osobowych. Rozbudowa przemysłu w Warszawie zbiegła się ze zmianą obowiązujących wówczas poglądów dotyczących optymalnych wielkości nowych zakładów przemysłowych. Przyjęcie nowych wielkości optymalnych pozwalało na preferowanie wielkich przedsiębiorstw zatrudniających tysiące ludzi.

Problem migracji do Warszawy wymaga odrębnego potraktowania. Ludność napływająca do wielkich miast pragnie szeroko korzystać z rozlicznych możliwości wyboru miejsca pracy, kształcenia się, form rozrywki i wypoczynku. W mniemaniu migrantów wielkie miasta zapewniają awans społeczny.

Wielkie miasto traktowane jako wielkie skupisko ludności, niezależnie od wyróżniającego je kierunku aktywności, pozostaje całością wielofunkcyjną. Poza funkcjami gospodarczymi spełnia funkcje kulturalne i społeczne. Te ostatnie znajdują wyraz w organizacji życia zbiorowego, przejawiają się w stosunkach społecznych i w układach grup społecznych, w procesach integracji i dezintegracji społecznej. Miejski styl życia będący produktem wielkich koncentracji ludności wyznacza ramy, w których zaspokajane są różne potrzeby, realizowane są różne zainteresowania oraz występują różne formy uczestnictwa w życiu zbiorowym.

W momencie wprowadzenia ograniczeń meldunkowych stolica była miastem biologicznie młodym. Rekordowy w okresie Polski Ludowej przyrost naturalny Warszawy wynosił w 1955 roku 16,2 promille. Był to rok szczytowy fazy kompensacji demograficznej strat biologicznych spowodowanych wojną. Następne lata przyniosły stolicy systematyczne zmniejszanie się współczynników przyrostu naturalnego ludności. W 1969 roku współczynnik przyrostu naturalnego w Warszawie stanowił zaledwie 0,6 promille, dla dzielnicy Praga Północ i Śródmieście przyjął nawet wartości ujemne, co oznaczało, że liczebność zgonów jest większa niż liczebność urodzeń. Poczynając od 1970 roku przyrost ten wyraźnie rośnie.

Dynamikę wzrostu liczby ludności Warszawy wyznaczała głównie wielkość przyrostu migracyjnego, który w całym omawianym okresie kształtował się zawsze na wyższym poziomie niż przyrost naturalny. Wprowadzenie ograniczeń meldunkowych w stolicy zmniejszyło rozmiary migracji o dwie trzecie. Poprzednio przeciętnie rocznie przybywało do stolicy około 50 tysięcy osób.

W końcu lat pięćdziesiątych stosunek przyrostu migracyjnego do przyrostu naturalnego kształtował się jak 2:1 lub 3:1 na korzyść przyrostu migracyjnego. W latach sześćdziesiątych rozpiętości te uległy zwiększeniu i w drugiej połowie lat sześćdziesiątych wystąpiły relacje jak 8:1 i więcej. Na przykład w 1969 roku wielkość przyrostu naturalnego Warszawy w liczbach absolutnych wynosiła zaledwie 800 osób, a z tytułu przyrostu migracyjnego 9100 osób. W tej sytuacji coraz ostrzej rysowały się ujemne konsekwencje utrzymywania statusu zamkniętego miasta.

Wśród osób migrujących do Warszawy trzy czwarte stanowili mieszkańcy miast, a jedną czwartą mieszkańcy wsi. Udział reemigrantów był niewielki wśród osób osiedlających się w Warszawie na stałe, jeśli wyłączyć tak zwaną małą migrację po 1956 roku, głównie z obszarów ZSRR, która dość licznie osiedlała się w stolicy. Z początkiem lat sześćdziesiątych ruch ten wygasł. Należy podkreślić, że przeszło połowa migrantów pochodziła z terenów byłego województwa warszawskiego.

Po wprowadzeniu ograniczeń meldunkowych zmieniły się czynniki selektywne migracji do Warszawy. O ile poprzednio głównym czynnikiem decydującym o migracji była możność znalezienia pracy wynikająca z sytuacji na warszawskim rynku pracy, o tyle po wprowadzeniu ograniczeń głównym motywem migracji stały się względy rodzinne. Badania przeprowadzone w 1961 roku nad strukturą ruchu migracyjnego do stolicy wykazały, że wśród przybyszów przeważały kobiety i znaczny był odsetek osób w wieku poprodukcyjnym.

Efektem ubocznym wprowadzonych ograniczeń było zmniejszenie się odpływu ludności ze stolicy, gdyż podjęcie takiej decyzji było przez wiele lat jednoznaczne z utratą warszawskiego zameldowania. W latach poprzedzających wprowadzenie ograniczeń meldunkowych odpływ ludności kształtował się na poziomie około 30 tysięcy rocznie, a następnie średnio zmniejszył się dziesięciokrotnie, wykazując jedynie okresowe wzrosty po 1956 i 1968 roku w związku z falą wyjazdów za granicę. W strukturze geograficznej odpływu ludności z Warszawy w ruchu wewnętrznym najwięcej osób kierowało się na teren byłego województwa warszawskiego. Wśród wyjeżdżających ze stolicy na stałe znaczny był udział osób przewlekle chorych kierowanych do zakładów opieki nad chronicznie chorymi. W 1970 roku zarejestrowano odpływ stałych mieszkańców stolicy w liczbie 3900 osób, a w tym samym czasie uzyskało zezwolenie na pobyt stały 15 700 osób. Fakty te dowodzą znacznej stabilizacji ludności zamieszkałej w Warszawie i małej ruchliwości.

Niekorzystne zmiany w strukturze demograficznej mieszkańców stolicy uwidaczniają się przy porównaniach tak zwanych piramid wieku ludności. W 1960 roku ludność Warszawy reprezentowała typ struktury wieku określanej przez demografów mianem stacjonarnej; rysował się wówczas wyraźnie wpływ migracji, dzięki której szczególnie liczne były roczniki pozostające w wieku zdolności do pracy. Kształt piramidy był więc zbliżony do prostokąta i nie przypominał charakterystycznej choinki o szerokiej podstawie. W 1970 roku dalszemu zawężeniu uległa i tak już wąska jej podstawa: stosunkowo nielicznie były reprezentowane roczniki w wieku 24–29 lat, natomiast wyraźnie zwiększyła się obsada roczników starszych i najstarszych.

Porównując piramidę wieku ludności Warszawy z 1970 roku z piramidami innych dużych miast Polski, należy stwierdzić, że była ona, jeśli chodzi o stopień zaawansowania demograficznej starości, równie niekorzystna jak w Łodzi czy w Poznaniu, przy czym w Warszawie udział osób w wieku 70 i więcej lat był największy i wynosił w 1970 roku 78 500. Proces starości demograficznej w stolicy był najbardziej zaawansowany i przebiegał najszybciej w skali kraju. W ciągu dziesięciolecia 1960–1970 środkowy wiek mieszkańców stolicy wzrósł aż o 3,9 lat. Dla wyjaśnienia należy dodać, że wiek środkowy odnosi się do wieku, którego jedna połowa danej populacji jeszcze nie osiągnęła, a druga już przekroczyła. Natomiast ludność województwa warszawskiego miała o 6,4 lat niższy wiek środkowy niż mieszkańcy Warszawy. W niemałym stopniu było to konsekwencją utrzymywania statusu zamkniętego miasta.

Poczynając od 1960 roku Warszawa miała w Polsce najwyższe odsetki ludności w wieku poprodukcyjnym, a od 1950 roku – wśród swych mieszkańców najniższy odsetek dzieci i młodzieży do lat 17. Proces starzenia się ludności najostrzej przebiegał w Śródmieściu, gdzie był najwyższy udział grupy najstarszej i najmniejszy udział grupy najmłodszej, to jest dzieci i młodzieży. Najmłodszą biologicznie społeczność w 1960 roku miał Mokotów, a w 1970 roku jego miejsce zajął Żoliborz, który relatywnie pozostał najmłodszą biologicznie dzielnicą stolicy o największym udziale dzieci i młodzieży i najniższym osób w wieku 60 i więcej lat.

Obok charakteryzowanych procesów demograficznych, które uległy zaostrzeniu i stały się bardziej czytelne w obrazie miasta w związku z wprowadzeniem ograniczeń migracji, na przełomie lat pięćdziesiątych i sześćdziesiątych statystyka podawała liczebność osób przebywających w stolicy okresowo; wahała się ona w granicach od 20 do 30 tysięcy. Na marginesie warto odnotować, że według oceny Milicji Obywatelskiej w stolicy zamieszkiwało ponad 30 000 osób nie posiadających zezwolenia władz na zameldowanie. Liczba ta pozwala wyrobić sobie pogląd na skalę problemu.

Konsekwencje społeczne wprowadzenia statusu zamkniętego miasta dały o sobie znać między innymi przy wydawaniu zezwoleń na zamieszkanie w Warszawie. Znacznie łatwiej uzyskiwali je wybitni naukowcy, twórcy, artyści, politycy, inżynierowie, działacze społeczni niż zwykli ludzie, dla których bariera przepisów była istotnie nie do pokonania. Ci pierwsi uzyskiwali zezwolenia z tytułu swych kwalifikacji i udowodnienia niezbędności dla gospodarczego, społecznego i kulturalnego życia miasta, pomagały im w tym różne instytucje i organizacje, podczas gdy poparcie zakładu pracy dla tak zwanego szarego człowieka bez takich uzasadnień nie zawsze wystarczało.

W ten sposób przez wiele lat odbywał się proces swoistej selekcji nowych mieszkańców stolicy i „nobilitacji" migrantów; towarzyszyło mu odczucie degradacji jednych i przywileju dla drugich, powstawało więc źródło nowej nierówności społecznej. Zjawisko to nazwał prof. M. Kaczorowski, w czasie jednego z dorocznych spotkań varsavianistów, przywilejem warszawskim.

Toteż w latach sześćdziesiątych mówiło się i pisało o niegościnnej Warszawie i o warszawiakach z pociągu, mając na myśli ludzi, którzy w stolicy tylko pracowali, ale nie mieli prawa w niej mieszkać. Jednocześnie próbowano odciąć strefę zewnętrzną od stolicy za pomocą licznych posunięć administracyjnych. Podkreślano odrębność tej strefy i rozdział terytorialny, wprowadzając rejonizację usług między innymi w dziedzinie szkolnictwa, a także szpitalnictwa.

Dopiero utworzenie w 1975 roku stołecznego województwa warszawskiego zmieniło ten

624. Huta Warszawa w Młocinach, widok ogólny

stan rzeczy, uruchomiono bowiem liczne integrujące mechanizmy między stolicą a jej bezpośredniem zapleczem na obszarze strefy zewnętrznej.

W studiach nad zróżnicowaniem przestrzenno-ekologicznym społeczności Warszawy operuje się współczynnikiem struktury społecznej, który jest stosunkiem liczby pracowników fizycznych do liczby pracowników umysłowych. Nie jest to narzędzie poznawcze doskonałe, ale pozwala odczytać kierunek przemian społecznych zachodzących w stolicy w latach 1960–1970.

Generalnie biorąc, w stolicy stwierdzono zmniejszanie się liczby robotników, którzy w 1960 roku wykazywali niewielką przewagę liczbową nad rosnącą armią pracowników umysłowych, co wyrażało się wartością 1,14 współczynnika struktury społecznej. W 1970 roku w obliczeniach odnoszących się wyłącznie do mieszkańców stolicy współczynnik wynosił już 0,74. Ten sam współczynnik struktury społecznej obliczony dla osób zatrudnionych w Warszawie w 1970 roku wynosił 1,05. Należy nadmienić, że w latach 1960–1970 przyrost pracowników fizycznych w stolicy wyniósł 60 600 osób, a pracowników umysłowych 106 700 osób. W wielkościach względnych przyrost pracowników fizycznych wyrażał się wzrostem o 28,6%, a pracowników umysłowych o 40%.

626. Zakłady Przemysłu Farmaceutycznego „Polfa" w Tarchominie, hala produkcyjna

Porównanie obu wartości współczynnika dla 1970 roku dowodzi, że wystąpiła tutaj swoista selekcja społeczna. Wyraża się ona faktem, że wśród osób dojeżdżających do pracy w stolicy występuje przewaga liczbowa ludzi o niższych kwalifikacjach zawodowych. Spośród nich, jak można wnosić, rekrutują się w przeważającej mierze pracownicy fizyczni stolicy. Natomiast w samej Warszawie nie rozpoczął się jeszcze proces ucieczki ludności z centrum miasta do jego strefy zewnętrznej. Dowodem tego jest między innymi najniższy w skali Warszawy współczynnik struktury społecznej dla Śródmieścia; wynosił on w 1970 roku 0,45, dla Mokotowa zaś 0,62, Ochoty 0,67, Pragi Południe 0,87, Pragi Północ 1,44, Woli 0,89 i Żoliborza 0,81. Przytoczone wielkości charakteryzują mieszkańców Warszawy, a nie odnoszą się do charakterystyki zatrudnienia na terenie stolicy.

W tym ujęciu najbardziej inteligencką dzielnicą było w Warszawie Śródmieście, a następnie Mokotów i Ochota, podczas gdy w odniesieniu do Żoliborza można mówić o zmianie społecznego charakteru dzielnicy, który upodobnił się do Woli i Pragi Południe. Omawiany współczynnik dla strefy zewnętrznej w granicach stołecznego województwa warszawskiego wynosił w 1970 roku 2,01. Te niezmiernie interesujące stwierdzenia weryfikują tezę o społecznych konsekwencjach utrzymywania statusu zamkniętego miasta. Ukazują odmienność struktur społecznych, a zarazem sygnalizują wielkość dystansów społecznych. Chociaż wiadomo, że zacierają się różnice między charakterem pracy administracyjno-biurowej i produkcyjnej, między pracą fizyczną i umysłową, niemniej przytoczone wielkości współczynnika świadczą o istnieniu daleko posuniętego zróżnicowania struktur społecznych w ramach aglomeracji warszawskiej oraz dowodzą charakterystycznego i specyficznego dla Warszawy ich układu przestrzennego. Ponieważ Warszawa w przeciwieństwie do innych wielkich miast jeszcze nie znalazła się w fazie, gdy mieszkańcy centralnego miasta aglomeracji opuszczają je, przenosząc się do bardziej odległych

7. Montaż radioodbiorników w Zakładach Radiowych im. Marcina Kasprzaka

miejscowości, położonych w strefie zewnętrznej, zatem rdzeń aglomeracji był typowo inteligencki, a strefa zewnętrzna typowo robotnicza.

Jednocześnie należy pamiętać, iż rynek pracy wielkich miast charakteryzuje się rozszerzoną reprodukcją kwalifikacji. Procesy te dokonują się generalnie w skali całego kraju, ale szybciej przebiegają w obrębie wielkich miast, co oznacza, że kolejne roczniki rekrutujące się spośród długoletnich mieszkańców miast wchodzą na rynek pracy z wyższymi kwalifikacjami zawodowymi niż generacje, a nawet i roczniki poprzednie. Ograniczenie procesów migracyjnych do Warszawy sprawiło, że z perspektywy kilkunastu lat zjawiska te stały się łatwo dostrzegalne, a patrząc przez pryzmat warszawskiego rynku pracy rysowały się jeszcze ostrzej.

W Warszawie najbardziej poszukiwani byli pracownicy fizyczni lub robotnicy niewykwalifikowani. Toteż z końcem lat pięćdziesiątych pojawił się w wielu zawodach permanentny deficyt pracowników. Były to zawody, do których pełnienia wystarczały niższe kwalifikacje bądź kwalifikacje, które w odczuciu mieszkańców miasta były traktowane jako mniej atrakcyjne. Tym właśnie tłumaczy się deficyt pracowników budownictwa, a w przemyśle metalowym brak zwłaszcza ślusarzy i monterów, żeby nie wspomnieć stale wymienianego niedoboru kierowców i pielęgniarek.

W całym charakteryzowanym okresie, w porównaniu z przeciętną dla Polski, udział pracowników z wyższym wykształceniem był w Warszawie przeszło dwukrotnie wyższy, ze średnim wykształceniem ogólnokształcącym półtora raza wyższy, a z wykształceniem podstawowym pełnym i niepełnym – mniejszy. Ta ostatnia grupa z początkiem lat siedemdziesiątych zniknęła ze statystyk, gdyż wprowadzono przepisy zabraniające w uspołecznionych zakładach zatrudniania osób bez wymaganego minimum w zakresie szkoły podstawowej. Dla młodzieży zaniedbanej społecznie, tak zwanych ,,urodzonych w niedzielę", władze stolicy wprowadziły obowiązek ukończenia szkoły podstawowej.

Osoby czynne zawodowo w stolicy reprezentowały wyższy poziom wykształcenia w porównaniu z przeciętnym charakteryzującym ogół zatrudnionych w gospodarce uspołecznionej Polski.

Interesująco układały się w Warszawie proporcje między liczbą pracowników z wyższym wykształceniem i średnim zawodowym. W 1958 i 1964 roku więcej było zatrudnionych osób legitymujących się wyższym wykształceniem, aniżeli osób posiadających wykształcenie średnie zawodowe. W 1958 roku w gospodarce uspołecznionej stolicy 9,4% ogółu zatrudnionych miało wykształcenie wyższe, a tylko 6,7% wykształcenie średnie zawodowe. Zbliżone relacje utrzymały się także i w 1964 roku; 9,8% ogółu zatrudnionych w gospodarce uspołecznionej stolicy miało ukończone studia wyższe, a tylko 7,7% wykształcenie średnie zawodowe. W skali kraju proporcje te układały się odmiennie. W Warszawie uległy one zmianie dopiero w końcu lat sześćdziesiątych i w 1972 roku udział osób z wykształceniem wyższym wśród zatrudnionych w gospodarce uspołecznionej wynosił 13,7% i był niższy od udziału osób z wykształceniem zawodowym średnim wynoszącym 18,3%. Jednak nie były to różnice wielkie w porównaniu z przeciętnymi dla Polski, gdzie udział osób z wykształceniem wyższym był prawie trzykrotnie niższy od udziału osób z wykształceniem średnim zawodowym.

W 1968 roku wśród pracowników zatrudnionych w gospodarce uspołecznionej stolicy najliczniej byli reprezentowani przedstawiciele zawodów technicznych, następnie humanistycznych i ekonomicznych. Dopiero na czwartym miejscu znalazła się służba zdrowia, następnie specjaliści nauk ścisłych, rolnych i artystycznych. Wśród pracowników z wykształceniem średnim zawodowym kolejność była nieco odmienna, gdyż najliczniej była reprezentowana grupa zawodów technicznych, na drugim miejscu ekonomicznych, a na trzecim nauczycieli i zawodów pokrewnych. Jedynie przedstawiciele służby zdrowia niezmiennie pozostawali na czwartym miejscu.

Różnice między poziomem wykształcenia mieszkańców stolicy i kraju rysowały się jeszcze ostrzej, gdy porównania odnosimy nie do zatrudnionych, ale do ogółu ludności w wieku 15 i więcej lat. Wśród mieszkańców Warszawy w roku na przykład 1972 udział osób z wyższym wykształceniem był przeszło czterokrotnie wyższy niż w skali kraju.

Ogólnemu wzrostowi poziomu wykształcenia w stolicy towarzyszyło zmniejszanie się dysproporcji między poziomem wykształcenia mężczyzn i kobiet. Jednocześnie coraz liczniej były notowane przypadki zatrudnienia w Warszawie osób z wykształceniem wyższym na stanowiskach pracy określanych jako fizyczne.

Wprowadzenie w stolicy statusu zamkniętego – konsekwencje tego były już widoczne w strukturach demograficznych i społecznych Warszawy – pociągało za sobą zamknięcie bram miasta dla nowych lokalizacji zakładów zwiększających istniejący już potencjał przemysłowy. W tej dziedzinie zabrakło jednak konsekwentnego postępowania.

W każdym nowym wniosku o uzyskanie lokalizacji w Warszawie uzasadniano szeroko celowość takiej decyzji. W licznych przypadkach operowano jedynie korzyściami pozornymi, ponieważ uwzględniano w rachunku ekonomicznym tylko część ponoszonych kosztów. W ten sposób doszła do głosu ogólna tendencja koncentracji działalności społeczno-gospodarczej mimo podjętych poprzednio środków administracyjnych ograniczeń. Wprawdzie w końcu lat pięćdziesiątych zaczęto stosować wydatnie ograniczenia lokalizacji nowych zakładów przemysłowych aż do zakazu włącznie, ale rozbudowa bądź modernizacja zakładów już istniejących sprawiała, że potencjał wytwórczy stolicy nieprzerwanie się rozrastał. W ten sytuacji deglomeracja Warszawy miała przynieść rozwiązanie problemu.

O ile rozwój i odbudowa Warszawy nie odbiły się na ogół ujemnie na rozwoju gospodarczym całego kraju, chociaż zniszczenie stolicy było olbrzymią katastrofą gospodarczą i kulturalną, o tyle ich ujemny wpływ na rozwój byłego województwa warszawskiego był bardzo wyraźny. W tych warunkach zrodził się postulat decentralizacji inwestycji warszawskich na całe województwo i wyrównania w ten sposób dysproporcji w rozwoju społeczno-gospodarczym.

W tym celu opracowano program aktywizacji małych miast i przenoszenia tam zakładów przemysłowych ze stolicy bądź otwierania w nich filii. Uzasadnieniem dla tej działalności były teorie ujmujące w sposób mechaniczny potrzebę równomierności w uprzemysłowieniu i urbanizacji kraju. W tej sytuacji powzięto środki, aby realizować zasadę ograniczonego wzrostu zaludnienia Warszawy przez ograniczenie wzrostu zatrudnienia na jej obszarze: wykorzystywano w tym celu mechanizm rynku pracy. W przyjęciu takiej koncepcji władze widziały możliwość poprawy warunków życia mieszkańców miasta.

Program deglomeracji realizowany w latach 1965–1970 oparto na założeniu, że dalszy wzrost potencjału gospodarczego, naukowego i kulturalnego stolicy był możliwy wyłącznie

DEGLOMERACJA

w granicach istniejących zasobów siły roboczej. Argumentowano, że stolica nie może się dalej rozwijać kosztem zaniedbania rozwoju innych ośrodków kraju. Zaczęto zwracać uwagę na pewien zastój w rozwoju gospodarczym ówczesnego województwa warszawskiego poza obszarami znajdującymi się w bezpośrednim zasięgu wpływów Warszawy.

W celu zapewnienia prawidłowego rozmieszczenia sił wytwórczych w kraju stolica miała się dzielić, głównie z ówczesnym województwem warszawskim, częścią posiadanego potencjału wytwórczego. Realizacja przyjętej koncepcji przyczyniła się w znacznym stopniu do aktywizacji gospodarczej województwa, powstania na jego obszarze wielu podregionów, a nade wszystko do dalszego rozwoju strefy zewnętrznej, która w ten sposób zwiększyła rolę i znaczenie miasta centralnego aglomeracji warszawskiej. Ten ostatni aspekt zagadnienia uszedł uwagi władz w pierwszej fazie działalności deglomeracyjnej.

Przedstawiając społeczeństwu program deglomeracji Warszawy powoływano się na autorytety opowiadające się za ograniczeniem rozwoju dużych miast i kontrolowaniem liczby ich ludności. Doświadczenia krajów wysoko rozwiniętych, w których występują liczne zaniedbania w wyposażeniu i organizacji życia społecznego w wielkich miastach, przyczyniły się do powstania ogromnej literatury traktującej o biologicznej i społecznej szkodliwości życia w wielkomiejskich skupiskach. Prace te wskazują na wzrastającą uciążliwość życia w wielkomiejskich warunkach oraz eksponują ich liczne patogenne właściwości. Problem jest o tyle dyskusyjny, że słuszność tych zarzutów jest z reguły niepodważalna w stosunku do miast niemodernizowanych, od lat zaniedbanych i pozbawionych rozwiązań dostępnych nowoczesnej urbanistyce. Natomiast zaniedbaniom w dziedzinie infrastruktury miejskiej zazwyczaj towarzyszą zjawiska będące rezultatem zaniedbań z zakresu polityki społecznej i szeroko rozumianych problemów organizacji życia społecznego w wielkomiejskich skupiskach ludności.

Na mocy uchwały Komitetu Ekonomicznego Rady Ministrów z 1965 roku o ograniczeniu wzrostu zatrudnienia na terenach o trwałych niedoborach siły roboczej plany deglomeracji objęły oprócz Warszawy także Kraków, Poznań, Wrocław i Trójmiasto. Przez deglomerację rozumiano przeniesienie całej jednostki organizacyjnej lub jej części poza granice m.st. Warszawa, utworzenie filii bądź przekazanie jej zadań statutowych innej jednostce organizacyjnej. Wynikała stąd wielość dopuszczalnych rozwiązań deglomeracyjnych. Przeprowadzono weryfikację wszystkich znajdujących się w stolicy jednostek posiadających osobowość prawną zaliczając je do jednej z trzech grup.

Do grupy A zaliczano jednostki, których dalszy szybki rozwój w stolicy został uznany za niezbędny. W grupie B znalazły się jednostki, które mogły kontynuować działalność wyłącznie na poziomie zatrudnienia z 1965 roku. Oznaczało to, że zwiększone zadania produkcyjne należało realizować stosując mechanizację, automatyzację i usprawnienia organizacyjne procesu wytwórczego lub tworząc filie poza Warszawą (w tej grupie była Politechnika Warszawska). Do grupy C zaliczono instytucje i zakłady przeznaczone do całkowitej lub częściowej deglomeracji bądź likwidacji: łącznie około 500 jednostek. Wśród nich obok zakładów przemysłowych znalazły się zjednoczenia, centrale i związki zawdzięczające lokalizację w stolicy wykształconemu w poprzednich latach scentralizowanemu modelowi gospodarki.

Posunięcia stosowane w odniesieniu do grupy C nazywano deglomeracją czynną. Można w niej widzieć próbę uporządkowania profilu wytwórczego przemysłu stolicy przez eliminację zakładów przestarzałych lub wymagających modernizacji, która w ich przypadku była oceniana jako niecelowa i nierentowna. Deglomeracja czynna miała ułatwić prawidłowe zagospodarowanie przestrzenne miasta, przyspieszyć przeniesienie jednostek mających lokalizację tymczasową poza Warszawę oraz wpłynąć na poprawę warunków życia w mieście przez usunięcie z jego obszarów zakładów uciążliwych. W praktyce jednak część zakładów uciążliwych dla otoczenia skutecznie oparła się deglomeracji.

W odróżnieniu od czynnej, deglomeracja bierna sprowadzała się do polityki reglamentacji zatrudnienia zgodnie z przyjętymi limitami. Postawiła ona tamę polityce określanej mianem ekstensywnej gospodarki czynnikiem ludzkim i stała się między innymi elementem stymulującym wzrost wydajności pracy. Dyskusyjny pozostaje problem, czy rygorystycznie przestrzegane limity zatrudnienia tamowały drogę unowocześnieniu organizacji produkcji i technologii czy też je przyspieszały. Należy mieć na uwadze, że trudności występujące na rynku pracy Warszawy były konsekwencją słabości stosowanych wówczas rozwiązań ekonomicznych w skali całego kraju.

Wyniki spisu przemysłowego z 1965 roku dały asumpt do twierdzenia, że przemysł stołeczny krył możliwości zwiększenia produkcji bez wzrostu zatrudnienia, ponieważ tylko 0,4% robotników grupy przemysłowej było zatrudnionych przy pracach całkowicie zautomatyzowanych, 2,2% przy częściowo zautomatyzowanych, natomiast 22,0% przy pracach całkowicie zmechanizowanych, 30,1% przy częściowo zmechanizowanych oraz aż 45,3% przy nie zmechanizowanych. Również i niskie współczynniki zmianowości pracy nie zapewniały pełnego wykorzystania istniejącego w stolicy potencjału gospodarczego.

Poszukując rozwiązań dla tak zwanego rozwoju optymalnego, podjęto próbę kompleksowej analizy programu deglomeracji Warszawy, sprowadzając całą problematykę rozwoju aglomeracji na grunt wąskiego ekonomizmu. Operowano wówczas pojęciem nadmiernej aglomeracji; pojęcie to wraz z całym programem deglomeracji wywoływało niemało kontrowersji w różnych środowiskach. Szczególnie wiele nieporozumień wywoływał

przymiotnik nadmierny, sam w sobie nieprecyzyjny. Nie próbowano ustalić, od kiedy dane zjawisko należy traktować jako nadmierne, a kiedy z kolei jego poziom jest zadowalający czy optymalny. Adwersarze deglomeracji sięgali do kontrargumentów wskazując na straty, jakie ponosi gospodarka narodowa, kultura, nauka, rezygnując z korzyści, które płyną z koncentracji działalności społeczno-gospodarczej.

Głównym celem deglomeracji, celem, który stał się jej założeniem programowym, było ograniczenie dalszego wzrostu zatrudnienia w stolicy oraz przemieszczenie pracowników zwalnianych z zakładów deglomerowanych do zakładów uznanych za rozwojowe i odczuwających deficyt ludzi. Zamysł ten w istocie stanowił przykład rozwiązania woluntarystycznego, gdyż pracownicy zakładów deglomerowanych pod względem kwalifikacji i cech demograficznych nie byli, ogólnie biorąc, tymi ludźmi, których brak odczuwały zakłady zaliczane do grupy rozwojowej.

Równolegle z decyzjami deglomeracyjnymi łączono zakłady mające przyczynić się do pełniejszego wykorzystania istniejących mocy produkcyjnych przemysłu Warszawy. W latach 1966–1968 łączono głównie przedsiębiorstwa spółdzielcze. W praktyce przebiegało to w ten sposób, że jeden zakład przejmował budynki, załogę i park maszynowy innego zakładu, którego produkcję uznano za niecelową w Warszawie bądź nieekonomiczną. Dotychczasową zaś produkcję tego zakładu przekazywano innym jednostkom na terenie kraju, a pozostały majątek trwały wraz z załogą przejmował zakład, którego szybki rozwój uznano za celowy.

W czasie trwania deglomeracji i rygorystycznego przestrzegania limitów zatrudnienia w latach 1965–1970 liczba pracujących wzrosła w Warszawie o 30 200 osób. Cały przyrost został wchłonięty przez gospodarkę uspołecznioną stolicy, która notowała w tym czasie wzrost liczby zatrudnionych o 30 800 osób, z tego prawie połowa znalazła pracę w przemyśle uspołecznionym. W wielkościach absolutnych widoczny spadek zatrudnienia dotyczył jedynie gospodarki nie uspołecznionej.

Porównanie wielkości przyrostu zatrudnienia w stolicy z liczbą zdeglomerowanych stanowisk pracy w tym samym czasie było argumentem koronnym przeciwko deglomeracji, która pomimo licznych uprawnień w istocie nie wniosła zasadniczych zmian lub korektur w rozwój wielkomiejskiego organizmu.

W sumie deglomeracja, która wygasła definitywnie po grudniu 1970 roku, objęła łącznie w latach 1965–1970 około 40 000 miejsc pracy, z czego połowa przypadała na przemysł. Zasięg deglomeracji czynnej należy oceniać jako stosunkowo niewielki, gdyż rocznie obejmowała średnio zaledwie 0,67% ogółu zatrudnionych w stolicy. Jej zasięg społeczny był o wiele większy i niewymierny liczbowo. W odczuciach poszczególnych osób, których dotychczasowe stanowiska pracy uległy likwidacji, akcja deglomeracji spotkała się z powszechną dezaprobatą. Na marginesie warto odnotować, że pomimo realizacji programu deglomeracji ludność Warszawy wzrosła w wyniku przyrostu migracyjnego w latach 1965–1970 o 81 000 osób. Można jedynie wnosić, że z punktu widzenia potrzeb warszawskiego rynku pracy nie był to przyrost pożądany, gdyż w znacznym stopniu obejmował osoby bierne zawodowo.

Natomiast aktywizacja gospodarcza ówczesnego województwa warszawskiego dzięki deglomeracji stanowiła klasyczny przykład tak zwanych inwestycji socjalnych realizowanych dla rozładowania lokalnych nadwyżek siły roboczej. Uważano, że dla zmniejszenia presji migracyjnej do stolicy należy w ośrodkach posiadających nadwyżki siły roboczej lokalizować zakłady deglomerowane. W ten sposób migracja zakładów miała uczynić niecelową migrację ludzi. W istocie był to jeszcze jeden przykład posługiwania się nader uproszczonym modelem rozwiązania problemu, modelem, który atrakcyjność stolicy w oczach migrantów sprowadził wyłącznie do możliwości znalezienia pracy i jednocześnie abstrahował od innych czynników decydujących o sile przyciągania wielkiego miasta.

ROZWÓJ AGLOMERACJI WARSZAWSKIEJ

Wokół Warszawy powstała najbardziej typowa i największa w skali kraju aglomeracja o układzie monocentrycznym. Równocześnie jest ona najstarszą aglomeracją Polski, z największym ośrodkiem głównego miasta, które bywa także określane jako miasto centralne, oraz najbardziej rozbudowaną konstelacją satelitów.

Podkreślić należy, że proces rozwoju ludnościowego aglomeracji warszawskiej postępował nieprzerwanie, pomimo realizacji polityki ograniczenia rozwoju Warszawy, to jest wprowadzenia statusu zamkniętego miasta i podjęcia akcji deglomeracji. W sumie tak pomyślane próby ograniczenia rozwoju stolicy stały się dodatkowym impulsem dla jej strefy zewnętrznej, co w ostatecznym efekcie przesądziło o rozmiarach procesu wzrostu całej aglomeracji warszawskiej. Zasięg aglomeracji odnosimy do obszaru obecnego stołecznego województwa warszawskiego utworzonego 1.VI.1975 roku i w zasadzie odpowiadającego obszarowi dawnego Warszawskiego Zespołu Miejskiego, jednostce stosowanej dla celów planowania przestrzennego.

Badacze studiujący rozwój ludnościowy współczesnych skupisk wielkomiejskich są zgodni w ocenie, że najwyższa dynamika rozwoju ludnościowego występuje na obrzeżach wielkich miast. Casus Warszawy w pełni potwierdził tę tezę. Dynamika rozwoju ludnościowego całej aglomeracji warszawskiej w latach 1950–1975 była o 50% wyższa od przeciętnej dla Polski. Najwyższą dynamiką charakteryzowała się właśnie strefa zewnętrzna, która wykazywała przeszło dwukrotnie większą dynamikę od przeciętnej ogólnokrajowej i była półtorakrotnie większa od dynamiki rozwoju ludnościowego Warszawy. Proces ten został w znacznym stopniu przyśpieszony w związku z wprowadzeniem ograniczeń migracji do stolicy. Wówczas migranci kierowali się głównie do miejscowości strefy zewnętrznej. Uogólniając można powiedzieć, że rozwój ludnościowy strefy zewnętrznej był elementem sprawczym wzrostu całej aglomeracji.

Również i w strefie zewnętrznej wystąpiło zjawisko przestrzennego zróżnicowania przyrostów ludności. Stwierdzono, że największą dynamikę rozwoju wykazywała ludność miejska strefy zewnętrznej. Świadczył o tym zarówno wzrost jej liczby, jak i rosnąca liczba miast na tym obszarze. Z uwagi na intensywność zmian w zakresie liczby miast zachodzi potrzeba oddzielnej prezentacji ich rozwoju ludnościowego w latach 1950–1960 i 1960–1970. W pierwszym dziesięcioleciu rozwój ludności miejskiej strefy zewnętrznej dokonywał się głównie przez kreowanie nowych miast. Status miast otrzymały wówczas: Brwinów, Legionowo, Milanówek, Piastów, Skolimów, Konstancin i Ursus, do rangi osiedli awansowano miejscowości: Jeziorna, Józefów, Kobyłka, Marki, Ożarów Mazowiecki, Podkowa Leśna, Sulejówek, Ząbki, Zielonka i Wesoła. W latach 1960–1970 wymienione osiedla uzyskiwały status miast i generalnie wystąpił w nich wzrost liczby ludności. Jedyny wyjątek stanowiła Podkowa Leśna, której ludność w 1970 roku zmniejszyła się o 14,7% w stosunku do 1960 roku.

W latach 1950–1960 największy wzrost ludności, bo około 50%, wystąpił w Piasecznie, Otwocku, Nowym Dworze Mazowieckim, około 40% w Milanówku, około 30% w Błoniu, Wołominie i Pruszkowie, około 20% w Radzyminie, Górze Kalwarii i Brwinowie. W następnym dziesięcioleciu (1960–1970) dynamika wzrostu wyraźnie uległa osłabieniu. Nie wystąpiły już przyrosty ludności rzędu 50%. Najwyższy wzrost, około 40%, notowano w Nowym Dworze Mazowieckim i w Ursusie, około 25% wzrost liczby mieszkańców wystąpił w Ząbkach, Kobyłce i Piasecznie.

Wśród miast największych strefy zewnętrznej o liczbie od 20 do 50 tysięcy mieszkańców w 1950 roku znajdowały się tylko Pruszków i Wołomin, w 1960 roku dołączył do nich Otwock, a w 1970 roku Legionowo, Grodzisk Mazowiecki, Piaseczno, Ursus. Na tym tle szczególnie błyskotliwa była kariera Legionowa i Ursusa, które status miasta otrzymały dopiero w 1952 roku. Ludność Legionowa w 1921 roku liczyła zaledwie 658 osób, a Ursus de facto nie istniał. Taką nazwę nosiły zlokalizowane w miejscowości Czechowice na terenie gminy Skorosze Państwowe Zakłady Inżynierii, fabryka czołgów i samochodów „Ursus".

„Miejskość" najmłodszych miast strefy zewnętrznej bywa często kwestionowana, ponieważ na ich kształcie urbanistycznym i społecznym zaważyły funkcje spełniane przez nie w stosunku do miasta centralnego aglomeracji. Wzorem stolicy na przełomie lat pięćdziesiątych i sześćdziesiątych przechodziły one kolejno na status jednostek zamkniętych dla migracji. W tej sytuacji strumień migracji skierował się na obszary wiejskie aglomeracji, gdzie nie wprowadzono jeszcze zakazu meldowania. Za cenę zahamowania wzrostu ludnościowego stolicy rozrastała się jej strefa zewnętrzna. Jednocześnie wydłużały się trasy dojazdów do pracy w Warszawie.

Dojazdy do pracy są zjawiskiem typowym dla wielkich aglomeracji miejskich. Są one albo funkcją pracy zawodowej, gdy nie istnieje możliwość znalezienia jej na miejscu, albo funkcją mieszkania, gdy dla zapewnienia sobie lepszych warunków mieszkaniowych, klimatycznych, zdrowotnych jednostka decyduje się na codzienne dojazdy. Nawiasem warto dodać, że dojazdy jako funkcja pracy zawodowej stają się w określonych warunkach koniecznością życiową, podczas gdy jako funkcja mieszkania pojawiają się na drodze alternatywy, której wyboru dokonuje dana jednostka.

Dojazdy do pracy w Warszawie były przede wszystkim funkcją pracy zawodowej i stanowiły formę przezwyciężenia trudności mieszkaniowych. Były one także widomym dowodem przemian zachodzących w strukturze społeczno-zawodowej ludności regionu Warszawy. Wykazywały tendencję rosnącą. W 1959 roku stolica charakteryzowała się największym rozproszeniem miejsc zamieszkania osób dojeżdżających do pracy, dojeżdżano bowiem z 66 miast, 13 osiedli, 397 gromad położonych na terenie 45 powiatów i 5 województw.

W 1970 roku wyraźnie skurczył się obszar dojazdów do pracy w Warszawie, ponieważ dojeżdżano z 66 miast i 302 gromad położonych na terenie 32 powiatów i 4 województw. Zmniejszenie się obszarów objętych zasięgiem dojazdów do pracy w Warszawie oraz skrócenie samych dojazdów było efektem polityki deglomeracji i aktywizacji gospodarczej obszarów zaniedbanych w rozwoju społeczno-gospodarczym. W istocie rozproszenie funkcji wytwórczych między innymi w strefie zewnętrznej aglomeracji było stosunkowo krótkim, doraźnym działaniem, które wygasło, aby następnie wzmóc ponownie w zmodyfikowanej postaci procesy koncentracji w aglomeracji warszawskiej, z początkiem lat siedemdziesiątych.

W toku prowadzenia deglomeracji postanowiono ograniczyć powiększającą się systematycznie z roku na rok liczbę dojazdów do pracy w Warszawie. Zakładano utrzymanie takiej ich liczby jak w 1965 roku przy jednoczesnym ograniczaniu, a następnie likwidacji dojazdów spoza izochrony 45-minutowej. Dane z 1970 roku dowodzą, że ten ostatni cel został osiągnięty. Stwierdzono, że mieszkańcy strefy zewnętrznej, którzy w wyniku deglomeracji zmienili pracę, następnie podejmowali ją w miejscu swego zamieszkania. Na czoło wybijały się tu miasta stanowiące siedziby powiatów okalających Warszawę. One też stały się punktami docelowymi dla osób w strefie zewnętrznej, co było równoznaczne ze skróceniem dotychczasowych odległości od miejsca pracy.

Stwierdzono także zależność między poziomem wykształcenia osób dojeżdżających a długością pokonywanych przez nie tras: im niższe wykształcenie, tym bardziej wydłużona trasa dojazdu do pracy, zatem znacznie więcej było pracowników fizycznych, zwłaszcza niewykwalifikowanych i przyuczonych. Podobne wnioski notowano również w odniesieniu do grupy pracowników umysłowych.

Akcja deglomeracji zapoczątkowała na większą skalę w latach sześćdziesiątych wzrost liczby wyjazdów do pracy z Warszawy. Instytucje, które w ramach deglomeracji uzyskały nowe siedziby w strefie zewnętrznej, z reguły zachowały swych dotychczasowych pracowników, przy czym byli to ludzie o wysokich kwalifikacjach zawodowych, pracujący na kierowniczych stanowiskach. W ten sposób stolica w połowie lat sześćdziesiątych rozpoczęła swoisty eksport kwalifikacji na obszar swego regionu, a obok sił dośrodkowych zaczęły się pojawiać siły odśrodkowe scalające obszar aglomeracji i regionu.

DYNAMICZNY ROZWÓJ PO 1970 ROKU

Grudzień 1970 roku zapisał się jako przełomowy w rozwoju stolicy. W skali kraju zapoczątkował zmiany polityczne oraz oznaczał przyjęcie odmiennej koncepcji rozwojowej Polski, opartej na dynamizacji wzrostu gospodarczego, wyzwalającej mechanizmy przyśpieszonego rozwoju społeczno-gospodarczego. W odniesieniu do Warszawy stwierdzono, że stworzony w niej w ciągu trzydziestu lat Polski Ludowej poważny potencjał przemysłowy, naukowy, kulturalny i ludzki w postaci wysoko kwalifikowanych kadr musi być właściwie i efektywnie wykorzystany na potrzeby zarówno samego miasta, jak i całego kraju. W praktyce oznaczało to zerwanie więzów krępujących rozwój miasta oraz odrzucenie realizowanych poprzednio planów minimalizujących wizję przyszłej Warszawy. Była to jednocześnie rezygnacja z dalszej deglomeracji. Uznano, że nie można dłużej świadomie rezygnować z korzyści, jakie niesie koncentracja w warunkach gospodarki planowej. W tym celu powołano Biuro Planowania Rozwoju Warszawy, integrujące całość problematyki planowania przestrzennego stolicy.

Po grudniu 1970 roku wypracowano formułę, która pozwalała poprawić warunki bytowe mieszkańców stolicy, usunąć rażące zaniedbania w zakresie infrastruktury społecznej i technicznej miasta oraz przystąpić do usuwania narosłych dysproporcji między Warszawą i jej strefą zewnętrzną, a jednocześnie zdynamizować najszerzej pojęty potencjał wytwórczy i twórczy skupiony w stolicy. Zmiany są ewidentne i widoczne, ich symbolem stała się bryła Zamku Królewskiego ukończona na XXX rocznicę powstania PRL oraz Trasa Łazienkowska oddana do użytku w tym samym czasie, a zrealizowana w rekordowym tempie, zaledwie w ciągu trzech lat. W równie krótkim czasie, 1100 dni, wybudowano reprezentacyjny i funkcjonalny Dworzec Centralny, który w grudniu 1975 roku przyjął pierwszych podróżnych. Jego sylweta stała się zapowiedzią przyszłościowych rozwiązań w stolicy.

W świadomości wszystkich młodych, dla których przysłowiowe warszawskie tempo

z przełomu lat czterdziestych i pięćdziesiątych jest tylko historią lub legendą bądź żyje w tradycji rodzinnej i wiąże się z udziałem ich rodziców w budowaniu miasta, te nowe symbole warszawskiej dobrej roboty i tempa nabierają wysokiej rangi. Wielka skala tych przedsięwzięć każe myśleć o Warszawie przyszłej w kategoriach potrzeb XXI wieku.

Nakreślone z rozmachem nowe zachodnie centrum Śródmieścia i nowe centrum Pragi pozwoli urbanistycznie i funkcjonalnie zespolić oba brzegi Wisły. Warszawskie Zgrupowanie Naukowe w Łuku Siekierkowskim, budowa Trasy Toruńskiej, Centrum Zdrowia Dziecka w Międzylesiu wznoszone jako Szpital-Pomnik dzięki ofiarności całego społeczeństwa dla uczczenia pamięci dzieci ofiar wojny, budowa Ursynowskiego Centrum Onkologii, pomyślanego jako nowa siedziba Instytutu im. Marii Skłodowskiej-Curie z ul. Wawelskiej, budowa reprezentacyjnego dworca PKS, realizacja kompleksu gmachów Biblioteki Narodowej – wszystkie te obiekty odpowiadają w pełni potrzebom, oczekiwaniom i aspiracjom mieszkańców stolicy i Polski.

W latach 1976–1980 nowe bloki o większych i lepiej wykonanych mieszkaniach staną na terenach Ursynowa, Natolina, Marymontu, Bemowa, Jelonek i Gocławia. Po 1977 roku będzie zabudowywany Tarchomin, Białołęka, Chomiczówka i Henryków, które wejdą w skład tak zwanego rozwojowego pasma północnego, ciągnącego się od Żerania do Nowego Dworu, gdzie zamieszka 600 000 osób. Można więc mówić bez przesady o budowie ,,drugiej Warszawy" na miarę ,,drugiej Polski", posługując się hasłem rzuconym z okazji XXX-lecia Polski Ludowej.

Efektem dokonujących się przemian po 1970 roku było to, że w czerwcu 1974 roku Warszawa osiągnęła 1 400 000 mieszkańców, a szacunki GUS wykazały, że jeśli utrzyma się dotychczasowe tempo wzrostu ludności, to w 1978 roku liczba mieszkańców stolicy przekroczy półtora miliona, a w 2000 roku wyniesie 1 900 000.

Dotychczas nie zostały jednak w pełni uchylone przepisy utrzymujące w stolicy status zamkniętego miasta. Jednakowoż w połowie 1971 roku ukazała się Uchwała Prezydium Rady Narodowej m.st. Warszawa dopuszczająca wydawanie zezwoleń na pobyt stały niezbędnym dla gospodarki narodowej i rozwoju miasta fachowcom, pracownikom nauki oraz wieloletnim pracownikom na wniosek kierownika jednostki nadrzędnej nad zakładem pracy, przy jednoczesnym zapewnieniu ze strony zakładu mieszkania w Warszawie. W ten sposób uczyniono pierwszy krok w kierunku zniesienia bariery oddzielającej tych, co w stolicy mieszkają, od tych, co w niej tylko pracowali. Był to przejaw demokratyzacji stosunków, gdyż na przykład od robotnika nie wymagano już, by był wysoko kwalifikowanym fachowcem, wystarczał jedynie argument, że od wielu lat był zatrudniony w Warszawie. Równocześnie wprowadzono wydawanie dokumentów zapewniających przywrócenie zameldowania stałym mieszkańcom miasta, którzy zdecydowali się je opuścić. Przepisy administracyjne ograniczające swobodną migrację do Warszawy mają obowiązywać do 1980 roku, tym samym status zamkniętego miasta przestanie wówczas istnieć.

Zresztą już w początku 1971 roku zaczęły się w prasie masowo ukazywać ogłoszenia stołecznych przedsiębiorstw, które wyrażały gotowość natychmiastowego zatrudnienia pracowników fizycznych i zapewniały bezpłatne zakwaterowanie w hotelach robotniczych I kategorii. Stołeczne przedsiębiorstwa zgłaszały także gotowość zorganizowania dowozu do pracy własnymi środkami transportu w promieniu do 100 km w przypadku grupy dwudziestoosobowej. Co więcej, wiele przedsiębiorstw równocześnie anonsowało gotowość przyjęcia uczniów do zakładowych szkół zawodowych, zapewnienia im kwater w internacie i stypendiów. Natomiast wszystkie osoby, które podjęły pracę, po pięcioletnim okresie nienagannego jej wykonywania w przedsiębiorstwie miały zapewnione mieszkanie spółdzielcze w Warszawie. Było to zjawisko niezmiernie symptomatyczne dla stolicy, było ono świadectwem szukania dróg wyjścia z impasu, do jakiego doprowadziła w sposób niezamierzony polityka ograniczonego rozwoju miasta, przyczyniając się pośrednio do deformacji jego struktur społecznych.

Po uchyleniu ograniczeń deglomeracyjnych przemysł stołeczny charakteryzował się wysoką dynamiką wzrostu produkcji. Przyśpieszeniu uległ proces koncentracji produkcji i zatrudnienia w największych zakładach przemysłowych. Przystąpiono do tworzenia WOG-ów, to jest wielkich organizacji gospodarczych. Dynamicznie rozbudowywano naukę, która w stołecznej statystyce została wyodrębniona z działu: oświata, nauka i kultura jako samoistna jednostka. Porównując dane z 1970 i 1972 roku stwierdzamy, że zatrudnienie w stołecznej nauce w ciągu zaledwie dwóch lat wzrosło o 27,8%.

Liczne dowody dynamicznego rozwoju stolicy przestały być oceniane w kategoriach niekorzystnych i niepożądanych zmian, przybliżających przejście warszawskiej aglomeracji w stadium polskiego *megalopolis* wraz ze wszystkimi ujemnymi konsekwencjami tego faktu. Przeświadczenie to ustąpiło miejsca optymizmowi nakazującemu w warunkach gospodarki planowej kształtować stołeczne socjalistyczne *sociopolis*, w którym rozwiązania techniczne zostaną podporządkowane treściom ogólnoludzkim.

Wiadomo, że z reguły stołeczność stwarza dogodniejsze warunki rozwoju. Potwierdza to fakt szybszego rozwoju ośrodków stołecznych. Stolica bez względu na jej wielkość pełni funkcję pierwszego miasta w kraju, jest siedzibą władz państwowych, centralnym ośrodkiem dyspozycji i jest otoczona majestatem stołeczności. Program jej rozwoju realizowany po 1970 roku przepojony jest troską, aby przekształcić współczesną Warszawę w miasto jeszcze nowocześniejsze i piękniejsze, jak przystało na stolicę Polski Ludowej.

SZTUKA W LATACH 1945–1977

Spoglądam na archiwalne zdjęcia z ostatnich dni września 1939 roku, przedstawiające dwóch najbardziej popularnych w 20-leciu międzywojennym malarzy pejzażu Warszawy, twórców rozkochanych w pięknie rodzinnego miasta. Pod fotografią lapidarny tekst: Tadeusz Cieślewski (ojciec) i Tadeusz Cieślewski (syn) na gruzach stolicy.

Czytam fragment tekstu z września 1939 roku, stanowiący notę redakcyjną do IV rocznika pisma „Życie Sztuki": „Kończymy druk niniejszego tomu wśród rumoru wojny. To niech tłumaczy braki i niedociągnięcia. Trzeba się było wyrzec wielu rzeczy, aby móc spełnić prosty wydawniczy obowiązek. Trzeba było ważyć się na liczne, a deformujące całość amputacje, nie chcąc pozostawić czwartego tomu «Życia Sztuki» w rusztowaniach. Ufamy, że nie straci on przez to na godności..."

W sumie oba te dokumenty – wyjęte dość przypadkowo z tysięcy podobnych przekazów – są już dziś symbolami. I zdjęcie warszawskich pejzażystów spoglądających na tak boleśnie okaleczony przedmiot swej miłości, i skromny, lecz jakże przejmujący w swej prostocie tekst, w którym sama nazwa pisma urasta do symbolu i jest apelem o ochronę tego, co najcenniejsze: Życia Sztuki.

Na apel odpowiedziała w latach okupacji cała społeczność artystyczna Warszawy. W walce zbrojnej uczestniczyło liczne grono plastyków; istniało tajne szkolnictwo artystyczne, prowadzone były akcje zmierzające do zabezpieczenia zabytków naszej kultury, a wreszcie, co najważniejsze, uprawiana była nadal twórczość artystyczna.

Dzięki temu – zachowując ciągłość tradycji nawet w warunkach terroru, a następnie całkowitego niemal zniszczenia miasta – nie byliśmy zmuszeni do odbudowywania życia artystycznego Warszawy od początku, od podstaw. Tylko materialnie, fizycznie zagrożony został byt naszej plastyki. Przestały istnieć instytucje, lokale wystawowe, kolekcje dzieł, pracownie... W dniu 17 stycznia 1945 roku, w chwili wyzwolenia, nie było w Warszawie ani jednego twórcy. Ci, którzy szczęśliwie ocaleli, rozproszyli się po kraju, a nawet po całym świecie.

Rozpoczął się pierwszy etap odbudowy życia artystycznego Warszawy, który nazwać można – okresem powrotów.

Wraz z I Armią Wojska Polskiego wracają do stolicy artyści-żołnierze: Aleksander Rafałowski, Włodzimierz Zakrzewski, Ignacy Witz czy też plastycy zmobilizowani w Lublinie: Juliusz Krajewski, Jerzy Zaruba, Henryk Tomaszewski, Tadeusz Trepkowski i wielu innych. Z Moskwy wraca wybitny twórca w zakresie fotomontażu – Mieczysław Berman, pracujący w latach 1943–1946 w piśmie „Nowe Widnokręgi".

Drugi główny szlak prowadził do kraju z Zachodu. Z oflagów wędrują do stolicy: Bohdan Urbanowicz, Gustaw Majewski, Bohdan Bocianowski, Roman Owidzki, Adam Siemaszko, Leon Michalski oraz kilkudziesięciu innych artystów, którym przypadł w udziale los jeńca wojennego. Były też powroty bardziej tragiczne. Droga do ojczyzny Mai Berezowskiej i Jadwigi Simon-Pietkiewiczowej prowadziła przez Pawiak, Ravensbrück i Szwecję. Piekło obozu koncentracyjnego przeżyła również Maria Hiszpańska, z grona młodych zaś malarzy między innymi Marian Bogusz i Zbigniew Dłubak. To jedynie nieliczne przykłady, obrazujące wojenne dzieje artystów warszawskich.

Ci, którzy ocaleli w powstaniu, tułali się po podwarszawskich miejscowościach. Tam

530. Felicjan Kowarski, Elektra, 1947, olej, płótno

właśnie, w Milanówku, odbyło się pierwsze organizacyjne zebranie warszawskiego Związku Artystów Plastyków.

Po dramatycznych powrotach następowały równie tragiczne momenty poznawania na nowo rodzinnego miasta. Tadeusz Kulisiewicz tak oto wspomina swe wędrówki po Warszawie ze szkicownikiem w ręku: ,,Zacząłem ją obchodzić wzdłuż i wszerz, zapuszczając się w dzielnice, które teraz stały się jednakowo odległe – czy były położone bliżej czy dalej – brnąc w zaspach z kamieni i cegieł, wdrapując się na góry rumowisk, skacząc przez wyrwy i leje po bombach". W czasie tych wędrówek powstał jedyny w swoim rodzaju zbiór rysunków-dokumentów zatytułowany ,,Warszawa 1945".

Drugim bardem zrujnowanej stolicy był Bronisław Linke. Tradycyjne malarstwo historyczne, które zazwyczaj przybierało formę malowanej kroniki, w interpretacji artystów polskich dawało'– zamiast ilustracji dziejów narodu – przede wszystkim moralną ocenę epoki. Taki charakter miały pejzaże zrujnowanej Warszawy, przybierające w obrazach Bronisława Linkego postać domów-widm, boleśnie skręconych latarń, ścian zranionych pociskami, ruin przemawiających głosem pomordowanych ludzi. Ekspresjonizm Linkego, brutalny i agresywny, służył sugestywnemu przekazaniu apokaliptycznej wizji zagłady. Antropomorfizm jego dzieł miał w sobie wyraźne elementy surrealizmu i fantastyki. Była to jednak fantastyka upiorna. Cechę tę dostrzegła Maria Dąbrowska, określając ją terminem wynalezionym przez Rogera Caillois: ,,fantastyka przerażenia".

Doświadczenia na drogach powrotów i odkrywanie na nowo tak dobrze znanego niegdyś miasta ukierunkowały niewątpliwie w poważnym stopniu dalszy rozwój plastyki warszawskiej. Postawa Kulisiewicza czy Linkego nie była przykładem odosobnionym. Sensem tej twórczości nie była przecież rejestracja strat lub skrupulatne przekazanie obrazu zagłady, lecz rozprawa z koszmarem wojny, a więc próba oceny najnowszej historii.

Taką samą próbę, posługując się diametralnie odmienną tematyką i formą, podjął Felicjan Kowarski. W monumentalnym płótnie *Elektra* (1947) antyczny mit przepoił nowymi treściami. Dla kultury europejskiej, wstrząśniętej kataklizmem wojny, szukał ratunku i oczyszczenia, zwracając się do wzniosłych humanistycznych ideałów starożytności.

Analizując dzieje plastyki polskiej naszego czasu, dojdziemy niewątpliwie do przekonania, iż nie istnieje pojęcie sztuki warszawskiej czy ,,szkoły warszawskiej" traktowanej jako odrębny gatunek twórczości – mówić można natomiast o specyfice życia artystycznego Warszawy, podobnie jak na przykład o odrębnym klimacie Krakowa. Wynika to z samej historii Warszawy, z dynamicznego rozwoju wielu instytucji artystycznych, a wreszcie z jej stosunku do działań i inicjatyw podejmowanych w innych środowiskach myśli twórczej w Polsce. Tych przede wszystkim problemów dotyczyć będzie niniejszy tekst.

631. Tadeusz Kulisiewicz, rysunek z cyklu „Warszawa 1945"

632. Bohdan Urbanowicz, Cześć bohaterom z Grammos, 1950, olej, płótno

W pierwszych dwóch latach po wyzwoleniu życie artystyczne naszego kraju – w zakresie plastyki – koncentrowało się głównie w Krakowie i Łodzi.

W grodzie podwawelskim wychodziły tak ważne dla naszej kultury pisma, jak tygodnik „Odrodzenie" (redakcja przeniesiona z Lublina w początkach 1945) oraz miesięcznik literacki „Twórczość" (od sierpnia 1945). Tam również ukazywało się (od stycznia 1946) pierwsze po wojnie i jedyne wówczas pismo plastyczne „Przegląd Artystyczny". Krakowski Związek Artystów Plastyków w momencie ukonstytuowania się zarządu w styczniu 1946 roku zrzeszał aż 318 członków – liczba pokaźna jak na owe lata. Posiadał on własny Dom Plastyków przy ul. Łobzowskiej, sklep przy ul. Floriańskiej, a także możliwość organizowania wystaw w lokalu Związku Literatów przy ul. Krupniczej. Od roku 1946 wznowiło swą działalność – w obszernym gmachu Pałacu Sztuki – Towarzystwo Przyjaciół Sztuk Pięknych.

Kraków był jedynym miastem w Polsce, w którym od pierwszych chwil po wyzwoleniu działała – zwarta ideologicznie – Grupa Młodych Plastyków. Genezę swą wywodziła z okupacyjnego teatru Tadeusza Kantora. Pierwsza wystawa Grupy odbyła się już w kwietniu 1946 roku.

Krakowską Akademię Sztuk Pięknych reaktywowano – w jej własnym gmachu – w lutym 1946 roku.

W Łodzi, wokół „Szpilek", wychodzących od marca 1945 roku, grupował się zespół najwybitniejszych satyryków polskich. Od kwietnia ukazywać się tam zaczęła „Kuźnica" – pismo odgrywające w Polsce czołową rolę w dyskusjach ideologicznych tego okresu. W tym samym czasie przeniesiono z Lublina właśnie do Łodzi Pracownię Plakatu Propagandowego, z działającymi w niej tak wybitnymi grafikami, jak między innymi Tadeusz Trepkowski i Henryk Tomaszewski.

W Łodzi czynna była już w 1945 roku Miejska Galeria Sztuki, w marcu 1946 roku

633. Bronisław Linke, Egzekucja w ruinach getta, z cyklu „Kamienie krzyczą", 1946, gwasz, akwarela

reaktywowano Towarzystwo Przyjaciół Sztuk Pięknych, w październiku zaś powstała tam Wyższa Szkoła Sztuk Plastycznych.

Warszawa pozbawiona była pism literacko-kulturalnych. Brakowało również lokali wystawowych. W ocalałym gmachu dawnego Instytutu Propagandy Sztuki przy ul. Królewskiej mieściła się w 1945 roku kantyna żołnierska, a następnie Teatr Wojska Polskiego. W „Zachęcie" miały swoją siedzibę agendy Instytutu Sztuki i Inwentaryzacji Zabytków oraz biura innych instytucji kulturalnych. Tam również od grudnia 1946 roku odbywały się wykłady i ćwiczenia dla studentów bezdomnej wówczas Akademii Sztuk Pięknych. Tak więc główny lokal wystawowy stolicy był z konieczności niedostępny dla plastyków –

637. Jerzy Wolff, Zima I, 1963, olej, płótno

638. Henryk Stażewski, Relief IX, 1969, olej, płyta spilśniona

pozostawało jedynie Muzeum Narodowe, instytucja i tak przeciążona wieloma funkcjami, wynikającymi z potrzeby natychmiastowego zabezpieczenia dóbr kulturalnych Warszawy. Życie artystyczne koncentrowało się w 1945 roku w kilku ocalałych domach na Saskiej Kępie, ,,początkowo w willi, w której następnie znajdowała się ambasada francuska'' – wspomina Ignacy Witz – ,,następnie plastycy przenieśli się do domu przy ul. Walecz-

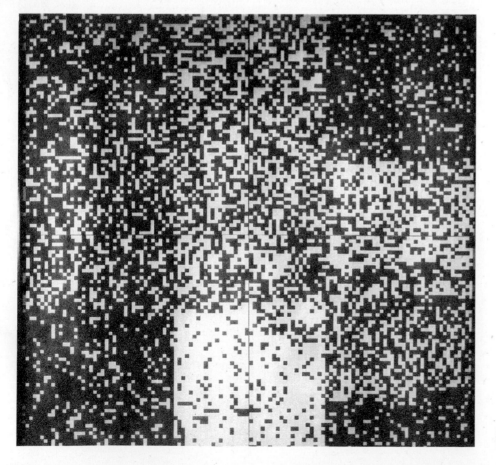

639. Ryszard Winiarski, Obszar IV, 1967, akr płótno

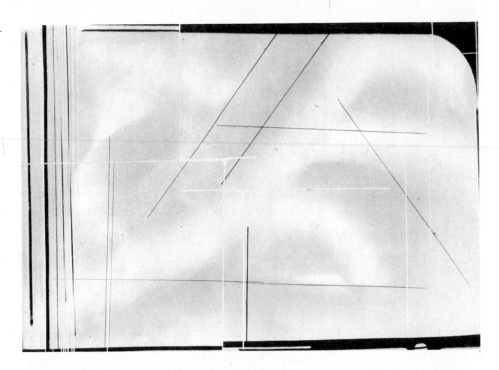

640. Marian Bogusz, Srebrna przestrzeń, 1976, aluminium, akryl

641. Stefan Gierowski, Obraz CC, 1960, olej, płótno

nych 28, gdzie również mieściły się agendy Związku. W domu tym mieszkały między innymi rodziny: Cybisów, Czerwińskich, Włodarskich, Winnickich oraz rzeźbiarz Proszowski. Wkrótce w okolicznych domach znalazła się cała kolonia malarska. Nie opodal mieszkał Nacht-Samborski, Podoski, Pietkiewicz, Bielska-Tworkowska i wielu innych".
Trzeciego lutego 1945 roku – a więc zaledwie w 17 dni od wyzwolenia – powstaje w Milanówku warszawski okręg Związku Polskich Artystów Plastyków. Do pierwszego zarządu weszli: Jan Cybis (prezes), Henryk Kuna, Janusz Podoski, Hipolit Polański i Artur Nacht-Samborski. W sprawozdaniu czytamy: „W krótkim czasie zarząd [...] uzyskał od Prezydenta Miasta przydział trzech domów mieszkalnych i jednego klubowego na Saskiej Kępie. Grupa kolegów [...] przeprowadziła własnymi siłami remont i szklenie [...] Zorganizowano stołówkę [...]". Zarejestrowano 69 członków ZPAP i 6 kandydatów – co stanowiło w pierwszym miesiącu po wyzwoleniu kraju cały potencjał twórczy odradzającej się stolicy.
Pierwszą wystawę okręgu warszawskiego otwarto w Milanówku 12 sierpnia 1945 roku. Mogło wziąć w niej udział zaledwie 39 artystów. Katalog, wydany w formie jednej kartki maszynopisu, jest dziś wzruszającym dokumentem epoki oraz rarytasem bibliofilskim.
O dominacji malarstwa kolorystów pisał w recenzji z wystawy Ignacy Witz: „Sztuka kapistów jest bezwzględnie sztuką o bardzo wysokim, w niektórych wypadkach najwyższym poziomie, na jaki stać było Polskę w ostatnim dziesięcioleciu, ale też jest sztuką, która nie odzwierciedla ani epoki, ani życia [...] Poza tą grupą nie znajdowały się [na wystawie – A.W.] żadne inne. Istniejące przed wojną, w wyniku okupacji i rozproszenia ich członków, uległy rozbiciu tracąc – i tak już bardzo niepewny – grunt pod nogami".

643. Tadeusz Dominik, Kompozycja, 1967, liquitex, płótno

Tekst ten jest pierwszym po wojnie głosem o charakterze programowym krytyka warszawskiego. Dyskusja odżyje w roku następnym, w momencie otwarcia w Warszawie Ogólnopolskiego Salonu Wiosennego.

Nie piszę kroniki wydarzeń, dlatego też pomijam ekspozycje o charakterze artystyczno--dokumentarnym, nawet tak ważne jak słynna wystawa „Warszawa oskarża", która była zresztą wyrazem nastrojów panujących nie tylko w stolicy, lecz w całym polskim społeczeństwie. Podobny charakter dokumentacyjny miała demaskująca zbrodnie hitlerowskie wystawa rysunków, akwarel i gwaszy – „Ruiny Warszawy", otwarta również w Muzeum Narodowym we wrześniu 1945 roku.

Pragnę natomiast przypomnieć trzy wydarzenia nie związane z sobą tematycznie, lecz mówiące dobitnie o nastrojach nurtujących warszawskie środowisko artystyczne, budzące się do nowego życia na zgliszczach miasta.

W roku 1945 powstaje przy Ministerstwie Kultury i Sztuki Wydział Wytwórczości, przemieniony następnie w Biuro Nadzoru Estetyki Produkcji. Placówką tą kierowała jej założycielka, Wanda Telakowska. Chodziło o niebagatelną sprawę, „...» o podnoszenie kultury plastycznej społeczeństwa" oraz o „[...] włączenie inwencji plastycznej do nowego wzornictwa przemysłowego". Pomijam tu ocenę działalności instytucji, która przez cały czas swego istnienia spotykała się – nie bez powodów – z kontrowersyjnymi ocenami. Pozostanę przy samym fakcie powołania do życia placówki nie mającej precedensu w dziejach polskiej sztuki współczesnej.

Wiemy, jaka była ówczesna sytuacja ekonomiczna kraju, z jak wielkim trudem przystąpiono zaledwie do uruchamiania przemysłu, a właściwie tych nielicznych zakładów produkcyjnych, które ocalały po wojnie. Idea wzornictwa – do dnia dzisiejszego podstawowy problem światowej sztuki nowoczesnej i produkcji przemysłowej, nadal trudny do rozwiązania – mogła się wówczas w Polsce zrodzić tylko w zburzonej Warszawie, gdzie mierzono siły na zamiary, gdzie słowem „rzeczywistość" określano nie tylko aktualnie istniejącą sytuację, lecz także nieznane nadchodzące jutro.

Ten sam emocjonalny rodowód miał szkicowany z rozmachem przez Felicjana Kowarskiego projekt „Pałacu Kultury Robotniczej", dzieło powstałe również w 1945 roku. Zwróćmy uwagę na samą nazwę: to nie „Robotniczy Pałac Kultury" – lecz „Pałac Kultury Robotniczej". Znamienne!

645. Jerzy Tchórzewski, Gorący świat, 1975, akry
olej, płótno

Także i w tym przypadku wybiegał Kowarski daleko w przyszłość, podejmując problem
współpracy plastyków z architektami. Pisał na ten temat: „Absurdalne pomysły wielu
naszych architektów chcą wprowadzić do architektury kolor i formę rzeźbiarską w tzw.
«pustych» przestrzeniach, których w architekturze nie ma i nie było. Każda płaszczyzna
w architekturze ma swoje znaczenie czy konstrukcyjne, czy łącznikowe, czy też użytkowe".
W kwietniu 1945 roku reaktywowano spółdzielnię „Ład". Rozpoczęto pracę bez lokalu,
bez warsztatów, bez surowców i maszyn. Odkryto w Polanicy i Kłodzku stolarnię i tkalnię,
„... skorzystano z warsztatów i projektów meblarskich Szlekysa i Winczego, stworzonych
jeszcze w okresie okupacji [...] i działalność ruszyła" – wspomina Józef Grabowski.
Trzy główne zagadnienia dla przyszłego rozwoju plastyki warszawskiej, i nie tylko
warszawskiej: wzornictwo przemysłowe, współpraca plastyków z architektami, rzemiosło
artystyczne – zaczęto opracowywać w momencie, w którym podstawowym narzędziem
działania plastyków warszawskich były jedynie marzenia i entuzjazm.
Układ sił, istniejący faktycznie w Warszawie już od pierwszych miesięcy po wojnie, dał
o sobie znać w sposób wyraźny dopiero z chwilą powstania kilku ugrupowań o ściśle

646. Rajmund Ziemski, Pejzaż 78/63, 1963, olej, płótno

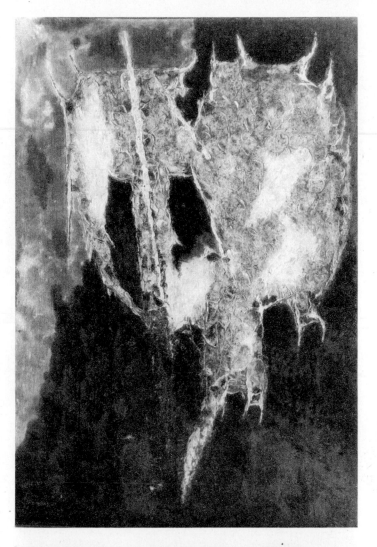

647. Alfred Lenica, Chile, Chile, fragment tryptyku, 1974, olej, płótno

648. Jerzy Jarnuszkiewicz, Projekt pomnika I Armii Wojska Polskiego, 1959, metal

określonym programie. W sposób dość uproszczony proponuję podział na ugrupowania: lewicy, centrum i prawicy. Dla ścisłości zaznaczyć należy, iż tylko część twórców uczestniczyła w wystąpieniach grupowych, lecz niemal każdy z „wolnych strzelców" grawitował w stronę jednego z wymienionych tu kierunków.

Zacznę nietypowo od grupy trzeciej, liczebnie najsilniejszej, zastrzegając się, iż zastosowanego tu terminu „prawica" nie traktuję jako określenia pejoratywnego w stosunku do wielu artystów, których przyjdzie mi wymieniać w niniejszym fragmencie tekstu. Podział ten nie jest również wykładnikiem poglądów politycznych, stanowi jedynie miarę odległości między twórczością o formach ustabilizowanych już od dawna a dynamiczną sztuką awangardową.

W roku 1947 powstaje grupa „Warszawa", w której skład weszli: J. Baurski, E. Burke, H. Musiałowicz, K. Zeydler-Zborowski i inni. Odżyły tradycje ugrupowania „Pryzmat", działającego w stolicy w latach trzydziestych (pierwsza wystawa 1933) pod patronatem Leonarda Pękalskiego. Drugim twórcą, szczególnie wysoko cenionym przez członków tego ugrupowania, był Felicjan Kowarski.

W roku następnym powstaje grupa „Powiśle", działająca w składzie: E. Arct, T. Breyer, E. Bartłomiejczyk, M. Bylina, St. Ostoja-Chrostowski, W. Jastrzębowski, A. Karny,

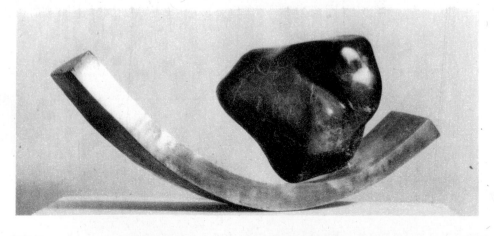

649. Magdalena Więcek, Puls, 1969, brąz, serpentyn

650. Wiktor Gajda, Pan Józef Gąsowski, 1975, brąz

51. Adolf Ryszka, Plakieta 1970, brąz

E. Kokoszko, T. Kulisiewicz, B. Linke, F. Masiak i inni. Twórcy ci byli kontynuatorami ideologii działającego w Warszawie w okresie dwudziestolecia Bloku Zawodowego Artystów Plastyków, w którym rolę wiodącą odgrywały takie stowarzyszenia, jak „Bractwo św. Łukasza" czy „Szkoła Warszawska". Uczniowie Tadeusza Pruszkowskiego pozostawali wówczas pod wpływem sztuki muzealnej – głównie malarstwa holenderskiego XVII wieku – akcentowali swą łączność z realizmem, odcinali się zdecydowanie od wpływów Zachodu, a szczególnie francuskiego impresjonizmu i jego pochodnych. „Powiśle", z nielicznymi wyjątkami (T. Kulisiewicz, B. Linke), stanowiło w zasadzie kontynuację tego programu.

Świadomie nie umieściłem „po prawicy" powstałej w 1947 roku potężnej liczebnie, bo zrzeszającej ponad 50 plastyków, „Grupy Artystów Niezależnych", która niebawem przyjmie nazwę „Zachęta". Fragment recenzji z pierwszej wystawy „Niezależnych", pióra Andrzeja Jakimowicza, wyjaśnia dobitnie moje „strategiczne" posunięcie w stosunku do przejawów skrajnego tradycjonalizmu: „Za jakimże malarstwem opowiadają się członkowie owej grupy przez swego ideologa [S. Wocjana – A.W.]? Wypominając Związkowi Plastyków odsuwanie obecnych «niezależnych» (jakże wojowniczo brzmi ta nazwa!) od uczestnictwa w Salonach, zarzucają awangardzie niesamodzielność, zależność od Francji i jej prądów artystycznych. Jakaż więc jest ich samodzielność? Kontynuowanie tradycji niesławnej pamięci szkoły monachijskiej, naśladowanie starych mistrzów holenderskich [...], a na ogół bezpostaciowe malarstwo niby-naturalistyczne. Taka jest Niezależnych – niezależność..."

Dla „centrum" istniało już tylko jedno zagadnienie, lecz jakże fundamentalne dla ówczesnego malarstwa stolicy, a nawet dla całej sztuki polskiej – koloryzm. Z twórców działających po wyzwoleniu Warszawy wystarczy zacytować trzy nazwiska, by pojąć wagę tego zagadnienia: Jan Cybis, Artur Nacht-Samborski, Jerzy Wolff. Już Ogólnopolski Salon Wiosenny otwarty w Warszawie w 1946 roku, a w roku następnym warszawski Salon Wiosenny wykazały trwającą nadal atrakcyjność polskiego koloryzmu. O pierwszej z wymienionych tu imprez pisała H. Blumówna: „O istocie poszukiwań naszych czołowych malarzy decyduje obecnie jedynie troska o wartości czysto artystyczne. Stało się to niewątpliwie za sprawą kapistów [...] W całym żywotnym malarstwie polskim dominuje dzisiaj zagadnienie koloru".

Mówiąc o układzie sił w pierwszych latach po wyzwoleniu używałem określenia: warszawska plastyka awangardowa. Aby bliżej sprecyzować pozycję, którą wówczas zajmowała ona w środowisku stołecznym, przypomnieć należy nazwiska dające się łączyć z tym pojęciem.

Romuald Kamil Witkowski (1876–1950), reprezentujący jeszcze pokolenie formistów, był na wystawach raczej honorowym gościem, dostojnym przedstawicielem prekursorów naszej sztuki awangardowej. Istotny wkład w życie artystyczne środowiska warszawskiego wnosił Henryk Stażewski (ur. 1894), kontynuator tradycji „Bloku" i „Praesensu", oraz Maria Ewa Łunkiewiczowa (1894–1967), malarka wywodząca się z tego samego kręgu. Skromną listę artystów starszej generacji zamyka Marek Włodarski (1903–1960), przed wojną członek lwowskiej grupy „artes". Pokolenie artystów, którzy studia ukończyli bezpośrednio przed wybuchem wojny, reprezentowali: Bohdan Urbanowicz (ur. 1911) i Roman Owidzki (ur. 1912). Z młodych twórców wymienić można zaledwie kilka nazwisk:

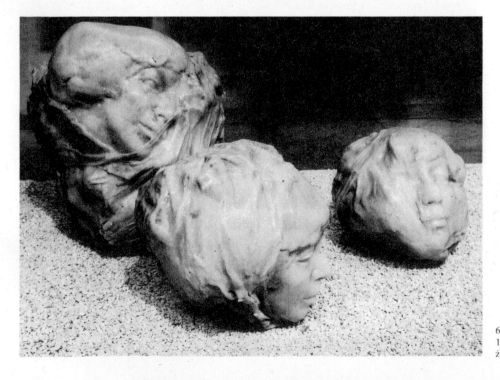

652. Alina Szapocznikow, Tumeurs personifiés, 1–5/ 1970 (17 „głów"), environment, żywica syntetyczna żużel

Ignacy Witz (1919–1971), Jerzy Jarnuszkiewicz (ur. 1919), Marian Bogusz (ur. 1920), Zbigniew Dłubak (ur. 1921), Wojciech Fangor (ur. 1922) oraz Jan Lenica (ur. 1928).
Rejestr nazwisk niezwykle wymowny. Wynika z niego jasno, iż w latach 1945–1949, a więc w okresie, kiedy formowało się zdziesiątkowane przez wojnę środowisko warszawskie, młoda plastyka grawitująca ku sztuce awangardowej przez swą słabość liczebną nie mogła polegać wyłącznie na własnych siłach. Względy te zdecydowały, iż rozpoczęła ona swą działalność, łącząc się z jednej strony z artystami starszej i średniej generacji (głównie Stażewski, Włodarski, Owidzki i Urbanowicz), z drugiej zaś szukając oparcia w gronie młodych poetów i literatów. Ten związek plastyki z literaturą stanowi jedną z bardziej charakterystycznych cech nowoczesnej sztuki warszawskiej omawianego okresu.
Słabość liczebna środowiska prowadzić może do załamania się reprezentowanej przez nie linii. W Warszawie stało się odwrotnie. Chwilowe osłabienie frontu awangardy miało wpływ mobilizujący. Więcej nawet – stworzyło specyficzny styl działalności artystyczno-organizacyjnej: zaczęto ściągać wystawy z całego kraju, szukano wszędzie partnerów i sojuszników. Dlatego nawet wówczas, gdy pomoc ta nie była już potrzebna, Warszawa pozostała nadal środowiskiem otwartym, ściągającym do realizacji wielu swych inicjatyw artystów z innych regionów kraju.
Stolica: środowisko otwarte – to chyba jedna z największych moralnych zdobyczy awangardowej plastyki warszawskiej w pierwszym okresie po wyzwoleniu. W ramach tego tematu mieści się między innymi działalność Klubu Młodych Artystów i Naukowców.
Instytucja klubu – zrzeszającego przedstawicieli różnych dyscyplin sztuki, zjednoczonych wokół wspólnego programu o cechach radykalizmu społecznego i artystycznego – ma w środowisku warszawskim długoletnią tradycję. W latach 1916–1931 działał w stolicy Polski Klub Artystyczny, skupiający literatów, muzyków, plastyków, architektów, ludzi teatru i filmu. Organizował on wystawy, odczyty, dyskusje, koncerty, wieczory poetyckie. Prowadził akcję wydawniczą i popularyzatorską. W salonach Klubu, mającego swą siedzibę w hotelu „Polonia", spotkać można było: Zofię Nałkowską, Stefana Jaracza,

Władysława Skoczylasa, Anatola Sterna, Edwarda Wittiga, Jerzego Zarubę, Aleksandra Zelwerowicza, Eugeniusza Zaka, Karola Stryjeńskiego i wielu innych. Tam właśnie odbyła się pierwsza w stolicy wystawa formistów (1919), tam debiutował w 1920 roku młody malarz Mieczysław Szczuka, w roku zaś następnym Henryk Stażewski. Instytucja ta zorganizowała pierwszą w Polsce wystawę kapistów (1931); w jej lokalu odbył się pokaz dzieł Kazimierza Malewicza (1927). Pełny rejestr nazwisk artystów związanych z tym Klubem objąłby niemal wszystkie najbardziej wartościowe zjawiska ówczesnej plastyki.

Jest rzeczą zrozumiałą, iż właśnie model instytucji, funkcjonującej w podobnej sytuacji historycznej – prace nad odbudową kultury narodowej ze zniszczeń spowodowanych rozbiorami i I wojną światową – stał się znów, w 1947 roku, wzorem dla artystów warszawskich, powołujących wówczas do życia Klub Młodych Artystów i Naukowców prowadzony przez Jerzego Laua, Tadeusza Borowskiego, Stanisława Marczaka-Oborskiego i Mariana Bogusza. Siedzibą Klubu był Teatr Wojska Polskiego „Placówka", mieszczący się w dawnym lokalu Instytutu Propagandy Sztuki przy ul. Królewskiej 13.

Po raz trzeci w ciągu 40 lat ten właśnie model klubu, jednoczącego twórców różnych dyscyplin, posługującego się w skali ogólnokrajowej metodą wspólnego frontu „nowoczesnych", stanie się aktualny w Warszawie około 1955 roku, kiedy to przy Staromiejskim Domu Kultury powstanie Klub Krzywego Koła oraz galeria o tej samej nazwie, prowadzona przez młodych malarzy z grupy „55".

Pierwsza po wojnie wystawa plastyki nowoczesnej o charakterze ogólnokrajowym – chociaż oficjalnie nazwę tę otrzyma kolejno drugi przegląd sztuki awangardowej, zorganizowany w Krakowie dopiero pod koniec 1948 roku – otwarta została w Klubie Młodych Artystów i Naukowców dnia 30.XI.1947 roku.

Jakże skromnie wyglądał wówczas start warszawskich „nowoczesnych". Nigdy jeszcze odpowiedzialnością za podstawowy problem naszej sztuki nie został obarczony tak szczupły liczbowo zespół.

654. „Magdalena Abakanowicz, Czarne ubrania, 19
1975, tkanina sizalowa i materiał jutowy

Najokazalej prezentował się Kraków: Maria Jaremianka, Tadeusz Kantor, Jerzy Kujawski, Kazimierz Mikulski, Jerzy Nowosielski, Ali Bunsch, Jadwiga Maziarska, Jerzy Skarzyński, Bogusław Szwacz i Tadeusz Brzozowski.

Środowisko łódzkie stanowiło na wystawie najbardziej jednorodną grupę. Posiadało jasno określony program, wynikający z doświadczeń artystycznych i przemyśleń teoretycznych Władysława Strzemińskiego. Prócz niego w wystawie spośród łodzian brali udział: S. Wegner, B. Utkin, L. Kunka i T. Tyszkiewicz.

Warszawa reprezentowana była przez: R.K. Witkowskiego, H. Stażewskiego, M.E. Łunkiewiczową, M. Bogusza, A. Wróblewskiego i I. Witza. Ponadto wystawiali także: A. Lenica z Poznania oraz M. Tomaszewski i Ł. Niewisiewicz ze Szczecina.

Niemal równocześnie z omawianą wystawą zorganizowano w Klubie odrębną ekspozycję rysunków Adama Marczyńskiego z Krakowa i M. Włodarskiego z Warszawy, w dniu zaś 15.II.1948 roku otwarto pokaz rysunków z czasów wojny Wł. Strzemińskiego.

Z licznych wystaw, które w latach 1948–1949 gościły w Klubie, na szczególną uwagę zasługują debiuty J. Lenicy i W. Fangora, wystawa scenografii Z. Strzeleckiego, M. Bogusza, fotomontażu M. Bermana, malarstwa A. Lenicy i fotografii Z. Dłubaka.

Rosnąca fala dyskusji na temat realizmu dotrzeć musiała z konieczności do warszawskiej przystani modernistów. Omawianą powyżej wystawę plastyki awangardowej zaatakował główny ideolog Klubu – Tadeusz Borowski. Było to zresztą zupełnie oczywiste, skoro sam wyznawał wówczas następującą zasadę: „... źródłem wartości humanistycznych są przemiany społeczne i polityczne epoki, która daną postać sztuki wydała. Koncepcja ta traktuje dzieło sztuki jako pewną postać ideologii". Wrodzona Borowskiemu pasja demaskatorska skłoniła go, w zakresie plastyki, do wypowiedzenia wojny tym kierunkom, które w jego przekonaniu były „społecznym obliczem formalizmu". W tym przypadku nie może być mowy o świadomym kluczeniu. Ten trop prowadził prosto na ulicę Królewską, do jego własnego Klubu, gdzie aktualnie odbywała się analizowana tu przeze mnie wystawa.

655. Józef Szajna, Replika, scena zbiorowa, 1973

656. Tadeusz Trepkowski, Ostatni etap, 1948

657. Henryk Tomaszewski, Rok Chopinowski 1949, 1948

,,... Wystawa Nowoczesnego Malarstwa" – pisał dalej Borowski – ,,na której przeważają obrazy treści surrealistycznej, kompozycje brył, linii i barw, w najlepszym razie zawierające odosobnione elementy tzw. rzeczywistości. Właściwa treść wyrazu jest tak doskonale obojętna ideowo, jak rozrzucone litery alfabetu, z którego da się równie łatwo złożyć słowo «faszysta», jak i słowo «demokrata». Malarze stwierdzili, że dzieje malarstwa europejskiego to dzieje widzenia świata".

W ten sposób rozprawia się Borowski i z samą wystawą, zorganizowaną staraniem kierowanego przez siebie Klubu, i z teorią Strzemińskiego, referowaną w Klubie na jednym z wieczorów dyskusyjnych. Paradoks tego sporu polegał na tym, iż w 1948 roku również Strzemiński godził się z realizmem – oczywiście z realizmem odpowiadającym jego własnej koncepcji malarstwa: ,,Nie ma jednego absolutnego realizmu, realizmu w ogóle[...] Ten sam realizm – w innych warunkach historycznych – przestaje być metodą ujawniania rzeczywistości, stając się środkiem jej zakłamania i maskowania". Historia sztuki polskiej następnych lat wykazała, że rację miał oczywiście Strzemiński.

Sztuka i polityka – słowa te można by wpisać w tarczę herbową Klubu Młodych Artystów i Naukowców. Podstawę młodych pisarzy i plastyków cechował wówczas radykalizm poglądów politycznych i estetycznych. W tym właśnie wyrażała się dojrzałość pokolenia, świadomego odpowiedzialności za przyszłość naszej sztuki.

Na temat omawianego okresu nasuwa się kilka uwag natury ogólnej. Mam tu na myśli zaangażowanie społeczno-polityczne młodych plastyków warszawskich oraz reprezentowaną przez nich postawę ,,środowiska otwartego". Trzecia uwaga ogólna dotyczy wzajemnego stosunku między wyodrębnionymi przeze mnie ugrupowaniami: lewicy, centrum i prawicy.

W środowisku warszawskim koloryści i artyści awangardowi nie prowadzili z sobą nigdy otwartej wojny. Wzajemny szacunek lub co najmniej wzajemna tolerancja – tak najogólniej dałoby się określić niepisany układ między obu kierunkami. Inaczej przedstawia się sprawa z tradycjonalistami. To oni uważali się za jedynych spadkobierców dziedzictwa polskiej sztuki narodowej, a w chwili rozpoczęcia dyskusji na temat społecznego zaangażowania artysty szybko uzurpowali sobie prawo do przemawiania również w imieniu realistów. Stąd niewybredne ataki na słabe wówczas, mocno przerzedzone przez wojnę i okupację, szeregi zwolenników plastyki awangardowej. Reprezentant konserwatystów, S. Rassalski, pisał w 1947 roku: ,,Polska sztuka «nowoczesna», postępowa, czy jak ją tam nazwiemy, jest stale echem – i to przebrzmiałym – sztuki Zachodu, a ściślej mówiąc Paryża. 30 przeszło lat przywożą do Polski nasi zagraniczni stypendyści «wyszabrowane» tam maniery i z oburzeniem konstatują przykre dla nich zjawisko, że te obce Polsce bagaże po ich rozpakowaniu nie wzbudzają entuzjazmu".

Kontynuacja kierunków charakterystycznych dla sztuki warszawskiej 20-lecia międzywojennego była po wyzwoleniu wynikiem specyficznego układu pokoleniowego. W Warszawie do artystów najmłodszych należeli ci, którzy ukończyli studia w latach 1938–1939 (A. Mierzejewski, R. Owidzki, I. Witz). Pierwsze roczniki, rozpoczynające po wojnie studia w warszawskiej ASP, weszły w życie dopiero w latach pięćdziesiątych. Jedyne wcześniejsze znane mi debiuty to udział Heleny Cygańskiej-Walickiej w wystawie ,,Ruiny Warszawy" w 1945 roku, Jana Lenicy i Mariana Bogusza w cytowanej już wystawie zorganizowanej w Klubie Młodych Artystów i Naukowców w 1947 roku, uczestnictwo Zbigniewa Dłubaka w I Wystawie Sztuki Nowoczesnej w Krakowie w 1948 roku, a także indywidualna wystawa Wojciecha Fangora w warszawskim Klubie w 1949 roku. Z młodych warszawskich rzeźbiarzy Jerzy Jarnuszkiewicz otrzymał I nagrodę (wraz z B. Lachertem i J. Knothe) na konkursie rozpisanym przez SARP na Pomnik Zwycięstwa – Mauzoleum w Warszawie (1945).

Symbolem losu młodzieży warszawskiej mogą być okupacyjne dzieje malarzy Franciszka Bartoszka i Zygmunta Bobowskiego czy też poetów: Wacława Bojarskiego, Andrzeja Trzebińskiego, Kamila Baczyńskiego i wielu innych.

Dogmatyzm, panujący w sztuce oficjalnej lat 1950–1955, znalazł dlatego tylu zwolenników właśnie w środowisku warszawskim, że liczbowo przeważali w nim artyści starsi, związani z dziedzictwem zachowawczego w swej ideologii Bloku ZAP. Dlatego później w Warszawie – około roku 1955 – stawka na nowoczesność oznaczać będzie stawkę na młodą generację. Dlatego w okresie ,,odwilży" ostrzej niż gdziekolwiek przebiegały w Warszawie starcia ideologiczne, które były jednocześnie walką pokoleń.

Na tym przykładzie sprawdziło się raz jeszcze twierdzenie B. Suchodolskiego: w Polsce problemy pokoleniowe były nie tyle sprawą biologii – co ideologii.

Trudny dla sztuki polskiej okres 1950–1954 przynosi zasadnicze zmiany w układach pokoleniowych, a w następstwie również w samej twórczości. Na czterech wielkich Ogólnopolskich Wystawach Plastyki (1950, 1951, 1952 i 1954) oraz na wystawie ,,Młodzież walczy o Pokój" (1950) po raz pierwszy pojawiają się nazwiska twórców warszawskich, którzy w przyszłości odgrywać będą poważną rolę w życiu kulturalnym kraju; w grafice będą to między innymi: Halina Chrostowska, Roman Cieślewicz, Edmund Piotrowicz; w malarstwie – Tadeusz Dominik, Aleksander Kobzdej, Jan Lebenstein, Andrzej Strumiłło, Wojciech Fangor, Waldemar Wdowicki, Wanda Winnicka, Zbigniew Kierzkowski, Włodzimierz Panas, Zbigniew Tymoszewski.

Szeroko dyskutowanym wówczas dziełem, które odbiegało od obowiązującego schematu, był pokazany na III OWP obraz A. Strumiłły *Za prawo do pracy* (Muzeum Narodowe w Warszawie), przedstawiający ulicę ze strajkującym tłumem. Strumiłło operował tu, oczywiście, zgodnie z panującą wówczas doktryną, środkami realistycznymi. Jakże jednak wyraźnie widać na tym przykładzie przebytą drogę: od kontaktów z awangardową sztuką krakowską poprzez wpływ „neobarbarzyńców" (A. Wajda, A. Wróblewski, K. Nałędzki i in.) aż do neorealizmu. Jest w tym obrazie wyczuwalny podkład surrealizmu, pokrewny *Rozstrzelaniom* Wróblewskiego. Jest teatralność, typowa dla patetycznej sztuki wielu artystów tej generacji. Jest wreszcie groteskowość – rodem z Krakowa – zawarta w wyrazie niektórych twarzy oraz w przedmiotach, tworzących tło kompozycji.

Wojciech Fangor otrzymuje w roku 1952 Nagrodę Państwową III stopnia za obrazy *Matka Koreanka* i *Lenin w Poroninie*. Uczeń Felicjana Kowarskiego, który w swych pierwszych samodzielnych pracach stosował deformację postkubistyczną i dążył do monumentalizmu (1946–1948) – decyduje się na niebezpieczny eksperyment z wielofigurową kompozycją o cechach żywego obrazu, niemal teatralnego widowiska historycznego. Pierwszy przejaw tych tendencji dostrzegamy w jego *Wyzwoleniu* (1950) z dwiema sztucznie upozowanymi grupami. Teatralność ta była szczególnie widoczna w kompozycji *Walka o pokój*, pokazanej w 1951 roku. Odczuwamy w niej także wpływ neorealistów francuskich (Singier). J. Bogucki doszukiwał się w tej pracy jeszcze podobieństw do „... bohatersko--klasycznych obrazów Davida".

Teatralność wkrótce przestała odpowiadać artyście. Niebawem rezygnuje ze wzorów dziewiętnastowiecznego malarstwa historycznego; w twórczości jego widoczne znów są tendencje do monumentalności połączonej z dynamiką formy, z patosem. Powstaje *Matka Koreanka*. Fangor pozostaje wierny tym założeniom, tworząc w roku 1955 (wspólnie z J. Tchórzewskim) słynny plakat z okazji V Światowego Festiwalu Młodzieży i Studentów o Pokój i Przyjaźń, a także plakat filmu meksykańskiego „Maclovia".

W pierwszych latach po wyzwoleniu w rzeźbie warszawskiej prym wiedli mistrzowie starszego pokolenia: Ludwika Nitschowa, Franciszek Strynkiewicz, Tadeusz Breyer, Jan Szczepkowski, Maria Gorelówna, Alfons Karny, Marian Wnuk (od 1949 działający w Warszawie). I w tej dziedzinie również, około lat pięćdziesiątych, zaznaczyła się wyraźnie zmiana warty. Czynnie włącza się do życia artystycznego, wspomniany już poprzednio, Jerzy Jarnuszkiewicz. Debiutują ponadto wybitnie zdolni artyści, zmieniający od tego momentu układ sił w rzeźbie warszawskiej, a nawet w rzeźbie polskiej: Alina Szapocznikow, Magdalena Więcek, Barbara Zbrożyna, Alina Ślesińska, Tadeusz Siekluc-ki, Stanisław Kulon, Stanisław Lisowski, a niebawem po nich: Jan Kucz, Stanisław Słonina, Gustaw Zemła.

Dla J. Gosławskiego i J. Jarnuszkiewicza I Ogólnopolska Wystawa Plastyki (1950) była rzeczywistym debiutem, chociaż Jarnuszkiewicz już wcześniej otrzymywał wyróżnienia na konkursach i państwowe zamówienia. W tym samym roku przyznano Jarnuszkiewiczowi najwyższe odznaczenie artystyczne – Nagrodę Państwową I stopnia za wykonany wspólnie z S. Lisowskim i B. Lachertem *Pomnik Bohaterów Armii Radzieckiej* w Warszawie. Podobnie w dwa lata później młoda rzeźbiarka Magdalena Więcek otrzymała Nagrodę Państwową za rzeźbę *Górnicy*.

Na II Ogólnopolskiej Wystawie Plastyki debiutowała Alina Szapocznikow – artystka zajmująca jedną z najwybitniejszych pozycji w polskiej rzeźbie XX wieku. Andrzej Jakimowicz pisał w recenzji z wystawy: „Należałoby bez wątpienia wyrazić uznanie dla ambitnych zamierzeń młodej rzeźbiarki, której rzeźba *Nadzieja matki* stanowi swego rodzaju wydarzenie w naszym środowisku artystycznym". Drugim debiutem na wspomnianej wystawie była rzeźba Barbary Zbrożyny *Popiersie Broniewskiego*, za którą jury przyznało młodej artystce wyróżnienie.

W ciągu XX wieku ruch awangardowy w rzeźbie polskiej ograniczał się prawie wyłącznie do związków z kubizmem. Odosobnione poszukiwania z kręgu abstrakcji (K. Kobro, H. Wiciński, M. Jaremianka i in.) nie miały ani w dwudziestoleciu międzywojennym, ani bezpośrednio po wojnie wielu kontynuatorów. Tym tłumaczyć należy występujące w latach 1954–1958 tendencje do uogólniania i syntetyzowania formy, która w zasadzie utrzymywaną była nadal w konwencji figuratywnej (Lisowski: *Matka*; Szapocznikow: *Tors*; Łodziana: *Matka z dzieckiem* i in.). Tym również należy tłumaczyć dużą na naszym gruncie popularność rzeźbiarza angielskiego H. Moore'a. Wiązanie bryły z przestrzenią przez zastosowanie formy otwartej, kreowanie rzeczywistych postaci o zagadkowych, syntetycznie traktowanych twarzach – to przecież nadal problem sztuki figuratywnej, lecz wyzbytej już całkowicie naturalistycznej dosłowności.

Podobnie jak w malarstwie i grafice również w rzeźbie w latach 1954–1956 widoczne są tendencje ekspresyjne. Treścią prac był przede wszystkim rozrachunek z najbliższą przeszłością. Taką wymowę miał *Ekshumowany* Aliny Szapocznikow, *Protest* Magdaleny Więcek, *Tragiczna grupa* (zwana również *Marcinelle*) Jerzego Jarnuszkiewicza i wiele innych dzieł artystów warszawskich.

Rozrachunek dotyczył nie tylko spraw światopoglądowych, lecz również zagadnień czysto plastycznych. W pracach tych przezwyciężono wieloletnią hegemonię rzeźby „zamknię-tej", która swą zwartą bryłą wyraźnie odcinała się od otoczenia. Pojawiła się forma postrzępiona, rozbita, rozsadzana od wewnątrz, wyrażająca ruch, niepokój, dynamikę. Odbudowa kraju ze zniszczeń wojennych pochłaniała większość sił architektów. Zaspokajahie pierwszych potrzeb, a więc stworzenie „dachu nad głową" nie sprzyjało początkowo nowatorskim eksperymentom. Nie znaczy to, abyśmy wówczas całkowicie zrezygnowali z doświadczeń w zakresie współpracy plastyki z architekturą. Przejściowo jednak funkcję „laboratorium" nowych form pełniło wystawiennictwo, któremu zazwyczaj powierzano jedynie funkcję usługową. Pracowali w tej dziedzinie tak wybitni architekci warszawscy, konstruktorzy, malarze i graficy, jak: M. Bogusz, W. Fangor, O. Hansen, J. Hryniewiecki, J. Sołtan, H. Stażewski, J. Staniszkis, H. Tomaszewski, L. Tomaszewski, B. Urbanowicz, S. Zamecznik i inni.

W 1954 roku powstaje panneau W. Fangora przeznaczone na wystawę w Paryżu. M. Bogusz i A. Zaborowski wykonują panneau na Targi Lipskie. S. Gliński i J. Srokowski projektują oprawę plastyczną stoiska polskiego na targi w Mediolanie. W roku 1955 J. Lenica, L. Tomaszewski i H. Tomaszewski współpracują przy projekcie stoiska polskiego na targi w Londynie. Wielką manifestacją nowego wystawiennictwa polskiego były również XXIV Targi Poznańskie.

Najczęściej efektem działalności cytowanych tu przykładowo artystów warszawskich były łatwe do demontażu struktury przestrzenne (O. Hansen: pawilon polski na Międzynarodowych Targach w Izmirze w 1955), niekiedy jednak powstawały projekty o walorach architektury stałej (J. Sołtan: projekt pawilonu polskiego na Wystawę Światową w Brukseli w 1958). W tym zakresie poważne osiągnięcia artystyczne miały Zakłady Doświadczalne warszawskiej ASP.

Można zaryzykować twierdzenie, iż właśnie w dziedzinie wystawiennictwa dokonała się w Polsce po raz pierwszy pełna integracja architektury nowoczesnej i sztuk wizualnych; mam tu na myśli zorganizowaną w 1948 roku we Wrocławiu Wystawę Ziem Odzyskanych. Działali tam wówczas między innymi tak wybitni artyści warszawscy jak: Stanisław i Wojciech Zamecznikowie, H. Stażewski, B. Urbanowicz, J. Cybis, J. Wolff, J. Jarnuszkiewicz, T. Gronowski, T. Zieliński, Cz. Wielhorski, M. Leykam, T. Trepkowski, H. Tomaszewski.

Doświadczenia zdobyte w zakresie wystawiennictwa przyśpieszyły w Warszawie eksperymenty mające na celu wiązanie rzeźby i malarstwa z przestrzenią. Tak zrodziła się w stolicy pierwsza koncepcja modnego po wielu latach *environment*, wyprzedzająca podobne próby, podjęte następnie na Zachodzie. Przestrzeń określana kolorem i światłem – rodzaj malarskiej wizji *environment* – pojawiła się w Polsce już około 1956 roku jako świadomy i ściśle określony kierunek poszukiwań. Eksperymenty te polegały na jednoczeniu wnętrza wystawy przez taki układ abstrakcyjnych płócien, oderwanych od ścian, by z autonomicznych w zasadzie elementów (obraz sztalugowy) powstać mogła jednorodna całość. Widz poruszał się we wnętrzu wielowymiarowego „obrazu", był atakowany ze wszystkich stron przez barwne płaszczyzny, lśniące w intensywnym świetle reflektorów.

W taki właśnie sposób zorganizował w Warszawie swą wystawę Oskar Hansen w 1957 roku. Podobne założenia przyświecały malarzowi W. Fangorowi, który do współpracy nad swą ekspozycją zaprosił plastyka i architekta w jednej osobie: Stanisława Zamecznika (Warszawa 1958). Ten ostatni stworzył jeszcze jedną wystawę malarskiej przestrzeni imaginacyjnej w Warszawie w 1959 roku, aranżując pokaz obrazów Henryka Stażewskiego. Te nowatorskie eksperymenty malarskie kontynuowane były przez artystów warszawskich i w latach następnych. Wymienić tu można przykładowo wystawę prac malarskich Stefana Gierowskiego, zorganizowaną w „Zachęcie" w 1967 roku przez grafika i wystawiennika Juliana Pałkę. Znalazło się na niej, prócz stosowanego powszechnie szeregowego rozwieszenia płócien na ścianach, także kilka konstrukcji przestrzennych, zestawionych z olejnych obrazów.

Lata pięćdziesiąte wzbogaciły życie artystyczne stolicy nowym zjawiskiem, bez precedensu w dziejach współczesnej plastyki polskiej – a istotnym również w skali krajowej: był to plakat traktowany jako autonomiczna dziedzina sztuki.

Dynamiczny po wojnie rozwój plakatu warszawskiego zawdzięczamy nielicznej grupie mistrzów starszej i średniej generacji, do której przede wszystkim zaliczyć należy: Tadeusza Gronowskiego (jednego z prekursorów polskiej sztuki plakatu, działającego już w 20-leciu międzywojennym), Tadeusza Trepkowskiego, Henryka Tomaszewskiego, następnie Józefa Mroszczaka (pracującego początkowo w Katowicach) oraz Eryka Lipińskiego, Konstantego Sopoćkę, Jerzego Srokowskiego i innych. W większości przypadków dzieła ich to prace nowatorskie w formie, w sposób odważny posługujące się skrótem, symbolem, metaforą; wzbogacone liternictwem doprowadzanym niekiedy do niebywałej wprost finezji – a przy tym proste, lapidarne, sugestywne.

Poziomem prac wymienionych tu artystów, ich odkrywczością i odwagą w eksperymentowaniu, a przede wszystkim ich osobistym autorytetem tłumaczyć należy fakt, iż w dziedzinie plakatu nie istniało nigdy w Warszawie zjawisko walki czy dyskusji międzypokoleniowej. Młodzi z zaufaniem przyjmowali wskazówki mistrzów, kontynuowali linię ich poszukiwań, wzbogacając ją nowymi zdobyczami. Dzięki temu – z połączenia osiągnięć artystów starszych z entuzjazmem młodzieży – mogło powstać w Warszawie niezwykle ważne zjawisko plastyczne, nazwane później „polską szkołą plakatu".

Prócz wymienionych tu twórców starszych pojawili się już w latach 1952–1955 nowi: Wojciech Fangor, Julian Pałka, Jan Młodożeniec, Wojciech Zamecznik, Roman Cieślewicz, Gustaw Majewski, Waldemar Świerzy, Wiktor Górka, Jerzy Jaworowski, Jan Lenica,

Zbigniew Kaja, natomiast nieco później Maciej Urbaniec oraz Franciszek Starowieyski. Naszkicowaną tu sytuację unaoczniła po raz pierwszy Ogólnopolska Wystawa Plakatu, zorganizowana w Warszawie w 1953 roku. Cytowane tu grono artystów starszego i młodego pokolenia pokazało na wspomnianej wystawie dzieła poetyckie o przewadze pierwiastków malarskich; eksponowało plakaty oparte na symbolice przedmiotów i postaci; plakaty realistyczne, w których dynamika formy ustrzegła autorów przed bezpośrednią ilustracyjnością; plakaty budowane kontrastowymi zestawieniami plam barwnych lub też skromnymi środkami czarno-białej sztuki graficznej; dzieła operujące metaforą, aluzją, znakiem, skrótem plastycznym.

Zastanawiając się – w dwa lata po wystawie – nad nowym plakatem polskim, Jan Lenica dostrzeże w nim dążność do łączenia kierunku, który nazywa „malarskim", z kierunkiem „intelektualnym". Zwróci uwagę zwłaszcza na te cechy, które w sposób widoczny występować zaczęły już w latach 1953–1954: „Najbardziej istotnym przejawem nowych tendencji w plakacie jest chyba wydobycie nowej, zmonumentalizowanej siły wyrazu człowieka, odkrycie w nim niezbanalizowanych pierwiastków emocjonalnych [...] Ta wspólna postawa łączy twórców o różnych temperamentach artystycznych, w odmienny sposób realizujących swe artystyczne postulaty, że wymienię choćby Wojciecha Fangora i Juliana Pałkę".

Polska sztuka plakatu – a bez obawy posądzenia o lokalny patriotyzm można by ją śmiało określić także mianem: warszawska sztuka plakatu – dzięki swej pozycji w dziejach współczesnej plastyki polskiej powołała do życia wiele nowych na naszym gruncie instytucji. Pomijam instytucje w dosłownym znaczeniu, jak na przykład wielce zasłużone dla rozwoju plakatu warszawskie Wydawnictwo Artystyczno-Graficzne. Mam natomiast na myśli przede wszystkim Międzynarodowe Biennale Plakatu, działające w Warszawie od 1966 roku. Tę odbywającą się co dwa lata imprezę o zasięgu światowym nazwałem instytucją, gdyż do dnia dzisiejszego zachowała ona ciągłość organizacyjną, posiada własny stały sekretariat, gromadzi dokumentację, w czasie trwania wystawy organizuje sympozja, utrzymuje stałe kontakty z zagranicznymi stowarzyszeniami i indywidualnymi twórcami. O zasięgu Biennale świadczyć mogą również dane statystyczne: w wystawach brało udział przeciętnie około 400–650 artystów pochodzących z 35–38 krajów; przedstawili 1000–1600 prac.

Dalszą konsekwencją wynikającą z pozycji plakatu w polskiej sztuce wizualnej było powołanie do życia w 1968 roku, w Wilanowie, Muzeum Plakatu. Kustoszem tej placówki została Janina Fijałkowska. Jest to pierwsze i jedyne tego typu muzeum na świecie.

Nie grupuję olbrzymiego materiału w ramach tradycyjnie pojętych dyscyplin, zresztą granice między poszczególnymi dziedzinami plastyki są dziś tak płynne, iż wszelkie podziały straciły właściwie swą rację bytu. Wyjątkowo wyodrębniając plakat podkreślić pragnąłem doniosłą rolę tego zjawiska w warszawskim życiu kulturalnym, a także w skali krajowej i międzynarodowej. Z podobnych przyczyn zatrzymam się przez chwilę przy tkaninie, której międzynarodowy rozgłos, osiągnięty w ciągu zaledwie kilku lat, był również wydarzeniem wyjątkowym we współczesnej sztuce polskiej.

W dziejach naszego rzemiosła artystycznego tkanina zajmowała już od stuleci wybitną pozycję. Wystarczy sięgnąć po dzieło wielkiego znawcy przedmiotu, a mam tu na myśli książkę Tadeusza Mańkowskiego „Polskie tkaniny i hafty XVI–XVIII wieku" (Wrocław 1954), by przekonać się, jak silnie tkanina artystyczna wiązała się z malarstwem, rzeźbą, a nawet z architekturą, zgodnie z renesansowym pojęciem syntezy sztuki. Przecież nawet dawna nazwa hafciarza: *acupictor* znaczyła „malarz igłą".

W początkach XX wieku głównym ośrodkiem artystycznego tkactwa był Kraków, gdzie działało towarzystwo „Polska Sztuka Stosowana" (1901–1913), a następnie „Warsztaty krakowskie" (1913–1926). Wraz z powstaniem warszawskiej spółdzielni „Ład" (1926), która kontynuowała linię obu krakowskich towarzystw, również w stolicy rozwinęło się tkactwo artystyczne, związane z narodową tradycją tej gałęzi sztuki.

Poszanowanie specyfiki warsztatu oraz tworzywa – o tak bogatej fakturze jak sploty wełny czy lnu – koloryzowanego naturalnymi barwnikami, a także związki ze sztuką ludową pozwoliły na stworzenie odrębnego stylu „ładowskiego".

Po wojnie działali w tej dziedzinie w Warszawie tak wybitni twórcy związani z „Ładem", jak na przykład: Zofia Butrymowicz, Helena Bukowska, Zofia Czasznicka, Hanna Karpińska-Kintopf, Andrzej Milwicz, Anna Śledziewska, Eleonora Plutyńska.

Prawdziwy renesans tkaniny warszawskiej nastąpił jednak dopiero w latach sześćdziesiątych. Do głosu dochodzi wówczas młode pokolenie, które zrywa z tkactwem tradycyjnym, wyzwalając się całkowicie z panującego dotychczas kultu warsztatu. Przełom ten był przede wszystkim dziełem Magdaleny Abakanowicz, Józefa Łukomskiego, Ady Kierzkowskiej, Jolanty Owidzkiej, Wojciecha Sadleya oraz wielu innych twórców młodej generacji.

W okresie tym odbyło się w Lozannie Międzynarodowe Biennale Gobelinu (1962). Instytucja ta działa do dzisiaj. Lozanna staje się miejscem konfrontacji osiągnięć w tej dziedzinie plastyki – w skali światowej. To właśnie tam młodzi twórcy polscy święcili swe pierwsze zagraniczne sukcesy, tam właśnie zrodziło się przekonanie o przodującej dziś na świecie pozycji polskiej tkaniny artystycznej.

Współczesna tkanina o cechach nowatorskich zbliża się dziś w Polsce do monumentalnego malarstwa, do rzeźby, czasem tworzy kompozycje przestrzenne. Zjawisko to obserwować można między innymi na przykładzie najnowszych dzieł Magdaleny Abakanowicz. Jej twórcza droga prowadziła od monumentalnych tkanin płaskich – zrodzonych z tradycji dworskiego gobelinu – do kompozycji przestrzennych. Z dawną tkaniną łączy ją dziś już tylko tworzywo, ale i ono potraktowane jest w sposób specjalny: materia rozrasta się jak żywy organizm, jest surowa przez posługiwanie się prostymi splotami grubych sznurów o monochromatycznej kolorystyce. Ze ścian spływają ciężkie kurtyny, sznury pełzają po ziemi lub też kołyszą się jak liany; krążymy po mrocznym lesie-labiryncie, w którym ostatnio pojawiły się także postacie ludzi: zmumifikowane atrapy, puste powłoki modelowane z workowatych tkanin, suche i skostniałe manekiny.

Wspomniałem o tradycjach warszawskich klubów kulturalnych, mówiąc o charakterystycznym dla stolicy modelu Polskiego Klubu Artystycznego, powstałego w 20-leciu międzywojennym, oraz o Klubie Młodych Artystów i Naukowców, działającym w latach 1947–1949. Dziedzicem tych właśnie tradycji kulturowych Warszawy był, powstały przy Staromiejskim Domu Kultury w 1955 roku, Klub Krzywe Koło. Była to również – jak to poprzednie – instytucja interdyscyplinarna, jednocząca twórców i teoretyków różnych dziedzin sztuki. Klub posiadał własny lokal wystawowy; kierował nim Marian Bogusz, prowadząc tę dynamicznie działającą placówkę przez 7 lat. Od 1958 roku w pracach programowo-organizacyjnych galerii brali także udział Stefan Gierowski i Aleksander Wojciechowski. Po rozwiązaniu Klubu w 1957 roku galeria usamodzielniła się; działając nadal w tym samym lokalu początkowo zatrzymała nazwę Krzywe Koło, a następnie przyjęła nową: Galeria Sztuki Nowoczesnej.

Niemal od chwili powstania instytucja ta pełniła w stolicy funkcję głównego ośrodka wymiany doświadczeń w zakresie plastyki awangardowej. Rozwijała ona także działalność na skalę ogólnokrajową, organizując w Warszawie ekspozycje młodej plastyki poznańskiej (grupa „R–55", listopad 1956), katowickiej (grupa „St.–53", grudzień 1956), lubelskiej (grupa „Zamek", 1958), krakowskiej (klub Marg, czerwiec 1959), nie licząc wystaw indywidualnych, przedstawiających najciekawsze zjawiska polskiej sztuki nowoczesnej. Do najpoważniejszych imprez zaliczyć należy wystawę „Konfrontacje 1960", związaną z warszawskim kongresem Międzynarodowego Stowarzyszenia Krytyków Sztuki.

Wspomniana wystawa stanowiła przegląd indywidualnego dorobku artystów warszawskich i krakowskich: M. Bogusza, T. Brzozowskiego, T. Dominika, S. Gierowskiego, B. Kierzkowskiego, J. Nowosielskiego, A. Szapocznikow, J. Tarasina, J. Tchórzewskiego, M. Więcek, R. Ziemskiego.

We wstępie do katalogu wystawy znajdujemy sformułowania, które dotyczą samej wystawy, a także są wyrazem głównych założeń programowych Galerii Krzywe Koło oraz założeń programowych środowiska młodych plastyków warszawskich, prowadzącego od lat politykę otwartych drzwi w stosunku do innych ośrodków myśli artystycznej w kraju: „Naszą ambicją było wytworzenie atmosfery sprzyjającej rozwojowi myśli twórczej" – pisał A. Wojciechowski. „Pragnęliśmy, by galeria stała się żywym, dynamicznym ośrodkiem skupiającym sztukę dnia dzisiejszego. Nie jesteśmy grupą warszawską, chociaż głównie zajmujemy się twórczością artystów działających w stolicy. Współpracujemy także z plastykami innych środowisk. Uważamy, iż jedynie poprzez szeroki przegląd aktualnej sytuacji w plastyce polskiej drugiej połowy XX wieku słowo «konfrontacje» posiadać będzie głęboką treść".

Przy Klubie Krzywe Koło oraz galerii powstaje w 1955 roku grupa „55". Należeli do niej między innymi: Marian Bogusz, Zbigniew Dłubak, Kajetan Sosnowski, Andrzej Zaborowski, Andrzej Szlagier. Grupa „55" reprezentowała malarstwo intelektualne. Tkwiło ono w „filozoficznej" przestrzeni, w której – jak na przykład w portrecie Einsteina pędzla M. Bogusza – niebo nie było kłębowiskiem chmur, lecz myśli ludzkich. Na wskroś intelektualna była również sztuka Zaborowskiego i Dłubaka, szczególnie w ich pejzażach, niepokojących swą nieskończonością.

Na przełomie 1955 i 1956 i w latach następnych przesunęły się o jedno pokolenie wskazówki chronometrów, odmierzających rytm rozwoju kultury europejskiej. Kryzys dotychczasowych wartości moralnych i społecznych stał się zjawiskiem ogólnoświatowym. Różna natomiast była forma, w jakiej młodzi dawali wyraz swemu rozgoryczeniu. Inne zupełnie problemy nurtowały postępowych twórców angielskich, amerykańskich, francuskich czy polskich. Wspólne im wszystkim było natomiast przeświadczenie, iż wraz ze zbliżającym się kresem „zimnej wojny" otwierają się szerokie perspektywy przed sztuką zaangażowaną politycznie, działającą aktywnie na rzecz pokoju, dążącą do rozszerzenia międzynarodowych kontaktów.

Warszawa wniosła swój konkretny wkład w dzieło odprężenia i pokojowej współpracy młodych artystów, organizując w 1955 roku V Światowy Festiwal Młodzieży i Studentów o Pokój i Przyjaźń, a w ramach tej imprezy – Międzynarodową Wystawę Młodej Plastyki, odbywającą się pod hasłem: przeciw wojnie – przeciw faszyzmowi. Były to wystawy-manifestacje, gdyż chodziło w nich nie tyle o przegląd dzieł sztuki, ile właśnie o manifestacje poglądów politycznych pokolenia koegzystencji.

Starsza generacja utrwaliła głęboko w świadomości artystów potrzebę stałego odwoływania się do wyobraźni i intuicji. Jeszcze przez długie lata funkcjonować będzie w naszej plastyce romantyczny model dzieła metaforycznego o przewadze czynników emocjonalnych. Odsyłając do lamusa przynajmniej część dawnego rynsztunku – torowano drogę poznaniu racjonalnemu, prowadzącemu do krytycznego spojrzenia na rzeczywistość. Wynikające stąd wnioski rzutowały bezpośrednio na sytuację artystyczną. Wyjście z izolacji stało się potrzebą chwili: artystyczną i polityczną. Przemawiało za tym również przekonanie – ugruntowane właśnie w czasie Światowego Festiwalu Młodzieży – iż dialog prowadzony w skali międzynarodowej jest jedyną szansą harmonijnego rozwoju kultury europejskiej.

Fala ta, o wyraźnie postępowym obliczu, przyśpieszyła w Polsce proces przemian i odnowy, który niegdyś nazwałem „eksplozją nowoczesności". We wstępie do katalogu III Wystawy Sztuki Nowoczesnej (Warszawa 1959) czytamy: „...poprzednie Wystawy Sztuki Nowoczesnej z lat 1948 i 1957 miały charakter ekskluzywnych pokazów [...] Od tego czasu sytuacja uległa radykalnej zmianie. Sztuka awangardowa [...] ze stadium eksperymentów przeszła w stadium realizacji. Z kierunku elitarnego przerodziła się w kierunek masowy". Nastąpiła więc nagła eksplozja nowoczesności – zjawisko bez precedensu w dziejach polskiej plastyki XX wieku.

Nasza „nowoczesność" lat 1955–1960 i następnych nie była więc problemem wykoncypowanym teoretycznie – zrodziła się w ogniu żarliwych dyskusji ideowych. Miejscem polemik stały się łamy pism stołecznych. Warszawa miała już wówczas tak istotne dla naszej sztuki tygodniki jak: „Przegląd Kulturalny", „Po prostu", „Nowa Kultura", „Współczesność", z pism zaś fachowych zreorganizowany miesięcznik „Przegląd Artystyczny", o nowej orientacji nadanej mu przez ówczesnego redaktora Aleksandra Wojciechowskiego i współpracujący z nim zespół, nastawiony wyraźnie na plastykę awangardową, oraz działający od 1956 roku pod redakcją Jerzego Hryniewieckiego miesięcznik „Projekt".

Miała również Warszawa rozbudowującą się stale sieć nowych galerii. Prócz wspomnianej już Galerii Krzywe Koło powstaje w foyer Teatru Żydowskiego (przedwojenny Salon Instytutu Propagandy Sztuki przy ul. Królewskiej) Salon Dyskusyjny „Po prostu", kierowany przez Marka Oberländera. Działalność tej placówki zainaugurowana została otwartą w lipcu 1956 roku wystawą młodych; między innymi udział w niej wzięli: W. Fangor, B. Jonscher, T. Mellerowicz, J. Sempoliński, J. Siennicki, K. Sosnowski, W. Wdowicki. Od listopada 1957 roku do sierpnia 1959 patronat nad Salonem sprawowała redakcja „Nowej Kultury", kontynuując realizację ambitnego programu.

Zjawisko to – nie mające precedensu w polskiej plastyce XX wieku – było jedną z bardziej charakterystycznych cech okresu 1955–1960, w którym młoda plastyka, prowadząca zakrojone na szeroką skalę „działania zaczepne" wymierzone przeciwko kierunkom zachowawczym, znalazła oparcie w równie ofensywnej publicystyce. Warszawskie tygodniki kulturalne pełniły wówczas funkcje prawdziwego mecenasa sztuki.

W latach 1960–1962 Salon pozostawał pod opieką tygodnika „Współczesność". Działał nadal przy ul. Królewskiej pod kierunkiem Marka Oberländera, następnie młodego malarza i krytyka sztuki Jerzego Stajudy.

Od 1956 roku dzieła współczesnej plastyki wystawiane są także w Kordegardzie, budynku Ministerstwa Kultury i Sztuki. Z ważniejszych ekspozycji wymienić należy zorganizowaną tam w 1957 roku pierwszą indywidualną wystawę młodej warszawskiej rzeźbiarki Aliny Ślesińskiej, następnie pokaz prac Henryka Stażewskiego i Marii Jaremianki.

W roku 1957 otwarto przy ul. Marszałkowskiej 34/50 lokal wystawowy ZPAP, zwany popularnie Galerią MDM. Z licznych warszawskich galerii, kształtujących pejzaż kultury wizualnej miasta (Galeria Rzeźby ZPAP czynna od 1960; Dom Plastyka przy ul. Mazowieckiej, funkcjonujący od 1966; galeria DESY na Zapiecku otwarta w 1972 i prowadzona przez M. Arens; Salon Debiutów, przekształcony następnie w dynamicznie działającą Galerię Repassage, kierowaną przez Elżbietę Cieślan), na pierwszym miejscu wymienić należy Galerię Foksal, subwencjonowaną przez Pracownie Sztuk Plastycznych i działającą od 1966 roku pod kierunkiem Wiesława Borowskiego; Galerię Współczesną, subwencjonowaną przez Klub Międzynarodowej Prasy i Książki, mieszczącą się w gmachu Teatru Wielkiego, a kierowaną w latach 1965–1974 przez Marię i Janusza Boguckich, i wreszcie Galerię Teatru „Studio", zorganizowaną w 1972 roku z inicjatywy dyrektora teatru, malarza, scenografa i reżysera w jednej osobie – Józefa Szajnę.

Z pobieżnego przeglądu wynika, iż w ciągu z górą 30 lat zmieniał się model życia artystycznego stolicy. W pierwszym powojennym okresie istotną rolę grały kluby i ugrupowania, w następnym – czasopisma artystyczne i kierowane przez nie galerie przy wzrastającym znaczeniu akcji prowadzonych przez warszawski okręg ZPAP, wreszcie wiele nowych idei rodzi działalność tak zwanych „galerii autorskich", z Galerią Foksal, Repassage, Galerią Współczesną i Galerią Teatru „Studio" jako instytucjami wiodącymi pod względem artystycznych i intelektualnych inicjatyw.

Przemiany, które obserwujemy po roku 1960, związane są również z działalnością najmłodszej generacji. Pojawiają się takie określenia, jak sztuka pojęciowa, sztuka parateatralna, a wreszcie *environment*. We wszystkich przypadkach chodzi o aktywizację odbiorcy, o ochronę i kształtowanie środowiska, o kreowanie nowej wizji przestrzeni, wynikającej z aktualnej sytuacji społecznej, ekonomicznej i z tradycji kulturowej. Wielkim wkładem środowiska warszawskiego do tej problematyki było zorganizowane w 1975 roku w Nieborowie – pod auspicjami UNESCO – międzynarodowe kolokwium

„Environment i sztuki wizualne". W końcowej deklaracji sygnowanej przez delegatów kilkunastu międzynarodowych stowarzyszeń czytamy: „Każdy człowiek ma prawo do życia i pracy w takim otoczeniu, którego jakość umożliwiałaby mu pełnię rozwoju, zawsze uwzględniając specyfikę jego społeczeństwa".

Tekst niniejszy stanowi skróconą wersję referatu, wygłoszonego w dniu 19.I.1978 roku na sesji „Kultura Warszawy", zorganizowanej przez KW PZPR oraz Urząd Miasta Stołecznego Warszawa.

PROBLEMY ROZWOJU KULTURALNEGO W LATACH 1956–1977

Pisać o przemianach kulturalnych w Warszawie to niemal to samo, co pisać o przemianach kulturalnych w kraju. Stolica bowiem skupia znakomitą część krajowego potencjału kulturalnego zarówno w postaci licznych środowisk twórczych, jak instytucji artystycznych i kulturalnych. Co prawda Polska Ludowa szczyci się faktem, że obok stolicy posiada na swej mapie wiele innych żywotnych, często współzawodniczących ze stolicą ośrodków życia kulturalnego – na przykład Kraków, Wrocław, Łódź, Poznań czy Trójmiasto – niemniej, ogólnie rzecz biorąc, prymat Warszawy w dziedzinie kultury nie podlega kwestii. Wielkość potencjału kulturalnego Warszawy jest w równej mierze efektem, jak i przywilejem pozycji miasta stołecznego. Wielkość ta określa również miejsce i rolę kultury stołecznej w kraju: to właśnie w stolicy rodzą się częściej niż gdzie indziej główne kierunki i tendencje rozwojowe kultury polskiej, to życie artystyczne stolicy nadaje ton rozwojowi literatury i sztuki w kraju, wreszcie to właśnie model kultury stołecznej jest najszerzej upowszechniany przez środki masowego przekazu; stolica jest otwartym na świat oknem wystawowym kultury polskiej.

Nic więc dziwnego, że można identyfikować główne przemiany zachodzące w życiu kulturalnym stolicy z przemianami w kulturze krajowej, co jednak bynajmniej nie oznacza, że Warszawa nie posiada własnych, specyficznych cech rozwojowych, wynikających przede wszystkim z koncentracji potencjału kulturalnego w jednym ośrodku miejskim oraz z faktu, że jest to jednocześnie największy ośrodek miejski w kraju.

Zakończenie realizacji sześcioletniego planu rozwoju gospodarczego oznaczało zamknięcie pewnego okresu w życiu Polski Ludowej, również w jej życiu kulturalnym. Zamknięty został okres odbudowy kraju i rewolucyjnych reform społeczno-ustrojowych, okres budowy podstaw socjalizmu. Rok 1956 rozpoczął nowy etap, który zaznaczył się szczególnie intensywnymi przemianami kulturalnymi, a przemiany te wynikały w sposób bezpośredni z dorobku i doświadczeń pierwszego dziesięciolecia Polski Ludowej.

Odbudowa Warszawy po drugiej wojnie światowej w dotychczasowej historii wielkich miast była zjawiskiem niepowtarzalnym. Ogromne, ponad milionowe miasto, zniszczone w 85%, w ciągu kilku lat odrodziło się niemal całkowicie z gruzów i popiołów. A co najbardziej jest godne podziwu, odrodziło się nie tylko w materialnym nowym kształcie budynków i ulic, w zrekonstruowanych pieczołowicie zabytkowych gmachach i kamieniczkach; odrodziło się także w swojej kulturze. Bez bogatego życia artystycznego, bez teatrów i kin, bibliotek i muzeów, sal wystawowych i koncertowych, bez licznych środowisk literackich i artystycznych Warszawa nie byłaby sobą, odrodzenie nie byłoby pełne.

660. Czytelnia w Bibliotece Publicznej m. st. Warszawa przy ul. Koszykowej

Straty wojenne Warszawy w dziedzinie kultury, podobnie jak w innych dziedzinach, były olbrzymie. Zginęło wielu przedstawicieli jej życia intelektualnego, ci zaś, którzy ocaleli, rozproszyli się po kraju i świecie. Zniszczeniu uległo 95% kubatury obiektów kulturalnych, 90% zabytków, zniszczono lub wywieziono do Niemiec bogate zbiory biblioteczne, archiwalne i muzealne. Trzeba było więc odbudowując życie kulturalne stolicy i w tej dziedzinie zaczynać od podstaw. Tempo odradzania się tego życia w Warszawie było niesłychanie szybkie. Już 23 października 1944 roku uruchomiono na Pradze pierwsze trzy placówki biblioteczne, a 26 maja 1945 roku otwarto czytelnię przy ul.. Koszykowej. Również w październiku 1944 roku został otwarty – jako pierwszy – Teatr m. st. Warszawa, działający później jako Teatr Powszechny. 3 maja 1945 roku nastąpiło otwarcie Muzeum Narodowego. W pierwszym półroczu tegoż roku uruchomiono w Warszawie radiostację, a w Domu Prasy ruszyła pierwsza maszyna rotacyjna.

W latach 1945–1949 powołano do życia kolejne placówki teatralne: Scenę Muzyczno--Operową przy ul. Marszałkowskiej (1.VIII.1945), Teatr Polski (17.I.1946), Teatr Nowy przy ul. Puławskiej (1947), Teatr Ludowy – początkowo pod nazwą Ludowy Teatr Muzyczny – przy ul. Szwedzkiej (1948), Teatr „Syrena", który w 1948 r. przeniósł się do Warszawy z Łodzi, Teatr Domu Wojska Polskiego (1949) – późniejszy Teatr Dramatyczny (od 1957), Teatr Współczesny (od 1.IX.1949) i na koniec Teatr Narodowy (13.XII. 1949).

W tym samym okresie otwarto kina: Syrenę przy ul. Inżynierskiej (15.I.1945), Tęczę przy Suzina (27.VII.1945), Polonię (2.IX.1945), Atlantic (16.IX.1945), Stylowy i Palladium (1946/47), Stolicę, 1 Maj, Ochotę i W-Z (1949).

W roku 1947 nastąpiło otwarcie Filharmonii Warszawskiej. Rozpoczęły już działalność trzy wyższe uczelnie artystyczne: Akademia Sztuk Pięknych, Państwowa Wyższa Szkoła Muzyczna i Państwowa Wyższa Szkoła Teatralna. Czynne były wydawnictwa: Spółdzielnia Wydawnicza „Czytelnik" (1945), Państwowe Zakłady Wydawnictw Szkolnych (1945), Państwowy Zakład Wydawnictw Lekarskich (1945), Instytut Wydawniczy „Nasza Księgarnia" (1945), Państwowy Instytut Wydawniczy (1946), Państwowe Wydawnictwa Rolnicze i Leśne (1947), Wydawnictwo Ministerstwa Obrony Narodowej oraz kilka prywatnych przedsiębiorstw wydawniczych. Warszawa stała się siedzibą redakcji wielu czasopism społeczno-kulturalnych, literackich i artystycznych, jak na przykład „Kuźnica", „Nowiny Literackie", „Wieś" i „Odrodzenie". Wymienione tu instytucje stanowią oczywiście tylko skromną ilustrację kulturalnego oblicza Warszawy w omawianym okresie.

Jak szybkie było tempo rozwoju kultury w Warszawie na tle sytuacji krajowej, świadczy między innymi wypowiedź Kazimierza Wyki w 10 numerze „Twórczości" z października 1948 roku, który zanotował „...nadspodziewanie szybki, z nieoczekiwaną gwałtownością przebiegający proces powrotu Warszawy do roli centralnego ośrodka kulturalnego całego kraju. Nie tylko centralnego ośrodka dyspozycji kulturalnej, ale głównego środowiska twórczości kulturalnej".

Lata 1950–1955, lata planu sześcioletniego, były okresem dalszego intensywnego rozwoju sieci instytucji i placówek kulturalnych w stolicy. Czynnikiem inspirującym ten rozwój była polityka partii i państwa, stawiająca sobie za główne zadanie przyspieszenie socjalistycznych przeobrażeń w życiu intelektualnym kraju i jak najszersze udostępnienie dóbr kulturalnych ludziom pracy. Zadanie to realizowano przede wszystkim za pomocą olbrzymich nakładów finansowych i inwestycyjnych ze strony państwa.

W tych latach oddano w stolicy do użytku trzy nowe sceny teatralne. Rozpoczęła działalność Operetka (1955). Liczba kin wzrosła z 10 do 26, a liczba miejsc w kinach odpowiednio z 8577 do 13 306. Powiększyła się wydatnie sieć bibliotek: z 58 do 90, księgozbiory zaś odpowiednio z 401 100 do 695 900 tomów. Miasto otrzymało wiele domów kultury, klubów i świetlic, w których znalazł oparcie amatorski ruch artystyczny. Równolegle postępował proces koncentracji w stolicy różnych instytucji kulturalnych. Do Warszawy przenoszą się z Łodzi i Krakowa oraz z innych ośrodków redakcje czasopism społeczno-kulturalnych, literackich i artystycznych, między innymi „Twórczość" i „Przegląd Artystyczny". W stolicy rozpoczyna działalność dwutygodnik „Teatr", powołany na miejsce kilku periodyków teatralnych, ukazujących się w innych miastach. Tutaj także znalazły się redakcje „Kwartalnika Filmowego", „Pamiętnika Teatralnego", „Muzyki" i „Sztuki Ludowej". Tutaj powstają instytucje, których zadaniem jest kierowanie i zarządzanie poszczególnymi dziedzinami działalności kulturalnej w skali ogólnopolskiej: Centralny Urząd Wydawnictw Przemysłu Graficznego i Księgarstwa, Centrala Obsługi Przedsiębiorstw i Imprez Artystycznych (COPiA), Centralny Zarząd Teatrów, Centralne Biuro Wystaw Artystycznych, Centralny Urząd Kinematografii, Państwowy Instytut Sztuki i inne.

Koncentracja instytucji kulturalnych i artystycznych spowodowała przyspieszony rozwój wielu środowisk twórczych w stolicy. Warszawa zgromadziła ponad połowę ogólnej liczby polskich literatów i kompozytorów, około jednej trzeciej plastyków, aktorów i muzyków.

W 1955 roku Warszawa obchodziła dziesiątą rocznicę wyzwolenia. W ciągu tamtych dziesięciu lat stolica podniosła się z gruzów i popiołów i zamieniła w milionową metropolię, wielki ośrodek życia kulturalnego i artystycznego w skali nie tylko krajowej, ale i światowej. Rozwój życia kulturalnego w Warszawie był wymownym świadectwem żywotności i bogactwa polskiej kultury narodowej w nowych warunkach ustrojowych. Jednocześnie życie kulturalne w pierwszym dziesięcioleciu po wyzwoleniu odegrało ważną rolę w dziedzinie integracji społecznej Warszawy. Odbudowa stolicy i rozbudowa przemysłu ściągnęły do stolicy dziesiątki tysięcy robotników z innych regionów kraju, przeważnie ze wsi. Nastąpiło przemieszanie ludności napływowej z autochtoniczną. I chociaż początkowo pojawiły się trudności i problemy wynikające z różnic obyczajowych i kulturalnych, to w znacznej mierze dzięki szerokiemu upowszechnieniu kultury różnice te uległy stopniowemu zatarciu.

Tymczasem w życiu kulturalnym wystąpiły nowe zjawiska. Już w kwietniu 1954 na XI sesji Rady Kultury państwo odcięło się całkowicie od niewłaściwej praktyki administrowania kulturą, narzucania twórcom metod i środków warsztatu artystycznego. Rozpoczął się etap gorących dyskusji i rozrachunku z poprzednim okresem. Dyskusjom tym nadawały ton intelektualne i artystyczne środowiska warszawskie.

Przemiany, które zaszły w życiu kulturalnym po październiku 1956 roku, wynikły między innymi z dążeń do uznania prawa artysty do swobodnego wyboru środków wyrazu artystycznego i do tworzenia grup i zespołów hołdujących odmiennym programom estetycznym oraz do decentralizacji w dziedzinie administrowania działalnością instytucji i placówek kulturalnych. Efektem tych przemian było znaczne ożywienie życia intelektualnego i artystycznego. W stolicy rozpoczęły działalność nowe periodyki kulturalne, jak na przykład „Dialog" – miesięcznik poświęcony dramaturgii współczesnej, „Współczesność" – dwutygodnik społeczno-kulturalny młodych, „Polityka", „Argumenty" czy „Kultura i Społeczeństwo".

Na rynku księgarskim pojawiły się dotąd nie publikowane książki wielu autorów zarówno krajowych, jak i zagranicznych, zachodnioeuropejskich i amerykańskich. Rozszerzeniu i wzbogaceniu uległ repertuar teatrów i kin. Procesowi ożywienia kulturalnego w latach 1956/57 towarzyszyły, niestety, niejednokrotnie zjawiska ujemne, przede wszystkim tendencja do komercjalizacji i do rezygnacji z ideowych kryteriów w twórczości i w upowszechnianiu kultury. Na sceny teatralne i ekrany kin warszawskich trafiały nieraz sztuki i filmy (przeważnie zachodnie, ale nie tylko) o wątpliwej, a często nawet szkodliwej wymowie ideowej. Dziedzinę plastyki w sposób niemal absolutny opanowała moda na abstrakcjonizm. W ostatecznym jednak bilansie model życia artystycznego, który się ukształtował w Warszawie, preferował wartości autentyczne, służące narodowi i sprawie socjalizmu, nie separując się jednocześnie od wpływów zewnętrznych, jeżeli te wzbogacały kulturę narodową.

Opierając się na dorobku minionego dziesięciolecia (1945–1955) życie kulturalne stolicy pod wpływem nowych impulsów ideowych i artystycznych oraz dzięki gwałtownej ekspansji środków masowego przekazu, a zwłaszcza telewizji, weszło w nową fazę intensywnego rozwoju. Dotyczy to w równej mierze działalności środowisk twórczych, jak i aktywności intelektualnej warszawskiego społeczeństwa.

Z wyjątkiem pierwszych dwóch lat po wyzwoleniu, Warszawa była zawsze największym i najaktywniejszym w kraju ośrodkiem skupiającym literatów i plastyków, kompozytorów i muzyków, ludzi teatru i filmu. I tak w roku 1966 warszawscy literaci stanowili 60,9%

53. „Fantazy" Juliusza Słowackiego. Reż. Gustaw Holoubek. Teatr Telewizji, 1971

ogólnej liczby członków Związku Literatów Polskich, kompozytorzy – 57,2% ogółu Związku Kompozytorów Polskich, plastycy – 35,4% wszystkich członków Związku Polskich Artystów Plastyków, a aktorzy – 24,6% ogółu polskiego aktorstwa. Dane z 1970 roku wykazują nieznaczną tendencję spadkową, gdyż odpowiednie wskaźniki wynosiły wtedy dla ZLP 58,1%, dla ZKP 52,4% i dla ZPAP 33,7%. Tendencja ta, wobec polityki decentralizacji i policentryzacji prowadzonej przez partię i państwo w dziedzinie kultury, ma wszelkie szanse utrzymać się, a nawet rozwinąć. Niemniej, jak do tej pory, stolica nadal skupia ponad połowę literatów (689) i kompozytorów (147), około 1/3 plastyków oraz około 1/4 przedstawicieli środowiska teatralnego. Nie jest to oczywiście sprawa przypadku, lecz wynik ogromnej koncentracji w stolicy instytucji artystycznych i kulturalnych. I tak na przykład w stolicy znajduje się trzydzieści kilka wydawnictw, wśród nich zaś najpoważniejsze; tutaj także funkcjonują redakcje największych periodyków literackich, społeczno-kulturalnych i artystycznych; w Warszawie mają siedzibę wszystkie (z wyjątkiem dwóch, „Silesia" i „Profil") zespoły filmowe, tutaj także znajduje się największy w kraju ośrodek telewizyjno-radiowy. W stolicy czynna jest prawie jedna trzecia ogółu scen teatralnych w kraju, a warszawska Akademia Sztuk Pięknych i Wyższa Szkoła Muzyczna są największymi uczelniami artystycznymi Polski. W Warszawie organizuje się wiele wielkich imprez artystycznych i kulturalnych o znaczeniu międzynarodowym, jak na przykład Międzynarodowy Konkurs Pianistyczny im. F. Chopina, Festiwal Muzyki Współczesnej „Warszawska Jesień", Międzynarodowe Targi Książki czy Biennale Plakatu, a ostatnio – Teatr Narodów. Wysoką rangę zdobyły sobie corocznie odbywające się „Warszawskie spotkania teatralne", które stały się przeglądem najlepszych osiągnięć pozastołecznego teatru polskiego.

Zarysowany tutaj najogólniej rozwój życia kulturalnego w Warszawie nie byłby możliwy, gdyby nie systematyczny wzrost materialnego zaplecza kultury. A więc na przykład powołanie w 1955 roku do życia Filharmonii Narodowej w odbudowanym gmachu oznaczało powstanie w stolicy kombinatu muzycznego zatrudniającego blisko 250 pracowników artystycznych i dającego ostatnio około 3250 imprez muzycznych rocznie na terenie całego kraju. Filharmonia w okresie 30-lecia odbyła 40 zagranicznych tournée, dając 480 koncertów, i gościła u siebie 60 zagranicznych orkiestr symfonicznych oraz 77 zagranicznych zespołów kameralnych. Drugim nie mniejszym „kombinatem muzycznym" można nazwać Teatr Wielki, odbudowany w 1965 roku, następnym – Warszawską Wyższą Szkołę Muzyczną, w której kształci się około 700 studentów. Ale na obraz muzycznej Warszawy składają się ponadto warszawska Operetka, Opera Kameralna, trzy średnie i siedem podstawowych szkół muzycznych oraz wiele innych instytucji, placówek i zespołów.

Warszawskie środowisko literackie uzyskało nowe, większe niż dotąd możliwości publikowania swych utworów. Obok istniejących już tygodników społeczno-kulturalnych i literackich, „Przeglądu Kulturalnego" i „Nowej Kultury", później powołanej na jej miejsce „Kultury" oraz „Współczesności" (od 1957), zgodnie z postulatami środowiska założono: „Miesięcznik Literacki" (1965), „Poezję" (1965), „Literaturę na Świecie" (1971) – miesięcznik poświęcony obcym literaturom, „Nowy Wyraz" – miesięcznik młodych, i „Literaturę" – tygodnik literacki (1973), powołany na miejsce „Współczesności".

Z rozbudową działalności warszawskiego ośrodka radiowo-telewizyjnego wiąże się rozwój nowego typu pisarstwa, pozostającego na usługach tej potężnej instytucji.

664. Międzynarodowy Festiwal Muzyki Współczesn[ej] „Warszawska Jesień". Na zdjęciu kompozytor Wito[ld] Lutosławski i wielki brytyjski tenor Peter Pears

Zwiększyły znacznie nakłady literatury współczesnej warszawskie wydawnictwa, jak na przykład Państwowy Instytut Wydawniczy, „Czytelnik", „Iskry", Ludowa Spółdzielnia Wydawnicza, Wydawnictwo Ministerstwa Obrony Narodowej czy „Nasza Księgarnia". Twórczość pisarzy środowiska warszawskiego po roku 1956, po okresie rozrachunku z latami wojny, w coraz większym stopniu wiąże się z dniem dzisiejszym kraju i społeczeństwa polskiego.

Dzięki szybkiej odbudowie i rozbudowie sieci stołecznych teatrów Warszawa w drugiej połowie lat pięćdziesiątych stała się jednym z największych w Europie i na świecie ośrodków życia teatralnego. W roku 1955 działało tu 15 teatrów, a w 1960 już 19 (w tym 3 teatry lalek). W latach siedemdziesiątych poszukiwania nowych form kontaktów z widzem doprowadziły do powołania nowych scen, działających mniej lub więcej systematycznie: Teatru Adekwatnego, „Prochowni", Teatru „Ochota", Teatru „Kwadrat" oraz Teatru „Na Targówku". Dzięki państwowemu mecenatowi i dotacjom z życia teatralnego całkowicie został wyeliminowany komercjalizm. Mimo trudności w zdobyciu dobrych sztuk współczesnych niemal wszystkie warszawskie teatry usiłują z mniejszym lub większym powodzeniem utrzymywać kontakt ze współczesnością i rozwiązywać niesione przez nią problemy. W drugiej połowie lat pięćdziesiątych i na początku lat sześćdziesiątych niektóre teatry przeżywały okres intensywnego zainteresowania dramaturgią zachodnią, zwłaszcza awangardową (Beckett i Ionesco); mówiło się wtedy o fali tak zwanej czarnej dramaturgii na scenach warszawskich. Stopniowo jednak te zainteresowania ustępowały na rzecz polskiej awangardy: S. I. Witkiewicza, S. Mrożka, T. Różewicza, a następnie na rzecz odzyskującej teren w coraz większym stopniu klasyki narodowej oraz polskiej dramaturgii współczesnej.

Duża liczba teatrów w stolicy pozwoliła na ich artystyczną indywidualizację, niemożliwą w ośrodkach mniejszych, dysponujących jedną sceną lub dwiema. Każdy miłośnik teatru wie doskonale, że na przykład Teatr Narodowy – to teatr Hanuszkiewicza, Teatr Studio – to teatr Szajny, a Teatr Współczesny jest teatrem Axera. Różnorodność artystyczna teatrów warszawskich jest na pewno ważkim czynnikiem w kształtowaniu bogactwa życia kulturalnego stolicy.

Podobnie jak w wielu innych miastach, niektóre teatry warszawskie prowadzą jednocześnie dwie sceny – dużą i małą. Małe sceny pozwalają na większe urozmaicenie repertuaru, na realizację sztuk trudniejszych i na uprawianie artystycznych eksperymentów.

Ostatnie dwudziestolecie było okresem intensywnego rozwoju środowiska plastyków i jego działalności. Gdy w roku 1961 było czynnych około 1200 plastyków zrzeszonych w ZPAP, w 1975 roku było ich, łącznie z Kołem Młodych w warszawskim okręgu ZPAP, 2926. W roku 1959 Warszawa dysponowała zaledwie trzema salonami wystawowymi, w 1967 ośmioma, a w roku 1975 miała ich już dwadzieścia sześć. W 1966 roku zorganizowano ogółem 220 wystaw plastycznych, a w ostatnich latach organizuje się ich około 500 rocznie. Środowisko plastyków warszawskich jest nie tylko najliczniejsze w kraju, ale ma również największą rangę artystyczną; działają tu wybitni twórcy różnych orientacji artystycznych, znani w kraju i za granicą. Na podkreślenie zasługuje ścisłe powiązanie twórczości plastyków warszawskich z życiem stolicy. Twórczość ta towarzyszyła odbudowującej się Warszawie: znaczny był udział plastyków w rekonstrukcji stołecznych zabytków, pomników, przy realizacji nowych osiedli, zagospodarowywaniu parków, ciągów komunikacyjnych i tym podobnych pracach. O udziale tym świadczą między innymi takie inicjatywy ZPAP, jak wystawy pod hasłem „Propozycje dla Warszawy" czy „Rzeźbiarze

Wisłostradzie". Kilka lat temu powołano w Warszawie pierwszy w kraju urząd naczelnego plastyka. Warszawa jest siedzibą wielu ważnych imprez artystycznych, jak Biennale Plakatu, Festiwal Sztuk Pięknych czy Ogólnopolskie Targi Plastyki. W ostatnich latach występuje coraz silniejsza tendencja do sprzężenia plastyki warszawskiej z architekturą i przemysłem. Coraz częściej także malarstwo, grafika i rzeźba warszawska opuszczają galerie plastyczne, aby w domach kultury, zakładach pracy, klubach i szkołach, w teatrach i kinach, a nawet na placach i ulicach miasta bezpośrednio dotrzeć do jak najliczniejszych odbiorców.

Rozwój telewizji spowodował techniczną rewolucję w dziedzinie upowszechniania kultury. W roku 1957 w Warszawie były zarejestrowane zaledwie 15 332 odbiorniki TV, pięć lat później, w 1962, było ich już ponad 120 000, w 1967 roku – 235 000, a w 1974 roku – 352 000.

W roku 1975 jeden odbiornik telewizyjny przypadał na 4 mieszkańców, to znaczy znajdował się niemal w każdym warszawskim mieszkaniu. Dzięki temu mieszkaniec stolicy mógł obejrzeć około 170 teatralnych spektakli rocznie (!), gdy z danych statystycznych wynika, że na przykład w 1974 roku średnio jeden mieszkaniec Warszawy był zaledwie dwa razy w teatrze (wysoki procent widzów teatralnych przypada na widzów spoza stolicy). Mimo znacznie większej popularności kina również i w dziedzinie upowszechniania filmu sieć kin zdecydowanie ustępuje telewizji. Odbiorca kultury stał się przede wszystkim odbiorcą kultury upowszechnianej przez TV.

Dzięki telewizji przed kulturą warszawską są szeroko otwarte wrota na cały kraj. Około 80% programu telewizyjnego transmituje się z warszawskiego ośrodka TV. Telewizja stała się środkiem upowszechniania najlepszych osiągnięć polskiej kultury, stołecznych wzorców obyczajowych, mody czy sposobu życia. Równocześnie telewizja stała się czynnikiem kulturotwórczym, wytworzyła własny model teatru, widowiska i filmu, zgromadziła wokół siebie pokaźny zespół twórców, stała się pasem transmisyjnym między warszawskimi środowiskami twórczymi a resztą kraju. W miarę rozwoju innych ośrodków telewizyjnych, w miarę wzrostu ich udziału w ogólnopolskim programie TV staje się ogólnokrajowym forum wymiany artystycznej i kulturalnej oraz wzajemnego oddziaływania największych ośrodków życia kulturalnego.

Rozwój TV spowodował spadek zainteresowania kinem. Warszawa w 1956 roku miała zaledwie 26 kin (wskaźnik liczby miejsc na 1000 mieszkańców wynosił 13,3), liczba widzów w kinach w Warszawie w ciągu roku wynosiła 12 684 000. Okres szybkiego rozwoju sieci kin warszawskich przypada na lata 1956–1960. W 1960 roku stolica miała już 74 kina, w tym 32 kina pozapaństwowe. Wskaźnik miejsc na 1000 mieszkańców wyraził się liczbą 29,6. W latach sześćdziesiątych liczba kin w stolicy nieco zmalała – do 66; znacznie zmniejszył się również wskaźnik liczby miejsc na 1000 mieszkańców – 20,6; nastąpiła natomiast modernizacja i panoramizacja większości kin. W 1971 roku otwarto pierwsze kino (Relax) wyświetlające filmy na taśmie szerokości 70 milimetrów. Wzbogacił się i urozmaicił repertuar kin warszawskich. W 1950 roku warszawianie mogli obejrzeć 78 nowych filmów, w 1958 już 148, a w latach sześćdziesiątych około 180–200 premier filmowych, w tej liczbie 20–25 filmów polskich. W wyniku troskliwej selekcji nowo zakupywanych za granicą filmów na ekrany warszawskie trafiały tylko te, które stanowiły najlepszy plon wytwórni filmowych na świecie. Repertuar kin warszawskich uchodził za lepszy niż paryski czy londyński. Mimo to liczba widzów w kinach warszawskich po osiągnięciu swego maksimum w 1960 roku (17 298 000) systematycznie malała. W roku 1970 wyniosła już tylko 12 917 000, a w 1974 roku 12 693 000, a więc niemal tyle, ile wynosiła 18 lat wcześniej, to znaczy przy stanie 26 kin w mieście.

Optymistycznym zjawiskiem jest systematyczny rozwój czytelnictwa w Warszawie w ostatnich latach. Liczba bibliotek publicznych podwoiła się (w 1956 – 90, w 1974 – 172), liczba czytelników wzrosła niemal pięciokrotnie (w 1956 – 53 000, w 1974 – 251 000), liczba wypożyczeń zaś sześciokrotnie (w 1956 – 1 152 000, w 1974 – 6 511 000), gdy tymczasem liczba tomów wzrosła tylko trzykrotnie (w 1956 roku – 696 000, w 1974 – 1 930 000). Równolegle rozwijała się sieć bibliotek związkowych, szkolnych, pedagogicznych i bibliotek fachowych. Filie biblioteczne powstawały również w nowych osiedlach mieszkaniowych.

Tak szybki rozwój czytelnictwa związany był ze wzrostem poziomu oświaty, rozwiniętym systemem kształcenia i doskonalenia ludzi dorosłych, rozwojem życia gospodarczego, a w szczególności techniki, przemysłu, oraz z działalnością środków masowego przekazu. Nastąpiły zmiany w zainteresowaniach czytelników: znacznie wzrosła liczba wypożyczeń książek popularnonaukowych, wydawnictw encyklopedycznych oraz z zakresu nauk społeczno-politycznych, zwłaszcza ekonomii. Poważnie wzrosła rola bibliotek warszawskich w zakresie informacji i kształcenia, zgodnie zresztą z ogólnym trendem w działalności sieci bibliotecznej w całym kraju.

O szerokim zakresie zainteresowań czytelniczych oraz o wciąż narastającej ich intensywności świadczy również duża liczba książek zakupywanych przez mieszkańców Warszawy z własnych środków w około stu księgarniach stołecznych; stolica zakupuje około 14% krajowej produkcji wydawniczej.

Rozwój czytelnictwa książki w Warszawie, podobnie zresztą jak w całym kraju, należy oceniać jako zjawisko wyjątkowo optymistyczne w naszej kulturze. Jest ono jeszcze

jednym potwierdzeniem faktu, że środki masowego przekazu, a zwłaszcza TV, nie stanowią konkurencji dla słowa drukowanego; co więcej, są często impulsem do wzbogacenia i rozszerzenia kręgu zainteresowań czytelniczych.

Specyficzne funkcje w życiu kulturalnym stolicy pełnią placówki kulturalno-oświatowe: domy kultury, kluby i świetlice oraz grupujący się wokół nich amatorski ruch artystyczny i zespoły różnorodnych zainteresowań. Placówki te przeżywały okres rozkwitu w latach 1950–1955, spełniając wtedy ważną funkcję polityczną, były bowiem ośrodkami wychowania i propagandy. W roku 1955 na przykład było w Warszawie około 600 świetlic zakładowych oraz około 120 świetlic blokowych. Placówki te pracowały w warunkach często nieodpowiednich, prowadzone były przez ludzi nie zawsze przygotowanych. Niemniej spełniały określoną, ważną rolę: wychowywały młodzież w duchu kolektywizmu, popularyzowały wiedzę, przygotowywały do aktywnego uczestnictwa w życiu kulturalnym. W roku 1954 w Warszawie prowadziło działalność około 1000 amatorskich zespołów artystycznych. Po roku 1956 nastąpiła gwałtowna redukcja sieci świetlic. Pozostały tylko najpotrzebniejsze, na peryferiach miasta, oraz te, które pracowały w najlepszych warunkach. Równolegle nastąpił spadek aktywności amatorskiego ruchu artystycznego. W 1956 roku było już tylko 418 zespołów, a w 1957 – 106. W 1975 roku działało około 240 amatorskich zespołów artystycznych. Natomiast systematycznie powiększała się w stolicy sieć domów kultury, placówek dysponujących lepszymi warunkami lokalowymi, lepszym wyposażeniem i zatrudniających wykwalifikowaną kadrę pracowników. Pierwszy dom kultury powstał jeszcze w 1946 roku, w 1950 roku były 2 domy, w 1965 roku – 13, a w 1974 roku – 16.

Wraz z rozwojem środków masowego przekazu, a zwłaszcza radia i telewizji, zachodziły stopniowe zmiany w tradycyjnym modelu placówek kulturalno-oświatowych. Świetlice i domy kultury były tradycyjnie ogniskami upowszechnienia kultury i oświaty pozaszkolnej. Z chwilą gdy środki masowego przekazu wzięły na siebie główny ciężar szerokiego upowszechniania dóbr kultury wśród społeczeństwa, dokonując w tej dziedzinie faktycznej rewolucji, funkcje społeczne placówek kulturalno-oświatowych uległy zmianie – stały się one przede wszystkim ośrodkami życia towarzyskiego, miejscem spędzania wolnego od pracy czasu. Dlatego popularną świetlicę, nieco przestarzałą w formach swej działalności, coraz częściej zastępowały bardziej nowoczesne kluby. Na szczególne podkreślenie zasługuje burzliwy rozwój klubów książki i prasy pod patronatem Przedsiębiorstwa Upowszechniania Prasy i Książki „Ruch".

W warunkach wielkiego ośrodka kultury, jakim jest Warszawa, w warunkach znacznego nasycenia miasta przez wyspecjalizowane instytucje artystyczne i kulturalne rola placówek kulturalno-oświatowych jest ograniczona. Jak wykazały badania, cieszą się one powodzeniem u osób mających dużo wolnego czasu, przede wszystkim u młodzieży i emerytów. Jednak i przy tym ograniczonym zasięgu spełniają dostatecznie ważną funkcję społeczną, godne są więc dalszego poparcia.

Próbą uformowania nowocześniejszego i wielostronniejszego modelu placówki kulturalno-oświatowej są Kluby Międzynarodowej Książki i Prasy. Kluby te obok sprzedaży książek, czasopism i gazet polskich i obcojęzycznych prowadzą również takie formy działalności, jak spotkania z publicystami, literatami, artystami czy politykami, jak odczyty i nauczanie języków obcych. Ponadto w Klubach tych znajdują się czytelnie czasopism

i kawiarnie. Działalność ta cieszy się powodzeniem i uznaniem warszawskiej publiczności, niezależnie oḑ jej wieku i wykształcenia.

W ciągu ostatnich lat obserwujemy stały wzrost roli warszawskiej spółdzielczości mieszkaniowej jako mecenasa i organizatora działalności kulturalno-oświatowej. Wypływa to przede wszystkim z możliwości zapewnienia lokali placówkom kulturalno-oświatowym przez tę spółdzielczość. W 1975 roku działalność taką prowadziło 25 spółdzielni.

Obok placówek i instytucji państwowych, spółdzielczych i związkowych żywą działalność kulturalną prowadzą stowarzyszenia społeczno-kulturalne: Towarzystwo Przyjaciół Warszawy, Warszawskie Towarzystwo Muzyczne, Towarzystwo Przyjaciół Sztuk Pięknych, Warszawskie Towarzystwo Fotograficzne, Klub Plastyków Amatorów, Dyskusyjny Klub Filmowy „Zygzakiem" oraz dwa towarzystwa śpiewacze „Harfa" i „Lutnia". Rozwój ruchu społeczno-kulturalnego jest efektem decentralizacji w życiu kulturalnym w kraju, efektem polityki kulturalnej partii i państwa, stwarzającej warunki do tego rozwoju i uznającej wysoką rangę społecznej działalności kulturalnej. W skali kraju społeczny ruch jest czynnikiem współdecydującym o kierunkach rozwoju kulturalnego, ściśle sprzężonym z działalnością państwowych instytucji i placówek kulturalnych i świadczącym o społecznym uznaniu dla tej działalności.

W stolicy taki charakter ma przede wszystkim akcja prowadzona przez Warszawskie Towarzystwo Muzyczne im. S. Moniuszki i Towarzystwo Przyjaciół Sztuk Pięknych, mająca na celu szerokie upowszechnienie kultury muzycznej oraz kultury plastycznej wśród mieszkańców Warszawy. O działalności WTM najdobitniej mówią następujące liczby: w roku 1974 Towarzystwo prowadziło 102 ogniska muzyczne z 3000 uczestników oraz zorganizowało około 2000 koncertów umuzykalniających w warszawskich szkołach i przedszkolach. W epoce, w której muzyka jest powszechnie dostępna i towarzyszy nam codziennie w różnych warunkach i sytuacjach dzięki radiu, telewizji i nagraniom oraz technice ich odtwarzania, zadanie edukacji muzycznej społeczeństwa, a przede wszystkim młodzieży, podjęte przez WTM, jest zadaniem wielkiej wagi. Podobnie ma się rzecz z edukacją społeczeństwa w zakresie kultury plastycznej i filmowej; potrzeby w tej dziedzinie nieustannie narastają i działalność wspomnianych stowarzyszeń społecznych i klubów upowszechniających wiedzę o plastyce i o filmie należy oceniać bardzo wysoko. Cieszy się ona również dużym uznaniem i poparciem w zainteresowanych środowiskach twórczych.

W latach siedemdziesiątych w wyniku zmian w polityce społeczno-gospodarczej i wzrostu zainteresowania sprawami rozwoju kultury ze strony kierownictwa partii i państwa oraz ze strony władz stołecznych nastąpiło kolejne ożywienie życia kulturalnego w stolicy. Częstsze stały się spotkania przedstawicieli władz partyjnych i państwowych z przedstawicielami środowisk twórczych, poprawiły się znacznie warunki socjalno-bytowe tych środowisk, powstały nowe placówki artystyczne i nowe czasopisma literackie i artystyczne, wzrosła produkcja wydawnicza książek. U podstaw polityki kulturalnej leżała zasada nierozerwalnej więzi rozwoju kulturalnego z rozwojem społeczno-gospodarczym, konieczność równoległego i harmonijnego rozwoju różnych dziedzin życia społecznego – gospodarki, oświaty, kultury – w jednym wspólnym nurcie rozwoju społeczeństwa. Wynikiem uznania tej konieczności była pierwsza próba w historii kraju opracowania prognozy rozwoju kultury polskiej, a następnie perspektywicznego programu rozwoju kultury w Polsce Ludowej, także w poszczególnych regionach kraju, w ich liczbie również w stolicy. Wobec kluczowej pozycji Warszawy, perspektywiczny rozwój stołecznej kultury ma decydujące znaczenie dla rozwoju całej kultury narodowej. Życie kulturalne stolicy pełni liczne, wielorakie funkcje w rozwoju kultury narodowej, a przede wszystkim stanowi źródło inspiracji artystycznej dla słabszych ośrodków; jest modelem upowszechnianym przez prasę, wydawnictwa, radio i TV, jest często wzorem do naśladowania, a przynajmniej punktem odniesienia do oceny własnych poczynań w ramach tych ośrodków; jest największym w kraju ogniskiem współczesnej kultury upowszechnianej szeroko przez instytucje i środki masowego przekazu skoncentrowane właśnie w stolicy; jest oknem wystawowym polskiej kultury na świat, miejscem, w którym odbywa się ciągły proces wymiany między kulturą narodową a kulturą światową. Ma decydujący wpływ na kształtowanie się sądów o polskiej kulturze za granicą, opinii o polskim społeczeństwie, o Polsce Ludowej. Wymienione funkcje stanowią wystarczające uzasadnienie dla szczególnej troski partii i państwa o szybki rozwój stołecznej kultury, o jego właściwe kierunki. Przeprowadzona niedawno reforma administracji terenowej służyć będzie rozwojowi życia kulturalnego w kraju, pogłębi proces powstawania nowych ośrodków, proces policentryzacji kulturalnej. Jest to proces najściślej związany z istotą socjalistycznego rozwoju Polski Ludowej. Nie umniejsza on jednak w żadnym stopniu roli Warszawy jako głównego, centralnego ośrodka życia kulturalnego, promieniującego na wszystkie pozostałe ośrodki, udzielającego im swojej pomocy. Zorganizowana z okazji XXX-lecia Polski Ludowej panorama kulturalna poszczególnych województw w stolicy była praktyczną ilustracją zarówno bogactwa pozastołecznej kultury, jak i szczególnego miejsca, jakie życie intelektualne stolicy zajmuje w kraju.

668. Państwowy Zespół Pieśni i Tańca „Mazowsze"

BIBLIOGRAFIA PUBLIKACJI O WARSZAWIE

I. OGÓLNE

BIBLIOGRAFIE. CZASOPISMA. ENCYKLOPEDIE

Bibliografia varsavianów (1969–1975), [bieżąca], *Kronika Warszawy* od R.1:1970 nr 1.

Bibliografia Warszawy, Wrocław. T.1. Druki zwarte. 1958 s.699; T.2. Wydawnictwa ciągłe 1944–1954. 1964 szp. 1822; T.3. Wydawnictwa ciągłe 1864–1903. 1971 szp. 1880; T.4. Wydawnictwa ciągłe 1904–1918. 1973 szp. 1918; T.5. Wydawnictwa ciągłe 1919–1928. 1977 szp. 2012.

J. Durko, Stan badań nad społeczeństwem Warszawy w latach 1864–1974. W: Społeczeństwo Warszawy w rozwoju historycznym, Warszawa 1977 s.181–204.

J. Durko, Źródła i stan badań polskiego ruchu robotniczego w Warszawie (od pierwocin do 1939 r.). W: Warszawa w polskim ruchu robotniczym, Warszawa 1976 s.91–125.

Encyklopedia Warszawy, Warszawa 1975.

Kronika Warszawy. Kwartalnik, Warszawa R.1:1970–R.9:1978.

Rocznik Warszawski, Warszawa R.1:1960–R.15:1979.

Skarpa Warszawska. Pismo poświęcone odbudowie stolicy, miasta i człowieka, Warszawa R.1:1945 – R.2:1946.

Stolica. Warszawski tygodnik ilustrowany, Warszawa R.1:1946 – R.33:1978.

K. Zawadzki, Bibliografia Warszawy za rok 1959–1973, [bieżąca], *Rocznik Warszawski* od T.1:1960.

Życie Warszawy. Dziennik, Lublin – Warszawa R.1:1944 – R.35:1978.

SERIE WYDAWNICZE. OPRACOWANIA CAŁOŚCI DZIEJÓW LUB DŁUŻSZYCH OKRESÓW HISTORII MIASTA I DZIELNIC, ZAGADNIEŃ SPOŁECZNYCH, GOSPODARCZYCH I KULTURALNYCH

J.S. Bystroń, Warszawa, Warszawa 1949.

J.A. Chróścicki, A. Rottermund, Atlas architektury Warszawy, Warszawa 1977.

M.M. Drozdowski, A. Zahorski, Historia Warszawy. Wyd. 2, Warszawa 1975.

Dzieje Mokotowa, Warszawa 1972.

Dzieje Ochoty, Warszawa 1973.

Dzieje Pragi, Warszawa 1970.

Dzieje Śródmieścia, Warszawa 1975.

Dzieje Woli, Warszawa 1974.

A. Gieysztor, S. Herbst, E. Szwankowski, Kształty Warszawy, *Biuletyn Historii Sztuki i Kultury* R.9:1947 nr 1/2 s. 148–210.

I. Gieysztorowa, A. Zahorski, J. Łukasiewicz, Cztery wieki Mazowsza. Szkice z dziejów 1526–1914, Warszawa 1968.

J.W. Gomulicki, Cztery wieki poezji o Warszawie. Antologia. Wyd. 2 zmienione, Warszawa 1974.

J.W. Gomulicki, Siedem wieków Warszawy, *Stolica* R.16:1961 nr 1/2, 3, 5–13, 16, 17, 19–25, 27–30, 33–35, 37, 41, 43–46, 49, 50; R.17:1962 nr 3–5, 8, 10–14, 19, 20, 22, 30–34, 39–48; R.18:1963 nr 11, 13, 19, 51/52.

W. Gomulicki, Opowiadania o Starej Warszawie, Warszawa 1960.

S. Herbst, Ulica Marszałkowska. Wyd. 2, Warszawa 1978.

H. Janczewski, Warszawa. Geneza i rozwój inżynierii miejskiej, Warszawa 1971.

K. Konarski, Warszawa w pierwszym jej stołecznym okresie, Warszawa 1970.

E. Kowalczykowa, Kościół św. Krzyża, Warszawa 1975.

A. Król, Zamek Królewski w Warszawie, Warszawa 1969.

S.K. Kuczyński, Herb Warszawy, Warszawa 1977.

K. Lejko, J. Niklewska, Warszawa na starej fotografii 1850–1914, Warszawa 1978.

J. Lileyko, Zamek Królewski, Warszawa 1976.

W. Małcużyński, Rozwój terytorialny miasta Warszawy, Warszawa 1900.

Miasto stołeczne Warszawa. W: Miasta polskie w Tysiącleciu. T.1, Wrocław 1965 s.199–230.

A. Moraczewski, Warszawa, Warszawa 1938.

K. Mórawski, Warszawa, Warszawa 1976.

W.F. Murawiec, Bernardyni warszawscy. Dzieje klasztoru św. Anny w Warszawie 1454–1864, Kraków 1973.

Z. Podgórska-Klawe, Szpitale warszawskie 1388–1945, Warszawa 1975.

Rola Warszawy w życiu narodu i państwa, Rocznik Warszawski T. 7:1966.

S. Rychliński, Warszawa jako stolica Polski, Warszawa 1936.

Siedem wieków Zamku Królewskiego w Warszawie, Warszawa 1972.

F.M. Sobieszczański, Rys historyczno-statystyczny wzrostu i stanu miasta Warszawy od najdawniejszych czasów aż do 1847 roku, Warszawa 1974.

O. Sosnowski, Powstanie, układ i cechy charakterystyczne sieci ulicznej na obszarze Wielkiej Warszawy, Warszawa 1930.

Społeczeństwo Warszawy w rozwoju historycznym, Warszawa 1977.

Studia Warszawskie. T. 1–24, Warszawa 1968–1977. [Podserie:] Warszawa średniowieczna. T. 13, 21; Warszawa XVI–XVII wieku. T. 20, 24; Warszawa XVIII wieku. T. 12, 16, 22; Warszawa XIX wieku 1795–1918. T. 6, 9, 19; Warszawa popowstaniowa 1864–1918. T. 2, 3; Warszawa II Rzeczypospolitej. T. 1, 4, 8, 14, 18; Warszawa lat wojny i okupacji 1939–1944. T. 7, 10, 17, 23; Warszawa stolica Polski Ludowej. T. 5, 11, 15.

Szkice nowomiejskie, Warszawa 1961.

Szkice staromiejskie, Warszawa 1955.

Sztuka warszawska od średniowiecza do połowy XX wieku. Katalog wystawy jubileuszowej zorganizowanej w stulecie powstania Muzeum [Narodowego]. Cz. 1–2, Warszawa 1962.

E. Szwankowski, Ulice i place Warszawy, Warszawa 1963.

E. Szwankowski, Warszawa. Rozwój urbanistyczny i architektoniczny, Warszawa 1952.

I. Tessaro-Kosimowa, Warszawa w starych albumach, Warszawa 1978.

Warszawa wczoraj i dziś, Warszawa 1938.

Z bohaterskiej przeszłości Warszawy 1794–1864, Warszawa 1961.

Z dziejów książki i bibliotek w Warszawie, Warszawa 1961.

Zabytki Warszawy. T. 1–37 [Seria PWN], Warszawa 1970–1978.

Zamek Królewski w Warszawie, Warszawa 1973.

Żoliborz. Wczoraj. Dziś. Jutro, Warszawa 1970.

II. ŚREDNIOWIECZE DO R. 1526

I. Gieysztorowa, Z dziejów podzamcza warszawskiego, *Kwartalnik Historii Kultury Materialnej* R. 19: 1971 nr 3 s. 325–350.

J. Karwasińska, Proces polsko-krzyżacki w Warszawie przed sześciuset laty, Warszawa 1946.

J. Karwasińska, Szpital Świętego Ducha w Warszawie. Dzieje fundacji Anny Bolesławowej księżny mazowieckiej początkowe (1444–1544), Warszawa 1938.

E. Koczorowska-Pielińska, Warszawskie rzemiosła artystyczne i budowlane w XV w., Warszawa 1959.

W. Kwiatkowski, Powstanie kapituły św. Jana przy zamku xx. Mazowieckich w Warszawie, Warszawa 1938.

E. Łuczycka, Trzy dokumenty książąt mazowieckich z pierwszej połowy XIV w. Przyczynek do najdawniejszych dziejów Warszawy, *Przegląd Historyczny* T. 64:1973 z. 2 s. 345–366.

E. Ringelblum, Żydzi w Warszawie. Cz. 1. Od czasów najdawniejszych do ostatniego wygnania w r. 1527, Warszawa 1932.

J. Rokicki, Wpływ człowieka na zmianę krajobrazu naturalnego Kotliny Warszawskiej. W: Środowisko naturalne wobec urbanizacji, Warszawa 1971 s. 5–54.

S.Z. Różycki, Zarys geologii i geomorfologii Mazowsza w nawiązaniu do działalności człowieka, *Czasopismo Geograficzne* T. 40:1969 nr 2 s. 189–223.

T. Strzembosz, Tumult warszawski 1525 roku, Warszawa 1959.

A. Świechowska, O najdawniejszej Warszawie w świetle dotychczasowych badań archeologicznych, *Wiadomości Archeologiczne* T.20:1954 z.3 s. 221–233.

J. Tyszkiewicz, Uwagi nad krajobrazem środkowego Mazowsza i Warszawy w wiekach średnich, *Rocznik Warszawski* T.14:1976 s. 49–82.

J. Widawski, Początki i rozwój murowanych obwarowań Warszawy przed epoką broni palnej, *Kwartalnik Architektury i Urbanistyki* T.15:1970 z.3 s.239–252.

T. Zagrodzki, Analiza rozplanowania Starego Miasta w Warszawie. Zagadnienie modularności i planu lokacyjnego, *Kwartalnik Architektury i Urbanistyki* T.1:1956 z.3 s.225–266.

S. Żaryn, Trzynaście kamienic staromiejskich. Strona Dekerta, Warszawa 1972.

III. 1526–1795

N. Assorodobraj, Początki klasy robotniczej. Problem rąk roboczych w przemyśle polskim epoki stanisławowskiej, Warszawa 1946.

I. Baranowski, Z dziejów rodów patrycyuszowskich miasta Starej Warszawy, Warszawa 1915.

A. Bartczakowa, Jakub Fontana architekt warszawski XVIII wieku, Warszawa 1970.

Z. Batowski, Pałac Tyszkiewiczów w Warszawie. Dzieje budowy i dekoracji w XVIII wieku, *Rocznik Historii Sztuki* T. 1:1956 s. 305–368.

A. Berdecka, I. Turnau, Życie codzienne w Warszawie okresu Oświecenia, Warszawa 1969.

Z. Bieniecki, Zapomniana wieża kolegiaty warszawskiej, *Kwartalnik Architektury i Urbanistyki* T. 1:1956 z. 1 s. 37–51.

T. Chudoba, Warszawa jako ośrodek wielkiego handlu w XVI wieku, *Rocznik Warszawski* T. 7:1966 s. 136–142.

A. Chyczewska, Marcello Bacciarelli 1731–1818, Wrocław 1973.

S. Ehrenkreutz, Z dziejów organizacji miejskiej Starej Warszawy, Warszawa 1913.

W. Fijałkowski, Wilanów, Warszawa 1973.

S. Gebethner, Wyroby ceramiki polskiej w 2-ej połowie w. XVIII i w. XIX, *Arkady* R. 1:1935 z. 4 s. 208–229.

T.S. Jaroszewski, Chrystian Piotr Aigner architekt warszawskiego klasycyzmu, Warszawa 1970.

M. Karpowicz, Sztuka Warszawy drugiej połowy XVII w., Warszawa 1975.

A. Keckowa, Melchior Walbach. Z dziejów kupiectwa warszawskiego XVI wieku, Warszawa 1955.

A. Kersten, Warszawa kazimierzowska 1648–1668. Miasto. Ludzie. Polityka, Warszawa 1971.

M. Klimowicz, Początki teatru stanisławowskiego (1765–1773), Warszawa 1965.

D. Kosacka, Północna Warszawa w XVIII wieku, Warszawa 1970.

J. Kott, S. Lorentz, Warszawa wieku Oświecenia, Warszawa 1954.

S. Kozakiewicz, Bernardo Bellotto genant Canaletto. B. 1–2, Recklinghausen 1972.

C. Lechicki, Mecenat Zygmunta III i życie umysłowe na jego dworze, Warszawa 1932.

B. Leśnodorski, Polscy jakobini, Warszawa 1960.

Z. Libera, Życie literackie w Warszawie w czasach Stanisława Augusta, Warszawa 1971.

I. Malinowska, Stanisław Zawadzki 1743–1806, Warszawa 1958.

T. Mańkowski, Galeria Stanisława Augusta, Lwów 1932.

T. Mańkowski, Królewska fabryka farfurowa w Belwederze, *Sztuka Polska* R. 8:1932.

H. Obuchowska-Pysiowa, Handel wiślany w pierwszej połowie XVII wieku, Wrocław 1964.

G. Schramm, Problem Reformacji w Warszawie w XVI wieku, *Przegląd Historyczny* T. 54:1963 z.4 s.557–571.

W. Smoleński, Jan Dekert prezydent Starej Warszawy i sprawa miejska podczas Sejmu Wielkiego, Warszawa 1912.

W. Smoleński, Mieszczaństwo warszawskie w końcu wieku XVIII, Warszawa 1976.

K. Sroczyńska, Zygmunt Vogel rysownik gabinetowy Stanisława Augusta, Wrocław 1969.
J. Starzyński, Wilanów. Dzieje budowy pałacu za Jana III, Warszawa 1976.
W. Szaniawska, Zmiany w rozplanowaniu i zabudowie Krakowskiego Przedmieścia do 1733 r., *Biuletyn Historii Sztuki* R.29:1967 nr 3 s.285–316.
S. Szenic, J. Chudek, Najstarszy szlak Warszawy, Warszawa 1955.
K. Targosz, Uczony dwór Ludwiki Marii Gonzagi (1646–1667), Wrocław 1975.
K. Targosz-Kretowa, Teatr dworski Władysława IV (1635–1648), Kraków 1965.
W. Tatarkiewicz, Łazienki warszawskie. Wyd. 2, Warszawa 1968.
W. Tatarkiewicz, Rządy artystyczne Stanisława Augusta, Warszawa 1919.
W. Tokarz, Insurekcja warszawska 17 i 18 kwietnia 1794 r., Warszawa 1950.
W. Tokarz, Warszawa przed wybuchem powstania 17 kwietnia 1794 roku, Warszawa 1911.
W. Tomkiewicz, Kultura naukowa i artystyczna Warszawy w pierwszej połowie XVII w., *Roczniki Uniwersytetu Warszawskiego* T. 2:1959/1961 s. 19–33.
W Tomkiewicz, Warszawa w XVII wieku, *Kwartalnik Historyczny* R. 72:1965 nr 3 s.587–610.
I. Turnau, Odzież mieszczaństwa warszawskiego w XVIII wieku, Wrocław 1967.
A. Wawrzyńczyk, Rola Warszawy w handlu z W.Ks. Litewskim i Rosją w XVI w., *Kwartalnik Historyczny* R. 63:1956 nr 2 s. 3–26.
J. Wegner, Warszawa w latach potopu szwedzkiego 1655–1657, Wrocław 1957.
A. Zahorski, Ignacy Wyssogota Zakrzewski prezydent Warszawy, Warszawa 1963.
A. Zahorski, Warszawa w powstaniu kościuszkowskim, Warszawa 1967.
A. Zahorski, Warszawa za Sasów i Stanisława Augusta, Warszawa 1970.
J. Zimińska, Andrzej Humiecki. Życie i działalność gospodarcza kupca warszawskiego przełomu XVI i XVII w., *Rocznik Warszawski* T. 3:1962 s. 5–25.

IV. 1795–1915

P. Biegański, Pałac Staszica, siedziba Towarzystwa Naukowego Warszawskiego, Warszawa 1951.
P. Biegański, Teatr Wielki w Warszawie, Warszawa 1961.
J. Bieliński, Królewski Uniwersytet Warszawski (1816–1831). T. 1–3, Warszawa 1907–1912.
J. Bieliński, Pierwsza Akademia Lekarska w Warszawie, Poznań 1906.
K. Dunin-Wąsowicz, Warszawa w czasie pierwszej wojny światowej, Warszawa 1974.
R. Gerber, Studenci Uniwersytetu Warszawskiego 1808–1831. Słownik biograficzny, Wrocław 1977.
W. Giełżyński, Prasa warszawska 1661–1914, Warszawa 1962.
B. Grochulska, Księstwo Warszawskie, Warszawa 1966.
M. Handelsman, Warszawa w roku 1806–1807, Warszawa 1911.
I. Ihnatowicz, Burżuazja warszawska, Warszawa 1972.
S. Kieniewicz, Historia Polski 1795–1918, Warszawa 1969.
S. Kieniewicz, Warszawa w latach 1795–1914, Warszawa 1976.
S. Kieniewicz, Warszawa w powstaniu styczniowym, Warszawa 1965.
R. Kołodziejczyk, Portret warszawskiego milionera [Leopolda Kronenberga], Warszawa 1968.
J. Kosim, Losy pewnej fortuny. Z dziejów burżuazji warszawskiej w latach 1807–1830, Wrocław 1972.
J. Kosim, Okupacja pruska i konspiracje rewolucyjne w Warszawie 1796–1806, Wrocław 1976.
S. Kowalska-Glikman, Ruchliwość społeczna i zawodowa mieszkańców Warszawy w latach 1845–1861 na podstawie akt stanu cywilnego, Wrocław 1971.
S. Kozakiewicz, Malarstwo warszawskie w latach 1815–1850, *Rocznik Muzeum Narodowego w Warszawie* T. 6: 1962 s. 189–371.
A. Kraushar, Towarzystwo Królewskie Przyjaciół Nauk 1800–1832. T. 1–9, Kraków–Warszawa 1900–1911.
S. Król, Cytadela warszawska. X Pawilon – carskie więzienie polityczne (1833–1856), Warszawa 1969.
S. Król, Cytadela warszawska, Warszawa 1978.
B. Leśnodorski, Szkoła Prawa i Nauk Administracyjnych w Księstwie Warszawskim. W: Studia z dziejów Wydziału Prawa Uniwersytetu Warszawskiego, Warszawa 1963 s. 7–56.
T. Łepkowski, Początki klasy robotniczej Warszawy, Warszawa 1956.
T. Łepkowski, Przemysł warszawski u progu epoki kapitalistycznej, Warszawa 1960.
T. Łepkowski, Warszawa w powstaniu listopadowym, Warszawa 1965.
J. Maternicki, Warszawskie środowisko historyczne 1832–1869, Warszawa 1970.
J. Michalski, Z dziejów Towarzystwa Przyjaciół Nauk, Warszawa 1953.
S. Misztal, Warszawski Okręg Przemysłowy, Warszawa 1962.
H.J. Mościcki, Cytadela warszawska. Zarys historii budowy, Warszawa 1963.
A. Moraczewski, Samorząd Warszawy w dobie powstania listopadowego, Warszawa 1934.
M. Nietyksza, Ludność Warszawy na przełomie XIX i XX wieku, Warszawa 1971.
B. Pawłowski, Warszawa w r. 1809, Toruń 1948.
K. Piwocki, Historia Akademii Sztuk Pięknych w Warszawie 1904–1964, Wrocław 1965.
W. Prus, Rozwój przemysłu warszawskiego w latach 1864–1914, Warszawa 1977.
Z. Pustuła, Typy zakładów i przedsiębiorstw w przemyśle metalowym Warszawskiego Okręgu Przemysłowego (1870–1913). W: Zakłady przemysłowe w Polsce XIX–XX wieku, Wrocław 1967 s. 68–83.
W. Rostocki, Korpus w gęsie pióra uzbrojony. Urzędnicy warszawscy, ich życie i praca w Księstwie Warszawskim i Królestwie Polskim do roku 1831, Warszawa 1972.
M. Rulikowski, Teatr warszawski od czasów Osińskiego (1825–1915), Lwów 1939.
A. Szczypiorski, Ćwierć wieku Warszawy 1806–1830, Wrocław 1964.
A. Szczypiorski, Struktura zawodowa i społeczna Warszawy w pierwszym okresie epoki kapitalistycznej (1864–1882), *Kwartalnik Historii Kultury Materialnej* R. 8:1960 nr 1 s. 75–102.
A. Szczypiorski, Warszawa, jej gospodarka i ludność w latach 1832–1862, Wrocław 1966.
W. Szymanowski, A. Niewiarowski, Wspomnienia o cyganerii warszawskiej, Warszawa 1964.
S. Szymkiewicz, Warszawa na przełomie XVIII i XIX w. w świetle pomiarów i spisów, Warszawa 1959.
W. Tokarz, Sprzysiężenie Wysockiego i noc listopadowa, Warszawa 1925.
Warszawa w polskim ruchu robotniczym, Warszawa 1976.
Wielkomiejski rozwój Warszawy do 1918 r., Warszawa 1973.

V. 1915–1945

Z. Baranowicz, Polska awangarda artystyczna 1918–1939, Warszawa 1975.
L.M. Bartelski, Mokotów 1944, Warszawa 1971.
L.M. Bartelski, Powstanie warszawskie, Warszawa 1967.
L.M. Bartelski, Walcząca Warszawa, Warszawa 1968.
W. Bartoszewski, 1859 dni Warszawy, Kraków 1974.

W. Bartoszewski, Warszawski pierścień śmierci 1939–1944, Warszawa 1970.
A. Borkiewicz, Powstanie warszawskie 1944, Warszawa 1969.
M.M. Drozdowski, Alarm dla Warszawy, Warszawa 1964.
M.M. Drozdowski, Klasa robotnicza Warszawy 1918–1939, Warszawa 1968.
M.M. Drozdowski, Warszawiacy i ich miasto w latach drugiej Rzeczypospolitej, Warszawa 1973.
L. Głowacki, Obrona Warszawy i Modlina na tle kampanii wrześniowej, Warszawa 1969.
Ł. Heyman, Nowy Żoliborz 1918–1939, Wrocław 1976.
J. Kirchmayer, Powstanie warszawskie, Warszawa 1959.
E. Krasiński, Warszawskie sceny 1918–1939, Warszawa 1976.
Ludność cywilna w powstaniu warszawskim. T. 1–3, Warszawa 1974.
M. Porwit, Obrona Warszawy. Wrzesień 1939 r., Warszawa 1969.
A. Przygoński, Z problematyki powstania warszawskiego, Warszawa 1964.
A. Skarżyński, Polityczne przyczyny powstania warszawskiego, Warszawa 1974.
Straty kulturalne Warszawy, Warszawa 1948.
T. Szarota, Okupowanej Warszawy dzień powszedni, Warszawa 1973.
Z. Szczygielski, Walka o jednolity front w Warszawie 1933–1935, Warszawa 1972.
W obronie dzieci i młodzieży w Warszawie 1939–1944, Warszawa 1975.
Walka o dobra kultury. Warszawa 1939–1945. T. 1–2, Warszawa 1970.
B. Wieczorkiewicz, Gwara warszawska dawniej i dziś. Wyd. 3, Warszawa 1974.
J.K. Wroniszewski, Ochota 1939–1945, Warszawa 1976.

VI. 1945–1975
W. Bartoszewski, B. Brzeziński, L. Moczulski, Kronika wydarzeń w Warszawie 1939–1949, Warszawa 1970.
A. Ciborowski, Warszawa. O zniszczeniu i odbudowie miasta, Warszawa 1969.
M. Ciechocińska, Problemy ludnościowe aglomeracji warszawskiej, Warszawa 1975.
J. Górski, Pamięć warszawskiej odbudowy 1945–1949, Warszawa 1972.
Jaka będziesz Warszawo, Warszawa 1976.
Jaka jesteś Warszawo?, Warszawa 1972.
S. Jankowski, A. Ciborowski, Warszawa 1945 i dziś, Warszawa 1971.
Plan generalny Warszawy, Warszawa 1965.
Warszawa. Rozwój miasta w Polsce Ludowej, Warszawa 1970.
Warszawa stolica Polski Ludowej. Z. 1–3, Warszawa 1970–1973.
I. Witz, Przechadzki po warszawskich wystawach 1945–1968, Warszawa 1972.
A. Wojciechowski, Młode malarstwo polskie 1944–1974, Wrocław 1975.

Zestawił
Stanisław Ciepłowski

SPIS ILUSTRACJI

ILUSTRACJE CZARNO-BIAŁE

1. Widok Wisły z lotu ptaka. Fot. L. Zielaskowski
2. Ogród Saski, fragment. Fot. Z. Siemaszko
3. Park Skaryszewski, fragment. Fot. J. Szandomirski
4. Park w Wilanowie, fragment. Fot. E. Kupiecki
5. Stan zalesienia w XVIII w. Okolica Warszawy w diametrze piąciu mil, według Karola de Perthées. AGAD, Neg. tamże
6. Plan obwarowań Starego Miasta i Zamku, chronologia budowy; opr. na podstawie J. Widawskiego („Kwartalnik Architektury i Urbanistyki" T.XV, 1970, z. 3 przy s. 240) z uzupełnieniem A. Gieysztora i A. Świechowskiej
7. Pieczęć księcia Trojdena używana w latach 1311–1341, rys. K.W. Kielisiński (z zaginionego dokumentu w zb. puławskich). Fot. J. Noyszewski
8. Dwór Wielki, izba piwniczna o jednym słupie, stan z 1965 r. Neg. IS PAN
9. Katedra po odbudowie. Prezbiterium. Fot. J. Szandomirski
10. Stare Miasto po odbudowie. Widok z lotu ptaka. Fot. E. Kupiecki
11. Rekonstrukcja planu Starej Warszawy, ok. 1600 r. Opr. Komisja Badań Dawnej Warszawy według S. Żaryna
12. Schematy parterów i piwnic kamienic warszawskich, XIV–XVI w. Opr. S. Żaryn
13. Wnęka gotycka w sieni kamienicy przy Rynku Starego Miasta 40. Stan z 1963 r. Fot. W. Krzyżanowska
14. Gród na Starym Bródnie. Makieta rekonstrukcyjna według badań K. Musianowicz. MHW. Fot. M. Kietlińska
15. Plan grodziska w Jazdowie. Badania 1969–1972. Opr. O. Gierlach
16. Mury obronne. Stan po odbudowie. Widok z lotu ptaka. Fot. E. Kupiecki
17. Układ przestrzenny Starej i Nowej Warszawy oraz przedmieść ok. 1526 r. Rekonstrukcja na podkładzie planu Warszawy z 1762 r. Opr. W. Szaniawska
18. Plan sytuacyjny zabudowy na przedzamczu i przy ul. Bernardyńskiej, ok. poł. XVI w. z zaznaczeniem zmian w XVII–XVIII w. Opr. W. Szaniawska
19. Najstarszy zachowany przywilej miasta Warszawy, nadany przez księcia Janusza, 26.VII.1376 r., zawiera pierwszą wzmiankę o radzie miejskiej. AGAD. Neg. MHW, fot. E. Pawlak.
20. Najstarsza pieczęć miasta Starej Warszawy na dokumencie z 1400 r. Archiwum Wojewódzkie w Toruniu. Neg. MHW
21. Spis imienny rady i ławy wybranej w 1524 r. AGAD. Neg. tamże
22. Wnęka gotycka z górną częścią polichromii w kamienicy przy Rynku Starego Miasta 20. Neg. MHW, fot. A. Funkiewicz
23. Kamienica przy Rynku Starego Miasta 31. Elewacja boczna od ul. Wąski Dunaj, 2. poł. XV w. Fot. E. Kupiecki
24. Piwnica gotycka w kamienicy Fukiera, Rynek Starego Miasta 27. Neg. MHW, fot. A. Funkiewicz
25. Dzban gliniany z XIV w., wyrób warszawski. MHW. Neg. tamże, fot. J. Ogrodowicz
26. Klucz gotycki. MHW. Neg. tamże
27. Kubek gliniany pokryty zieloną polewą, zdobiony odciskami stempelka z rozetką, XIV w., wyrób warszawski. MHW. Neg. tamże, fot. J. Ogrodowicz
28. Elewacja gotycka Dworu Większego z pocz. w. XV, przed zniszczeniem w 1944 r. Neg. IS PAN
29. Wnętrze katedry po odbudowie. Fot. J. Szandomirski
30. Dzwonnica przy kościele św. Marcina, 1. tercja XVI w. Stan obecny. Fot. E. Kupiecki
31. Kościół Panny Marii z dzwonnicą, w. XV i 3. tercja XVI w. Stan obecny. Fot. T. Hermańczyk
32. Kościół św. Anny (bernardynów) od strony prezbiterium, 1. tercja XVI w. Stan obecny. Fot. E. Kupiecki
33. Sklepienie kryształowe w klasztorze pobernardyńskim, 1. tercja XVI w. Neg. IS PAN
34. Rzeźba Matki Boskiej z Dzieciątkiem w kościele Matki Boskiej Loretańskiej na Pradze, koniec XV w. Neg. IS PAN, fot. E. Kozłowska-Tomczyk
35. Kwatera z tryptyku, dawniej w warszawskiej farze, 1510 r. Cegłów. Neg. IS PAN, fot. S. Deptuszewski
36. Rzeźba św. Jana z tryptyku, dawniej w warszawskiej farze, 1510 r. Cegłów. Neg. IS PAN, fot. E. Kozłowska-Tomczyk
37. Rzeźba św. Krzysztofa z kościoła św. Marcina, w. XV/XVI. Neg. IS PAN
38. Krucyfiks, tzw. baryczkowski z warszawskiej fary, pocz. XVI w. Fot. J. Szandomirski
39. Rzeźba św. Anny Samotrzeć z ok. 1520–1530 w narożniku kamienicy, Rynek Starego Miasta 31. Fot. J. Szandomirski
40. Obraz Matki Boskiej Bolesnej z kościoła św. Marcina, koniec XV w. (oryginał spalony w 1944). Fot. repr. E. Pawlak
41. Książęta mazowieccy. Miniatura z rękopisu zawierającego polskie przekłady statutów Kazimierza Wielkiego i statutów mazowieckich sporządzone przez Świętosława z Wojcieszyna i Macieja z Różana. Tzw. „Kodeks

Świętosławów", 1450 r. Biblioteka Czartoryskich w Krakowie. Fot. S. Łopatka
42. Karta tytułowa prognostyku wydanego w 1521 r. przez Baltazara Smosarskiego, profesora astrologii w Padwie, a następnie lekarza ostatnich książąt mazowieckich. Biblioteka PAN w Kórniku. Neg. tamże
43. Fragment traktatu o sakramentach Mikołaja z Błonia, wydanie wrocławskie z 1475 r. Biblioteka Zakładu Narodowego im. Ossolińskich PAN we Wrocławiu. Neg. tamże
44. Władysław z Gielniowa. Rycina z dziełka W. Morawskiego „Opisanie żywota i cudów ojca Ladislawa z Gielniowa" (Kraków 1612). Biblioteka Zakładu Narodowego im. Ossolińskich PAN we Wrocławiu. Neg. tamże
45. Najstarsza zachowana księga rady miejskiej Starej Warszawy, obejmująca protokoły posiedzeń z lat 1447–1476. AGAD. Neg. tamże
46. Egzemplarz zbioru kazań Pelbarta z Temeszwaru „Sermones Pomerii de sanctis" (Hagenau 1500) należący do wikarego kolegiaty warszawskiej, Mikołaja ze Skwar. Biblioteka Jagiellońska w Krakowie. Neg. tamże
47. Pierwszy zachowany widok Warszawy, zdobi kartę tytułową konstytucji sejmu walnego warszawskiego z 1581 r. Drzeworyt z wydawnictwa „Constitucie Statuta y Przywileie na walnych Seymiech Koronnych od Roku Pańskiego 1550 aż do Roku 1581 uchwalone". Kraków 1581, winieta na s. 213. Drzeworyt powtórzony w wydaniu z 1589 r., winieta na s. 3. Biblioteka Narodowa w Warszawie, Zbiory Dzikowskie XXIII. 27. Neg. MHW
48. Orzeł z literą S, XVI w. Zwieńczenie wietrznika na Zamku Królewskim w Warszawie. MHW. Neg. tamże
49. Sala Senatorska na Zamku Królewskim w Warszawie, 1611 r. Miedzioryt, ryt. Tomasz Makowski według obrazu Tomasza Dolabelli. MHW. Neg. tamże
50. Medal ślubny Władysława IV i Cecylii Renaty, 1637 r. Gdańsk, Sebastian Dadler, srebro. MHW, fot. H. Romanowski
51. Podmiejskie posiadłości królewskie na obszarze Jazdowa XVI–XVII w. Skala 1:2400. Opr. W. Szaniawska
52. Warszawa około 1630 r. Christian Melich (?), olej, płótno, Alte Pinakothek. Monachium, Bayerische Staatsgemäldesammlungen. Obraz należał do posagu królewny Anny Katarzyny Konstancji Wazówny poślubionej 8.VI.1642 przez Filipa Wilhelma elektora Palatynatu. Kopia obrazu w MHW, fot. E. Pawlak
53. Skaryszew, 1646 r. Miasteczko należące do kapituły płockiej. Fragment portretu Adama Kazanowskiego, marszałka nadwornego koronnego. Miedzioryt, ryt. Wilhelm Hondius. MHW. Neg. tamże
54. Praga, 1646 r. Miasteczko należące do Adama Kazanowskiego, marszałka nadwornego koronnego. Fragment portretu Adama Kazanowskiego. Miedzioryt, ryt. Wilhelm Hondius. MHW. Neg. tamże
55. Widok Warszawy, 1656 r. Rys. Erik Jönsson Dahlbergh, ryt. Adam Perelle. Miedzioryt z dzieła S. Puffendorfa „De rebus a Carolo Gustavo gestis...", Norimbergae 1696. MHW, fot. J. Szandomirski
56. Varsavia Masoviae caput et regia. Plan Warszawy ok. 1641 r. Rysunek piórkiem, tuszem i sepią, kolorowany. Według Izrael Hoppe, „Ordentliche Beschreibung [...] de anno 1626–1636..." cytowane też jako „Geschichte des vierjährigen Krieges...". Wojewódzkie Archiwum Państwowe, Gdańsk. Neg. MHW, fot. W. Wolny
57. Plan sytuacyjny Starej Warszawy z najbliższymi przedmieściami, 30.VIII.1655 r. Rys. ryt. Erik Jönsson Dahlbergh. Miedzioryt. Według S. Puffendorfa „De rebus a Carolo Gustavo gestis...", Norimbergae 1696 oraz w wydaniu II 1729. MHW. Neg. tamże
58. Układ przestrzenny Warszawy w połowie XVII w. (1655 r.) Rekonstrukcja na podkładzie planu Warszawy z 1762 r. Opr. W. Szaniawska
59. Melchior Walbach, kupiec Starej Warszawy (zm. 1603), żupnik królewski. Nagrobek w kościele parafialnym w Karczewie. Neg. IS PAN
60. Wojciech Oczko, lekarz warszawski (zm. 1599). Fragment nagrobka. Lublin, kościół Bernardynów. Neg. MHW
61. Stanisław Drewno (zm. 1621), konwisarz, starszy cechu. Przedstawiciel zamożnego rodu konwisarzy warszawskich działających w latach 1533–1627. Portret, płaskorzeźba z nagrobka w katedrze w Warszawie. Nagrobek zniszczony w czasie ostatniej wojny. Fot. Z. Marcinkowskiego w MHW
62, 63. Jacek i Wojciech Baryczkowie, przedstawiciele rodu patrycjuszowskiego miasta Starej Warszawy. Fragment obrazu „Szkoła Alberta Wielkiego" z końca XVII w. Kościół Dominikanów w Warszawie. Neg. MHW
64. Pieczęć miasta Stara Warszawa używana w latach 1450–1650. Odcisk z dokumentu z 1614 r. AGAD. Neg. tamże
65. Burmistrz powietrzny Łukasz Drewno ofiarowuje miasto Starą Warszawę opiece niebios. Akwarela, mal. Łukasz Drewno, 1624–1626. MNK, Biblioteka Czartoryskich. Fot. S. Łopatka
66. Pieczęć miasta Nowa Warszawa, używana w XVI i XVII wieku. Warszawa, AGAD. Neg. tamże.
67. Renesansowy ratusz miasta Starej Warszawy. Z otoku panoramy Warszawy, 1701 r., rys. Jan Jerzy Feyge. Staatsarchiv Dresden. Neg. MHW. fot. W. Wolny
68. Konew cynowa rady miasta Stara Warszawa, wykonana na zlecenie rady w 1630 r. przez konwisarza warszawskiego Jędrzeja Hollena. Z sześciu konwi zachowały się cztery. MHW. Depozyt MNW. Neg. MHW, fot. A. Lipka
69. Barbakan. Stan obecny. Fot. E. Kupiecki
70. Poliptyk z warsztatu Jana Jantasa, 1558 r. Boguszyce. Kościół parafialny. Neg. IS PAN, fot. J. Szandomirski
71. Portret Konrada, księcia mazowieckiego, w XVI. MNW. Neg. tamże
72. Portret królowej Anny Jagiellonki w stroju wdowim, w. XVI. Zamek Królewski w Warszawie. Fot. M. Tarasiewicz
73. Płyta nagrobna książąt mazowieckich, 1527/1528, po rekonstrukcji. Katedra. Fot. J. Szandomirski
74. Nagrobek braci Wolskich: Mikołaja, biskupa kujawskiego, i Stanisława, starosty warszawskiego, marszałka nadwornego koronnego, zniszczony w 1944 r. Znajdował się w katedrze w Warszawie, częściowo zrekonstruowany. Neg. IS PAN, fot. H. Poddębski
75. Płyta nagrobna Stanisława ze Strzelec, po 1532 r. Katedra. Fot. J. Szandomirski
76. Monstrancja z warszawskiego warsztatu złotniczego Półtoraków. Prażmów. Kościół parafialny. Neg. IS PAN, fot. J. Langda
77. Puszka późnorenesansowa, 2. poł. w. XVI, zapewne wyrób warszawski. Laski, kaplica przy zakładzie franciszkanek. Neg. IS PAN, fot. S. Deptuszewski
78. Kur Bractwa Strzeleckiego, 1552 r. MHW. Neg. tamże, fot. W. Wolny
79. Plan pierwszego piętra Zamku w pocz. XVIII w. według W. Tomkiewicza („Biuletyn Historii Sztuki" R. XVI, 1954, nr 3, s. 296)
80. Zamek, fasada zachodnia (ok. 1613–1619). Skala 1:750. Rekonstrukcja. Na podstawie studium Urzędu Konserwatorskiego w Warszawie
81. Widok miasta Stara Warszawa, 1627 r. Rys. A. Boot. Wojewódzkie Archiwum Państwowe, Gdańsk. Neg. MHW
82. Zamek Jazdowski, rzut przyziemia. Staatsarchiv Dresden. Neg. MHW
83. Zamek Jazdowski, elewacja wschodnia. Staatsarchiv Dresden. Neg. MHW
84. Rozbiórka kościoła Bernardynek na placu Zamkowym w 1843 r. Fragment obrazu Wincentego Kasprzyckiego. MNW. Neg. tamże, fot. A. Lipka
85. Kościół Jezuitów, przekrój podłużny. Neg. IS PAN
86. Kościół Jezuitów, widok na wieżę i kopułę. Fot. sprzed 1939 r. Neg. IS PAN
87. Kościół Jezuitów, fasada. Neg. IS PAN, fot. J.K. Jaworski przed 1939 r.

88. Kościół Dominikanów, rzut przyziemia. Neg. IS PAN
89. Kościół Dominikanów, fasada. Stan obecny. Fot. W. Wolny
90. Kamienica Dzianotów, ul. Wąski Dunaj 8. Fot. sprzed 1939 r. Neg. IS PAN
91. Kamienica Baryczków, klatka schodowa. Fot. sprzed 1939 r. Neg. IS PAN
92. Kolumna Zygmunta, 1972 r. Fot. E. Kupiecki
93. Pałac Koniecpolskich, projekt rzutu przyziemia. Rysunek w mediolańskim Gabinecie Rycin
94. Arsenał. Z otoku panoramy Starej Warszawy, 1701 r., rys. Jan Jerzy Feyge. Staatsarchiv Dresden. Neg. MHW, fot. W. Wolny
95. Pałac Ossolińskich, schematy planu przyziemia i piętra. Oprac. na podstawie pracy W. Kreta
96. Pałac Jerzego Ossolińskiego. Rekonstrukcja bryły według W. Kreta („Biuletyn Historii Sztuki" R. XXVII, 1965, nr 3, s. 184). Neg. MHW
97. Kościół Karmelitów, rzut przyziemia. Neg. IS PAN
98. Kościół Karmelitów, wnętrze. Fot. W. Wolny
99. Widok Warszawy, 1656 r. Fragment. Rys. Erik Jönsson Dahlbergh, ryt. Adam Perelle. Miedzioryt z dzieła S. Puffendorfa „De rebus a Carolo Gustavo gestis...", Norimbergae 1696. MHW. Neg. tamże. Fot. J. Szandomirski
100. „Statuta Ducatus Masoviae", Kraków 1541. Egzemplarz z podpisami burmistrza Starej Warszawy Mikołaja Marianiego i wójta Jana Wilka Kałęckiego. MHW. Neg. tamże
101. W. Oczko, „Przymiot", Kraków 1581. Karta tytułowa. Biblioteka Narodowa w Warszawie. Neg. MHW
102. J. Kochanowski, „Odprawa posłów greckich", Warszawa 1578. Karta tytułowa. Biblioteka Narodowa w Warszawie. Neg. tamże
103. W. Magni, „Demonstratio ocularis", Warszawa 1648. Karta tytułowa. Biblioteka Narodowa w Warszawie. Neg. tamże
104. Rysunek maszyny latającej T.L. Burattiniego. Bibliothèque Nationale w Paryżu; reprodukcja w: K. Targosz, „Uczony dwór Ludwiki Marii Gonzagi", Wrocław 1975. Neg. MHW
105. M. Bernhardi-Bernitz, „Catalogus plantarum". Gdańsk 1652. Karta tytułowa. Biblioteka PAN w Gdańsku. Neg. MHW
106. V. Puccitelli, „Le nozze d'Amore e di Psyche", Warszawa 1646. Karta tytułowa jednego z librett operowych teatru Władysława IV. Biblioteka PAN w Gdańsku. Neg. MHW
107. M. Jagodowicz, „Summa comicotragediey na historyą żywota św. Stanisława", Warszawa 1633. Biblioteka PAN w Gdańsku. Neg. MHW
108. A. Jarzębski, „Gościniec abo krotkie opisanie Warszawy", Warszawa 1643. Karta tytułowa. Biblioteka PAN w Kórniku. Neg. MHW
109. Superekslibris biblioteki Stanisława Baryczki. MHW. Neg. tamże
110. Malarz nie określony, Stygmatyzacja św. Franciszka. MNW. Neg. tamże, fot. H. Romanowski
111. Giovanni Francesco Rossi, Popiersie Jana Kazimierza. Nationalmuseum, Stockholm, zamek w Gripsholm
112. Zygmunt Waza, Alegoria Religii. Nationalmuseum, Stockholm
113. Malarz nie określony, Portret królewicza Władysława. MNW, Oddział w Wilanowie. Neg. tamże, fot. B. Seredyńska
114. Pracownia Zygmunta III, Czarka. Zamek, Nymphenburg (RFN)
115. Daniel Schultz, Portret Jana Kazimierza. Nationalmuseum, Stockholm, zamek w Gripsholm
116. Uniwersał króla Jana Kazimierza z 18.VIII.1655 r. zwalniający Starą Warszawę od pospolitego ruszenia. Rkps AGAD. Neg. tamże
117. Bitwa pod Warszawą, dzień trzeci, 20.VII.1656 r. Miedzioryt z dzieła S. Puffendorfa „De rebus a Carolo Gustavo gestis...", Norimbergae 1696. Rys. Erik Jönsson Dahlbergh, ryt. Willem Swidde. MHW. Fot. J. Szandomirski
118. Akt kapitulacji Szwedów w dn. 1.VII.1656 r. Rkps, strona druga i ostatnia. MNK, Zbiory Czartoryskich. Fot. kopii w MHW. Neg. tamże
119. Karta tytułowa księgi rachunkowej Starej Warszawy: pobór okupu szwedzkiego 24 września 1655 r. Rkps AGAD. Neg. MHW
120. Widok Starej Warszawy od strony Bramy Nowomiejskiej, 1662 r. Z drukowanego kazania S. Stawickiego „Łódka kościoła chrystusowego po burzliwym świata pływająca morzu...", wygłoszonego w okoliczności objęcia przez oo. paulinów kościoła Świętego Ducha przy ulicy Nowomiejskiej. Biblioteka Zakładu Narodowego im. Ossolińskich we Wrocławiu. Neg. IS PAN
121. Koronacja Eleonory Marii, żony króla Michała Korybuta Wiśniowieckiego w kolegiacie warszawskiej, 1670 r. Miedzioryt, autor nie określony. MHW. Neg. tamże
122. Skrzynia, zw. ladą, gospody czeladników krawieckich w Warszawie, 1682 r., drewniana, obita blachą cynową. MHW. Neg. tamże
123. Szkatuła srebrna z kałamarzem, ufundowana do sali posiedzeń Rady miasta Stara Warszawa przez rajcę Aleksandra Czamera w 1710 r. MHW. Neg. tamże
124–126. Typy mieszkańców Warszawy na przełomie XVII i XVIII w.: Szlachcic i mieszczanin, Rybak, Pachołek miejski. Z otoku panoramy Warszawy, 1701 r., rys. Jan Jerzy Feyge. Staatsarchiv Dresden. Neg. MHW, fot. W. Wolny
127. Jan Andrzej Morsztyn, podskarbi wielki koronny (1668–1684), Mal. Hyacinthe Rigaud, ryt. Gerard Edelinck. Zamek Królewski w Warszawie. Neg. MNW, fot. H. Romanowski
128. Stanisław Herakliusz Lubomirski, marszałek wielki koronny (1676–1702). Malarz nie określony. MNW. Fot. wg kopii MHW. Fot. J. Szandomirski
129. Klasztor, kaplica i konwikt teatynów przy ul. Długiej. Z otoku panoramy Warszawy, 1701 r., rys. Jan Jerzy Feyge. Staatsarchiv Dresden. Neg. MHW, fot. W. Wolny
130. „Merkuriusz polski" z 1661 r. Biblioteka Narodowa. Neg. tamże
131. Widok Warszawy od strony Wisły ok. 1701 r. Rys. Jan Jerzy Feyge. Staatsarchiv Dresden. Neg. MHW, fot. E. Pawlak
132. Widok Warszawy od strony Wisły, 1701 r. Rys. Jan Jerzy Feyge. Staatsarchiv Dresden. Neg. MHW
133. Pałac Morsztynów, makieta. MHW. Neg. tamże
134. Kościół Reformatów, wnętrze. Neg. IS PAN, fot. W. Wolny
135. Kościół Misjonarzy, rzut przyziemia według rysunku z XVIII w. Neg. IS PAN
136. Kościół Misjonarzy, wnętrze. Fot. J. Szandomirski
137. Kościół Reformatów, fasada. Neg. IS PAN, fot. W. Wolny
138. Kościół Brygidek, fragment obrazu Bernarda Bellotta zw. Canaletto „Ulica Długa z Arsenałem i kościołem Brygidek". MNW, Neg. IS PAN
139. Kościół, klasztor i konwikt pijarów przy ul. Długiej. Z otoku panoramy Warszawy, 1701 r., rys. Jan Jerzy Feyge. Staatsarchiv Dresden. Neg. MHW, fot. W. Wolny
140. Wilanów. Rezydencja. Plan sytuacyjny z końca XVII w. Rekonstrukcja Gerarda Ciołka. IS PAN
141. Wilanów. Pałac, rekonstrukcja fasady zachodniej z lat 1681–1682. Neg. MHW, Oddział w Wilanowie, fot. B. Seredyńska
142. Wilanów. Pałac, widok od strony wschodniej (osiowej). Fot. E. Kupiecki
143. Wilanów. Pałac, antykamera króla. Fot. E. Kupiecki

144. Projekt fasady pałacu Kotowskich, Tylman van Gameren. AT nr 44. Neg. IS PAN, fot. W. Wolny
145. Pałac Lubomirskich. Z otoku panoramy Warszawy, 1740 r. Rys. Friedrich Christian Schmidt. Neg. MHW
146. Projekt rozbudowy elewacji ogrodowej pałacu Lubomirskich, Tylman van Gameren. Staatsarchiv Dresden. Neg. IS PAN
147. Założenie pałacu Gnińskich, Tylman van Gameren. AT nr 427. Neg. IS PAN, fot. W. Wolny
148. Pałac Krasińskich, plan piętra (rekonstrukcja pierwotnego rozkładu wnętrz piętra), skala 1:400
149. Pałac Krasińskich, widok klatki schodowej. Drzeworyt Edwarda Gorazdowskiego z 1876 r. według rys. Ludomira Dymitrowicza. Neg. IS PAN
150. Pałac Krasińskich, fasada główna. Fot. W. Wolny
151. Ujazdów, ok. 1700 r. Rekonstrukcja zespołu rezydencjonalnego Stanisława Herakliusza Lubomirskiego, wykonanego według projektu Tylmana van Gameren. Skala 1:10 000. Opr. J. Putkowska („Kwartalnik Architektury i Urbanistyki" T. XXII, 1977, z. 3, s. 203)
152. Ujazdów. Łazienka. Rzut przyziemia wraz z tarasem. Rys. 1720–1733. Staatsarchiv Dresden. Neg. MHW, fot. W. Wolny
153. Łazienka, elewacja południowa. Rys. Christian Eltester, 1698 r. Fot. repr. E. Pawlak
154. Łazienka, wnętrze pokoju kąpielowego. Stan obecny. Neg. IS PAN, fot. W. Wolny
155. Czerniaków. Pałac, plan przyziemia. Pomiar z ok. 1720 r. Staatsarchiv Dresden
156. Czerniaków. Pałac, elewacja frontowa. Pomiar z ok. 1720 r. Staatsarchiv Dresden
157. Czerniaków. Plan kościoła i klasztoru, rzut przyziemia, pomiar: A. Kaciszewski, 1865 r. AGAD. Fot. J. Noyszewski
158. Czerniaków. Kościół Bernardynów, przekrój podłużny. Skala 1:400
159. Czerniaków. Kościół Bernardynów, wnętrze. Neg. IS PAN, fot. H. Poddębski przed 1939 r.
160. Kościół Sakramentek. Stan obecny. Fot. T. Hermańczyk
161. Kościół Kapucynów, fasada. Stan obecny. Neg. IS PAN, fot. J. Langda
162. Kościół Kapucynów, wnętrze. Stan obecny. Neg. IS PAN, fot. W. Wolny
163. Marywil. Widok perspektywiczny od północnego-zachodu. 1733–1738. Staatsarchiv Dresden. Neg. MHW, fot. W. Wolny
164. Kościół Paulinów, fasada. Stan obecny. Fot. W. Wolny
165. Malarz nie określony, Mistyczne zaślubiny św. Katarzyny. MNW. Neg. tamże, fot. H. Romanowski
166. Tympanon ogrodowy pałacu Krasińskich. Andrzej Schlüter. Fot. E. Kupiecki
167. „Triumf Jana III". Płaskorzeźba na elewacji galerii południowej pałacu w Wilanowie. Autor nie określony. Fot. E. Kupiecki
168. „Orzeł" na elewacji alkierza północno-wschodniego pałacu w Wilanowie. S. Szwaner (?). Fot. E. Kupiecki
169. „Pogoń" na elewacji alkierza południowo-wschodniego pałacu w Wilanowie. S. Szwaner (?). Fot. E. Kupiecki
170. Ołtarz główny w kościele Bernardynów na Czerniakowie. Fot. J. Szandomirski
171. Figura Matki Boskiej Passawskiej przy ul. Krakowskie Przedmieście. Józef Szymon Bellotti. Fot. T. Hermańczyk
172. Michelangelo Palloni, Psyche w drodze na górę Thorus. Jeden z plafonów w galerii pałacu w Wilanowie. MNW. Oddział w Wilanowie, fot. B. Seredyńska
173. Michelangelo Palloni, Ofiara Salomona. Kościół pokamedulski na Bielanach. Fot. J. Szandomirski
174. Mistrz Żywota św. Antoniego. Św. Antoni uzdrawiający ślepych. Kościół Bernardynów na Czerniakowie. Fot. J. Szandomirski
175. Jerzy Szymonowicz-Siemiginowski, Lato. Plafon. Pałac w Wilanowie. MNW, Oddział w Wilanowie, fot. B. Seredyńska
176. Jerzy Szymonowicz-Siemiginowski (?), Portret Marii Kazimiery z dziećmi. MNW, Oddział w Wilanowie. Fot. B. Seredyńska
177, 178. Żeton koronacyjny Augusta II z 1697 r. Awers i rewers. Dzieło medaliera Jana Kocha. MHW. Neg. tamże, fot. M. Szczawik
179. Kampament w Czerniakowie w 1732 r. Mal. Jan Samuel Mock. Kopia zaginionego obrazu. Muzeum Wojska Polskiego. Neg. tamże
180. Stanisław Konarski. Malarz nie określony, XVIII w. MNW. Neg. tamże
181. Wjazd Augusta III do Warszawy w 1734 r. Mal. Jan Samuel Mock. Staatliche Kunstsammlungen Dresden. Zamek w Moritzburgu. Neg. MHW, fot. W. Wolny
182. Biblioteka Załuskich, widok fasady. Ryt. Jan Fryderyk Mylius, 1752 r. MHW. Neg. tamże, fot. A. Lipka
183. Ekslibris Biblioteki Załuskich. Ryt. Jan Filipowicz. MNW. Neg. IS PAN, fot. W. Wolny
184. Konew Rady Miejskiej Starej Warszawy. Wyrób srebrny Antoniego Mietelskiego, przed 1726 r. MHW. Neg. tamże, fot. A. Lipka
185. Księga protokołów miejskich z 1750 r. Karta tytułowa. AGAD. Neg. tamże
186. Kołatka żelazna z 1. poł. XVIII w. MHW. Neg. tamże, fot. A. Lipka
187. Elekcja Stanisława Augusta w 1764 r. Malarz nie określony, 2. poł. XVIII w. MHW. Neg. tamże, fot. A. Lipka
188. Michał Jerzy Wandalin Mniszech. Mal. Jan Chrzciciel Lampi, pocz. XIX w. MHW, fot. E. Pawlak
189. Bazyli Walicki. Malarz nie określony, 2. poł. XVIII w. MHW. Neg. tamże, fot. M. Kietlińska
190. Hugo Kołłątaj. Mal. Jan Pfeiffer, pocz. XIX w. MHW. Kopia oryginału z Muzeum Uniwersytetu Jagiellońskiego w Krakowie. Neg. MHW, fot. A. Lipka
191. Uniwersał Komisji Edukacji Narodowej z 24.X.1773 r. Oddział Starych Druków BUW. Neg. MHW, fot. W. Wolny
192. Medalion z popiersiem Stanisława Augusta. Zamek Królewski. Sala Balowa. Andrzej Le Brun, 1781 r. Neg. IS PAN
193. Medalion alegoryczny „Architektura". Zamek. Biblioteka Królewska. Neg. IS PAN
194. „Kołacz królewski" z 1772 r. Rys. Jean Michel Moreau, ryt. Noël Le Mire. MNW. Neg. MHW, fot. A. Lipka
195. „Delineacya miasta Warszawy z przedmieściami". Antoni Hiż, 1771 r. Plansza zbiorcza z planem ogólnym Warszawy. Gabinet Rycin BUW. Neg. IS PAN
196. Park Łazienkowski. Rys. Jan Piotr Norblin, 1789 r. MNW. Neg. IS PAN
197. Przekupnie pod kolumną Zygmunta. Mal. Bernardo Bellotto zw. Canaletto. Fragment obrazu „Krakowskie Przedmieście od placu Zamkowego". MHW. Neg. tamże, fot. E. Pawlak
198. Rodzina szlachecka. Mal. Bernardo Bellotto zw. Canaletto. Fragment obrazu „Plac Żelaznej Bramy". MNW. Neg. tamże, fot. H. Romanowski
199. Handel obrazami na ul. Senatorskiej. Mal. Bernardo Bellotto zw. Canaletto. Fragment obrazu „Ulica Miodowa". MNW. Neg. tamże, fot. H. Romanowski
200, 201. Złoty zegarek kieszonkowy. Wyrób Franciszka Gugenmusa, kon. XVIII w. MHW. Neg. tamże, fot. A. Lipka
202. Pałac Kazimierzowski, siedziba Szkoły Rycerskiej. Akwarela Zygmunta Vogla, kon. XVIII w. MNW. Neg. tamże, fot. H. Romanowski
203. Wnętrze Teatru Narodowego podczas przedstawienia baletowego. Malarz nie określony, XVIII w. Muzeum Teatralne. Neg. MHW, fot. M. Kietlińska
204. Wojciech Bogusławski. Mal. Józef Reychan. Muzeum Teatralne. Neg. MHW, fot. M. Kietlińska
205. Posłuchanie młynarza u Stanisława Augusta w dniu 4.XI. 1771 r. Mal. Fryderyk Antoni Lohrmann, według

obrazu Marcelego Bacciarellego. MNW. Neg. tamże, fot. H. Romanowski

206. Uchwalenie Konstytucji 3 maja 1791 r. Ryt. Józef Łęski według rysunku Jana Piotra Norblina. MHW, fot. J. Szandomirski

207. Konstytucja 3 maja 1791 r. Strona tytułowa druku ustawy. AGAD. Neg. MHW, fot. W. Wolny

208, 209. Medal ku czci Stanisława Małachowskiego. Awers i rewers. Dzieło medaliera Jana Filipa Holzhaeussera, 1790 r. MHW. Neg. tamże, fot. E. Pawlak

210. Tadeusz Kościuszko. Malarz nie określony, kon. XVIII w. MHW. Neg. tamże, fot. A. Lipka

211. Wieszanie zdrajców na Rynku Starego Miasta 8.IV.1794 r. Rys. Piotr Norblin. Biblioteka PAN w Kórniku. Neg. MHW

212. Walki na ulicy Miodowej podczas insurekcji 1794 r. Rys. Jan Piotr Norblin. MNW. Neg. tamże

213. Plan założenia saskiego. Rysunek inwentaryzacyjny, po 1763 r. Staatsarchiv Dresden. Neg. MHW, fot. W. Wolny

214. Sala Senatorska na Zamku. Rysunek inwentaryzacyjny z około 1740 r., według projektu Zachariasza Longuelune'a z około 1720 r. Staatsarchiv Dresden. Neg. MHW, fot. W. Wolny

215. Fasada pałacu Pod Blachą, po 1730 r. Stan obecny. Fot. E. Kupiecki

216. Fasada kościoła Wizytek, po 1727 r. Stan obecny. Fot. E. Kupiecki

217. Wnętrze kościoła Wizytek, po 1727 r. Stan obecny. Fot. J. Szandomirski

218. Wnętrze kościoła w Kobyłce pod Warszawą, 1741–1763. Stan obecny. Fot. Z. Siemaszko

219. Elewacja ogrodowa pałacu Czapskich, po 1726 r. i około 1743 r. Stan obecny. Fot. T. Hermańczyk

220. Gabinet w pałacu Bielińskich. Projekt z 1735 r. według „Oeuvre de J.A. Meissonier". Gabinet Rycin BUW. Fot. J. Noyszewski

221. Pałac Czartoryskich-Potockich, około 1762 r. Stan obecny. Neg. CAF, fot. D. Gładysz

222. Elewacja Zamku od strony Wisły. Projekt Gaetano Chiaveriego z około 1737 r. Staatsarchiv Dresden. Neg. MHW, fot. W. Wolny

223. Kamienica Prażmowskich, po 1753 r. Stan obecny. Fot. T. Hermańczyk

224. Efraim Schroeger, projekt Sali Balowej w zamku Ujazdowskim w Warszawie, 1770 r. Gabinet Rycin BUW. Fot. J. Noyszewski

225. Jean Pillement, projekt dekoracji Gabinetu Królewskiego w zamku warszawskim, 1766 r. Gabinet Rycin BUW. Fot. J. Noyszewski

226. Victor Louis, projekt przebudowy zamku warszawskiego, fasada, 1765 r. Gabinet Rycin BUW. Neg. MNW, fot. M. Tarasiewicz

227. Efraim Schroeger, projekt przebudowy zamku warszawskiego, fasada, 1767 r. Gabinet Rycin BUW. Neg. IS PAN

228. Jakub Fontana, projekt przebudowy zamku warszawskiego (rys. Jan Chrystian Kamsetzer), 1773 r. Gabinet Rycin BUW. Neg. IS PAN

229. Efraim Schroeger, projekt przebudowy zamku warszawskiego i ukształtowania placu Zamkowego, 1777 r. Gabinet Rycin BUW. Neg. IS PAN

230. Dominik Merlini, projekt przebudowy zamku warszawskiego, fasada, 1788 r. Gabinet Rycin BUW. Neg. IS PAN

231. Sala Balowa w zamku warszawskim. Stan sprzed roku 1939. Neg. IS PAN, fot. M. Moraczewska

232. Sala Rycerska w zamku warszawskim. Stan sprzed roku 1939. Neg. IS PAN

233. Dominik Merlini, projekt przebudowy pałacu Na Wyspie w Łazienkach, fasada, 1784 r. Gabinet Rycin BUW. Neg. IS PAN, fot. M. Moraczewska

234. Pałac Na Wyspie w Łazienkach, fasada. Stan obecny. Fot. E. Kupiecki

235. Pałac Na Wyspie w Łazienkach, elewacja północna. Stan obecny. Fot. E. Kupiecki

236. Sala Salomona w pałacu Na Wyspie w Łazienkach. Stan sprzed 1939 r. Neg. IS PAN, fot. H. Poddębski

237. Sala Balowa w pałacu Na Wyspie w Łazienkach. Stan obecny. Fot. E. Kupiecki

238. Wnętrze teatru w Starej Pomarańczarni w Łazienkach. Stan obecny. Neg. IS PAN, fot. J. Szandomirski

239. Jan Chrystian Kamsetzer, projekt Domu Tureckiego w Łazienkach, 1786 r. Gabinet Rycin BUW. Neg. IS PAN

240. Jakub Fontana, projekt kolegiaty św. Jana, fasada, 1767/1768 (rys. Józef Sacco). Gabinet Rycin BUW. Fot. J. Noyszewski

241. Pałac Prymasowski przy ul. Senatorskiej. Stan obecny. Fot. E. Kupiecki

242. Pałac Tyszkiewiczów przy ul. Krakowskie Przedmieście. Stan sprzed 1939 r. Neg. IS PAN, fot. H. Poddębski

243. Pałac Raczyńskich przy ul. Długiej. Stan obecny. Fot. T. Hermańczyk

244. Jakub Hempel, projekt przebudowy pałacu Lubomirskich za Żelazną Bramą, fasada, ok. 1790 r. Gabinet Rycin BUW. Neg. IS PAN

245. Pałac w Natolinie (Bażantarni), widok od strony tarasu. Stan obecny. Neg. IS PAN, fot. Cz. Olszewski

246. Pałac Królikarnia, widok od podjazdu. Stan obecny. Fot. E. Kupiecki

247. Efraim Schroeger, projekt fasady kościoła Karmelitów, fasada, 1761/1762 r. (akwaforta z ok. 1766). Gabinet Rycin BUW. Neg. IS PAN, fot. E. Kozłowska-Tomczyk

248. Kościół Bernardynów. Stan obecny. Fot. J. Szandomirski

249. Dom Teppera przy ul. Miodowej, fasada, według L. Schmidtner, „Zbiór celniejszych gmachów miasta stołecznego Warszawy... 1823–1824". Neg. IS PAN

250. Kamienica Roeslera i Hurtiga przy ul. Krakowskie Przedmieście. Stan obecny. Fot. E. Kupiecki

251. Efraim Schroeger, projekt willi bankiera Łyszkiewicza na Faworach, fasada, ok. 1780 r. Gabinet Rycin BUW. Neg. IS PAN, fot. E. Kozłowska-Tomczyk

252. Szymon Bogumił Zug, projekt kościoła Ewangelicko-Augsburskiego, elewacja frontowa, 1777 r. Gabinet Rycin BUW. Fot. J. Noyszewski

253. Zygmunt Vogel, Widok koszar Artylerii Koronnej. MNW. Neg. IS PAN

254. Zwieńczenie ryzalitu środkowego skrzydła wschodniego Zamku Królewskiego. Jan Jerzy Plersch, po 1746 r. Stan przed 1939 r. Neg. IS PAN

255. Tympanon lewego ryzalitu skrzydła wschodniego Zamku Królewskiego. Jan Jerzy Plersch, po 1742 r. Stan przed 1939 r. Neg. IS PAN, fot. J. Kłos

256. Pałac Brühlowski. Dekoracje rzeźbiarskie: warsztat Piotra Coudraya. Stan przed 1939 r. Neg. IS PAN, fot. H. Poddębski

257. Kościół Wizytek. Dekoracje rzeźbiarskie, warsztat Jana Jerzego Plerscha. Fot. E. Hartwig

258. „Flora". Rzeźba z Ogrodu Saskiego. Jan Jerzy Plersch, ok. 1730 r. Neg. IS PAN

259. „Grupa Zaślubin". Rzeźba z lewego ołtarza kościoła Karmelitów Bosych. Autor nie określony, po 1750 r. Neg. IS PAN

260. Ołtarz główny w kościele Augustianów. Stan przed 1939 r. Neg. IS PAN

261. Ambona w kościele Wizytek. Jan Jerzy Plersch, 1760 r. Neg. IS PAN, fot. E. Kozłowska-Tomczyk

262. Nagrobek Jana Tarły w kościele Jezuitów. Jan Jerzy Plersch, 1752–1753. Stan przed 1939 r. Neg. MNW

263. Pomnik Jana III. Franciszek Pinck, 1786–1788. Neg. IS PAN

264. Popiersie Stanisława Jabłonowskiego. Andrzej Le Brun, 1770–1782. MNW. Neg. tamże, fot. H. Romanowski

265. Chronos. Rzeźba z Sali Rycerskiej Zamku Królewskiego. Jakub Monaldi, 1784–1786. Neg. MNW

266. Fragment Sali Balowej Zamku Królewskiego. Rzeźby: z lewej Apollo, z prawej Minerwa, nad drzwiami

popiersie Stanisława Augusta dłuta Andrzeja Le Bruna, po bokach popiersia alegorie: Sprawiedliwość i Pokój dłuta Jakuba Monaldiego, wykonane ok. 1780 r. Neg. IS PAN

267. Malarz nie określony, Portret Elżbiety Sieniawskiej, 1. poł. XVIII w. MNW. Neg. tamże, fot. H. Romanowski
268. Szymon Czechowicz, Cud św. Ulryka, ok. poł. XVIII w. MNW. Neg. tamże
269. Marcello Bacciarelli, Portret Stanisława Augusta z klepsydrą, 1793 r. MHW. Neg. tamże, fot. H. Romanowski
270. Marcello Bacciarelli, Kazimierz Wielki słuchający próśb chłopów (z serii płócien historycznych z Sali Rycerskiej Zamku Królewskiego), ok. 1786 r. MNW. Neg. tamże, fot. H. Romanowski
271. Franciszek Smuglewicz, Portret rodziny Prozorów, 1789 r. MNW. Neg. tamże
272. Józef Grassi, Portret Tekli z Czapskich Jabłonowskiej, 1791 r. MNW. Neg. tamże, fot. H. Romanowski
273. Bernardo Bellotto zw. Canaletto, Krakowskie Przedmieście od strony Nowego Światu, 1773–1779. MNW. Neg. tamże, fot. H. Romanowski
274. Piotr Norblin, Walki powstańcze na Krakowskim Przedmieściu, 1794. Neg. IS PAN
275. Kandelabr z Sali Tronowej Zamku Królewskiego. Proj. Jean Louis Prieur, 1780 r., wykonany we Francji. Neg. MNW, fot. H. Romanowski
276. Aplika z Sali Rycerskiej. Proj. Jan Chrystian Kamsetzer, ok. 1786 r., wykonana w królewskich warsztatach zamkowych. Neg. MNW, fot. H. Romanowski
277. Konsola hebanowa przeznaczona do Pokoju Marmurowego na Zamku Królewskim, wykonana ok. 1770 r. w warsztatach królewskich na Zamku. Neg. MNW, fot. H. Romanowski
278. Pas kontuszowy, wykonany w warszawskich warsztatach Paschalisa Jakubowicza, 2. poł. XVIII w. MNW. Neg. tamże, fot. H. Romanowski
279. Wazon fajansowy malowany, ok. 1770–1780; talerz z serwisu „sułtańskiego" ok. 1776–1777; wazon malowany „chinoiserie" ok. 1770–1780; wykonane w królewskiej wytwórni w Belwederze. MNW. Neg. tamże, fot. H. Romanowski
280. Waza do zupy. J.J. Bandau, ok. poł. XVIII w. MNW. Neg. tamże
281. Miecz Stanisława Augusta. Warsztat warszawski, 1764 r. MNW. Neg. tamże, fot. H. Romanowski
282. Zegar, tzw. „kartel". Franciszek Gugenmus, 2. poł. XVIII w. MNW. Neg. tamże
283. Widok placu Zamkowego i Bramy Krakowskiej. Akwaforta, rys. A. z Tyszkiewiczów Potocka-Wąsowiczowa, ok. 1795 r., ryt. Ignacy Duviviers. MHW. Neg. tamże, fot. T. Skwarek
284. Stanisław Sołtyk. Mal. Józef Pitschmann. MNW. Neg. tamże
285. Teatr Narodowy na placu Krasińskich. Akwarela, mal. Zygmunt Vogel. MNW. Neg. tamże
286. Pałac Mostowskich w Warszawie. Miedzioryt, ryt. Fryderyk Krzysztof Dietrich. MNW, depozyt w MHW. Neg. tamże, fot. M. Kietlińska
287. Wejście Francuzów do Warszawy w dniu 28 listopada 1806 r. Miedzioryt kolorowany, rys. Thomas Charles Naudet, ryt. Piotr Adrien Lebeau. MHW. Neg. tamże, fot. M. Kietlińska
288. Śmierć Cypriana Godebskiego. Mal. January Suchodolski. Fragment obrazu „Bitwa pod Raszynem". MNW. Neg. tamże
289. Brama triumfalna wzniesiona „obok Złotych Krzyżów" na Nowym Świecie na cześć zwycięskiego powrotu wojska polskiego z kampanii 1809 r. Miedzioryt, rys. Zygmunt Vogel, ryt. Karol August Richter. MHW. Neg. tamże, fot. E. Pawlak
290. Stanisław Kostka Potocki. Miedzioryt, rys. Louis Letronne, ryt. Johann F. Krethlow. MNW, depozyt w MHW. Neg. tamże, fot. A. Lipka
291. Oficerowie i żołnierze wojska Księstwa Warszawskiego. Rys. Ernst Theodor A. Hoffmann, według „Neue Feuerbrände", t. IV, z. 12. Amsterdam und Cölln. Neg. J. Kosima
292. Posiedzenie Klubu Szaradzistów w mieszkaniu Ludwika Dmuszewskiego w 1807 r. Akwarela, mal. z natury S. Kurczyński. MNW. Neg. tamże
293. Wnętrze salonu Marianny Lanckorońskiej, kasztelanowej połanieckiej. Litografia, rys. N.N. MNW. Neg. tamże, fot. M. Tarasiewicz
294. Pantofelek damski ze skórki ciemnozielonej, koźlej, szagrynowej. Wyrób warszawski, wyk. Tomasz Serwatka, ok. 1810–1815. MHW. Neg. tamże, fot. M. Szczawik
295. Solniczka srebrna. Wyrób warszawski, wyk. „IGB", XVIII/XIX w. MHW. Neg. tamże, fot. A. Lipka
296. Dzbanuszek srebrny. Wyrób warszawski, wyk. „IGB", XVIII/XIX w. MHW. Neg. tamże, fot. A. Lipka
297. Wilhelm Henryk Minter, projekt Magazynu Głównego Warszawskiego, ok. 1800 r. Gabinet Rycin BUW. Fot. J. Noyszewski
298. Widok pałacu Błękitnego po przebudowie Fryderyka Alberta Lessla. Mal. Fryderyk Krzysztof Dietrich. MNW. Neg. tamże, fot. E. Sęczykowska
299. Tzw. dom Pod Kolumnami (lub dom Jarmarczny) – nowe skrzydło Marywilu wzniesione według projektu Chrystiana Piotra Aignera, według: L. Schmidtner, „Zbiór celniejszych gmachów miasta stołecznego Warszawy... 1823–1824". Neg. MNW
300. Pałac Namiestnikowski, fasada, po przebudowie przez Chrystiana Piotra Aignera, według: L. Schmidtner, „Zbiór celniejszych gmachów miasta stołecznego Warszawy... 1823–1824". Neg. MNW
301. Kościół św. Aleksandra wzniesiony według projektu Chrystiana Piotra Aignera, według: L. Schmidtner, „Zbiór celniejszych gmachów miasta stołecznego Warszawy... 1823–1824". Neg. MNW
302. Kamienica Petyskusa wzniesiona według projektu Chrystiana Piotra Aignera, według: L. Schmidtner, „Zbiór celniejszych gmachów miasta stołecznego Warszawy... 1823–1824". Neg. MNW
303. Kamienica Petyskusa po rozbudowie. Stan obecny. Fot. T. Hermańczyk
304. Pałac Komisji Rządowej Przychodów i Skarbu po przebudowie Antoniego Corazziego. Neg. IS PAN, fot. H. Poddębski
305. Pałac Ministrów Skarbu po przebudowie przez Antoniego Corazziego. Neg. IS PAN, fot. J. Jaworski
306. Teatr Wielki wzniesiony przez Antoniego Corazziego. Neg. IS PAN, fot. H. Poddębski
307. Pałac Paca, skrzydło frontowe wzniesione przez Henryka Marconiego. Neg. IS PAN, fot. H. Poddębski
308. Pomnik Mikołaja Kopernika, dzieło Bertela Thorvaldsena. Fot. E. Hartwig
309. Pomnik ks. Józefa Poniatowskiego, dzieło Bertela Thorvaldsena. Fot. E. Kupiecki
310. Pomnik pracy przy ul. Grochowskiej, dzieło Pawła Malińskiego. Fot. T. Hermańczyk
311. Antoni Brodowski, Portret arcybiskupa Hołowczyca, 1828 r. MNP. Neg. MNW
312. Antoni Brodowski, Gniew Saula na Dawida, 1812–1819. MNW. Neg. tamże
313. Antoni Blank, Portret Abrahama Sterna, wynalazcy maszyny do liczenia, 1823 r. MNP. Neg. MNW
314. Aleksander Kokular, Rodzina artysty w salonie, ok. 1830 r. MNW. Neg. tamże
315. Aleksander Kokular, Edyp i Antygona, 1825 r. MNW. Neg. tamże
316. Obserwatorium Astronomiczne. Litografia, ryt. Fryderyk Krzysztof Dietrich. MHW. Neg. tamże
317. Plac Zamkowy. Litografia, autor nie określony. Neg. IS PAN
318. Plac Krasińskich z kościołem Pijarów. Mal. Marcin Zaleski, 1830 r. MNW. Neg. IS PAN
319. Plac Trzech Krzyży, ok. 1830 r. Mal. Marcin Zaleski (?). Neg. IS PAN
320. Plac przed Marywilem i Główny Ratusz. Akwatinta, ryt. Fryderyk Krzysztof Dietrich. MHW. Neg. tamże
321. Widok Belwederu. Rys. Fryderyk Krzysztof Dietrich. Repr. w: „Widoki Warszawy" Warszawa 1827–1829, poz. 9. Neg. IS PAN
322. Wielki Książę Konstanty w Belwederze. Rys. Fryderyk Krzysztof Dietrich według obrazu Lecha I. Kiela. Rycina w: „Pamiętnik wystawy starych rycin polskich ze zbioru Dominika Witke-Jeżewskiego" Warszawa

1919. Neg. IS PAN

323. Most Sobieskiego (w Łazienkach) 29.XI.1830 r. Rys. Jan Feliks Piwarski. Neg. IS PAN
324. Łukasiński przykuwany do działa. Rys. Antoni Oleszczyński. Zakład Narodowy im. Ossolińskich we Wrocławiu. Neg. IS PAN
325. Lud i wojsko 29.XI. 1830. Rys. Jan Feliks Piwarski. Oryginał zaginiony. Neg. IS PAN
326. [Arsenał] Sala środkowa. Akwatinta i akwaforta, rys. Jan Feliks Piwarski, ryt. Fryderyk Krzysztof Dietrich. Repr. w: ,,Wnętrza zbrojowni warszawskiej w czterech farbnych tablicach". Warszawa 1829. Neg. IS PAN
327. Powrót oddziałów Wojska Polskiego z Wierzbna. Mal. Marcin Zaleski, 1831 r. MNW, depozyt w MHW. Neg. IS PAN
328. Wprowadzenie do Warszawy jeńców i sztandarów zdobytych w bitwach pod Wawrem, Iganiami i Dębem Wielkim 2 kwietnia 1831 r. Mal. Marcin Zaleski. MNW, depozyt w MHW. Neg. IS PAN
329. Artur Zawisza. Rys. Antoni Oleszczyński. Zakład Narodowy im. Ossolińskich we Wrocławiu. Neg. IS PAN
330. Pomnik żołnierzy rosyjskich poległych na Woli w 1831 r. Neg. MHW
331. Wnętrze biura. Litografia, rys. Franciszek Kostrzewski. Repr. w: ,,Szkice i obrazki" Warszawa 1858. Fot. W. Wolny
332. Stacja kolei warszawsko-wiedeńskiej. Litografia, rys. Wojciech Gerson, Adam Lerue, lit, Jean Jacottet, Charles Rivière. Repr. w: ,,Widoki Warszawy" Warszawa 1852. Neg. MHW, fot. A. Lipka
333. Wodociąg Marconiego u wylotu ul. Karowej na Krakowskie Przedmieście. Drzeworyt, rys. Aleksander Gierymski, ryt. Kazimierz Piastuszkiewicz. Repr. w: ,,Tygodnik Powszechny" 1882, I, s. 329. Neg. IS PAN
334. Na trakcie Radomskim. Drzeworyt, rys. Aleksander Gierymski, ryt. Paweł Boczkowski. Repr. w: ,,Tygodnik Illustrowany" 1887, nr 1461, s. 232. Neg. IS PAN
335. Widoki Mokotowa pod Warszawą; wieża przy szosie mokotowskiej, pałac, pałacyk i wejście do ogrodu, widok Mokotowa, cegielnie mokotowskie, chatka, staw przy ogrodzie. Rys. Aleksander Gierymski, ryt. Edward Gorazdowski. Repr. w: ,,Kłosy" 1882, nr 896, s. 137. Neg. IS PAN
336. Woźnica na ulicach Warszawy. Rys. Aleksander Gierymski. MNW. Neg. IS PAN, fot. K. Zakrzewska
337. Ulica Solec (lub Czerniakowska). Drzeworyt, autor nie określony. Neg. IS PAN
338. Odjazd kurierki z bramy pocztowej w Warszawie. Drzeworyt, rys. Henryk Pilatti. Repr. w: ,,Kłosy" 1870, nr 254, s. 284. Neg. IS PAN
339. Parokonka warszawska. Rys. Ksawery Pilatti. MNW. Neg. IS PAN
340. Ulica Kamienne Schodki, prowadząca z ul. Brzozowej na ul. Bugaj. Rys. Aleksander Gierymski, drzeworytnia Bronisława Puca. Repr. w: ,,Kłosy" 1884, nr 973, s. 120. Neg. IS PAN
341. Zaułek na ul. Furmańskiej. Drzeworyt, rys. Aleksander Gierymski, drzeworytnia Bronisława Puca. Repr. w: ,,Tygodnik Powszechny" 1882, I. s. 449. Neg. IS PAN
342. Ulica Czerniakowska. Drzeworyt, rys. Aleksander Gierymski według obrazu Maksymiliana Gierymskiego, ryt. Michał Kluczewski. Repr. w: ,,Tygodnik Powszechny" 1882, nr 23, s. 361. Neg. IS PAN
343. Staromiejskie podwórze. Mal. Henryk Pilatti. Neg. IS PAN
344. Baranki, szynki, czyli targ wielkosobotni za Żelazną Bramą w Warszawie. Rys. Jan Feliks Piwarski do ,,Albumu cynkograficzno-rysunkowego" Warszawa 1841, poz. 4. Neg. IS PAN
345. Przedsionek w Pociejowie. Rys. Jan Feliks Piwarski do ,,Albumu cynkograficzno-rysunkowego" Warszawa 1841, poz. 9. Neg. IS PAN
346. Poranek przy ul. Rybaki w Warszawie 1844 r. Cynkografia, rys. Jan Feliks Piwarski. Repr. w: ,,Kram malowniczy warszawski 1855–1859", poz. 10. Neg. IS PAN, fot. Cz. Olszewski
347. Handel! Handel! (wszystko kupię – dobrze zapłacę!). Rys. Jan Feliks Piwarski do ,,Albumu cynkograficzno--rysunkowego" Warszawa 1841, poz. 7. Neg. IS PAN
348. Garkuchnia pod studnią. Rys. Jan Feliks Piwarski do ,,Albumu cynkograficzno-rysunkowego" Warszawa 1841, poz. 2. Neg. IS PAN
349. Przystań statków parowych na Powiślu. Mal. Franciszek Kostrzewski, ok. 1853 r. MNW, depozyt w MHW. Neg. IS PAN
350. Fabryka papieru w Jeziornej. Rys. Jan Feliks Piwarski. MNW. Neg. IS PAN
351. Kościół św. Jerzego. Drzeworyt, autor nie określony, 1850 r. Neg. IS PAN
352. Fasada katedry św. Jana. Projekt przebudowy Zygmunta Vogla, 1823 r. Gabinet Rycin BUW. Neg. IS PAN
353. Widok kościoła św. Aleksandra (ku ulicy Nowy Świat w Warszawie). Akwatinta i akwaforta, rys. i ryt. Fryderyk Krzysztof Dietrich. Repr. w: ,,Widoki Warszawy" Warszawa 1827–1829. Neg. IS PAN
354. Widok kościoła Panny Marii od Nowego Miasta. Rys. Aleksander Majerski. MHW. Neg. IS PAN
355. Rynek Nowego Miasta. Mal. Aleksander Lesser. MHW. Neg. IS PAN
356. Odpust w Czerniakowie. Drzeworyt, rys. Juliusz Cegliński i Henryk Pilatti, ryt. Juliusz Styfi. Repr. w: ,,Tygodnik Illustrowany" 1860, I, s. 317. Fot. repr. J. Szandomirski
357. Pałacyk Szustra w Mokotowie. Drzeworyt, rys. Zygmunt Vogel, ryt. C. Richter. Neg. IS PAN
358. Rogatka grochowska z ok. 1822 r. Fot. z 1946 r. Neg. MHW
359. Ekspedycja przy rogatkach. Cynkografia, rys. Jan Feliks Piwarski. Repr. w: ,,Kram malowniczy warszawski 1855–1859", poz. 23. Neg. IS PAN
360. Gościnny Dwór za Żelazną Bramą. Litografia, rys. i lit. Juliusz Cegliński i Alfons Matuszkiewicz. Repr. w. ,,Album widoków okolic Warszawy" Warszawa 1859
361. Dawniej Cuchthaus, później koszary saperskie. Litografia, Wilhelm Stanisław Beyer według obrazu Aleksandra Majewskiego. Repr. w: ,,Starożytności warszawskie" 1857. T.V. Neg. MNW
362. Ogród Saski. Rys. Franciszek Kostrzewski, ok. 1852 r. MNW. Neg. IS PAN
363. Puszczanie balonu z Pałacu Kazimierzowskiego w dniu 12.VIII.[1872]. Drzeworyt, rys. Ksawery Pilatti. Repr. w: ,,Wieniec" 1872, s. 468. Neg. IS PAN
364. Saska Kępa, Prado. Drzeworyt, rys. Aleksander Gierymski, ryt. Wilhelm Berg. Repr. w: ,,Tygodnik Powszechny" 1884, nr 40, s. 633. Neg. IS PAN
365. Cyrk na Saskiej Kępie. Mal. Franciszek Kostrzewski. MNW, depozyt w MHW. Neg. IS PAN, fot. S. Deptuszewski
366. Antoni Magier, fizyk, meteorolog i historyk Warszawy. Malarz nie określony. MHW. Fot. W. Krzyżanowska
367. Wnętrze Szkoły Sztuk Pięknych w Warszawie. Mal. Marcin Zaleski, 1858 r. MNW. Neg. IS PAN
368. Antoni Brodowski, malarz, profesor Wydziału Sztuk Pięknych na Uniwersytecie Warszawskim. Rys. Rafał Hadziewicz według autoportretu z 1813 r. Zakład Narodowy im. Ossolińskich we Wrocławiu. Neg. IS PAN
369. Joachim Lelewel. Rys. Juliusz Kossak, 1855 r. MNK. Neg. IS PAN, fot. L. Perz
370. Teatr Wielki. Akwatinta, rys. i ryt. Fryderyk Krzysztof Dietrich. MHW. Neg. tamże
371. Modna para z 1830 r. Suknia z egzotycznymi kwiatami i redingot. Repr. w: A. Banach ,,Moda XIX w." s. 96. Fot. repr. W. Krzyżanowska
372. Winieta tytułowa czasopisma ,,Bluszcz". Neg. IS PAN
373. Plac Zamkowy, z cyklu Warszawa II. Rys. Artur Grottger. Victoria and Albert Museum, Londyn. Neg. IS PAN, fot. W. Wolny
374. Zamykanie kościołów, z cyklu Warszawa I. Rys. Artur Grottger. MNW. Neg. IS PAN
375. Zesłaniec. Rys. Artur Grottger. MNW. Neg. IS PAN
376. Resursa Obywatelska, 1862 lub 1863 r. Fot. K. Beyera. Neg. MHW

377. Widok ogólny na Nowy Zjazd i most Kierbedzia, ok. 1892 r. Neg. MHW
378. Ogród Saski. Fot. sprzed 1939 r. Neg. IS PAN, fot. H. Poddębski
379. Rynek Starego Miasta. Fot. K. Beyera. Neg. MHW
380. Zamek Królewski. Neg. IS PAN
381. Plac Trzech Krzyży. Fot. K. Beyera. Neg. MHW
382. Kościół Bernardynów. Fot. K. Beyera. Neg. MHW
383. Pałac Staszica. Neg. MHW, fot. M. Pusch
384. Pałac Staszica przebudowany na cerkiew w latach 1894–1895. Neg. IS PAN
385. Ulica Krakowskie Przedmieście. Fot. K. Beyera. Neg. IS PAN
386. Asfaltowanie ulicy w końcu XIX wieku
387. Fabryka tytoniu Leopolda Kronenberga. Repr. w: „Tygodnik Ilustrowany" 1867
388. Święto „Trąbek" III. Mal. Aleksander Gierymski. MNK. Neg. IS PAN
389. „Konrad Jarnuszkiewicz i Ska". Widok budynku fabrycznego przy ul. Elektoralnej sprzed 1914 r. Zbiory Korotyńskich w APW. Neg. tamże
390. Rachunek na blankiecie firmowym Towarzystwa Akcyjnego Fabryki Obić Papierowych i Papierów Kolorowych J. Franaszka przy ul. Wolskiej. Zbiory Korotyńskich w APW. Neg. tamże
391. Browar W. Kijok et Comp. przy ul. Żelaznej. Fot. w: W. Czajewski „Warszawa ilustrowana", t. 2. Warszawa 1895, s. 95. Neg. APW
392. Telefony w Warszawie. Repr. w: „Tygodnik Powszechny" 1882, s. 600. Neg. APW
393. Warsztaty Mechaniczne Drogi Żelaznej Warszawsko-Wiedeńskiej. Drzeworyt Ludomira Dymitrowicza. Repr. w: „Kłosy" 1869, t. 9, s. 160. Neg. APW
394. Fabryka Telegrafów w Warszawie. Repr. w: „Tygodnik Ilustrowany" 1873, t. 11, s. 153. Neg. APW
395. Przewóz wagonu z fabryki Lilpopa do stacji kolei warszawsko-wiedeńskiej. Widok z Alej Jerozolimskich. Repr. w: „Kłosy" 1871, nr 12, s. 229. Neg. APW
396. Gazownia na Solcu. Repr. w: „Tygodnik Ilustrowany" 1871, t. 7, s. 229. Neg. APW
397. Garbarnia „Temler i Szwede". Repr. w: „Kłosy" 1873, t. 17, s. 69. Neg. APW
398. Masówka robotnicza w fabryce Norblina w 1905 r. Fot. w: „150 lat Walcowni Metali «Warszawa»" Warszawa 1959, s. 35. Neg. APW
399. Ogólny widok zakładów „Lilpop, Rau, Loewenstein". Repr. w: „Tygodnik Powszechny" 1883, s. 776. Neg. APW
400. Fabryka Czekolady i Cukrów Jana Fruzińskiego przy ul. Polnej, 1902 r. Repr. w: „Album firmy J. Fruzińskiego", Warszawa 1902, s. 6. Neg. APW
401. Na przystanku tramwajowym. Rys. Franciszek Kostrzewski, ok. 1892 r. Neg. MHW
402. Generał Sokrates Starynkiewicz. Neg. IS PAN, fot. S. Deptuszewski
403. Zabudowa Alej Jerozolimskich od strony mostu Poniatowskiego w kierunku ul. Nowy Świat. Widok z lat 1915–1918. Neg. IS PAN
404. Pałac Kronenberga, 1930. Neg. IS PAN, fot. H. Poddębski
405. Ulica Chłodna w latach 1915–1918. Neg. IS PAN
406. Dom handlowy „Bracia Jabłkowscy", 1923. Repr. w: „Architekt" 1964 r. Neg. IS PAN, fot. Cz. Olszewski
407. Kościół Wszystkich Świętych na Grzybowie. Rys. J. Maszyński. Repr. w: „Tygodnik Illustrowany" 1891, nr 73, s. 336. Fot. repr. J. Szandomirski
408. Główny podjazd Teatru Wielkiego. Fot. Karolego i Puscha w: „Tygodnik Illustrowany" 1891, nr 88. Fot. repr. J. Szandomirski
409. Targ koński na Pradze. Rys. Ryszard Okniński. Repr. w: „Tygodnik Illustrowany" 1891, nr 80. Fot. repr. J. Szandomirski
410. Nowy Zjazd od kościoła Bernardynów. Fot. K. Beyera
411. Nowa Sala Wystawy Obrazów Towarzystwa Zachęty Sztuk Pięknych w Królestwie Polskim. Drzeworyt, rys. Maksymilian Gierymski. Repr. w: „Kłosy" 1870, II, s. 260. Neg. IS PAN
412. Wieczór literacki w salonie Stanisława hr. Kossakowskiego. Drzeworyt, rys. Ksawery Pilatti. Repr. w: „Kłosy" 1875, I, s. 228. Neg. IS PAN
413. Klub na Czackiego. Akwarela, mal. Franciszek Kostrzewski, 1897 r. MHW. Neg. IS PAN, fot. Cz. Olszewski
414. Aleje Ujazdowskie, powrót z wyścigów. Mal. Juliusz Kossak. Neg. MHW
415. Wyścigi cyklistów warszawskich w dniu 15 sierpnia 1891 r. Przed startem do Garwolina. Fot. Kostki i Mullerta. Repr. w: „Tygodnik Illustrowany" 1891, nr 86. Fot. repr. J. Szandomirski
416. Ulica Brzozowa. Rys. Józef Pankiewicz. Repr. w: „Tygodnik Illustrowany" 1891, nr 85. Fot. repr. J. Szandomirski
417. Warszawa za kratą. Rys. Witold Wojtkiewicz. Repr. w: J. Kalabiński, F. Tych „Czwarte powstanie czy pierwsza rewolucja. Lata 1905–1907 na ziemiach polskich", Warszawa 1976, s. 19, wyd. II
418. Teatr Letni w Ogrodzie Saskim. Neg. IS PAN
419. Gmach Towarzystwa Kredytowego Miejskiego przy ul. Czackiego 21. Ryt. A. Malinowski. Repr. w: „Kłosy" 1881, t. I, s. 4. Fot. repr. J. Szandomirski
420. Pałac K. Zamoyskiego przy ul. Foksal 1/2/4. Fot. J. Szandomirski
421. Willa W.E. Raua w Al. Ujazdowskich 27. Fot. T. Hermańczyk
422. Pałac Karnickiego w Al. Ujazdowskich 39. Fot. J. Szandomirski
423. Dom Pod Gryfami przy pl. Trzech Krzyży 18. Fot. J. Szandomirski
424. Dom E. Wedla przy zbiegu ul. Szpitalnej i ul. Górskiego. Fot. J. Szandomirski
425. Kościół św. Floriana przy pl. Weteranów. Neg. IS PAN, fot. H. Poddębski
426. Gmach Towarzystwa Zachęty Sztuk Pięknych przy pl. Małachowskiego 3. Fot. E. Kupiecki
427. Filharmonia Narodowa przy ul. Jasnej 5. Repr. w: „Tygodnik Ilustrowany" 1902. Fot. repr. J. Noyszewski
428. Gmach Warszawskiego Towarzystwa Wioślarskiego przy ul. Foksal 19. Fot. T. Hermańczyk
429. Hotel „Bristol" przy ul. Krakowskie Przedmieście 42/44. Fot. E. Kupiecki
430. Gmach Towarzystwa Ubezpieczeń „Rosja" przy ul. Marszałkowskiej (obecnie nr 124). Reprodukcje ze starej fotografii. Neg. MHW, fot. repr. M. Szczawik
431. Kamienica w stylu zakopiańskim przy ul. Chmielnej 30. Fot. T. Hermańczyk
432. Wiadukt im. dra Stanisława Markiewicza na ul. Karowej. Fot. T. Hermańczyk
433. Dom firmy „Bracia Jabłkowscy". Repr. w: „Architekt" 1923. Neg. IS PAN
434. Kamienica u zbiegu Al. Jerozolimskich i ul. Poznańskiej. Fot. J. Szandomirski
435. Hale Targowe przy ul. Koszykowej 53. Fot. J. Szandomirski
436. Aleksander Gierymski, Piaskarze, olej, płótno. MNW. Neg. tamże
437. Józef Pankiewicz, Targ za Żelazną Bramą, olej, płótno. MNP. Neg. tamże, fot. L. Perz
438. Władysław Podkowiński, Nowy Świat, olej, płótno. MNW. Neg. tamże
439. Stanisław Lentz, Portret Mieczysława Frenkla, olej, płótno. MNW. Neg. tamże
440. Antoni Kurzawa, Projekt pomnika Adama Mickiewicza, brąz. MNW, Oddział Łazienki. Neg. tamże, fot. St. Sobkowicz
441. Bolesław Syrewicz, Popiersie Wojciecha Gersona, marmur. MNW, Oddział Łazienki. Neg. tamże, fot. J. Noyszewski

442. Apolinary Głowiński, „Władza", terakota. MNW, Oddział Łazienki. Fot. St. Sobkowicz
443. Rozbrajanie żołnierzy niemieckich na ulicach Warszawy w listopadzie 1918 r. Neg. MHW
444. Demonstracja Komunistycznej Partii Robotniczej Polski w Warszawie wiosną 1919 r. Neg. Centralne Archiwum KC PZPR
445. Prace przy rozbudowie elektrowni warszawskiej w 1925 r. Neg. Centralne Archiwum KC PZPR
446. Wiec pierwszomajowy Polskiej Partii Socjalistycznej na placu Teatralnym w Warszawie, 1925 r. Neg. Centralne Archiwum KC PZPR
447. Fragment II kolonii Warszawskiej Spółdzielni Mieszkaniowej na Żoliborzu. Neg. MHW
448. Kolonia Staszica przy ul. Topolowej w Warszawie, 1932 r. Neg. MHW, fot. H. Poddębski
449. Baraki schroniska dla bezdomnych na Annnopolu w Warszawie. Neg. MHW
450. Hala produkcyjna fabryki „Ursus" w Warszawie, 1929 r. Neg. MHW, fot. H. Poddębski
451. Roboty miejskie prowadzone w Warszawie w 1936 r. Neg. MHW, fot. H. Poddębski
452. Przedstawiciele środowisk twórczych w jednolitofrontowej demonstracji pierwszomajowej. Warszawa 1936 r. Neg. Centralne Archiwum KC PZPR
453. Artyści teatrów warszawskich w czasie uroczystych obchodów 125 rocznicy uchwalenia Konstytucji 3 maja. Rynek Starego Miasta, 3.V.1916 r. Fot. S. Wolski
454. Budynek szkoły powszechnej nr 59 na Okęciu w dniu nadania szkole imienia Franciszka Żwirki, 18.V.1933 r. Neg. ADM
455. Nowy gmach szkoły powszechnej przy ul. Barokowej 5, oddany do użytku 13.XII.1938 r. Neg. ADM
456. Gmach Państwowego Liceum i Gimnazjum im. Królowej Jadwigi przy pl. Trzech Krzyży, dawna pensja J. Sikorskiej, na której uczyła się Maria Skłodowska. Neg. ADM
457. Miejska szkoła rzemieślnicza. Neg. ADM
458. Inauguracja roku szkolnego 1937/1938. Orkiestra uczniów Gimnazjum W. Górskiego na Krakowskim Przedmieściu. Neg. ADM
459. Wypożyczalnia podręczników szkolnych prowadzona przez Zarząd Główny Polskiej Macierzy Szkolnej. Neg. CAF
460. Obserwatorium Astronomiczne w Warszawie. Na zdjęciu dr F. Kępiński, dyr. Kamiński oraz asystenci E. Rybka i W. Jędrzejewski, 1925 r. Neg. CAF
461. Otwarcie Instytutu Radowego w Warszawie, 29.V.1932 r. M. Skłodowska-Curie sadzi jedno z sześciu pamiątkowych drzew. Neg. MHW, fot. W. Pikiel
462. Biblioteka Związku Zawodowego Kolejarzy. Ekspedycja kompletów biblioteki ruchomej. Neg. ADM
463. Karykatura Władysława Daszewskiego przedstawiająca stałych bywalców „Ziemiańskiej". Na zdjęciu Bolesław Wieniawa-Długoszowski i skamandryci: Jan Lechoń, Julian Tuwim, Antoni Słonimski. Neg. MHW
464. Grupa autorów udzielająca w dn. 5 i 7.I.1933 r. autografów na swoich książkach w lokalu redakcji „Wiadomości Literackich": Tadeusz Boy-Żeleński, kompozytor Karol Szymanowski, Irena Krzywicka, Antoni Słonimski, Jerzy Wittlin i Jarosław Iwaszkiewicz. Neg. MHW
465. Poeci: Stanisław Ryszard Stande, Władysław Broniewski i Witold Wandurski. Neg. MHW
466. Grupa literacka Kwadryga na lampce wina w Fukiera na Rynku Starego Miasta, po wieczorze autorskim, który odbył się 5.XII.1930 r. w auli Uniwersytetu Warszawskiego. Stoją od lewej: Lucjan Szenwald, Stefan Flukowski, Stanisław Ryszard Dobrowolski, Stanisław Maria Saliński. Siedzą od lewej: Aleksander Maliszewski, Henryk Ładosz, Maria Bublewska, Andrzej Wolica, Zbigniew Uniłowski, Hanna Mortkowicz-Olczakowa, Jan Jakub Feldman, Maria Feldmanowa, Władysław Sebyła, Sabina Sebyłowa, Marian Piechal, Władysław Bieńkowski. Fot. Witold Dederko
467. Reklama anonsująca otwarcie nowego kabaretu w dniu 1.VIII.1935 r. Neg. ADM
468. Scena zbiorowa z „Opery za trzy grosze" Bertolta Brechta. Przedstawienie w Teatrze Polskim reżyserował Leon Schiller, oprawa scenograficzna Stanisława Śliwińskiego. Premiera 4.V.1929 r. Neg. MHW
469. Lucyna Messal i Władysław Szczawiński. Fot. L. Forbert. Neg. Muzeum Teatralne w Warszawie
470. Maria Malicka i Zbyszko Sawan w finale rewii „Hallo Malicka i Sawan", wystawionej w „Morskim Oku" 14.I.1931 r. Neg. ADM
471. Publiczność przed menażerią cyrkową, 1938 r. Neg. ADM
472. Przed wyjściem z kina „Apollo" przy ul. Marszałkowskiej 106, 1936 r. Neg. ADM
473. Stefek Rogalski i Tadzio Fijewski w filmie „Legion ulicy" reżyserii Aleksandra Forda. Film uzyskał w 1933 r. nagrodę czytelników tygodnika „Kino". Neg. MHW
474. Afisz anonsujący imprezę zorganizowaną przez Stowarzyszenie Miłośników Filmu Artystycznego „Start". Neg. MHW
475. Grupa kompozytorów i muzyków warszawskich. Siedzą od lewej: Ludomir Różycki, Karol Szymanowski, Emil Młynarski, Grzegorz Fitelberg i Roman Chojnacki. Neg. CAF
476. Fragment sali Filharmonii Warszawskiej podczas jednego z Międzynarodowych Konkursów Szopenowskich. Neg. MHW
477. Studio muzyczne Polskiego Radia w Warszawie, 1927 r. Neg. ADM
478. Kpt. J. Bajan i mechanik G. Pokrzywka, zdobywcy I miejsca w challenge'u – międzynarodowych zawodach samolotów sportowych – na samolocie RWD-9 polskiej konstrukcji. Lotnisko Mokotowskie, 15.X.1934 r. Neg. ADM
479. Domy przy ul. Wyspiańskiego. Fot. J. Szandomirski
480. Państwowy Bank Rolny przy ul. Nowogrodzkiej 50. Obecnie Oddział Narodowego Banku Polskiego. Fot. E. Kupiecki
481. Gmach Zakładów Doświadczalnych Wyższej Szkoły Handlowej przy ul. Rakowieckiej 24. Obecnie Szkoła Główna Planowania i Statystyki. Fot. E. Kupiecki
482. Kolonia WSM na Żoliborzu przy ul. Suzina. Fot. E. Kupiecki
483. Ministerstwo Komunikacji przy ul. Chałubińskiego 4. Obecnie Oddział Narodowego Banku Polskiego. Fot. T. Hermańczyk
484. Ministerstwo Spraw Zagranicznych. Pawilon dobudowany do pałacu Brühla. Widok od ul. Fredry. Fot. sprzed 1939 r. Neg. MNW
485. Dom E. Wedla przy ul. Puławskiej 26. Fot. J. Szandomirski
486. Akademia Wychowania Fizycznego na Bielanach. Neg. IS PAN, fot. H. Poddębski
487. Wacław Borowski, Dziewczyna z tulipanem, 1921, olej, płótno. Wł. rodziny. Neg. MNW
488. Henryk Berlewi, Kontrasty mechano-fakturowe, 1923, gwasz. Musée d'Art Moderne, Paryż. Neg. IS PAN
489. Henryk Stażewski, Kompozycja, 1926, olej, płótno. Repr. w: „Praesens" 1926, nr 1, s. 17. Neg. IS PAN
490. Romuald Kamil Witkowski, Martwa natura, 1928, olej, płótno. Fot. sprzed 1939 r. Neg. MNW
491. Tytus Czyżewski, Tania, ok.1930, olej, płótno. MNW. Neg. tamże
492. Tadeusz Pruszkowski, Portret malarza, 1931, olej, płótno. Fot. z Salonu Zimowego Instytutu Propagandy Sztuki 1931/1932. Neg. MNW
493. Bolesław Cybis, Portret starej kobiety, 1926, olej, płótno. Fot. sprzed 1939 r. Neg. MNW
494. Menasze Seidenbeutel, Martwa natura, 1930, olej, płótno. Muzeum Sztuki w Łodzi. Neg. MNW
495. Włodzimierz Bartoszewicz, Spacer przez pole, 1934, olej, płótno. Fot. sprzed 1939 r. Neg. IS PAN, fot. Cz. Olszewski
496. Eugeniusz Arct, Ulica Nadrzeczna w Kazimierzu, 1936, olej, płótno. Fot. sprzed 1939 r. Neg. IS PAN

497. Maria Ewa Łunkiewicz, Tory kolejowe, 1934, olej, płótno. Fot. z V Salonu Zimowego Instytutu Propagandy Sztuki, 1935. Neg. MNW
498. Felicjan Szczęsny Kowarski, Rząd Narodowy, 1937, olej, płótno. MNW. Neg. IS PAN
499. Franciszek Józef Bartoszek, Kuźnia, 1937, olej, płótno. MNW. Neg. IS PAN, fot. K. Zakrzewska
500. Władysław Skoczylas, Dziewczęta z koszami ziemniaków, 1928, drzeworyt. Neg. MNW
501. Tadeusz Kulisiewicz, Mędrzec z Arles, 1934, drzeworyt. Neg. IS PAN, fot. S. Deptuszewski
502. Tadeusz Cieślewski (syn), Ulica Freta, drzeworyt. Neg. IS PAN, fot. Cz. Olszewski
503. Bogna Krasnodębska-Gardowska, Powrót z lasu, 1935, drzeworyt. Neg. MNW
504. Stanisław Ostoja-Chrostowski, I Międzynarodowa Wystawa Drzeworytów, 1933, plakat. Neg. IS PAN
505. Tadeusz Gronowski, Challenge Gordon Bennetta, 1934, plakat. Neg. IS PAN, fot. W. Wolny
506. Alfons Karny, Noakowski, 1929, brąz. MNW. Neg. tamże
507. Tadeusz Breyer, Pomnik gen. J. Sowińskiego na Woli, 1931–1937, brąz. Neg. IS PAN, fot. H. Poddębski
508. Henryk Kuna, Rytm, 1924, brąz. Park Skaryszewski. Neg. IS PAN, fot. K. Zakrzewska
509. Franciszek Strynkiewicz, Portret córki, 1930, brąz. MNW. Neg. tamże
510. Wystawa Spółdzielni „Ład" na Powszechnej Wystawie Krajowej w Poznaniu, fragment. Arch. Przemysław Kocowski, 1929. Neg. IS PAN, fot. L.Ulatowski
511. Salon Pokazowy Elektrowni Miejskiej, fragment hallu. Warszawa, ul. Marszałkowska 150. Architekci: Jadwiga i Janusz Ostrowscy, Zygmunt Stępiński. Lata trzydzieste. Neg. IS PAN, fot. Cz. Olszewski
512. Bombowce hitlerowskie nad Warszawą we wrześniu 1939 r. Neg. CAF
513. Gen. Walerian Czuma, dowódca obrony Warszawy. Neg. MHW
514. Stefan Starzyński, prezydent miasta, komisarz cywilny przy Dowództwie Obrony Warszawy. Neg. MHW, fot. M. Kietlińska
515. Kopanie rowów przeciwlotniczych i zaporowych na ul. Zygmuntowskiej na Pradze (zdjęcie z kroniki Bryana). Neg. Centralne Archiwum KC PZPR
516. Ulica Marszałkowska bez płyt chodnikowych wyjętych do budowy barykady. Z lewej szyba wystawowa oklejona w charakterystyczny sposób paskami papieru w celu zabezpieczenia przed wybuchami. Neg. Centralne Archiwum KC PZPR
517. Obsługa przeciwlotniczego karabinu maszynowego u zbiegu ul. Chmielnej i Marszałkowskiej w pobliżu dworca. Neg. WAF
518. Zamek warszawski spalony 17 września 1939 r. Neg. Centralne Archiwum KC PZPR
519. Gen. Juliusz Rómmel, dowódca armii „Łódź" w czasie kampanii wrześniowej, a następnie armii „Warszawa" podczas oblężenia stolicy. Neg. MHW
520. Kazimierz Maj, Czesław Wycech, Teofil Wojeński, Wacław Tułodziecki, członkowie kierownictwa Tajnej Organizacji Nauczycielskiej (TON), powstałej w końcu października 1939 r. Neg. Archiwum Fotograficzne Zakładu Historii Ruchu Ludowego
521. Riksze – nowy środek lokomocji. Neg. Centralne Archiwum KC PZPR
522. Targowisko na placu Za Żelazną Bramą w dniu 3.XI.1940 r. Neg. MHW
523. Generał Stefan Grot-Rowecki, komendant główny Związku Walki Zbrojnej, następnie Armii Krajowej. Aresztowany w czerwcu 1943 r., przy ul. Spiskiej 14 w Warszawie, został zamordowany w sierpniu 1944 r. w Sachsenhausen. Neg. MHW
524. Marceli Nowotko, pierwszy sekretarz Komitetu Centralnego Polskiej Partii Robotniczej. Neg. Archiwum Centralne KC PZPR
525. Włodzimierz Dąbrowski, pseudonim „Wujek", pierwszy sekretarz organizacji warszawskiej Polskiej Partii Robotniczej. Neg. Centralne Archiwum KC PZPR
526. Franciszek Zubrzycki, pseudonim „Mały", student Politechniki Warszawskiej, dowódca pierwszego oddziału partyzanckiego Gwardii Ludowej, który wyszedł 10.V.1942 r. z Warszawy w lasy piotrkowskie. Neg. Centralne Archiwum KC PZPR
527. Winieta jednego z konspiracyjnych wydawnictw literackich „Pieśń niepodległa. Poezja czasu wojny". Książkę ułożył i przypisami opatrzył ks. J. Robak [pseud.]. Warszawa 1942. Oficyna Polska, Muzeum Literatury, Warszawa. Fot. E. Pawlak
528. Omnibus konny uruchomiony z inicjatywy prywatnej w getcie warszawskim w 1941 r. łączył getto z małym gettem, zwanym „chata za wsią". Neg. MHW
529. Dzieci padłe z głodu na ulicach getta. Neg. MHW
530. Rewizja dokonywana przez gestapowców. Neg. Centralne Archiwum KC PZPR
531. Janusz Korczak („Henryk Goldschmidt"), pisarz, pedagog, zamordowany w Treblince w sierpniu 1942 r., razem z dziećmi powierzonymi jego opiece. Neg. Centralne Archiwum KC PZPR
532. Ludność cywilna podczas likwidacji getta warszawskiego, kwiecień 1943 r. Zdjęcie pochodzi z albumu ofiarowanego Hitlerowi przez J. Stroopa, dowódcę wojsk niemieckich tłumiących powstanie w getcie. Neg. MHW
533. Krzysztof Kamil Baczyński, pseudonim „Jan Bugaj". Najwybitniejszy z poetów młodego pokolenia w latach okupacji. Zginął w pierwszych dniach powstania na pl. Teatralnym. Neg. CAF
534. Tablica poświęcona poległym poetom żołnierzom Polski Podziemnej, umieszczona w gmachu Polonicum Uniwersytetu Warszawskiego. Fot. J. Szandomirski
535. Powieszeni w Rembertowie. Neg. WAF
536. Inż. Zbigniew Lewandowski, pseudonim „Szyna", szef konspiracyjnego Biura Badań Technicznych (BBT 1940–1944), zatrudniającego ok. 30 specjalistów. Była to unikalna placówka badawczo-dywersyjna w skali europejskiej. Do wybuchu powstania wyprodukowano przy współpracy Biura ok. 110 tysięcy sztuk granatów. Inż. „Szyna" był organizatorem akcji „Wieniec" i uczestnikiem wielu innych akcji bojowych, redaktorem konspiracyjnego pisma „Saper" oraz autorem wielu podręczników i instrukcji dywersyjnych wydanych w latach 1942–1944. Neg. MHW
537. Jeden z napisów na ulicach Warszawy, namalowany w ramach akcji małego sabotażu. Neg. MHW
538. Tajna drukarnia. Neg. MHW
539. Łapanka na ulicach Warszawy. Neg. WAF
540. Hanna Szapiro-Sawicka, współorganizatorka i pierwsza przewodnicząca Związku Walki Młodych. Zmarła z ran odniesionych w walce ulicznej w dn. 18.III.1943 r. na ul. Mostowej. Neg. Centralne Archiwum KC PZPR
541. Jan Bytnar, pseudonim „Rudy", student Szkoły im. Wawelberga, komendant hufca Kedywu „SAD" (sabotaż i dywersja). Aresztowany z ojcem został odbity wraz z grupą więźniów w akcji „Pod Arsenałem" podczas przewożenia z alei Szucha na Pawiak. Zmarł w cztery dni później 30.III.1943 r. wskutek tortur zadanych podczas przesłuchań w siedzibie gestapo. Neg. MHW
542. Cela więzienna w siedzibie gestapo w alei Szucha (obecnie I Armii WP), zwana tramwajem. Neg. MHW
543. Mordechaj Anielewicz, pseudonim „Aniołek", inicjator powstania w getcie warszawskim, przywódca Żydowskiej Organizacji Bojowej. Zginął w walce 8.V.1943 r. Neg. MHW
544. Franciszek Bartoszek, pseudonim „Jacek", artysta malarz. W czasie okupacji dowódca Spec-Grupy Gwardii Ludowej w Warszawie, uczestnik akcji na KKO, PWP, dywersji kolejowej, likwidacji hitlerowców i pomocy walczącemu gettu. Zginął podczas akcji zbrojnej 14.V.1943 r. na Krakowskim Przedmieściu. Neg. Centralne Archiwum KC PZPR
545. Stanisław Skrypij, pseudonim „Sylwester", student Wydziału Architektury Politechniki Warszawskiej.

W latach okupacji instruktor wyszkolenia bojowego i dowódca Gwardii Ludowej, uczestnik akcji na Café Club i KKO. Rozstrzelany na Pawiaku 29.V.1943 r. Neg. Centralne Archiwum KC PZPR

546. Pierwsze wydanie książki Aleksandra Kamińskiego (pseudonim „Jan Górecki") „Kamienie na szaniec" [Warszawa, lipiec 1943], poświęconej walce młodzieży warszawskiej z Szarych Szeregów i bohaterom akcji „Pod Arsenałem". Neg. MHW, fot. J. Ogrodowicz

547. Teren fabryki „Lilpop, Rau i Loewenstein" przy ul. Ordona, gdzie porzucono samochód ciężarowy po wyładowaniu pieniędzy zdobytych w akcji „Góral". Z lewej inicjator i organizator akcji płk Emil Kumor. Neg. MHW

548. Jan Krasicki, pseudonim „Kazik", drugi przewodniczący ZMW. Zabity 2.IX.1943 r. w Warszawie. Neg. Centralne Archiwum KC PZPR

549. Bronisław Pietraszewicz, pseudonim „Lot", dowódca akcji na Kutscherę, przeprowadzonej przez żołnierzy AK w dn. 1.II.1944 r. Ciężko ranny w czasie akcji zmarł w szpitalu Maltańskim. Neg. MHW

550. Kazimierz Przybył „Stalski", współorganizator PPR na Pradze, uczestnik powstania warszawskiego, przewodniczący Warszawskiej Rady Narodowej. Neg. Centralne Archiwum KC PZPR

551. Warszawski Nowy Rok 1944. Kukła Hitlera powieszona na placu Trzech Krzyży z napisem: Powieszony o godz. 13⁰⁵, skonał o 14⁰⁵. Neg. Centralne Archiwum KC PZPR

552. Tajny młodzieżowy zespół teatralny. Na zdjęciu H. Zielińska i A. Łapicki w „Posażnej jedynaczce" Fredry-syna, Warszawa 1941 r. Zbiory S. Bugajskiego. Neg. IS PAN, fot. T. Kazimierski

553. Warszawscy bukiniści na rogu ul. Królewskiej i ul. Granicznej, czerwiec 1944 r. Fot. S. Bałuk, zbiory prywatne

554. Demontaż warszawskich pomników. Fragment pomnika Chopina na wagonie kolejowym podczas wywózki. Neg. MHW

555. Rabunek i wywóz dzieł sztuki z gmachu Zachęty, lipiec 1944 r. Fot. S. Bałuk, zbiory prywatne. Neg. Centralne Archiwum KC PZPR

556. Obrona Elektrowni Warszawskiej na Powiślu. Neg. MHW, fot. T. Bukowski, zbiory prywatne.

557. Stanowisko powstańcze w gmachu Poczty Głównej na pl. Napoleona (obecnie plac Powstańców Warszawy). Fot. E. Lokajski, zbiory prywatne

558. Gmach PAST-y przy ul. Zielnej zdobyty przez powstańców. Fot. E. Lokajski, zbiory prywatne

559. Plakat z powstania warszawskiego. Neg. Centralne Archiwum KC PZPR

560. Oddział powstańczy na podwórzu między ul. Czackiego i ul. Mazowiecką, 4.IX.1944 r. Fot. W. Chrzanowski, zbiory prywatne. Neg. MHW

561. Dziecko zagubione wśród ruin płonącej Warszawy, sierpień 1944 r. Zdjęcie niemieckie. Neg. MHW

562. Odwrót oddziałów powstańczych z Woli na Stare Miasto. Ewakuacja szpitala w dn. 7.VIII.1944 r. Neg. Centralne Archiwum KC PZPR

563. Wojsko Polskie walczące w składzie I Frontu Białoruskiego na przedpolach Pragi we wrześniu 1944 r. Neg. CAF

564. Panorama Starego Miasta po powstaniu, 1944 r. Fot. M. Świerczyński

565. Warschau – nowe miasto niemieckie według tzw. planu Pabsta z 6.II.1940 r., opracowanego przez zespół urbanistów hitlerowskich. Warszawa, miasto ponad milionowe miało być wyburzone, a na jego miejscu miało powstać miasto niemieckie dla 100–130 tysięcy mieszkańców. Neg. MHW

566. Bezludne ruiny. Fot. L. Sempoliński

567. Warta honorowa przy zburzonej kolumnie Zygmunta. Neg. CAF

568. Powrót na ruiny. Neg. CAF

569. Odgruzowywanie. Neg. CAF

570. Odbudowany most Poniatowskiego. Fot. E. Kupiecki

571. Osiedle Warszawskiej Spółdzielni Mieszkaniowej na Mokotowie. Fot. E. Kupiecki

572. Osiedle na Mariensztacie. Fot. E. Kupiecki

573. Trasa W-Z. Fot. E. Kupiecki

574. Rynek Starego Miasta – ruiny. Neg. CAF

575. Rynek Starego Miasta po odbudowie. 1970 r. Neg. CAF, fot. M. Sokołowski

576. Ulica Piwna – ruiny. Neg. MHW, fot. L. Sempoliński

577. Ulica Piwna – odbudowana. Fot. E. Pawlak

578. Ulica Nowy Świat. Fot. E. Kupiecki

579. Dom Partii. Fot. E. Kupiecki

580. Osiedle Praga II. Fot. E. Kupiecki

581. Osiedle Latawiec. Neg. CAF, fot. H. Grzęda

582. Plac Konstytucji. Fot. E. Kupiecki

583. Pałac Kultury i Nauki. Fot. E. Kupiecki

584. Stadion Dziesięciolecia. Neg. CAF, fot. D. Kwiatkowski

585. Osiedle Wierzbno. Fot. E. Kupiecki

586. Osiedle Sady Żoliborskie. Fot. Z. Siemaszko

587. Osiedle Za Żelazną Bramą. Neg. CAF, fot. A. Urbanek

588. Dworzec Śródmieście – perony. Neg. CAF, fot. E. Uchymiak

589. Supersam, ul. Puławska 2. Fot. E. Kupiecki

590. Pomnik Nike na tle Opery. Fot. E. Hartwig

591. Międzynarodowy Port Lotniczy Okęcie, wnętrze hali. Neg. CAF, fot. Dąbrowiecki

592. Pasaż Śródmiejski. Fot. E. Kupiecki

593. Strona Wschodnia ul. Marszałkowskiej. Neg. CAF, fot. St. Czarnogórski

594. Plac Zamkowy – ruiny. Fot. A. Funkiewicz

595. Plac Zamkowy, 1977 r. Fot. E. Kupiecki

596. Makieta Zachodniego Rejonu Centrum

597. Wieżowiec Banku Handlowego. Fot. J. Szandomirski

598. Trasa Łazienkowska. Neg. CAF, fot. D. Gładysz

599. Dworzec Centralny – perony. Fot. J. Hattowski

600. Osiedle Służew nad Dolinką. Fot. E. Hartwig

601. Osiedle Ursynów Południowy. Neg. P.A. Interpress, fot. J. Morek

602. Makieta Warszawskiego Zespołu Nauki

603. Plan perspektywiczny zagospodarowania przestrzennego aglomeracji warszawskiej, r. 1978

604. Defilada I Armii Wojska Polskiego w wyzwolonej Warszawie w dniu 19.I.1945 r. W tle ruiny Dworca Głównego. Neg. CAF

605. Powroty, 1945 r. Neg. CAF

606. Tramwaj linii „10", uruchomiony na trasie od pl. Zbawiciela przez Marszałkowską do zajezdni przy ul. Młynarskiej. Neg. CAF, fot. St. Dąbrowiecki

607. Dzieci przedszkolne na spacerze. Neg. CAF

608. Rewindykowane tramwaje w Warszawie, 1945 r. Neg. CAF

609. Wypalony dawny pałac przy ul. Nowy Świat 26. Fot. L. Sempoliński

610. Wiec ludności warszawskiej na pl. Teatralnym w dn. 9.V.1945 r. z okazji zakończenia II wojny światowej.

W tle ruiny ratusza. Neg. CAF

611. Rewindykowane skrzynie z zabytkami muzealnymi w hallu Muzeum Narodowego, sierpień 1945 r. Na ścianie widoczny emblemat wystawy „Warszawa oskarża", otwartej w maju tegoż roku. Neg. MNW
612. Żołnierze polscy wracający z Francji. Kolumna na pl. Trzech Krzyży, 1945 r. Neg. CAF
613. Zawodnicy „Polonii" po meczu, wrzesień 1945 r. Neg. CAF
614. Scena z „Lilli Wenedy" Słowackiego w Teatrze Polskim, 1946 r. Na zdjęciu Elżbieta Barszczewska i Wojciech Brydziński. Neg. CAF
615. Artysta malarz Tadeusz Cieślewski szkicujący u wylotu ul. Nowomiejskiej ruiny Starego Miasta. Z prawej fragment kamienicy książąt mazowieckich na rogu Rynku Starego Miasta i ul. Wąski Dunaj. Neg. MHW, fot. L. Jabrzemski
616. Handel na ul. Bagno, 1947 r. Neg. CAF
617. Aula Politechniki Warszawskiej podczas Kongresu Zjednoczeniowego PPR i PPS, grudzień 1948 r. Neg. CAF
618. Pomnik Adama Mickiewicza, wysadzony w powietrze w grudniu 1944 r., odtworzony przez J. Szczepkowskiego i J. Trenarowskiego, ponownie ustawiony na Krakowskim Przedmieściu 20.I.1950 r. Neg. CAF
619. Sala obrad Światowego Kongresu Obrońców Pokoju (16–21.XI.1950) w nowo oddanym do użytku Domu Słowa Polskiego. Podczas obrad Kongresu – Światowa Rada Pokoju przyznała Warszawie nagrodę za wkład w pokojową odbudowę. Neg. CAF
620. Siedziba Urzędu m.st. Warszawa na pl. Dzierżyńskiego w zabytkowym zespole budowli Corazziego, odbudowanym i oddanym do użytku 22.VII.1951 r. Fot. E. Kupiecki
621. Otwarcie V Światowego Festiwalu Młodzieży i Studentów na Stadionie Dziesięciolecia w dniu 21.VII.1955 r. Neg. CAF
622. Fragment Sali Kongresowej w Pałacu Kultury i Nauki, przekazanym Warszawie w 1955 r. jako dar narodów Związku Radzieckiego
623. Widok panoramiczny Warszawy od strony placu Teatralnego w kierunku alei Gen. Świerczewskiego (odcinek na zachód od wylotu tunelu Trasy W-Z). W tle zabudowa Starego Miasta. Neg. CAF
624. Huta Warszawa w Młocinach, widok ogólny. Neg. CAF
625. Hala montażowa w Fabryce Samochodów Osobowych na Żeraniu. Neg. CAF
626. Zakłady Przemysłu Farmaceutycznego „Polfa" w Tarchominie, hala produkcyjna. Neg. CAF
627. Montaż radioodbiorników w Zakładach Radiowych im. Marcina Kasprzaka. Neg. CAF
628. Fabryka domów na Służewcu. Fot. D. Błaszczyk
629. Al. Jerozolimskie na wysokości ul. Kruczej i Brackiej w końcu lat pięćdziesiątych. Fot. Z. Siemaszko
630. Felicjan Kowarski, Elektra, 1947, olej, płótno. MNW. Neg. tamże
631. Tadeusz Kulisiewicz, rysunek z cyklu „Warszawa 1945". MNW. Fot. Z. Tomaszewska
632. Bohdan Urbanowicz, Cześć bohaterom z Grammos, 1950, olej, płótno. MNW. Neg. tamże
633. Bronisław Linke, Egzekucja w ruinach getta, z cyklu „Kamienie krzyczą", 1946, gwasz, akwarela. Muzeum Historii Polskiego Ruchu Rewolucyjnego. Neg. tamże
634. Artur Nacht-Samborski, Martwa natura ze storczykiem, 1946, olej, płótno. MNP. Neg. tamże, fot. L. Perz i F. Maćkowiak
635. Jan Cybis, Martwa natura z butelką, 1948, olej, płótno. MNW. Neg. tamże
636. Eugeniusz Eibisch, Portret żony, 1956, olej, płótno. MNP. Neg. tamże, fot. L. Perz i F. Maćkowiak
637. Jerzy Wolff, Zima I, 1963, olej, płótno. MNW. Neg. tamże
638. Henryk Stażewski, Relief IX, 1969, olej, płyta spilśniona. MNW. Neg. tamże
639. Ryszard Winiarski, Obszar IV, 1967, akryl, płótno. MNW. Neg. tamże
640. Marian Bogusz, Srebrna przestrzeń, 1976, aluminium, akryl. Ministerstwo Kultury i Sztuki. Fot. M. Holzman
641. Stefan Gierowski, Obraz CC, 1960, olej, płótno. MNW. Fot. M. Holzman
642. Jerzy Stajuda, Anachoreta, 1961, olej, płótno. Wł. prywatna, Warszawa. Neg. IS PAN, fot. J. Chodyna
643. Tadeusz Dominik, Kompozycja, 1967, liquitex, płótno. MNW. Neg. tamże
644. Zbigniew Makowski, Żywot, sen i cień, 1971, olej, płótno. Muzeum im. L. Wyczółkowskiego w Bydgoszczy. Fot. M. Holzman
645. Jerzy Tchórzewski, Gorący świat, 1975, akryl, olej, płótno. Ministerstwo Kultury i Sztuki. Fot. J. Sergo Kuruszwili
646. Rajmund Ziemski, Pejzaż 78/63, 1963, olej, płótno. MNW. Neg. tamże
647. Alfred Lenica, Chile, Chile, fragment tryptyku, 1974, olej, płótno. Wł. prywatna. Neg. IS PAN, fot. J. Chodyna
648. Jerzy Jarnuszkiewicz, Projekt pomnika I Armii Wojska Polskiego, 1959, metal. MNK. Neg. IS PAN, fot. K. Zakrzewska
649. Magdalena Więcek, Puls, 1969, brąz, serpentyn. MNW. Fot. Z. Tomaszewska
650. Wiktor Gajda, Pan Józef Gąsowski, 1975, brąz. Fot. A. Pietrzak-Bartoś
651. Adolf Ryszka, Plakieta, 1970, brąz. Wł. autora
652. Alina Szapocznikow, Tumeurs personifiés = 1–5/, 1970 (17 „głów") environment, żywica syntetyczna, żużel. Wł. Roman Cieślewicz, Paryż. Fot. J. Sabara
653. Olgierd Truszyński, Kobieton lecąc, 1968, drewno, technika specjalna. MNW. Fot. Harry Weinberg i Marek Czudowski
654. Magdalena Abakanowicz, Czarne ubrania, 1972–1975, tkanina sizalowa i materiał jutowy. Wł. autorki. Fot. J. Nordahl
655. Józef Szajna, Replika, scena zbiorowa, 1973. Fot. W. Plewiński
656. Tadeusz Trepkowski, Ostatni etap, 1948. Muzeum Plakatu w Wilanowie. Neg. tamże
657. Henryk Tomaszewski, Rok Chopinowski 1949, 1948. Muzeum Plakatu w Wilanowie. Neg. tamże
658. Wojciech Fangor, Maclovia, 1955. Muzeum Plakatu w Wilanowie. Neg. tamże
659. Jan Lenica, Rio Escondido, 1955. Muzeum Plakatu w Wilanowie. Neg. tamże
660. Czytelnia w Bibliotece Publicznej m. st. Warszawa przy ul. Koszykowej. Fot. K. Niecz
661. Widownia Teatru Wielkiego. Fot. A. Zborski
662. „Niemcy" Leona Kruczkowskiego. Reż. Janusz Warmiński, Teatr Ateneum, 1967. Fot. E. Hartwig
663. „Fantazy" Juliusza Słowackiego. Reż. Gustaw Holoubek. Teatr Telewizji, 1971. Fot. M. Holzman
664. Kompozytor Witold Lutosławski i brytyjski tenor Peter Pears na koncercie w Filharmonii Narodowej, zorganizowanym z okazji Międzynarodowego Festiwalu Muzyki Współczesnej „Warszawska Jesień". Neg. CAF, fot. T. Zagoździński
665. Sala koncertowa w nowoczesnym gmachu Państwowej Wyższej Szkoły Muzycznej. Fot. Z. Siemaszko
666. Kino Relax. Neg. CAF, fot. T. Zagoździński
667. Muzeum Plakatu w Wilanowie. Fot. E. Kupiecki
668. Państwowy Zespół Pieśni i Tańca „Mazowsze". Neg. CAF, fot. M. Sokołowski

ILUSTRACJE BARWNE

I. Portret Stanisława, Janusza i Anny – ostatnich książąt mazowieckich, malarz nie określony, 1. poł. XVII w., kopia portretu z XVI w. MNW, depozyt w MHW. Fot. T. Żółtowska-Huszcza

II. Mury Starego Miasta. Fot. St. Jabłońska

III. Pieczęć miasta Stara Warszawa przy dokumencie z 1614 r. AGAD. Fot. Z. Kamykowski

IV. Widok Warszawy z końca XVI w. Wg rys. Jakuba Hofnagela ryt. Abraham Hogenberg. MHW. Fot. T. Żółtowska-Huszcza

V. Portret Zygmunta III, malarz nie określony, 1. poł. XVII w. MNW, Oddział w Wilanowie. Fot. M. Sielewicz

VI. Zamek Królewski na placu Zamkowym. Fot. K. Jabłoński

VII. Portret Jana III, Jerzy Eleuter Szymonowicz-Siemiginowski, po 1683 r. MNW, Oddział w Wilanowie. Fot. M. Sielewicz

VIII. Wilanów. Widok pałacu od strony ogrodu. Fot. St. Jabłońska

IX. Elekcja Augusta II na Woli, Marco Alessandrini, 1703 r. MNW. Fot. T. Żółtowska-Huszcza

X. Portret Franciszka Bielińskiego, malarz nie określony, poł. XVIII w. MHW. Fot. Z. Żółtowska-Huszcza

XI. Stanisław August w kapeluszu z piórami, Marcello Bacciarelli, po 1780 r. MNW. Fot. T. Żółtowska-Huszcza

XII. Pałac Na Wyspie i teatr w Łazienkach. Fot. W. Stasiak

XIII. Krakowskie Przedmieście w stronę kolumny Zygmunta III i Bramy Krakowskiej, 1774 r., Bernardo Bellotto zw. Canaletto. MNW. Fot. Z. Kamykowski

XIV. Portret Jana Dekerta, Ksawery Jan Kaniewski, 1. poł. XIX w. MNW. Fot. T. Żółtowska-Huszcza

XV. Portret ks. Józefa Poniatowskiego, kopia obrazu Fr. Paderewskiego. MNW. Fot. T. Żółtowska-Huszcza

XVI. Zdobycie Arsenału, Marcin Zaleski, 1830 r. MNW, depozyt w MHW. Fot. T. Żółtowska-Huszcza

XVII. Plac Bankowy, Wincenty Kasprzycki, 1833 r. MHW. Fot. T. Żółtowska-Huszcza

XVIII. Warsztaty Żeglugi Parowej na Solcu, Kazimierz Eliasz Galli, 1856 r. MHW. Fot. T. Żółtowska-Huszcza

XIX. Zamach na hr. Berga, kopia współczesna obrazu Adolfa Charlemagne, XIX w. MHW. Fot. T. Żółtowska-Huszcza

XX. Wiosna 1906 r., Stanisław Masłowski, 1906 r. MHW. Fot. T. Żółtowska-Huszcza

XXI. Strajk, Stanisław Lentz, 1910 r. MHW. Fot. T. Żółtowska-Huszcza

XXII. Warszawa w latach okupacji pruskiej, Stanisław Bagieński, 1921 r. MHW. Fot. T. Żółtowska-Huszcza

XXIII. Plac Trzech Krzyży, Mieczysław Trzciński, 1931 r. MHW. Fot. T. Żółtowska-Huszcza

XXIV. Trasa W–Z. P.A. Interpress, fot. L. Łożyński

XXV. Rynek Starego Miasta. P.A. Interpress, fot. J. Hausbrandt

XXVI. Sejm Ustawodawczy PRL, fragment zespołu gmachów. Fot. K. Jabłoński

XXVII. Osiedle Sady Żoliborskie. P.A. Interpress, fot. J. Morek

XXVIII. Teatr Wielki. P.A. Interpress, fot. J. Morek

XXIX. Ściana Wschodnia. Fot. E. Hartwig

XXX. Trasa Łazienkowska. Fot. K. Jabłoński

XXXI. Dworzec Centralny. Fot. E. Hartwig

XXXII. Panorama Warszawy widziana z Pragi. Fot. K. Jabłoński

Obwoluta: Herb miasta Starej Warszawy, 1799 r. Fragment ozdobnej karty tytułowej księgi „Regestr albo lydzba s pienyendzy..."

I wyklejka: Stare Miasto po odbudowie. Widok z lotu ptaka. Fot. E. Kupiecki

II wyklejka: Trasa Łazienkowska. Widok z lotu ptaka. Neg. CAF, fot. D. Gładysz

Skróty stosowane w spisie ilustracji

ADM   – Archiwum Dokumentacji Mechanicznej
AGAD – Archiwum Główne Akt Dawnych
APW   – Archiwum Państwowe m. st. Warszawy
BUW   – Biblioteka Uniwersytetu Warszawskiego
CAF   – Centralna Agencja Fotograficzna
IS PAN – Instytut Sztuki Polskiej Akademii Nauk
MHW   – Muzeum Historyczne m. st. Warszawy
MNK   – Muzeum Narodowe w Krakowie
MNP   – Muzeum Narodowe w Poznaniu
MNW   – Muzeum Narodowe w Warszawie
WAF   – Wojskowa Agencja Fotograficzna

Wyboru ilustracji dokonali autorzy książki z uzupełnieniami Moniki Kretschmerowej („Społeczeństwo i kultura w latach 1720–1795") i Emilii Boreckiej („Lata wojny 1939–1945", „Warszawa w latach odbudowy 1944–1955", „Przemiany gospodarcze i społeczne po planie sześcioletnim").

INDEKS

Numery ilustracji czarno-białych podane są kursywą, cyfry rzymskie oznaczają ilustracje wielobarwne.

Abakanowicz Magdalena 615, 616, *654*
Abdul Hamid I 249
Abraham Władysław 487
Abramowicz Ignacy 345, 347
Acciardi Tommaso 289
Ackerman Konrad 187
Adam, malarz 74, 92
Adam, piszczek 54
Adamczewska Hanna 548
„Adria" 503
Adwentowicz Karol 451
Aerschen Arend 95
Affaita Izydor 131
Aigner Chrystian Piotr 203, 204, 217, 220, 225, 276, 278–280, 282, 285, 286, 291, 294, 296, 297, *299–302*
Akademia Duchowna 341
– Lekarska 277
– Medyczna 546
– Medyczno-Chirurgiczna 340, 350, 351, 353
– Nauk 214, 224
– Nauk Politycznych 572
– Rolnicza 546
– Stomatologiczna 441, 572
– Sztabu Generalnego 441
– Sztuk Pięknych za Stanisława Augusta 225, 240
– Sztuk Pięknych 340–343, 351, 352, 404, 408–412, 434, 463, 467, 471–474, 476–478, 481, 504, 531, 572, 597, 620, 622, *367*
– Sztuk Plastycznych, patrz Akademia Sztuk Pięknych
– Wychowania Fizycznego 441, 572, *486*
Albert Warszawianin 108
Albertrandy Jan Chrzciciel 177, 260, 276, 287
Albrecht Janusz, pseud. „Wojciech" 495
Albrecht Jerzy, pseud. „Jureczek" 498, 577
Al. I Armii Wojska Polskiego 335, 463, 492, 495, 496, 500, 502, 504, 508, 511, *541, 542*
– Gwardii 165, 201, 296
– Jerozolimskie 118, 293, 298, 314, 315, 318, 322, 326, 330–332, 336, 338, 360, 362, 367, 370, 379, 390, 400, 463, 495, 507, 512, 520, 529, 531, 532, 538, 547, 549, 555, 557, *395, 403, 414, 434, 629*
– Niepodległości 463, 501, 505, 507
– Róż 360, 393
– Sobieskiego 556
– Szucha, patrz I Armii Wojska Polskiego
– gen. Świerczewskiego 367, 547, *623*
– Ujazdowskie 200, 282, 296, 298, 309, 318, 326, 332, 337, 338, 361, 362, 390, 392, 393, 399, 402, 403, 489, 492, 496, 504, 507, 511, 531, *421, 422*

– Waryńskiego 547
– Wilanowska 546
– Wolska 164
– Żwirki i Wigury 463, 546
Aleksander, burmistrz 34
Aleksander I, car 263, 272, 294, 316
Aleksander II, car 322, 350, 353
Aleksandrów 322
Alessandrini Marco *IX*
Alexandrini Mikołaj 91
Algardi Alessandro 102
Altomonte Marcin 159
Amadio Giuseppe 215
Ambrozio Bartłomiej 74
– Piotr 74
Amfiteatr 213
Amman Hans 107
– Konrad 107
Amoreti, kupiec 124
Amsterdam 165, 459, 529
Anczyc Władysław Ludwik 345, 350
Andreani Jan Chrzciciel 96
Andriolli Elwiro 404
Androsiuk Jerzy 560
Andrycz Nina 451
Andrzej, wójt 32
Andrzej z Kobylina 53
Andrzejewski Adam 568
Anerio Giovanni Francesco 95
Anglia 268, 306, 436, 484, 493, 496, 504
Anielewicz Mordechaj, pseud. „Aniołek" 503, *543*
Anin 15, 496
Aniołkowski Wincenty 429
Ankiewicz Julian 332, 333, 337, 391, 393
Ankwicz Józef 173
Anna, córka Konrada II, księżniczka 22
Anna, księżna mazowiecka 43, 77
Anna, księżniczka, siostra Janusza i Stanisława 56, *I*
Anna Austriaczka, żona Zygmunta III 101
Anna Danuta, księżna mazowiecka 42
Anna Holszańska, księżna mazowiecka, matka Bolesława IV, 29, 42, 43, 50, 54
Anna Katarzyna Konstancja, córka Zygmunta III 107, 108, *52*
Anna Jagiellonka 57, 67, 68, 73, 75, 78, 93, 94, *72*
Annopol 420, *449*
Anski, właśc. S.A. Salomon Zainwil Rapaport 452
Ansztejn Marek 453
Antoni, sztukator 154
Antoniewicz Włodzimierz 442
Antwerpia 107
Apteka Królewska *58*
apteka Steinerta 411
Apuchtin Aleksander 356, 385, 386
Apulejusz 157
Archiwum Akt Nowych 522
– Główne Akt Dawnych 124, 522

– Koronne 113
– Miejskie w Arsenale 522
Arciszewski Mikołaj 503
– Tomasz 429
Arct Eugeniusz 476, 604, *496*
– M. Księgarz 445
Arens Mirosława 617
Armiński Franciszek 296
Arndt August Wilhelm 167
Arnold Stanisław 443
Arrau Claudio 456
Arsenał 59, 61, 87, 118, 166, 168, 222, 251, 264, 266, 267, 274, 278, 296, 299, 306, 309, 311, 316, 317, 325, 329, 502, 504, *94, 138, 326, XVI*
Arysteusz 92
Askenazy Szymon 443
Asmus Tomasz 126
Assmann, kupiec pruski 253
Auber Daniel François 303, 306
Auerstaedt 262
Augier Émile 345
Augsburg 64, 241
August II, król 113–115, 119, 122, 124, 126, 150, 163, 175, 185, 193, 200, 201, 225, 239, *177, IX*
August III, król 131, 148, 163, 175, 187, 193, 199, 225, 239, 250, *181*
Augustynowicze 123
Austerlitz 262
Austria 173, 194, 352, 420, 427, 434
Axer Erwin 623

Babiarz Stanisław, pseud. „Wysocki" 514
Babice 32, 417, 487
Babo Józef Mariusz 260
Baburow W.B. 529
Bacciarelli Marcello 106, 209, 211, 225, 235, 240, 241, 245, 276, 289, 291, 316, *205, 269, 270, 273, XI*
Bacciccio lub Baciccia, patrz Gauli Giovanni Battista
Bacewiczówna Grażyna 456
Baczyński Krzysztof Kamil, pseud. „Jan Bugaj" 498, 516, 612, *533*
Bagert Jan 126
Bagieński Stanisław *XXII*
Bajan Jerzy *478*
Bakałowiczowa Wiktoryna 345, 410
Baldi, cukiernik 254
Baliński Karol 347, 349
– Stanisław 447
Banach Andrzej *371*
– Stefan 443
Bandau Jan Jerzy 249, *280*
Bandrowska-Turska Ewa 454, 456
Bandrowski Kaden Juliusz 447, 516
Bandtkie Jan Wincenty 276, 313
Bank Dyskontowy 285, 376, 397
– Gospodarstwa Krajowego 463
– Handlowy 376, 557, *597*

Bank Landaua 402
– Narodowy Bank Polski 531, 558
– Państwa 356, 402
– Polski 298, 300, 310, 326, 333, 337, 356, 376
– Rolny 309, *480*
– Zachodni 376, 397
– Związku Towarzystw Spółdzielczych, dom Pod Orłami 403, 531, 555
Bansemer M.J. 273
Baptysta, hafciarz 108
„Bar Podlaski" 503, 505
Baranowicz Jan 126
Baranowski Ignacy 434
– Wojciech 82
Barbakan 39, 71, 72, 75, 109, 538, *69*
Barcikowski Wacław 432
Barclay de Tolly 272
Barczewo 122
Bardziński Jan Alan 128
Barlicki Norbert 429, 431, 494
Barski Andrzej 94
– Jan 94
Barss Franciszek 168
Barszczewska Elżbieta 451, *614*
Bartholdie, aktor 187
Bartkowic Mikołaj 35
Bartłomiej, wójt 32, 33
Bartłomiej, pisarz książęcy i wójt 30, 31
Bartłomiej z Czerska 43
Bartłomiejczyk Edmund 403, 473, 604
Bartosik Sylwester 498, 499
Bartoszek Antoni 492
– Franciszek Józef, pseud. „Jacek" 503, 612, *499, 544*
– Tadeusz, pseud. „Cegielski" 511
Bartoszewicz Julian 347, 348
– Włodzimierz 476, *495*
Bartoszewski Władysław 507
Baryczka Bartłomiej 128
– Jacek 97
– Jan 68, 79, 128, *62, 63*
– Jerzy 36, 45
– Mikołaj 79
– Piotr 53
– Stanisław, burmistrz 97, 98, 128, *109*
– Stanisław, bratanek burmistrza 97, 128
– Wojciech 128, *62, 63*
Baryczkowie 36, 59, 64, 96, 128
Barzy Mikołaj 54
baszta, patrz również bramy i wieże
– Biała 71
– Furta Rybacka 72
– Marszałkowska 109
– Mostowa (Prochowa) 71, 77
– Poboczna 71
– Rycerska *6*
Batorego (osiedle) 545
Batowski Zygmunt 442
Baudouin Gabriel Piotr 411
Bauer Karol 172
Bauman Wergiliusz 217
Baumiller Jerzy 544
Baurski Jerzy 604
Bay Karol 148, 192, 193, 197–199, 201
Bazylea 529
Bażanka Kasper 148, 193, 197, 201
Beauharnais Eugeniusz de, wicekról Włoch 270
Beaumarchais Pierre Augustin Caron de 188
Beckett Samuel 623
Beethoven Ludwig van 489
Belgia 174, 306, 327, 493
Bellini Vincenzo 345
Bellotti, rodzina architektów 192
– Józef Szymon 116, 131–133, 135, 147, 154, 156, *171*
Belotto Bernardo, zw. Canaletto 243, 244, 316, *138, 197–199, XIII*
Belweder 8, 166, 200, 248, 249, 283, 296, 303, 306, 547, *279, 321, 322*
Bełżecki Stanisław 442
Bem Józef 314
Bembus Mateusz 96
Bemowo 9, 15, 174, 591
Benedek Witold 548, 558
Benkiel Stanisław 432
Benois Leontij 397, 402
Bentkowski Feliks 277, 283
Berent Marceli 331
Berezowska Maja 496, 592

Berg Fiodor 315, 355, 356, *XIX*
– Wilhelm *364*
Berger Ludwik, pseud. „Michał" 506
Bergonzoni Michał 278
Bergsohnowie 273
Berlewi Henryk 466–468, *488*
Berlin 201, 251, 252, 254, 258, 259, 262, 361, 363, 365, 379, 383, 385, 409, 493, 504
Berman Mieczysław 482, 592, 609
Bernatowicz Bartłomiej 232
– Mateusz 201
Bernardini, przemysłowiec ·166, 249
Bernhardi-Bernitz Marcin 95, 127, 128, *105*
– Zofia Anna z Corbiniusów 128
Bernoulli Hans 529
Bernini Lorenzo 102, 161
Beyer Karol 367
– Wilhelm Stanisław *361*
Beyerowa Henryka z Minterów 292, 341
Beynhardt Jakub 44
Bębenkowie 60, 68
Biała 19, 24
Biała Podlaska 226
Białecka Maria 408
Białobrzeski Czesław 441
Białołęka 110, 111, 310, 542, 560, 591
Białołęka Dworska 7, 9, 15
Białous Ryszard, pseud. „Jerzy" 513
Biały Domek 205, 213, 241, 246, 283, 339
Białystok 226, 227, 239, 441, 556
Bianchi Antonio 219
Biblioteka Bernardynów 113
– Głównego Urzędu Statystycznego 572
– Instytutu Agronomicznego 302
– Jazdowska królewicza Karola Ferdynanda 113
– Królewska 113, 159, 183, *193*
– Narodowa 446, 490, 535, 558, 572, 591
– Ordynacji Krasińskich 386, 446
– Ordynacji Przezdzieckich 446
– Ordynacji Zamoyskiej 386, 391, 446
– Pijarów 260, 276
– Publiczna m.st. Warszawy 404, 436, 445, 522, 572, 619, *660*
– Rządowa 316
– Sejmowa 445, 490
– Stanisława Augusta 208, 209
– Szkoły Głównej Handlowej 572
– Szkoły Rycerskiej 183, 277
– Towarzystwa Przyjaciół Nauk 302
– Uniwersytecka 128, 277, 301, 316, 347, 399, 436, 445, 490, 572
– Załuskich 183, 191, 192, 199, 205, 225, 227, 446, *182, 183*
– Zw. Zaw. Kolejarzy *462*
Bibrowski Mieczysław 449
Bidziński Stefan 148
Biegański Piotr 531, 533, 538
Bielany 8, 22, 101, 116, 174, 194, 305, 357, 381, 415, 441, 460, 487, 498, 509, 512, 538, 545, 553, *486*
Bielany II 544
Bielino 166, 200, 249
Bielińscy 121, 150
Bielińska Ludwika z Morsztynów 192
Bieliński Franciszek 163, 165, 191, 192, 200, 226, *X*
– Franciszek Ludwik 192
– Jan 50
– Paweł 273
Bielska-Tworkowska Leokadia 600
Bielski Andrzej 273
– Grzegorz 273
Biełow Paweł A. 519
Bieńkowski Władysław *466*
Bieńkuński Stanisław 530, 531, 545, 548
Biernacki Jan Antoni 412
Bierut Bolesław, pseud. „Tomasz" 507, 519, 527, 533, 535, 581
Bignon Ludwik 274
Billewicz Gustaw, pseud. „Sosna" 512
Bini Marco 254
Birkhan von, generał pruski 255
Birkowski Fabian 96
Biskupin 442
Biszof Jan 126
Bizancjum 20
Bizans, żandarm niemiecki 506
Bizesti Michał Franciszek 188
Blank Antoni 289, 341, *313*

– Piotr 167, 222
Blaskowitz Johannes 488, 489
Blet Maciej 126
Blikle A. 367
Bliziński Józef 348
Bloch Jan Gotlib 332, 376
Blumówna Helena 606
Blüth Rafał 491
Błażej z Sycowa 51
Błeszyński Antoni 256
Błędów 328
Błonie 13, 19, 21, 23, 24, 37, 60, 122, 173, 255, 58[?]
Błota 62
Bobiński Wojciech 391
Bobowski Zygmunt 612
Bobrowski Stefan 355
Bocianowski Bohdan 592
Bodo Eugeniusz 451
Bodt Jean de 200
Boffrand Germain 200
Bogate 73
Bogdanow Siemion I. 519
Bogucka Maria 617
Bogucki Janusz 613, 617
Bogusławski Jan 531, 545, 548
– Wojciech 188, 260, 261, 273, 278, 302, *204*
Bogusz Marian 592, 607–609, 612, 614, 616, *640*
Boguszewska Helena 450
Boguszyce 73, *70*
Bohomolec Franciszek 176, 187, 188
Bohusz Franciszek Ksawery 291
Bojarski Wacław 504, 612
Bojemski Aleksander 460
Bolechowski Jacek 558
Bolesław II, książę 22, 24, 25
Bolesław IV, książę 39, 42, 50
Bolesław V, książę 54
Bolesław Jerzy 30
Bolesław Krzywousty 25
Bolesław Śmiały(Szczodry), król 20
Bolimów 313
Boliwia 442
Bolonia 49, 91, 101
Bołtuć Andrzej 558
Bona Sforza, królowa, żona Zygmunta I 57, 62, 67, 70, 94, 93, 106
Bonneau Jean 172
Boot A. *81*
Boratini Tytus Liwiusz 116, 121, 127
Borghi Giuseppe 215
Borman, przemysłowiec 368, 371, 390
Bornbach Michał 47
– Stanisław 92
Borowski Tadeusz 608, 609, 612
– Wacław 465, 473, *487*
– Wiesław *614*
Borromini Francesco 201
Boruta-Spiechowicz Mieczysław 496
Borys Adam, pseud. „Pług" 513
Boucher François 192
Bonillon-Turenne Karolina de 232
Boyen Herman von 252
bożnica na Pradze 326, 333
brama, patrz również baszty i wieże
– Bernardyńska (Krakowska) 27, 115, 130, 147, 170, 239, 283, 294, *17, 18, 283, XIII*
– Biała(Rybacka) 72
– Dworzan (Krakowska) 39, 85, 86
– Grodzka (Wielka) 38, 39
– Łaziebna (Nowomiejska) 33, 39, 124, 255, 259, *17, 120*
– Poboczna 72, 82, 259
– Senatorska 101
– Świętojańska 85
– Żuraw 38
Bramante wł. Donato di Pasuccio d'Antonio 89
Brandt Franciszek 277, 289
Braniccy 192
Branicka Elżbieta z Poniatowskich (tzw. Pani Krakowska) 204, 213
Branicki Aleksander 392
– Franciszek Ksawery 205
– Jan Klemens 227, 239
Braniewo 91, 122
Bratkowski Daniel 128
Brauman Franciszek 394
Braun Michał 156

–, urzędnik niemiecki 506
Brecht Bertolt 451, *468*
Breiter Emil 447
Brentano Clemens 260
Breslauer Chrystian 404
Breyer Tadeusz 477, 604, 613, *507*
Brochów 73
Broda Konstanty 74
Brodowski Antoni 291, 292, 341, *311, 312, 368*
– Józef 342
– von, major pruski 253, 255
Brodziński Kazimierz 302, 304, 409, 410
Brodzki Wiktor 409
Brok 73, 75
Brokl Kazimierz 486
Broniec Adam 274
Broniewski Stanisław, pseud. ,,Orsza" 502
– Władysław 430, 447, 448, 452, 613, *465*
Bronikowski Ksawery 304, 305, 310
Broniszówna Seweryna 451
browar Haberbuscha i Schielego 328, 400
Bródno 19, 20, 24, 59, 62, 110–112, 310, 357, 415, 416, 437, 457, 545, 553, *14*
Brudziński Józef 433, 434
Brukalska Barbara 461, 462, 470
Brukalski Stanisław 461, 462, 470, 531, 538
Bruksela 306, 363, 614
Brumer Wiktor 453
Brun Julian 430
– Piotr 33
Brun-Bronowicz Julian 447
Brückner Józef, pseud. ,,Biernacki" 492
Brühl Henryk 192, 199
Brwinów 589
Brydziński Wojciech 451, *614*
Brygiewicz Tadeusz 544, 545
Bryła Stefan 441, 506
Brześć Litewski n.Bugiem 35, 36, 111, 271, 287, 314, 322, 365
Brzezina Antoni 300, 301
Brzeziny 78
Brzeziński Wacław 454
Brzozowski Stanisław 404
– Tadeusz 609, 616
Bublewska Maria *466*
Buchenwald 494
Bucholtz, rezydent pruski 188
– Adam 122
Buczyński Ładysław 499
Budapeszt 5, 379, 380
Budzyński Marek 559
– Stanisław 430
Bug 18, 20, 21, 109, 110, 251, 291, 336
Bugajski S. 552
Bujno Jan 35
Bukowska Helena 615
Bukowski Henryk 314
bulwar Stanisława Augusta 9
– praski 547
Bunsch Ali 609
Buraków 62, 328
Burchard, kupiec 35
Burchard, kupiec 35
Burke Edmund 604
Bursze Teodor 460
Butrymowicz Zofia 615
Buxhövden Fiodor (Fryderyk Wilhelm) 174, 251
Bürckl Franz 505
Bydgoszcz 322, 418, 453
Bylina Michał 604
Bytnar Jan, pseud. ,,Rudy" 501–503, *541*
Bzura 18, 109, 174, 313, 486

Caesarini Hieronim 126
Caffieri Philippe 246
Caillois Roger 593
Callot Claude 159, 161
– Jacques 159
Canaletto, patrz Belotto Bernardo
Canavesi Hieronim 78
Canova Antonio 288
Casadesus Robert 456
Casasopro Paolo 215
Casella Alfredo 456
Castelli Matteo 79–81, 86, 91
Catalani Angelika 303
Caulaincourt Armand Augustin Louis de 271

Cecylia Renata, królowa, żona Władysława IV 59, 96, 105–107, *50*
Cegielski Jerzy 568
Cegliński Juliusz *356, 360*
Cegłów 44, 122, *35, 36*
Cejzik Antoni 459
Cekop, budynek 557
Celestynów 505
Celiński Józef 277, 289
– Sławomir 411
Cengler Faustyn 409, 411
Centrala Handlu Zagranicznego 557
– Społem 532
Centralna Biblioteka Wojskowa 446
– Radiostacja 532, 574
Centralny Dom Dziecka ,,Smyk" 531, 547, 555
– Dom Towarowy, p. Centralny Dom Dziecka ,,Smyk"
– Dom Młodzieżowy 532
– Instytut Wychowania Fizycznego 512, *486*
Centrum Kopernikańskie 558
– Onkologiczne, p. Ursynowskie Centrum Onkologii
– Zdrowia Dziecka 558, 591
Ceptowski Karol 288
cerkiew Aleksandra Newskiego 362
– św. Jana Klimka 317
– św. Marii Magdaleny 391
Ceroni, rodzina architektów 192
– Jan Chrzciciel 133
– Karol 147, 148
Charków 434
Charlemagne Adolf *XIX*
Charzewski J.J. 273
Chełchowski Abraham 78
Chełmno 24
Chełmoński Józef 397, 404, 406
Chęciny 71, 80
Chęciński Jan 345, 348
Chiaveri Gaetano 191, 197, 199, 201, 202, *222*
Chicago 529
Chlebowski Bronisław 434
Chłędowski Adam Tomasz 301
Chłopicki Józef 303, 306, 309–311, 410
Chmieleński Ignacy 353
Chmielewski Jan 462, 523
Chmielowski Piotr 386
Chmura Jakub Witalis 486
Chociszewscy 59
Chodkiewicz Aleksander 272, 274
Chodklewlczowie 274
Chodykiewicze 123
Chojnacki Marcin 126
– Roman *475*
Chomiczówka 559, 591
Chopin Fryderyk 277, 301, 303, 304, 343, 387, 409, 411, 456, 538, 579, 622
– Mikołaj 277
Chorzów 530
Choszczówka 7, 15
Chotomów 553
Chreptowicz Joachim 260
Chriakow, arch. radziecki 539
Chrostowska Halina 612
Chrostowski-Ostoja Stanisław 473, 604, *504*
Chróściński Wojciech Stanisław 128
Chróścicki Julian 498
Chruściel Antoni, pseud. ,,Monter" 509, 514
Chruścielewski Grzegorz 548
Chruślin 73
Chrzanowski Wojciech 314, 315
Chrzęsne 85
Chwałkowski Mikołaj 128
Chwierałowicz Stanisław 123
Chwistek Leon 464
Chyczewski Andrzej, pseud. ,,Gustaw" 514, 515
Chylice 496
Chyliński Bogusław 545, 557
Cichocki Edward 396
Ciechanów 122
Cieciszewscy *18*
Cieksyn 73
Cierniak Jędrzej 452, 496
Ciesielczuk Stanisław 449
Cieślarz Elżbieta 617
Cieślewicz Roman 612, 614, *652*
Cieślewski Tadeusz, ojciec 592
– Tadeusz, syn 473, 479, 592, *502, 615*
Cieverotti Jan 231

Cinaki Jan 124
Ciołek Erazm 39
– Gerard *140*
Ciszewski Józef 429
Cleve Joos van 74
cmentarz Ewangelicki 296, 315, 513
– Bródzieński 110, 306
– Kalwiński 513
– Powązkowski 304, 309, 352, 409, 410, 509
– Prawosławny 317
– Ujazdowski 335
– Wawrzyszewski 9
– Wilanowski 282
– Żydowski 513
Cnoeffel Andrzej 94
Collegium Nobilium 183, 191, 199, 227, 251, 264, 278, 317, 339, *139*
– Zaluscianum 191, 199
Comte August 404
Conti (Cuntha) Sebastian 73
Contieri Giacomo 215
Corbusier Charles-Édouard Le 461
Corazzi Antonio 280, 282–285, 294, 297, 302, 317, 329, 336, *304–306*
Corneille Pierre 125, 149, *256*
Corte Paweł di (del?) 81, 101
Coudray Piotr 199, 227
Coupowie 120
Courvée Jan Klaudiusz de la 96
Cranach Łukasz 156
Cremona 59
Cukierwar, przemysłowiec 389
Cukrowski, wydawca 573
Cybis Bolesław 475, *493*
– Jan 600, 606, 614, *635*
Cybisowie 600
Cybulski Jan 100
Cyga Janusz 33
Cygańska-Walicka Helena 612
Cyryl z Głubczyc 51
Cytadela 10, 25, 163, 201, 222, 294, 316, 318, 330, 350, 352, 354–357, 389, 391, 499, 512
Czacki F. 385
– Tadeusz 260, 261, 409
Czajki 553
Czajkowski Józef 473
– Tadeusz 409
Czaki Hanna 507
Tytus 507
Czakowie 507
Czamer Aleksander 122, 123, *123*
– Wilhelm 123
Czamerowie 123
Czapla Kazimierz, pseud. ,,Gurta" 512
Czarnecki Michał, patrz Traugutt Romuald
Czarniecki Stefan 110, 496
Czarnowska Maria 445
Czarnowski Stefan 430, 443
Czapscy 120, 192
Czapski Tomasz 197
Czartoryscy 120, 191, 192, 219, 303
Czartoryska Izabela z Flemingów 188, 203, 219
– Zofia z Sieniawskich 238
Czartoryski Adam Kazimierz 203, 244, 272, 303, 309, 310, 313, 314
– August Aleksander 217, 238
– Kazimierz 198, 200
Czasznicka Zofia 615
Czechosłowacja 453
Czechowice 589
Czechowicz Szymon 239–242, *268*
Czechy 42, 122, 192, 194, 259
Czejcz Jan 36
Czekierski Józef 289
Czempiński, kupiec 208
Czerniaków Adam 498
Czerniaków 141, 142, 156, 357, 380, 415, 460, 517, *155–159, 179, 356*
Czerniawski Tadeusz 457
Czernice 73
Czerniszew Aleksander 271
Czernyszew S.J. 529
Czersk 21–23, 33, 40, 255, 558
Czerwińsk 79, 84
Czerwińscy 600
Czerwiński Józef 403
Częstochowa 108, 418, 485

Czubalski Franciszek 493
Czujkow Wasilij I. 515
Czuma Walerian 484–486, *513*
Czyste 23, 25, 165, 174, 299, 315, 328, 360, 370, 381, 416
Czyż Jerzy 545
Czyżewski Tytus *491*

Ćwiklińska Mieczysława 451

Daab A., przemysłowiec 371
Dadler Sebastian *50*
Dahlberg Jönsson Erik 86, *55, 57, 99, 117*
Damięcki Dobiesław 452, 494
Danckers Pieter de Rij 105–107
Dangel Tomasz von 166, 254, 332
Dania 95, 111, 306, 493
Daniec Tadeusz 488
Daniłłowicz Mikołaj 62, 82
Daszewski Władysław 451, *463*
Daszkiewicz Aleksander 126
Daszyński Ignacy 439
Daume Maks 491
David Jacques-Louis 291, 613
Davidson William 94
Davoût Louis Nicolas 264
Dawidowski Aleksy, pseud. „Alek" 495, 502
Dawidy 10
Dawison Bogumił 345
Dąb Wielki 311, *328*
Dąbrowska Maria 593
Dąbrowski Bonawentura 291
– Jan Henryk 174, 256, 262
– Jarosław 353
– Włodzimierz, pseud. „Wuj" 495, *525*
Dąbrówka 11
Debussy Claude 456
Deike K. 385
Dekert Jan 168, 410, *XIV*
Dekker Thomas 95
Delavigne Casimir 313
Dembiński Erazm 92
– Henryk 313
Dembowski Edward 347, 350
– Jan 179, 309
Dengel Oskar 490
Denhoff Ernest 120
Deotyma, patrz Łuszczewska Jadwiga
Depré Louis 187
Dergelden Otton Wilhelm 251
Des Noyers Piotr 94
Desportes François 162
Deybel Jan Zygmunt 193, 197, 198, 200–202
Dębe (zbiornik wodny) 10
Dębicki Zdzisław 435
Dębiński Stanisław 408
Dęblin 365, 525
Dębnik 80
Dębski Mieczysław 486
Dickstein Samuel 434
Dietrich Fryderyk Krzysztof *286, 316, 320–322, 326, 353, 370*
– Jan 166
Dietz Hugo 502
Dingelstad Andrzej 126
Dłubak Zbigniew 592, 607, 609, 612, 616
Długoszowski-Wieniawa Bolesław *463*
Dmochowski Franciszek Ksawery 168, 179, 276
– Franciszek Salezy 260, 261
Dmuszewski Ludwik Adam 278, 300, 302, 313, *292*
Dobiszewski Antoni 499
Dobosz Adam 454, 457
Dobre 310
Dobre Miasto 122
Dobrogoyski Ignacy 305
Dobrowolska Krystyna 546
Dobrowolski Jan 546
– Stanisław Ryszard 430, 449, *466*
– Zygmunt, pseud. „Zyndram" 518
Dobrski Julian 345
Dobrzycki Mikołaj 305
Dobrzyński Ignacy 344
– W., przew. Komitetu Odbudowy Przemysłu 519
Dogiel Maciej 183
Dolabella Tomasz 105, 106, *49*
Dolina Szwajcarska, patrz ogród
Dolna – Sobieskiego 544

Dolny Śląsk 508
Dom arcybiskupa Hołowczyca 283
– Akademicki (pl. Narutowicza) 514
– Akademiczek (ul. Górnośląska) 460
– , „Dom bez kantów" 463
– Królewski 71, 72
– firmy „E. Wedel" 396, *424*
– J. Gaya 333, 336
– Gebethnera i Wolffa 399
– , „Dom Gościnny" 334, *360*
– handlowy „Bracia Jabłkowscy" 376, 404, *406, 433*
– Bogusława Hersego 396
– księży Pijarów przy ul. Długiej 264
– Kraszewskiego 336
– A. Kropiwnickiego 332
– Królewsko-Pruskiej Kompanii Handlu Morskiego 223, 224, 253
– Latoura 257
– Malcza 326
– Jana Mieczkowskiego 396
– mieszkalny PKO przy ul. Brzozowej 460
– parafii Świętego Krzyża 350
– Partii 116, 531, *579*
– Pod Gigantami 403
– Pod Gryfami 394, *423*
– Pod Kolumnami (Dom Jarmarczny) 282, 285, *299*
– Pod Lwem 294
– Prasy 619
– Roeslera i Hurtiga 221, *250*
– Sarneckich 410, 411
– Piotra Teppera 221, *249*
– Towarzystwa Dobroczynności 333, 336, 400
– Turecki 213
– E. Wedla (ul. Puławska) 463, *485*
– Zakładów Gazowych 402, 411
– Andrzeja Zamoyskiego 287, 330
Domaniewska (osiedle) 559
Domaniewski Józef 99, 100
Domański Krzysztof 129
Dominik Tadeusz 612, 616, *643*
Donizetti Gaetano 345
Dorpat 434
Dossora Lance 456
Drabik Wincenty 435, 451
Drewno Łukasz 96, 127, *65*
– Stanisław 101, *61*
Drewnowie 54, 68
Drewnowski Kazimierz 499
Drewiczewska Halina 559
Drezno 126, 150, 165, 172, 175, 187, 190, 191, 201, 202, 240, 242, 243, 262, 269, 271, 287, 291, 306, 348, 379, 409, 410
Drobin 73
droga Czerska 29, 30, 163
– Kalwaryjska (Ujazdowska) 163, 164, 200
– Królewska 120, 164, 293, 556
– ku Świętemu Krzyżowi 30
– Morgowska 28
– Marymoncka 293
– Powązkowska 296
– Włościańska 328
– Wolska, patrz Królewska
Drozdowski Marian Marek 421, 575
Drukarnia „Dom Słowa Polskiego" 532, *619*
– im. Rewolucji Październikowej 578
Drygała Mikołaj 33
Drzewiecki Józef 256
– Zbigniew 456
Dubiska Irena 456, 457
Dubois Stanisław 431, 493, 494
Duchard Marcin 126
Duchnowski Mikołaj 82
Dufour Piotr 175, 176
Duldt Józef 215
Dulfusowie 120
Dulęba Maria 435, 451
Dumas Aleksander, ojciec 345
Dunikowski Xawery 408, 412
Dunquerque (Dunker) Ernest 256
Dutaillis Rajmund 271
Dutkiewicz Józef 477
Duviviers Ignacy *283*
Düsseldorf 380
Dworzec Brzeski, patrz Wschodni
– Centralny 532, 546, 556, 557, 590, *599, XXXI*
– Gdański 370, 381, 498, 502, 505, 512, 516, 525, 546

– Główny 370, 463, 483, 499, 512, 519, 520, 570, *604*
– Kolei Żelaznej 116
– Kowelski, patrz Gdański
– Lotniczy 546, *591*
– Miejskiej Obsługi LOT 557
– Ochota 546
– Petersburski, patrz Wileński
– PKS 591
– Powiśle 546
– Terespolski, patrz Wschodni
– Towarowy 370
– Śródmieście 546, 548, 557, *588*
– Warszawa-Praga 367, 570
– Warszawsko-Wiedeński 322, 331, 334–336, 362, 379, 391, *332, 395*
– Wileński 322, 339, 370, 379, 423, 570
– Wschodni 322, 336, 339, 370, 379, 423, 499, 504, 525, 546, 553
– Zachodni 496, 553, 570
dwór Bokumowski 118
– dziekana 27, 29
– Jana Gębickiego 89
– Anzelma Gostomskiego 93
– Franciszki Hankiewiczowej 128
– królowej Bony 57, 67, *51*
– Mniejszy (Curia Minor) 27, 56, 71, *17, 18*
– Macieja Rębowskiego 116
– Stanisława Skarszewskiego 116
– Wielki (Curia Maior) 38, 56, 71, 72, 75, *8, 11, 17, 18, 28*
Dybicz Iwan I 310, 311
– P., arch. 557
Dygas Ignacy 454
Dygasiński Adolf 386
Dygat Antoni 463
Dymitrowicz Ludomir *149, 393*
Dymsza Adolf 451
Dynasy 264
Dyrekcja Okręgowa Polskich Kolei Państwowych 460
Działdowo 265
Działyńscy 168, 172
Dziarkowski Jacek 277
Dziekania 84
Dziekanka 334
Dziekoński Józef Bogdan 349, 350
– Józef Pius 394, 396, 397, 399, 400
Dzierzgowski Mikołaj 50
Dzierżanowski Juliusz 376, 402
Dziewulski Stanisław 383, 524, 527
„Dziki Zachód", patrz Zachodni Rejon Centrum
Dzwonkowski Aleksander 451

Edelinck Gerard *127*
Edlinger Andrzej 36
Eesteren Cor van 529
Ehrenberg Gustaw 349, 350
Eibisch Eugeniusz 636
Eichlerówna Irena 451
Einstein Albert 616
Eitner Albrecht 507
Elbląg 24, 64, 91, 110, 113, 156, 567
elektrociepłownia Powiśle 544, *556*
– Siekierki 544
– Żerań 535, 578
elektrownia na Powiślu 382, 400, 511, 517, 530, 535, 568, 569, *445*
Eleonora Maria, królowa, żona Michała Korybuta Wiśniowieckiego *121*
Elert Piotr 96, 128
Eleuter, patrz Szymonowicz
Ellenbranth, patrz Łukasz
Elsner Józef 302, 303
Eltester Christian *153*
Emilia (osiedle) 545
Engels Fryderyk 430, 445
Enkinger Michał 43
Epstein M. 376
Epsteinowie 376
Erenburg Ilia 430
Erler Mikołaj (Niklos) 68, 79
Erlerowie 68
Ermitaż 141, 213, 339
Essmanowski Ignacy 391
Este Ferdynand de 266, 267
Etkin Róża 456
Ettinger Adam Stanisław 430
Eufemia, żona Siemowita III 42, 50

Eugeniusz, wicekról Włoch, patrz Beauharnais
Eustachius Jan 128
Evans, przemysłowiec 298, 299, 312, 326, 353, 367
Evert, wydawca 445, 573

Fabrowski Stanisław 126
Fabrycy Paweł 92
Fabryka Elementów Betoniarskich 578
– domów na Służewcu 628
– Samochodów Osobowych 578, 583, 625
– Wyrobów Precyzyjnych im. gen. Karola Świerczewskiego 578
Fafiusowa Zofia 538, 544
Falconet Étienne-Maurice 246
Falenica 9, 487
Falenty 167, 266
Falkowski Jan 411
Falska Maryna (Maria) 431
Fangor Wojciech 607, 609, 612–615, 617, 658
Farinaci Antoni 126
Favrat François André Jaquier de Barney 251
Fawory 167, 222, 357, 251
Feldman Jan Jakub 466
Feldmanowa Maria 466
Feliński Alojzy 302, 353
– Roman 460
Ferdynand I, cesarz 75
Ferro Giovanni Baptysta 74
Fertner Antoni 451
Feyge Jan Jerzy 66, 94, 124–126, 131, 132, 139
Fiedler Arkady 504
Fieldorf Emil, pseud. „Nil" 499
figura Chrystusa przed kośc. Św. Krzyża 387, 409, 410
– Matki Boskiej Passawskiej 156, 339, 171
– NM Panny przed kośc. Św. Ducha 409
– św. Jana Nepomucena na drodze do Wilanowa 230
– św. Jana Nepomucena na pl. Trzech Krzyży 165, 231
– św. Jana Nepomucena przy ul. Senatorskiej 230
– „Wiosna" w Ogrodzie Saskim 258
Fijałkowska Janina 615
Fijałkowski Antoni Melchior 352
– Jan 399
– St., arch. 558
Fijewski Tadeusz 473
Filharmonia 387, 390, 397, 436, 453, 456, 457, 486, 531, 535, 574, 579, 620, 622, 427, 476, 664
Filip Wilhelm, elektor Palatynatu 52
Filipowicz Jan 183
Filipowiczowa Wanda 498
Filipowiczowie 59
Filleborn Seweryn 349
Filomed Mikołaj Aleksander 78
Finder Paweł, pseud. „Paweł" 429, 499, 506, 509
Fiorentini Piotr 342
Fischer Ludwig 490, 493–496, 499, 501, 507, 509, 511, 520
Fitelberg Grzegorz 456, 475
Flandria 71
Florencja 87, 94, 101, 285, 410
Flukowski Stefan 449, 466
Fogelwerder Stanisław 94
Fokas Franciszek 68
Fołtynowiczowie 123
Fontana 116, 192
– Jakub 191, 193, 195, 197–203, 209, 214, 228, 240
– Józef 191
– Józef II 192, 193, 197–199, 201
fontanna „trzech chłopaczków" przed kinem Muranów 411
– w Ogrodzie Saskim 339
Forbes Daniel 122
Ford Aleksander 473
Forestier Maciej 256
Forlański Mieczysław 459
Fornalska Małgorzata, pseud. „Jasia" 506, 509
fort Aleksieja, patrz Traugutta
– Bema 512
– Jasińskiego 316, 318
– Mokotowski 485, 514
– Siergieja 316
– Śliwickiego, p. Jasińskiego
– Traugutta 316, 512
– Włodzimierza 316
Fraenkel Samuel Leopold Antoni 273, 298, 306, 326, 376
Fraget Józef 299, 327, 353, 389
Frakelli, kupiec 124

Franaszek Józef 328, 390
Francja 59, 64, 87, 92, 107, 123, 124, 138, 150, 151, 153, 172, 175, 191, 198, 201, 204, 220, 246, 256, 258, 259, 262, 263, 268, 272, 274, 305, 306, 411, 412, 420, 434, 436, 465, 484, 489, 493, 529, 606, 612
Francoze Mikołaj 124
Frank Hans 490, 492, 493, 504, 505, 515, 520, 521
Frankfurt 165, 380
Frankowski Jan 352
Franzel, kwatermistrz pruski 251
Fraser D., arch. 558
Fredro Aleksander 302, 344, 345, 387
– Aleksander, syn 552
Frenkiel Mieczysław 387, 408, 451, 439
Freszel Franciszek 454
Fruziński Jan 367, 400
Freyer Jan Bogumił 277
Frombork 122, 152
Fross Michał „Germanus" 107
Fryburg 442, 444
Frycowicz Andrzej 87
Frycz Karol 435, 451
Fryderyk, margrabia badeński 110
Fryderyk August saski 263, 265, 271, 272, 274, 276
Fryderyk Wilhelm, elektor brandenburski 110
Fryderyk Wilhelm II 174, 256, 262
Frydrych Piotr 334
Fuchs Franciszek 503
Fukier Marcin 113
Fukierowie 59, 64
Furman Jan 545

Gabowicz Józef 411
Gajcy Tadeusz, pseud. „Karol Topornicki" 504, 516
Gajda Wiktor 650
Galeria Desa 617
– Dom Plastyka 617
– Foksal 617
– Krzywe Koło, potem Galeria Sztuki Nowoczesnej 608, 616, 617
– Luxemburg 453
– MDM 617
– „Po prostu" 617
– przy ul. Tłomackie 302
– Repasage 617
– Rzeźby ZPAP 617
– Teatru „Studio" 617
– Współczesna 617
Galhorn Mikołaj 34
Galicja 256, 265, 272, 306, 322, 350, 352, 356, 434
Galiński Kazimierz 486, 488
Gall Iwo 451, 508
Galle Karol Henryk 297
Galli Kazimierz Eliasz XVIII
Gałązka, woźny Wydz. Architektury 525
Gałczyński Konstanty Ildefons 449, 450
Gałecki Tadeusz, patrz Andrzej Strug
Gałęzowski Antoni 300
Gameren Tylman van, patrz Tylman z Gameren
Gamicz Andrzej 35
Ganowicz Wojciech 128
Gardecki Józef 399, 402, 411
Garbiński Kajetan 310
Garibaldi Giuseppe 352
Garliński Czesław 464, 465, 473
Garwolin 415
Gascar Henryk 162
Gasztołd 78
Gaśnicki Mikołaj 126
Gauli Giovanni Battista, zw. Bacciccio lub Baciccia 159
Gawiński Antoni 408
Gawłowicz Walenty 125
Gay Henryk 400, 404
– Jan Jakub 285, 333, 334, 336, 337
Gawrych Ludwik, pseud. „Gustaw" 511
Gazownia na Czystem 381
– na Solcu 396
– przy ul. Ludnej 381, 400
Gąsiorek Jan 96
Gąsiorowska Natalia 430, 442
Gąsiorowski L. 273
– Tomasz 271
Gdańsk 24, 34–36, 43, 59, 64, 91, 92, 98, 110, 121–124, 128, 151, 156, 163, 174, 252, 259, 365
Gebethner, wydawca 399, 445, 573
Geibel Paul Otto 508, 511

Geist Fritz 503
Gel W., płk 495
Generalny Inspektorat Sił Zbrojnych 487
Gérard François 291
Gerlach Maksymilian 371
Germain Klaudiusz 94
Gerson Wojciech 341, 342, 387, 394, 404–409, 472, 332, 441
Gębicki Jan 89
Gęsicki Zbigniew, pseud. „Juno" 507
Gęsiec Marcin 54
Gianotti Jakub 64
Gianotis Bernardino Zanobi de 77
Gibraltar 504
giełda na pl. Bankowym 284
– w Ogrodzie Saskim 283, 411
Gierasz Jan 92
Gierek Edward 554
Gierlach O. 15
Gierowski Stefan 614, 616, 641
Gierutto Witold 459
Gierymski Aleksander 404, 405, 407, 333–336, 340–342, 364, 388, 436
– Maksymilian 404, 405, 342, 411
Gieysztor Jerzy 538
Giller Agaton 348, 353, 355
Gilly Dawid 278
gimnazjum im. Stefana Batorego 460
– im. generała Chrzanowskiego 386
– im. Rocha Kowalskiego 448
– W. Górskiego 458
– III Męskie przy ul. Krakowskie Przedmieście 391
– Realne 341, 352
Gimpel Bronisław 456
Ginsburg Grzegorz 456
Ginter Juliusz 126, 128
– Teodora z Corbiniusów 128
Giorgioli Carlo Giuseppe 156
– Francesco Antonio 158, 159
Girard F. 328
Girtler Ryszard 558
Gisleni Giovanni Battista 79, 89, 90, 91, 105
Gistedt Elna 456
Giza Aleksander 122
– Wojciech 80
Gizowie 64
Giżanka Barbara 93
Giżyński Lucjan, pseud. „Gozdawa" 511
Glaize F. 248
Glasgow 495
Glayre Piotr Maurycy 188
Glazer Hincza 36
Gliński S., plastyk 614
Glücksberg Natan 300, 344
Głosków 222
Głowacki Aleksander, patrz Prus Bolesław
– Józef 345
– Leon 353
Głowiński Apolinary 442
Głuchowski Lech, pseud. „Jeżycki" 511
Głuchów Skierniewicki 245
Główny Urząd Statystyczny 531
Gmercjusz Tomasz 91
Gniewiewski Bogdan 545, 548
Gniezno 89, 152
Gnojna Góra 9
Gocław 62, 415, 553, 560, 591
Godebski Cyprian, poeta 261, 266, 268, 276, 288
– Cyprian, rzeźbiarz 387, 409
Godecki Teofil 409, 411
Goebel Artur 399
Goethe Johann Wolfgang von 348
Golędzinowski Stefan, pseud. „Golski" 511
Golędzinów 164, 295, 298, 316, 381
Goldberg Maksymilian 462
Goldstein Bussja 456
Goldzamt Edmund 534
Goliszka Maciej 74
Goltz A. 385
Gołębiowski Łukasz 347
Golembiowski Jerzy, pseud. „Stach" 514
Gołków 167
Gołoński Andrzej 317, 327, 330, 332, 336, 337
Gombrowicz Witold 448
Gomułka Władysław, pseud. „Wiesław" 498, 499, 506, 509
Gorazdowski Edward 149, 335

Gorczakow Michaił D. 350, 352, 353
Gorczyn Jan Aleksander 129
Gordon Albrecht 122
– Jan Antoni 128
– Karol 123
Gorelówna Maria 613
Gorki Maksym 430
Goryński Juliusz 564
Gorzkowski Franciszek 257
Gosławski Jakub 91
– Józef 613
Gostomski Anzelm 92, 93
– Stanisław 93
Goszczyński Seweryn 304, 306
„Gościnny Dwór" (Hale Za Żelazną Bramą) 333, 336, 376
Gotard, komes 22
– Jan 475
– z Babska 49
Gotlandia 71
Gouvion Ludwik 263
Goworek, podczaszy 33
Góra 23, 255
Góra Borowa 485
Góra Kalwarii 589
Górce 32, 35
Górczewscy, patrz Pielgrzymowie
Górczewski Andrzej Wilk 35
Górka Andrzej 78
– Wiktor 614
Górnicki Łukasz 94
Górny Śląsk 365
Górska Irena 494
Górski Jakub 126
– Ludwik 385
– Maciej 108
– Wojciech 399
Grabowski Jerzy, architekt 530, 531
– Jerzy, generał 256
– Józef 602
– Stanisław 301
Gracjan 53
Graf H. 545
Graff Jan Michał 215
Grancowowie 411
Graniczny (Granecki) Grzegorz 126
Grassi Józef (Giuseppe) 242, 291, 272
Green John 95
Gregoire Emil 312
– Jan Baptysta 312
Grembecka B., arch. 559
Gresser Erwin 508
Grochowicz Stanisław 402
Grochowski Stanisław 96
Grochów 59, 62, 298, 310–312, 328, 352, 357, 370, 415, 416, 420, 437, 440, 457, 486, 496, 509, 518, 531
Grochów-Kinowa 544
Grodno 57, 59, 175, 193
Grodziec, patrz Grójec
Grodzisk 322, 488, 551, 589
Groffe Aleksander 280
Grogi Jan 107
Gronowski Tadeusz 614, 505
Gropius Walter 461
Gross Rosen 299, 508, 509
Grosse, przemysłowiec 328
Grossi Franciszek 126
Grotkowski Jan 96
Grotowski Alfons 380
Grottger Artur 397, 373–375
Grozmani Piotr 256
Gródek 122
Grójec (dawny Grodziec) 19, 21, 23, 36, 59
Gröll Michał 175, 261, 300
Gruberski Władysław 411
Grunwald Henryk 474
Gruszczyński Stanisław 454
Grydzewski Mieczysław 447
Grzegorz, złotnik 79
Grzybowscy 121
Grzybowski Stefan Bonawentura 85
Grzybów 61, 111, 118–120, 264, 415, 422, 545, 407
Grzymała Wojciech 303, 310
Grzymała-Siedlecki Adam 453, 499
Guarini Guarino 194
Gucci Santi 104
Gucewicz Wawrzyniec 203

Guderian Heinz 515
Guercino, właśc. Giovanni Francesco Barbieri 107
Guerquin Bohdan 522
Gugenmus Antoni 258
– Franciszek 250, 200, 201, 282
– Michał 250
Gumplowicz Władysław 430, 431
Gunter, krawiec 33
Gutakowski Ludwik Szymon 274
Gutt Romuald 460, 463, 531, 532
Guyski Marceli 409
Guzicka Jadwiga 531, 538
Gwagnin Aleksander 93

Hadziewicz Rafał 291, 404, 368
Haendel Ida 456
Hahn Jan Jerzy 94
– Ludwik 499
Hak Tomasz 122
Halama Loda 451
– Zizi 451
Hale Mirowskie (Za Żelazną Bramą) 376, 400
– na Koszykach 376, 402, 555, 435
– przy pl. Kazimierza Wielkiego 376
Halsatyn Jan 107
Hamburg 258, 259, 306, 379, 380
Handelsman Marceli 442
Handzelewicz-Wacławkowa Małgorzata 548, 559
Hankiewicz Stefan Kazimierz 127
Hankiewiczowa Anna z Drewnów 127
– Franciszka Joanna z Perotów 128
Hanko, rektor 33
Hansen Oskar 614
Hanson Jan 122
– Piotr 122
Hantke Bernard Ludwik 367, 385
Hanuszkiewicz Adam 623
Hanvis Matys 156
Hauke Aleksander 347
Haye Karol de la 161
Hebel Adam 126
Heckel Franciszek 250
Heffer Maciej 36
Hefele, lekarz 267
Hegel Konstanty 288, 404, 409–411
Heidenstein Reinholdt 94
Heinrich Stanisław 492
Helenów 431
Heltman Wiktor 305
Hempel Jan 430
– Jakub 203, 204, 216, 244
Henel Jan 100
Henneberg, przemysłowiec 327
Henniger, przemysłowiec 327
Hennik Daniel 121, 125
Henryk Walezy 57
Henryków 9, 370, 504, 591
Herman Dawid 453
Herse Bogusław Władysław 396
Hertel (Ertel), generał rosyjski 272
Heryng Zygmunt 430
Hespach Andrzej 123
Hespachowie 123
Heurich Jan, syn 402, 404, 461
– Jan, ojciec 332, 336, 391
Heweliusz Jan 94, 127
Hibner Władysław 429
Hieronim, król westfalski 270, 271
Himmler Heindrich 492, 515, 520
Hipoteka 404
Hirschmann 299, 312, 328
Hirszel Henryk 342
– Władysław 399
Hiszpania 92, 306
Hiszpańska Maria 592
Hitler Adolf 486, 488–490, 515, 520, 521, 532, 551
Hitzig Jerzy Henryk 362, 392
Hiż Antoni 195
Hocold Zdzisław, pseud. „Zbójnik" 514
Hoefle Herman 496
Hoesick F., wydawca 445
Hoffmann Ernest Thedor A. 260, 261, 291
– Kurt 502
Hoffmanowa Klementyna z Tańskich 312
Hoffnal Maciej 44, 75
Hofnagel Jakub IV
Hogenberg Abraham IV

Holandia 95, 106, 138, 493
Holke Marcin 429
Hollen Jędrzej 68
Hollender Tadeusz, pseud. „Tomasz Wiatraczny" 504
Holoubek Gustaw 663
Holzhaeusser Jan Filip 235, 208, 209
Hołowczyc Szczepan 283, 291, 311
Hondius Wilhelm 53, 54
Hoppe Izrael 56, 58
Horacy 152, 159
Horak Alojzy, pseud. „Nesterowicz" 499, 500
Hornowski Józef 267, 268
Horzyca Wilam 447, 451
Hotel Angielski 271, 334, 367
– Bawarski 334
– „Bristol" 260, 399, 402, 429
– Brühlowski 399
– Dom Chłopa 548
– Drezdeński 334
– Europejski 116, 334, 336, 343, 446, 447
– Forum 557
– Gerlacha, patrz Europejski
– Grand Hotel 548
– Grand Hotel Garni 399
– Francuski 334
– Krakowski 334
– Lipski 334
– Maringe'a, patrz Francuski
– Metropol 548
– Paryski 335
– „Pod Białym Orłem" 224
– Polonia 464, 555, 607
– Polski 334, 504
– Rzymski 334
– Saski 335
– Victoria 334, 558
– Warszawa 458
– Wiedeński 334
Hoym von Karl Georg 253, 256, 257
Hryniewiecki Jerzy 548, 565, 614, 617
Hrynkiewicz Aleksander, pseud. „Przegonia" 514, 517
Hube Jan Michał 185
Huber Maksymilian Tytus 441
Huberman Bronisław 456
Hugon 53
Hulewicz Witold 489, 494
Humięcki Andrzej 60
Hurko, Romeyko-Hurko, Gurko Josif W. 385
Hurtig Kaspar 248, 250
Huss Józef 392–394, 396, 397
Huta Warszawa 525, 536, 583, 624
Hultin K., arch. 558

Idźkowski Adam 77, 285, 329, 330, 336, 337
Iganie 311, 328
Igelström Osip (Josip) 172
Ihnatowicz Zbigniew 531
Iława 25, 264
Iłłakowiczówna Kazimiera 447
Imeretyński A.K. 386
Imielin 11
Inflanty 57, 109, 111
Innes Abraham 122
– Piotr 123
Innesowie 123
Innocenty z Kościana 50
Instytut Aerodynamiki Politechniki Warszawskiej 463
– Agronomiczny 302
– Biologii Doświadczalnej im. Marcelego Nenckiego 443
– Geologii 555
– Geograficzny Uniwersytetu Warszawskiego 330
– Głuchoniemych i Ociemniałych 302, 333
– Metalurgii i Metaloznawstwa 444
– Moralnie Zaniedbanych Dzieci 341
– Muzyczny 344
– Muzyki i Deklamacji (Konserwatorium) 302, 303
– Oftalmiczny 391
– Politechniczny 313, 315, 385, 441
– Położniczy 341
– Propagandy Sztuki 452, 479–483, 597
– Radowy im. Marii Curie-Skłodowskiej 461
– Rolniczy 340
– Rządowy Wychowania Panien 341
– Teatrów Ludowych 452
Intraco, budynek 557
Ionesco Eugène 623

Iranek-Osmecki, płk., pseud. „Heller" 518
Irlandia 306
Irzykowski Karol 447, 453, 516
Italia, patrz Włochy
Iwan Groźny, car 57
Iwański Henryk, pseud. „Bystry" 503
Iwaszkiewicz Jarosław 446, *464*
Izmir 614

Jabłonna 216, 218, 219, 298
Jabłonowska Tekla z Czapskich 242, *272*
Jabłonowski Aleksander 408
– Stanisław *264*
Jabłoński-Jasieńczyk Antoni 399, 402
Jacottet Jean *332*
Jaćwież 21
Jadwiga, żona Konrada II 22
Jagiellonowie 68, 71
Jagiełło Konstanty 493
Jagodowicz Mateusz 95, 96, *107*
Jakimowicz Andrzej 606, 613
– Konstanty 460
– Maciej 198
Jaktorów 517
Jakubowicz Paschalis 248, 254, *278*
Jakubowiczowa J. 273
Jakubowski Romuald, pseud. „Kuba" 514
Jambora Agi 456
Jan, pisarz 31, 33
Jan, sztukator 154
Jan Baptista Wenecjanin 71–73, 75
Jan Baptista Włoch 72
Jan Kapistran 50
Jan Kazimierz, król 87, 89, 91, 95, 97, 102, 106–110,
113, 115, 124, 126, 127, 132, 149, 150, 159, *111*, *115*,
116, *263*
Jan III Sobieski, król 115, 121, 125, 126, 131, 135,
141, 144, 147, 149–154, 157, 159–162, 192, 235, 268,
VII
Jan III Waza, król szwedzki 106
Jan Klemens z Radziwia 91, 92
Jan Włoch 84
Jan z Garlandii 53
Jan z Komorowa 50
Janczewski H. 569
Janiczek Jan 495
Janikowski Andrzej 411
Janiszewski Zygmunt 435, 441
Jankowski Antoni 313, 314
– Jan Stanisław, pseud. „Soból" 500, 508
– Jerzy 436
– Karol 402, 404, 461, 463
– Narcyz 351, 352
– Władysław 560
Jankulio Iwan 386
Janowski Julian 486
Jantas Jan 73, *70*
Janusz I Starszy 27, 32–34, 37–39, 42, 48, 50, 54, 56,
19
Janusz III 43, 54, 55, 77, 93, *73*, *I*
Japonia 442
Jaracz Stefan 446, 451, 494, 607
Jaremianka Maria 609, 613, 617
Jarnuszkiewicz Jerzy 607, 612–614, *648*
– Konrad 372, *389*
Jarosław 122, 123
Jarossy Fryderyk 451
Jaroszyński Ludwik 346, 353
Jarzębski Adam 22, 85, 87, 95, 96, 98, 100–103, 105,
106, 126, *108*
– Szymon 126
Jasieniec 74
Jasieński Bruno 430, 448
Jasiński Wawrzyniec 215, 345
Jasna Góra 110, 412
Jasnorzewska-Pawlikowska Maria 447
Jastrzębowski Wojciech 461, 473, 604
Jaszczuk Bolesław, pseud. „Paweł" 496
Jaśkiewicze 123
jatki Zrazowskiego na ul. Nowy Świat 334
Jauch Joachim Daniel 193, 200
Jaworowski Jerzy 614
– Rajmund 428, 429
Jazdów, patrz Ujazdów
Jazłowiec 123
Jedynak Jacek 550
Jelenowic Herman 36

– Mikołaj 36
Jeleń Dorota 108
Jeleński Jan 386
Jelonki 10, 487, 542, 591
Jelski Florian 168
– Kazimierz 286
Jena 262
Jencz Eliasz 92
Jenike Ludwik 348
Jeruzal 73
Jerzy, murator 84
Jerzy II Rakoczy 111, 113
Jezierski Franciszek Salezy 168
Jeziorany 122
Jeziorański Jan 356
Jeziorna 300, 589, *350*
Jezioro Czerniakowskie 11
– Kamionkowskie 11
– łacha na Kępie Potockiej 11
– Wilanowskie 11
– Żoliborskie 9
Jędrzejewski W. *460*
Jędrzejowicze 123
Jędrzejowska Jadwiga 459
Jonstonowie 123
Jonscher Barbara 617
Jordaens Jacob 107
Joteyko Józef 442
– Tadeusz 454
Joung, przemysłowiec 328
Józefowicz Jerzy 545
Józefów 589
Jugosławia 562
Junosza-Piotrowski Wiktor 400
Junosza-Stępowski Kazimierz 435, 451
Jurgens Edward 351, 353
jurydyka Aleksandria 118, 164
– Bielino 163, 165
– Boży Dar 118
– Dziekańska, patrz Kapitulna
– Gołędzinów 116
– Grzybów 59, 118, 165, 294
– Kapitulna 118
– klasztorna Bernardynek 58
– Brygidek 58
– Franciszkanek 29
– Kanoników Regularnych 27
– Leszno 59, 89
– Mariensztat 163
– Nowoświecka 116, 118
– Ordynacka 163
– Skaryszew 59
– Stanisławów 164
– Świętojerska 30
– Tamka 116, 118, 164
– Wielopole 118, 165
– Wierzbowska 116
– Zadzikowska, patrz Kapitulna

kabaret Ararat 453
– Azazel 453
– Agus 436
– Cyrulik Warszawski 451
– Czarny Kot 436, 451
– Czerwona Latarnia 452
– Idisze Bande 453
– Miraż 436
– Momus 436
– Morskie Oko 451
– Samtabion 453
– Qui pro quo 447, 451
Kabryt Fryderyk 167
Kaciszewski A. *157*
Kaczorowski Michał 527
Kaczy Dół 370
Kaczyński Olgierd 545, 557
Kaja Zbigniew 615
Kalabiński Stanisław *417*
Kalergis Maria 343
Kaliński Władysław 487
Kaliskie 262
Kalisz 59, 177, 252, 269, 273
Kalwin Jan 92
Kałęccy (dawniej Wilkowie) 32
Kałęczyn 32
Kałuszyn 310, 311
kamienica Baryczków 72, 85, 522, *91*

– Feliksa Bentkowskiego 283
– Beyera 411
– Brodowskich 283
– Dzianotów 85, *90*
– Falkiewiczowska 85
– Fukierowska 72, 222, *24*, *466*
– Grancowa 411
– Grodzickiego 332
– hr. Krasińskiego 402
– Kochanowskiego 265
– Kromlofowska 126
– Kurowskiego 245
– tzw. Książąt mazowieckich 33, 46, 85, *615*
– dra Natansona 410
– Mikulskiego 294
– misjonarska 260
– Petyskusa 280, 282, 297, *302*, *303*
– Plumhoffów, patrz tzw. Książąt Mazowieckich
– Pod Murzynkiem 85
– Prażmowskich 200, 233, *223*
– Roeslerowska 253
– Scheiblera 394, 396
– Maurycego Spokornego 402
– Wasilewskiego 259
– Wójtowska, patrz tzw. Książąt Mazowieckich
– Zawadzkiego 411
Kamieniec Podolski 123
Kamień 57
Kamieńczyk n.Bugiem 122
Kamieński Henryk 347
Kamińska Ester Rachel 452
– Ida 452, 453
Kamiński, dyrektor Obserwatorium *460*
– Aleksander, pseud. „Hubert", „Juliusz Górecki"
494, 504, 546
– Kazimierz 451
– Mieczysław 515
– Stanisław, pseud. „Daniel" 514
– Zygmunt 404, 473
Kamionek, dawniej Kamion 20, 21, 23, 63, 112, 357,
370, 437, 529
Kampinoski Park Narodowy, p. Puszcza Kampinoska
Kamsetzer Jan Chrystian 203–205, 209, 211, 213,
215, 216, 222, 246, 279, 393, *228*, *239*, *276*
Kanał Augustowski 278
Kanarek Eliasz 475
Kania Juliusz, pseud. „Antek" 496, 499
Kaniewski Ksawery Jan 404, *XIV*
Kann Maria 504
Kanonia 41, 82
Kantor Tadeusz 595, 609
kaplica kalwińska 257
– Karmelitanek Bosych 90
– Loretańska 59
– nagrobna Stanisława Kostki Potockiego 282
– szpitala Dzieciątka Jezus 195
– szpitala św. Łazarza 58
– szpitala św. Rocha 195
– św. Jerzego 50
– Św. Krzyża 30, *11*
– teatynów *129*
– moskiewska 58, *58*
Kapostas Andrzej 172
Karasiński, rybak 267
– Leon 336, 368
Karasowski Maurycy 344, 348
Karaszewicz-Tokarzewski Michał, pseud. „Tor-
wid" 489, 492
Karaś Kazimierz 209
Karcher Jan Fryderyk 148
Karczew 194, 267, *59*
Karczewski Jan Baltazar 126
Karczma „Otwock" 332
Kargen Jan 94
Karłowicz Jan Aleksander 355
Karnicki Jan 392, *422*
Karny Alfons 478, 604, 613, *506*
Karol Ferdynand (Waza) 95, 98, 126
Karol X Gustaw, król szwedzki 109–111
Karol XII, król szwedzki 113
Karol Lotaryński 124
Karpińska-Kintopf Hanna 615
Karpiński Zbigniew 548
Karwat Seweryn 96
Kasa im. J. Mianowskiego 386, 435, 440, 444
Kasa Przemysłowców Warszawskich 397

„Kaskada" (ośrodek usługowy) 545, 553
Kasper z Warszawy 93
Kasprzycki Tadeusz 484
– Wincenty 84, XVII
Kassern Tadeusz Zygfryd 456
Kassian, major 486
Katarzyna, królowa, żona Zygmunta Augusta 75
Katarzyna II, carowa 167, 179, 251
Katowice 453, 458, 530, 614
Kauffmann Ludwik 235, 286, 288, 289, 291, 339
Kautsky Karol 430
Kauzik Jan 408
Kawecka Wiktoria 456
Kawęczyn 7, 62, 310, 311
kawiarnia Brzezińskiej 303, 310
– „Cafe-Club" 499, 504, 545
– „Dziurka Marysi" 303, 310
– Fuchsa 503
– „Honoratka" 310
– „Pod Kopciuszkiem" 304
– „Pod Picadorem" 446
– „SIM" 452, 499
– „U Aktorek" 492, 499
– „Wiejska kawa" 304
Kazała Ryszard, pseud. „Zygmunt" 508
Kazanowscy 98
Kazanowski Adam 62, 87, 95, 53, 54
– Zygmunt 103
Kazimierz I, książę 38
Kazimierz Biskupi 39
Kazimierz Dolny 64, 476
Kazimierz Wielki, król 32, 38, 50, 235, 241, 41, 270
Kazub Andrzej 36
–\ Mikołaj 36
Kazubowie 36, 59
Kazuro Stanisław 456
Kątski Apolinary 344
Kąty 62
Kenar Antoni 478
Kenig Józef 342, 350
– Marian 486
Kentner Lajos 456
Kędrowski Stanisław 68
Kędzierski Apoloniusz 404, 408
Kępa Golędzinowska 295
– Latoszkowa 505
– Potocka 9, 110, 545, 546
– Solecka, patrz Saska Kępa
Kępiński Felicjan 441, 460
Kęszyce pod Łowiczem 96
Kętrzyński Stanisław 442
Kiciński Bruno 300, 301
Kiel Lech I. 322
Kielce 106
Kieler Jan 129
Kielisiński Kajetan Wawrzyniec 7
Kieniewicz Stefan 356
Kiepura Jan 454
Kierbedziowa Eugenia 434
Kierbedziowie 408
Kierbedź Stanisław 322
Kierownictwo Marynarki Wojennej 463
Kiersten Mikołaj 108
Kierzkowska Ada 615
Kierzkowski Bronisław 616
– Zbigniew 612
Kijewski, przemysłowiec 249, 312, 328, 372
Kijok W. 391
Kijów 351, 434, 435
Kiliński Jan 172, 263, 268, 313, 495, 496
kino Atlantic 619
– Apollo 453, 472
– Coloseum 453
– Corso 453
– 1 Maj 619
– Moskwa 506
– Muranów 411
– Ochota 619
– Paladium 619
– Pan 453
– Polonia 530, 619
– Relax 624, 666
– Roma 456
– Splendid 453
– Stolica 619
– Stylowy 453, 619
– Syrena 619

– Tęcza 619
– W-Z 619
Kirkorowa Helena 356
Kisielewski Stefan 456
Kiślański Władysław 385
Kizne Roman, pseud. „Pol" 504
Klaczko Julian 347, 348
klasztor augustianów (przy kośc. św. Marcina) 27, 29, 42, 11
– bernardynek (na Mariensztacie) 109, 264, 303
– – (przy ul. Panieńskiej) 274
– bernardynów 29, 42, 50, 93, 109, 111, 282, 17, 33
– bernardynów (na Czerniakowie) 142, 157
– bonifratrów 118, 197, 264
– dominikanów 109, 111, 301
– franciszkanów 341
– kamedułów (na Bielanach) 8, 116, 264, 355
– kanoniczek 294, 297
– kanoników regularnych 42, 17
– kapucynów 115
– karmelitów (na Lesznie) 264, 305, 352
– karmelitów bosych 157
– misjonarzy 149
– panien miłosiernych św. Kazimierza 118
– obserwantów (na Nowym Świecie) 116, 301
– pijarów 133, 197, 199, 316, 317, 139
– redemptorystów 265
– reformatów (przy ul. Senatorskiej) 264
– teatynów 125, 129
– wizytek 264
Kleiner Juliusz 436
Kleinpolt Erhard 127
Kleinpolt-Małopolski Stanisław 127
Klemens, wójt 32
Klemens XII 192
Klement, przemysłowiec 468
Klinckowström von Birkhan Karl Friedrich 255
Kliszko Zenon 509
Klonowic Sebastian 94
Kluczewicz Antoni 393
Kluczewski Michał 342
Klukowski, wydawca 301
Kluzowski Roman, pseud. „Halny" 492
Kłajpeda 124
Kłodzko 602
Kłyszewski Wacław 529, 531, 538
Knothe Jan 531, 532, 538, 556, 612
Knöbel Jan Fryderyk 193, 199, 201
Knöffel Johann Christoph 201
Kober Marcin 75
Kobro-Strzemińska Katarzyna 466, 613
Kobyłka 194, 248, 542, 589, 218
Kobzdej Aleksander 612
Koch Jan Ludwik 261, 177
Kochanowski Jan 57, 92, 94, 411, 102
– Michał 268
Kochański Adam 126
– Paweł 456
– Wacław 457
Kociszewski Stanisław 350
Kocowski Przemysław 510
Kokoszko Edward 475, 606
Kokular Aleksander 292, 341, 342, 314, 315
Kolano Jan 74
Kolbe Maksymilian 494
Kolcow Michaił I. 430
Kolczyński Antoni 459
kolegium jezuickie 125, 175
– pijarów (na Żoliborzu) 264
– – (przy ul. Długiej) 128, 183, 197, 199
– teatynów 132
Kolonia 127, 383, 385
kolonia Lubeckiego 460
– Staszica 460, 493, 448
– WSM na Mokotowie 555, 571
– WSM na Rakowcu 462
– WSM na Żoliborzu 462, 555, 447, 482
Kolski Witold, właśc. Bernard Cukier 430
Koluszki 525
Kołaczkowski Klemens 278
Kołłątaj Hugo 168, 170, 173, 243, 276, 190
Koło 9, 10, 25, 297, 328, 357, 361, 370, 415, 484, 513
– Budy 416
– Wschód 531
Komaski Wojciech 125
Komisja Edukacji Narodowej 184, 185, 191

– Planowania 531
Komora Wodna 298
Komorowski Józef 345
– Tadeusz, pseud. „Korczak", „Bór" 495, 504, 509, 516, 517
Kon Bolesław 456
Konarska Janina 473
Konarski Adam 152
– Stanisław 175, 183, 199, 433, 180
Kondratowicz Daniel 292, 348
Konicz Tadeusz 239
Koniecpolski Stanisław 62
Konieczny Marian 548
Konopacka Halina 459
Konopkowa Krystyna 558
Konrad I Mazowiecki 21–23, 71
Konrad II 22, 24, 25
Konrad III Rudy 34, 54, 75
Konserwatorium Muzyczne 303, 434, 436, 456, 457
Konstancja, królowa, żona Zygmunta III 107
Konstancin 589
Konstanty Mikołajewicz 346, 348, 353, 355
Konstanty Pawłowicz 272, 282, 294, 298, 304–306, 309, 310, 316, 322
Konstantynopol 254
Kontkiewicz Marcin 460
konwikt pijarów przy ul. Długiej i Miodowej, patrz Collegium Nobilium
– – na Żoliborzu 164, 301, 317, 339
– – teatynów 132
Koński Targ 277
Końskie 168
Kopaliński Leszek 495
Kopf Jan 108
Kopeć Stefan 493, 494
Kopczyński Onufry 258
Kopenhaga 385
Kopernik Mikołaj 94, 276, 286, 411, 496, 504
Kopiec Czerniakowski 15
Koppe Wilhelm 508
Korb Jerzy 72
Korbowie 59
Korczak Janusz, (Henryk Goldszmit) 431, 498, 531
Kornacki Jerzy 450
Koriot Józef 278, 337
Kornicki Stanisław 96
Korolewicz-Waydowa Janina 456
Korotyńscy 389, 390
Korpus Kadetów, patrz Szkoła Rycerska
Koryciński Stefan 127
Korzec 248
Korzeniewski Bohdan 453
Korzeniowski Józef 343, 345, 348
Korzon Tadeusz 434
Kosecka Alina 545
Kosidarski Wawrzyniec 129
Kosiński Almikar 268
– Józef 291
Kosmowska Irena 432
Kosmowski Piotr 126
Kostecki Franciszek 498
Kossak Juliusz 342, 348, 404, 410, 369, 414
– Tadeusz 538
– Zofia (w obozie Śliwińska) 496, 498, 509
Kossakowski Józef 225
– Józef, biskup 173
– Stanisław 412
Kossecki Ksawery 261
Kostrzewski Franciszek 341, 342, 404, 331, 349, 362, 365, 401, 413
– Józef 442
– Stefan 459
Kostrzyń 265
koszary Artylerii 168, 264, 294, 311
– – Koronnej 224, 253
– Dywizjonu Artylerii Konnej 514
– Gwardii Konnej Koronnej 200
– – Pieszej Koronnej 163, 165, 200, 224, 264, 294, 312, 316
– – Pieszej Litewskiej (Ujazdowskie) 224, 264, 335
– – „Jerozolimskie baraki" 335
– Kadeckie 264, 278
– Kawalerii 336
– „Koszary zbornego punktu" 336
– Królewskiej Gwardii Konnej (saskie) 120, 224, 264, 294
– Mikołajewskie 294

koszary Mirowskie 264, 376
- „Powązkowskie zimowe baraki" 312, 336
- Pułków kawalerii rosyjskiej 293, 296, 306
- Pułku Szwoleżerów 514
- Saperskie *361*
- Sapieżyńskie 294
- Sierakowskie 294
- „Ujazdowskie baraki" 335
- „Wojskowy obóz bielański" 336
Koszczyc-Witkiewicz Jan 461
Koszyki 380, 396
Kościelniki 148
kościół Augustianów, św. Marcina 27, 42, 43, 45, 46, 50, 68, 73, 84, 93, 100, 194, 197, 227, 232, *30, 37, 40, 260*
- Bernardynek (franciszkanek) 79, 82, 85, 303, *84*
- - przy ul. Panieńskiej 274
- Bernardynów, św. Anny 29, 42, 50, 71, 73, 74, 77, 82, 90, 97, 101, 111, 133, 195, 204, 220, 221, 232–235, 239, 247, 249, 261, 263, 280, 282, 337, 353, 533, *32, 248, 382, 410*
- - św. Antoniego Padniewskiego 142, 153, 156, 158, 159, *157–159, 170, 174*
- - św. Stanisława (nie istniejący) 58, 85, 89, 97, 274
- Bonifratrów, św. Andrzeja Apostoła, Jana Bożego 144, 197, 228, 282
- Brygidek, św. Benona 90, 91, 133, *138*
- Dominikanów, św. Jacka 82, 84, 85, 100, 104, 123, 124, 195, 280, 283, *58, 62, 63, 88, 89*
- Dominikanów Obserwantów 111, 133, 197, 203, 229, 232
- Ewangelicko-Augsburski 118, 204, 224, 294, 338, *252*
- Ewangelicko-Reformowany 391
- Franciszkanek, p. Augustianów
- Franciszkanów 99, 115, 133, 194, 229, 230, 232
- Jezuitów 82, 84, 97, 192, 232, 317, *58, 85–87, 262*
- Kamedułów 91, 157, 194, 196, 197, 232, 336, *173*
- Kanoniczek na pl. Teatralnym 294, 297
- Kapucynów, Przemienienia Pańskiego 115, 144, 148, 162, 196, 221, 288, 391, *161, 162*
- Karmelitów Bosych 90, 133, 203, 220, 232, 233, 339, 409, *97, 98, 247, 259*
- Karmelitów Trzewiczkowych, Narodzenia NMP 97, 133, 194, 228, 232, 352, 547
- Luterański 266
- Matki Boskiej Loretańskiej 44, 306, *34*
- Misjonarzy, Św. Krzyża 97, 118, 124, 125, 133, 156, 162, 170, 190, 193, 195, 229, 230, 232, 233, 239, 245, 260, 289, 295, 300, 409, 410, *135, 136*
- na Wierzbnie 391
- Nawiedzenia NMP 27, 37, 42, 52, 71, 73, 91, 95, 125, *31, 354*
- Paulinów, Św. Ducha 33, 91, 109, 111, 128, 148, 352, 409, *120, 164*
- Pijarów przy ul. Długiej 196, 197, 229, 317, *139, 318*
- - przy ul. Świętojańskiej 133, 232, 329
- Redemptorystów, św. Benona 264, 265
- Reformatów, św. Antoniego 108, 138, 232, 246, 411, *134, 137*
- Sakramentek, św. Kazimierza 144, 232, 245, *160*
- Serca Jezusowego 402
-, Świątynia Opatrzności (nie istniejący) 170, 214, 282, 296
- św. Aleksandra 282, 294, 396, 504, *301, 353*
- św. Andrzeja Apostoła, p. Bonifratrów
- św. Andrzeja na Pradze 391
- św. Augustyna 397, 503
- św. Barbary, p. św. Piotra i Pawła
- św. Bonifacego, p. Bernardynów, św. Antoniego
- św. Floriana 396, *425*
- św. Jakuba 404
- św. Jana, katedra 8, 32, 33, 37, 41, 43–45, 49, 50, 52, 53, 54, 56, 58, 71, 73, 77, 78, 84, 89, 91, 92, 100, 103, 108, 125, 126, 168, 214, 231, 232, 259, 272, 274, 283, 289, 316, 329, 336, 353, 410, 411, 486, 522, 533, *9, 29, 35, 36, 38, 61, 74, 75, 121, 240, 352*
- św. Jerzego (nie istniejący) 28, 33, 42, 50, 71–73, 91, 299, *351*
- św. Karola Boromeusza na Powązkach 396
- św. Karola Boromeusza przy ul. Chłodnej 289, 329, 522
- św. Katarzyny (na Służewie) 8, 232
- św. Kazimierza przy ul. Tamka 118
- św. Klary (nie istniejący) 157
- św. Michała Archanioła 8

- św. św. Piotra i Pawła 116, 396, 411
- św. Stanisława na Skaryszewie 125
- św. Stanisława przy ul. Wolskiej 397
- Świętej Trójcy 91, 118, 266
- św. Wawrzyńca 197, 229, 317
- Teatynów *129*
- Trynitarzy, Św. Trójcy 148, 197, 506
- Ujazdowski 200, 214
- w Królikarni 391
- Wizytek 157, 192–194, 197, 202, 228, 232, 239, 303, 409, *58, 216, 217, 257, 261*
- Wszystkich Świętych 329, 391, 409, *407*
- w Wilanowie, św. Anny 330, 410
- Zbawiciela 400
Kościuszko Tadeusz 172–174, 184, 243, 258, 305, 353, *210*
Kotarbiński Józef 387
- Mieczysław 504
- Miłosz 408, 473
- Tadeusz 441, 443
Kotowscy 131
Kotowski Alfons, pseud. „Okoń" 513, 517
Kotuliński Wawrzyniec 126
Kowalczyk Anastazy, pseud. „Nastek" 499
Kowalska Izolda 509, 518
Kowalski Aleksander, pseud. „Olek" 506, 509
- Bolesław, pseud. „Ryszard" 516
- Jan, pseud. „Mały" 494
Kowarski Felicjan Szczęsny 476, 477, 593, 601, 602, 604, 613, *498, 630*
Koziemięso Stanisław 36
Kozienice 168
Kozłowska Helena 509
Kozłowski Józef Gabriel 305, 313
- Karol 397
- Roman 442
- Władysław 400
Koźmian Kajetan 271, 304
Kórnik *42*
Köhler Jerzy Ludwik Egidiusz von 255, 258, 259, 262
Krafft Per 242
Krahelska Halina 432
Krajewski Aleksander 348
- Henryk 350
- Juliusz 592
- Rafał 356, 391
Kraków 36, 37, 47, 49, 51–53, 56, 57, 59, 60, 66, 70, 72, 79, 90–92, 96–98, 105, 108, 113, 121, 122, 127, 129, 163, 172, 177, 185, 191, 193, 248, 251, 272, 282, 362, 389, 408–410, 427, 434–437, 440–445, 457, 458, 464, 472, 476, 477, 483, 484, 490, 495, 502, 504, 524, 574, 587, 593, 595, 608, 609, 612, 613, 615, 618, 620, *41*
Kramsztyk Roman 465
Kranichowie 59
Krantz Franciszek 250
Krasiccy 121
Krasicki Ignacy 176, 183, 277
- Jan, pseud. „Kazik" 504, *548*
Krasińscy 149, 150, 152
Krasińska Ewa 548
Krasiński Jan Bonawentura 132
- Jan Dobrogost 118, 138, 148, 151–153, 157–159
- Józef 265
- Maciej 548
- Wincenty 260, 304
- Zygmunt 350
Kraskowski, porucznik 485
Krasne 148
Krasnodębska-Gardowska Bogna 473, *503*
Krasnowola 8
Kraszewski Józef Ignacy 342, 348, 349, 410
Kreczmar Jan 451
Kremer Jan 126
Kret W. *95, 96*
Krethlow Johann F. *290*
Kretschmann August 505
Krępowiecki Tadeusz 305
Kronenberg S. Leopold 273, 323, 328, 329, 348, 350, 352, 353, 355, 371, 376, 385, 386, *387*
Kropiwnicki Alfons 285, 328, 329, 332, 336, 391, 393
Królewiec 124, 165, 252, 259
Królikarnia, p. pałacyk
Królik Michał 107
Królikowski Jan 345, 387
- Stanisław 129
Krubsacius, arch. 201

Kruczkowski Leon 446, 662
Krukowie 68
Krukowiecki Jan Stefan 311, 312, 314, 315
Krukowski Kazimierz 451
Krygier Antoni 256
Krym 350
Kryński Adam Antoni 434
- Jan 409, 411
- Karol, pseud. „Waga" 513
Kryscy 82
Kryst Jan 503
Krywult Aleksander 404
Krzemiński Stanisław 351
Krzycki Andrzej 70
Krzyczkowski Józef, pseud. „Szymon" 514
Krzywicka Irena *464*
Krzywicki Hipolit 349
- Ludwik 386, 430, 434, 439, 443
Krzywopatrzowie 59
Krzywoszewski Dominik 309
Krzyżanowski Konrad 408
- Seweryn 305
Książęce 219, 220
Kubicki Jakub 203, 204, 213, 214, 224, 268, 279, 280, 282, 283, 291, 294, 295, 298, 336
Kucharzewski Ludwik 409, 411
Kucz Jan 613
- Karol 348, 349
Kucza-Kuczyński Konrad 558
Kudlicz Bonawentura 302, 313
Kujawski Jerzy 609
Kujawy 36
Kuklówka pod Grodziskiem 406
Kulisiewicz Tadeusz 473, 593, 606, *501, 631*
Kulon Stanisław 613
Kulski Julian 486, 490, 495
Kułakowski Sergiusz 449
Kumelowski Jerzy 558
Kumor Emil 547
Kuna Henryk 412, 465, 600, *508*
Kuncewicz Olgierd 545, 557
Kunka Lech 609
Kurczyński S. *292*
Kurkowska-Spychajowa J. 459
Kurlandia 58
Kurnakowicz Jan 451
Kurpiński Karol 302, 303
Kurth Bruno 502
Kurzawa Antoni 411, *440*
Kusociński Janusz 459, 493
Kuś S., arch. 548
Kuthan E., wydawca 445, 573
Kutno 263, 322, 355
Kutrzeba Tadeusz 487, 489
Kutschera Franz 505, 507, *549*
Kutuzow Mikołaj 272
Kuzma Mieczysław 529, 533
Küchler, generał niemiecki 488
Kwaśniewska Maria 459
Kwiatek Narcyz, patrz Janiczek Jan i Miłoszewski Stanisław
Kwiatkiewicz vel Kwiatkowski Walenty 126
Kwiatkowski Mikołaj 126

Laboratorium Mechaniczne m.st. Warszawy 444
Laboureur Jean 97
Lachert Bohdan 399, 461, 470, 525, 531, 538, 612, 613
- Wacław 486
Lachman Wacław 456
Laeppige Grzegorz 253
Lafontaine Franciszek Leopold 261, 278
Lalewicz Marian 460
Lambert Karl 353
Lampi Franciszek 292
- Jan Chrzciciel 242, 292, *188*
- Wiktor 441
Lanci Franciszek Maria 330, 334, 336
- Witold 393, 394, 399
Lanckorońska Marianna 260, 274, *293*
Landau Gustaw 402
- Samuel 402
- Wilhelm L. 402
Lande Dawid 402
Landini Camillo 289
Landowska Wanda 456
Landowski Paweł 355

Landshut 267
Lange-Ciężosił Adalbert (Wojciech) 280
Langiewicz Marian 355
Lardelli 367
Larisch Karol 477
las Bemowski 14
– Bielański 7, 9, 14, 316, 336, 416, 546, 553, 556
– dąbrowa Syberia pod Hutą 14
– Chojnowski 500, 514, 546
– im. Króla Jana Sobieskiego 14
– Kabacki 14, 495, 496, 553, 559
– Marysiński 14
– Młociński 14
– Natoliński 14
– Olszynka Grochowska 15, 310, 311, 317
– Olszynka przy ul. Włościańskiej nad Rudawką 15
– Serokie 355
– Sękociński 496
– Wilanowski pod Zbójną Górą 14
lasek w Pludach 15
Laski 79, 77
Laski Marcin 74
Lasoccy 78
Latawiec (osiedle) 532, 538, *581*
Latowicz 122
Lau Jerzy 608
Lauri Jan Kazimierz 126
Laurin, przemysłowiec 468
Lauterbach Alfred 205
Laveaux Ludwik de 486
Lawicz Wilhelm 486
Lazarus Pictor, zapewne Lazatus Gertner 45
Ląd 131
Lebeau Piotr Adrien *287*
Lebenstein Jan 612
Le Brun André (Andrzej) 209, 215, 225, 234, 235, 286, *264, 266*
– – Charles 239
Lechner Josef 505
Lechoń Jan 446, 453, *463*
Lefeld Jerzy 457
Legionowo 496, 542, 553, 589
Legnica 59
Leibniz Gottfried Wilhelm 127
Leist Ludwig 490, 495
Lejda 94
Lelewel Karol 179
– Joachim 179, 276, 302, 304, 306, 309, 310, 313, 315, 347, *369*
Lemański Józef 556
Lempke Włodzimierz 355
Lena 390
Lenartowicz H., arch. 558
– Teofil Aleksander 343, 349, 350, 410
Lenica Alfred 609, *647*
– Jan 607, 609, 612, 614, 615, *659*
Lenin Włodzimierz 430
Leningrad 151, 172, 179, 202, 259, 315, 316, 322, 325, 344, 346, 356, 365, 383, 385, 434, 441, 442, 460, 461
Lentz Stanisław, 404, 408, *439, XXI*
Leonard Dawid 92
Lepki 553
Lepla Anastazy 412
Lerue Adam *332*
Lessel, cukiernik 254, 295
– Fryderyk Albert 203, 279, 280, 297, *298*
– Józef 280, 297, 327, 333
Lesser Aleksander 245, 326, *355*
Lesseur (Lesserowicz) Wincenty de 245
Leszczyńscy 121
Leszczyńska Katarzyna z Opalińskich, królowa 192
Leszczyński Andrzej 62, 90
– Bogusław 89
– Bolesław 387
– Jerzy 435, 451
Leszno 61, 64, 111, 114, 118, 120, 123, 126, 422
Leszno (miasteczko) 114
Lesznowski Antoni, senior 261, 300
– Antoni, junior 348
Leśna 197
Leśniewski Franciszek 126
– Stanisław 441, 443
Letronne Louis *290*
Leufgen H. 521
Levittoux Karol 350

Lewandowski Bohdan 531, 544
– Zbigniew, pseud. „Szyna" 499, *536*
Lewestam Fryderyk Henryk 348, 350
Lewicka-Polińska Matylda 454
Lewicki Jan 348
Lewko Paweł 51
Leykam Marek 614
Liceum Warszawskie 259, 276, 277, 289
Liebert Jerzy 447
Liège 442
Lier Jan 299
– Kazimierz 523
Lilpop Edward 394
– Franciszek 402, 404, 463
Lilpopowie 367, 368, 371, 384, 389, 390, 575, *399, 547*
Limanowski Bolesław 439
Linde Samuel Bogumił 259, 276, 277, 302
Lindley William 380
– William Heerlein 380, 381
Lindorfówna Zofia 451
Lingnau Jan 258
Linke Bronisław Wojciech 482, 593, 606, *633*
Linowski Aleksander 268
Lipiński Eryk 614
– Karol 303
– Wacław 495
Lipków 254, 328
Lipman Mojżesz 453
Lipsk 53, 165, 261, 262, 306, 379, 385, 614
Lipski Antoni 429
Lis Maciej z Krajny 49
Lisowski Stanisław 613
Litwa 21, 34, 36, 50, 57, 59, 60, 66, 122, 156, 157, 188, 272, 354
Livet W., profesor 278
Liw 122
Liwiec 18
Locci Agostino (Augustyn) 79, 87, 101, 131–133, 135, 138, 144, 147, 192, 197, 198
Lochman Andrzej 126
Loeve Adam Adolf 391
– Kazimierz 397
Loewenstein Seweryn Jakub Henryk 367, 575, *399, 547*
Lohrmann Fryderyk Antoni *205*
Lokajski Eugeniusz 459
Londyn 165, 166, 203, 214, 250, 337, 361, 363, 380, 384, 498, 504, 507–509, 517, 614
Longhi Guido 194
Longuelune Zachariasz 190, 199–202, *214*
Lorentowicz Jan 453
Lorentz Stanisław 490, 522, 555
Loreto 89
lotnisko Mokotowskie *478*
– na Bemowie 9
– na Bielanach 508, 511, 512, 514
– na Okęciu 484, 492, 504, 511, 514, 546, 553
– we wsi Wrona 551, 553
Louis Victor 209, *226*
Loyola Ignacy 92
Lozanna 615
„Loża Masońska" 10
Lubawa 122
Lubecki-Drucki Franciszek Ksawery 306, 309, 310
Lubeka 124
Lubelskie 173, 174, 499
Lublin 35, 36, 64, 82, 83, 92, 98, 122, 156, 177, 271, 418, 485, 524, 525, 592, 595, *60*
Lubomirscy 118, 120, 121, 149, 150, 164, 192
Lubomirska Elżbieta z Dönhoffów 152
Lubomirska Izbela z Czartoryskich 217, 219
Lubomirski Aleksander 222
– Hieronim 126
– Jan Tadeusz 347, 385
– Jerzy Dominik 148
– Jerzy Marcin 188
– Józef Karol 138
– Stanisław Herakliusz 120, 131, 141, 142, 152, 154, 156, 158, 159, 163, 164, 192, 210, 213, *128, 151*
– Zdzisław 499
Lubowidzki Mateusz 304, 305, 310
Lubrański Jan 40, 43, 44
Lucjan 128
Ludolf z Hildsheimu 53
Ludwik XIV 150, 165, 190, 201, 239
Ludwik XVI 172, 249, 396

Ludwik XVII, delfin 172
Ludwik XVIII (hrabia de l'Isle) 259
Ludwik z Warki 50
Ludwiżanka Barbara 451
Lukan 128
Luksemburg Róża 430
Lunéville 192
Lupiowie 123
Lurçat André 529
Luter Marcin 13
Lutosławski Witold 457, *664*
Lübert Willi 507
Lüders Aleksander 353
Lüttwitz Smilo von 519
Lwów 35, 36, 71, 97, 98, 122, 123, 154, 159, 177, 256, 362, 383, 409, 410, 434–437, 441–444, 483, 492

Łada Krystyna 477
Ładosz Henryk 466
Łanskoj Wasilij 272
Łapicki Andrzej *552*
Łaskarzew 122
Łaszczyński Józef 251, 339
Łazienka Lubomirskiego, patrz Pałac na Wyspie
Łazienki, patrz park
Łazy 458
Łepkowski Tadeusz 373
Łęki Górne 44
Łęski Józef *206*
– Józef Franciszek 276
Łochocki, prez. miasta 273
Łodziana Tadeusz 613
Łomianki 166
Łomiłazowie 60
Łomża 59, 73
Łoś Paweł 68
Łowicz 70, 122, 158, 193, 197, 226, 232, 263, 313, 322, 329, 494
Łódź 339, 362, 365, 367, 375, 383, 429, 453, 470, 481, 483, 489, 524, 552, 556, 574, 595, 618–620
Łubiec 127
Łubieńscy 310, 328
Łubieński Feliks 274, 276, 277
– Henryk 310
– K., arch. 556
– Piotr 265, 309, 314
– Stanisław 96
– Tomasz 309
Łuk Siekierkowski 591
Łukasiewicz Jan 441, 443
Łukasiński Walerian 305, 308, *324*
Łukasz, malarz 71
Łukasz, zapewne Ellenbranth, złotnik 79
Łukaszewicz Marcin 96
Łukomski Józef 615
Łuków 365
Łunkiewiczowa Maria Ewa 606, 609, *497*
Łuskina Stanisław 176, 177, 179
Łuszczewska Jadwiga 343
Łuszczyński Zdzisław 545, 559
Łysobyki 313
Łysy Mikołaj, patrz Mikołaj Łysy
Łyszcz Franciszek 51
Łyszkiewicz Maciej 222, *251*

Maciej, muzyk 54
Maciej z Różana 50, *41*
Maciejewski Roman 456
Maciejowice 174
Maciejowski Wacław Aleksander 347
Macrott Henryk 305
Maderna Carlo 79
Madeyski Adam 409
Magazyn Główny Warszawski 278, *297*
Magdalenka 496, 553
Magier Antoni 264, 276, 339, *366*
Magni Walerian 94, 96, *103*
Mahler Serafin 53
Maillol Aristid 412
Maj Kazimierz 490, *520*
Majdanek 499–501, 521
Majerski Aleksander *354, 361*
Majewski Franciszek 305
– Gustaw 592, 614
– Karol 351, 353
Majorkiewicz Jan 349
Maklakiewicz Jan 456, 457

Makowiecki Aleksander 385
Makowski Czesław 411
– Tomasz 105, *49*
– Zbigniew *644*
Malarnia Zamkowa 225, 237, 245
Malbork 39, 193
Malcz Wilhelm 277, 326
Malczewski Antoni 304
Malewicz Kazimierz 608
Malherb Jakub 165, 166
Malicka Maria *470*
Malicki Zasław 524
Maliniak Julian 432
Malinowski Antoni 179
– Baltazar 128
Maliński Paweł 286–288, 291, 310
– Karol 291
Maliszewski Aleksander 449, *466*
Małachowski Gustaw 309
– Jan 198
– Jan Nepomucen 277
– Kazimierz 310, 314, 315
– Stanisław 168, 258, 260, 274, *208, 209*
Małcużyński Karol 571
– Witold 456
Małecki Antoni 345
Małodobry Andrzej 36
– Maciej 36
– Wawrzyniec 36
Małodobrzy 59
Małopolska 59, 60, 79, 109, 122, 132
Manchester 385
Manteuffel Tadeusz 442
Manyoki Adam 239
Mańkowski Szymon 218
– Tadeusz 615
Marchlewski Julian 430
Marcin z Nowej Warszawy 51
Marconi Ferrante 410
– Henryk 280, 285, 286, 322, 323, 329–332, 334–336, 339, 380, 385, 391, 393, 410, *307, 333*
– Leandro 391–393, 397
– Leonard 409, 410
– Władysław 399, 403, 404
Marczak-Oborski Stanisław 608
Marczewski Hipolit 399
– Kazimierz 524, 532
– Witold 353
Marczyński Adam 609
Maret Hugues, książę Bassano 263
Maria Kazimiera, królowa 121, 124, 128, 131, 141, 154, 159, 161, *176*
Maria Ludwika, królowa 59, 94, 97, 102, 109, 118, 128, 129, 149, 150, *104*
Mariani, ród 59
Mariani Mikołaj 92, *100*
Mariański Jan 166
Mariensztat 25, 164, 264, 296, 376, 532, *572*
Marki 110, 310, 370, 499, 589
Markiewicz Stanisław 400
Markowski Marian 368, 449
Marks Karol 430
Marlowe Christopher 95
Marszałkiewicz Stanisław 292
Marszałkowska Dzielnica Mieszkaniowa (MDM) 538
Marteau Louis 242
Martens F., przemysłowiec 371
Martenson Marcin 123
Marudziński, działacz niepodległościowy 258
Maruszewski Tomasz 172, 174
Marymont 7, 9, 13, 25, 121, 145, 174, 193, 298, 299, 302, 311, 312, 316, 328, 340, 357, 360, 4 15, 437, 512, 517, 559, 591
Marywil 124, 130, 145, 147, 175, 252, 261, 280, 282, 285, 294, 297, *163, 299, 320*
Masiak Franciszek 478, 606
Masłowski Stanisław 404, 406, 408, *XX*
Maszkowska-Majewska Bożena 219
Maszyński J. *407*
– Piotr 454, 456
Matejko Jan 397, 410
Matielli F.A. 199
Matuszewicz Stanisław 271
Matuszkiewicz Alfons *360*
Matuszyński Leopold 345
Matys, malarz 71
Mauersberger Ludwik 305

Mauzoleum Męczeństwa, patrz Pawiak
May, przemysłowiec 298
Maziarska Jadwiga 609
Mazurkiewicz Franciszek 487
– Jan, pseud. „Radosław” 499, 513, 515, 517
– Stefan 435, 441
– Tadeusz 454
– Władysław, pseud. „Niebora” 513
Mączeński Zdzisław 463
Meazzi Antoni 101
Mediolan 86, 306, 614
Medyceusze 127
Mehoffer Józef 408
Mehring Franciszek 430
Meissonier Juste-Aurèle 191, 192, 200, 202, 231
Mejer Józef 179
Meksyk 496
Melano Mateusz 192
Melanowie 192
Melcer Henryk 454
Melich Christian 107, *52*
Melin Jan 124
– Ludwik 124
– Wawrzyniec 124
Meller Karol 172
Mellerowicz-Gella Teresa 617
mennica przy ul. Bielańskiej 282, 312
Mercularis Hieronim 92
Merlini Dominik 203–205, 208, 209, 211, 213, 214, 217, 218, 224, *230, 233*
Messal Lucyna 456, *469*
Metz 278
Meysner Jan 167
Mędrzecki Antoni 168
Mianowski Józef 386, 435, 444
Michalak Antoni 475
Michalski, wydawca 445, 573
Michalski Leon 592
Michał Anioł 135
Michał Korybut, król 107, 115, 126, 127, 149, 150
Michałowicz Jan z Urzędowa 78
– Mieczysław 499
Michałowski Aleksander 456
– Kazimierz 442
Mickiewicz Adam 304, 314, 343, 411
Mieczkowski Jan 396
Miedzeszyn 62
Miedziana (osiedle) 545
Miejska Szkoła Rzemieślnicza *457*
Mielczewski Marcin 95
Mienia 312
Mienia (rzeka) 18
Mierosławski Ludwik 350, 351, 355
Mierzejewski Andrzej 612
Mietalski Antoni 249, *184*
Międzylesie 506, 558, 591
Międzynarodowy Port Lotniczy Okęcie *591*
Międzyrzec 122, 314
Mikołaj, malarz 44
Mikołaj, trębacz 54
Mikołaj, złotnik 33, 47
Mikołaj Łysy 47
Mikołaj I, car 303, 305, 306, 310, 315, 339, 341, 350, 355
Mikołaj z Błonia 50, *43*
Mikołaj z Załęża 49
Mikołaj z Żukowa 49
Mikołaj ze Skwar 53, *46*
Mikulski Kazimierz 609
Milanówek 589, 593, 600
Milhaud Darius 456
Miller Romuald 461
Milutin Mikołaj 341
Milwicz Andrzej 615
Miłaszewicz, gen. 172
Miłaszewski Stanisław 495
Miłobędzki Adam 224
Miłoradowicz Michaił A. 272
Miłosz Czesław 449
Minasowicz Florian Krzysztof 123
– Jakub, sen. 123
– Jakub, jun. 123
– Jan Klemens 291
– Józef *176*
– Marianna 123
Minasowicze 123
Minich Jan Andrzej 122, 129

– Michał 129
Minichowie 128
Ministerstwo Budownictwa i Chemii 531
– Finansów 548
– Górnictwa 531
– Komunikacji 463, 511, 531, *483*
– Oświaty i Szkolnictwa Wyższego 463
– Przemysłu i Handlu, patrz Komisja Planowania
– Rolnictwa 531
– Spraw Wewnętrznych 488
– Sprawiedliwości 507
– Spraw Zagranicznych 463, 511, *484*
Miniszewski Józef Aleksander 348
Minkow, cukiernik 367
Minorski Jan 533, 539
Minter Wilhelm Henryk 278, 299, 327, *297*
Mińscy *18*
Mińsk Mazowiecki 311, 370
Mire Noël Le 194
Mirko, podwójci 31, 33
Mirów 422, 538
Mirys Augustyn 239
Mistrz E S 46
Mistrz Żywota św. Antoniego 159
Miśnia 248
Mitawa 124
Mitzler de Kolof Wawrzyniec 174
Młociny 7–10, 15, 22, 23, 62, 416, 536, 546, 558, *624*
Młodożeniec Jan 614
– Stanisław 448
Młodziejewski Andrzej 235
Młynarski Emil 454, *475*
Młynów I 531
Młynów II 536
Młynów III 536
Mniszech Jerzy 82
– Jerzy Wandalin 241, *188*
– Michał *188*
Mniszchowa Urszula 188
Mniszchowie 192
Mniszewscy *18*
Mochnacki Maurycy 300, 303–305, 310
Mock Jan Samuel 239, *179, 181*
Moczydło 8, 10, 546
Modlin 21, 110, 269, 272, 274, 315–317, 336, 355, 518, 551, 553
Modrzejewska Helena 345, 387
Modrzewski Andrzej Frycz 94
Modzelewska Maria 451
Modzelewski Jan 92
Moguncja 127
Mokotów 7, 10, 11, 13, 59, 62, 141, 142, 163, 174, 204, 266, 299, 314, 328, 335, 360–362, 370, 415–417, 457, 486, 488, 495, 498, 511, 514, 516, 517, 545, 546, 553, 566, 585, *335*
Mokra 485
Mokronowscy 343
Mokronowska Maria 303
Mokronowski Stanisław 173, 174
Mokrzecki Zygmunt 442
Mokrzyński Jerzy 529, 531, 538
Molatyński Leon 404, 409, 411
Molier (Molière Poquelin Jean Baptiste) 187, 188
Molli Clemente 68, 85, 101
Monachium 75, 107, 405, 406, 409, 410
Monaldi Giacomo (Jakub) 208, 234, 235, *265, 266*
Monet Claude 407
Moniuszko Stanisław 343, 344, 349, 387, 409, 626
Moore Henry 613
Moraczewski Adam 428
Morando Bernardo 71
Morawski Mieczysław, pseud. „Żniwiarz”, „Szeliga” 512
– Wincenty 96, *44*
Morawowie 68
Morawy 128, 259
Moreau Jean Michel *194*
Morawski Abram 453
Morris, przemysłowiec 298
Morsztyn Jan Andrzej 96, 97, 111, 119, 125, 131, 132, 149, 157, *127*
Morsztynkiewicz Helena 524
Mortkowicz Jakub 444
Mortkowicz-Olczakowa Hanna *466*
Moskwa 34, 57, 259, 271, 316, 322, 365, 385, 434, 435, 441, 442, 529, 592
Mossakowski Eugeniusz 454

Mossoczy Zygmunt 454
most Gdański 547
– Kierbedzia 322, 339, 352, 361, 377, 381, 511, 532, *377*
– kolejowy 365
– na Golędzinowie 298
– pierwszy stały 57, 94
– pod Cytadelą 24, 295, 379, 529, 530, 532, 570
– Poniatowskiego 367, 379, 506, 511, 517, 529, 530, 547, 555, *403, 570*
– przy ul. Bednarskiej 263, 295, 298, 322
– Siekierkowski 529
– Sobieskiego *323*
– Śląsko-Dąbrowski 322, 532
– Średnicowy 511, 517, 570
– u wylotu ul. Karowej 529
– Warszawski 71
– wysokowodny przy ul. Karowej 530, 532
Mostowski Tadeusz Antoni 177, 261, 303
Moszyński August 164, 187, 205, 208, 224
– Fryderyk 172
Mościcki Ignacy 444
Możdżeński Mikołaj 404
Mroszczak Józef 614
Mrożek Sławomir 623
Mrówczyński Tadeusz 559, 560
Mrugawkowie 59
Mszczonów 23, 255, 328
Muchanow Paweł 339
Mumford Lewis 529
Munch Edward 408
Muradowicze 123
Muranów (Murano) 9, 116, 376, 415, 422, 529, 531, 538
Murat Joachim, książę Bergu 263, 271
mury obronne 34, 37–39, 57, 71, 72, 111, 112, 114, 115, 222, *16, 18, II*
Musiałowa H. 604
Musianowicz Krystyna *14*
Musonius Ernest Teodor 256
Muzeum Archidiecezjalne 101
– Diecezjalne 45
– Etnograficzne 336
– Historyczne m.st. Warszawy 46, 92, 101, *25–27, 283, 289, 290, 294–296, 316, 413, 461, IV, X, XII, XVI–XX, XXII*
– Narodowe 45, 74, 75, 302, 386, 463, 490, 496, 526, 572, 598, 601, 612, 619, *165, 267–273, 275–282, 285, 286, 288, 292, 293, 298, 312, 314, 315, 318, 336, 374, 375, 436, 438–442, 491, 498, 499, 506, 509, 611, 630–632, 635, 637–639, 641, 643, 649, 653, I, V, VII, XI, XII, XIV, XV, XXI*
– Plakatu 615, *656–659, 667*
– Przemysłu i Rolnictwa 385, 386, 392, 434, 435, 439
– Przemysłu i Techniki 488
– Rzemiosł i Sztuki Stosowanej 386
– Społeczne 430
– Sztuk Pięknych 386
– Teatralne *203*
– Wojska Polskiego 572
Münnich Gerhard Burchard von 148
Mycielski Zygmunt 456
Mylius Jan Fryderyk 192, *182*
Myślewice 339
Myszkowski Leon 411

Nacht-Samborski Artur 600, 606, *634*
Nadarzyn 60, 255
Nadrenia 306
Nagórny Antoni 393
Nagórski Łukasz 78
Nakomiady 148
Nakwascy 303
Nalewajko Semen 58
Nałędzki Konrad 613
Nałkowska Zofia 607
Nałkowski Wacław 434
Napoleon Bonaparte 258, 262–265, 267, 268, 270–272, 274–277, 279
Napoleon III 346, 352
Narbutt Ludwik 361
Narew 10, 18–21, 23, 173, 264, 553
Narodowy Bank Polski na pl. Powstańców Warszawy, patrz Bank
Naruszewicz Adam Stanisław 170, 177, 183, 235
Narutowicz Gabriel 427, 428
Nasielsk 556

Nasierowski Marcin 50
Nasonow, arch. radziecki 539
Natanson Jakub 376, 385
– Władysław 376, 444
Natoire Joseph 192
Natolin 288, 542, 559, 591
Naudet Thomas Charles *287*
Naumann Johann Ch. 193, 200
Naumański Jan 176
Nawarski W., księgarz 256
Nelson Paul 529
Nencki Marceli 443
Nerka Mikołaj 36
Netto Fryderyk Ch. 261
Netzer Zygmunt, pseud. „Kryska" 517
Neumark Ignacy 273
– Salomon 273
Neveu Ginette 456
Newachowicz Leon 304, 306
Newton Issac 127
Neysser Maciej 36
Nidecki Andrzej Patrycy 92, 94
Niderlandy 59, 107
Nieborów 617
Niedbałowie 60
Niedziałkowski Mieczysław 493
Niedzielski Mieczysław, pseud. „Żywiciel" 512, 517
Niemcewicz Julian Ursyn 177, 188, 268, 276, 291, 301, 302, 304, 309
Niemcy 47, 64, 90, 93, 267, 306, 411, 434, 436, 442, 466, 498
Niemczyk Maria 545, 557
Niemen 264, 272
Niemojewscy 310
Niemojewski Lech 525
Niemojowski Bonawentura 315
Niemsta Jerzy 93
Nienieński Apoloniusz 400
Niepokalanów 494
Niepokojczycki Benedykt 341
Nieporęt 21, 553
Nieśwież 46
Niewiadomski Stanisław, arch. 548
– Stanisław, kompozytor 454
Niewiarowska Kazimiera 456
Niewiarowski Aleksander 349, 350
Niewieski Stanisław 125
Niewisiewicz Łukasz 609
Nieznachowie 60
Niklos, murator 41
Nitschowa Ludwika 478, 613
Nivet, przemysłowiec 299, 328
Noakowski Stanisław *506*
Noiszowski Marcin 128
Noji Józef 459
Norblin de La Gourdaine Jan Piotr 244, *196, 206, 211, 212, 274*
– de la Gourdaine Wincenty Konstanty 299, 327, 371, *398*
Norwid Cyprian Kamil 349, 350, 450
– Ludwik 350
Norymberga 35, 36, 45, 59, 64, 521
Noskowski Andrzej 70
Noteć 109
Nowa Droga Jerozolimska, patrz Al. Jerozolimskie
Nowa Praga 332, 357, 367, 370, 389
Nowa Warszawa 32, 34–36, 52, 61, 62, 68, 79, 111, 112, 114, 116, 121, 124, 163, 165, *17, 67*
Nowa Wieś 165, 208, 294
Nowacki Kazimierz, pseud. „Witold" 512
Nowak Janusz 559
Nowakowski Jerzy 559
– Władysław, pseud. „Serb" 512
Nowe Bródno 362, 370, 416
Nowe Miasto 255, 265, 268
Nowe Miasto (dzielnica) 10, 27, 29, 30, 42, 47, 59, 61, 70, 71, 73, 95, 109, 115, 116, 121, 145, 165, 183, 191, 222, 273, 296, 316, 318, 356, 529, 530, 533, *354*
Nowicki Jacek 545, 560
– Maciej 527
– Zygmunt 490
Nowogród 34
Nowosielski Jerzy 609, 616
Nowosilcow Nikołaj N. 272, 301, 302, 304
Nowotko Marceli, pseud. „Marian", „Stary" 495, 499, *524*
Nowy Dwór 23, 109, 110, 263, 542, 553, 589, 591

Nowy Jork 452, 475
Nowy Zjazd, patrz ulice
Neyers Piotr de 94
Nur 36

Oberländer Marek 617
Oborin Lew 456
Obory 121
Obserwatorium Astronomiczne 22, 214, 282, 283, 296, 442, *316, 460*
Ochorowicz Julian 386
Ochota 7, 10, 13, 357, 370, 415, 416, 420, 457, 460, 485, 486, 514–516, 556, 566, 585
Oczko Wojciech 91, 92, *60, 101*
Odoliński Hieronim 72
Odorkiewicz Cyprian, pseud. „Krybar" 511
Odra 269
Odymalski W. 113
Offenbach Jacques 346
Ogonowski Marcin 128
Ogonów 3
Ogród, patrz również parki
– Botaniczny 15, 165, 170, 283, 296, 511, 546, 559
– Dolina Szwajcarska 361, 436, 458
– Krasińskich 15, 275, 295, 296, 339, 361
– Królewski (Zamkowy) 94, 101, 230, 283
– Łazienkowski, patrz park
– na Czystem 205
– na Faworach 205
– na Górze 219, 220
– na Książęcem 205, 219, 220
– na Mokotowie 204, 205, 219
– na Powązkach 204, 219
– na Solcu 204, 219, 220
– pałacu Dückerta 295
– przy Pałacu Kazimierzowskim 94
– Saski 15, 163, 192, 230, 274, 275, 283, 295, 296, 318, 323, 330, 336, 339, 353, 361, 532, *2, 362, 378*
– –, Instytut Wód Mineralnych (cieplarnia) 289, 295, 339
– Unruha 315
– w Górcach 205
– W Jabłonnie 205
Ojstrach Dawid 456
Okęcie 62, 417, 485, 486, 489, 498, 504, *454*
Okiński Władysław 507
Okiński Ryszard *409*
Okolski Tadeusz, pseud. „Dzik" 511
Okulicki Leopold, pseud. „Niedźwiadek" 486
Okuniew 122
Okuniew Mikołaj 339
Okunin 111, 263
Okuń Edward 408
Olesiński Antoni 411
Oleszczyński Antoni *324, 329*
– Władysław 287, 409–411
Olszewski Tadeusz, pseud. „Zawisza" 501
Olszowski Andrzej 152
Olsztyn 122, 567
Olszyński Marcin 342
Opaccy 121
Opaliński Łukasz 95
Opatów 78
Opera, patrz Teatr Wielki
Opera Kameralna 622
Operetka 367, 456, 620, 622
Opicz Jan 123
Oranienburg 493
Ordon Julian Konstanty 314
Ordonówna Hanka (Tyszkiewiczowa) 451
Orgelbrand Samuel 347
Orlicz-Dreszerowa Wanda 496
Orłowski Józef, arch. 332, 333, 337, 391
– Józef, gen. 173
Orsetti Wilhelm 124
Orthwein, przemysłowiec 368, 390
Ortym Tymoteusz 452
Orzechowski Stanisław 94
Orzelska Anna 239, 280
Orzeszkowa Eliza 450
Osiński Ludwik 259, 261, 278, 302, 304, 313, 315
Ossolińscy 88, 98, 107
Ossolińska Katarzyna z Kosińskich 104
Ossoliński J.K. 302
– Jerzy 62, 88, 95, 107, 235
Ossowski Stanisław 527
Osterwa Juliusz 435, 450

Ostrołęka 313
Ostropolski Aleksander 96
Ostrowska Jadwiga 511
- Zofia 291
Ostrowski Antoni 215, 270, 271, 309, 310, 313
- Antoni Kazimierz 235
- Janusz 511
- Kazimierz 411
- Stanisław 480
- Tadeusz 291
- Tomasz 274, 291
- Wacław 527
- Zygmunt 367, 384
Oś Saska 132, 163, 193, 200, 547
- Stanisławowska 547
Ośrodek Wystawowo-Informacyjny Budownictwa 558
Oświęcim 493–496, 503–506, 524
Otto Alfred 490
- Zygmunt 399, 404
Otwock 121, 192, 397, 589
Owidzka Jolanta 615
Owidzki Roman 592, 606, 607, 612
Oxenstjerna Bengdt 109
- Eric 109
Ożarowski Piotr 173
Ożarów 59, 370, 589
Ożegałowie 60

Pabst, urbanista niemiecki 521, 565
Pac Ludwik 285, 298
Pacak-Kuźmirski Zdzisław 486
Pacelli Asprilio 95, 101
Pacowie 156, 157
Paderewski Ignacy 387, 426, 456
- Franciszek XV
Padlewski Zygmunt 354, 355
Padwa 49, 91, 133
Paganini Nicolò 303
Pajzderski Tomasz 408
Palińska Salomea 345
Palladio Andrea 203, 217, 218, 220
Palloni Michelangelo 138, 156–158, 161, 172, 173
Palmiry 486, 487, 492–495
Palmoni Carluzzo 254
pałac Arcybiskupi 246, 58
- Badenich, patrz Branickich
- Badeniego 330, 336
- Stefana Bidzińskiego, patrz Morsztynów
- Bielińskich przy Krakowskim Przedmieściu 119, 163, 191, 197, 200, 219
- - przy ul. Żabiej 192
- Biskupów Krakowskich 110, 199, 277
- Blanka 167, 501
- Błękitny 132, 198, 203, 226, 230, 280, 287, 298
- Branickich przy ul. Miodowej 197, 230
- - przy ul. Nowy Świat 330
- Aleksandra Branickiego 392
- Jana Klemensa Branickiego 227, 239, 279
- Brühla, dawny Sandomierski 192, 197, 199, 227, 230, 501
- Brühlów-Potockich 192, 199, 226, 255, 256, 270, 274, 316, 256, 484
- - w Młocinach 8, 192
- Brzostowskich 392
- Czapskich, patrz Krasińskich
- Czartoryskich na Krakowskim Przedmieściu, patrz Denhoffów
- - na Powązkach 219, 244
- - na Solcu 219, 264
- Kazimierza Czartoryskiego, później Tarnowskich 198, 200, 260
- Daniłłowiczów 62, 82, 103, 111, 192, 58
- Dembowskich 332
- Denhoffów, później Czartoryskich, Potockich, 148, 198, 227, 230, 260, 271, 274, 397, 221
- Dückerta, patrz Pod Czterema Wiatrami
- Działyńskich 275
- Gnińskich, patrz Ostrogskich
- Hilzenów, Mostowskich 261, 283, 298, 286
- Igelströma, patrz Morsztynów
- Jabłonowskich 259, 264, 297, 377
- Kazimierza Karasia 209, 264, 295
- Jana Karnickiego 392, 422
- Kazanowskich 62, 87, 90, 103, 107, 109, 111, 58
- Kazimierzowski, zw. Villa Regia 8, 59, 87, 94, 113, 149, 183, 185, 188, 193, 256–259, 264, 278, 283, 287, 399, 531, 58, 202, 363

- Stanisława Kleinpolta, patrz Pod Czterema Wiatrami
- Kickiego 264
- Komisji Rządowej Przychodów i Skarbu 284, 287, 294, 304
- Koniecpolskich, Radziwiłłów, Namiestnikowski 62, 87, 170, 187, 197, 198, 200, 220, 282, 287, 289, 309, 313, 385, 511, 93, 300
- Kotowskich 138, 230, 144
- Krasińskich 256, 260, 263, 264, 282, 304, 220
- Jana Bonawentury Krasińskiego 132
- Jana Dobrogosta Krasińskiego 118, 138, 151–153, 156, 157, 197, 268, 272, 274, 277, 330, 487, 148–150, 165
- Leopolda Kronenberga 362, 392, 411, 404
- Kultury i Nauki 539, 547, 548, 557, 579, 583, 622
- Leszczyńskich 89, 118, 284, 298
- Lubomirskich przy pl. Żelaznej Bramy 216, 221, 264, 294, 145, 146, 244
- - przy ul. Krakowskie Przedmieście 118, 119, 199
- Łazienkowski, patrz Pałac na Wyspie
- Łubieńskich 274, 295, 332
- Jana Małachowskiego 198
- Ministra Sprawiedliwości 277
- Ministrów Skarbu 284, 305
- Mniszchów 82, 148, 198, 227, 229, 231, 260, 261
- Mokronowskich 343
- Morsztynów, Bidzińskiego, Igelströma 148, 279, 133
- Czapskich, Saski 118–120, 148, 172, 193, 200, 227, 231, 253, 256, 259, 277, 294, 311, 330, 336, 339
- Mostowskich, patrz Hilzenów
- Myśliwiecki 213, 235, 241
- Namiestnikowski, patrz Koniecpolskich
- na Czerniakowie 192, 155, 156
- na Grzybowie 274
- na Marymoncie 144
- Na Wyspie 142, 152, 153, 204, 205, 210, 211, 213, 214, 216, 218, 235, 240, 241, 246, 248, 283, 288, 339, 519, 152–154, 233–238, XII
- Ogińskich, p. Wiśniowieckich
- Ossolińskich, później Józefa Karola Lubomirskiego 62, 88, 89, 103, 107, 111, 138, 58, 95, 96
- Ossolińskiego Jerzego 96
- Ostrogskich 138, 163, 538, 58, 147
- Paca 138, 285, 286, 288, 307
- Pod Blachą 148, 190, 198, 227, 259, 263, 274, 283, 554, 215
- Pod Czterema Wiatrami 132, 222, 263, 274, 295, 350
- Prymasowski 62, 197, 204, 215, 298, 241
- Przebendowskich 197
- Pusłowskich 330
- Raczyńskich przy ul. Długiej 124, 216, 280, 289, 243
- - przy Krakowskim Przedmieściu, p. Sieniawskich
- Radziwiłłów przy Krakowskim Przedmieściu, p. Koniecpolskich
- - przy ul. Miodowej, patrz Paca
- Sanguszków 226
- Sapiehów 198, 230, 231, 264
- Schlenkierów 394
- Saski, patrz Morsztynów
- Karola Schultza 224
- Sieniawskich, Czapskich, Raczyńskich 192, 197, 531
- - Czartoryskich 192, 197
- - na Czerniakowie 192
- Staszica 58, 203, 283, 295, 302, 362, 538, 383, 384
- Sułkowskich 334
- Tarłów 119
- Tarnowskich, patrz Kazimierza Czartoryskiego
- Teppera, patrz Pod Czterema Wiatrami
- Tyszkiewiczów 215, 216, 280, 242
- Seweryna Uruskiego 330, 336
- Warszyckich 132
- Wilanowski, patrz Wilanów
- Franciszka Withoffa, Jakuba Szulcendorfa, p. Raczyńskich przy ul. Długiej
- Wiśniowieckich 118, 124, 294
- bpa Stefana Wydżgi, patrz Wiśniowieckich
- w Natolinie 8, 216–218, 245
- Zadzikowski 89, 111
- Załuskich, później Wesslów 199
- ordynatorowej z Poniatowskich Zamoyskiej 199
- Andrzeja Zamoyskiego, patrz dom
- Konstantego Zamoyskiego 392, 420
pałacyk Bażantarnia, p. pałac w Natolinie

- Jana Blocha 332
- królewicza Karola Ferdynanda 89, 98, 58
- Królikarnia 8, 204, 216–218, 488, 246
- Rozkosz, później Ursynów 216
- Szustra 357
- Ustronie 216, 218
- Walickich 280
- w Jabłonnie 216, 218, 219, 259
- w Tarchominie 216
Pałka Julian 614, 615
Panaś Włodzimierz 612
Pancer Feliks 322
Pancerz 553
Panczakiewicz Ludwik 400, 402
Panczatka Mikołaj 33
Panczykowski Ludwik 302, 411
Pankiewicz Józef 404, 406, 407, 477, 416, 437
Państwowa Wyższa Szkoła Budowy Maszyn i Elektrotechniki im. H. Wawelberga i S. Rotwanda 385, 444
- Wyższa Szkoła Muzyczna 402, 546, 548, 620, 622, 665
- Wyższa Szkoła Teatralna 620
Państwowe Liceum i Gimnazjum im. Królowej Jadwigi 456
Państwowy Bank Rolny 460
- Instytut Higieny 443
- Instytut Pedagogiczny 441
- Instytut Pedagogiki Specjalnej 439
- Instytut Sztuki Teatralnej 441
- Zakład Ubezpieczeń Wzajemnych 532
- Zespół Pieśni i Tańca „Mazowsze" 668
Papliński Feliks 499
Papuga Maciej 68
Parczew 46
park, patrz również ogrody
- cmentarza Żołnierzy Radzieckich 15
- Dreszera 15
- Kaskada 15
- Kultury na Powiślu 8, 15, 532
- Kusocińskiego 15
- Łazienkowski 15, 22, 152, 161, 164, 165, 188, 204, 205, 210, 211, 234, 235, 282, 283, 293, 294, 296, 305, 306, 339, 458, 493, 546, 559, 196, 238, 239
- „Morskie Oko" 8, 11
- na Kole 11, 15
- na Polu Mokotowskim 15
- na Sadybie 15
- Paderewskiego, patrz Skaryszewski
- „Pionierpark" 512
- Praski 15, 361
- przy Pałacu Kultury i Nauki 15
- przy pałacu Brühla w Młocinach 15
- Skaryszewski 15, 352, 361, 458, 3, 508
- Sowińskiego 11
- Szczęśliwicki 11, 15
- Traugutta 8, 15
- Ujazdowski 165, 213, 361, 546, 558
- w Natolinie 282
- w Wilanowie 102, 4, VIII
- we Włochach 11
Parkany 154
Parysowie 116
Parysów 10
Paryż 5, 92, 94, 124, 145, 165, 191, 208, 239, 258, 261, 263, 269, 275, 305, 306, 343, 345, 346, 349–351, 355, 363, 384, 405–407, 409–411, 442, 451, 456, 473, 477, 529, 612, 614
Parzyńska Mirosława 527
pasaż Simonsa 400, 453
- Śródmiejski 548, 592
Paskiewicz Iwan 313–316, 338, 340, 341, 348, 385
Pasternak Leon 449
Paszkowski Benedykt 126
- Józef 312
- Zbigniew, pseud. „Stach" 513
Paszyn Jan 429
Paulus Friedrich 499
Pawelski Zbigniew 558
Pawiak (więzienie) 329, 390, 492, 494, 496, 498–509, 555, 592, 541
pawilon „Chemia" 548
- meblowy „Emilia" 548
- wystawowy Gracjana Ungra 397
Pawłowicz Teodor 249
Pawłowski T., arch. 550
Pazziowie 157
Pears Peter 664

Pedetti Maurizio 198, 200
Pelbart z Temeszwaru 54, *46*
Pelcowizna 370, 415, 416, 437, 499
Pellisson Jakub 165, 166
Pełczyński Tadeusz, pseud. „Grzegorz" 495
pensja żeńska Czarnockiej 386
– – Jasińskiej 386
– – Karwowskiej 386
– – Paprockiej 386
– – Porazińskiej 386
– – Rudzkiej 386
– – Sikorskiej 386, *456*
– – Smolikowskiej 386
Perchorowicz, gen. radziecki 519
Perelle Adam *55, 99*
Perot Mikołaj 128
Perthèes Karol de *5*
Peter, murator 41
Petersburg, patrz Leningrad
Petersen, działacz niepodległościowy 258
– Piotr 122
Petkiewicz Stanisław 459
Petrażycki Leon 441
Petyskus, bankier 282
Pękalski Leonard 477, 604
– Wojciech 300
Pękiel Bartłomiej 95, 126
Pfeifer, przemysłowiec 328, 513
Pfeifer Edward, pseud. „Radwan" 511
– Jan *190*
Pfuel Ludwik 94
Piasecki Stanisław 494
– Wojciech 302, 303
Piaseczno 59, 60, 542, 589
Piaski (osiedle) 559
Piastowie 17, 49, 55, 93
Piastów 542, 589
Piastuszkiewicz Kazimierz *333*
Piechal Marian 449, *466*
Piechotka Kazimierz 544
– Maria 544
Pieczonka Stanisław 74
Piekałkiewicz Jan 500
Piekarski Michał 58
Pielgrzym Jan 53
– Piotr *32*
Pielgrzymowie, później Górczewscy 32
Pieńkowski Stefan 441, 442
Pierożyński Leon 188
Pietkiewicz Kazimierz 600
Pietraszewicz Bronisław, pseud. „Lot" 507, *549*
Piękoś Stanisław 487
Pigalle Jean Baptiste 235
Pikarski Zacheusz 92
Pilch Adolf, pseud. „Góra" 514
Pilica 174
Pillati Henryk 341, 342, 404, *338, 343, 356*
– Ksawery *339, 363, 412*
Pillement Jean 203, 205, 206, 241, 242, *225*
Piłsudski Józef 424
Pinck Franciszek 234, 235, *263*
Pinocci Hieronim 129
Pińczów 174
Piola Józef 131, 132, 147, 148
Piotr, malarz 44
Piotr Broda 44
Piotr I, car 102, 105, 113, 202
Piotr z Chotkowa 49, 50
Piotr z Mąkolina 34
Piotrków 56, 59, 60, 485, 496
Piotrowicz Roman 612
Piotrowski, cukiernik 367
– Roman 523, 524, 526, 528, 533, 562
Piramowicz Grzegorz 258
Pitschmann Józef *284*
Pius VI, papież 246
Piwarski Jan Feliks 341, 348, 409, *323, 325, 326, 344–348, 350, 359*
Piza 94
plac Aleksandra (św. Aleksandra), patrz Trzech Krzyży
– Aleksandrowski 294
– Bankowy, patrz Feliksa Dzierżyńskiego
– Broni (Pole Marsowe) 294, 296, 306, 309, 311, 312, 376
– Dąbrowskiego, dawny Zielony 163, 200, 326, 332, 334, 338, 396, 411
– Defilad 535

– Dynasowski 326
– Feliksa Dzierżyńskiego 284, 285, 294, 298, 306, 314, 323, 538, 548, 557, *620, XVII*
– Grzybowski 294, 296, 326, 329, 379, 390, 391, 548
– Inwalidów 559
– Kazimierza Wielkiego 376
– Kercelego 376, 513
– im. Komuny Paryskiej, dawny Wilsona 462, 489, 512, 538
– Konstytucji 538, 547, 555, *582*
– Krasińskich 188, 260, 268, 275, 282, 303, 305, 310, 323, 330, 336, 489, 495, 511, 554, *285, 318*
– Małachowskiego 118, 170, 224, 338, 397, *426*
– Mirowski 376, 377
– Muranowski 326, 503
– Na Rozdrożu 164, 165, 208, 268, 335
– na Tłomackiem 223, 224
– Narutowicza 485, 514, 530
– Parysowski 376
– Piłsudskiego, patrz Zwycięstwa
– Pod Lwem 294, 326, 329
– Powstańców Warszawy, dawniej Dzieciątka Jezus, Warecki, Napoleona 165, 294, 327, 332, 360, 402, 404, 505, 511, 531, 535, 548, 558, *557*
– Saski, patrz Zwycięstwa
– Starynkiewicza 512
– św. Aleksandra, patrz Trzech Krzyży
– św. Floriana 423
– Teatralny, dawniej Marywilski 145, 285, 294, 297, 318, 323, 325, 334, 355, 489, 516, 535, 545, 548, 554, *446, 610, 623*
– Trzech Krzyży, dawniej Złotych Krzyży, Aleksandra, św. Aleksandra 165, 231, 268, 279, 282, 294, 322, 332, 333, 376, 384, 394, 396, 531, 549, 554, *319, 381, 423, 456, 551, 612, XXIII*
– Unii Lubelskiej 208, 283, 362, 547, 559
– Unii Litewskiej 492
– Ujazdowski 275
– Warecki, patrz Powstańców Warszawy
– Weteranów 336, 339, *425*
– Wilsona, patrz Komuny Paryskiej
– Witkowskiego, patrz Kazimierza Wielkiego
– Zamkowy 27, 39, 233, 283, 294, 299, 303, 313, 314, 322, 326, 330, 504, 538, 555, *84, 197, 283, 317, 373, 594, 595, VI*
– za Żelazną Bramą 200, 222, 282, 283, 294–297, 326, 333, 336, 376, 516, *198, 244, 344, 437, 522*
– Zbawiciela 164, 208, 489, *606*
– Zielony, patrz Dąbrowskiego
– Zwycięstwa, dawniej Saski, Piłsudskiego 116, 267, 306, 316, 317, 322, 323, 334, 362, 397, 492, 511, 532, 535, 548, 554, 555, 558
Placówka, dzielnica 9
Pląskowski Z., arch. 556
Plechanow Jerzy 430
Plechowski Witold, pseud. „Sławomir" 512
Plersch Jan Bogumił 205, 206, 209, 211, 239, 241
– Jan Jerzy 195, 197, 199, 201, 226, 228–233, 241, *254, 255, 257, 258, 261, 262*
Plichta Andrzej 309
Plutyńska Eleonora 474, 615
Płachecki B. 530
Płochocin 505
Płock 19, 24, 25, 37, 70, 73, 78, 90, 108, 260, 355
Płońsk 35
Pług Adam 348
Płudy 15
Pniewo 259
Pniewski Bohdan 463, 531, 532, 538, 548, 558
Pociejów 252, *345*
Poczta Główna 402, 511, 517, *557*
Podczaszyński Bolesław 333, 391, 404
Poczupla Wielisław 51
Podhale 466, 472
Podhorce 87
Podkowa Leśna 589
Podkowiński Władysław 404, 406–408, *438*
Podlasie 64, 66, 132, 173, 257, 314
Podlecki Tadeusz 177
Podole 123
Podoski Janusz 600
– Wiktor 473
Pogorzelska Zula 451
Pohoska Ewa 507
Pohoski Jan 493
Pokorski Jan 499
Pokrzywka G. *478*

Polanica 602
Polański Hipolit 600
Pole Mokotowskie 294, 357, 389, 486, 531, 558
Polesie 408
Polików, później Polków, patrz Żoliborz
Polino Niklos 44
Politechnika 235, 302, 335, 399, 413, 434, 441, 444, 461, 481, 482, 487, 493, 501, 505, 523, 529, 531, 551, 572, 587, *617*
Polska Akcyjna Spółka Telefoniczna (PAST) 511, 512, *558*
Polskie Radio 456, 457, 512, *477*
„Polus", schronisko dla bezdomnych 420
Połubiński Aleksander Hilary 110
Południowa Dzielnica Przemysłowa Służewiec, patrz Służewiec Przemysłowy
Pomianowski Karol 441
Pomarańczarnia w Łazienkach 188, 213, 235, 241
Pomiechów 21
Pomiechówka (rzeka) 546
pomnik Wojciecha Bogusławskiego 530
– Bohaterów Armii Radzieckiej 613
– Bohaterów Warszawy Nike 548, *590*
– Fryderyka Chopina 412, 493, *554*
– Grób Nieznanego Żołnierza 555
– Jana III 161, 235
– Jana Kilińskiego 495
– Kolumna Zygmunta 59, 68, 85, 86, 101, 111, 115, 156, 167, 323, 533, *92, 197, 567, XIII*
– Mikołaja Kopernika 286, 295, 312, 495, *308*
– Lotnika 530
– Adama Mickiewicza 387, 390, 409, 530, *440, 618*
– Józefa Poniatowskiego 286, 312, 316, 530, *309*
– Pracy 287, 288, 296, 310, *310*
– Natalii z Potockich Sanguszkowej w Natolinie 288
– Sapera 530
– Gen. J. Sowińskiego *507*
– Syreny 478
– żołnierzy rosyjskich poległych na Woli w 1831 r. *330*
Pomorze 36, 59, 60, 79, 92, 93, 110, 111, 122
Poniatowscy 120, 240
Poniatowska Apolonia z Ustrzyckich 240
Poniatowski Józef 174, 188, 259, 262, 263, 265, 266, 268, 272, 274, 286, 289, 400, *XV*
– Kazimierz 219
– Michał 218
– Stanisław 218
Popławski Stanisław 519
Poreda Eugeniusz 452
port praski 543
– na Solcu 293, 352, *349*
Portugalia 306
Porwit Marian 485, 486, 488
Posner Stanisław 439
Potiebnia Andrzej 353
Potoccy 330
Potocka Aleksandra z Lubomirskich 217
– Klaudyna 312
– Maria 163
– Natalia 217
Potocka-Wąsowiczowa Anna z Tyszkiewiczów 217, *283*
Potocki Aleksander 217, 265
– Eustachy 163
– Ignacy 179, 289
– Jan 188
– Prot 167, 248
– Stanisław Kostka 166, 204, 217, 220, 225, 260, 271, 274, 276, 282, 292, 301, 306, 330, *290*
Potok pod Bielanami 305
potoki, rzeczki, strumienie:
– Bełcząca 24, 28, 68, 165
– Bielański 11
– Brodnia 19
– Drna 11, 25, 28, 34, 62, 68, 116, 164, 165
– Dunaj 24
– Drzęsna, patrz Drna
– Jeziorka 18
– Jordan 29
– Kamionka 24, 25, 38
– Polkówka 11
– Ruda 68
– Rudawka 11, 15, 25
– Sadurka 11
– Skórcza 11
– Służewiecki 11
– Świętojański 24

- Tamka 11
- Żurawka 11, 165
Powązki 62, 174, 204, 296, 305, 312, 328, 336, 357, 360, 370, 376, 390, 396, 415, 422, 457, 512, 515
Powiśle 7, 8, 13, 22, 116, 118, 163, 164, 294–299, 309, 311, 318, 322, 326, 328; 330, 331, 338, 355, 356, 361, 367, 369, 370, 381, 383, 389, 390, 408, 457, 511, 517, 529, 532, 566, *349*
Powsin 8
Powsina (rzeka) 546
Poznań 35, 36, 40, 59, 64, 66, 71, 78, 91, 92, 109, 121, 122, 177, 252, 255, 259, 261, 262, 273, 306, 362, 383, 436, 437, 441–444, 453, 458, 471, 489, 493, 515, 517, 524, 587, 609, 614, 618, *510*
Poznańskie 262, 350, 356
Pożajsk 157
Pólków, Polików, patrz Żoliborz
Półtorak Andrzej 78
Półtorakowie 68, 78, *76*
Pöppelmann Karol Fryderyk 193, 200, 201
- Matthäus Daniel 200
Praclewicz Jan 123
Pradt Dominique de Fourt 271, 274
Praga 7, 12, 19, 59, 61, 97, 110, 112, 164, 167, 168, 171, 174, 252, 253, 255, 262, 263, 266, 267, 269, 271, 272, 274, 283, 293, 295, 298, 306, 309–311, 315, 316, 318, 322, 330–332, 336, 339, 357, 360, 362, 369, 376, 380, 381, 383, 385, 390, 391, 396, 415, 418, 423, 486, 495, 501, 505, 508, 515, 517, 518, 520, 524, 530, 538, 543, 553, 557, 561, 562, 565–569, 573–575, 583, 585, 591, 619, *54, 409, 515, 550, 563*
Praga I 555
Praga II 538, *580*
Praga (czeska) 50, 53, 90, 101, 127, 385
Pragłowski Aleksander 485, 489
Praussowa Zofia 499
Prawocheński Roman 442
Prażmowscy 121
Prażmowski Mikołaj 116
- Wawrzyniec 78
Prażmów 68, 78, 76
Prądzyński Ignacy 278, 305, 311, 314, 315
Prezydium Rady Ministrów, patrz pałac Koniecpolskich
Prieur Jean-Louis 246, *275*
Probst Józef 215
Prochownia 313
Prokofiew Sergiej 456
Pronaszko Andrzej 451
- Zbigniew 464
Prosektorium 399
Proszowski Józef 600
Prozorowie 242, 271
Próchnik Adam 431, 443, 495
Prószyński Konrad (Kazimierz Promyk) 385, 386
Prus Bolesław (Aleksander Głowacki) 386, 450
Prusy 21, 37, 58, 59, 79, 122, 123, 132, 252, 254, 255, 258, 262, 322, 518
Pruszkowski Tadeusz 465, 473–476, 496, 606, *492*
Pruszowski Franciszek Kazimierz 112, 128
Pruszków 369, 370, 542, 589
Pruszyński Andrzej 387, 409, 411
- Ksawery 447
Prywatna Szkoła Zawodowa dla Personelu Sanitarnego doc. J. Zaorskiego 493
Przasnysz 59, 73
Przebendowski Jan 232
Przedmieście Czerskie, patrz Krakowskie Przedmieście
przedszkole przy ul. Czarneckiego 461
przedzamcze *18*
Przemyśl 122
Przesmycki Zenon, pseud. „Miriam" 408
Przeworski J., wydawca 445, 573
Przeździecki Aleksander 347
Przybylski Czesław 403, 461, 463
Przybył Kazimierz, pseud. „Stalski" 507, *550*
- S., arch. 560
Przybyłko-Potocka Maria 435, 451
Przybyszewska Dagny 408
Przybyszewski Stanisław 408
Przyrynek 28, 222
Przystański Stanisław 385
Pszenicki Andrzej 441
Ptaszkowicz Jakub 123
Puc Bronisław *340, 341*
Puccitelli Virgillio 95, *106*
Pułaski Aleksander 313, 314

Puławy 191, 226, 231, 341, 444
Pułtusk 39, 59, 70, 73, 74, 85, 91, 122, 264
Pusłowscy 330
Pustuła Z. 368, 373
Pusz Joachim 68
puszcza Bolimowska 18
- Bródzieńska 18
- Dębska 18
- Jaktorowska 18, 517
- Kampinoska (Kampinoski Park Narodowy) 9, 14, 18, 22, 355, 487, 512, 517, 536, 546, 553
- Słupieńska 18
- Wiślicka 18
Putkowska Jolanta *151*
Putowski Stefan 524, 529, 532, 545, 558
Pużak Kazimierz, pseud. „Bazyli" 507

Quackbecke Rejnold 36
Quadro Giovanni Battista 71
Quattrini Jan 345

Rabcewiczowa Zofia 457
Rachetti 192
- Wincenty 193, 197, 201
Rachmaninow Sergiej 456
Racine Jean Baptiste 187
Racławice 172
Raczyński Kazimierz 216
Rada Państwa 531
Radliński Ignacy 434
Radom 24, 36, 59, 441, 525
Radulski Wacław 452
Radziejowscy 150
Radziejowski Michał 126, 193, 232
Radziszewski H. 383
Radziwiłł Albrycht Stanisław 62, 96
- Dominik 127
- Michał 310
Radziwiłłowa Helena 188
Radziwiłłowie 170, 192, 220
Radziwiłłówna Barbara 93
- Krystyna, żona Jana Zamoyskiego 94
Radziwonowicz, płk 519
Radzymin 589
Radzyń Podlaski 131, 227
Rafael, Raffaelo Santi 107
Rafałowicz Andrzej 251
Rafałowski Aleksander 592
Ragoczy Karol 261, 300
Rainaldi Carlo 145, 197, 201
Rajchman Ludwik 430
Rajchmanowa Wika 452
Rakiewicz Felicjan 408
- Wincenty 392
Rakiewiczowa Aleksandra 345
Rakoczy, patrz Jerzy II Rakoczy
Rakowiec 59, 62, 163, 266, 296, 314, 360, 415, 484
Rakowski Leon 394
Raków 92
Ralia Antoni de 72
Ramorino Girolamo 314
Rapacki Wincenty 387, 451
Raperswil 446
Rassalski Stefan 612
Raszyn 90, 91, 266, 485, 532, 574
Rataj Maciej 493
Ratajski Cyryl, pseud. „Górski" 493, 500
ratusz Nowego Miasta 27, 39, 68, 71, 72, 195, 259, 294
- Starego Miasta 27, 39, 54, 68, 71, 72, 82, 100, 124, 168, 170, 251, 256, 262, 272, 294, *66*
- Stołeczny 548
- na pl. Teatralnym 294, 297, 310, 325, 341, 355, 391, 511, *533*
- na Pradze 259, 274
Rau Wilhelm Ellis 367, 575, *399, 547*
Rautenstrauch Józef 344, 345
Ravel Maurice 456
Ravensbrück 495, 496, 508, 509, 592
Rawa (Stara) 19, 24, 25, 118
Rawa Mazowiecka 73
Rawicze (Rawy), ród 23, 25
Rawka 313
Rawka (Rawy) 23, 25
Rechenmeister Jakub, Ludwik 53
Rechniewski T. 430
Redler Jan Chryzostom 198, 226, 227, 233
reduta białołęcka 110
- wolska 314, 317, 352

Redzius Fabian 126
Regulski Jan 235
- Janusz 485, 486
Rehan Franciszek 166, 167
Reinefahrt Heinz 521
Reinhardt Georg Hans 485
Reisner Jan 159, 160
Rembertów 7, 499, *535*
Rembrandt Harmensz van Rijn 107, 150
remiza tramwajowa na Mokotowie 506
- na Muranowie 516
- na Woli 513, *606*
Rentel, przemysłowiec 299
Repelowicz Anna 128
- Antoni Paweł 128
Rephan, przemysłowiec 368, 390
Reppmann, kupiec 254
Resursa Obywatelska 303, 337, 488, *376*
Reszczyński, płk policji 501
Reszka Stanisław 94
Reszkowie 335
rewia „Kometa" 492
- Mignon 451
- Morskie Oko 451
- Sfinks 436, 451
Reychan Józef *204*
Reymont Władysław Stanisław 454, 492
Riaucourowie 120, 123
Ribera José de, zw. Lo Spagnoletto 107
Richter Karol August *289*
Riese, cukiernik 367
Rietveld Gerrit Thomas 461
Rigaud Hyacinthe 239, *127*
Righi Tomasz 234, 235, 288
Rio de Janeiro 409
Ristori Thomas 187
Ritschel Adam 337
Rivière Charles *332*
Rivoli Paulina 345
Robaczyński Lech 545
Robak J., ks. (pseud.) *527*
Robertson Piotr 123
Rodin August 412
Rodondo Jakub 80
Roesler, kupiec *250*
Rogalski Stefan *473*
rogatki belwederskie 357
- czerniakowskie 266, 315
- golędzinowskie (petersburskie) 316
- grochowskie 283, 298, *358*
- jerozolimskie 266, 293, 296, 314, 315, 350, 356
- marymonckie 293
- mokotowskie 163, 283
- wolskie 263, 315, 356, 376
- ząbkowskie 296
Rogowski Ludomir 454
Rogoyski-Brochwicz Bronisław 397, 399
Rogoźnica 314
Roguski Sylwester 94
Rokicie 37
Rokicki Józef, pseud. „Karol" 517
Rokitno 21, 23, 24, 229
Rokosowski Jakub 78
Romanowicz Arseniusz 546, 557
Romanowowie 367
Romanówna Maria 451
Romański Jerzy 531
Rondo Keksholmskiego, patrz plac Unii Litewskiej
- Waszyngtona 538
- Wiatraczna 558
Rose Józef 256
Rosen B. 273
- Grigorij 311
- Mathias 376
Rosja 264, 268, 271, 296, 298, 305, 322, 326, 328, 350, 352, 367, 368, 390, 436
Rososiński Wiesław 556
Rospendowski Zygmunt 332, 393
Ross Aleksander 122
- Christian 122, 123
Rossi Giovanni Francesco 102, *111*
- Józef 239
Rossini Gioacchino 302, 345
Rossowska Katarzyna 96
Rossowski Jan 59, 96
Roszkowska Teresa 476
Roszkowski Augustyn 198

Rotbaum Jakub 453
Roth F. 402
Rotkiewicz, gen. 519
Rotwand Stanisław 385, 444, 572
Rousseau Jan Jakub 219
Rowecki Stefan, pseud. „Grot" 492, 493, 495, 496, 504, *523*
Roycewicz Henryk, pseud. „Leliwa" 511
Rozin, arch. radziecki 539
Rozmiłowski Roman, pseud. „Zawada" 494
Rożniecki Aleksander 302–304
Rómmel Juliusz 485–487, 489, *519*
Równina Warszawska 7–9
Różański Stanisław 523
Różewicz Tadeusz 623
Różycki Jacek 126
– Ludomir 454, *475*
Rubens Peter Paul 107
Rubinowicz Wojciech 444
Rubinstein Artur 456
Ruda (przedmieście) 111
Ruda Guzowska 328
Rudniański Stefan 430
Rudniew Lew W. 539
Rudzki Konstanty 326, 367, 368, 371, 385, 390
Rugendas Jerzy Filip 162
Ruits Friedrich Leopold von 255
Rulikowski Mieczysław 347
Rumelier Chrystian Karol 108
Rumunia 495
Runge Tadeusz, pseud. „Witold" 513
Rup Henryk 498, 499
Ruprecht Karol 352
Ruszczyc Ferdynand 408
Ruś 20, 21, 34, 50, 149, 353
Ruś Włodzimiersko-Halicka 24
Rutkowski Hipolit 462
Rüdiger Teodor 313
Rwal Gustaw 429
Rybarski Roman 494
Rybka Eugeniusz *460*
Rychliński Stanisław 445
Rychłowski Stanisław 530, 531, 548
Rychter Józef Franciszek 345, 387
Rydygier Juliusz 495
Rydzewska Nina 449
Rydz-Śmigły Edward, pseud. „Adam Zawisza" 485, 495
Rydzyna 131
Ryga 434, 470
Rygier Teodor 409, 410
Ryll Ludwik 353
Rynek Czerski, później Przedmiejski 29, 30, 191
Rynek Nowego Miasta 27, 39, 64, 222, 294, 323, 326, 376, *355*
Rynek Starego Miasta 27, 31, 39, 40, 46, 57, 61, 64, 66, 70, 115, 125, 128, 147, 204, 222, 258, 294, 323, 326, 352, 376, 480, 533, 538, *13, 22–24, 40, 211, 379, 453, 466, 574, 575, 615, XXV*
Ryng Jerzy 429, 430
Ryszka Adolf *651*
Rytard Mieczysław 447
Rytel Piotr 454
Rywacka Ludwika 345
Ryx Franciszek 187, 188
Rzecki Stanisław 465
Rzeszotarski Adam, pseud. „Żmija" 512
Rzewuscy 303
Rzewuski Henryk 348
rzeźnia na Solcu 334
Sabowski Władysław, pseud. „Wołoda Skiba" 348
Sacchetti Antonio 345, 346
Sacco Józef *240*
Sacha Stefan 503, 504
Sachsenhausen 490, 492, 504, *523*
Sadley Wojciech 615
Sadowne 73
Sadyba (osiedle) 517, 559
Sady Żoliborskie 544, 555, *586, XXVII*
Saksonia 259, 274
Saliński Stanisław Maria 449, *466*
Salon Debiutów, patrz Galeria Repassage
Samberg Ajzyk 453
Samborscy 116
Samborski Bogusław 499
– Wojciech 96
Samuelson A., arch. 557

San 110
Sandomierz 36
Sanguszkowie 119
Sansovino Andrea wł. Contucci Andrea 89
Santoire de Varenne Charles 291
Sanzio, baletmistrz 95
Sapieha Aleksander 219
– Jan Fryderyk 250
– Kazimierz Lew 95
Sapiehowie 192
Sarbiewo 68, 78
Sarbiewski Maciej Kazimierz 96
– Stanisław 78
Sari Ada 454, 456
Sarneccy 410
Sasini Bartłomiej 126
Saska Kępa, dawna Kępa Solecka 7, 13, 62, 120, 295, 357, 415, 440, 486, 508, 598, 600, *364, 365*
Sasowie 237, 239
Saunier, płk francuski 265
Savage James 295
Sawan Zbyszko *470*
Sawicka Hanka, patrz Szapiro-Sawicka Hanna
Sawienkow, inspektor szkół 385
Sąd Apelacyjny 511
– Okręgowy 404
Scacchi Marco 15
Scamozzi Gian Domenico 71, 138
Schebell Krzysztof 108
Scheibler K. 385, 394, 396
Schepke Daniel 250
Schiller Fryderyk 303
– Leon 430, 435, 450–452, 494, 504, *468*
Schimmelpfennig von der Oye, pruski prezydent miasta 256
Schinkel Karl Friedrich 336
Schley Mateusz 305
Schluter Andrzej 138, 141, 151, 152, 154, 156, *166*
Schmid Friedrich Christian *145*
Schmidtner L. 294, *249, 299–302*
Schnabel Arthur 456
Scholtze, bracia 367, 368, 372
Schott Kasper 127
Schreiber Karol Ferdynand 128, 129
Schroeder Eliasz 129
Schroeger Efraim 197, 201–205, 208, 209, 215, 219–221, 223, *224, 227, 229, 247, 251*
Schultz, oficer niemiecki 503
– pruski urzędnik 258
– Jerzy Daniel 107, 149, 150, *115*
– Karol 222
Schütter Franciszek Józef 249
Schwarzenberg Karol Philipp 272
Scribe Eugène 344, 345
Sebyła Władysław 449, *466*
Sebyłowa Sabina *466*
Secomski Kazimierz 562
Segałowicz Klara 453
Seget Tomasz 97
Seidenbeutel Efraim 476
– Menasze 476, *494*
Sejm 333, 483, 486, 491, *XXVI*
Sekrecka Eleonora 538
Selimand Franciszek 248
Semadeni 367
Sembrat Piotr 559
Semigalia 58
Sempoliński Jacek 617
– Ludwik 451, 456
Sempołowska Stefania 432
Seneka 128
Sengier Marian, pseud. „Cichy" 507
Serafin, malarz i burmistrz 29
Serbia (więzienie kobiece) 492, 495, 496
Sergeant Franciszek 124
– Piotr 124
Serlio Sebastian 81, 87, 135, 142
Serock 20, 274
Serra Gian Carlo 265, 274
Serwatka Tomasz *294*
Sewastopol 350
Sewerynów 334, 336
Sękocin 167
Siedlce 272, 287, 311
Siedlecki Franciszek 408
Siedmiogradzki, gen. rosyjski 262
Siedmiogród 111

Siedmiradzki Mikołaj 107
Siegenthal, gen. austriacki 272
Siekierki 9, 357, 380, 415, 558
Sieklucki Tadeusz 613
Sielce 13, 328, 357, 360–362, 370, 415, 416, 516, 517, 538
Sielski Aleksander 457
Siemaszko Adam 592
Siemienowicz Kazimierz 94
Siemiątkowski Tomasz 306
Siemiginowski, patrz Szymonowicz Jerzy
Siemowit I 22
Siemowit II 17
Siemowit III 38, 42, 50
Sieniawscy 148, 192
Sieniawska Elżbieta z Lubomirskich 192, 193, 226, 238, 239, *267*
Sieniawski Adam 192, 197
Sienicki Jacek 617
Sienkiewicz Henryk 386, 492
– Stanisław 128
Siennica 311
Sierakowski Karol 173
Sieroszewski Władysław 528
Sierpiński Seweryn Zenon 349
– Wacław 435, 441
Sievers Jakow J. 172
Sigalin Józef 524, 525, 532, 538, 558
Sikorski Józef 343, 344
– Władysław, Eugeniusz 489, 492, 504
Silvestre Louis de 239
Simmler Józef 342
Simon-Piętkiewicz Jadwiga 592
Sinclair Upton 430
Singier Gustave 613
Siniccy *18*
Siokała Jan 489
Skalski Józef 249
Skarbek Fryderyk 277, 291, 292, 302, 332, 340, 345, 348, 350
Skarga Piotr 91, 93, 96
Skarpa Młocińska 14
– Mokotowska 8
– Puławska 553
– Ujazdowska 530
– Wiślana 86, 116, 138, 148, 216, 219, 532
Skarszewski Stanisław 116
– Wojciech 305
Skaryszew (dawniej Skarszew) 61, 164, 274, *53*
Skarżyński Jerzy 609
Skarżysko 525
Skibniewska Halina 544, 559, 560
Skibniewski Stanisław, pseud. „Cubryna" 511
– Zygmunt 524, 530–532
Skierniewice 235, 322, 329, 509, 525
Skimborowicz Hipolit 347, 350
Skłodowska-Curie Maria 591, *456, 461*
„Skocznia" (ośrodek usługowy) 545, 553
Skoczylas Władysław 465, 473, 480, 609, *500*
Skolimów 589
Skopiński Andrzej 545, 557
Skorobohaty-Jakubowski Jan, pseud. „Vogel" 493
Skorochód-Majewski Walenty 275
Skorosze 589
Skórewicz Kazimierz 400
Skórski Mateusz 96
Skrypij Stanisław, pseud. „Sylwester" 504, *545*
Skrzynecki Jan 310–314
Skrzypczak Jerzy 545, 550, 557
Skrzypki 9
Skubianka 553
Skupieński Tomasz Kacper 96
Skwarcow, kupiec 330
Sławoj-Składkowski Felicjan 484, 485
Słobodnik Włodzimierz 449
Słodowiec 328
Słomiński Zygmunt 500
Słomkowiczowie 59
Słonimski Antoni 446, 447, 453, *463, 464*
Słonina Stanisław 613
Słoński Edward 435
Słowacja 122, 495
Słowacki Juliusz 304, 313, 387, 450, *614, 663*
Słowaczyński Andrzej 301
Słubice 235
Słupno 20
Służew nad Dolinką (osiedle) 559, *600*

Służewiec 10, 336, 416
Służewiec-Prototypy (osiedle) 545
Służewiec Przemysłowy 535
Smoleńsk 36
Smoleński Władysław 434
Smosarski Baltazar 49, 91, *18, 42*
Smuglewicz Antoni 208
– Franciszek 239, 242, 243, *271*
– Łukasz 239
Smyrna 254
Sobańscy 362, 393
Sobeski Franciszek, pseud. „Bończa" 511
Sobiescy 153, 154, 162
Sobieska Teresa Kunegunda 161
Sobieski Aleksander 125
– Jakub 120, 124, 161
– Konstanty 125, 161
Sobieszczański Franciszek Maksymilian 347, 348
– Tomasz, pseud. „Kolumb"
Sobolewscy 303
Sobolewski Ignacy 303
Sobór na pl. Saskim 397
Sochacki-Czeszejko Jerzy 430
Sochaczew 13, 19, 30, 60, 259, 313
Sofia 451
Sokolicz-Merklowa Antonina 430, 452, 496
Sokolnicki Michał 266
Sokołowski Mieczysław, pseud. „Grzymała" 514
Solari 116, 192
– Antoni 193, 197–201
Roch 193
Solec 20, 22, 25, 29, 30, 33, 61, 62, 64, 68, 110, 116,
120, 148, 164, 204, 264, 298, 299, 311, 312, 322, 328,
337, 356, 361, 367, 368, 372, *XVIII*
Solska Irena 451
Solski Ludwik 435, 451
– Stanisław 127
Sołonowicz Leszek 558
Sołtan Jerzy 614
Sołtyk Stanisław 258, 260, 274, *284*
Sommerfeld Peter 41
Sopoćko Konstanty 614
Sosabowski Stanisław, pseud. „Stasinek" 513
Sosnowiec 362
Sosnowski Kajetan 616, 617
– Oskar 404, 522
– Tomasz Oskar 287, 409
Sott Kazimierz, pseud. „Sokół" 507
Soutman Pieter Claesz 107
Sowińska Katarzyna ze Schröderów 352
Sowiński Józef Longin 314, 317
Spazzio Giovanni 192, 193, 198, 201
Spinola Jan 84
Spokorny Maurycy 402
Spychalski Józef 486
– Marian, pseud. „Marek" 495, 517, 518, 525, 566
Srebrna (osiedle) 545
Srocki Stefan 126
Srokowski Jerzy 614
Stabrowski Kazimierz 408
Stachiewicz Wacław 485
Stacja Doświadczalna PKP 444
Stacja Filtrów 322, 380, 484, 568
Stacja Pomp 380, 400
Stadion Dziesięciolecia 9, 15, 555, 584, *621*
– RKS „Grochów" 458
– RKS „Huragan" 458
– RKS „Okęcie" 458
– „Warszawianka" 8, 9
– w Łazienkach 458
– w parku Skaryszewskim 458
Stajuda Jerzy 617, *642*
Stalingrad 499
Stamm Walter 508
Stande Stanisław Ryszard 430, 447, 448, 452, *465*
Stanecki Szymon 249
Staniątka 46
Stanisław, książę mazowiecki 43, 54, 77, *73, I*
Stanisław August Poniatowski 105, 106, 152, 160,
163, 164, 166–168, 170, 171, 175, 183, 185, 187, 188,
199, 200, 202–206, 208, 213, 214, 216, 218, 219, 224,
225, 233–235, 237, 240, 242–248, 250, 286, 298, 410,
187, 192, 205, 266, 269, 281, XI
Stanisław Leszczyński, król 113, 114, 192
Stanisław z Nasierowa 53
Stanisław ze Strzelec 49, 50, 78, *75*
Stanisławów 60

Stanisławów Mazowiecki 122
Stanisławski Jan 408
– Konstanty 435
Staniszkis Jerzy 614
– M., arch. 558
Stany Zjednoczone (USA) 496
Stara Miłosna 9, 495
Stara Warszawa 7, 12, 15, 27, 30, 32–37, 51, 54, 59,
61–64, 68, 79, 86, 93, 110–114, 116, 118, 120–131,
132, 163–165, 170, 222, 538, *11, 17, 20, 45, 59, 62–65,
68, 81, 94, 100, 116, 119, 120, 123, 184, III*
Stare Bródno, patrz Bródno
Stare Miasto, 8, 10, 24, 27, 47, 59, 70, 72, 98, 109, 114,
115, 121, 124, 145, 165, 166, 174, 175, 222, 261, 273,
299, 300, 306, 316, 318, 322, 326, 328, 355, 369, 370,
422, 495, 511, 515–517, 522, 529, 530, 533, 559, 560,
566, *6, 10, 562, 564, 615, 623*
Starkman, przemysłowiec 328
Starowieyski Franciszek 615
Starówka 415
Stary Otwock 159
Stary Solec 164
Starynkiewicz Sokrates 380, *402*
Starzyński Stefan 417, 483, 485, 486, 488–490, 520,
514
Staszic Stanisław 260, 276, 277, 287, 288, 301, 302,
305, 411, 439
Statkowski Roman 454
Stattler Henryk 409, 410
Stawicki Sebastian 128, *120*
Stawy na Bielanach 11
– na Marymoncie 11
Stażewski Henryk 464, 466, 467, 606–609, 614, 617,
489, 638
Steczkowski Stanisław, pseud. „Zagończyk" 516
Stefan Batory, król 57, 67, 91–94, 122
Stefan z Mniszewa 49, 50
Stefanowski Bohdan 441
Stefański Antoni Marian 430
Stefanów 500
Stegny (osiedle) 559
Stein Henrich Friedrich 254
Steinhaus Hugon 443
Steinkeller Piotr 326, 328, 330
Steller Stefan 557, 559
Stenbock Gustaw Otto 109
Stenclewice, patrz Szczęśliwice
Sterling Mieczysław 475
Stern Abraham 292, *313*
– Anatol 436, 447, 448, 609
Sternhel Henryk 504
Sterski Mikołaj 128
Stępiński Zygmunt 529, 532, 533, 538, 545, 548, *511*
Stężyca 269
Stifelman Henryk 403
Stoczek 310
Stojowski Zygmunt 454
Stolpe Alojzy 345
Stołyhwo Kazimierz 434
Stowarzyszenie Techników przy ul. Czackiego 399
Strawiński Igor 456
Strobel Jan 295
Strodownicki Szymon 126
– Zygmunt 126
Stroiński Zdzisław 504, 516
Strona Wschodnia (Wschodnia Strona Marszałkow-
ska) 548, 549, 555, 557, 560, *593*
Stronczyński Kazimierz 347
Stroop Jürgen 503, 505, 520, *532*
Strubicz Baltazar 96
Strug Andrzej (Tadeusz Gałecki) 430, 432, 447, 454
Strumiłło Andrzej 612, 613
– Władysław 548
Strus Jan 108
Stryjeńska Zofia 465, 480
Stryjeński Karol 478, 480, 608
Strynkiewicz Franciszek 478, 613, *509*
Strzałecki Antoni 403
Strzelecki Zenobiusz 609
Strzemiński Władysław 466, 470, 609, 612
Strzeszewski Jan, pseud. „Wiktor" 499, 501
Studnia „Gruba Kaśka" 224
Studnicki Juliusz 477
Studzieński Andrzej 126
Stutthof 508
Styfi Juliusz *356*
Suchecki Mateusz 128

Suchodolski Bogdan 442, 612
– January 342, *288*
Sulejówek 589
Suligowski Adolf 361, 383
Sulimierski Filip 348
Sułkowscy 187
Sułkowski August 187
„Supersam" 548, 555, *589*
Surmikowiczowie 129
Surowiecki Wawrzyniec 276
Susłyga Florian 92
Sustygowie 59
Suszka Maciej 34
– Mikołaj 34
– Piotr 34
Suworow Aleksander 174, 251, 252
Swidde Willem *117*
Swieczyn, gen. rosyjski 272
Syberia 172, 350, 356
Sykstus V, papież 93
Sym Igo 493, 494
Symferopol 442
Synagoga na Tłomackiem 391, 503
Syrewicz Bolesław 409, 411, *441*
Syrkus Helena 470, 524, 531
– Szymon 462, 470, 524, 531
Syrokomla Władysław 345, 348
Szachowski Iwan 310
Szajna Józef 617, 623, *655*
Szajnocha Karol 348
Szałapscy 60
Szałowski Antoni 456
Szamotulska Jadwiga 457
Szamotuły 78
Szanajca Józef 461, 470
Szaniawski Filip Nereusz 222
– Józef Kalasanty 256, 272, 276
Szanior Franciszek 361
Szański A., ppłk 495
Szapiro-Sawicka Hanna 499, 501, *540*
Szapocznikow Alina 613, 619, *652*
Szarffenberger Mikołaj 94
Szczawiński Władysław *469*
Szczecin 252, 278, 609
Szczepanik-Dzikowski J., arch. 559
Szczepkowski Jan 463, 613, *618*
Szczęśliwice 9, 62, 357, 499, 546
Szczuczyn 148
Szczuka Mieczysław 430, 461, 464, 466, 470, 608
– Stanisław Antoni 131, 148
Szejpak Genadij 519
Szekspir (Shakespeare) William 95, 183, 304
Szelągowski Kazimierz 490
Szeliga Wojciech 92
Szembek Jan 239
– Krzysztof 116
– Piotr 310
Szenwald Lucjan 430, 449, 452, *466*
Szepkowski Walenty 128
Szermentowski Józef 341, 342
Szewdyn Konrad, pseud. „Konrad" 511
Szkocja 123, 495
Szkoła Aplikacyjnej Artylerii i Inżynierii, również
Szkoła Specjalna Artylerii i Inżynierii 278, 289
– Artystyczno-Przemysłowa 408
– Chirurgiczna Wojskowa 278
– Dramatyczna 278, 302, 344, 434
– Elementarnej Artylerii i Inżynierów 289
– farmaceutów 341
– felczerów 341
– Główna, patrz Uniwersytet
– Główna Gospodarstwa Wiejskiego 386, 413, 434,
441, 444, 572
– Główna Handlowa, dawne Wyższe Kursy Handlowe
im. A. Zielińskiego 186, 434, 441, 505, 572
– Główna Planowania i Statystyki 441, 546, *481*
– Handlowa fundacji L. Kronenberga 386
– Inżynierii Cywilnej 302
– Inżynieryjna Wawelberga i Rotwanda 572
– Lekarska 277
– Leśna 302
– Malarstwa i Sztuki Stosowanej 408
– Mechaniczno-Techniczna fundacji H. Wawelberga
i S. Rotwanda, patrz Państwowa Wyższa Szkoła
– Muzyczna Warszawskiego Towarzystwa Muzycz-
nego 435
– Nauk Politycznych 441

Szkoła Nauk Społecznych i Handlowych 435
- Pedagogiczna 302
- Podchorążych 302, 305, 306
- Poligonu 278
- powszechna przy ul. Barokowej 455
- powszechna im. Franciszka Żwirki 454
- Prawa, potem Prawa i Administracji 276, 277, 301, 353
- Przygotowawcza do Instytutu Politechnicznego 302
- przy ul. Czarneckiego 461
- przy ul. Drewnianej 432
- przy ul. Skaryszewskiej 494
- przy ul. Szerokiej 432
- Rycerska (Korpus Kadetów) 202, 256
- Rzemieślnicza im. K. Szlenkiera 433
- Rzemiosł im. Stanisława Konarskiego 433
- Sztuk Pięknych, patrz Akademia
- Techniczna Drogi Żelaznej Warszawsko-Terespolskiej 385
- Techniczna Drogi Żelaznej Warszawsko-Wiedeńskiej 385
- Wojciecha Górskiego 399
- Wschodnioznawcza 441
- wydziałowa dominikanów 339
- weterynarzy 341
- - Zakładowa Artylerii i Inżynierów, potem Elementarna 278
- zawodowa przy ul. Górnośląskiej 463
- żeńska Cecylii Zyberk-Platerowej 399
Szkop Andrzej 559
Szlagier Andrzej 616
Szlekys Olgierd 602
Szlenkier Ksawery 328, 385, 433
Szlenkierowie 394
Szlichtyngowie 59
Szmolcówna Halina 454
Szmolin Mikołaj 47
Szmulowizna 357, 370, 415
„Szopa" 27, 18
Szopski Felicjan 454
Szopy Niemieckie 314
szosa modlińska 336
Szpandawa 257
Szpaner Bartosz 73
Szpiłowski Hilary 203, 280, 283, 286, 296, 297
Szpinalski Stanisław 456
Szpital Akademii Medycznej 116, 167, 191, 194, 268, 294, 332, 360, 399, 488
- Bielański 316
- bonifratrów Jana Bożego 191, 197, 509
- dla dzieci przy ul. Kopernika 391
- Dzieciątka Jezus, patrz Akademii Medycznej
- inwalidów wojennych 57
- przytułek przy kościele św. Marcina 27
- św. Benona 116
- św. Ducha 29, 50, 116, 256, 323, 332, 488, 11, 17
- św. Łazarza 10, 93, 332, 58
- św. Rocha 192, 194, 277
- Ujazdowski (wojenny) 218
- Wojewódzki 463
Szreder Jakub 305
Sztyc Jakub 122
Szuba Stefan, pseud. „Leszcz" 512
Szubert Michał 296
Szujscy 58, 105
Szujski Wasyl, patrz Wasyl Szujski
Szulc Dominik 347
- Karol 167
Szulcendorf Jakub 124
Szulecki (Szolecki) Bartłomiej 256
Szumański, przemysłowiec 498
Szwacz Bogusław 609
Szwajcaria 64, 434
Szwaner Stefan 138, 154, 168, 169
Szwarce Bronisław 348, 354, 355
Szwarcenberg-Czerny Józef 118
Szwecja 109, 110, 149, 306, 508, 557, 558, 592
Szwede Aleksander Ludwik 328, 368, 371, 390, 397
Szwedzkie Góry, patrz Bemowo
Szydłowiec 80
Szydłowieccy 78
Szydłowski Adam 129
- Wojciech 129
Szyfman Arnold 435, 451
Szyller Stefan 376, 397, 399, 400, 402
Szymakowski, organista 126
Szymaniak Piotr 546

Szymanowski, prefekt Warszawy 272
- Antoni, pseud. M.B. 498
- Karol 451, 454, 456, 464, 475
- Wacław 348, 412, 430
- Zygmunt 430, 432
Szymański Edward 430, 432, 448
Szymonowic Jerzy 126
Szymonowicz-Siemiginowski (Eleuter) Jerzy 138, 159 –162, 175, 176, VII
Szymura Franciszek 459

Ściana Wschodnia XXIX
Ściborowie 18
Ścisło Jan 206, 241
Śląsk 36, 59, 60, 79, 93, 110, 122, 306, 322, 429, 530, 535, 562
Śledziewska Anna 615
Śledziowie 60
Ślendziński Ludomir 465
- Władysław 408
Ślesińska Alina 613, 617
Śliwiński Artur 486
- Józef 456
- Stanisław 466
Śniadecki Jan 260
- Jędrzej 409
Śródmiejska Dzielnicowa Przemysłowa 529
Śródmieście 7, 10, 294, 299, 309, 318, 323, 328, 330, 339, 415, 417, 418, 436, 437, 449, 486, 488, 489, 495, 498, 499, 511, 514–518, 524, 528, 529, 532, 538, 540, 545–550, 557–559, 566, 583, 585, 591
Świder, rzeka 18, 20, 546, 558
Świdnica 59
Świdziński Konstanty 386
- Szczepan 126
Świebocki Marcin 125
Świechowska Aleksandra 6
Świerczyński Marek 560
- Rudolf 460, 463
Świerzawski Karol Boromeusz 188
Świerzy Waldemar 614
Świetlik Maciej 54
Święcicki, oficer policji 500
Święcki Wojciech 409
Święta Lipka 159
Świechowski Aleksander 385, 386
Świętosław z Wojcieszyna 50, 41
Świętosławski Wojciech 441, 444
Świniarski Michał 168
Świtkowski Piotr 177, 179

Talenti Piotr 127
- Tomasz 127
Talleyrand de Périgord Charles Maurice 263
Tamarkina Rosa 456
Tamsonowie 123
Taranczewski Wacław 477
Tarasin Jan 616
Tarchomin 328, 370, 553, 560, 591, 626
Tarczyn 30, 59, 78, 84, 118, 148
Targosz Karolina 104
Targowe 23
Targówek 13, 357, 370, 372, 415, 416, 437, 535, 559
Tarło Jan 232, 262
Tarnowscy 198
Tarnowska Anna z Dobrzykowa 104
Tarnowski Jan, pseud. „Lelek-Waligóra" 512
- Stanisław 54, 78
Tarutino 271
Tatarkiewicz Jakub 288, 291, 409
- Władysław 205, 288, 289, 442
Tavelli Antonio 218
Tchorek Karol 478
Tchórzewski Jerzy 613, 616, 645
Teatr Adekwatny 623
- Ateneum 451, 461, 662
- Baj 452
- Centralna Scena Robotnicza 452
- Centralny, patrz Warszawski Żydowski Teatr Artystyczny
- dla Dzieci Tymoteusza Ortyma 452
- dla Młodzieży 452
- Domu Wojska Polskiego 597, 608, 619
- Dramatyczny 619
- dworski Wazów 38, 85, 95, 125, 106
- Eldorado 453
- Elizeum 452, 453

- im. Bogusławskiego 450, 451
- im. Abrahama Kamińskiego 453
- Jaskółka 452
- Komedia 452
- „Kwadrat" 623
- Letni w Ogrodzie Saskim 392, 418
-, Ludowy Teatr Muzyczny 619
- Mały 389, 451
- Miasta St. Warszawy, później Powszechny 493, 619
- Młodych 452
- Narodowy na pl. Krasińskich 188, 260, 261, 268, 302–304, 306, 310, 203, 285
- Narodowy przy ul. Wierzbowej 344, 490, 531, 619, 623
- „Na Targówku" 623
- na Wyspie 188, 235, 346
- Niewiarowskiej 456
- Nowoczesny 403
- Nowości 452, 453, 456
- Nowy 619
- „Ochota" 623
- Polski 389, 403, 435, 451, 493, 574, 619, 468, 614
- Powszechny, patrz Miasta St. Warszawy
- „Prochownia" 623
- Reduta 450
-, Robotnicze Studio Teatralne 452
- Rozmaitości 285, 302, 303, 309, 344, 387
-, Scena i Lutnia Robotnicza 452
-, Scena Muzyczno-Operowa 619
- Skała 453
- Studio 617, 623
- „Syrena" 619
- Truskolaskich 260
-, Warszawski Teatr Robotniczy 430, 452
-, Warszawski Żydowski Teatr Artystyczny 452
- Wenus 452
- Wielki – Opera 216, 280, 285, 287, 289, 294, 297, 302, 322, 325, 344–346, 352, 387, 397, 411, 436, 450, 454, 456, 487, 488, 535, 538, 548, 617, 622, 306, 370, 408, 590, 661, XXVIII
- w Ogrodzie Saskim (Operalnia) 126, 187
- w Pomarańczarni 188, 205, 213, 235, 241, 238
- Współczesny 619, 623
- Zjednoczony 389
- Żydowski 617
teatrzyk ogródkowy „Artystyczny" 436
- - „Chochoł" 436
- - „Dynasy" 436
- - w Bagateli 451
- - w Dolinie Szwajcarskiej 436, 451
Telakowska Wanda 601
Temler Aleksander Ferdynand 299, 328, 368, 371, 397
Tencalla Constante 79, 85, 87, 89, 90, 101, 133
Tepper Piotr Ferdusson 221, 222, 248, 254
- Piotr starszy 166, 167, 171, 222, 224, 264
Terlecki Tymon 453
Tetmajer Michał 531, 538
Teter Mikołaj 245
Thibaud Jacques 456
Thomatis Karol Valéry de 217, 218
Thorvaldsen Bertel 226, 316, 308
Thugutt Stanisław 434
Tichy Karol 408, 473
Tilly Friedrich Gaspar von 256, 262
Tiregaille Piotr Ricaud de 192
Tłomackie 223, 391
Tłuszcz 505
Toczyski Józef 356
Toeplitz Kazimierz L. 524
Toeplitzowie 273
Tokarz Wacław 443
Tokarzewski Karaszewicz Michał Tadeusz, patrz Karaszewicz-Tokarzewski
Toll Karol 311, 315
Tołłoczko Kazimierz 460
Tołwiński Mikołaj 402
- Stanisław 524, 566
- Tadeusz 460, 463, 523, 529
Tomaszewski Henryk 592, 595, 614, 657
- Lubomir 614
- Marian 609
- Tadeusz Roman 485
Tomaszów Mazowiecki 496
Tomicki R., arch. 559
Tomkiewicz Władysław 79
Tomorowicz Kazimierz 477

Tomorowicz Witold 429
Tormasow Aleksander 271
Torricelli Evangelista 94
Toruń 24, 32, 35, 36, 39, 59, 60, 91, 92, 98, 100, 110, 123, 124, 273, 276, 383, *20*
Tournelle Franciszek 311
Towarzystwo Akcyjne Zakładów Żyrardowskich 397
– Biblioteki Publicznej 386
– Cyklistów 397
– Dobroczynności 283, 302, 303, 386, 433
– Kredytowe Miejskie 391, 411, *419*
– Kredytowe Ziemskie, obecnie Muzeum Etnograficzne 336, 338
– Prudential 458, 511
– Przyjaciół Nauk 302, 315, 362
– Rolnicze 351, 352
– Ubezpieczeń „Rosja" 399, *430*
– Wzajemnego Kredytu 404
– Zachęty Sztuk Pięknych „Zachęta" 337, 343, 387, 397, 404, 409, 411, 464, 465, 475, 476, 480, 597, 614, *411, 426, 555*
Towiański Andrzej 128
trakt Belwederski 200
– Brzeski (szosa) 296, 310, 355
– Czerski, patrz droga Czerska
– Kaliski 246, 297
– Krakowski 163, 294, 296
– Królewski 529, 533
– Lubelski 296
– Radomski *334*
– Radzymiński 296
– Zakroczymski 116
Trasa Łazienkowska 556, 590, *51, 598, XXX*
– N-S 370, 538, 546
– Toruńska 556, 591
– W-Z 9, 221, 224, 322, 530, 532, 533, 535, 538, 556, 560, *573, 623, XXIV*
Traugutt Romuald 355, 356, 390
Trąmpczyński Wojciech 499
Treblinka 496, 498, 500, 503, 521, *527*
Tregierowie 59
Trelpiński Jan 96
Trembecki Stanisław 183
Trenarowski J. *618*
Trepkowski Tadeusz 592, 595, 614, *656*
Trepow Fiodor 355
Trębicki Antoni 168
Tricjusz Jan 161
Trojanowski Edward 408
– Wincenty 408
Trojden, książę 30, 31, 33, 38, *7*
Troschel Wilhelm 345
Trójmiasto 587, 618
Truskolascy 188
Truskolaska Agnieszka Marianna z Marunowskich 260
Truszyński Olgierd *653*
Trylski Witold 499
Trzaska, wydawca 445, 573
Trzciński Mieczysław *XXIII*
Trzebiński Andrzej, pseud. „Jarociński" 505, 612
Tułodziecki Wacław 490, *520*
tunel średnicowy 532, 570
– W-Z, patrz Trasa W-Z
Turcja 254, 372
Turczynowicz Roman 345
Turczyński Józef 456, 457
Turkow Zygmunt 452, 453
Turno Karol 315
Turyn 157
Tuwim Julian 446, *463*
Twardowski Samuel 93, 96, 157
Tych Feliks *417*
Tycjan 107
Tyłkowski Wojciech 96
Tym Bałtazar 101
– Daniel 59, 68
Tymiński, wojewoda 484
Tyłkowski Wojciech 96, 127
Tylman z Gameren 115, 118, 131, 135, 138, 141, 144, 145, 147, 148, 151, 152, 156, 159, 190, 196, 200, 210, *144, 146, 147, 151*
Tylmer Jan 165
Tylża 263, 264, 268
Tymoszewski Zbigniew 612
Tyrod Niklos 41
Tyszkiewicz Iwan 58

– Ludwik 215
– Teresa 609
Tyszkiewiczówna Anna Potocka, patrz Potocka-Wąsowiczowa

Uchański Arnolf *18*
– Jakub 70
Ujazdów 10, 21–25, 29, 35, 38, 57–59, 62, 70, 85, 102, 110, 120, 141, 148, 152, 164, 165, 193, 210, 318, 559, *51, 151, 152*
ujeżdżalnia w Ogrodzie Saskim, potem Giełda 295
Ukraina 365, 408
ulica Agrykola 296, 339, 458
– Aleksandria, patrz Kopernika
– Aleksandrowska, patrz Zygmuntowska
– Bagatela 312, 332, 362, 403, 452
– Bagno 24, 297, *616*
– Banacha 441, 462
– Barbary 361
– Barokowa *455*
– Barska 507
– Bednarska 263, 287, 295, 298, 322, 334, 336, 339
– Belwederska 492, 506
– Bema 505, 530
– Berga (nie istniejąca) 411
– Bernardyńska (nie istniejąca) 27, 220, *18*
– Białołęcka 110
– Bielańska 222, 223, 253, 282, 294, 297, 298, 334, 335, 367, 389, 402, 516
– Bitna 296
– Boboli 506
– Boduena 361
– Bonifraterska 296, 298, 316, 326, 506, 509
– Bracka 163, 165, 294, 296, 314, 376, 392, 394, 404, 517, *629*
– Browarna 164, 296, 322
– Brukowa 298, 326, 330, 332, 339
– Brzeska 360, 370
– Brzozowa 460, *340, 416*
– Ceglana 163, 328
– Chałubińskiego 360, 399, 463, 531, 549, *483*
– Chełmska 328, 556
– Chłodna 118, 163, 264, 294, 296–298, 325–329, 331, 492, 493, 498, 512, 522, *405*
– Chmielna 62, 116, 330, 331, 512, 532, *431, 517*
– Chocimska 508
– Chopina 402
– Ciepła 120, 163, 296
– Corazziego 294
– Czackiego 391, 399, *413, 419, 560*
– Czarneckiego 461
– Czerniakowska 164, 165, 168, 293–295, 298, 326, 330, 331, 336, 338, 362, 367, 371, 372, 379, 383, 400, 463, *337, 342*
– Czerwonego Krzyża 361, 451
– Czysta, patrz Ossolińskich
– Daniłowiczowska 253, 300, 394, 402, 511
– Długa (Szeroka) 30, 59, 89, 124, 125, 132, 138, 165, 173, 216, 222, 254, 257, 260, 266, 274, 276, 280, 295–298, 300, 303, 304, 306, 317, 329, 334, 352, 400, 452, 453, 500, 501, 504, *138, 139, 243*
ulica Dobra 164, 298, 322, 326, 334
– do Przewozu, patrz Mostowa
– Drewniana 118
– Dunaj 27, 72, 259, 376
– Dworkowa 514
– Dziekania 27
– Dziekanka 339
– Dziekańska, patrz Trębacka
– Dzielna 163, 329, 492, 513, 515, 538
– Dzika 224, 264, 294, 296–298, 306, 326, 328, 360, 376
– Elbląska 219
– Elektoralna 118, 166, 254, 262, 285, 294, 296–298, 304, 323, 327, 332, 488, *389*
– Esplanadowa 360
– Fabryczna 326, 383
– Fawory 165, 296–298
– Filtrowa 503
– Foksal 163, 392, 397, *420, 428*
– Franciszkańska 222, 296–298, 326, 330
– Frascati 392
– Fredry 397, 399, *484*
– Freta 27, 29, 111, 222, 246, 283, 516, *502*
– Furmańska 296, *341*
– Gęsia 163, 168, 278, 294, 296, 326, 328, 360, 505

– Głęboka 296
– Gnojna 296
– Gołębia 376
– Górczewska 506
– Górna, patrz Górnośląska
– Górnośląska 218, 326, 338, 377, 460, 463
– Górskiego 396, 399, 511, *424*
– Graniczna 118, 296–298, 367, *553*
– Grochowska 287, 296, 417, 463, 519, *310*
– Grodzka 27
– Grottgera 506
– Grójecka 294, 296, 404, 505, 507
– Grzybowska 296, 298, 328, 332, 334, 336, 372, 400
– Gwiaździsta 336
– Hibnera 397, 399
– Hipoteczna 404, 450
– Hortensji, patrz Górskiego
– Hoża 323, 325, 328, 331, 332, 336, 360, 371, 403
– Inflancka 165
– Instytutowa, patrz Matejki
– Inżynierska 619
– Jagiellońska 298, 326, 333, 380, 505
– Jasna 163, 200, 334, 337, 361, 394, 397, 403, 451–453, *427*
– Jezuicka 42, 175, 277
– Kacza 163
– Kaliska 514
– Kamienne Schodki *340*
– Kanonia 27, 256, 260, 276, 277
– Karasia 403
– Karmelicka 332
– Karolkowa 332, 376, 508
– Karowa 165, 322, 323, 361, 397, 400, 446, *333, 432*
– Kasprzaka 547
– Katowicka 461
– Kawęczyńska 402
– Kazimierzowska 514
– Kępna 326, 505
– Kijowska 322, 339
– Kilińskiego 507, 516
– Klonowa 164
– Kłopot 326
– Kniewskiego 549
– Kolejowa 496
– Komarowa 544
– Komitetowa 338
– Konwiktorska 294
– Kopernika 118, 294, 298, 334, 391, 450, 549
– Koszykowa 293, 335, 360, 386, 394, 400, 402, 404, 463, 484, 492, 511, 522, 549, 619, *435*
– Kotzebue, patrz Fredry
– Kozia 303, 335, 396
– Krakowskie Przedmieście 30, 42, 86, 87, 93, 97, 100, 101, 109–111, 115, 118, 119, 124, 126, 156, 165, 192, 200, 215, 216, 220, 221, 233, 252, 253, 258, 259, 261–264, 273, 274, 277, 280, 282, 283, 295, 296, 299, 300, 302, 303, 314, 316, 318, 322, 323, 325, 326, 330, 332, 334, 336, 337–339, 343, 350, 352, 353, 379, 385, 387, 391, 392, 397, 399, 411, 463, 488, 495, 529, 530, 532, 533, 547, 560, *171, 197, 242, 250, 273, 274, 333, 385, 429, 458, 544, 618, XIII*
– Krasińskiego 505
– Kredytowa 336, 338, 402, 411
– Krochmalna 296, 328, 330
– Królewska 118, 119, 163, 165, 191, 192, 200, 226, 259, 264, 274, 277, 294, 295, 298, 314, 327, 331, 332, 338, 339, 343, 362, 379, 399, 411, 452, 480, 532, 597, 608, 609, 617, *553*
– Krucza 325, 332, 505, 531, 547, 629
– Książęca 116, 165, 220, 298, 299, 325, 332, 367, 383
– Leopoldyny 360
– Leszczyńska 118, 164, 384
– Leszno 97, 133, 195, 223, 228, 257, 264, 275, 297, 298, 305, 306, 318, 328, 349, 352, 391, 452, 505–507, 513
– Libawska 219
– Lipowa 164
– 11 Listopada 508
– Litewska 335
– Ludna 219, 299, 328, 383, 400
– Lwowska 555
– Łazarzowska, patrz Senatorska
– Madalińskiego 505
– Marchlewskiego (Trasa N-S) 538, 557
– Mariańska 332, 338
– Mariensztat 163, 296

ulica Marszałkowska 116, 163, 164, 200, 294–296, 298, 318, 322, 325, 328, 330–332, 334–339, 360, 362, 371, 379, 394, 396, 399, 453, 462, 499, 502, 520, 529, 530, 532, 535, 538, 539, 547–549, 617, 619, *430, 472, 511, 516, 517, 606*
- Marymoncka 316, 463
- Matejki 326, 338
- Mazowiecka 118, 200, 294, 297, 298, 336, 338, 402, 492, 517, 617, *560*
- Mickiewicza 463
- Miła 326, 503
- Mińska 370
- Miodowa 110, 115, 128, 138, 148, 165, 172, 173, 221, 251, 254, 260, 264, 265, 273, 274, 277, 278, 285, 288, 296, 300, 301, 303, 314, 338, 350, 367, 391, 396, 507, 511, *199, 212, 249*
- Miodownicza 30
- Młynarska 296–298, 315, 326, 338, 505, 513, *606*
- Mokotowska 164, 165, 325, 330, 332, 336, 403, 505, 555
- Moliera 294, 297, 298, 334
- Moniuszki 361, 503
- Mostowa 30, 111, 222, 314, 501, *540*
- Mszczonowska 499
- Muranowska 165, 298, 326
- Myśliwiecka 218, 296, 336, 460
- Nabielaka 506
- Nalewki 24, 116, 274, 293, 296–298, 311, 318, 325, 400, 491
- Napoleona, patrz Miodowa
- Narbutta 514
- Natolińska 361
- Niecała 297, 298, 322, 339
- Niegolewskiego 461
- Niska 326, 328
- Nowa Marszałkowska, patrz Nowotki
- Nowiniarska 296, 298
- Nowogrodzka 116, 322, 325, 337, 360, 367, 399, 456, 460, 503, 505, 511, 512, *480*
- Nowolipie 254, 261, 296, 360, 371
- Nowolipki 163, 296, 360, 397, 503
- Nowomiejska 40, 70, 72, 326, 352, *120, 615*
- Nowosenatorska, patrz Moliera
- Nowotki 532, 538
- Nowomiejska 164, 165, 208, 293, 328, 335, 338, 399, 458, 463, 511, 547
- Nowy Świat 62, 116, 118, 138, 163, 165, 170, 192, 205, 253, 273, 274, 283, 287, 294–298, 301, 303, 306, 309, 318, 325, 326, 330, 331, 333, 334, 355, 360, 383, 446, 453, 488, 489, 505, 506, 529, 533, 547, 560, *273, 289, 353, 403, 438, 578, 609*
- Nowy Zjazd 322, 330, 379, *377, 410*
- Obozowa 458
- Obożna 397, 430, 451
- Oczki 360, 399
- Odyńca 538
- Ogrodowa 163, 330, 332
- Okopowa 25, 164, 338, 362, 370, 371, 463, 513
- Okólnik 434, 456
- Okrąg 383
- Olszowa 332
- Ordona 547
- Ordynacka 118, 163, 165, 326, 402
- Ossolińskich 116, 294
- Panieńska 274, 336
- Pankiewicza 331, 360
- Pańska 315, 331, 332, 509
- Pawia 163, 326, 329
- Piekarska 27, 34, 39
- Pieńkowska 219
- Piesza 264, 327
- Piękna 304, 326, 332, 335, 399, 505, 507
- Piusa XI, patrz Piękna
- Piwna 27, 42, 43, 79, 100, 222, 228, 276, 326, *576, 577*
- Plantowa 367
- Płocka 357, 505
- Podskarbińska 496, 509
- Podwale 166, 222, 227, 239, 254, 259, 279, 326, 511
- Pokorna 165, 294, 316, 332
- Polna 164, 294, 360, 389, 555, *400*
- Powązkowska 219
- Poznańska 164, 325, 328, 338, 360, 367, 402, *434*
- Prosta 118, 331
- Próżna 163, 332
- Przechodnia 200

- Przedmieście Czerskie, patrz Krakowskie Przedmieście
- Przejazd 261, 296, 298, 516
- Przemysłowa 360, 383
- Przyokopowa, patrz Nowowiejska
- Przyrynek 61, 296
- Puławska 219, 296, 361, 417, 463, 492, 506, 508, 547, 559, 619, *485*
- Racławicka 485
- Radna 164
- Radziwiłłowska, patrz Ossolińskich
- Radzymińska 506, 509
- Rakowiecka 361, 400, 441, 461, 507, 514, 555, *481*
- Raszyńska 293
- Ratuszowa 306, 336
- Rozbrat 326, 331, 338, 463
- Rutkowskiego 399, 402
- Rybaki 222, 326, 383, *346*
- Rycerska 222
- Rymarska 280, 294, 323 *
- Rysia 360
- Rzymska 463
- Sadowa 361
- Senatorska 30, 110, 111, 115, 165, 166, 204, 215, 221, 222, 230, 252, 259, 262, 264, 273, 274, 277, 280, 282, 294, 296–298, 300, 303, 338, 377, 394, 402, 504, 511, *199, 241*
- Sękocińska 485
- Sienkiewicza 361, 399
- Sienna 118, 315, 376
- Skaryszewska 360, 494, 509
- Składowa, patrz Pankiewicza
- Słowackiego 512, 546
- Służewska 361, 402
- Smocza 253, 278, 328
- Smolna 118, 168, 356, 383, 391
- Solec 20, 118, 164, 165, 219, 295, 299, 326, 327, 330, 338, 361, 383, 389, 461, 506, 508, *337*
- Solna 163, 296
- Sosnowa 492
- Sowia 296
- Spadek 295, 296, 322
- Spiska 504, *523*
- Sprzeczna 326
- Srebrna₁ 360
- Stalingradzka 298, 336
- Stalowa 367
- Starynkiewicza 360, 376
- Stawki 116, 294, 376, 498, 514, 557
- Strzelecka 339
- Sucha 360
- Suzina 619, *482*
- Szara 326, 331, 360
- Szczygla 118
- Szeroka, patrz Jagiellońska i Stalingradzka
- Szeroki Dunaj 27, 68, 326
- Szpitalna 294, 367, 396, *424*
- Szucha, patrz. Al. I Armii Wojska Polskiego
- Szwedzka 367, 619
- Śliska 118
- Śniadeckich 511, 555
- Świerczewskiego 339, 505, 506
- św. Kingi 513
- Świętojańska 70, 97, 128, 233, 261, 317, 329, 353
- Świętojerska 166, 222, 297–300, 326, 367
- Świętokrzyska 68, 118, 163, 200, 297–299, 327, 360, 506, 547, 549
- Tamka 61, 118, 163–165, 296, 298, 326, 508
- Targowa 164, 274, 298, 326, 332, 339, 377, 379, 423, 460, 505, 508, 530
- Tłomackie 298, 302, 367, 391
- Topiel 118, 296, 326
- Topolowa *448*
- Toruńska 110, 499
- Towarowa 164, 370, 489, 499, 506, 532
- Traugutta 402, 411
- Trębacka 115, 263, 298, 334, 394, 396
- Twarda 296, 315, 332, 507
- Ursynowska 488
- Walecznych 600
- Walicόw 298
- Wałowa 376
- Warecka 116, 118, 165
- Wawelska 441, 505, 514, 515, 547, 591
- Wąski Dunaj 166, *615*
- Widok 116, 326, 334
- Wiejska 296, 304, 326, 333, 338, 383

- Wielka, patrz Poznańska
- Wierzbowa 271, 282, 294, 297, 325, 367, 410, 411, 453, 506, 511
- Wierzbowska, patrz Ossolińskich
- Wilcza 163, 325, 504
- Wileńska 322, 332, 339, 360, 379, 530
- Wiślana 164, 298
- Włodzimierska, patrz Czackiego
- Włościańska 328
- Wolność 163
- Wolska 164, 296–298, 330, 332, 397, 417, 486, 505–507, 513, *390*
- Wołowa, patrz Targowa
- Wołowa (na Nowym Mieście) 326
- Wronia 328, 332
- Wróbla, patrz Kopernika
- Wspólna 116, 294, 360, 367
- Wybrzeże Kościuszkowskie 361, 434
- Wyspiańskiego *479*
- Zajęcza 118
- Zakroczymska 27, 165, 198, 200, 264, 294, 297, 298, 341
- Zamoyskiego 283
- Zapiecek 617
- Ząbkowska 370
- Zgoda 116, 332, 360, 399, 403
- Zielna 163, 200, 338, 377, 509, 511, 512, *558*
- Zielona 164, 297, 298
- Zimna 296
- Złota 116, 118, 332, 492, 505
- Zygmuntowska 336, 379, *515*
- Żabia 118, 200, 296–298, 391
- Żelazna 62, 120, 296, 297, 325, 328, 331, 332, 512, 547, 549, *391*
- Żurawia 294, 325, 332, 338, 360, 394, 549
- Żydowska, zw. później Baryczkowską 34
- Żytnia 163
Ulm 45
Ulrychowicz Zygmunt 92
Umiastowski Roman 485
Umińska Eugenia 456, 457
Umiński Jan Napomucen 305, 314
Ungar Imre 456
Unger Gracjan 397, 404
- Józef 348
Uniłowski Zbigniew 449, *466*
Uniński Aleksander 456
Uniwersam „Grochów" 558
Uniwersytet dla Wszystkich 386
- Ludowy Polskiej Macierzy Szkolnej 386, 433, 434
- rosyjski 385
- Powszechny 433, 439
- Warszawski 259, 277, 280, 283, 286, 288, 291, 301, 302, 304, 313, 315, 316, 339, 341, 348, 353, 385, 413, 433, 434, 436, 441, 490, 493, 505, 509, 511, 518, 546, 572, *466, 534*
- – Audytorium Maximum 511
- Ziem Zachodnich 493, 505, 507
Urbaniec Maciej 614
Urbanowicz Bohdan 592, 606, 607, 614, *632*
Urban VII 161
Urbański Piotr 295
Ursus 463, 542, 589, *450*
Ursynowskie Centrum Onkologii 559, 591
Ursynów 10, 304, 542, 546, 591
- Natolin 559, 560, 591
- Południowy *601*
- Północny 559
Utkin Bolesław 609
Uruski Seweryn 334
Urząd m. st. Warszawy *620*
- Rady Ministrów 385
Ustronie 216, 218
Utrata (rzeka, dawniej Mrowa, Ruowa) 18, 22

Vauban Henrietta de 254
Verdi Giuseppe 345
Vicenza 217, 222
Victor Claude Perrin, książę de Bellune 271
Viollet-le-Duc Eugène 336
Vivier Teodor 253
Vogel Zygmunt 245, 276, 277, 289, 291, *202, 253, 285, 289, 352, 357*
Vormann von, gen. niemiecki 515
Vries Adrian de 101
Vršovce 25

Wacławek Zbigniew 559
waga miejska 27, 64
Wagner Otto, junior 402
Wajda Andrzej 613
Walbach Melchior 64, 59
Walbachowie 36
Walden Jerzy 452
Walenty z Malborka 107
Walicki Bazyli 189
Wall Józef 245
Wallenstein Albrecht Wenzel Euzebiusz von 101
wał Gocławski 486
– Miedzeszyński 505, 509
– Zygmuntowski 59, 61, 86, 109, 118
Wałek-CzarneckiTadeusz 443
Wandurski Witold 430, 448, 465
Wańkowicz Melchior 445
Wapowski Bernard 55
Warchałowski Edward 442
– Jerzy 480
Warka 59, 110, 122, 515, 517
Warmia 122, 123, 247
Warmiński Janusz 662
Warsz 25
Warszawska Szkoła Guwernantek 302
Warszawski Instytut Filozoficzny 435
– Okręg Przemysłowy 542, 581
– Zespół Leśny 553
– Zespół Miejski 528, 532, 533, 535, 540, 542, 543, 546, 550, 551, 576, 581, 589
– Zespół Nauki (Warszawskie Zgrupowanie Nauki) 558, 591, 602
– Zespół Wypoczynkowy „Świder-bis" 558
Warszawskie Towarzystwo Wioślarskie 397, 428
Warszycki Paweł 62
Waryński Ludwik 389
Wasilewska Wanda 430, 432, 447, 449
Wasilkowski Leopold 399
Wasiutyński Aleksander 441
Wasyl Szujski, car 58, 97
Waszkowski Aleksander 355, 356
Wat Aleksander 436, 447
Watsonowie 123
Watteau Antoine 244, 245
Wawelberg Hipolit 385, 444, 572
Wawelbergowie 376
Wawer 310, 311, 491, 496, 507, 328
Wawrzecki Marian 408
Wawrzyniak Franciszek, pseud. „Faja" 498
Wawrzynowicz Ludwik 457
Wawrzyszew 23, 559
Wazowie 68, 79, 82, 89, 91, 95, 101, 107, 108, 125, 132, 149
Ważyk Adam 447
Wąsowicz Wacław 465, 473
– Dunin Stanisław 271
Wąsowiczowa Anna, patrz Potocka-Wąsowiczowa
Wąsowski Bartłomiej 156
Wdowicki Waldemar 612, 617
Weber, gen. niemiecki 519
– Carl Maria von 302
Wedel Emil 367
Weffels Ernst 505
Wegner Czesław 545, 548
– S., malarz 609
Weichert Michał 452, 453
Weiss Stanisław 403
Wejchert Kazimierz 548
Wejnert Aleksander 347
Welcz Hieronim 92
Welder Romuald 559
Weloński Pius 399, 408, 409, 411
Wendessen Baltazar Ludwik von 255
Wenzel Fryderyk Wilhelm 492
Wergiliusz 153, 161
Wermińska Wanda 454, 457
Werniccy 362
Wernicki 393
Wertheim Juliusz 385, 454
Wertheimowie 376
Werther von, pruski prezydent Warszawy 256
Wesoła 589
Wettinowie 165, 191
Węcki, wydawca 300
Wędziagolski Paweł 460
Węgierko Aleksander 435, 451

Węgrów 122, 148, 158
Węgry 71, 122, 495
Węgrzecki Stanisław 266, 267, 271–273, 309
Węgrzyn Józef 435, 451
Wężyk Franciszek 304
wiadukt im. Stanisława Markiewicza 400, 432
– im. ks. Józefa Poniatowskiego 400, 506, 555
– kolejowy nad ul. Solec 461
– na ul. Karowej 411
– Pancera 322, 532
Wiązownia 509
Wiciński Henryk 613
Widawski Jarosław 6
Wiedeń 53, 240, 241, 243, 272, 363, 383, 385, 408–411, 435
Wielhorscy 274
Wielhorski Czesław 614
– Michał 271
Wielikonow, arch. radziecki 539
Wieliszew 30
Wielka Brytania, patrz Anglia
Wielka Wola 30, 57, 59, 62, 111, 115, 118
Wielka Oficyna 213, 339
Wielkie Księstwo Litewskie, patrz Litwa
Wielopole 119, 120, 200
Wielkopolska 36, 59, 60, 110, 122, 174, 254
Wielopolska, kanclerzyna 118
Wielopolski Aleksander 346, 348, 352–355, 383
– Jan 121
Wieluń 36
Wieluński Stanisław 126
Wieniawski Adam 456
– Henryk 387, 456
Wieprz 311
Wiercińska Maria 509
Wierciński Edmund 451
Wierusz-Kowalski Józef 442
Wierzbicki Eugeniusz 529, 531, 538
Wierzbowski Stefan 116
Wierzbno 126, 309, 335, 391, 544, 327, 585
Wietor, drukarz 92
Wierzyński Hieronim 499
– Kazimierz 446, 459
wieża Bramna (Biała) 72
– Dworzan (Krakowska) 39
– ks. Janusza Starszego 6
– Kwadratowa 6
– Łaziebna (Nowomiejska) 33, 39
– Marszałkowska 39, 125
Prochowa 39
– Wielka (Grodzka) 27, 38, 39, 18
– Zegarowa 81, 554
– Zygmuntowska 107, 294
– Żuraw 38
Więcek Magdalena 613, 616, 649
Wigry 148
Wilanów, dawniej Milanów 9, 59, 116, 121, 126, 127, 135, 138, 142, 149, 152–154, 156, 157, 159, 161, 162, 192, 193, 198, 200, 226, 231, 244, 267, 272, 330, 335, 336, 416, 417, 505, 546, 556, 615, 113, 140–144, 168, 169, 172, 175, 176, VIII
Wilhelm holenderski 306
Wilhelm pruski 352
Wilk Jan, zw. Hanusem 35
– Kałęcki Jan 78, 92, 100
– Kasper 35
Wilkowie (ród) 32, 35
Wilkoński August 348, 350
willa Bacciarellego 393
– Blanka na Faworach 167
– Lilpopów 362
– Łyszkiewicza 251
– Marconich „Pod Karczochem" 392
– H. Marconiego 336
– Nagórnego 393
– Wilhelma Rauna 362, 393, 421
– Sobańskich 362, 393
– Wernickich 362, 393
Wilno 34–36, 43, 51, 59, 64, 78, 89, 97, 122, 157, 173, 177, 185, 286, 304, 362, 441, 444
Wiłkomirska Maria 456
Wiłkomirski Kazimierz 456
Wiłucki Jerzy 265
Winawer Karol 432
Wincze Czesław 602
Winiarski Ryszard 639
Winnica 9, 73, 370

Winniccy 600
Winnicka Wanda 612
Wirtemberska Maria z Czartoryskich 303
Wirzbięta Maciej 92
Wisłostrada 556
Wisnowska Maria 409
Wiśniowieccy 118, 124, 294
Witernicki Zachariasz 126
Withoff Franciszek 124
– Gerhard 124, 125
Withoffowie 123
Witkiewicz Stanisław 402, 404, 405
– Stanisław Ignacy 447, 464, 623
Witkowski Romuald Kamil 464, 465, 606, 609, 490
Witte Fiodor 356
– Karol 350
Wittenberg Arvid 110, 111, 113
Wittig Edward 412, 465, 608
Wittlin Jerzy 464
Wituński Szymon 92
Witwicki Stefan 303
Witz Ignacy 592, 600, 607, 609, 612
Wkra 553
Władysław Jagiełło 34, 105, 106
Władysław IV Waza 59, 79, 81, 85, 87, 89, 91, 94–97, 100–103, 105–108, 127, 50, 106, 113
Władysław z Gielniowa 51, 97, 232, 239, 249, 44
Włochy (dzielnica) 62, 370, 485, 493, 498
Włochy 57, 64, 92, 93, 101, 105, 107, 123, 138, 156, 191, 194, 201, 257, 258, 261, 306, 352, 405, 411, 436, 465, 509
Włocławek 313, 322
Włodarscy 600
Włodarski Marek 606, 607, 609
Włodarz Aleksandra 546
– Eugenia 491
Włodek Tadeusz 179
Wnuk Marian 478, 613
Wocjan Stanisław 606
Wodyńscy 18
Wojciech, ławnik 53
Wojciech zw. Kuzma, kasztelan 17
Wojciechowski Jarosław 402
– Stanisław 499
Wojde Aleksander 393
Wojeński Teofil 490, 520
Wojskowy Instytut Geograficzny 463, 512
Wojtkiewicz Witold 417
Wojtowicz Bazyli 478
Wojtysiak L. 550
– Wojciech 550
Wola 7, 10, 13, 59, 113, 148, 164–166, 174, 192, 200, 208, 263, 272, 275, 297, 299, 314, 315, 318, 326–328, 332, 336, 338, 352, 357, 360, 361, 367, 368, 370, 389, 390, 415, 416, 420, 440, 448, 457, 485, 486, 499, 514–516, 521, 529, 535, 553, 556, 585, 562, IX
Wolff August Robert 399, 446, 573
– Ferdynand August 277, 289
– Jerzy 606, 637
– Karol 166, 249
Wolfke Mieczysław 442
Wolica Andrzej 449, 466
Woliński Adolf 332, 335, 391, 393, 394, 404
Wolna Wszechnica Polska, dawniej Towarzystwo Kursów Naukowych 386, 413, 434, 441, 461, 505
Wolscy 18
Wolska Barbara, żona Stanisława 78
Wolski Mikołaj 78, 74
– Łukasz 402
– Stanisław 78, 74
– Włodzimierz 343, 349, 350
Wołczyńscy 116
Wołkow Mikołaj 341
Wołomin 370, 515, 542, 589
Wołoszczyzna 123
Wołyń 365
Wood Aleksander 123
Woronicz Jan Paweł 260
Woszczerowicz Jacek 451
Woyda Karol 304, 306
Woydyga Jan 400, 411
Woytowicz Bolesław 456
Woźnicki Stanisław 480
Wójcicki Kazimierz Władysław 313, 347
Wólka Burakowska 62
Wrocław 34–36, 59, 64, 91, 92, 159, 251, 252, 587, 614, 618

Wrona 551, 533
Wróblewski, cukiernik 367
– Andrzej 609, 613
Wybicki Józef 262
Wycech Czesław 490, 520
Wyczółkowski Leon 404, 407
Wydżga Stefan 118
Wyhowski Aleksander 158
Wyka Kazimierz 620
Wyporek Barbara 550
– Bogdan 550
Wyrzykowski Marian 451
Wysocka Stanisława 435, 451, 452
– Tacjanna 504
Wysocki Piotr 305, 306
Wyspiański Stanisław 450, 508
Wyssogota-Zakrzewski Ignacy 171, 173, 263
Wyszków 518
Wyszogród 19, 558
Wytwórnia Papierów Wartościowych 463
Wyżewski Hipolit 261
Wyższa Szkoła Dziennikarska 441
– Szkoła Handlowa 413, 441, 461, 481
– Szkoła Muzyczna im. Fryderyka Chopina 441, 456, 622
– Szkoła Rolnicza 434
Wyższe Handlowe Kursy Żeńskie 435
– Kursy Handlowe im. A. Zielińskiego 434
– Kursy Pedagogiczne dla Kobiet 435
– Kursy Pedagogiczne Żeńskie Katolickiego Związku Kobiet 435

Zabiełło Józef 173
Zabierzowski Aleksander 392
Zabłocki Franciszek 179, 188
Zabłotni 60
Zaborowski Andrzej 614, 616
Zaborski J., arch. 559
Zabrzeski Karol 128
Zacisze 13
Zachariaszewicze 123
„Zachęta", patrz Towarzystwo Zachęty Sztuk Plastycznych
Zachodni Rejon Centrum 547, 549, 550, 553, 556, 557, 558, 596
Zachodnia Dzielnica Przemysłowa 529
Zachodnie Al. Jerozolimskie (dzielnica) 544
Zachwatowicz Jan 522, 523, 525, 533
Zadzik Jakub 89
Zagłębie Dąbrowskie 365, 429, 562
Zagórski Adam 453
Zahorska Elżbieta 491
Zajączek Józef 174, 289, 294
Zajlich Piotr 454
Zak Eugeniusz 465, 608
– Jakub 456
Zakład i Kościół Nazaretanek 463
– Mechaniczny im. Nowotki 578
– Położniczy im. ks. Anny Mazowieckiej 400
– Ubezpieczeń Społecznych 461
Zakłady Przemysłu Farmaceutycznego „Polfa" w Tarchominie 575, 626
– Odzieżowego „Cora" 575
– Radiowe im. Marcina Kasprzaka 578, 627
Zakroczym 19, 59, 110, 111, 122, 553
Zakrzewski, przemysłowiec 326
– Kazimierz 494
– Konstanty 443
– Paweł 101

Zakrzewski Włodzimierz 592
Zalesia (rzeka) 546
Zalescy 59, 68
Zaleski Bohdan 304
Zaleski Marcin 318, 319, 327, 328, 367, XVI
– Stanisław 68
Zalew Zegrzyński 546, 553
Zalewski Wacław 548
Zaliwski Bartłomiej 78
– Józef 305, 306, 314
Załuscy 192
Załuska Ludwika z Ossolińskich 232
Załuski Andrzej Stanisław 192
– Aleksander Józef 232
– Józef Andrzej 183, 192
– Łukasz Bartłomiej 199
Zamecznik Stanisław 614
– Wojciech 614
Zamek Jazdowski (Ujazdowski) 8, 22, 57, 59, 67, 80–82, 94, 101, 107, 120, 126, 141, 150, 164, 203, 205, 206, 208, 209, 224, 242, 243, 555, 15, 82, 83, 224
– książęcy (gród) 25, 31, 33, 34, 37–39, 47, 49, 56, 57
– Królewski 8, 24, 27, 38, 57–59, 67, 68, 71, 75, 79–82, 84, 85, 87, 89, 93–95, 97, 98, 101, 105, 108–111, 113, 115, 125–127, 148–150, 168, 175, 183, 193, 199, 200, 202, 203, 205, 206, 208, 209, 213, 214, 216, 222, 226, 230, 231, 234, 235, 239–243, 246, 253, 256, 263, 264, 267, 271, 272, 274, 275, 279, 283, 294, 310–314, 316, 330, 347, 350, 352, 409, 411, 486, 490, 511, 520, 522, 533, 535, 547, 554, 555, 590, 6, 48, 49, 58, 71, 79, 80, 192, 193, 214, 222, 225–232, 254, 255, 265, 266, 270, 275–277, 380, 518, VI
Zamoyski Jan 475
Zamojszczyzna 499
Zamość 71, 122, 305
Zamoyscy 303, 385
Zamoyska Zofia z Czartoryskich 303
Zamoyski Andrzej 287, 309, 326, 331, 338, 350, 353, 354, 367
– Jan 94
– Jan Jakub 163
– Konstanty 420
– Stanisław 280, 287
Zaorski Jan 493
Zappio Dawid 128
„Zaremba" rtm. 511
Zaremba Zygmunt 429
Zarembina Natalia 496
Zarębska T. 58
Zaruba Jerzy 592, 608
Zasławski Aleksander 118
Zatrasie (osiedle) 545
Zawady 20, 62
Zawadzka Magdalena 261
Zawadzki Stanisław 203, 204, 218, 224
Zawadzki, wydawca 300
Zawidzki Jan 441
Zawistowski Władysław 447, 453
Zawisza Artur 350, 329
Za Żelazną Bramą (osiedle) 545, 587
Ząbki 310, 542, 589
Zbitkawer Szmul 298
Zboińska-Ruszkowska Helena 454
Zborowski Brunon 462
Zbójna Góra 14
Zbrożyna Barbara 613
Zbylitowski Andrzej 94
Zdanowicz Jerzy 544
Zefrens (Seffrens) Jan 156
Zebrzeski Karol 128

Zegrze 289
Zeisel Sebastian 198, 230
Zelwerowicz Aleksander 435, 451, 608
Zemła Gustaw 613
Zeydler-Zborowski K. 604
Zielińska H. 552
Zieliński Andrzej 434, 435, 558
– Tadeusz 614,
Zielonka 491, 542, 553, 589
Ziemski Karol, pseud. „Wachnowski" 515, 516
– Rajmund 616, 646
Zientalewicz Franciszek 126
Ziębowiczowie 123
Zimińska Mira 451
Złota (osiedle) 545
Zmorski Roman 349
Znaniecki Florian 443
ZSRR 427, 446, 466, 494, 495, 579, 583
Zubrzycki Franciszek, pseud. „Mały Franek" 496, 526
Zug Bogumił Szymon 201, 203–205, 214, 215, 217, 219–224, 252
Zulauf Juliusz Stefan 486
Zyberk-Platerowa Cecylia 399
Zygmunt August 57, 67, 71, 72, 75, 80, 91–93
Zygmunt I Stary 37, 56, 57, 74, 78, 91, 106
Zygmunt III Waza 57, 58, 78–80, 82, 84, 85, 87, 91, 92, 94, 95, 97, 98, 101, 104, 105, 107, 108, 112, 114, V
Zygmunt Kazimierz, syn Zygmunta III 105, 107

Żaczkowski, urbanista 274
Żakowski Juliusz 462
Żarnowerówna Teresa 461, 466, 467
Żarski Tadeusz 429
– Władysław 350
Żaryn Stanisław 11, 12
Żebrowski Walenty 239
Żelazna Wola 411
Żelazowski Roman 387
Żelechów 122
Żeleński Tadeusz, pseud. „Boy" 436, 447, 453, 464
– Władysław 387
Żelewski Erich von dem Bach 515, 518, 521
Żerań 9, 62, 110, 529, 535, 556, 591, 625
Żeromski Stefan 432, 447, 454
Żmichowska Narcyza 347, 350
Żochowicz-Brodzic Bronisław 392
Żoliborz 7, 10, 13, 20, 23, 62, 111, 113, 116, 163–165, 264, 294, 296, 297, 316, 318, 357, 415, 417, 420, 489, 493, 495, 496, 505, 506, 508, 509, 511, 512, 516, 517, 532, 545, 546, 553, 555, 566, 585
– oficerski 460
– urzędniczy 460
Żongołłowicz Eugeniusz 486
Żółkiew 152, 159
Żółkiewski Stanisław 97
Żółkowski Alojzy Fortunat (ojciec) 278, 301, 302, 304
– Alojzy (syn) 345, 387, 411
Żórawski Kazimierz 441
Żuczkowska-Halpertowa Leontyna 302, 345
Żukowski Jan Ludwik 313
Żuliński Roman 356
Żurawski Juliusz 463
Żwirko Franciszek 454
Żychniewicz Władysław 400
„Życie Warszawy" 462
Żymierski Michał, pseud. „Rola" 507
Żymirski Jan 310
Żyrardów 328, 370, 517
Żytomierz 348
Żywny Wojciech 303